JN146521

調剤学総論

改訂14版

薬学博士　堀岡正義　原著

調剤学総論編集委員会　改訂

南山堂

元日本大学教授
元九州大学病院 薬剤部長

堀岡正義

調剤学総論編集委員会

折井孝男 NTT 東日本関東病院薬剤部 Senior pharmacist
東京医療保健大学大学院 臨床教授

二神幸次郎 元福岡大学薬学部 教授
元福岡大学病院 薬剤部長

山本信夫 保生堂薬局

大谷壽一 慶應義塾大学医学部 教授
慶應義塾大学病院 薬剤部長

調剤学について従来からの経緯を記した書は，現在ではほとんどみられません．また，学ぶ機会も多いとはいえません．本書はその流れを的確に知ることができるだけでなく，最新の調剤学，調剤学に関わる領域についても知ることができます．調剤学に関わる領域とは，医薬品情報，管理・品質，剤形と製剤試験，投与法，TDM，配合と併用，適正使用，薬歴管理，服薬指導，内用薬，外用薬，注射剤の調剤から特殊医薬品，さらに，医療施設，薬局管理等，広範囲にわたります．

本書の中では“The practice of pharmacy is an art, based on science”（Sir William Oslerの言葉にあるMedicineをpharmacyに置き換えた）にみられるように，臨床を扱う薬剤師の目指すべき方向があるとしています．

AIの発展がめざましく，知識はAIにかないません．しかし，本書はその知識を「学」として体系化しています．本書を学ぶことにより，個々の施設として共通の基盤のもとに調剤の体系化を構築することができます．調剤を「学」として学ぶことは薬剤師として必須であり，薬剤師の業務からなくなることはないと考えます．AIによる情報を知識として，それを薬剤師の立場で「学」として調剤学を築き，患者に対する適切な薬物投与に関する技術を考慮した学理，薬物の側から薬物療法を評価する総合的な学問体系，そして，医療人としての倫理観，使命感を授けることも求められます．

堀岡正義先生の築かれた調剤に対する熱意は，「調剤学」としてこれからも薬剤師の知るべき一つの学問であるといえます．

私たち薬剤師は，患者のための適正な薬物療法に貢献するためにも「調剤学」を大切に薬剤師業務の基盤としていかなければなりません．

新型コロナウイルス感染症禍での改訂となりましたが「調剤学総論 改訂14版」を送り出すことができました．ある意味，印象に残る改訂作業となりました．

調剤学総論編集委員会委員各位の協力に感謝いたします．そして，なによりもコロナ禍に負けることなく健康で，最後まで細かく丁寧に改訂作業をしてくれた南山堂編集部の方々に心から感謝いたします．

2022年2月

折井孝男

改訂 14 版の序

このたび「調剤学総論 改訂 14 版」を発刊することができました．

ICT（information and communication technology），AI（artificial intelligence）が，教育の領域にもものすごい勢いで入ってきています．このことは知識がコンピュータに勝てなくなり，自らが行動し，目で見ること，手を動かして触ることが一つの武器になることを意味しています．つまり，処方箋を読み，薬剤を調剤し，監査した感覚が武器になると考えます．この感覚は，その業務に関わる創造する力につながり，今後の AI との共存に役立つものと考えます．薬剤師一人ひとりの感性が大切になります．しかし，感覚については調剤行為が徐々に機械化により DX（digital transformation）化される中，調剤という行為を「学」として，アナログ的な経験により身につけることは，言語化だけに頼るデジタルな教育（学び）とは異なるものです．言語化でき，パターン化できるものは，人がどんなに努力しても到底及ばない機能を発揮するのは明らかです．

体験，経験により知識を重視する「いかに（How）」は，調剤を薬剤師の大切な業務と考え，調剤学として本当に行いたいもの，知りたいものは何かを知るヒントになります．あるいは「なぜ（Why）」を考える材料の一環として，学びを考えることを目的としています．調剤において最も大切なのは実際の体験ですが，その実際の体験に伴う Why に目を向けるためのヒントになるといえます．このような背景の中で「調剤学総論 改訂 14 版」のための検討が始まりました．

薬剤師（薬局，病院にかかわらず）の業務から調剤を切り離すことはできません．しかし，ICT，AI などにより DX 化されつつある流れの中で，調剤を「学」として大切にする本書は薬剤師のバイブルとしての意義を有しているといえます．医療，薬物療法の急流に巻き込まれる調剤ではなく，「学」としての調剤を大切にしていかなければなりません．

本書は調剤に関わる古い文化を昔からの流れとして受け継ぐのではなく，新しい情報に基づき，若手薬剤師の新鮮な疑問に対し一緒に考えるなど，若手薬剤師の疑問を大切にし，共に回答を考え，見つけ出すことができる緻密な役割を担っているといえます．理論，評論だけを知っていてもだめであり，大切なのは「いかに（How）」だけを追求することではなく，調剤に対する「なぜ（why）」に目を向けてほしいということです．本書の役割がここにあるといえます．

初版の序

本書は1983年（昭和58年）に発行の「新調剤学」を基に，今日薬剤師に求められている調剤のあり方を追求し，また薬学生の医療薬学教育にも対応できるよう，全面的に書き改め再編纂したものである．

この十数年の間に，薬剤師は過去100年にも匹敵する大きな変革を経験した．

医薬分業が進み，薬事制度，医療制度が抜本的に改正された．医療法に医療の理念が示され，薬剤師は医療の担い手であり，その職能により医療を受ける者に対し，良質かつ適切な医療を行う責務を有することが示された．

調剤報酬，診療報酬においても，調剤のソフト的業務の評価，充実が計られ，「薬剤師の調剤」に求める方向が明確となった．

さらに，医薬品の適正使用の推進，薬剤師国家試験制度の改革，薬局業務運営ガイドラインの制定，pharmaceutical care の概念の提唱など，医薬品の責任者である薬剤師に対する役割と期待，その養成に対する社会的要請はまことに大きなものがある．

今やこれまでの薬剤師像は根本的に塗りかえられねばならない．

「新調剤学」において強調した，新しい調剤概念の確立とその実践は，今日ようやく実現しつつあるように思える．しかしながら発行後10年を経て，もう一度根本的に作り直す必要があると痛感するようになった．

その理由として，医薬品情報，薬歴管理，服薬指導を重視する新たな調剤体系，薬剤師の病棟業務，医療薬学教育の強化などが挙げられる．

今回新たな発想の下に「調剤学総論」をまとめるにあたり，つぎの諸点を重視した．

1．医療の担い手として，医療を受ける者に対し，良質かつ適切な医療を提供する責任を有する薬剤師が行う「調剤」はいかにあるべきかの追求を本書作成の基本とした．
2．医療の場において薬剤師が薬の専門家として高度な業務を行うには，薬学で学ぶ多くの知識を集積し，薬を中心として総合的に再構築することが必要である．その考え方を本書の内容にとり入れるよう努力した．
3．薬歴管理，服薬指導，TDM，注射剤調剤など調剤に関係する新たな業務に多くのスペースをとるとともに，インフォームド・コンセント，クオリティ・オブ・ライフと薬物療法の関係を考え，患者志向の調剤を目指した．

4．医薬品情報は調剤の基本であるという考えから，本書にとり上げた数多くの処方例から調剤に必要な医薬品の情報を学び得るように配慮した．
5．医療と医薬品をめぐる動きは正に日進月歩である．最新の情報は1994年1月までのものをとり入れた．
6．薬剤師法で調剤を薬剤師の主務としている以上，医療薬学もクリニカルファーマシーも調剤を原点として展開を図るべきである．本書を「調剤学総論」と名付けた意義はそこにある．
7．各論に相当する剤形別の調剤は，内用剤，外用剤，注射剤の3章にまとめた．ページ数は多くないが，要点は十分カバーしているつもりである．

本書を執筆するにあたり，膨大な調剤学の体系を作成することの困難さと，調剤の理念を文中に躍動させるには1人で執筆した方がよい，というジレンマに終始悩まされた．

幸いにしてTDMは齋藤侑也氏の全面的なご協力を仰ぎ，また多くの方々にご校閲，ご指導をいただいた．

本書に対していささかの評価が与えられるとするならば，ひとえにご協力いただいた各位のおかげである．お名前を記して深くお礼を申し上げる．

九州大学病院薬剤部，石射正英，乾　賢一，加野弘道，久保鈴子，小宮山貴子，相良悦郎，菅原和信，杉原正泰，中村　健，中山かなみ，福室憲治．

おわりに本書の発行にあたりご協力いただいた㈱南山堂 鳥海高良，門脇佳子の両氏をはじめ関係の方々に，心よりお礼を申し上げる．

1994年1月

堀岡正義

目次

A 調剤の基礎

4 医薬品情報 ……………………… 73

5 医薬品の管理 ……………………… 105

6 医薬品の品質，剤形と製剤試験 ……… 117

7 医薬品の投与法 ……… 143

B 調剤の技術

13 剤形別の調剤〔1〕内用剤 …… 361

14 剤形別の調剤〔2〕外用剤 …… 387

C 医療施設，医療保障

余 録

MEMO

A　調剤の基礎

1 序　論

1　医学と薬学，医療と薬剤師

薬学は医学と並んで人間の健康に奉仕する学問である．そして医学は主として人間の側から，薬学は物質の側から，この目的に迫るものである．薬学が専門に取り扱う物質は医薬品である．医療に関する医学，薬学の課題は，臨床に発し臨床に帰るものであり，単なる応用の場ではない[1]．

医療とは，病気を治すことではなく患者という人間を治すことである．患者に対して一方的にほどこす医療行為は，病気を治すことでしかない．それは医療とはいえない．医療行為を介して，医師や薬剤師や看護師と患者との間に信頼関係があり，健康を取り戻すことへの患者の意欲が生まれ，そこに本当の「医療」が存在する．

薬剤師は医療の担い手の一員として医薬品を取り扱い，医薬品の知識や薬学の技術を活用して調剤などの薬剤業務を行い，医療に参加することとなる（図 1-1）．薬剤師にはまず医療人としての倫理観，使命感を高揚することが要請される．医療と医療体系を知り，そのなかでの薬剤師の位置と果たすべき役割を把握する必要がある．

調剤を行うには，その前提として処方箋に記された医薬品を十分に理解する必要がある．それには個々の医薬品に関する知識を深めるとともに，評価能力を養い，かつ医薬品をめぐる各種の動向に関心をもち，それらを個々の医薬品知識に結びつけ業務への活用を図る．

調剤をはじめとする薬剤業務においては，単なる技術問題を論じたこれまでの調剤学から脱却

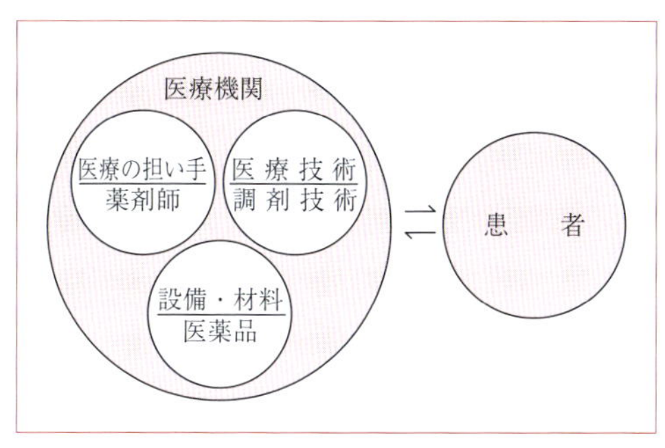

図 1-1．医療と薬剤師

して，薬学で学ぶ多くの知識を集積し，薬を中心に総合的に再構築した“科学に基づく調剤学”を確立し，それに基づいた薬剤業務を展開しなければならない．

Sir William Osler は近代臨床医学の姿について“The practice of medicine is an art, based on science”といっている．薬学の臨床を担う薬剤師の姿は，この medicine という文字を pharmacy に置き換えたもの，すなわち

“The practice of pharmacy is an art, based on science”

を目指すものでなければならない．

2 調剤学，医療薬剤学，病院薬学，医療薬学

調剤学 dispensing pharmacy　調剤を中心に薬物投与に関する学理，技術を考究し，薬学の側から薬物療法を評価する総合的な学問体系．医療人としての倫理観，使命感を授けることも調剤学の分野である．

薬剤学 pharmacy，pharmaceutics　生物活性を有し医薬品として用いうる物質に，その有効性，安全性，品質を保証し，疾病の予防，診断，治療の目的に使用するために，最も効果的な投与方法と投与剤形を考究する学問．薬剤学の研究拡大に伴い，**物理薬剤学**，**生物薬剤学**，**医療薬剤学**（広義の調剤学）などの分野が生まれた．

医療薬剤学 clinical pharmaceutics　薬物療法の高度化に伴い，医療の場で薬学が対処しなければならない領域は，医薬品情報（DI）業務，TDM，注射剤調剤など急速に拡大している．この領域の学問を医療薬剤学と呼ぶ．広義の調剤学と考えることもできる．

病院薬学 hospital pharmacy　医療薬剤学とほぼ同義である．病院薬学は，医療そのものに重きを置いて薬学を背景に医学に面して研究を進めるものであり，広域な薬学の諸分野が病院という場の特殊性により有機的に関連・結合して構成される学問分野である．

臨床薬学 clinical pharmacy [2～5]　従来の製品志向の薬学に対して，患者志向の薬学の概念．1960～1970 年代の米国の薬学教育改革から生まれ，各国の薬学教育に大きな影響を与えた．日本では“臨床”を冠することに抵抗があり，“医療薬学”の造語で呼ばれている．

医療薬学 pharmaceutical health care and sciences　薬学の立場から薬物療法の科学性を追求し，医薬品を適正に使用して，疾病の克服，QOL の向上，健康の増進に寄与することを目的とする学問分野．その内容は病院薬学，臨床薬学の分野を含み，開局薬学，企業の臨床関係部門（開発，市販後調査，学術，MR）が加わった．

薬学諸学の総合と医療における薬学の確立を目指す「調剤学総論」の内容は，医療薬剤学，病院薬学，医療薬学と目標，内容ともほぼ類似のものと考えられる．そして「調剤学総論」と筆者が「調剤」の名称にこだわるのは，薬剤師の業務がいかに拡大しても，薬剤師の任務はいつの時代も“調剤”が基本であり主務であることを，すべての薬学関係者にしっかりと認識し理解して欲しいと思うからである．

調剤学，医療薬学を支える関連分野に，薬品管理学，臨床薬物動態学，医薬品情報学，薬剤疫学がある．また病院管理学，医療経済学の専門分野として病院薬局管理学，薬剤経済学がある．

臨床薬物動態学 clinical pharmacokinetics　薬物動態学を臨床の場における個々の患者の薬物療法に適用したのが臨床薬物動態学である．血液などの体液中薬物濃度を目安に，比較的単純なモデルやパラメータを用いて，服用量の調節や服用間隔の設定を行うものである．

医薬品情報学 drug informatics　医薬品情報の収集，整理，保管，加工，提供に関する効率的かつ効果的な方法，情報及び医薬品そのものの適正な解析・評価法，情報の臨床での活用法などについて研究し，これらの方法の実験的検証を行う学問．

薬剤疫学 pharmacoepidemiology　薬剤，薬物を意味する接頭語の pharmaco と疫学 epidemiology を組み合わせた言葉．薬の適正使用情報を得るために，人の集団における医薬品の使用とその効果を疫学的方法で研究する学問（p.94）．

薬剤経済学 pharmacoeconomics　経済学のロジックを用いて医療問題を研究する医療経済学 health economics の一分野．医薬品の使用を費用 cost と結果 outcome を比較して検討するのが薬剤経済学である．

薬理遺伝学 pharmacogenetics　薬物代謝能や薬物に対する反応性の個体差を遺伝子レベルでとらえる学問領域．遺伝子変異をもつため代謝酵素が欠損している不全代謝者 PM（poor metabolizer）と良好代謝者 EM（extensive metabolizer）が存在し，PM の出現頻度には人種差がある（p.145，p.156）．

時間薬理学 chronopharmacology　薬の投与時期と薬理作用の関係を人間の生理機能の日内リズムの立場から研究し，より有効で副作用の少ない薬物療法の確立を目指す学問（p.163）．

臨床薬理学 clinical pharmacology　薬物の人体における作用と動態を研究し，合理的薬物治療を確立するための学問．

3　調剤学の歴史 [6~9)]*

調剤学の歴史は，次の 4 期に分けることができる．

第 1 期　明治初期～大正 5 年（1916 年）[10)]　諸外国の知識，技術の翻訳，模倣の時代
第 2 期　大正 6 年（1917 年）～昭和 30 年（1955 年）　わが国独自の調剤技術確立の時代
第 3 期　昭和 30 年（1955 年）～39 年（1964 年）　薬剤学講座の誕生と薬剤学分化の時代
第 4 期　昭和 40 年（1965 年）～　調剤の新しい概念と学問体系確立の時代

ここでは昭和以降（1926 年～）の調剤学の歴史につき記す．

＊ 歴史研究は往々にして老人の閑日月視する傾きがある．昔の事はむしろ老人より今日の若者に必要である（清水藤太郎）．今日我々が在るのは過去の歴史の積み重ねの上にあり，その正しい認識によって将来への豊かな展望が開ける（堀岡正義）．

3-1 昭和初期の調剤学

昭和初期の調剤学は全国病院薬剤部長会議を中心に，調剤・製剤法，薬局方，薬局設備，定員など，わが国独自の調剤技術を創り出す研究が行われ進歩が図られた．

1929年（昭和4年）慶松勝左衛門 東大教授（図1-2）は薬局学の樹立を提唱し，薬剤師を激励した（p.5）[11]．慶松教授の提言を，当時の病院薬局の指導者，とくにその中心であった大学病院の薬局長たちは，大きな感激をもって受けとった．京大病院 立入保太郎薬局長は「従来われわれは調剤に理論を求めなかった．単に経験のみよりえた術（Kunst）の時代であったが，いまやわれわれの進むところは学（Lehre）の時代である」と記している．

慶松提言に対する反応はすこぶる敏感であった．全国病院薬剤部長協議会は1930年（昭和5年）東大薬学科に調剤学講座を新設する議案を採択し，日本準薬局方（薬剤部長会編，日本薬学会）を完成させ，1934年（昭和9年）には調剤学の報文誌である薬剤部長会年報を刊行した．第1号には11の報文が収録されており，うち8編はアスピリンの国産品・輸入品の比較，品質試験に関するものである．

調剤学や配伍禁忌の本は1932年（昭和7年）以降，下記のものが発行された．

杉井善雄，西大路隆憲：薬品配伍禁忌，1932
横田敬三：実際調剤学，1932
眞保紀一：調剤学，1938
清水藤太郎：調剤学概論，1938
三吉豊久：薬局学摘要，1941
清水藤太郎：清水調剤学，1942

調剤技術統一のための基準作成は1935年（昭和10年）ごろから始められ，全国病院薬剤部長協議会の主要な議案の1つであった．

この時代の調剤学の研究業績は，岡崎寛蔵の総説に詳しい[12]．

図1-2．慶松勝左衛門 東大教授
（大正11～昭和12年）
満鉄研究所長，東大教授，貴族院議員，日本薬剤師会会長，松藤学人と称す．

3-2 製剤学，薬剤学講座の誕生

第二次世界大戦後，米国の薬学教育，製薬事情からわが国に薬剤学の講座を設けるよう，いち早く主張したのは畑 忠三（東大病院薬局長1934～1948年：昭和9～23年），福地言一郎（三共）などであった．1949年（昭和24年）来日の米国薬剤師協会使節団は，日本の薬学教育に薬剤学の講座を開設することを勧告した[13]．

両々あいまって1951年（昭和26年）に東大に製剤学講座，京大に薬剤学講座が誕生し，野上壽（東大病院薬局長），掛見喜一郎（京大病院薬局長）が担当教授となった（図1-3）．引きつづ

薬局学の編成を論ず

松蔭学人

従来，薬学最終の目的は調剤にありとか薬剤師の真職業は調剤にありなどとは屢々予等の耳にする所である．医薬分業なる大問題も此調剤権を完全に薬剤師の掌中に収めんとするの主張に過ぎないのである．然らば所謂其調剤に関する学科は如何なるものなりやとの反問を受けんに諸君は何を以て之を説明せんとするか．Mylius-Brieger の Grundzüge der praktischen Pharmazie 或は小林九一氏訳調剤術講本位を振り廻して，之こそ吾党の金城鉄壁なりと敢て答へ得るものあらば夫は余りにお芽出度き限りではないか，斯の如きものは所謂調剤術であって学ではない，若し之のみを以て調剤なるものが為し得らるゝならば医家の書生も一二年の練習にて不都合なく遣り得べく，奥さん看護婦にても代行し得べきものに非ずやと反問さるゝ時，尠からず返事に窮せざるを得ぬであらう．

実際に医師が調剤を軽視し，薬剤師の職務を尊重せざる弊風の存するのは，一は故意に斯くすることが自己防衛の手段である為に因るのであらうが，一は調剤なる行為が畢竟簡単容易なる技術に過ぎずして学科として左程立派なる体を成すものに非ずと思做する誤解に基くものとも察せらるゝのである．

而して薬学者たり薬剤師たるものが従来口には調剤の重要性を説き乍ら，何が故に調剤術講本位の如き一小書籍を以て自ら甘んじ自ら安んじて居るのであるか，斯くては他の軽蔑冷遇に対し何等抗議し辯疏するの余地も無いではないか，医薬分業などを説き廻っても其効果の尠いのは当然であると信ずる．

蓋し調剤を行ふに当って調剤術の必要は勿論であるが，術は最後のものにして其道程に達するまでには薬品の試験鑑定を要し，薬品成分抽出法や成分保存法を精査し，薬品の整形学を研究するなど容易ならざる学理と実験とを経ざるべからざるは当然のことであって，此等の総てを包含せる一大学科が則ち調剤学であらねばならぬのである．而して之と同時に其調剤学なるものは薬学の重大学科の一であり薬剤師の必須学問たることとなるのである．

勿論今日でも是等の各要点に就ては何れの薬学校に於ても夫々之を教授し実習せしめて居るのであって，或は薬品試験法と云い，或は薬局方使用法と云ひ，或は製煉製剤法と云ひ，其他諸学科の内に於て機に臨み時に応じ逐次説明解釈されつゝあるのである．只憾むらくは此等を総括して一大調剤学なる学科を編成せず，個々別々に分立し，人をして夫等は調剤に関係なき薬学の他学科にして調剤には単に調剤術講本の存するあるのみと思はしめ居ること否薬学を修めつゝある学徒自らして尚ほ且つ多く斯く誤解せしめつゝあることは如何にも不合理であり時代に適応せざる遣り方と云はざるを得ぬのである．

試みに医学中の内科などに例を取りて考ふるも，昔は患者の脈を診し，体温を験し，打診を行ふ程度にて診断の能事終れりとし，又浸煎剤などを投薬して治療を尽せりとなせるも，現今にては種々の化学的，物理学的，細菌学的検査を行ってまでも其病源を究め，或は又注射，注入，吸入等の施術をなして治療を全ふすべく進歩したのである．而して今日厖大なる形態をなせる内科学なるものは此等総ての綜合を意味するに過ぎずして，純学術的立場から観れば理論の一貫せる学問ではなく，便宜上から区分せられたる綜合的実際学科ではないか．

予の所謂調剤学なるものも亦之と同様の意味に於て純学術的には理論の一貫したる学科ではないが，薬局の目的とする調剤を完全に行ふ上に於て欠くべからざる総ての智識経験を糾合したる綜合的実際学科と考へたいのである．是れ実に現代の進歩に適応せる遣り方であるのみでなく，薬学中に於ても之を以て重要なる一大学科たることを自他共に明白に了解し意識させたいと欲するのである．

従って予の所謂調剤学なるものは其意味を新たにし，革命的精神を吹き込む為に斬新なる命名法に則りたいと思ふのである——大調剤学？——薬剤学？——予は寧ろ　**薬局学**　なる名称こそ，最もふさわしきものと直感するのである，即ち

薬局学とは薬局に於て薬剤師が行ふべき必須技術の理論及実際を組織的に編成せるものであってほしいのである．　（原文のまま）

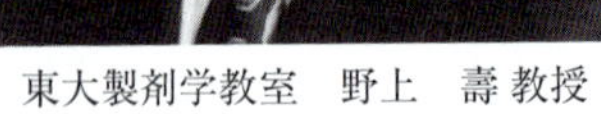
東大製剤学教室　野上　壽 教授　　京大薬剤学教室　掛見喜一郎 教授

図 1-3. 薬剤学の創始者

き，九大（1953 年：昭和 28 年，松村久吉），阪大（1955 年：昭和 30 年，青木 大）をはじめ各大学に薬剤学の講座ができたが，多くは薬局長が担当した．それまでわが国の調剤学は大学病院を中心に発達し，大学病院薬局長がリーダーであったことから考えて，至極当然の成り行きであった．

ドイツ薬学の影響を強く受けて発展をとげてきた明治以来の日本の薬学に，1945 年（昭和 20 年）以降は米国流の方式が導入されることが多くなった．調剤学，薬剤学の領域で，清水藤太郎は 1938 年（昭和 13 年）「調剤学概論」，1942 年（昭和 17 年）「清水調剤学」，1952 年（昭和 27 年）「薬剤学」を刊行した．前二者はドイツの薬学書を範とし，後者は米国の Remington's Practice of Pharmacy などを参考にして，薬剤学の基礎理論と製剤学を加えた．しかし調剤の基本的理念に相違はない．清水はドイツ流の調剤学から米国流の薬剤学への橋渡し役を果たしたということができる[14]．

薬剤学の初期には教育カリキュラムの確立が焦眉の急であった．1952 年（昭和 27 年）より東大野上教授が中心となり在京の薬剤学担当教員の会議が数回開かれた（昭和 27.11.6,7　昭和 28.11.6,7　昭和 29.11.4,5　昭和 31.9.20,21）．

1957 年（昭和 32 年）10 月には富山大 桜井謙之介，金沢大 田辺 普 両教授が担当して，全国的な薬大薬剤学教授会議が富山市で開催された（図 1-4）．

3-3 薬剤学の分化 と 調剤学の立場

製剤学や薬剤学は学問の発展とともに基礎的な方向をたどり，物理薬剤学 physical pharmacy と生物薬剤学 biopharmacy の 2 つの方向を発展させた．一方製薬会社では製剤学を重視するようになり，多くの会社が製剤研究の充実に力を注ぐようになった．これによりかつての調剤学（薬剤学）は，基礎薬剤学，製剤学，調剤学の 3 分野に分化されることとなった．

1955 年（昭和 30 年）の薬事法改正を前に，医薬分業実施の可能性が出てきて，分業下薬局に

図 1-4．昭和 32 年度全国薬大薬剤学教授会議

〔富山大学薬学部・薬業会館　1957 年（昭和 32 年）10 月 29 ~30 日〕

前列：1．辰濃尚次郎（星薬大），2．田村　昇（徳島大），3．青木　大（大阪大），4．掛見喜一郎（京都大），5．清水藤太郎（東邦大），6．野上　壽（東京大），7．不破龍登代（東薬大女），8．桜井喜一（日薬調剤技術委），9．立澤政次郎（明薬大），10．石松新太郎（日本大），11．田辺　普（金沢大）．

後列：12．堀岡正義（東京大），13．加藤好夫（岐薬大），14．渡辺幸子（富山大），15．太田次作（金沢大），16．長谷川　淳（東京大），17．永瀬一郎（東邦大），18．小田　武（静薬大），19．今罔キク子（共薬大），20．中窐嘉祐（大薬大），21．岡野定輔（熊本大），22．水谷　米（東邦大），23．岡崎寛蔵（新潟大），24．黒須滋夫（東薬大男），25．伊奈萬治（名城大），26．内藤俊一（京薬大），27．山口幸作（富山県庁），28．郡山益好（東北薬大），29．室林貞一（富山県薬），30．竹中英雄（岐薬大），31．田屋世治（富山大薬事務長），32．矢島将一（名市大），33．久保喜一（広貫堂），34．桜井謙之介（富山大），35．上田道廣（富山大）．

おける調剤方法の統一が急がれた．そこで日本薬剤師会では調剤技術委員会が中心となって検討を重ね，1955 年（昭和 30 年）「調剤指針」をとりまとめた．

調剤指針の原案となったのは，薬剤部長協議会が 1937 年（昭和 12 年）以来行ってきた調剤技術統一の基準作成である．その源流は1917年（大正6年）同協議会発足以来のテーマであることを考える時，「調剤指針」は明治以来のわが国における調剤技術の集大成と考えることができる．

20世紀の後半は新たな発想にもとづく画期的な新薬・新製剤が次々に開発され，従来治療の手段に窮していた疾病に対しても薬物療法が可能となった．これらの医薬品は適正な使用に必要な有効性，安全性，品質に関する情報を有している．調剤の業務においても調剤学の教育においてもそのような情報を背景にした対応が必要となった．

「調剤指針」はその後調剤学の教科書として広く用いられた．しかしながら，調剤の技術書が調剤学の教科書となったことは薬学教育における調剤学の軽視を招き，情報重視の調剤学の教育に脱皮するのに遅れをとったことは否めない事実である．

昭和30年代の調剤業務は，国民皆保険（1961年，昭和36年）にともなう業務の繁忙と，散剤から錠剤・カプセル剤へ調剤業務の剤形変更という調剤室と薬剤師の業務に医薬品産業革命を引き起こし，その対応に明け暮れした時代であった．

調剤剤形の急激な変更は，プロフェッショナルとしての薬剤師に大きな迷いを与えた．薬剤師は自らの問題として，また社会に対して明確な回答を出す必要に迫られたのであるが，計数調剤下における調剤技術は何かと問われれば返答にとまどい「工業化社会における医薬分業は医薬品の調剤販売業者であってはならない」との提言[15]（日本医師会 武見太郎会長）を受ければその対策に苦慮するという状態であった．

医薬品産業革命の洗礼を受けた薬剤師が自己の職能に動揺し，針路を見失ったとすれば，それは調剤の理念が確立していなかったことによるのではなかろうか．

1955年（昭和30年）からの十数年間は，調剤の理念なきままに，調剤学低迷の時代といえる．

3-4 調剤の新しい概念

1965年（昭和40年）日本薬学会で行われたドラッグインフォメーションのシンポジウムは，情報こそ調剤業務，薬剤業務の基本であることを認識させるきっかけとなった[16]．

1972年（昭和47年）堀岡は「調剤を行う薬剤師はtechnicianの態度であってはならず，scientistの態度でなければならない．これからの調剤は，体を動かす調剤から頭で考える調剤に脱皮すべきである」と提唱した[17]．かつて酒井甲太郎（九大病院薬局長，明治36年～大正9年）が「諸君は手足を以て作業せず，頭脳を以て手足を働かすべし．これ智識階級の人の当然とす」と部下に訓示した教えに基づく[18]．

具体的に調剤業務が新たな形態に脱皮し始めたのは1980年（昭和55年）以降である．医薬分業がようやく軌道に乗り，薬事法の改正，医薬品情報の整備，調剤の新しい概念の浸透によって，医薬品情報をベースとする患者本位の調剤，服薬指導，TDMなどが重視されるようになった．

最近の調剤報酬，診療報酬の改定は，薬学管理料として薬剤服用歴管理指導料と各種加算，薬剤情報提供料の設定，施設基準適合病院に対する薬剤管理指導料（p.314）の充実など，情報をベースとする調剤をサポートする，いわゆるインテリジェントフィーが中心である．

1992年（平成4年）の医療法の改正により，薬剤師は医療の担い手として明記され，1996年（平成8年）の薬剤師法の改正で調剤した薬剤の情報提供義務が定められ，医薬品を通して国民の健康に奉仕する専門職としての職能を強めている．

3-5 病院薬局協議会のあゆみ[19]

長年にわたり調剤技術，病院薬局の諸問題を調査研究してきた病院薬局協議会のあゆみは，表1-1に示すとおりである．現在は日本病院薬剤師会が主催している．

表 1-1．病院薬局協議会のあゆみ

年	名称・主催	議事録	備考
明治 23（1890）	全国公私立病院薬局長会議 丹羽藤吉郎ら 8 名	薬学雑誌 No. 101 485 No. 102 556（明 23）	明 23.4 施行の法律第 10 号に対処のため　出席者 103 名
大正 6（1917）	全国官公立病院薬剤部長会議 丹羽藤吉郎ら 4 名	薬剤部長会年報 No. 2 （昭 10）	
大正 9（1920）	病院薬剤部長会議 日本薬学会	薬剤部長会年報 No. 2〜No. 13（昭 10〜29）	昭 9 薬剤部長会年報創刊
昭和 31（1956）		薬剤学 16〜34 別冊付録 （昭 31〜49）	昭 31 薬剤部長会年報→薬剤学
50（1975）	病院薬局協議会 日本薬学会	薬剤学 35〜40 別冊付録 （昭 50〜55）	昭 50 病院薬学創刊
平成 2（1990）			日本病院薬学会設立
7（1995）	病院薬局協議会未開催		
8（1996）	病院薬局協議会 日本病院薬剤師会主催	日病薬誌 32〜（平 8〜）	
13（2001）	日本医療薬学会共催		日本病院薬学会→日本医療薬学会 病院薬学→医療薬学
26（2014）	病院薬局協議会/学術フォーラム 日本病院薬剤師会主催 日本医療薬学会共催		
27（2015）	病院薬局協議会/学術フォーラム		日本医療薬学会年会（会期 3 日間）年会期間中に開催
〜現在			

3-6 臨床薬学（クリニカルファーマシー）のあゆみ

Patient oriented の薬学教育を目指して 1960 年代に米国に誕生したクリニカルファーマシー（以下 CP）は，直ちにわが国に伝えられ大きな反響を呼んだ[20]．しかし日本の CP 教育の素地はあまりに貧困で，業務内容も明らかでないままに，それを実施に移すにはかなりの年月を要した．

わが国においても何人かの先駆者がいる．1950 年（昭和 25 年）久保文苗は雑誌「薬局」創刊号に「臨床薬学の確立」を提言し，薬を理解するに必要な医学的教育の充実を求めている[21]．1952 年（昭和 27 年）伊沢凡人は，臨床薬学の必要性を強調し，そのような学問体系を“clinical pharmacy”と名づけている[22]．

1970 年（昭和 45 年）菅家は自らの体験をもとに，米国の病院における CP の現状を解説している[23〜25]．「臨床薬学の課題」「臨床医の望む薬剤師」のテーマで，誌上での討論も行われた[26, 27]．

1975 年（昭和 50 年）名城大学は臨床研修を主体とする薬学専攻科を開設．担当の二宮 英（前

D. E. Francke　W. E. Smith　J. A. Oddis

図 1-5. クリニカルファーマシー発展の功労者

国立名古屋病院薬剤科長）は臨床薬剤師の養成に多大な業績をあげた.

DI の創始者 D. E. Francke は優れた論説や自ら主宰する Drug Intel & Clin Pharm などにより CP 発展の糸口を作った. ロングビーチ記念病院の W. E. Smith はサテライトファーマシーを開設して先端的な CP 業務を実践し, 米国病院薬剤師会の J. A. Oddis は病院薬剤師の体質改善と地位向上に貢献した. いずれもわが国の CP 発展に大きな影響を与えた（図 1-5）.

1982 年（昭和 57 年）の薬学教育基準では, 応用薬学分野として医療薬学系が設けられ, 医療薬学実地研修を原則として履習させるとした[4, 5]. 2004 年（平成 16 年）には薬学教育 6 年制の法改正が行われ, 医療薬学教育の充実, 長期間の医療機関での実務実習により, 医療に貢献する薬剤師の養成が行われることとなった.

入院患者に対する薬剤師のベッドサイドでの活動に病棟の壁は厚かったが, 1988 年（昭和 63 年）の診療報酬改定で, 施設基準適合病院に入院調剤技術基本料〔1994 年（平成 6 年）薬剤管理指導料〕が設定されたことにより, 多くの病院で積極的に取り組むようになった.

一方, 薬局に対する薬剤服用歴管理指導料の設定は, 国民（中医協 p.516）が服薬指導, 薬歴管理の業務を薬剤師に付託したことを意味するものであり, 薬局薬剤師の CP の実践である.

CP 実践の成果は医療薬学フォーラム/クリニカルファーマシーシンポジウム, 日本薬学会年会医療薬科学部会, 日本医療薬学会年会, 雑誌「医療薬学」（旧名「病院薬学」）などで活発に発表, 報告されている.

1990 年 C. D. Hepler は pharmaceutical care の概念を提唱し, 多くの共感を呼んだ（p.40）.

1993 年（平成 5 年）4 月 厚生省（当時）は「薬局業務運営ガイドライン」を通知し, 調剤による良質かつ適切な医療の供給, 地域保健医療への貢献を薬局の基本理念とした（薬発第 408 号　平 5.4.30）.

第 1 回 福岡（1985）

医療薬学フォーラム/クリニカルファーマシーシンポジウムの第 1 回大会のロゴマーク

日本薬学会主催, 1985 年に設立, 隔年に開催. 医療薬学の発展に伴い, 名称を上記のように改め, 2001 年より毎年開催することとなった.

1993年 国際薬剤師・薬学連合（International Pharmaceutical Federation：FIP）は，薬剤師の行動規範となる薬局業務基準（Good Pharmacy Practice：GPP）を採択，同時期に開催のWHO主催「第2回ヘルスケアにおける薬剤師の役割に関する会合」では，ファーマシューティカルケアを中心的なテーマに議論を展開した．

1993年 東京
国際薬剤師・薬学連合会議（FIP）の第1回大会のロゴマーク

3-7 医療の倫理 と 薬剤師

倫理という言葉はギリシャ語のエートス（エトス：習慣）に由来するといわれる．すなわち倫理とはよい習慣を繰り返して実践し，性格として定着することを意味する．

倫理規定は存在するだけでは意味がない．個人が任務を通して実践することによって初めて倫理となり得ることを忘れてはならない．

医薬品に関係する者には，創薬，治験，製造，市販から使用に至るまで，倫理的観点からの行動が要求される．

1964年 世界医師会が採択したヘルシンキ宣言は，人権の尊重を基本とする臨床試験の倫理規定である（p.56）．

GLP，GCP，GMP，GPSPなどは，医薬品を製造販売する側の倫理規定ということができる．

1997年9月 FIPは薬剤師倫理規定（Code of Ethics for Pharmacists）を採択した[28]．

Code of Ethics for Pharmacists（1997年9月 FIP）

1．薬剤師の主要な責務は，個人の福祉である．
2．薬剤師は全ての人に同じ献身的態度で接する．
3．薬剤師は治療の選択の自由に関する個人の権利を尊重する．
4．薬剤師は個人の秘密保持の権利を尊重し厳守する．
5．薬剤師は同僚や他の専門家と協力し，彼らの価値と能力を尊重する．
6．薬剤師は職業上，正直で誠実に行動する．
7．薬剤師は個人，地域および社会の要求に応える．
8．薬剤師は専門的技術の維持と発展に努める．

1997年（平成9年）10月 日本薬剤師会は薬剤師倫理規定を制定した（p.30）．アメリカ，フランスをはじめ各国の薬剤師会も同様の倫理規定を定めている．

日本医師会は2000年（平成12年）「医の倫理綱領」を制定した[29]．

医の倫理綱領（平成12年4月2日 日本医師会）

医学および医療は，病める人の治療はもとより，人びとの健康の維持もしくは増進を図るもので，医師は責任の重大性を認識し，人類愛を基にすべての人に奉仕するものである．

1．医師は生涯学習の精神を保ち，つねに医学の知識と技術の習得に努めるとともに，その進歩・発展に尽くす．
2．医師はこの職業の尊厳と責任を自覚し，教養を深め，人格を高めるように心掛ける．
3．医師は医療を受ける人びとの人格を尊重し，やさしい心で接するとともに，医療内容についてよく説明し，信頼を得るように努める．
4．医師は互いに尊敬し，医療関係者と協力して医療に尽くす．
5．医師は医療の公共性を重んじ，医療を通じて社会の発展に尽くすとともに，法規範の遵守および法秩序の形成に努める．
6．医師は医業にあたって営利を目的としない．

医の倫理綱領4．の注釈で「医師と薬剤師の関係も大切になってきている．薬剤師法では薬剤師に薬の説明義務を求めており，両専門職間の協力の重要性を認識すべきである」と記している．適正な薬物療法に薬学の立場から責任を有する薬剤師として，役割の重大さを痛感する．

FIPは世界医師会と社会医学委員会を設置し，1999年（平成11年）の世界医師大会で「薬物療法を遂行する際の医師と薬剤師の職分に関する世界医師会声明」を採択した（p.13）．医師と薬剤師がお互いの役割を尊重しつつ，協力し合ってそれぞれの責務を果たすことによって，医薬品がより安全かつ適切に用いられ，患者は最大の恩恵を受けることができるとしている[30]．

世界医師会（WMA），国際薬剤師・薬学連合（FIP），国際看護協会（ICN）は2004年（平成16年）5月，ジュネーブで世界医療職連合（WHPA）リーダーシップシンポジウムを開催し，「保健の改善に向けたチームの協力」をテーマに，さまざまな講演やシンポジウムを行った．

2014年8月にバンコクで開催されたFIP代議員会議において「薬剤師の誓い」が採択された．

薬剤師の誓い（2014年8月 FIP代議員会議）

私は，薬剤師として，人類のために奉仕すること，また自分の職能における理想と責務を果たすことを誓います．

— 私は，自分の生涯の如何なる場合においても，人道上最高の道徳規範に従って行動します．
— 私は，自分の能力と知識の全てを活用し，患者及び一般市民の生命と健康の保全，並びに化学公害防止と福利厚生に資するよう努めます．
— 私は，常に自分の個人的利益や思惑よりも，自分の患者の要望を優先します．
— 私は，自分の患者及び未病者には，性別，人種，民族，宗教，文化や政治的信条に関係なく，平等に，公平に，また敬意を持って対応します．
— 私は，自分が職業上知り得た個人情報や健康情報に関する秘密を守ります．
— 私は，薬剤師としてできる限り，自分の薬剤師職関連知識と薬学専門能力を常に保持するよう努めます．
— 私は，薬剤師業務に関する知識と規範の開発向上のために努めます．
— 私は，後継者となる次世代の薬剤師の養成のために尽力します．
— 私は，自分の周辺のすべての健康管理専門職との共同作業推進のためにあらゆる機会を活用するよう努めます．

以上の厳粛な誓いを立てるにあたり，私は自分を薬剤師として育ててくれた人々に敬意を表し，上述の誓いに反する行動を決してしないことを約束します．

薬物療法を遂行する際の 医師と薬剤師の職分に関する世界医師会声明

(第51回世界医師会大会において採択，1999年10月，イスラエル，テルアビブ)

A. はじめに

1. 薬物療法の目標は，患者の保健並びにQOLを向上させることである．最適な薬物療法とは，安全で，効果があり，慎重に選択されたもので，さらに費用対効果の高いものでなくてはならない．医療サービスは誰しもが享受できるものでなくてはならず，患者及び医療提供者のニーズに見合った正確で最新の情報を提供する基盤が整備される必要がある．
2. 医師と薬剤師は，最適な薬物療法を提供するという目標の達成に向けて，相互補完的かつ協力関係にある．このことを実現させるためには，対話や尊重，信頼そしてお互いの職能の能力に対する相互理解が必要となる．患者と相対するに際して，医師の側では，治療の目標，危険性と便益，それに副作用の方により重きをおくことになる．一方，薬剤師の側では，医薬品の正しい使い方やコンプライアンス，用量，使用上の注意や保管に関する情報の方を重視することとなる．

B. 医師の責務（ここでは薬物療法に関する責務に限ることとし，医師の責務全般を論じるものではない）

3. 医師になるための教育並びに専門技能を基礎に，また，診断を行い得る唯一の責任者であることを自覚し，疾病の診断を行うこと．
4. 薬物療法のニーズを把握し（適宜，患者や薬剤師及びその他の保健医療従事者と相談しながら）的確な医薬品を処方すること．
5. 診断や指示，治療の目標はもとより，薬物療法の実施，便益，危険性それに副作用の可能性に関する情報を患者に伝えること．
6. 薬物療法による患者の反応や治療目標に向けた進展の度合いをモニターし，評価し，さらに（適宜，薬剤師及びその他の医療提供者と協力し合いながら）治療計画を変更すること．
7. 薬物療法に関する情報を他の保健医療従事者に提供，ないしそれらの者と共有すること．
8. 治療上のニーズに沿って，また法律上（医師法）の規定に従って個々の患者の適切な記録を残しておくこと．
9. 生涯教育を通じて薬物療法に関する高い知識水準を維持すること．
10. 医師による供給が求められる医薬品に関して，その安全な調達，保管を保障すること．
11. 相互作用やアレルギー反応，禁忌，治療の重複などがないかどうか，処方内容を検討すること．
12. 医薬品の副作用について，適宜保健当局に通報すること．

C. 薬剤師の責務（ここでは薬物療法に関する責務に限ることとし，薬剤師の責務全般を論じるものではない）

13. （関連法規に従って）医薬品の安全な調達，適切な保管，調剤を確かなものとすること．
14. 患者に情報を提供すること．当該情報には，医薬品の名称，その目的，考えられる相互作用及び副作用，並びに正しい使用法や保管方法に関する事項を含めることができる．
15. 相互作用やアレルギー反応，禁忌，治療の重複などがないかどうか，処方内容を検討すること．疑問があれば，処方者（医師）と協議すること．
16. 患者の求めに応じて，医薬品に関係した問題や処方された医薬品に関する疑問に答えること．
17. （そのようなことが薬剤師の責務であることを自覚し）非処方せん薬の選定や使用，さらに軽い症状や疾病に対してどのように対処すればよいのか，患者にアドバイスすること．セルフメディケーションを行うことが適切でない場合には，医師のもとを訪れ，診断，治療を受けるよう勧めること．
18. 医薬品の副作用について，適宜保健当局に通報すること．
19. 医薬品に関する全般的ないし，特別な情報を一般市民及び保健医療従事者に対して提供及び共有すること．
20. 生涯教育を通じて，薬物療法に関する高い知識水準を維持すること．

D. 結　論

21. 薬剤師と医師とがお互いの役割を尊重しつつ，協力し合い，医薬品が安全かつ適切に用いられ，最善の保健成果を上げるようにすることによって，患者は最大の恩恵を受けることができる．

4 薬剤師の現状

4-1 医薬分業，病棟業務

本来開局薬剤師は保険調剤を中心に，OTC 薬，介護用品等の販売業務を展開すべきであり，病院薬剤師は従来からの外来業務に加え病棟業務を主体とすべきである．

最近の医薬分業の伸長，薬剤管理指導業務の普及は著しいものがある．

本書の初版発行の 1994 年（平成 6 年）と近年の実績を比較してみると，医薬分業率 18.1%→74.9%〔4.0 倍，2019 年（令和元年）度〕，病棟業務実施病院 1,373 病院→2,025 病院〔1.5 倍，2018 年（平成 30 年）12 月現在〕に達した．医薬分業も病棟業務も完全に定着し，薬剤師は本来の業務を実施する体制が整った．

4-2 業種別薬剤師数

届出による業種別の薬剤師数は表 1-2（2018 年，平成 30 年）のとおりである．

薬局・医療施設の従事者数は 240,371 人，77.2%を占める．医薬分業の進展を反映して薬局の従事者数は前回調査（2016 年，平成 28 年）より 8,273 人増加している．

他の医療関係者は医師 327,210 人，歯科医師 104,908 人，看護師・准看護師 1,523,085 人（看護師 1,218,606 人，准看護師 304,479 人）（いずれも 2018 年，平成 30 年）．

薬剤師の職能団体として，日本薬剤師会，日本病院薬剤師会がある．

5 関係法規

薬剤師，薬局，医療に関連する主な法規を表 1-3 に示す．

表 1-3．保健・医療・福祉・介護分野等の関連法規

分 野	法 律
保健分野	地域保健法，健康増進法，母子保健法，高齢者の医療の確保に関する法律，労働安全衛生法，感染症法，結核予防法，食品衛生法，精神保健福祉法など
福祉分野	生活保護法，老人福祉法，身体障害者福祉法，知的障害者福祉法，母子及び父子並びに寡婦福祉法，児童福祉法など
介護分野	介護保険法（p.507）
医療分野	医療法，医薬品，医療機器等の品質，有効性及び安全性の確保等に関する法律（医薬品医療機器等法），毒物及び劇物取締法，麻薬及び向精神薬取締法，覚醒剤取締法，医師法，歯科医師法，薬剤師法，保健師助産師看護師法，栄養士法，診療放射線技師法，臨床検査技師等に関する法律，理学療法士及び作業療法士法，救急救命士法，社会福祉士及び介護福祉士法など
保険制度	医療保険各法，厚生年金保険法，雇用保険法
その他	消防法，放射性同位元素等の規制に関する法律，労働基準法など

表 1-2. 施設・業務の種別にみた薬剤師数　（各年 12 月 31 日現在）

	平成 30 年（2018）		平成 28 年（2016）	対前回		人口 10 万対（人）		
	薬剤師数（人）	構成割合（%）	薬剤師数（人）	増減数（人）	増減率（%）	平成 30 年（2018）	平成 28 年（2016）	増減数
総　数[1]	311 289	100.0	301 323	9 966	3.3	246.2	237.4	8.8
男	120 545	38.7	116 826	3 719	3.2	95.3	92.0	3.3
女	190 744	61.3	184 497	6 247	3.4	150.9	145.3	5.6
薬局の従事者	180 415	58.0	172 142	8 273	4.8	142.7	135.6	7.1
薬局の開設者又は法人の代表者	16 698	5.4	17 201	△ 503	△ 2.9	13.2	13.6	△ 0.4
薬局の勤務者	163 717	52.6	154 941	8 776	5.7	129.5	122.1	7.4
医療施設の従事者	59 956	19.3	58 044	1 912	3.3	47.4	45.7	1.7
医療施設で調剤・病棟業務に従事する者	57 304	18.4	55 634	1 670	3.0	45.3	43.8	1.5
医療施設でその他（治験，検査等）の業務に従事する者	2 652	0.9	2 410	242	10.0	2.1	1.9	0.2
病院の従事者	54 150	17.4	52 145	2 005	3.8	42.8	41.1	1.7
病院で調剤・病棟業務に従事する者	52 596	16.9	50 785	1 811	3.6	41.6	40.0	1.6
病院でその他（治験，検査等）の業務に従事する者	1 554	0.5	1 360	194	14.3	1.2	1.1	0.1
診療所の従事者	5 806	1.9	5 899	△ 93	△ 1.6	4.6	4.6	0.0
診療所で調剤・病棟業務に従事する者	4 708	1.5	4 849	△ 141	△ 2.9	3.7	3.8	△ 0.1
診療所でその他（治験，検査等）の業務に従事する者	1 098	0.4	1 050	48	4.6	0.9	0.8	0.1
介護保険施設の従事者	832	0.3	…	…	…	0.7	…	…
介護老人保健施設の勤務者	816	0.3	…	…	…	0.6	…	…
介護医療院の勤務者	16	0.0	·	…	…	0.0	·	…
大学の従事者	5 263	1.7	5 046	217	4.3	4.2	4.0	0.2
大学の勤務者（研究・教育）	4 754	1.5	4 523	231	5.1	3.8	3.6	0.2
大学院生又は研究生	509	0.2	523	△ 14	△ 2.7	0.4	0.4	0.0
医薬品関係企業の従事者	41 303	13.3	42 024	△ 721	△ 1.7	32.7	33.1	△ 0.4
医薬品製造販売業・製造業（研究・開発，営業，その他）に従事する者[2]	29 009	9.3	30 265	△ 1 256	△ 4.2	22.9	23.8	△ 0.9
店舗販売業に従事する者[3]	6 987	2.2				5.5		
配置販売業に従事する者[3]	68	0.0	11 759	535	4.5	0.1	9.3	0.4
卸売販売業に従事する者[3]	5 239	1.7				4.1		
衛生行政機関又は保健衛生施設の従事者	6 661	2.1	6 813	△ 152	△ 2.2	5.3	5.4	△ 0.1
その他の者	16 856	5.4	17 233	△ 377	△ 2.2	13.3	13.6	△ 0.3
その他の業務の従事者	6 517	2.1	6 802	△ 285	△ 4.2	5.2	5.4	△ 0.2
無職の者	10 339	3.3	10 431	△ 92	△ 0.9	8.2	8.2	0.0

注：1）「総数」には，「施設・業務の種別」の不詳を含む．
　2）製薬会社（その研究所を含む），血液センター等医薬品の製造販売業又は製造業に従事する者．
　3）「店舗販売業」「配置販売業」「卸売販売業」は，平成 28 年以前の「医薬品販売業」を細分化したもの．

5-1 薬剤師法 と 調剤

薬剤師法には，第1章 総則（第1条）に薬剤師の任務が，第4章 業務（第19～28条）には調剤について記されている．主な箇所を抜粋すると，次のとおりである．

第1章 総 則

（薬剤師の任務）

第1条 薬剤師は，調剤，医薬品の供給その他薬事衛生をつかさどることによつて，公衆衛生の向上及び増進に寄与し，もつて国民の健康な生活を確保するものとする．

第2章 免 許

（絶対的欠格事由）

第4条 未成年者には，免許を与えない．

（相対的欠格事由）

第5条 次の各号のいずれかに該当する者には，免許を与えないことがある．

1．心身の障害により薬剤師の業務を適正に行うことができない者として厚生労働省令で定めるもの

2．麻薬，大麻又はあへんの中毒者

3．罰金以上の刑に処せられた者

4．前号に該当する者を除くほか，薬事に関し犯罪又は不正の行為があった者

第4章 業 務

（調 剤）

第19条 薬剤師でない者は，販売又は授与の目的で調剤してはならない．ただし，医師若しくは歯科医師が次に掲げる場合において自己の処方せんにより自ら調剤するとき，又は獣医師が自己の処方せんにより自ら調剤するときは，この限りでない．

1．患者又は現にその看護に当たつている者が特にその医師又は歯科医師から薬剤の交付を受けることを希望する旨を申し出た場合

2．医師法（昭和23年法律第201号）第22条各号の場合又は歯科医師法（昭和23年法律第202号）第21条各号の場合

（名称の使用制限）

第20条 薬剤師でなければ，薬剤師又はこれにまぎらわしい名称を用いてはならない．

（調剤の求めに応ずる義務）

第21条 調剤に従事する薬剤師は，調剤の求めがあつた場合には，正当な理由がなければ，これを拒んではならない．

（調剤の場所）

第22条 薬剤師は，医療を受ける者の居宅等（居宅その他の厚生労働省令で定める場所をいう.）において医師又は歯科医師が交付した処方せんにより，当該居宅等において調剤の業務のうち厚生労働省令で定めるものを行う場合を除き，薬局以外の場所で，販売又は授与の目的で調剤してはならない．ただし，病院若しくは診療所又は飼育動物診療施設の調剤所において，その病院若しくは診療所又は飼育動物診療施設で診療に従事する医師若しくは歯科医師又は獣医師の処方せんによつて調剤する場合及び災害その他特殊の事由により薬剤師が薬局において調剤することができない場合その他の厚生労働省令で定める特別の事情がある場合は，この限りでない．

(処方せんによる調剤)

第 23 条　薬剤師は，医師，歯科医師又は獣医師の処方せんによらなければ，販売又は授与の目的で調剤してはならない．

2．薬剤師は，処方せんに記載された医薬品につき，その処方せんを交付した医師，歯科医師又は獣医師の同意を得た場合を除くほか，これを変更して調剤してはならない．

(処方せん中の疑義)

第24条　薬剤師は，処方せん中に疑わしい点があるときは，その処方せんを交付した医師，歯科医師又は獣医師に問い合わせて，その疑わしい点を確かめた後でなければ，これによつて調剤してはならない．

(調剤された薬剤の表示)

第 25 条　薬剤師は，販売又は授与の目的で調剤した薬剤の容器又は被包に，処方せんに記載された患者の氏名，用法，用量その他厚生労働省令で定める事項を記載しなければならない．

(情報の提供及び指導)

第 25 条の 2　薬剤師は，調剤した薬剤の適正な使用のため，販売又は授与の目的で調剤したときは，患者又は現にその看護に当たつている者に対し，必要な情報を提供し，及び必要な薬学的知見に基づく指導を行わなければならない．

2．薬剤師は，前項に定める場合のほか，調剤した薬剤の適正な使用のため必要があると認める場合には，患者の当該薬剤の使用の状況を継続的かつ的確に把握するとともに，患者又は現にその看護に当たつている者に対し，必要な情報を提供し，及び必要な薬学的知見に基づく指導を行わなければならない．

(処方せんへの記入等)

第26条　薬剤師は，調剤したときは，その処方せんに，調剤済みの旨（その調剤によつて，当該処方せんが調剤済みとならなかつたときは，調剤量），調剤年月日その他厚生労働省令で定める事項を記入し，かつ，記名押印し，又は署名しなければならない．

(処方せんの保存)

第 27 条　薬局開設者は，当該薬局で調剤済みとなった処方せんを，調剤済みとなった日から 3 年間，保存しなければならない．

(調剤録)

第 28 条　薬局開設者は，薬局に調剤録を備えなければならない．

2．薬剤師は，薬局で調剤したときは，厚生労働省令で定めるところにより，調剤録に厚生労働省令で定める事項を記入しなければならない．

3．薬局開設者は，第1項の調剤録を，最終の記入の日から3年間，保存しなければならない．

5-2　医薬品，医療機器等の品質，有効性及び安全性の確保等に関する法律（医薬品医療機器等法）と 薬局

第 1 章　総　則

(目　的)

第 1 条　この法律は，医薬品，医薬部外品，化粧品，医療機器及び再生医療等製品（以下「医薬品等」という．）の品質，有効性及び安全性の確保並びにこれらの使用による保健衛生上の危害の発生及び拡大の防止のために必要な規制を行うとともに，指定薬物の規制に関する措置を講ずるほか，医療上特にその必要性が高い医薬品，医療機器及び再生医療等製品の研究開発の促進のために必要な措置を講ずることにより，保健衛生の向上を図ることを目的とする．

(定 義)

第2条 12. この法律で「薬局」とは，薬剤師が販売又は授与の目的で調剤の業務並びに薬剤及び医薬品の適正な使用に必要な情報の提供及び薬学的知見に基づく指導の業務を行う場所（その開設者が併せ行う医薬品の販売業に必要な場所を含む.）をいう．ただし，病院若しくは診療所又は飼育動物診療施設の調剤所を除く.

第3章 薬 局

(開設の許可)

第4条 薬局は，その所在地の都道府県知事（その所在地が保健所を設置する市又は特別区の区域にある場合においては，市長又は区長）の許可を受けなければ，開設してはならない.

4．第1項の許可は，6年ごとにその更新を受けなければ，その期間の経過によつて，その効力を失う.

(許可の基準) 第5条

(名称の使用制限)

第6条 医薬品を取り扱う場所であつて，第4条第1項の許可を受けた薬局（以下単に「薬局」という.）でないものには，薬局の名称を付してはならない．ただし，厚生労働省令で定める場所については，この限りでない*.

*(名称の使用の特例) 医薬品医療機器等法施行規則第10条

法第6条ただし書の規定により，薬局の名称を付することができる場所は，病院又は診療所の調剤所とする.

(薬局の管理) 第7条（p.494）

(管理者の義務)

第8条 薬局の管理者は，保健衛生上支障を生ずるおそれがないように，その薬局に勤務する薬剤師その他の従業者を監督し，その薬局の構造設備及び医薬品その他の物品を管理し，その他その薬局の業務につき，必要な注意をしなければならない.

2．薬局の管理者は，保健衛生上支障を生ずるおそれがないように，その薬局の業務につき，薬局開設者に対し，必要な意見を書面により述べなければならない.

(薬局開設者による薬局に関する情報の提供等) 第8条の2

(薬局開設者の遵守事項)

第9条 厚生労働大臣は，厚生労働省令で，次に掲げる事項その他薬局の業務に関し薬局開設者が遵守すべき事項を定めることができる.

2．薬局開設者は，第7条第1項ただし書又は第2項の規定によりその薬局の管理者を指定したときは，第8条第2項の規定による薬局の管理者の意見を尊重しなければならない.

(調剤された薬剤に関する情報提供及び指導等)

第9条の3 薬局開設者は，医師又は歯科医師から交付された処方箋により調剤された薬剤の適正な使用のため，当該薬剤を販売し，又は授与する場合には，厚生労働省令で定めるところにより，その薬局において薬剤の販売又は授与に従事する薬剤師に，対面により，厚生労働省令で定める事項を記載した書面（当該事項が電磁的記録（電子的方式，磁気的方式その他人の知覚によつては認識することができない方式で作られる記録であつて，電子計算機による情報処理の用に供されるものをいう．以下第36条の10までにおいて同じ.）に記録されているときは，当該電磁的記録に記録された事項を厚生労働省令で定める方法により表示したものを含む.）を用いて，必要な情報を提供させ，及び必要な薬学的知見に基づく指導を行わせなければならない.

2．薬局開設者は，前項の規定による情報の提供及び指導を行わせるに当たつては，当該薬剤師に，あらかじめ，当該薬剤を使用しようとする者の年齢，他の薬剤又は医薬品の使用の状況その他の厚生労働省令で定める事項を確認させなければならない.

4．薬局開設者は，医師又は歯科医師から交付された処方箋により調剤された薬剤の適正な使用のため，当該薬剤を購入し，若しくは譲り受けようとする者又は当該薬局開設者から当該薬剤を購入し，若しくは譲り受けた者から相談があつた場合には，厚生労働省令で定めるところにより，その薬局において薬剤の販売又は授与に従事する薬剤師に，必要な情報を提供させ，又は必要な薬学的知見に基づく指導を行わせなければならない．

（休廃止等の届出） 第10条，**（政令への委任）** 第11条

第7章　医薬品，医療機器及び再生医療等製品の販売業等

（薬局医薬品の販売に従事する者等） 第36条の3，**（薬局医薬品に関する情報提供及び指導等）** 第36条の4，**（要指導医薬品の販売に従事する者等）** 第36条の5，**（要指導医薬品に関する情報提供及び指導等）** 第36条の6，**（一般用医薬品の区分）** 第36条の7，**（一般用医薬品の販売に従事する者）** 第36条の9，**（一般用医薬品に関する情報提供等）** 第36条の10，**（販売方法等の制限）** 第37条

第11章　医薬品等の安全対策

（情報の提供等） 第68条の2（p.99参照）

薬剤師法第25条の2に薬剤師が調剤した薬剤の適正使用に必要な情報提供及び指導を義務化し，医薬品医療機器等法第9条の3に薬局開設者がその薬局に勤務する薬剤師をして，調剤した薬剤に厚生労働省令で定める事項を記載した書面を用いて適正使用に必要な情報を提供及び必要な薬学的知見に基づく指導をし，患者から相談があった場合はそれに答えることを義務化する規定を設けたことは，服薬説明などの患者指導に対する法的裏づけとして，その意義は大きい．

5-3　医療法と薬剤師

医療法は，病院，診療所，助産所について規定したものであるが，1986年（昭和61年）から5回にわたる改正により，従来の施設法から医療基本法の性格をもつこととなった．すなわち，良質かつ適正な医療を効率的に提供する体制を確保するため，医療提供の理念，インフォームド・コンセント（納得医療）の概念を規定するとともに，保健・医療・福祉の統合された医療（包括医療）を地域で実現すること（地域医療）を目指しており，医療提供施設をその機能に応じて類別化（特定機能病院，地域医療支援病院，療養型病床群）することを行った．

医療法には1986年（昭和61年）の改正で，調剤に関係する薬局，薬剤師が組み込まれ，1992年（平成4年）の改正では医療の担い手として薬剤師が明記され，2006年（平成18年）の改正で調剤する薬局が医療提供施設と規定された．関係分を抜粋，記載する．

第1章　総　則

（目　的）

第1条　この法律は，医療を受ける者による医療に関する適切な選択を支援するために必要な事項，医療の安全を確保するために必要な事項，病院，診療所及び助産所の開設及び管理に関し必要な事項並びにこれらの施設の整備並びに医療提供施設相互間の機能の分担及び業務の連携

を推進するために必要な事項を定めること等により，医療を受ける者の利益の保護及び良質かつ適切な医療を効率的に提供する体制の確保を図り，もつて国民の健康の保持に寄与することを目的とする．

(医療の基本理念)

第１条の２　医療は，生命の尊重と個人の尊厳の保持を旨とし，医師，歯科医師，薬剤師，看護師その他の医療の担い手と医療を受ける者との信頼関係に基づき，及び医療を受ける者の心身の状況に応じて行われるとともに，その内容は，単に治療のみならず，疾病の予防のための措置及びリハビリテーションを含む良質かつ適切なものでなければならない．

２．医療は，国民自らの健康の保持増進のための努力を基礎として，医療を受ける者の意向を十分に尊重し，病院，診療所，介護老人保健施設，介護医療院，調剤を実施する薬局その他の医療を提供する施設（以下「医療提供施設」という．），医療を受ける者の居宅等（居宅その他厚生労働省令で定める場所をいう．以下同じ．）において，医療提供施設の機能に応じ効率的に，かつ，福祉サービスその他の関連するサービスとの有機的な連携を図りつつ提供されなければならない．

(国及び地方公共団体の責務)

第１条の３　国及び地方公共団体は，前条に規定する理念に基づき，国民に対し良質かつ適切な医療を効率的に提供する体制が確保されるよう努めなければならない．

(医師・歯科医師・薬剤師等の責務)

第１条の４　医師，歯科医師，薬剤師，看護師その他の医療の担い手は，第１条の２に規定する理念に基づき，医療を受ける者に対し，良質かつ適切な医療を行うよう努めなければならない．

２．医師，歯科医師，薬剤師，看護師その他の医療の担い手は，医療を提供するに当たり，適切な説明を行い，医療を受ける者の理解を得るよう努めなければならない．

３．医療提供施設において診療に従事する医師及び歯科医師は，医療提供施設相互間の機能の分担及び業務の連携に資するため，必要に応じ，医療を受ける者を他の医療提供施設に紹介し，その診療に必要な限度において医療を受ける者の診療又は調剤に関する情報を他の医療提供施設において診療又は調剤に従事する医師若しくは歯科医師又は薬剤師に提供し，及びその他必要な措置を講ずるよう努めなければならない．

４．病院又は診療所の管理者は，当該病院又は診療所を退院する患者が引き続き療養を必要とする場合には，保健医療サービス又は福祉サービスを提供する者との連携を図り，当該患者が適切な環境の下で療養を継続することができるよう配慮しなければならない．

５．医療提供施設の開設者及び管理者は，医療技術の普及及び医療の効率的な提供に資するため，当該医療提供施設の建物又は設備を，当該医療提供施設に勤務しない医師，歯科医師，薬剤師，看護師その他の医療の担い手の診療，研究又は研修のために利用させるよう配慮しなければならない．

(病院・診療所の定義)

第１条の５　この法律において，「病院」とは，医師又は歯科医師が，公衆又は特定多数人のため医業又は歯科医業を行う場所であつて，20 人以上の患者を入院させるための施設を有するものをいう．病院は，傷病者が，科学的でかつ適正な診療を受けることができる便宜を与えることを主たる目的として組織され，かつ，運営されるものでなければならない．

２．この法律において，「診療所」とは，医師又は歯科医師が，公衆又は特定多数人のため医業又は歯科医業を行う場所であつて，患者を入院させるための施設を有しないもの又は 19 人以下の患者を入院させるための施設を有するものをいう．

(介護老人保健施設の定義)

第１条の６　この法律において，「介護老人保健施設」とは，介護保険法（平成９年法律第 123 号）の規定による介護老人保健施設をいう．

(地域医療支援病院の要件・名称の使用制限)

第4条　国，都道府県，市町村，第42条の2第1項に規定する社会医療法人その他厚生労働大臣の定める者の開設する病院であつて，地域における医療の確保のために必要な支援に関する次に掲げる要件に該当するものは，その所在地の都道府県知事の承認を得て地域医療支援病院と称することができる.

一　他の病院又は診療所から紹介された患者に対し医療を提供し，かつ，当該病院の建物の全部若しくは一部，設備，器械又は器具を，当該病院に勤務しない医師，歯科医師，薬剤師，看護師その他の医療従事者の診療，研究又は研修のために利用させるための体制が整備されていること.

二　救急医療を提供する能力を有すること.

三　地域の医療従事者の資質の向上を図るための研修を行わせる能力を有すること.

四～六（省略）

(特定機能病院の要件・名称の使用制限)

第4条の2　病院であつて，次に掲げる要件に該当するものは，厚生労働大臣の承認を得て特定機能病院と称することができる.

一　高度の医療を提供する能力を有すること.

二　高度の医療技術の開発及び評価を行う能力を有すること.

三　高度の医療に関する研修を行わせる能力を有すること.

四～九（省略）

第3章　医療の安全の確保

第6条の9　国並びに都道府県，保健所を設置する市及び特別区は，医療の安全に関する情報の提供，研修の実施，意識の啓発その他の医療の安全の確保に関し必要な措置を講ずるよう努めなければならない.

第6条の12　病院等の管理者は，厚生労働省令で定めるところにより，医療の安全を確保するための指針の策定，従業者に対する研修の実施その他の当該病院等における医療の安全を確保するための措置を講じなければならない.

第4章　病院，診療所及び助産所

(病院等の開設の許可)

第7条第2項　病床の種別（p.480）

(病院・診療所の専属薬剤師)

第18条　病院又は診療所にあつては，その開設者は，厚生労働省令で定める基準に従い都道府県の条例の定めるところにより，専属の薬剤師を置かなければならない．ただし，病院又は診療所所在地の都道府県知事の許可を受けた場合は，この限りでない.

(病院の人員及び施設等の配置)

第21条　病院は，厚生労働省令の定めるところにより，次に掲げる人員及び施設を有し，かつ，記録を備えて置かなければならない.

七　調剤所

【医療法施行規則】

第14条　病院又は診療所の管理者はその病院又は診療所に存する医薬品，再生医療等製品及び用具につき医薬品医療機器等法の規定に違反しないよう必要な注意をしなければならない.

第19条第2項　法第21条第3項の厚生労働省令で定める基準（病院の従業者及びその員数に係るものに限る.）であつて，都道府県が条例を定めるに当たつて従うべきものは，次のとおりとする.

一　薬剤師　精神病床及び療養病床に係る病室の入院患者の数を150をもつて除した数と，精神病床及び療養病床に係る病室以外の病室の入院患者の数を70をもつて除した数と外来患者に係る取扱処方箋の数を75をもつて除した数とを加えた数（その数が1に満たないときは1とし，その数に1に満たない端数が生じたときは，その端数は1として計算する).

第22条　法第22条第9号の規定による施設は，救急用又は患者輸送用自動車及び医薬品情報管理室（医薬品に関する情報の収集，分類，評価及び提供を行うための室をいう．第22条の4において同じ.）とする.

第22条の2　法第22条の2第1号の規定による特定機能病院に置くべき医師，歯科医師，薬剤師，看護師その他の従業員の員数は，次に定めるところによる.

三　薬剤師　入院患者の数が30又はその端数を増すごとに1以上とし，調剤数80又はその端数を増すごとに1を標準とする.

第22条の4　法第22条の2第6号の規定による施設は，無菌状態の維持された病室及び医薬品情報管理室とする.

文献

1) 田村善藏：大学病院の薬剤部長を専任教授とし，薬剤部職員の一部を教育職とすることの必要性について，ファルマシア **12**(5) 394 1976
2) 斎藤太郎：クリニカル・ファーマシーとは，病院 **39**(4) 301 1980
3) 堀岡正義：病院薬学の進歩Ⅰ　139　薬事日報社　1979
4) 高木敬次郎：薬学教育の目標と基準の変遷，薬事 **21**(11) 2565 1979
5) 柴田承二：昭和55年改訂薬学教育基準について，ファルマシア **21**(11) 1149 1985
6) 堀岡正義：昭和時代（1926-1989）調剤学の変遷，薬史学雑誌 **24**(1) 9 1989
7) 堀岡正義：新調剤学（第4版）10　南山堂　1992
8) 堀岡正義：病院薬学　日本薬学会百年史　350　日本薬学会　1980
9) 二宮　英：20世紀の薬学—医療と薬剤師，薬史学雑誌 **35**(2) 106 2000
10) 堀岡正義，鶴岡道雄：明治時代の病院薬局，病院薬学 **3**(2) 63 1977
11) 松藤学人：薬局学の編成を論ず，日本薬報 **4**(7) 1 1929.4.5
12) 岡崎寛蔵：薬剤学業績史，薬剤学 **17**(2) 79 1957
13) アメリカ薬剤師協会使節団報告書：薬剤部年報，No. 9 186 1950〔日薬誌 **30**(12) 1235 1978，**31**(1) 93 1979 に再掲〕
14) 金枝正巳，堀岡正義：清水藤太郎先生と調剤学，薬史学雑誌 **21** 9 1986
15) 武見太郎：日薬ファーマシスト，No. 1940 1973.11.10
16) シンポジウム：病院診療所におけるドラッグインフォメーション活動，薬剤学 **25**(2) 95 1965
17) 堀岡正義：病院薬局学　163　南山堂　1993（第1版　1972）
18) 金枝正巳，鶴岡道雄，堀岡正義：九大病院初代薬局長酒井甲太郎先生とその業績，薬局 **38**(2) 299 1987
19) 堀岡正義ら：病院薬局協議会のあゆみ，日病薬誌 **39**(7) 813 2003
20) 根来玄忠：シンポジウム「Clinical pharmacyとは何ぞや」に出席して，ファルマシア **5**(11) 801 1969
21) 久保文苗：臨床薬学の確立，薬局 **1**(1) 2 1950
22) 伊沢凡人：薬学の在り方の分析　34　医歯薬出版　1952
23) 菅家甫子：Clinical pharmacy，薬局 **21**(2) 143 1970
24) Bouchard VE：Toward a clinical practice of pharmacy, Drug Intel Clin Pharm **3** 342 1969〔菅家甫子：日薬誌 **22**(6) 35 1970〕

25) Francke GN : Evolvement of "clinical pharmacy", Drug Intel Clin Pharm **3** 348 1969〔菅家甫子：日薬誌 **22**(7) 39 1970〕
26) パネル：臨床薬学の課題，ファルマシア **6**(2) 93 1970
27) パネル：臨床医の望む薬剤師，ファルマシア **6**(6) 387 1970
28) 奥田　潤ら：国際薬剤師・薬学連合（FIP）薬剤師倫理規定，日薬誌 **49**(12) 2339 1997. 薬剤師とくすりと倫理（第4版） じほう 2002
29) 日本医師会：医の倫理綱領とその注釈，日医誌 **123**(6) 813 2000
30) 薬物療法における医師と薬剤師の業務上の関係に関する世界医師会声明，日薬誌 **51**(12) 1721 1999

九大病院初代薬局長　酒井甲太郎

明治元年（1868）8月，信州松代生まれ．28年（1895）東大薬学卒．陸軍薬剤官を経て，明治35年（1902）県立福岡病院薬局長，36年（1903）九州帝国大学病院薬局長．薬局内を整備し，各種の調剤機器を開発（酒井式坐薬器，セルテル水容器など）．薬局員の教育，指導にも熱心に取り組む．調剤訓は有名．大正9年（1920）第40回日本薬学会総会（福岡市）開催を前に，4月3日急逝．53歳．

故郷が生んだ偉大な人物として小学校の教材にもなっている．

恩師長井長義が酒井に贈った額は，現在九大病院薬剤部長室に掲げられている．

酒井甲太郎調剤訓

- **諸君は手足を以て作業せず，頭脳を以て手足を働かすべし，これ智識階級の人の当然とす．**
- 一日一問，一年にて三百六十五の智識を得る．諸氏が些かの待遇に甘んじて來局して居るは研究の為なり．此処は諸君の道場である．大いに利用，大いに研究し，以て他日の為に資すべし．
- 研究態度で事を処せば，その時には手間取ることがやがては巧速に運ぶ階梯となりましょう．
- 調剤を誤っては，全く薬剤師たるの価値はない．ゼロである．
- 薬剤師なら薬剤師らしく調剤せよ．
- 鑑（監）査は誤りなきを期する手段であって，絶対に正確なりとの証に非ず．その意味を知って事に当るべきである．
- 天秤に使われるな．天秤を使え．

A 調剤の基礎

2 調剤論

1 調剤業務 と 薬剤業務

医療の場で薬剤師の行う業務には，調剤，薬品管理，製剤，薬品試験，医薬品情報，病棟薬剤，薬剤管理指導，臨床関連業務がある．薬剤師の業務はなんといっても調剤が基本であり，調剤に始まり調剤に終わるといっても過言ではない．

本来，薬剤師の業務は passive（受動的）な性格を有する面が多かったが，薬学の identity を発揮しての active（能動的）な面も現場から強く求められるようになってきた（表 2-1）．

表 2-1．薬剤業務の性格

passive	active
調　剤	薬品試験
製　剤	医薬品情報
薬品管理	病棟薬剤業務
	薬剤管理指導業務
	臨床関連業務

処方箋発行によって初めて調剤業務が生じ，調剤の予備行為としての製剤業務が行われる．医薬品を消費したり，新しい医薬品使用の請求があれば，購入業務が行われる．これらの業務の中に医薬品に関する専門知識が必要なのは当然であるが，それを支えるのが薬品試験や，医薬品情報である．さらに総合的な active 業務が加わって，初めて“薬剤師が行う業務”としてレベルの高いものとなる．薬剤師が行う調剤は，使用する医薬品及び調剤した薬剤について，その品質が保証されたものでなければならない．また処方箋記載の医薬品に関する十分な知識と考察の上に調剤がなされなければならない．

調剤業務と他の薬剤業務との関係はこのように考えられ，とくに active な業務とのバランスにより調剤業務はそのレベルが高められる．

2 薬剤師職能の変革

過去十数年間に，薬剤師はそれまでの 100 年にも匹敵する大きな変革を経験した．この間の医療制度，薬事制度の変革をまとめたのが表 2-2 である．

1．医療法に医療の理念が示され，薬剤師は「医療の担い手」であり，医療を受ける者に，良質かつ適切な医療を行う責務を有することが示された．

2．医薬分業が進み（1994 年 18.1%→2017 年 72.8%），病院薬局での薬剤管理指導業務が評価され（1994 年 1,373 病院→2018 年 5,236 病院），薬局薬剤師は外来患者の調剤を，病院薬剤師は入院患者の最適な薬物療法の実施による有効性・安全性の向上，患者の QOL の向上などを中心とする業務体制が確立した．

3．薬剤師法第 25 条の 2 に，薬剤師は患者又は現にその看護にあたっている者に対し，調剤した薬剤の適正使用に必要な情報を提供することが義務づけられた．

表 2-2．医療制度，薬事制度の変革

年	内容
1974 年（昭 49）	医薬分業元年（処方箋料 100 円→500 円）
1979 年（昭 54）	薬事法改正～目的，再審査・再評価，情報の提供
1983 年（昭 58）	調剤報酬～投薬特別指導料（A）
1986 年（昭 61）	第 1 次医療法改正～地域医療，包括医療
1988 年（昭 63）	診療報酬～入院調剤技術基本料（1994 年薬剤管理指導料）
1992 年（平 4）	第 2 次医療法改正～施設法→医療基本法，医療の理念，医療の担い手として薬剤師を明記，医療機関の類別化
1995 年（平 7）	製造物責任法（PL 法）
1996 年（平 8）	保険医療機関及び保険医療養担当規則，保険薬局及び保険薬剤師療養担当規則改正
	薬事法改正～審査体制，治験・市販後調査の法制化
	薬剤師法改正～調剤した薬剤の情報提供
1997 年（平 9）	医薬品の市販後調査の基準（GPMSP）→2005 年 GPSP
	第 3 次医療法改正～インフォームド・コンセント，地域医療，医療機関の類別化
	健康保険法改正（一部負担 1 割→2 割）
1999 年（平 11）	高齢者薬剤一部負担（一部負担を国が負担）
2000 年（平 12）	介護保険法施行，第 4 次医療法改正
	診療報酬改定・薬価改定，健康保険法改正
2002 年（平 14）	薬事法改正
2006 年（平 18）	薬学教育 6 年制（学校教育法・薬剤師法改正）
	第 5 次医療法改正～調剤する薬局→医療提供施設に
	薬事法改正～薬剤を販売する場合の情報提供
2010 年（平 22）	医政局～局長通知「医療スタッフの協働・連携によるチーム医療の推進について」
2012 年（平 24）	診療報酬～病棟薬剤業務実施加算
2013 年（平 25）	薬事法改正
	薬剤師法改正～必要な薬学的知見に基づく指導
2014 年（平 26）	第 6 次医療法改正
	「医薬品，医療機器等の品質，有効性及び安全性の確保等に関する法律」（医薬品医療機器等法，薬機法）に名称変更，施行
2015 年（平 27）	高額療養費の見直し，第 7 次医療法改正
2017 年（平 29）	第 8 次医療法改正
2018 年（平 30）	薬価制度の抜本改革
2020 年（令 2）	改正薬機法

4．薬学教育6年制が実現し，薬学共用試験センター，薬学教育評価機構も設置され，医療人として質の高い薬剤師の養成が実施されることとなった．

5．病棟において，医療従事者の負担軽減及び薬物療法の質の向上に資する薬剤関連業務を実施している場合に算定されることとなった．

調剤技術のみを論じてきたこれまでの調剤論，薬剤師像は根本的に塗りかえられねばならない．

3 薬剤師の倫理 と 調剤のフィロソフィー[1~3]

薬剤師は医師，歯科医師，看護師らとともに「医療の担い手」であり，その職能により医療を受ける者に対し，良質かつ適切な医療を行う責務を有する（医療法 第1条の2，第1条の4）．

清水藤太郎（1886～1976）
独学で薬剤師となり，横浜で平安堂薬局を経営するかたわら，東邦大学薬学部教授として実務，教育の両面で活躍．生薬，漢方，薬史学，調剤学の権威．薬の倫理の確立に努め，“名薬剤師”の誉れが高い．

薬剤師の主たる業務の1つは調剤である．このことは薬剤師法第1条 薬剤師の任務，第4章 業務（第19条～第28条）の規定から明らかである．

薬剤師法第19条・「調剤」の除外規定が医薬分業の発展を妨げているといっても，医師や歯科医師の行う調剤は自己の処方箋により自ら調剤するときに限られており，基本的に調剤が薬剤師のみに与えられた権利であることには変わりない．

調剤における薬剤師の専権は，薬剤師が医薬品に関する学問である薬学を専攻し，国家試験を経てライセンスを与えられた薬の専門職，責任者と認められているからである．

調剤に関する独占的な権利と引きかえに，薬剤師は社会と医療に対して大きな義務と責任を有している．

薬剤師が調剤などの業務により患者と医療に貢献するには，倫理観・使命感の涵養，学問知識の充実，技術の研鑽が求められる．

そして医薬品が人のからだの構造や機能に影響を及ぼし，直接生命に関連する物質であること，それを取り扱う薬剤師の調剤業務は患者の疾病の改善・全治につながる医療行為であり，適切を欠く調剤はときに疾病の増悪・廃疾・生命の危険にも関係することを考え，つねに医薬品に対する敬虔（けいけん）な想いを胸に秘めて調剤業務に従事すべきである．

日本薬剤師会には薬剤師綱領があり，1997年（平成9年）に薬剤師倫理規定を制定した（p.30）．

清水藤太郎は「調剤学概論」（1938）の中で，調剤規範という章を設け，処方箋受付，調剤，交付，一般心得に関する薬剤師の心構えを詳細かつ具体的に記している（p.28）．

石館守三（元日本薬剤師会会長）は調剤のフィロソフィー（哲学）を次のように述べている．

「薬剤師の調剤業務の形態と内容は昔日のものと異なってきた．

臨床薬理的に確立した医薬品が安全な使用に適合するような特定な剤形が与えられ，昔日のように薬局において乳鉢や製造機はもはや必要がなくなった．外見的には鋏と計数で済む

清水藤太郎調剤規範

調剤は不幸にして病魔に侵された同胞を救う業務であるから　薬剤師は ⑴常に患者にていねいで ⑵職務に忠実であって人の信頼を失わず ⑶活発であって注意深く ⑷敏速であって精密に行うの習慣を養わなければならない．患者は常に不安と疑念を有し　多くはわがままであるから　これに対するに冷静と好意と親切を以てしなければならない．

薬剤師は常に注意して薬局内を整頓し　純良な薬品と　優秀な器具を準備し　以て完全な薬剤師たると同時に　薬局の声価を高めるよう努めなければならない．業務が人の生命に関するものであるから　調剤に対する責任は重大である．総て薬剤師は薬局内に於ける法律上（刑事的及び民事的）及び道徳上の責任を負う．

欧米には「薬剤師憲章」“The Ethics of Pharmacy”があって薬局業務を規制している*．

*わが国には日本薬剤師会制定の薬剤師綱領，薬剤師倫理規定がある．

〔処方箋受付〕

1．処方箋を受けたときは患者に一礼し　椅子を進め処方箋を一回通読しその裏を見　予定の時間及び交付方法等を告げ　番号札等の調剤票があればそれを患者に交付し　その番号を処方箋に記入し直ちに調剤室に入る．患者は常に不安を持っていて　多くは神経質であるから　患者の面前で処方を読む際　処方に疑点又は不明の個所があっても　患者に些少たりとも不安を与えるような行為をしてはならない．患者は処方箋は　すべて完全で疑点のないものと信じているから　首をかしげたりすると読めないものと考える．この際ていねいに重々しく行動し　知人でも笑談を避けなければならない．

2．患者の質問にはていねいに答える．質問には鸚鵡（おうむ）返しに答えずに　少し間をおいて答える．この際処方の内容を批評してはならない．患者はよく ⑴病気は何ですか ⑵この薬は何ですか ⑶効きますか　などと尋ねる．この際薬品の名称　性質　病名　効果等を語るのは　処方医の信用にかかわることがあるから注意を要する．効用や使用法は　必ずしも一定しないものである旨を答える．もししいて質問を受けたときは　最小限に答え　なおその内容を話さないのが　処方者への礼儀である旨を告げ　質問は処方者に向けるようにしなければならない．答をして処方者と意見を異にし　自己の信用を害することがある．医師は治療上薬剤師と共同作業者であるから　互に尊重するを要する．

3．調剤室では患者の見えない所で処方を2回精読し必要あれば参考書と引き合わせて全体を充分理解し誤りのないことを確かめた後　調剤に着手する．処方は初め個々の薬物に注意し　次に全体を通覧する．もとより全文を通読しないで調剤に着手してはならない．

この際最も重視すべきは　薬用量であって薬剤師の注意により薬用量の誤りを発見し　患者の危害を未然に防止し　医師の名誉を保持したことは数知れない．即ち薬剤師は医師と患者の間にあって　両者の保護者たるの位置にあるものである．電話で来た処方は　ことに注意を要する．

4．処方箋に疑義あるときは　急がずゆっくり考えて同僚に相談し　又は上席者の意見を徴しその指揮を仰いで善処しなければならない．必要あれば処方医に照会する．照会は直接口頭電話　文書をもって行い　使い又は患者に依頼するときは　密封した書面で　文書は例文でていねいに書かなければならない．照会文の書きようで自己の真価を曝露することがある．この際疑義の内容は決して患者に語ってはならない．ただ時間のかかることをいって　少時の猶予を乞うだけにする．患者の宅に薬剤の配達を約して　一旦患者を帰宅させるのも一策である．照会を医師はあまり喜ばないで　多くは薬剤師の適切な処理を希望する．しかし患者の安全のために薬剤師は疑義照会の意義をよく理解しなければならない．

5．夜の客には　なるべく早くかつ快く応ぜよ．夜間調剤を求むるは患家といえども決して好ましいことではない．しかし例えば子　母　妻

夫　父等の急病で来るのであるから　自己を客の位置において考える必要がある.

〔調　剤〕

1. 調剤は清潔に　正確に　手早く　行う.
2. 調剤は　むしろ神経質なほど清潔と整頓を旨としいやしくも不潔な動作をしてはならない. 薬を服用するは何人でも決して愉快ではない. 不潔は患者に甚しい不快を感じさせるから　調剤者は自己の頭髪服装等に注意するは勿論　手指の如きも常に清洗するを要する.
3. 装置瓶を手に取ったときは　瓶をとったときと薬を量るときと　もとへ戻すときと　少なくとも3度薬名箋を読まなければならない. 秤量中は薬品の外観　軽重に注意し　不慮の誤薬を避ける. 装置瓶に他薬の混在した場合は　たとえ他人の誤りでも第一の責任は調剤者である. 秤量終ったときは再び念のため薬名箋を読んで真否を確め原位置に復する.
4. 処方箋の調剤中は　なるべく他の用事をしてはならない（電話　来客等）. 薬局内にはみだりに他人の出入を許さない.
5. 調剤が終ったとき　更に一回処方箋を通読し薬品のとり違え　とり忘れ　秤量の過不足を想起する. 誤りがあれば調剤薬を捨て再製し　又ある薬品を入れたかどうか疑問あるときも再製しなければならない. まちがった薬を投与して名誉を失うよりも材料を損失した方が安い.
6. 調剤は　手早く　入念にあわてずに行う. 調剤の遅いのは知識又は経験の不足によるか　多くは両方とも欠けているためである.
7. 調剤はただ器械的ではいけない. 油断なく研究的に注意深きを要する. 誤りはその人に属しその人の注意によってのみ避けることが出来る.
8. 不明の点を人に聞くに憚ることなかれ.
9. 調剤は常に静粛なるを要する. 調剤中は私語雑談を禁ずる. 又高声を発し　又は棚越しに話しかけてはならない. 患者はよく調剤者の一挙一動に注目しているものである. 一流の薬局は静かなること林の如しである.

〔交　付〕

1. 交付は誤謬の発生しないよう極力注意を要する. 交付を完了したときは　薬剤は既に患者の口に入ったも同然である. 実に患者の病の運命は　(1)処方箋交付時　(2)調剤交付時に定まる.
2. 交付後薬剤に誤謬を発見したときは　迅速に適切な処置を講じなければならない. もし上席の者あるときは直ちに申告し　善後策を講ずる.

〔一般心得〕

1. 薬局は患者のために存するのであるから　すべて患者本位たるを要する.
2. 患者には懇切ていねいを旨とし　いやしくも冷淡粗暴の行為があってはならない. 又あまりになれなれしくあってはならない. 常に言語態度に注意しこれを良習慣化するに努めるを要する.
3. 患者から苦情を持ち込まれたときは　一応これにつき説明し　満足しないときは上席者に申告し　その処置を乞わなければならない.
4. 業務上の秘密は　決して人に洩してはならない. 直ちに自己の人格にかかわるものである. 薬局内の一調剤者の不名誉は　全局員の不名誉となるものであることを考えるべきである.
5. 誤って物品を破損し　又は業務上における金銭上及び名誉上の損失を与えたときは　遅滞なく上長に報告して　その指揮を仰がなければならない. この報告は勇気を要する.
6. 上席者の命に服従すべきである. 上席者は原則としてすべての方面に経験に富み　内外の事情に精通しているからである.
7. 薬剤師は誠実にして向上心をもち　常に熟練した上席者の仕事を注視していなければならない.
8. 薬剤師は工夫に富み　業務上の良方法を案出するにつとめ　仕事には常に理想をもち　これに近づくよう心掛けなければならない.
9. 自己の俸給以上に精励せよ. 物と金は使えば減損するが　身体と頭脳は　使用によってのみ発達するものである. 精励は決して他人のためのみではないのである.

薬剤師綱領

昭和48年10月 日本薬剤師会

1. 薬剤師は国から付託された資格に基づき，医薬品の製造，調剤，供給において，その固有の任務を遂行することにより，医療水準の向上に資することを本領とする.
1. 薬剤師は広く薬事衛生をつかさどる専門職としてその職能を発揮し，国民の健康増進に寄与する社会的責務を担う.
1. 薬剤師はその業務が人の生命健康にかかわることに深く思いを致し，絶えず薬学，医学の成果を吸収して，人類の福祉に貢献するよう努める.

薬剤師倫理規定*

平成9年10月24日 日本薬剤師会理事会制定承認

前 文

薬剤師は，国民の信託により，憲法及び法令に基づき，医療の担い手の一員として，人権の中で最も基本的な生命・健康の保持増進に寄与する責務を担っている．この責務の根底には生命への畏敬に発する倫理が存在するが，さらに，調剤をはじめ，医薬品の創製から供給，適正な使用に至るまで，確固たる薬(やく)の倫理が求められる.

薬剤師が人々の信頼に応え，医療の向上及び公共の福祉の増進に貢献し，薬剤師職能を全うするため，ここに薬剤師倫理規定を制定する.

第1条 任務

薬剤師は，個人の尊厳の保持と生命の尊重を旨とし，調剤をはじめ，医薬品の供給，その他薬事衛生をつかさどることによって公衆衛生の向上及び増進に寄与し，もって人々の健康な生活の確保に努める.

第2条 良心と自律

薬剤師は，常に自らを律し，良心と愛情をもって職能の発揮に努める.

第3条 法令等の遵守

薬剤師は，薬剤師法，薬事法，医療法，健康保険法，その他関連法規に精通し，これら法令等を遵守する.

第4条 生涯研鑽

薬剤師は，生涯にわたり高い知識と技能の水準を維持するよう積極的に研鑽するとともに，先人の業績を顕彰し，後進の育成に努める.

第5条 最善尽力義務

薬剤師は，医療の担い手として，常に同僚及び他の医療関係者と協力し，医療及び保健，福祉の向上に努め，患者の利益のため職能の最善を尽くす.

第6条 医薬品の安全性等の確保

薬剤師は，常に医薬品の品質，有効性及び安全性の確保に努める．また，医薬品が適正に使用されるよう，調剤及び医薬品の供給に当たり患者等に十分な説明を行う.

第7条 地域医療への貢献

薬剤師は，地域医療向上のための施策について，常に率先してその推進に努める.

第8条 職能間の協調

薬剤師は，広範にわたる薬剤師職能間の相互協調に努めるとともに，他の関係職能をもつ人々と協力して社会に貢献する.

第9条 秘密の保持

薬剤師は，職務上知り得た患者等の秘密を，正当な理由なく漏らさない.

第10条 品位・信用等の維持

薬剤師は，その職務遂行にあたって，品位と信用を損なう行為，信義にもとる行為及び医薬品の誤用を招き濫用を助長する行為をしない.

* 薬剤師倫理規定は2度の改定を経て，2018年（平成30年）1月に「薬剤師行動規範」として制定された.

ようにさえみえる．しかしそれだけを以って薬剤師の業務が変革したとみるのはあまりにも皮相である．

調剤技術だけに限ってみても，薬匙や鋏によって行う外見的な作業は調剤業務の末梢的な事柄にすぎない．それ以前に薬剤の薬理，そして化学的物理的性状を知った上での処方せんのチェック，安全性の確認，調剤方法の決定ならびに服用時の指導など，一連の思考の上に調剤の本来の重点がある．したがって調剤行為の背景には幅と奥行きの深い医薬品に関する学識と技術が根底となっていることを理解する必要がある．薬剤師は単に技術屋であってはならず，科学者であらねばならぬ所以はここにある．そして薬剤師が市民に対して医療担当の科学者として十分にその責務を果たすためには，卒業後の教育，生涯教育に一段の努力が必要とされる」

調剤のフィロソフィーに関連して，さらに取り上げたいのは，1979年（昭和54年）の薬事法（現医薬品医療機器等法）の改正である（p.26 表2-2）．

この改正において薬事法第1条は法律の目的を「この法律は，医薬品，医薬部外品，化粧品及び医療用具に関する事項を規制し，もつてこれらの品質，有効性及び安全性を確保することを目的とする」と定め，国民の健康福祉を重視する法律であることを明らかにした（現行法 p.17）．

このことは薬事法と表裏一体をなす薬剤師法の精神，解釈，運用にも大きな影響を与えるものである．すなわち調剤に従事する薬剤師のあり方として，法規を文字通り解釈した消極的な姿勢から，投薬を受ける患者での薬剤の有効性，安全性を確保するために，その専門性を生かし最大限の努力をするという積極的な姿勢が要請される．

4 調剤の概念

4-1 調剤の概念[4)]

調剤の概念として，これまでよく引用されたものに1917年（大正6年）3月19日の大審院の判決がある．「調剤トハ一定ノ処方ニ従ヒテ一種以上ノ薬品ヲ配合シ若シクハ一種ノ薬品ヲ使用シ特定ノ分量ニ従ヒ特定ノ用法ニ適合スル如ク特定人ノ特定ノ疾病ニ対スル薬剤ヲ調製スルコトヲ謂フモノトス．」

しかしこの判決文を今日の調剤における薬剤師の役割と対比した場合，なお不十分との非難を受けて当然である．今から90年以上も前の判決は調剤に関する裁判の判例たりえても，今日の時代の調剤の概念とするにはふさわしくない．医学薬学の進歩と薬物療法の発展にともない薬剤師職能の発揮が求められている今日，当然この時代にふさわしい概念があってしかるべきである．

以上の経緯から調剤の概念を次のように考えた．

「調剤とは，医師，歯科医師らの処方により（医師法 第22条，歯科医師法 第21条），医薬品を使用して特定の患者の特定の疾病に対する薬剤を，特定の使用法に適合するように調製し，患者に交付する業務をいい，薬剤師の職能（薬剤師法 第19条）により，患者に投与する薬剤の品質，有効性及び安全性を確保することをいう．

調剤の実施には，処方点検，薬剤調製，服薬指導の3つの要素がある．それを支えるものとして医療担当者としての倫理と，幅と奥行きの深い医薬品に関する学識と技術が必要である．」

この調剤の定義には4つのポイントがある．

第1は調剤の目的を患者に投与する薬剤の品質，有効性，安全性を確保することとしたことである．これは医薬品医療機器等法第1条の延長線上にあり，医薬品医療機器等法で規制される製薬会社が製造する医薬品と，医療の場で配合，併用して投薬，施用される薬剤，双方の品質，有効性，安全性が確保されて，患者への薬物療法は初めて完全なものとなる．

第2は調剤が情報を背景にしたメンタルなものであることを表現するために業務という言葉を用いたことである．これは薬剤師法「第4章 業務」のタイトルに基づくものであり，用語に妥当性をもたせた．

第3は調剤業務の範囲である．薬剤調製の前後にある処方点検と服薬指導のウエイトは，今や薬剤調製に匹敵するものがある．後者は薬剤師法第25条の2の制定により法的義務となった．

第4は注射剤の調剤と矛盾しないようにしたことである．

4-2 調剤業務の範囲拡大

医師が処方設計を行って処方箋を発行し，薬剤師が処方箋の点検*（監査）をした後に調剤し，患者に交付，服用するまでの順序は図2-1に示すとおりである．

調剤剤形の変化，すなわち散剤中心から錠剤など既製市販品中心への移行は，従来調剤の中心であった「薬剤調製」のウエイトを低下させたが，一方薬物療法の多様化と切れ味の鋭い数々の新薬の開発は，豊富な医薬品情報を基にした幅広い調剤業務を薬剤師に求めることとなった．ジェネリック医薬品の調剤では薬剤師に薬剤選択の裁量が認められ，すなわち処方箋の点検と処方医への疑義照会，患者に対する服薬指導のウエイトが増大した．さらに調剤に際して薬剤師が手にする1枚の処方箋に含まれる情報から，長期連用や注射剤の施用，他科受診の処方，常用の一般用医薬品（OTC薬）等多剤併用にともなう副作用や相互作用の予見と発見の英知をも薬剤師に求めることとなったのである．すなわち調剤業務の範囲の拡大である（図2-1）．

これらは良質かつ適切な医療を患者に提供するために薬剤師が果たすべき義務である．

薬剤服用歴（薬歴）の作成は「範囲を拡大した調剤業務の内容」を記録に留めたものであり，これにより豊富な患者情報をもとに良質な調剤を行うことができる．

---

* 本書では「処方監査」という言葉は用いず，「処方箋の点検」を用いる（p.275 MEMO参照）．

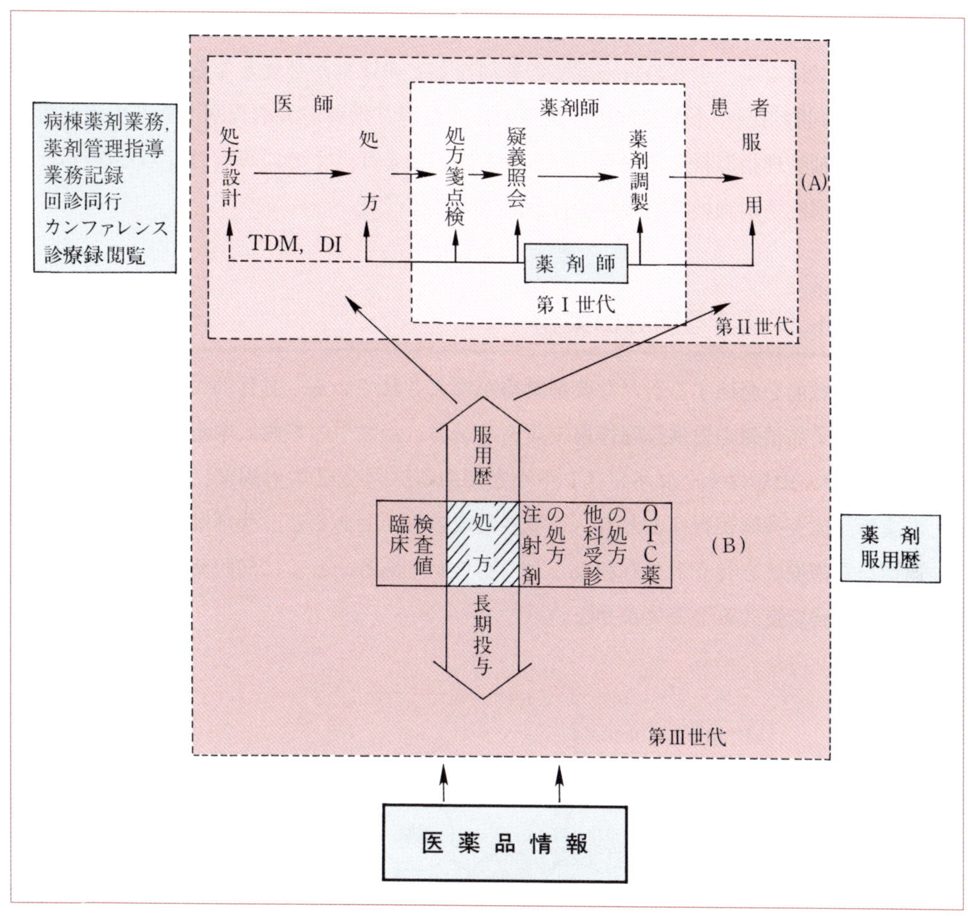

図 2-1．第Ⅲ世代の調剤概念

4-3　個のレベルの調剤業務 ── 第Ⅳ世代の調剤概念

調剤概念の変遷を3つの世代に分けて考えることができる．

第Ⅰ世代　薬剤調製の技術中心の調剤．

第Ⅱ世代　医薬品情報を活用し，服薬指導を重視する調剤（図 2-1 A）．

第Ⅲ世代　第Ⅰ，第Ⅱ世代の調剤に加えて，医薬品情報，薬剤服用歴・薬剤管理指導記録，患者情報をベースに，患者に投与される薬剤を総合的に管理し，医師の処方設計をもアドバイスする調剤（図 2-1 A+B）．

第Ⅳ世代　第Ⅰ，第Ⅱ，第Ⅲ世代の調剤に地域の薬局との連携を図る調剤．

この場合，第Ⅰ世代の調剤は物質志向 products oriented の調剤，第Ⅲ世代の調剤は患者志向 patients oriented の調剤，個のレベルの調剤と考えることができる．第Ⅱ世代の調剤は服薬指導を重視するなど患者志向を強めているが，薬剤服用歴を作成していないのでいまだ個のレベルの調剤とはいいがたい．調剤の主体は，技術調剤から情報調剤に移行したということができる．

薬の専門職としての薬剤師の調剤は，第Ⅲ世代を目指すものでなければならない．

そのうえで，第Ⅳ世代の調剤につながることが必要である．なぜならば，医療は病院の中だけで完結するものではなく，患者の自宅近くの薬局などとの連携が必要となるためである．

このことは薬剤服用歴や薬剤管理指導記録の作成管理と指導が調剤報酬（薬剤服用歴管理料）や診療報酬（薬剤管理指導料）に取り上げられたことにより，すでに現実のものとなった．

薬局薬剤師，病院薬剤師の調剤の特徴は p.37 を参照のこと．

4-4 調剤に関連する新しい業務

最近は薬剤師職能を発揮する新たな薬剤業務が導入されている．具体的には服薬指導，TDM，注射剤調剤，医薬品情報の提供，副作用モニタリング，治験への参画，中毒医療への貢献（情報提供，迅速分析），セーフティマネジメントなどである．図 2-2 の外周部にあるこれらの業務は医師，看護師，検査技師が行うこともある境界領域のものであるが，薬剤師が行った方がより良質かつ適切な薬物療法を行う上で有利なことは明らかである．とくに病院薬剤師が入院患者を中心とする病棟業務を進める上で欠かせない．

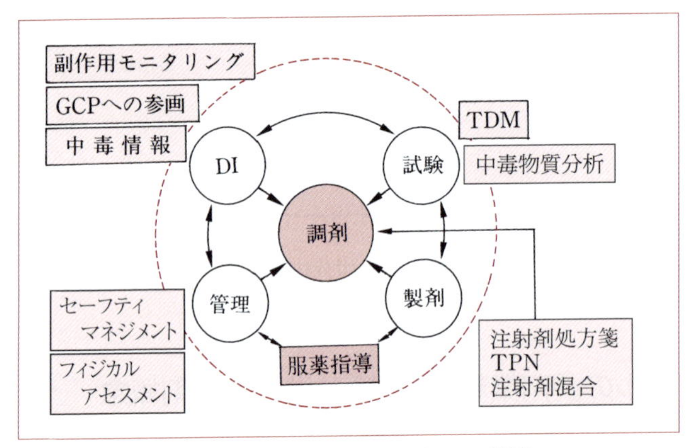

図 2-2．調剤に関連する新しい業務

服薬指導はすでに患者志向の調剤業務の中心に位置づけられており，処方医と密接な連携を保ちながら一層の発展が計られねばならない（p.323）．

TDM における薬物の血中濃度測定は個々の患者に最適な薬物投与条件を設定するための測定であり，その結果を解析することにより，薬剤師は薬物の体内動態のデータを根拠に医師の処方設計にアドバイスすることができる．これからの医療は，個々の患者の病状を詳細に観察，検査して，診断，治療を行うきめ細かなものとなる．TDM は，そのような個々の患者を大切にする医療への薬学的アプローチであり，薬剤師にとって大切な業務として大事に育てていかねばならない（p.39，p.173）．

ここで TPN，注射剤混合，すなわち注射剤の調剤について考えてみる．これまで伝統的に調剤が内用薬，外用薬に限られていることは，今日の薬物療法において薬剤師が果たすべき役割を考えるときいささか問題がある．注射剤処方箋発行による処方内容の点検，配合変化や分解の予測，TPN や注射剤混合の業務は，多くの病院で実施されている．さきに記した調剤の定義になんら矛盾することなく，調剤業務の1つとして「注射剤の調剤」を加えることができる（p.426）．

日本病院薬剤師会は消毒剤による医療事故について，「消毒剤による医療事故防止」の指針を作成した．さらに医薬品の適正使用に向け，病棟での注射剤の混合，配薬，処置薬や消毒剤の調製などを病院薬剤師の関わる業務と位置づけた．

医薬品等安全性情報報告制度活性化のための貢献も求められている．

医薬品，家庭用品，農薬などの中毒情報の収集と伝達，ならびに中毒物質の分析は，薬品中毒，救急医療への薬学からの貢献である[5)]*．

4-5 調剤 と 医薬品情報 (p.73)

医薬品は情報とセットになって，初めて臨床使用の条件が整う．情報が整備されていない医薬品は，医療の場で存在価値がないといっても過言ではない．

医薬品情報の体制整備の経過は表 2-3 のとおりである．

表 2-3．医薬品情報の体制整備

年	事項
1965 年（昭 40）	日本薬学会年会　ドラッグインフォメーションシンポジウム
1971 年（昭 46）	病院薬局の DI 活動業務基準
1988 年（昭 63）	医薬品インタビューフォーム（平 10，平 20 改訂）
1993 年（平 5）	病院における医薬品情報管理の業務基準（昭 46 基準の改正）
1996 年（平 8）	診療報酬，調剤報酬に薬剤情報提供加算
	薬剤師法第 25 条の 2　調剤薬の情報提供
1997 年（平 9）	医療用医薬品添付文書記載様式改訂
	医薬品等安全性情報報告制度（医薬品副作用モニター制度等を再編）
1999 年（平 11）	医薬品情報提供システム
2000 年（平 12）	厚生労働省「緊急安全性情報等の提供に関する指針」
2001 年（平 13）	「医薬品情報提供のあり方に関する懇談会」最終報告
2002 年（平 14）	日本医薬品情報学会
2006 年（平 18）	薬事法第 36 条の 6（一般用医薬品を販売する場合における情報提供）
2007 年（平 19）	医薬品医療機器総合機構「患者向け医薬品ガイド」「くすりのしおり」
2010 年（平 22）	医薬品安全性情報等管理加算
2018 年（平 30）	日本病院薬剤師会「医薬品情報業務の進め方 2018」
	MID・NET 稼働

とくに薬事法（現医薬品医療機器等法）に情報の提供が規定され，診療報酬に DI フィーといわれる薬剤管理指導料が制定され，医療法施行規則に医薬品情報管理室（医薬品情報の収集，分

*（公財）日本中毒情報センターは昭和 61 年に設立され，多数の薬剤師がスタッフとして活躍している．
中毒 110 番（大阪）072-727-2499，（つくば）029-852-9999（情報提供料は無料）
たばこ誤飲事故専用電話（無料）072-726-9922（エンドレス方式）
医療機関専用有料電話（大阪）072-726-9923，（つくば）029-851-9999（1 件につき 2,000 円）

類，評価，提供）の設置が特定機能病院，地域医療支援病院に規定され，薬剤師法，薬事法に調剤した薬剤の情報提供が義務づけられたことの意義は大きい．

今日の薬物療法において「医師は薬を処方するとともに情報も処方する」，「薬剤師は薬を調剤するとともに情報も調剤する」という情報活用の心構えが必要である（図 2-3）．

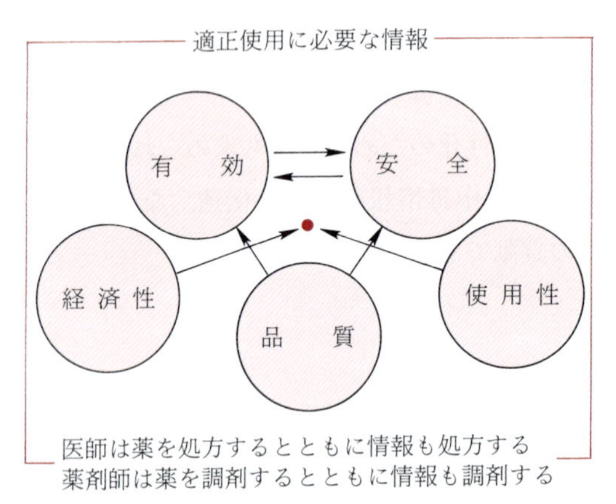

図 2-3．薬物療法と医薬品情報

くすりの逆読みは**リスク**，薬効と副作用は背中合わせである．薬剤師は医薬品情報のスペシャリストであるとの認識を明確にし，医師等への情報提供，情報交換を十分に行い，pharmacogenic と考えられる医原性疾患が，患者の不利益を払わなければ医師にフィードバックしてこないといった事態を招かないよう努力しなければならない．

DI の父 Donald E. Francke（p.10 図 1-5）の言葉は，薬剤師の DI 業務の亀鑑（きかん）である[6]．

"In the field of drug information, tens of pharmacists could serve the needs thousands of physicians serving millions of patients"

4-6 調剤 と 薬事法規

1）薬剤師の任務

薬剤師法第 1 条は薬剤師の任務を「薬剤師は，調剤，医薬品の供給その他薬事衛生をつかさどることによつて，公衆衛生の向上及び増進に寄与し，もつて国民の健康な生活を確保するものとする」と定めている（表 2-4）．これは憲法第 25 条の公衆衛生の向上及び増進に努めるという国の責務を規定した部分を受け，これによって国民の健康な生活を確保することとしたものである．

医師法および歯科医師法の第 1 条も，薬剤師法第 1 条と全く同じ構成で，それぞれがつかさどるべき分掌事項が異なっているだけである．すなわち医師法，歯科医師法，薬剤師法は憲法第 25 条を受けた行政法であり，国民の健康を守る国の憲法上の務めを実行する者を定めているものである．このような任務を与えられた医師，歯科医師，薬剤師は，医療・保健衛生の分野において互いに独立し，かつ最高の任務をもつ職能であり，医療従事者としての責任を果たしている．

表 2-4．憲法と医師，歯科医師，薬剤師の任務

憲法第 25 条〈国民の生存権，国の社会保障的義務〉
1．すべて国民は，健康で文化的な最低限度の生活を営む権利を有する．
2．国は，すべての生活部面について，社会福祉，社会保障及び公衆衛生の向上及び増進に努めなければならない．

医師法第 1 条〈医師の任務〉
医師は，医療及び保健指導を掌ることによつて公衆衛生の向上及び増進に寄与し，もつて国民の健康な生活を確保するものとする．

歯科医師法第 1 条〈歯科医師の任務〉
歯科医師は，歯科医療及び保健指導を掌ることによつて，公衆衛生の向上及び増進に寄与し，もつて国民の健康な生活を確保するものとする．

薬剤師法第 1 条〈薬剤師の任務〉
薬剤師は，調剤，医薬品の供給その他薬事衛生をつかさどることによつて公衆衛生の向上及び増進に寄与し，もつて国民の健康な生活を確保するものとする．

2）「医療」と「調剤」

ここでそれぞれの任務である「医療」と「調剤」について考えてみる．

医師の任務である「医療」は限りなく大きい．薬物療法も医療の一部である．

「医療」という言葉は抽象的である．疾病の診断，治療，予防に関するあらゆることを含んでいる．医師はそれを任務とする．

これに対して薬剤師の主務の1つである「調剤」は具体的な印象を受ける．薬剤師法第4章 業務 第19条～第28条に，処方箋の取り扱い，薬剤調製の際の規定があり，1996年（平成8年）の改正で調剤した薬剤の情報提供義務が加わったが（p.18，p.35 表 2-3），これだけをもって「医療」に対応する薬剤師の「調剤」とするにはふさわしいものとはいえない．

「調剤」は薬学を専攻した薬剤師にとって最も重要な職能であるから，もっと抽象的，概念的に考えるべきである．すなわち「医療」に対応して，調剤を「薬学的医療」あるいは「薬科医療」とし，「薬学的立場から医薬品を評価し，良質かつ適正な薬物療法を行うに必要な，あらゆる薬学的アプローチ」あるいは「医療における薬剤師のすべての業務」としてとらえるべきであろう．したがってこれまでに記した範囲を拡大した調剤業務（p.32），調剤に関連する新しい業務（p.34）も，すべて「調剤」の概念として考えたいのである．

Pharmaceutical care の概念は，ここに記す調剤の概念とほぼ同一と考えることができる．

5　薬局薬剤師 と 病院薬剤師の調剤の特徴

5-1　薬局薬剤師の調剤

薬局は調剤を行う場所であるとともに，一般用医薬品の販売を認められ，医師，歯科医師，医療機関等と連携をとりつつ地域保健医療に貢献する責務を有する．これには地域住民に対する介護用品等の供給による在宅医療，福祉への貢献を含む．2006年（平成18年）の医療法改正によ

り，薬局は医療提供施設として位置づけられ（p.19，p.26 表2-2），その責務はますます大きなものとなっている．

患者と薬局薬剤師のつながりは病院薬剤師の場合と比較してより緊密であり，患者側からみれば気軽に薬剤についての不安や疑問を相談でき，薬剤師の側からは親身な服薬指導，情報提供を行うことができる．かかりつけ薬局では家族単位の薬歴管理や多くの地域住民の薬歴管理が可能である．また高齢化に伴い複数科受診が増えているが，どこの医療機関の処方箋でも調剤する薬局のオープン性から，異なる医療機関間の重複投薬や相互作用のチェックが可能でなければならない．一般用医薬品との重複や相互作用のチェックも，薬局の重要な業務である．さらに一般用医薬品や健康食品の使用状況から，住民に健康上の適切なアドバイスをしたり，医療機関への受診勧告を行うことも薬局の多様性を生かした役割である．

薬局の在宅患者訪問薬剤管理指導や患者宅への薬剤の配送などは，高齢化社会において地域に密着した薬局の大切な役割となってきている．今後薬局には，このような薬局の特性を生かした「かかりつけ薬局」としての機能を発揮することが期待される．

このように，薬局薬剤師の調剤は地域在住の患者の薬歴管理，服薬指導による情報の提供に特徴があるということができる．

薬局薬剤師の業務については「薬局業務運営ガイドライン」が作成されている（薬発第408号，平5.4.30）．

5-2 薬局における調剤に関わる医薬品情報管理業務

日本薬剤師会の中央薬事情報センターは1979年（昭和54年）に設立され，各都道府県に地方薬事情報センターが設置されている．地方薬事情報センターの設置目的は次のとおりである．

1）会員の薬事情報活動に対する援助活動及び指導

2）地域医療に貢献する薬事情報の提供

医薬分業が進展した今日，会員の分業推進の情報支援に，また地域住民への薬事情報の提供に地方薬事情報センターの果たすべき役割は大きい．各センターでそれぞれ独自の情報誌も発行している．

日本薬剤師会は，薬剤師の情報業務を支援するため，インターネットを含め各種の伝達手段を活用して，短時間で全国の保険薬局に一斉に送信できるFAX送信システムを1998年（平成10年）より構築している．

5-3 病院薬剤師の調剤

従来から，病院薬局の業務は外来患者の調剤を中心とするところが多いが，病院は本来入院患者に対する医療サービスが主体でなければならない．

入院患者に対する薬物療法では，内服薬のほか注射剤の使用頻度も高い．したがって患者1人当たりの処方薬品数が多く，併用禁忌，多剤の併用や配合に伴う相互作用，副作用の発生と防止に注意を払う必要がある．

適正な医薬品の選択と処方のためには，医薬品情報の提供も重要な業務となる．

TDMの実践とデータの解析，それによる処方設計へのアドバイスも必要となる．これからのTDMは，移植医療における免疫抑制薬の適正使用，薬物代謝酵素の遺伝子多型による相互作用・副作用回避等高度医療への貢献が期待される．

薬剤管理指導料の制定により，入院患者に対するベッドサイドでの服薬指導が行われ，処方箋に基づいて注射剤を供給することにより入院患者に対する薬物療法全体を薬局で把握できる．

病棟業務においては，回診同行，医局カンファレンスへの参加，必要に応じて診療録の閲覧など，患者情報（検査データ，アレルギー歴，副作用歴，薬物代謝酵素の遺伝子多型等）の収集が十分に行われる．副作用の発生状況の把握にも努めるようにする．

専門分化された医療の中で，これからは専門領域に参画することができるスペシャリストの養成が必要となってくる．

退院時の服薬指導や，在宅療養患者を訪問しての薬剤管理指導が必要である．

大規模病院では外来患者の薬歴管理は難しいが，小規模病院・診療所では外来患者との関係が緊密で，薬歴管理を行い充実した服薬指導を実施しているところもある．とくに職員の健康管理に重点を置く企業体診療所では，患者情報を十分に把握した上で，充実した患者指導が行われている．

5-4 病院における調剤のための医薬品情報管理業務[7)]

[目　的]

調剤のための医薬品情報管理は医師，歯科医師，薬剤師，その他の医療従事者，ならびに患者への医薬品情報の提供を通じ，良質かつ適正な薬物療法の発展を図り，調剤業務の向上と効率化に寄与することを目的とする．

この目的を遂行するために，次のことが必要である．

1）薬剤師は調剤業務を行うに必要な基礎的知識を身につけること．
2）調剤業務を行うに必要な組織・人員，施設・設備を備えること．
3）情報量が膨大化するなかでコンピュータなどの利用を進めるとともに，情報を正しく評価できる薬剤師を養成すること．

[業　務]

1）調剤に伴う医薬品情報の収集，整理，保管及び情報の加工と専門的評価
2）調剤薬に関する情報の伝達
3）調剤薬に関する質疑に対する情報の提供
4）臨床薬剤業務の支援又は必要に応じた兼務
5）副作用の収集及び伝達体制における病院内での役割
6）治験審査委員会への資料の作成及び提供

7）医薬品の市販後調査への関与
8）調剤関連分野の学生や従事者に対する教育
9）調剤関連の情報科学に関する研究
10）医薬品，家庭用品及び農薬等の中毒情報の収集と伝達
11）地域における病院間の調剤業務の連携

調剤室およびDI担当者には各種の情報媒体で提供される医薬品情報を収集・整理・評価・保管・提供などといった業務を遂行するための知識・技術的能力を有することが求められている．とくに近年では，情報通信技術（Information and Communication Technology：ICT）の急速な進歩により，DI業務においてもICTは欠かせないものとなり，インターネットの有効活用が必要不可欠である．

病院薬剤師と薬局薬剤師の間には，調剤業務の重点の置き方にかなりの相違があるが，薬薬連携による患者情報，薬歴情報の交換をさらに緊密に行うことが必要である．

また，2012年（平成24年）の診療報酬改定で院外処方箋の大きさの制限は，従来の「A5とする」から「A5を標準とする」へと緩和された．これを受け，病院では院外処方箋に腎機能や副作用などの指標になる検査値を表示する施設が出てきた．院外処方箋を応需する薬局薬剤師に投与量の適正化や副作用の早期発見など医療の安全性の向上が薬薬連携として図られている．

6 Clinical Pharmacy Practice から Pharmaceutical Care へ[8～13]

Clinical pharmacy（CP）の概念，わが国におけるCP発展の歩みについては，第1章に記した（p.2，p.9）．

1960年代に米国では薬学教育の改革が行われ，患者志向を重視したカリキュラムの導入と年限の延長を実施した結果，臨床実務経験を積んだ臨床薬剤師clinical pharmacistの養成が進んだ．

わが国の場合，当初調剤を軽視するような傾向がみられたが，その後調剤の新しい概念が認識され，DI，TDM，服薬指導，TPN調製などの業務が定着し，さらに病棟業務が診療報酬に点数化されるに至り軌道に乗った．

臨床薬学的業務clinical pharmacy practice（CPP）を行うにあたり，いつも問題となるのは，従来から行ってきた調剤や医薬品管理の業務との関係である．

米国ではCPPの重点が病院の臨床現場に置かれたこともあり，薬局薬剤師も含めたCPPとしてはあまり普及しなかった．とくに病院の入院日数が短い米国では〔平均入院日数：米国6日（1998年），日本19.8日（一般病床，2005年）〕，まだ十分なケアが必要なうちに退院する患者が多く，その後のケアをいかに薬局薬剤師に引き継ぐかも問題である．

1990年フロリダ大学のC. D. Heplerが提唱したpharmaceutical care（PC）の概念は多くの人々の共感をよび，国際薬剤師・薬学連合会議（FIP）や世界保健機関（WHO）においても議論され，今や薬剤師業務の基本として認識されるようになった．

CPPもPCも基本的には同じく“患者志向の薬剤師業務”を目指している．しかしPCは薬物療法が常に患者に利益をもたらすよう薬剤師は責任をもって努力すべきであり，それが臨床の場の業務でも薬局内の業務でも目標は同じであることを明確にしている点がCPPと異なる．

WHOの定義によれば「PCとは，薬剤師の活動の中心に患者の利益を据える行動哲学である．PCは，患者の保健及び生活の質quality of life（QOL）の向上のため，はっきりした治療効果を達成するとの目標をもって薬物治療を施す際の，薬剤師の姿勢，行動，関与，倫理，機能，知識，責務並びに技能に焦点をあてるものである．」

CPPからPCへの発展により，すべての領域で働く薬剤師の行動を支える行動哲学が示された．医師の行うmedical careに対応して「薬剤師による薬を介しての患者ケア」を意味するpharmaceutical careは，薬剤師本来の業務を的確に表現しているといえる．

現在わが国のPCは入院・外来患者の服薬指導のみでなく，患者の健康管理，在宅医療，OTC薬販売等にもPCの考え方が取り入れられてきている．

村田正弘はCPPを次のように記しているが，これはまさに上記のPCの概念と一致する[14)]．

「CPPとは患者の利益を最優先に考えて，医療の中で薬が関与するあらゆる業務において，薬の有効性を最大限に，リスク（予測される危険度）を最小限にするために，他のメディカルスタッフと協力して薬剤師としての知識・技術を活用することである．したがってCPPは薬剤師の新しい職能と考えるべきでなく，薬剤師本来のあり方への回帰と捉えるべきである．」

7 調剤は薬学諸学の総合ということ

医療の場で仕事をしていると，調剤は薬学諸学の総合でなければならないことを痛感する．医薬品情報が調剤業務のベースとなった今日，とくにその感が深い．

薬学諸学の総合として位置づけるのでなければ，調剤及び調剤学の発展は期しがたい．調剤術のみの調剤学では，薬学総合の学となり得ないし，他の薬学関係者，医学・医療関係者からの評価も得られないであろう．

新しい概念に基づく調剤学の発展は，医療の現場にある薬剤師の努力いかんにかかっている．薬学教育改革により薬剤部のスタッフは，薬学・医学，大学院学生の教育研究に今まで以上に強く関わっていくことは，将来に明るい期待を抱かせるものである．

調剤を薬学諸学の総合とする考え方は，これまで多くの人々によって示されてきた．いずれも調剤に薬学の広範な学問技術が必要なことを強調している*．

高木敬次郎は薬剤師職能を「薬剤師に必要な専門技術の総称とし，その内容を薬剤の調製・評価・管理」とし，薬剤業務とその基礎となる薬学の諸学科目を示した（図2-4）．医薬品の評価と

* ドイツの碩学Dr. Herman HagerはTechnik der Pharmazeutischen Rezeptur (1884) の中で，次のように記している．“Die Rezeptur ist der wahre Endzweck der Pharmazie und alle anderen Aufgaben und Bestrebungen der pharmazeutischen Kunst bezwecken genau genommen nur die Hilfsmittel zur Ausführung der Rezeptur”.

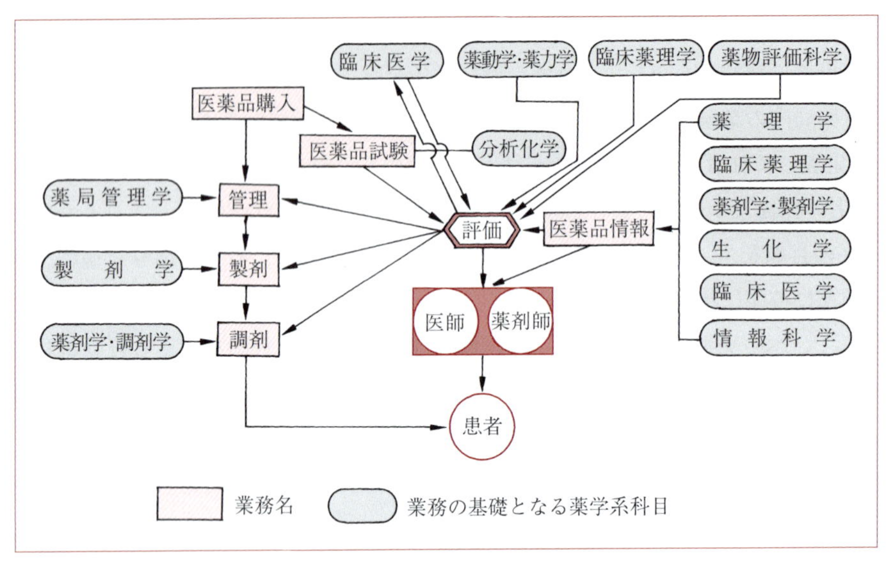

図 2-4. 薬剤の調製・評価・管理（高木敬次郎）

いうことが薬剤業務の中で重要であり，それが薬学の諸学科目の実地応用の場であることを具体的に示している[15].

8 これからの調剤学

調剤学の教育では，大学での教育と病院や薬局での実務実習が両輪であることを必要とする*．これは臨床医学の教育に臨床実習が重視されるのと同様である．

長年の懸案であった薬学教育６年制が実現した今日，現時点における「これからの調剤学のあり方」を考えてみたい．

厚生労働省の薬剤師問題懇談会は，次のような能力が薬剤師に必要となると指摘している．

1．医薬品の専門家として薬物療法の科学的な有効性，安全性等の総合的な評価を行い，患者の治療計画を理解した上で，個別の患者に合わせた最適な薬物療法について医療関係者にアドバイスする能力

2．適切な服薬指導を行うために，患者から必要な情報を得るためのコミュニケーション能力及び個々の患者で異なる病態，患者の心理，社会的背景等を理解する能力

3．医薬品に係る事故を防止するため，処方内容に関する疑義照会，誤投与の防止など医薬品に係る総合的なリスク管理能力

4．医療チームの一員として貢献するために，医療関係者と十分な対話を行う必要があり，各医療従事者の専門分野を理解する能力

＊ 調剤学を学ぶは智的方面は言語にて可なるも，作業は必ず実習に據らなければならぬ．これ調剤学に於て最も実習を重んずる所以である（清水藤太郎）．

調剤学の教育と研究，調剤の業務はいかにあるべきか.

1．医療人としての倫理観，使命感の涵養
2．薬学諸学をベースに，科学に基づく調剤学の研究振興と学としての体系の確立[16, 17]
3．医薬品情報の評価能力の育成と活用
4．疾病の原因，診断，治療の薬学的アプローチ
5．ケーススタディの重視
6．調剤業務経験者の薬育機関への登用

患者志向の調剤の精神は，医療人としての薬剤師の使命感に立脚する.

薬学で学ぶ多くの知識を薬を中心に総合的に再構築した調剤学の体系化は本書の課題である. この膨大なテーマの体系づけの目標に本書の記述が貢献できればと念じている.

医薬品に情報は不可欠である. 情報を評価した上で，業務に活用することが，これからの調剤業務の基本である.

かつての古典的薬剤学が T. Higuchi の物理薬剤学，J. G. Wagner の生物薬剤学の導入によって近代化したように，事実の羅列，経験の集積に過ぎなかった調剤学を一般則に基づく再現性のある学問へ近代化する努力が必要である.

遺伝薬理学，生体成分分析化学，PK/PD，TDM，臨床薬理学などを活用して，疾患の病因，検査，診断，治療に薬学的アプローチをすることは，臨床医学の進歩に貢献するところが大きい.

医学では症例報告が重視され，それが明日の臨床医学の進歩の原動力となる. 調剤学の場合も同様であって，日常の調剤や薬物投与にともなうケーススタディの検討から，調剤学の新たな進歩のテーマが生まれる*.

日進月歩の薬物療法の実態と薬剤師の役割を，実例を交えてダイナミックな教育ができるのは，医療現場での経験豊富な人材が最適である.

近年医療薬学の研究はすこぶる活発である. 日本薬学会年会医療薬科学部会，日本医療薬学会年会，医療薬学フォーラム/クリニカルファーマシーシンポジウムでは毎年多数の研究成果が報告される. 地方での学会発表を加えれば，その数は膨大なものとなる.

その中心は大学病院，基幹病院であり，とくに国立大学病院を中心とする薬剤部長の教授職化が研究の推進に拍車をかけた. 薬科大学や臨床医との共同研究も多い. 薬科大学の医療薬学系大学院からの研究発表も多い.

医療薬学の研究領域は，日本医療薬学会年会演題募集要項から，表 2-5 のように示すことができる. カバーすべき研究領域が広範で，バラエティーに富んでいることがわかる.

医療系薬学の研究報告の急増に伴い，「医療薬学」(年 6 回発行) は 2004 年 (平成 16 年) より月刊となった. 医療薬学フォーラム/クリニカルファーマシーシンポジウム (2 年ごとに開催) は 2001 年 (平成 13 年) より毎年開催となった.

---

* 冲中重雄 東大教授 (内科学) は「書かれた医学は過去の医学であり，目前に悩む患者のなかに明日の医学の教科書の中身がある」と症例報告が臨床医学進歩の原点と述べている.

表 2-5 医療薬学の研究領域

1．調剤・処方鑑査	16. ジェネリック医薬品	33. HIV
2．医薬品管理	17. バイオシミラー	34. 栄養管理・NST
3．院内製剤・薬局製剤	18. 有害事象・副作用	35. 精神科領域
4．品質管理	19. 薬物動態（基礎）（臨床）	36. 妊婦・授乳婦
5．病棟薬剤業務	20. 薬物相互作用	37. 糖尿病
6．ハイケアユニット業務	21. 投与前診断	38. 腎疾患
（ICU・CCU・SCU・救急等）	22. TDM・投与設計	39. 高齢者ケア
7．外来薬剤師業務	23. 薬物治療と遺伝子多型	40. 褥そう対策
8．職能拡大・スキルミックス	24. がん薬物療法（レジメン管理と運用）	41. 治験・臨床試験
9．医療情報システム	25. がん薬物療法（多職種連携）	42. 地域・在宅医療
10. 医薬品情報・データベース	27. がん薬物療法（無菌調製・暴露対策）	43. 薬薬連携
11. 使用状況調査・意識調査	28. がん薬物療法（服薬指導・情報提供）	44. 災害医療
12. 薬剤疫学・医療経済	29. がん薬物療法（制吐支持療法）	45. 医療安全
13. 持参薬管理	30. がん薬物療法（他の副作用対策）	46. 薬学教育（実務実習）
14. 健康食品・サプリメント	31. がん薬物療法（緩和ケア）	47. 卒後研修・研修制度
15. OTC・セルフメディケーション	32. 感染制御（治療薬）	

（日本医療薬学会年会演題募集要項より抜粋）

これらの多彩な研究成果を一般化して，再現性のある学問として位置づけ，サイエンスとしての発展を図ることが調剤学，医療薬学のリーダーたちの責任である．

医薬品の適正使用に向けて，医薬情報の伝達者であるばかりでなく，「新たな医薬情報の発信者」となることは，これからの調剤学，医療薬学の評価と発展につながる．

樋口 駿は医療薬学研究の発展を受けて「第Ⅲ世代の調剤概念やファーマシューティカルケアを支えるサイエンスを提供する研究分野が**医療薬学**であり，それを医療現場におけるアート（スキル）として具体化・体系化する学問が**調剤学**である」との見解を示している．

文 献

1) 日本薬剤師会：薬剤師倫理規定，日薬誌 **49**(12) 2333 1997
2) 山川浩司：日本薬剤師会の薬剤師倫理規定について，薬事 **42**(8) 2169 2000，日病薬誌 **36**(8) 1035 2000
3) MH フォーラム懸賞論文：医療の倫理と薬剤師，薬事 **42**(8) 2167 2000
4) 堀岡正義：調剤の新しい概念，ファルマシア **17**(11) 1088 1981．堀岡正義：新調剤学（第 4 版）6 南山堂 1992
5) 堀岡正義：中毒医療における薬学・薬剤師の役割，ファルマシア **22**(1) 31 1987
6) Francke, DE：The expanding role of the hospital pharmacist in drug information services, Am J Hosp Pharm **22**(1) 32 1965
7) 青山敏信ら：薬品情報業務基準の作成に関する調査研究，病院薬学 **18**(2)S-13 1992．**19**(2)S-17 1993
8) Hepler CD, Strand LM：Opportunities and responsibilities in pharmaceutical care, Am J Hosp Pharm **47**(3) 533 1990
9) Hepler CD：The future of pharmacy：pharmaceutical care, Am Pharm **NS30**(10) 583 1990
10) Penna RP：Pharmaceutical care；pharmacy's mission for the 1990s, Am J Hosp Pharm **47** 543 1990
11) 望月真弓：ファーマシューティカルケアと薬剤師の役割，薬事 **34**(4) 823，(5) 1051，(6) 1267，(7) 1517，(8) 1743，(9) 1965 1992
12) 加賀谷 肇：ファーマシューティカルケア，Capsule, No. 41 34 1993
13) 濱田 彰：ファーマシューティカルケアの理念と実践—WHOの動きを中心にして，日薬誌 **46**(2) 191 1994

14）村田正弘：薬業時報 No. 7041 2 1988.4.7
15）高木敬次郎：薬学と病院薬剤師，病院薬学 **1**(1) 3 1975
16）伊賀立二：医療薬学の展開—21 世紀に向けて，薬史学雑誌 **34**(2) 65 1999. 医薬品を基盤とした患者志向の業務展開（平成 14 年度，国公私立大学病院薬剤部職員研修会），薬事新報 No. 2234，2002.10.9
17）乾　賢一：21 世紀の薬物療法と薬剤師の近未来，薬事 **44**(4) 701 2002

調剤の法規定 と 調剤学

元来薬事法規は取締り法的色彩が強く，調剤に関する規定も処方箋を取り扱うにあたり薬剤師としてしなければならないこと，してはならないことの規定であった．そこに患者の姿は全くない．現行法の第25条調剤された薬剤の表示，第26条処方箋への記入も昭和23年（1948）の薬事法では施行規則に記されている．それだけに平成9年（1997）の薬剤師法第25条の2の調剤した薬剤の情報提供義務は薬事法・医療法の患者志向の改正と連動しているといいながら，患者志向の服薬指導の法的裏付けを示す画期的な改正と評価されるのである．

明治以来の調剤学の著書は，調剤についての見解を次のように記している．

勝山忠雄訳補：調剤要術　明治20年（1887）

調剤トハ薬局ニ於テ施行スル重要ノ職務ニシテ調薬ノ術（處方ニ随テ薬品ヲ調製ス）ト投薬ノ業（薬剤ヲ請求者ニ附與ス）トヲ包括スルモノトス

小林九一：調剤術講本　明治25年（1892）

調剤術とは即ち薬学の応用術にして，医師の処方箋に拠り適正の薬剤を調製し，之を患者に投与するの技術を云う．

清水藤太郎：調剤学概論　昭和13年（1938）

調剤術とは医師の処方箋により薬品を用いて薬剤を調製し，之を患者に交付する業務を云う．

このように法律では最近まで規定されていなかった患者に対する業務が，調剤の本では百年以上前から調剤と並ぶ重要な業務として記載されているのである．

法律の規定は調剤の全体像を示すものでない．薬剤師が学ぶ調剤学は法規を遵守しつつ，患者のために何をなすべきかを薬学の立場から考究し発展させるものでなければならない．

（薬剤師法改正の意義—その薬史学的検証，日薬誌 **50**(1) 107-112 1998）

A　調剤の基礎

3 医　薬　品

1 医薬品

1-1 薬事関係法規

薬事に関係する法律として次のものがある.

医薬品, 医療機器等の品質, 有効性及び安全性の確保等に関する法律（略称：医薬品医療機器等法）
薬剤師法
独立行政法人医薬品医療機器総合機構法
毒物及び劇物取締法
麻薬及び向精神薬取締法
大麻取締法
あへん法
覚醒剤取締法
安全な血液製剤の安定供給の確保等に関する法律

医薬品医療機器等法は第2条に医薬品の定義を次のように定めている.

（定　義）
第2条　この法律で「医薬品」とは, 次に掲げる物をいう.
1. 日本薬局方に収められている物
2. 人又は動物の疾病の診断, 治療又は予防に使用されることが目的とされている物であつて, 機械器具等（機械器具, 歯科材料, 医療用品, 衛生用品並びにプログラム及びこれを記録した記録媒体をいう. 以下同じ.）でないもの（医薬部外品及び再生医療等製品を除く.）
3. 人又は動物の身体の構造又は機能に影響を及ぼすことが目的とされている物であつて, 機械器具等でないもの（医薬部外品, 化粧品及び再生医療等製品を除く.）

1-2 医薬品の特性

■ 1）生命関連性

医薬品は人間の生命に直接関連する．すなわち生体に対して生理活性をもつと同時に，生体にとっては異物である．このように医薬品は生体にとってプラスとマイナスの両面を備えている．これを取り扱う者には有効性と安全性について確固たる倫理観が求められる．

■ 2）公共性

医療用医薬品は医療保障制度の中で使用され，きわめて公共性が高い．有効性，安全性を確認，治験から許認可，市販後まで幅広い行政介入が行われる．

医薬品は人類共通の財産である．画期的新薬は同じ病に苦しむ世界中の人々が等しく使用できるよう努力すべきである．

■ 3）医薬品情報の重要性

医薬品は適正使用に必要な情報が加わって初めて臨床使用の条件が整う．医薬品情報の提供と収集，新たな情報の構築に，薬剤師や医薬情報担当者（MR）の果たす役割は大きい．

■ 4）高品質性

生命関連物質である医薬品には，高い純度と均質な保証が求められる．GMP は高品質の医薬品を世に送り出すための法律である．

■ 5）医薬品取り扱いの特殊性

一般の消費財の購入は個人が自由に決めることができるが，医薬品特に医療用医薬品の選択に個人の自由は少ない．医療の専門家のみが医薬品を取り扱うよう法律で定められている．それだけに患者の疾病の治療に医薬品を選択，使用する医療関係者の責任は重い．

■ 6）安定供給

医薬品は他の商品と異なり，多品種少量生産の宿命を負っている．緊急時を含め，どんな時でも必要かつ十分な量の医薬品を安定供給できる態勢が整っていなければ，国民の保健衛生上大きな支障を生じる．

1-3 医薬品の分類

■ 1）日本薬局方

医薬品医療機器等法の規定から，医薬品は日本薬局方に収載の局方医薬品と，それ以外の局方外医薬品に区分される．

薬局方 pharmacopoeia は医療上重要と認められている医薬品の性状及び品質の規格書であり，医療関係者にその時代の代表的医薬品を知らせ，品質，強度，純度などの基準を定め，医療の万全を期するため国家が定めた法律書である．

日本薬局方等

第41条　厚生労働大臣は，医薬品の性状及び品質の適正を図るため，薬事・食品衛生審議会の意見を聴いて，日本薬局方を定め，これを公示する．

2．厚生労働大臣は，少なくとも十年ごとに日本薬局方の全面にわたつて薬事・食品衛生審議会の検討が行われるように，その改定について薬事・食品衛生審議会に諮問しなければならない．

3．厚生労働大臣は，医療機器，再生医療等製品又は体外診断用医薬品の性状，品質及び性能の適正を図るため，薬事・食品衛生審議会の意見を聴いて，必要な基準を設けることができる．

日本薬局方の規定は，2002年（平成14年）の薬事法改正で第1部，第2部の区分が廃止され，生薬以外の品目と生薬に分け，2021年（令和3年）6月に発行された第十八改正日本薬局方（日局18）では2,033品目が五十音順に記載されている．ICH（医薬品規制調和国際会議）の合意に基づき，一般試験法，医薬品各条には医薬品流通のグローバル化に伴う国際調和に基づき規定したものがみられる．新規項目として通則では製造要件，医薬品包装規定が見直され，容器・包装の用語，定義及び規程，製剤包装通則等が収載された．

日本薬局方のほか，医薬品医療機器等法第42条に基づいて特別の注意を要する医薬品の基準を定めたものに，放射性医薬品基準，生物学的製剤基準，血液型判定用抗体基準がある．

2）新医薬品など

すでに製造販売の承認を与えられている医薬品と有効成分，分量，用法・用量，効能・効果などが明らかに異なる医薬品として厚生労働大臣が製造販売を承認したものを，**新医薬品** new drugs という（法第14条の4）．

希少疾病用医薬品 orphan drugs とは，発症する患者数が少ない（5万人未満）疾病に対する治療薬で，医療上その開発が必要であるとして，厚生労働大臣が指定したものをいう（法第2条第16項，法第77条の2）．

市販の医薬品に対し，製造販売申請をするために臨床試験を行っている開発中の薬物を**治験薬** investigational drugs という（法第2条第17項，法第80条の2）．

WHOは発展途上国の医療需要を充足するため**必須医薬品** essential drugs を定めている．

3）医薬品の分類

医薬品は基原，薬効，使用目的，薬事法規上の取り扱いなどから，次のように分類される．

基原又は本質　化学薬品，生薬，油脂・精油類，生物学的製剤，血液製剤，抗生物質，放射性医薬品．

剤　形　散剤，錠剤，注射剤，軟膏剤，クリーム剤など．日局18の製剤総則には74の製剤を収載．

投与法 内服薬 internal preparations，外用薬 external preparations，注射剤 parenteral preparations，injections.

経口投与 oral administration，非経口投与 parenteral administration.

全身投与 systemic administration，局所投与 topical administration.

使用目的 診断薬 diagnostics，治療薬 therapeutics，予防薬 prophylactics.

使用区分 処方箋医薬品 prescription drugs，非処方箋薬 non-prescription drugs

ジェネリック医薬品 generic name products 一般名医薬品（わが国では後発医薬品と同義に用いられている）.

医療用医薬品 ethical drugs，一般用医薬品（大衆薬）over the counter drugs（OTC drugs）〔リスクの度合いにより3分類され，2009年（平成21年）度より販売者は，薬剤師（第1～3類医薬品）と登録販売者（第2，3類医薬品）に限定される（図3-1）〕．2014年（平成26年）施行された改正薬事法（医薬品，医療機器等の品質，有効性及び安全性の確保等に関する法律）では「要指導医薬品（劇薬及びスイッチ直後品目）」が新設された．

要指導医薬品は医療用医薬品から一般用医薬品になって間もなく，一般用医薬品としてのリスクが明確になっていない医薬品販売に際して薬剤師が購入者の提供する情報を聞き，対面で書面を用いて医薬品の説明をすることが義務づけられている．インターネット等による販売は不可である．

改正薬事法により2014年（平成26年）6月12日よりすべての一般用医薬品が適切なルールの下，インターネット販売が可能となった．ただし，医療用医薬品と新設された要指導医薬品（劇薬及びスイッチ直後品目）は対面販売のみである．スイッチ直後品目は原則3年で一般用医薬品へ移行させインターネット販売が可能となる．

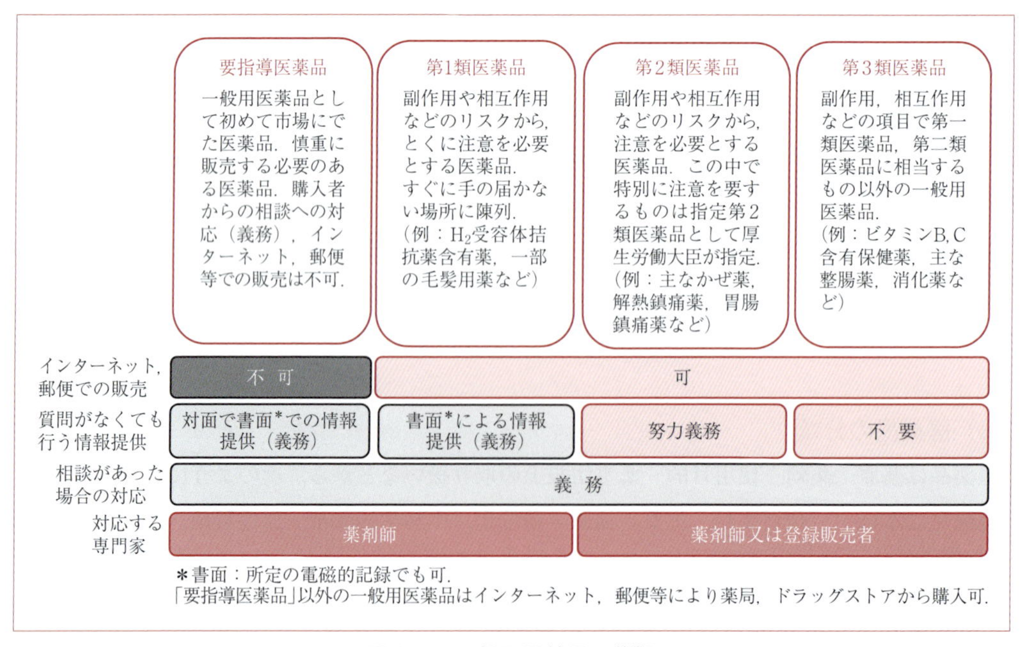

図3-1．一般用医薬品の分類

薬効からの分類　日本標準商品分類Standard Commodity Classification of Japan，国際十進分類Universal Decimal Classification（UDC615.2）.

薬事法規　毒薬 poisonous drugs，劇薬 powerful drugs，普通薬 common drugs.

麻薬 narcotics，向精神薬 psychotropic drugs，覚醒剤 stimulants，覚醒剤原料 stimulant raw materials.

習慣性医薬品 habit-forming drugs，指定医薬品 designated drugs.

医薬部外品 quasi drugs.

生物由来製品 biological products，特定生物由来製品 specific biological products.

1-4 医薬品の名称

1）医薬品の名称の決め方

医薬品の名称には，商標名（商品名）trade name，化学名 chemical name，一般名 nonproprietary name，薬局方名，薬局方別名などがある.

医薬品の一般名称を国際的に定めたものが国際一般名 International Nonproprietary Name, INN で，WHO がこの事務をつかさどる.

わが国の一般名称は薬事・食品衛生審議会日本薬局方部会の医薬品名称調査会で，WHO のやり方に準拠して作業を進めており，医薬品一般名称（Japanese Accepted Name）と呼ばれ，JAN と略称されている．JAN と INN はできるだけ一致させるよう努力が払われている.

アメリカの一般名称を US Adopted Name，イギリスでは British Approved Name という.

一般名称は定められた規則に従って，薬理作用と化学名を勘案し，そのものの本質をできるだけ表し，かつ英語で4～5シラブル（音節）の簡潔な名称として作る．したがってその規定を知っていれば，一般名称から何に使用する医薬品であるかおおよその見当がつく.

例えばバルビツール酸系の催眠薬には barb-というシラブルが組み込まれているから，このシラブルをもつ医薬品は，バルビツール酸系の催眠薬であると推定できる．同様に-cillin というシラブルをもつ医薬品は，ペニシリン類（6-アミノペニシラン酸誘導体），-caine は局所麻酔薬である．日本語の一般名称は一応英語で作成し，それを日本語に読みかえる方式がとられている.

2）正名，別名，販売名

日本薬局方の正名は，日局 15 から主成分のあとに無機塩名又は有機酸名を付する様式となった．同様に，第 4 級ハロゲン化合物も最後に表示する．これにより成分の塩名又はエステル名がわからないと検索できない不便が解消する．また塩の異なる主成分が同一の場所に記載され，従来の表示では区別できなかった塩かエステルかが明確となる.

塩酸イミプラミン　→　イミプラミン塩酸塩
臭化ブチルスコポラミン　→　ブチルスコポラミン臭化物
酢酸ヒドロキシコバラミン　→　ヒドロキシコバラミン酢酸塩

酢酸ヒドロコルチゾン → ヒドロコルチゾン酢酸エステル
硫酸アトロピン → アトロピン硫酸塩水和物*

薬局方別名は繁用名，慣用名，旧薬局方名，局方名がINNと異なるもの，生薬の漢名などに用いられる．パラセタモール（局方名アセトアミノフェン），エトキシベンズアミド（エテンザミド），アネスタミン・ベンゾカイン（アミノ安息香酸エチル），ジフェニルヒダントイン（フェニトイン），オペリジン（ペチジン），*l*-イソプロテレノール塩酸塩（*l*-イソプレナリン塩酸塩），ネオマイシン硫酸塩（フラジオマイシン硫酸塩），当薬（センブリ）等．

販売名の選定について，厚生労働省は名称類似による事故防止の立場から，次のような方針を示している．

新医薬品 ブランド名 + 剤形 + 含量
後発医薬品 一般名 + 剤形 + 含量 + 会社名（屋号等）

2 医薬品の開発

2-1 新薬の開発プロセス（p.54 図 3-2）

医薬品開発は最初の情報やヒントを得て，文献・法規・特許などの調査を行い，多くの化合物についてスクリーニングテストの結果，ある程度しぼられたものについて，動物による薬効薬理，薬物動態，安全性薬理，一般毒性，特殊毒性および製剤化の研究を行う．

これらの非臨床試験non-clinical studiesのデータを総合的に検討し，臨床試験に移行の是非を検討する．医薬品の価値を決定する方法は，ヒトによる臨床試験なくしてはあり得ない．未知の物質を初めてヒトに使用することはかなりのリスクを伴う．それだけに非臨床試験の結果を総合評価する際には，十分慎重でなければならない（医薬品開発におけるヒト初回投与試験の安全性を確保するためのガイダンス 厚生労働省医薬食品局審査管理課 平 24.4.2）．

新薬の臨床試験（治験）は，通常第 1 相（臨床薬理試験），第 2 相（探索的試験），第 3 相（検証的試験）と段階的に進める．

医薬品の開発や製造販売後調査は薬事法（現医薬品医療機器等法）に基づき行われるが，ソリブジン事件（p.226），非加熱血液製剤によるHIV感染を教訓に，薬事法が改正され，治験，承認審査，製造販売後調査，副作用報告等が法律に明記され，政省令に基づき，より厳正，的確に行われることとなった．

関連する省令に次のものがある．

医薬品の安全性に関する非臨床試験の実施の基準（GLP）厚生省令第 21 号 平 9.3.26
医薬品の臨床試験の実施の基準（GCP）厚生省令第 28 号 平 9.3.27（p.60）
医薬品の製造販売後安全管理の基準（GVP）厚生労働省令第 135 号 平 16.9.22（p.65，p.244）

＊ 日局 18 では，結晶水を有する原薬約 100 品目の正名を「〜水和物」と記しているが，本書では直接調剤・製剤に関係する場合を除き，従来どおり「水和物」の表示はしていない．

医薬品の製造販売後の調査及び試験の実施の基準（GPSP）厚生労働省令第171号　平16.12.20（p.62）

医薬品の製造管理，品質管理の基準と規則はp.119を参照のこと.

2-2 新医薬品の承認申請 と 承認審査

新医薬品の承認申請時に添付する資料は，表3-1のとおりである（医薬品医療機器等法施行規則第40条，薬食審査発第0331009号　平21.3.31）.

医薬品の承認審査は2004年（平成16年）4月以降，新たに設立された独立行政法人医薬品医療機器総合機構（Pharmaceuticals and Medical Devices Agency：PMDA）と医薬食品局の審査管理課で行うこととなり，審査の専門性を高め，審査体制の強化が図られた.

申請者が新医薬品承認申請の資料をPMDAに提出すると，PMDAでは，承認審査資料作成基準への適合性の調査，薬学・医学・統計学等の専門家によるチーム審査を行い，審議報告書を医薬食品局審査管理課に提出する．厚生労働大臣は薬事・食品衛生審議会に諮問し，医薬品第一部会（第二部会の担当以外），医薬品第二部会（抗菌性物質製剤，化学療法剤，抗悪性腫瘍剤，血

表3-1．新医薬品の承認申請時に添付する資料

イ　起原又は発見の経緯及び外国における使用状況等に関する資料	1　起原又は発見の経緯 2　外国における使用状況 3　特性及び他の医薬品との比較検討等
ロ　製造方法並びに規格及び試験方法等に関する資料	1　構造決定及び物理的化学的性質等 2　製造方法 3　規格及び試験方法
ハ　安定性に関する資料	1　長期保存試験 2　苛酷試験 3　加速試験
ニ　薬理作用に関する資料	1　効力を裏付ける試験 2　副次的薬理・安全性薬理 3　その他の薬理
ホ　吸収，分布，代謝，排泄に関する資料	1　吸収 2　分布 3　代謝 4　排泄 5　生物学的同等性 6　その他の薬物動態
ヘ　急性毒性，亜急性毒性，慢性毒性，催奇形性その他の毒性に関する資料	1　単回投与毒性 2　反復投与毒性 3　遺伝毒性 4　がん原性 5　生殖発生毒性 6　局所刺激性 7　その他の毒性
ト　臨床試験の試験成績に関する資料	臨床試験成績
その他	

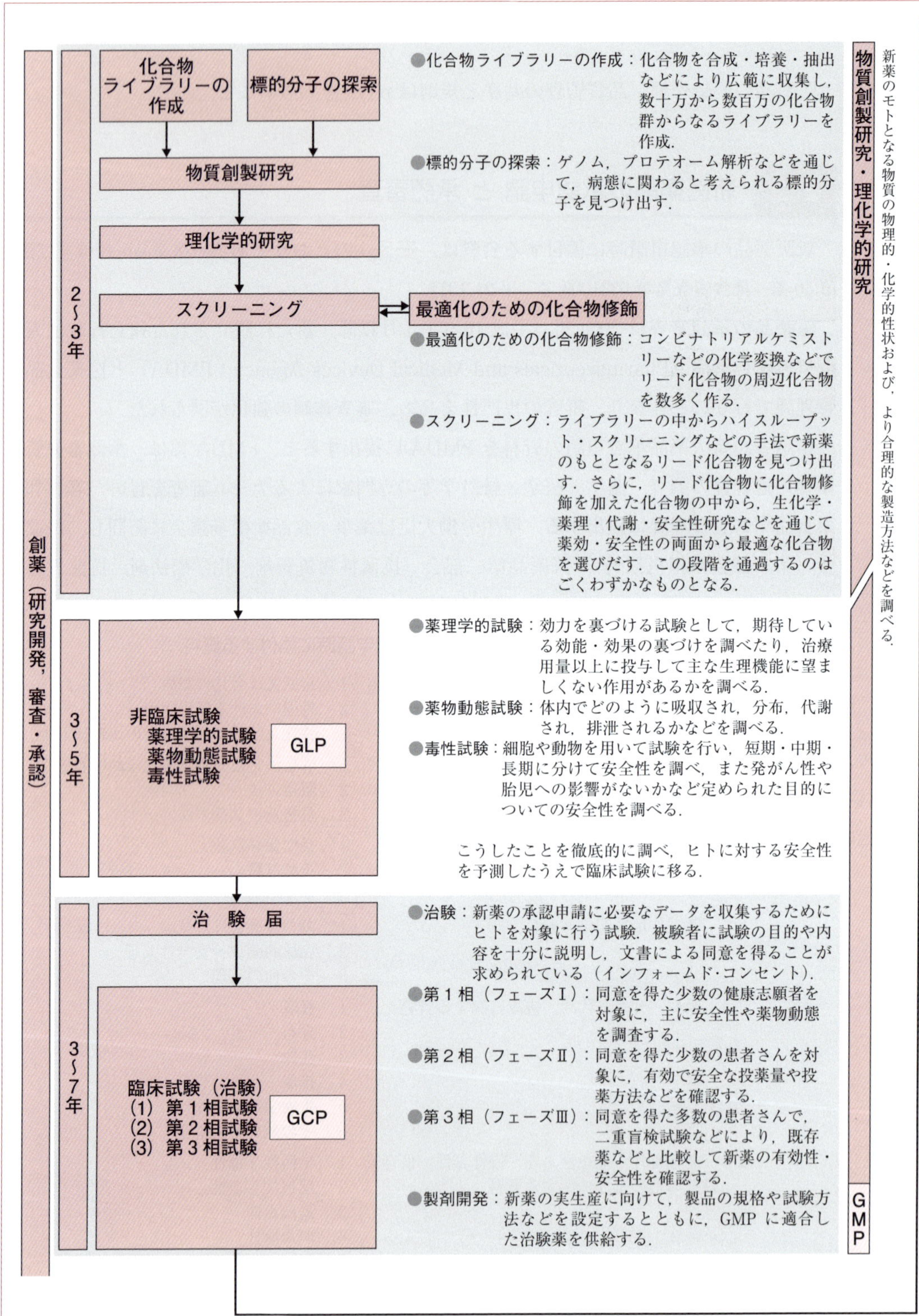

図 3-2. 新薬の研究開発・承認・

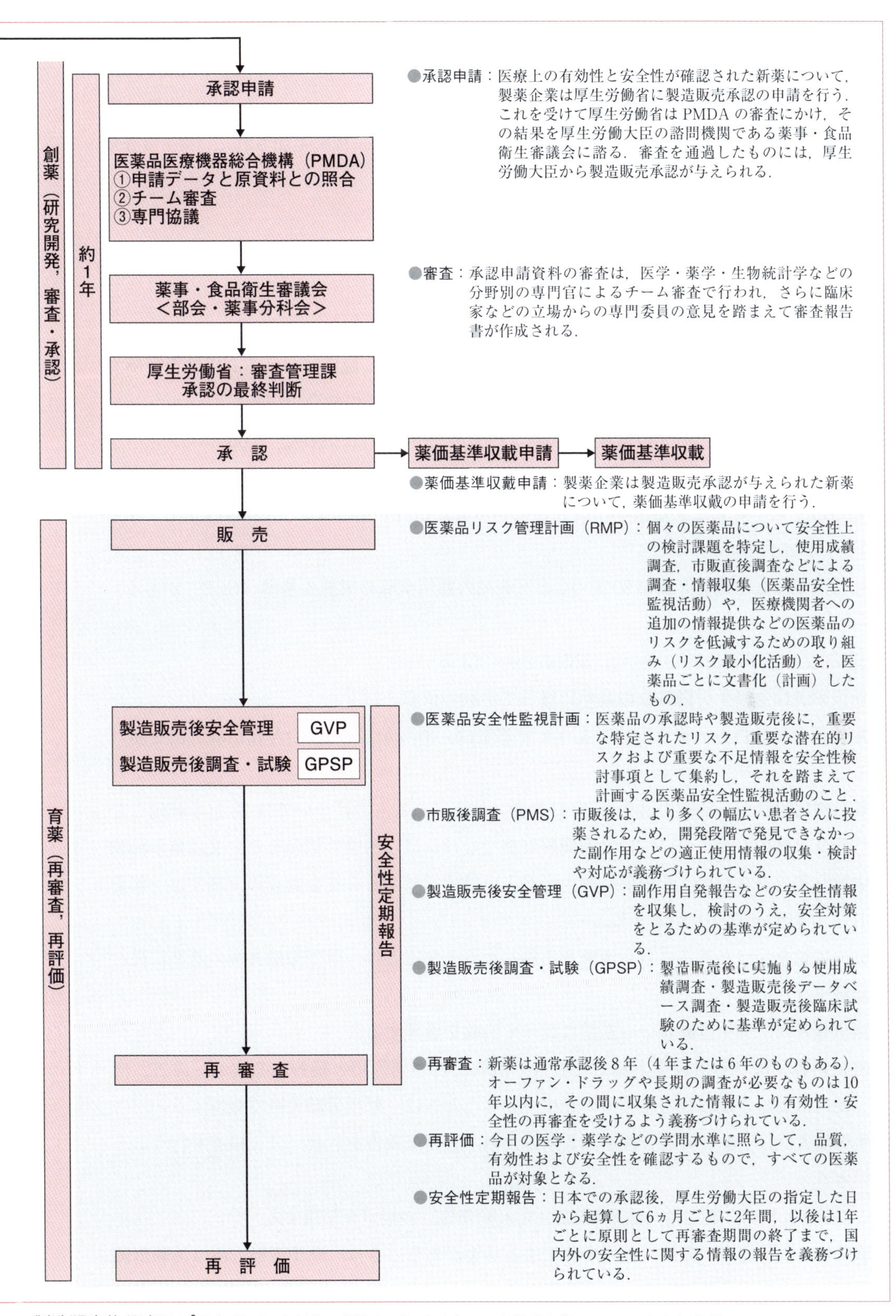

製造販売後調査のプロセス（日本製薬工業協会，「てきすとぶっく製薬産業 2020-2021」より改変）

液製剤，生物学的製剤），及び薬事分科会で審議，その答申を受けて最終判断を下し，承認する．

新医薬品の優先審査の適応の可否の決定について，迅速な対応という観点から，PMDA において優先審査品目該当性相談が新設された（薬食審査発 0901 第 1 号　平 23.9.1）．その後，先駆け審査指定制度の運用により，先駆け審査指定医薬品が優先対面助言品目に追加された（薬生審査発 0122 第 12 号　平 28.1.22）．

2 つの部会は承認審査と再審査を担当する．

2-3　治　験

治験の目的は，治験薬の有効性と安全性をヒトにおいて検討し，臨床における有用性を評価することである．臨床試験の倫理規定として，世界医師会が 1964 年の総会で採択したヘルシンキ宣言「ヒトを対象とする医学研究の倫理的原則」（1964 年ヘルシンキで採択，2000 年エジンバラで修正，患者保護の立場をより強化 最近では 2013 年ブラジルで改訂）がある[1)]．

厚生労働省は「人を対象とする医学系研究に関する倫理指針」を作成している（文科省・厚労省告示第 3 号　平 26.12.22）．

わが国には医薬品医療機器等法第 80 条の 2 と医薬品の臨床試験の実施の基準（GCP）がある．

■ 1）治験の取り扱い（法第 80 条の 2，規則第 269～273 条）

1．治験依頼者は，厚生労働省令の基準に従って治験の依頼を行う．
2．治験依頼者又は自ら治験を実施しようとする者は，あらかじめ PMDA に治験計画を届け出る．
3．治験計画届出日から治験の計画が 30 日調査の対象になるものについては 30 日を経過した後，それ以外のものについては 2 週間程度前でなければ，治験の依頼をし，又は自ら治験を実施してはならない．その間に厚生労働大臣は治験に関し必要な調査の全部又は一部を PMDA に行わせることができる．
4．治験の依頼を受けた者又は自ら治験を実施しようとする者は，厚生労働省令の基準に従って治験を行う．
5．治験依頼者は，厚生労働省令の基準に従って治験を管理する．
6．治験依頼者又は自ら治験を実施した者は，治験薬物の副作用と疑われる疾病，障害，死亡，使用によると疑われる感染症の発生を知ったときは，厚生労働大臣に報告する．
7．厚生労働大臣は，4，5 の適合性を調査するため，必要な報告をさせ，立入検査を行うことができる．
8．7 による立入検査，質問は，法第 69 条（立入検査等）の規定を準用する．
9．治験薬物による危害の発生，拡大を防止する必要があるときは，厚生労働大臣は治験依頼の取消し・変更，治験の中止・変更を指示することができる．
10．治験依頼者，その役員，職員は，正当の理由なく，治験に関し知り得た人の秘密を漏らしてはならない．関係した旧職員も同じ．

■ 2）医薬品の臨床試験の実施の基準（厚生省令第28号　平9.3.27．厚労省令第106号　平15.6.12）

医薬品の臨床試験の実施の基準（Good Clinical Practice：GCP）とは，医薬品の製造（輸入）承認申請の際に提出すべき資料の収集のために行われる臨床試験（以下「治験」という）の計画，実施，モニタリング，監査，記録，解析及び報告等に関する遵守事項を定め，被験者の人権，安全及び福祉の保護のもとに，治験の科学的な質と成績の信頼性を確保するための基準である．

GCPの主な内容は，次のとおりである．

① 治験依頼者（製薬企業等）

治験の依頼　業務手順書の作成，実施医療機関及び治験責任医師の選定，治験実施計画書の作成，治験薬概要書の作成，治験の依頼，業務の委託（開発業務受託機関Contract Research Organization：CRO），実施医療機関との文書による契約，被験者に対する補償措置．

治験の管理　治験薬の管理，治験薬の交付，副作用情報等の提供，モニタリング，モニターの責務，治験の監査，治験の総括報告書の作成，記録の保存．

② 治験実施医療機関

治験審査委員会 Institutional Review Board：IRB　治験実施医療機関に少なくとも5名以上の委員からなる治験審査委員会を設置し（少なくとも1名は医学，薬学，臨床試験の専門家以外の者，少なくとも1名は実施医療機関と利害関係を有しない者），治験の倫理的及び科学的妥当性，当該治験を当該実施医療機関で行うのが適当であるかどうかを審査する．

実施医療機関　実施医療機関の要件，業務手順書の作成，モニタリング等への協力，治験事務局の設置，治験薬の管理，記録の保存．

治験責任医師　治験責任医師の要件，治験分担医師の指導監督，被験者の選定，同意の取得，治験の実施，症例報告書の作成，治験中の副作用等の報告．

被験者の同意　治験責任医師は治験を行う前に，被験者に治験の目的，方法，予想される効果と不利益，治験参加の自由等について説明文書を交付してよく説明し，被験者がよく理解した上で，自由意思に基づいた同意（インフォームド・コンセント）を文書で得ておく．

治験の契約　治験実施医療機関と治験依頼者の間で文書で行う．

③ 治験における薬剤師の役割

薬剤師は治験審査委員会（IRB）の一員として，治験の審査に参加する．

治験薬情報の管理，収集，評価を行う．治験薬を管理し，調剤・補給を行う．

また治験コーディネーター（CRC）として治験責任医師らの業務に協力し，患者が安心して治験に参加できるよう治験の内容を分かりやすく説明し，治験を円滑に推進するため，被験者並びに治験関係者との調整を行う．日本臨床薬理学会はCRC育成のため学会認定CRC制度を発足した．

最近は病院長直轄の治験管理センターを設け，治験業務の事務全般を管理する施設が多い．また治験業務の一部を受託又は代行する治験施設支援機関（Site Management Organization：SMO）を利用する医療機関も増えつつある．

④ 医師主導の治験

GCPの改正（厚労省令第106号　平15.6.12）により，医師主導で実施した臨床研究データが医薬品承認申請データとして活用できるようになるとともに，製薬企業から医療機関等への未承認薬の提供が可能となり，医師主導の治験ができるようになった．

医師主導の治験は，各学会から要望が出された新薬の国内導入や既承認薬の適応拡大の治験の実施など適応外使用の是正につながることが期待されている．現在のところ小児領域，循環器領域，がん領域において多施設共同の治験計画が進行中である．

治験実施の際には，治験担当医師は治験実施計画書，治験薬概要書，同意説明文書の作成や治験審査委員会の審議を経るための手続き等，従来製薬企業が行ってきたのと同様な業務が求められる．さらに，治験担当医師を中心とした治験実施医療機関は原資料直接閲覧や監査への対応など治験の質の確保のための体制についても整えなければならない．

このシステムを推進すべく，第3期「科学技術基本計画」に基づき，2007年（平成19年）度より臨床研究・臨床への橋渡し研究（Translational Research：TR）の支援が始まった．

2-4 新薬開発の臨床試験 [2)]

1998年（平成10年）4月 厚生省はICH（医薬品規制調和国際会議）の合意に基づいて制定されたGCPに沿って「臨床試験の一般指針」を通知した（医薬審第380号　平成10.4.21）．従来は時間的経過によって第1相から第4相に分類されていた臨床試験を，実施される試験の内容によって，臨床薬理試験，探索的試験，検証的試験，治療的使用（市販後臨床試験と称することが多い）の4種類に分けている．これらは従来の分類と重複する部分も少なくないが，ある種の臨床試験は複数の相において実施する場合もあるので，試験の目的や実施時期によって新たに分類したものである（表3-2）．

臨床試験は被験薬の有用性をヒトで評価する試験であるから，あくまでも被験者を保護することを前提にして，実施されねばならない．

■ 1）第1相（最も代表的な試験：臨床薬理試験 human pharmacology）

治験薬を初めてヒトに投与する段階，原則として少数の被験者（健康な志願者 volunteer）について，被験薬の最大安全量や薬物体内動態（医薬審発第796号　平13.6.1），場合によっては薬物間相互作用（医薬審発第813号　平13.6.4）などが検討される．体内動態の検討から血中濃度に用量との相関性がない非線形性の薬物では，その原因が吸収・分布・代謝・排泄のどこにあるかによって，腎・肝機能低下者や高齢者への投与あるいは代謝能の個人差などの点で問題になる可能性があるかどうかをみることができる．血中濃度のバラツキが被験者間で大きい薬物は，安定した効果が得られにくく，ヒトによって思いがけない副作用が発現する可能性もある．また，反復投与による血中濃度の変化により，蓄積性や酵素誘導による血中濃度の低下などの有無を評価する．臨床検査値については，基準値内であっても上昇傾向や下降傾向がある場合には注意して観

表 3-2. 目的による臨床試験の分類

試験の種類	試験の目的	試験の例
臨床薬理試験（第 1 相）	・忍容性評価 ・薬物動態，薬力学的検討 ・薬物代謝と薬物相互作用の探索 ・薬理活性の推測	・忍容性試験 ・単回及び反復投与の薬物動態，薬力学試験 ・薬物相互作用試験
探索的試験（第 2 相）	・目標効能に対する探索的使用 ・次の試験のための用法用量の推測 ・検証的試験のデザイン，エンドポイント，方法論の根拠を得ること	・比較的短期間の，明確に定義された限られた患者集団を対象にした代用（サロゲート）もしくは薬理学的エンドポイント又は臨床上の指標を用いた初期の試験 ・用量反応探索試験
検証的試験（第 3 相）	・有効性の証明/確認 ・安全性プロフィールの確立 ・承認取得を支持するリスク・ベネフィット関係評価のための十分な根拠を得ること ・用量反応関係の確立	・有効性確立のための適切でよく管理された比較試験 ・無作為化並行用量反応試験 ・安全性試験 ・死亡率/罹病率をエンドポイントにする試験 ・大規模臨床試験 ・比較試験
治療的使用（第 4 相）	・一般的な患者又は特殊な患者集団及び（又は）環境におけるリスク・ベネフィットの関係についての理解をより確実にすること ・より出現頻度の低い副作用の検出 ・用法・用量をより確実にすること	・有効性比較試験 ・死亡率/罹病率をエンドポイントにする試験 ・付加的なエンドポイントの試験 ・大規模臨床試験 ・医療経済学的試験

察する．健常人を対象として行うことが困難な，抗がん薬，抗精神病薬，強い依存性のある薬剤などは患者を対象とする．

2）第 2 相（最も代表的な試験：探索的試験 therapeutic exploratory）

治験薬を初めて患者に使用し，限られた患者について治療効果（有効性と安全性）の探索を主要な目的として試験を開始する段階であり，この際にも初期には安全性に対する配慮がとくに必要である．第 2 相の重要な目的は，第 3 相で行われる試験の用法・用量を決定することである．

第 2 相の初期的試験では，その後に実施する試験において用いられる見込みのある有効性の評価指標，治療方法，対象となる患者（適応症並びに軽症例か重症例か）を評価する．

それに続く試験では，より有効性と安全性の範囲をさらに明確にし，用法・用量を確認する．通常二重盲検法による比較試験を行う．

3）第 3 相（最も代表的な試験：検証的試験 therapeutic confirmatory）

治験薬の治療上の利益を証明又は確認することを主要な目的とする試験である．

第 1 相及び第 2 相の成績から得られた有効性と安全性の成績及び用法・用量設定に対するほぼ確実な資料が得られたと考えられたとき，これを検証するために厳密な治験計画に基づいて多数の患者を対象として，試験を行うのが第 3 相での試験である．これには比較試験 comparative trial と一般臨床試験 open trial とがある.

比較試験は治験薬と対照の医薬品を比較して行う試験である. 統計的によく管理された計画のもとに実施されるので controlled study ともいわれる. 対照として無効なプラセボ placebo（偽薬）あるいは効果が確認されている既存薬 active control を使う. 比較試験を行う理由は自然治癒の傾向があることと, 患者に対する薬物治療の心理的影響を除くためである. この場合, 多く用いられる手法が**二重盲検試験** double blind test である.

一般臨床試験には, 他剤との併用を検討する試験, 長期投与を意図する医薬品では投与期間を延長した試験などがある.

医薬品の承認申請に必要な臨床成績資料として, 申請医薬品の有効性, 安全性を評価するに足る症例数の臨床成績を必要とする.

厚生労働省は各種疾患につき臨床評価方法のガイドラインを定めている[3~5]. 検証的臨床試験を対象とした「臨床試験のための統計的原則」は, 臨床試験から得られる結果の偏りを最小にし, 精度を最大とすることを目標としている（医薬審第 1047 号　平 10.11.30）.

■ 4）第 4 相（多様な試験：治療的使用）

医薬品の承認後に行われるすべての試験（ルーチンの市販後調査を除く）であり, 承認された適応に関連したものであり, その医薬品の適正な使用法を明らかにするうえで重要である. 追加的な薬物相互作用試験, 用量-反応試験, 又は安全性試験として承認された適応疾患における使用を支持するための試験などが含まれる.

MEMO

CRO, SMO, CRC

CRO contract research organization（開発業務受託機関）　医薬品開発において, 製薬企業の業務を代行する機関. ①新薬開発の申請まで　②製造販売後調査　③コンサルタント業務　④医療経済学的評価　⑤前臨床試験. GCP で「業務の依託」として位置づけられている.

SMO site management organization（治験施設支援機関）　治験の実施業務の一部を治験実施医療機関から受託または代行する機関. CRO が治験依頼者側の業務を受託するのに対し, SMO は医療機関〔治験実施施設（site）〕側の業務を受託する. 治験に関わる医師, 治験コーディネーター（CRC）, 事務局の実務を支援することにより, スタッフの負担を軽減し, 治験の品質, スピードの向上を目指す.

CRC clinical research coordinator（治験コーディネーター）　GCP に基づき, 治験実施計画書作成への協力や支援スタッフのこと. 薬剤師や看護師の兼務が多い（p.57）.

3 製造販売後調査

3-1 製造販売後の安全対策

医薬品は製造販売後の調査がきわめて大切である.

新医薬品の承認時までの臨床試験症例数は限られており，その有効性や安全性の評価は十分に確立されていない．また第3相までの段階では妊娠可能な婦人や小児，肝障害や腎障害のある患者はほとんど治験の対象となっていない．長期間使用により生じる問題点も検討されていない.

わが国における医薬品の製造販売後安全対策は，図3-3に示す仕組みによって行われている．図のように製造販売後の有効性・安全性の確保は，①再審査制度，②再評価制度，③安全性定期報告制度 及び ④副作用・感染症報告制度の4つの制度で構成され，このうち副作用・感染症報告制度は，企業報告制度，医薬品・医療機器等安全性情報報告制度，WHO国際医薬品監視制度，感染症定期報告制度からなっている.

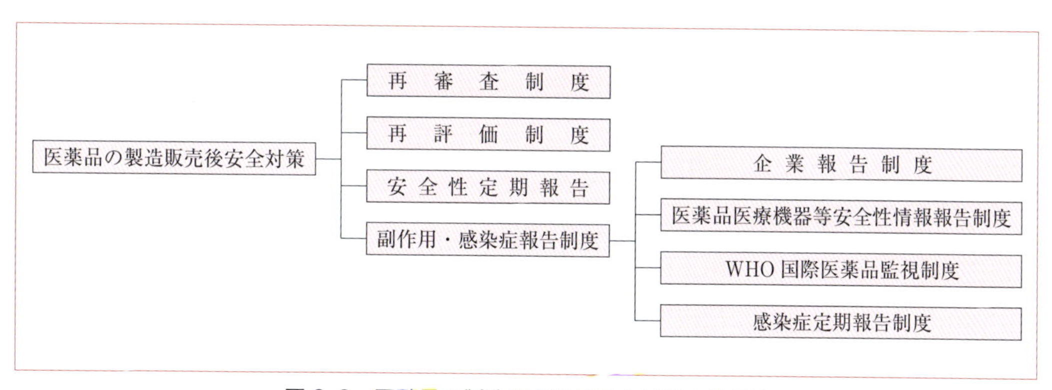

図3-3．医薬品の製造販売後の安全対策の仕組み

この仕組みの根幹となる各種の調査を「製造販売後調査PMS (Post Marketing Surveillance)」と呼ぶ．厚生労働省は，これらの制度を製薬企業に遵守させるため，GVP，GPSPを定めて医薬品の有効性，安全性の確保にあたっている.

医薬品のリスクの低減を図るためのリスク最小化計画を含めた「医薬品のリスク管理計画」(Risk Management Plan：RMP) 策定のための指針等が2012年（平成24年）4月にまとめられた.

2018年（平成30年）4月，PMDAが構築を進めている医薬品安全監視に利用する医療情報データベースシステム（MID-NET）が本稼働を開始した.

1）GVP Good Vigilance Practice，医薬品，医薬部外品，化粧品，医療機器及び再生医療等製品の製造販売後安全管理の基準

この基準は，製造販売業者が製造販売した医薬品について，出荷から使用までを一貫して管理・監督することを製造販売業者に義務づけ，問題が起こったときはいち早く対応を講ずる措置

等を定めた基準であり，総括製造販売責任者の業務，安全確保業務の組織及び職員，製造販売後安全管理業務手順書の作成，安全管理責任者の業務，安全管理情報の収集，安全管理情報の検討及びその結果に基づく安全確保措置の立案，安全確保措置の実施，医薬品リスク管理，市販直後調査，自己点検等について規制している．なお，この基準の遵守は，製造販売業の許可の条件とされている．

2) GPSP Good Post-marketing Study Practice，医薬品の製造販売後の調査及び試験の実施の基準

この基準は，製造販売業者がPMS制度のもとで再審査，再評価，使用成績調査等の各種調査や試験のデータの信頼性を高めるための遵守すべき事項を規定した基準で，製造販売後調査等業務手順書の作成，管理責任者，製造販売後調査等，使用成績調査，製造販売後臨床試験，自己点検，業務従事者の教育訓練，業務の委託，製造販売後調査等業務に係る記録の保存，再審査等の資料の基準等について規制している．

製造販売後調査と再審査・再評価の流れを図に示すと，図3-4のとおりとなる．

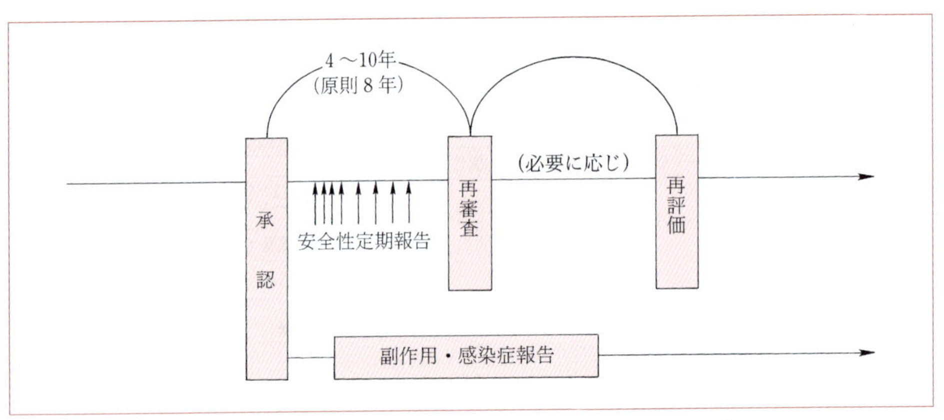

図3-4．医薬品の製造販売後調査と再審査・再評価の流れ

3-2 再審査 re-examination of drugs

(法第14条の4，第23条の29，規則第56～61条，第64条，第65条

新医薬品の承認後に使用の成績等に関する調査を行い，再審査期間終了後にその医薬品の有効性，安全性について再確認を行うものである．

使用の成績等に関する調査結果は，1997年（平成9年）4月の薬事法改正を機に，「安全性定期報告制度（PSUR）」が法制化された．PSURは，2013年（平成25年）5月，**定期的ベネフィット・リスク評価報告**（Periodic Benefit-Risk Evaluation Report：PBRER）に変更されている．承認後2年間は半年ごと，それ以降は1年ごとに**安全性定期報告**として厚生労働省に報告し，こ

れにより承認時点で予測できなかった副作用の早期把握，既知の副作用の発生頻度を調査し，新医薬品製造販売後の安全性確保を図る．

安全性定期報告は再審査期間中の使用成績（有効性，副作用）としてまとめ，再審査を受ける．

再審査の期間は次のように定められている．

10年　① 希少疾病用医薬品　② 長期使用による延命効果，QOLの改善，合併症の予防効果等，治療効果の総合的評価を薬剤疫学的手法を用いて行う必要があるもの

8年　新有効成分医薬品

6年　① 新医療用配合剤（新規性により4年もある）　② 新投与経路

4年　① 新効能・効果医薬品　② 新用法・用量医薬品（有効成分，投与経路同一）

3-3 再評価　re-evaluation of drugs（法第14条の6，第23条の31，規則第66～68条）

医薬品医療機器等法では，承認後そのときどきの知見に基づいて医薬品の有効性，安全性を見直すため，薬事・食品衛生審議会の意見を聴いて，再評価の指定を行うことが定められている．

医薬品の再評価は，すでに承認された医薬品について，現時点の医学・薬学の学問水準から有効性及び安全性を見直す制度である．本制度は，1971年（昭和46年）7月7日付薬発第610号「薬効問題懇談会の答申について」に基づく同年12月からの行政指導による再評価の実施に始まり，1985年（昭和60年）1月からの薬事法（当時）に基づく再評価，さらに1988年（昭和63年）5月からの新再評価制度へと経過してきている．

新再評価制度：すべての医療用医薬品の有効性，安全性を繰り返し見直す制度が1988年（昭和63年）5月に通知された．この再評価は，薬事・食品衛生審議会で審議し，必要があれば薬事法に基づき再評価を実施するという方法がとられている．新再評価指定は1990年（平成2年）2月より実施された．

3-4 副作用・感染症報告制度

1）企業の報告（法第68条の10第1項，第68条の11，規則第228条の20）

医薬品の製造販売業者は，自社製品につき副作用によるものと疑われる疾病，障害又は死亡の発生，その使用によるものと疑われる感染症の発生を知ったときは，その旨を厚生労働大臣に報告しなければならない．その報告は副作用の症例又は研究報告を知った時から30日以内に行う（安全対策上とくに重要な症例は15日以内）．外国において回収，販売停止等の規制措置が取られた場合についても報告を求める．この規定は市販直後調査にも適用される．

2）感染症定期報告制度（法第68条の24第1項）

生物由来製品の製造販売業者に義務づけられた制度で，生物由来製品の原料若しくは材料による感染症に関する論文その他の情報を評価して，厚生労働大臣に報告する．

3) 医薬品・医療機器等安全性情報報告制度（法第68条の10第2項，医薬発第0515014号 平15.5.15，薬食発0612第1号 平26.6.12）

病院，診療所，薬局の開設者，又は医師，薬剤師等が，それぞれの施設において経験した副作用等について，保健衛生上の危害の発生又は防止するため必要があると認めたときは，その内容を厚生労働大臣に報告しなければならない（図3-5）．

4) 副作用情報の評価 と 措置，情報の伝達

2018年（平成30年）度に報告された副作用報告数は，製造販売業者からの報告62,037件，医療関係者からの報告9,931件，合計71,968件である．収集された安全性情報は薬事・食品衛生審議会委員の意見を踏まえた評価検討を行った上で，医療関係者に情報のフィードバックを行う．情報のフィードバックは基本的には製薬企業を経由して行われるが〔使用上の注意事項の改訂，緊急安全性情報，日薬連（日本製薬団体連合会）の安全対策情報誌等〕，一部は厚生労働省から直接医療関係者へ情報の伝達が行われている〔厚生労働省緊急安全性情報（p.88），医薬品・医療機器等安全性情報（p.89）〕．

5) WHO国際医薬品モニタリング制度

加盟国（194ヵ国）は自国で把握した副作用情報について，必要と認めたものをWHO本部（スイス・ジュネーブ）に報告し，各国からWHOに寄せられた情報はスウェーデンにあるWHO国際医薬品モニタリングセンターで評価され，モニタリング参加加盟国にフィードバックされる．

3-5 GVP・GPSPに基づく調査，試験

1) 市販直後調査（GVP省令第10条第1項）

安全確保業務のうち医薬品の製造販売業者が販売を開始した後の6ヵ月間，診療において，医薬品の適正な使用を促し，定められた副作用症例等の発生を迅速に把握するために行う必須の調査である．

2) 使用成績調査（GPSP省令第2条第1項1号）

製造販売後調査等のうち，製造販売業者等が診療において，医薬品を使用する患者の条件を定めることなく，副作用による疾病等の種類別の発現状況並びに品質，有効性及び安全性に関する情報の検出又は確認を行う調査．

3) 特定使用成績調査（GPSP省令第2条第1項1号ロ）

使用成績調査のうち，製造販売業者等が診療において，小児，高齢者，妊産婦，腎機能障害又は肝機能障害を有する患者，医薬品を長期に使用する患者等，その他医薬品を使用する条件が定められた患者における副作用による疾病等の種類別の発現状況並びに品質，有効性及び安全性に

別紙1 様式①

□ 医療用医薬品
□ 要指導医薬品
□ 一般用医薬品

医薬品安全性情報報告書

☆医薬品医療機器法に基づいた報告制度です。
記入前に裏面の「報告に際してのご注意」をお読みください。

化粧品等の副作用等は、様式②をご使用ください。
健康食品等の使用によると疑われる健康被害については、最寄りの保健所へご連絡ください。

患者情報

患者イニシャル	性別	副作用等発現年齢	身長	体重	妊娠
	□男 □女	歳（乳児： ヶ月 週）	cm	kg	□無 □有（妊娠 週）□不明

原疾患・合併症	既往歴	過去の副作用歴	特記事項
1. 2.	1. 2.	□無・□有 医薬品名： 副作用名： □不明	飲酒 □有（ ）□無 □不明 喫煙 □有（ ）□無 □不明 ｱﾚﾙｷﾞｰ□有（ ）□無 □不明 その他（ ）

副作用等に関する情報

副作用等の名称又は症状、異常所見	副作用等の重篤性 「重篤」の場合、<重篤の判定基準>の該当する番号を（ ）に記入	発現期間 （発現日 ～ 転帰日）	副作用等の転帰 後遺症ありの場合、（ ）に症状を記入
1.	□重篤 →（ ） □非重篤	年 月 日 ～ 年 月 日	□回復 □軽快 □未回復 □死亡 □不明 □後遺症あり（ ）
2.	□重篤 →（ ） □非重篤	年 月 日 ～ 年 月 日	□回復 □軽快 □未回復 □死亡 □不明 □後遺症あり（ ）

<重篤の判定基準> ①：死亡 ②：障害 ③：死亡につながるおそれ ④：障害につながるおそれ ⑤：治療のために入院又は入院期間の延長 ⑥：①～⑤に準じて重篤である ⑦：後世代における先天性の疾病又は異常

<死亡の場合>被疑薬と死亡の因果関係：□有 □無 □不明

<胎児への影響> □影響あり □影響なし □不明

被疑薬及び使用状況に関する情報

被疑薬（副作用との関連が疑われる医薬品の販売名）	製造販売業者の名称 （業者への情報提供の有無）	投与経路	1日投与量 （1回量×回数）	投与期間 （開始日～終了日）	使用理由 （疾患名、症状名）
	（□有□無）			～	
	（□有□無）			～	
	（□有□無）			～	

└ 最も関係が疑われる被疑薬に○をつけてください。

併用薬（副作用発現時に使用していたその他の医薬品の販売名 可能な限り投与期間もご記載ください。）

副作用等の発現及び処置等の経過（記入欄が不足する場合は裏面の報告者意見の欄等もご利用ください。）

年 月 日

※被疑薬投与前から副作用等の発現後の全経過において、関連する状態・症状、検査値等の推移、診断根拠、副作用に対する治療・処置、被疑薬の投与状況等を経時的に記載してください。検査値は下表もご利用ください。

副作用等の発現に影響を及ぼすと考えられる上記以外の処置・診断：□有 □無
有りの場合 →（□放射線療法 □輸血 □手術 □麻酔 □その他（ ））

再投与：□有 □無 有りの場合→ 再発：□有 □無　ワクチンの場合、ロット番号（ ）

一般用医薬品の場合：□薬局等の店頭での対面販売 □インターネットによる通信販売
購入経路→ □その他（電話等）の通信販売 □配置薬 □不明 □その他（ ）

報告日： 年 月 日（既に医薬品医療機器総合機構へ報告した症例の続報の場合はチェックしてください。→□）
報告者 氏名： 施設名（所属部署まで）：
（職種：□医師、□歯科医師、□薬剤師、□看護師、□その他（ ））
住所：〒
電話： FAX：

医薬品副作用被害救済制度及び：□患者が請求予定 □患者に紹介済み □患者の請求予定はない
生物由来製品等感染等被害救済制度について □制度対象外（抗がん剤等、非入院相当ほか） □不明、その他
※一般用医薬品を含めた医薬品（抗がん剤等の一部の除外医薬品を除く。）の副作用等による重篤な健康被害については、医薬品副作用被害救済制度又は生物由来製品等感染等被害救済制度があります（詳細は裏面）。

➢ FAX又は電子メールでのご報告は、下記までお願いします。両面ともお送りください。
（FAX：0120-395-390 電子メール：anzensei-hokoku@pmda.go.jp 医薬品医療機器総合機構安全第一部情報管理課宛）

報告者意見（副作用歴、薬剤投与状況…

検査値（投与前、発現日、転…

検査日 / 検査項目(単位)	

「報告に際してのご注意」
➢ この報告制度は、医薬品、…号）第68条の10第2項…者が保健衛生上の危害発生…の因果関係が必ずしも明確…
➢ なお、医薬部外品、化粧品…②をご使用ください。
➢ 各項目については、可能な…
➢ 報告された情報については…整理又は調査の結果を厚生…製造販売業者等へ情報提供…調査を行う場合があります…
➢ 報告された情報について、…及び患者のプライバシー等…
➢ 健康食品・無承認無許可医薬品による疑いのある健康被害については最寄りの保健所へご連絡ください。
➢ 記入欄が不足する場合は、別紙に記載し、報告書に添付いただくか、各欄を適宜拡張して記載願います。
➢ FAX、郵送又は電子メールにより報告いただく場合には、所定の報告用紙のコピーを使用されるか、インターネットで用紙を入手してください。（http://www.pmda.go.jp/safety/reports/hcp/pmd-act/0002.html）
➢ 医薬品の副作用等による健康被害については、医薬品副作用被害救済制度又は生物由来製品等感染等被害救済制度があります［お問い合わせ先 0120-149-931（フリーダイヤル）］。詳しくは機構（PMDA）のホームページ（http://www.pmda.go.jp/relief-services/index.html）をご覧ください。また、報告される副作用等がこれらの制度の対象となると思われるときには、その患者にこれらの制度を紹介願います。ただし、使用された医薬品が抗がん剤等の対象除外医薬品である場合や、副作用等による健康被害が入院相当の治療を要さない場合には、制度の対象とはなりません。また、法定予防接種による健康被害は、予防接種後健康被害救済制度の対象となり、これらの救済制度の対象外となるため、具体的には市町村に問い合わせていただくよう紹介ください。
➢ 施設の住所は安全性情報受領確認書の送付に使用しますので、住所もご記入ください。

➢ ご報告は医薬品医療機器総合機構安全第一部情報管理課宛にお願いします。両面ともお送りください。
郵送：〒100-0013 東京都千代田区霞が関3-3-2 新霞が関ビル
FAX：0120-395-390
電子メール：anzensei-hokoku@pmda.go.jp

図3-5. 医薬品安全性情報報告書（PMDA安全第一部情報管理課）

関する情報の検出又は確認を行う調査.

■ 4）製造販売後臨床試験（GPSP 省令第 2 条第 1 項 3 号）

製造販売後調査等のうち，製造販売業者等が，治験若しくは使用成績調査の成績に関する検討を行った結果得られた推定等を検証し，又は診療においては得られない品質，有効性及び安全性に関する情報を収集するため，医薬品医療機器等法の製造販売承認に係る用法・用量，効能及び効果に従い行う試験.

4 医薬品副作用被害と生物由来製品感染等被害の救済

医薬品の副作用被害に対しては，民事裁判による損害賠償を求める方法がとられてきているが，医薬品の性質上，賠償責任を追求することが難しく，たとえ追求できても多大な時間と労力を要することが少なくなかった．そのため，医薬品を適正に使用して発生した副作用，感染症被害で，第三者にその賠償責任を追求できない健康被害に対し，PMDA において各種の救済給付を行うことにより，患者または家族の迅速な救済を図っている.

わが国の制度は，すでに制度を設けている旧西ドイツの無過失責任を基礎とする強制民間保険方式とは異なる独自の制度で，民事責任を問うことのできない事例に医薬品の製造供給者の社会的責務として行われるものである．制度の概略は図 3-6 のとおりである.

1．この制度は，独立行政法人医薬品医療機器総合機構（以下 PMDA）が業務を行う.
2．PMDA は，医薬品の副作用による疾病，障害または死亡につき，医療費，医療手当，障害年金，障害児養育年金，遺族年金，遺族一時金及び葬祭料の給付を行う.
3．PMDA が給付を行うに当たり，医薬品と健康被害との因果関係等専門的判定を要する事項については，PMDA の申出により，厚生労働大臣が薬事・食品衛生審議会の意見を聴いて行う.
4．医薬品の製造販売業者は，PMDA の業務に要する経費に充てるため，拠出金を納付する.
5．著しい健康被害が多発した場合，救済を円滑に行うため PMDA に対し政府が補助するこ

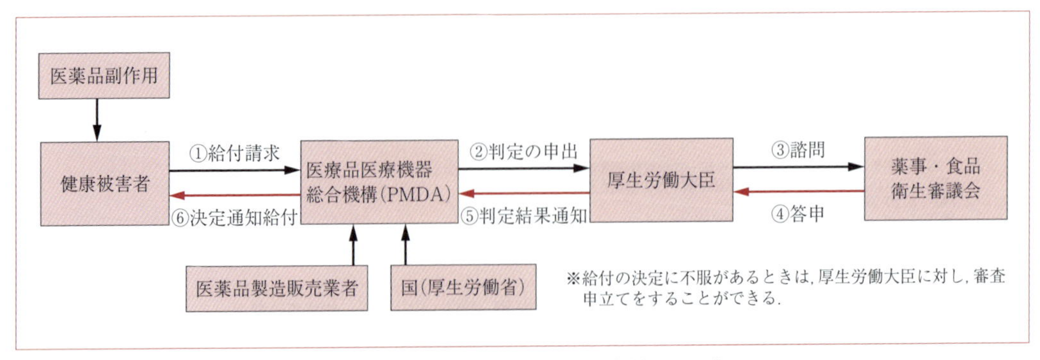

図 3-6．医薬品副作用被害救済制度のながれ

とができる．

1980年（昭和55年）の本制度発足から2018年（平成30年）までの医薬品副作用被害救済支給件数は16,546件である[6]．その周知とともに増加傾向にある．

また，2004年（平成16年）4月には，生物由来製品の使用による感染被害についても同様の救済給付を行う生物由来製品感染等救済制度が創設された．

なお1995年（平成7年）7月から施行の製造物責任法 product liability（PL法）とは，ある製品の欠陥により，消費者が健康被害や財産上の被害を被ったとき，その製品のメーカーの過失を立証できなくても，そのメーカーに賠償の責任を負わせることができるという趣旨の法律である．

医薬品の場合の欠陥として，不良品のほかに，副作用が欠陥にあたると考えられるが，現在のところ原則的には添付文書などによって，その副作用について表示がなされていれば，副作用があるからといって直ちに欠陥とはならないと解釈されている．

医療行為はPL法の対象となっていないが，医師，薬剤師が投与する医薬品についての情報を，患者に対して説明，指導することの責任は，いっそう高まることとなる．

5 新医薬品開発のあゆみ と 課題

今日用いられている医薬品の90%以上は20世紀後半に開発された．新薬開発の歴史を年表にしたのが表3-3である．

■ 1）抗菌薬（抗生物質，化学療法剤）の開発

1928年にA. Flemingが発見したペニシリンが1940年代になって工業化されて以来，ストレプトマイシン，テトラサイクリン，クロラムフェニコール，エリスロマイシン，アンピシリン，セファロチンなど数多くの抗生物質が開発された．ペニシリン系，セフェム系抗生物質は，その後半合成の技術により多くの誘導体が合成され，作用スペクトルの幅を拡げた．

抗結核薬にはストレプトマイシン，パラアミノサリチル酸，イソニアジドに続き，エタンブトール（1961年），リファンピシン（1965年）などがある．

化学療法剤は1980年代に入りピリドンカルボン酸系抗菌薬が加わり，今日広く使用されている．

このような抗菌薬の開発は病原微生物による致死率を著しく減少させた．とくにわが国の場合，感染症による乳幼児，結核による青年層の死亡の激減は平均寿命の大幅な延長に貢献した*．日本脳炎ワクチンの接種は，若年層を中心に罹患率の高かった日本脳炎を追放した．

しかし仔細にみると残された問題も少なくない．緑膿菌などに有効な抗菌薬，MRSA感染症治療薬，菌交代症 super infection，さらにHIV，ウイルス性肝炎，インフルエンザなどのウイルス感染に有効な医薬品やワクチンの開発は，化学療法の課題である．

---

* 平均寿命　男子81.64歳，女子87.74歳（2020年，令和2年）．男子は世界第2位，女子は第1位．

表 3-3. 新医薬品開発の主な歴史（*日本で開発）

開発年	医薬品名
1935	スルファミン（サルファ剤）
39	ペチジン（鎮痛薬）
1940	ペニシリン（抗菌薬）
44	ストレプトマイシン（抗菌薬）
45	ジフェンヒドラミン（抗ヒスタミン薬）
46	パラアミノサリチル酸（抗結核薬）
	クロルテトラサイクリン（抗菌薬）
47	クロラムフェニコール（抗菌薬）
	クロルフェニラミン（抗ヒスタミン薬）
	ワルファリン（抗凝血薬）
49	コルチゾン（副腎皮質ホルモン）
	スキサメトニウム（筋弛緩薬）
1952	イソニアジド（抗結核薬）
	エリスロマイシン（抗菌薬）
	クロルプロマジン（抗精神病薬）
	ヒドララジン（降圧薬）
53	テトラサイクリン（抗菌薬）
54	レセルピン（降圧薬）
56	トルブタミド（経口糖尿病薬）
57	カナマイシン*（抗菌薬）
58	ヒドロクロロチアジド（利尿薬）
	ハロタン（吸入麻酔薬）
	フルオロウラシル（抗悪性腫瘍薬）
	クロルジアゼポキシド（精神安定薬）
1961	アンピシリン（抗菌薬）
62	クロフィブラート（抗高脂血症薬）
	セファロチン（抗菌薬）
63	インドメタシン（非ステロイド性解熱鎮痛消炎薬）
64	プロプラノロール（ベータ遮断薬）
	シスプラチン（抗悪性腫瘍薬）
65	ブレオマイシン*（抗悪性腫瘍薬）
67	セファゾリン*（抗菌薬）
69	サルブタモール（気管支拡張薬）
	クロモグリク酸（喘息治療薬）
1973	ジルチアゼム*（カルシウム拮抗薬）
	ジノプロスト*（プロスタグランジン $F_2\alpha$）
	チクロピジン（血小板凝集抑制薬）
74	シメチジン（H_2 受容体拮抗薬）
75	ラタモキセフ*（抗菌薬）
76	ニフェジピン（カルシウム拮抗薬）
77	カプトプリル（ACE 阻害薬）
	アシクロビル（抗ウイルス薬）
78	シクロスポリン（免疫抑制薬）
1981	ノルフロキサシン*（キノロン系抗菌薬）
83	ゲメプロスト*（プロスタグランジン E_1 誘導体）
85	インターフェロンベータ（天然型）
86	ジドブジン（HIV 逆転写酵素阻害薬）
89	プラバスタチン*（抗脂質異常症薬）
1990	エリスロポエチン（造血ホルモン）
	アルガトロバン*（抗トロンビン，抗血栓症薬）
	エチドロン酸二ナトリウム（骨代謝改善薬）
91	フィルグラスチム（G-CSF：顆粒球コロニー刺激因子）
	オメプラゾール（プロトンポンプ阻害薬）
	アルテプラーゼ（t-PA；組織プラスミノーゲンアクチベータ）
92	リュープロレリン*（DDS 製剤）
93	タクロリムス*（免疫抑制薬）
	パクリタキセル（抗悪性腫瘍薬）
	サルポグレラート*（5-HT_2 拮抗薬，血小板凝集抑制）
	アカルボース（α-グルコシダーゼ阻害薬）
94	イリノテカン*（抗悪性腫瘍薬）
95	プランルカスト*（ロイコトリエン受容体拮抗薬）
97	インジナビル（HIV プロテアーゼ阻害薬）
98	ロサルタン（アンジオテンシンⅡ受容体拮抗薬）
99	シルデナフィル（勃起不全）
	フルボキサミン（選択的セロトニン再取り込み阻害薬）
	ドネペジル*（抗アルツハイマー型認知症薬）
	ピオグリタゾン（インスリン非依存性糖尿病）
2000	ザナミビル（ノイラミニダーゼ阻害薬，抗 A 型・B 型インフルエンザ薬）
	スマトリプタン（$5\text{-HT}_{1B/1D}$ 受容体作動型片頭痛治療薬）
	ラミブジン（抗ウイルス薬）
01	オセルタミビル（ノイラミニダーゼ阻害薬，抗 A 型・B 型インフルエンザ薬）
	メロキシカム（選択的 COX-2 阻害薬，非ステロイド性解熱鎮痛消炎薬）
	エダラボン*（脳保護薬，フリーラジカル消去薬）
	トラスツブマブ（分子標的抗悪性腫瘍薬）
	イマチニブ（チロシンキナーゼ阻害薬，慢性骨髄性白血病）
	インターフェロン・アルファコン-1（C 型慢性肝炎におけるウイルス血症の改善）
02	シベレスタット（全身性炎症反応症候群に伴う急性肺障害の改善）
	ミカファンギン（抗真菌薬）
	ゲフィチニブ（チロシンキナーゼ阻害薬，手術不能又は再発非小細胞肺がん）
03	テリスロマイシン（ケトライド系抗菌薬）
04	ミチグリニド*（速効性インスリン分泌促進薬）
05	エタネルセプト（完全ヒト型 TNFα/LTα レセプター阻害薬）
	アリピプラゾール（非定型抗精神病薬，統合失調症）
06	クロピドグレル（抗血小板薬）
	モザバプタン*（抗利尿ホルモン不適合分泌症候群に伴う低ナトリウム血症治療薬）
	ペルフルブタン（肝腫瘤性病変造影剤）
07	エゼチミブ（コレステロール吸収阻害薬）
	トピラマート（部分発作に対する抗てんかん薬との併用療法薬）
09	ミノドロン酸水和物*（骨粗鬆症）
	シタグリプチンリン（DPP4 阻害薬）

2) 画期的新薬の開発

医学薬学の進歩は，これまで治療の手だてに窮していた疾病の領域に次々と新薬効を開拓した．ジフェンヒドラミン，コルチゾン，クロルプロマジン，クロルジアゼポキシド，スキサメトニウム，ワルファリン，ヒドララジン，ヒドロクロロチアジド，インドメタシンなど画期的な新薬は，病苦に悩んでいた人々の社会復帰を可能にした．

疾病の原因と薬物の作用メカニズムを薬物受容体の解明という観点から把えて新薬開発に成功したものにプロプラノロール，シメチジンがある．J. W. Black はその功績によりノーベル医学生理学賞を受賞した．基礎医学・生化学の進歩を背景にドラッグデザインが行われ，カルシウム拮抗薬や ACE 阻害薬が開発された．生体の生理活性物質プロスタグランジン類の解明は新薬研究を大いに刺激した．

脂質異常症治療薬の HMG-CoA 還元酵素阻害薬プラバスタチン，プロトンポンプ阻害薬オメプラゾール，バイオ医薬品エリスロポエチン，G-CSF のような画期的新薬も次々に出現している．

新薬の出現が医療行為の枠を変えたり，社会経済に貢献した例に次のものがある．ヒスタミン H_2 受容体拮抗薬は胃潰瘍の手術を 1/20 に激減させた．ゲメプロスト腟坐剤の使用は妊娠中期の治療的流産を安全に行うことを可能にした．これらはいずれも医療費の節減につながる．

臓器移植に伴う免疫抑制薬として，アザチオプリン，シクロスポリンがあるが，より免疫抑制力が強く，腎毒性が少ないタクロリムスが評価されている．

ある調査によると 1997 年の世界の医薬品の販売額上位 50 品目中，レセプターアンタゴニスト/アゴニストが 22 品目，エンザイムインヒビターが 16 品目を占めている．今日の薬物療法のターゲットを示している．

3) 創　剤 creative drug delivery formulation

創薬に対し，製剤学的手法により新たな剤形，投与法の製剤を開発することを創剤という．

DDS 製剤のうち，徐放性製剤は各薬効群に拡がり，標的化製剤や生体内の情報を感知して自動的に薬物を放出するシステムの開発に関心が寄せられている．インドメタシンやニトログリセリンは，経皮吸収で全身的効果が期待できる TTS の技術が実用化されている (p.131)．

創剤の大きな課題は，蛋白質やペプチドの経口投与である．

医薬品の生産額（2020 年，令和 2 年）[7]

医薬品の年間生産額は 93,054 億円．用途別に医療用医薬品 85,195 億円（91.6%），その他の医薬品（一般用医薬品，配置用医薬品）7,859 億円（8.4%）．薬効別では，その他の代謝性医薬品が 12,436 億円（12.2%）と最も多く，以下，腫瘍用薬（12,160 億円，12.2%），中枢神経系用薬（10,570 億円，11.8%），循環器官用薬（9,394 億円，10.5%），血液・体液用薬（6,413 億円，7.2%）などである．

■ 4）バイオ医薬品，次世紀の医薬品開発

遺伝子工学的手法は21世紀の医薬品の開発に大きな役割を果たすと期待される．すでにヒトインスリン，ヒト成長ホルモン，サイトカイン製剤〔インターフェロン，エリスロポエチン，フィルグラスチム（G-CSF），インターロイキン2〕，ヒト組織プラスミノーゲン活性化因子（t-PA），B型肝炎ワクチンなどの量産が可能となっている．“生体医薬”に加えて，ヒト抗体を含む“抗体医薬”の開発も進み重要な一分野を担っている．

ヒトゲノム（全遺伝子情報）の解読は，人類にとって生命の設計図を読み解く重要な第一歩である．遺伝子機能の解明，疾患遺伝子探索により，そこから有用な情報を選別し，新しい治療法の開発や分子標的薬の創薬に結びつけることができる．創薬へのアプローチは大きく変わり，個々の患者を対象としたオーダーメイド医薬品，より理論的な“ゲノム創薬”が期待される．

バイオテクノロジー戦略大綱や医薬品産業ビジョンの策定など，生命の世紀といわれる製薬産業への期待が高まっている．

■ 5）希少疾病用医薬品（オーファンドラッグ），医薬先進国の役割

新薬の開発で忘れてならないのは，難病に指定されている**希少疾病用医薬品**への挑戦である（p.49）．1993年（平成5年）の薬事法改正で，開発に必要な資金の助成，優先審査の実施，再審査期間の延長，試験研究費の税制上の優遇措置により，開発の促進が図られることとなった（医薬品医療機器等法第77条の2～77条の6，規則第250条～252条）．現在約410品目が指定されている．

希少疾病用医薬品の指定基準

・対象患者数が5万人未満（アメリカの場合20万人未満）
・難病などの重篤な疾患が対象
・医療上の必要性が高い
・代替する適切な医薬品や治療方法がない
・既存の医薬品と比較して，著しく高い有効性，又は安全性が期待される
・開発の可能性が高いこと
〔・開発コストが販売から回収される見込みがない（アメリカの場合）〕

分子標的薬 molecular target drug

分子標的薬とは，疾患の成立メカニズムを解明した上で，それに関わる特定の分子を標的として開発された薬剤．近年がん細胞の増殖，浸潤，転移に関わる分子機構が明らかになったことから，それらを分子標的とした抗悪性腫瘍薬が開発されている．正常細胞や正常組織との分子生物学的な差を特異的に修飾することを目指して作られているため，従来の薬剤と比べてより選択的かつ副作用の少ない治療を行える可能性がある．

文 献

1) 日本医師会誌：ヘルシンキ宣言—ヒトを対象とする医学研究の倫理的原則，日本医事新報，No. 3994，61．2000.11.11
2) 望月眞弓：医薬品情報の収集と解析（長尾　拓ら：医療薬学 I 78）共立出版　1999
3) 日本薬剤師研修センター編：医薬品承認申請ガイドブック 2002　薬事日報社　2002
4) 薬事審査研究会：医薬品製造指針 2001　じほう　2001
5) 日本公定書協会編：新薬臨床評価ガイドライン 2003　薬事日報社　2003
6) 厚生労働白書　平成 29 年版
7) https://www.mhlw.go.jp/topics/yakuji/2020/nenpo/

S. A. Waksman（左）と A. Fleming（右）
（米国メルク社提供）

J. W. Black
（スミスクライン・ビーチャム製薬提供）

G. H. Hitchings

G. B. Elion

（日本ウエルカム提供）

画期的な新薬の発明によりノーベル賞を受賞した研究者

G. Domagk（スルファミン，1939 年受賞），A. Fleming，E. B. Chain，H. W. Florey（ペニシリン，1945），P. S. Hench，E. C. Kendall，T. Reichstein（コルチゾン，1950），S. A. Waksman（ストレプトマイシン，1952），D. Bovet（抗ヒスタミン薬開発の端緒，スキサメトニウム，1957），J. W. Black（プロプラノロール，シメチジン，1988），G. H. Hitchings, G. B. Elion（アシクロビル，1988）など

ペニシリン発見の最大の意義は，ペニシリンそのものだけにあるわけではない．それはさらに素晴らしい何かを見つけ出そうとする研究心に，新しい刺激をもたらした（A. Fleming）

4 医薬品情報

医薬品情報概論

調剤論については前述（p.25）を参照のこと．

調剤時に必要な医薬品の情報については，医薬品情報[1〜3]はその関わる範囲が非常に多岐にわたるため「学」として体系化しにくい一面を有するが，全体のながれとしては，医薬品情報を理解するのに必要な薬学教育，生涯教育の充実，医薬品情報を日常の業務に活用するための能力の開発，医薬品情報の共有化と情報化社会への対応，情報提供のための各分野の協力，医薬品情報を評価するシステムの確立であるといえる．

医薬品に関する情報には，医薬品を創製開発するために必要な情報，製剤・製造するために必要な情報，医薬品を的確に適正に使用するために必要な情報がある．医療提供施設で必要な情報は主として医薬品の適正使用に（調剤時も含む）関わる情報である．

1 医薬品情報源の分類

情報が記録されているものが資料である．

医薬品情報は内容の加工度によって，一次資料，二次資料，三次資料に分類される．

一次資料の前段階の非公式な伝達やパーソナルコミュニケーションを**0次資料**と呼ぶ．

1）一次資料 primary source

オリジナリティのある研究論文や調査，学会要旨集，特許公報などが該当する．なかでも原著論文は最も詳細な情報源である．

代表的な学術雑誌を表4-1に示す．年間発表される一次資料の数は膨大な量であり，これらすべてに目を通すことは到底不可能である．

表 4-1．一次資料が掲載されている臨床薬学領域の代表的な学術雑誌

日本	医療薬学（日本医療薬学会） 薬学雑誌（日本薬学会） 薬剤学（日本薬剤学会） 薬剤疫学（日本薬剤疫学会） 臨床薬理（日本臨床薬理学会） Chemical & Pharmaceutical Bulletin（日本薬学会） Biological & Pharmaceutical Bulletin（日本薬学会）
海外	New England Journal of Medicine The Lancet Annals of Internal Medicine JAMA（Journal of American Medical Association） BMJ（British Medical Journal） The Annals of Pharmacotherapy

■ 2）二次資料 secondary source

一次資料の論文の内容を要約したり，再編成して，一次資料の検索を容易にしたものである．どのような論文がどの雑誌に発表されているかを羅列したリストや，内容を圧縮して表現したリストなどがあり，索引誌，目次速報誌，抄録誌などが特に重要な二次資料である．速報性と網羅性に優れるとともに，収載されているキーワードなどの索引語により迅速な検索が可能なため，現在では二次資料の情報をコンピュータなどに入力した医学・薬学関連の二次資料データベースが数多く存在し，利用頻度も高い．表 4-2 に代表的な二次資料とカバーしている領域を示す．

表 4-2．代表的な二次資料

電子媒体	冊子名	領域	発行
MEDLINE, PubMED	Index Medicus	医学・薬学・看護学全般	米国国立医学図書館
TOXILINE	Index Medicus	副作用・中毒・毒性・環境化学関係	米国国立医学図書館
EMBASE	Excerpta Medica	医学・薬学および関連する生物化学	Excerpta Medica Foundation
CA SEARCH	Chemical Abstracts	化学全般	米国化学会
SciFinder	Chemical Abstracts	化学全般	米国化学会
BIOSIS	Biological Abstracts	生物学全般	BIOSIS Inc.
医中誌 Web	医学中央雑誌	医学・薬学・看護学全般	医学中央雑誌刊行会
JOIS	JICST ファイル，JMEDICINE ファイル等	科学技術（医学を含む）全分野	科学技術振興財団

■ 3）三次資料 tertiary source

最も加工度の高い資料で，一次資料をもとに特定のテーマについてまとめたものである．各種の専門図書，教科書，医薬品集などが該当する．さらに製薬会社が作成した添付文書，インタビューフォーム，製品情報概要なども三次資料である．版を重ねたものは，正確性，信頼性，簡便性に優れている．必要なものを整備しておくと，通常の医薬品情報提供のほとんどの場合に対処することができる．

また，医薬品情報の調査に用いる和雑誌および洋雑誌を薬学系，医学系に分けて表 4-3 に記

した．病院の図書室で購入している場合もあるが，手元において便利なものは薬局，薬剤部として購入する．

表 4-3．医薬品の情報の調査に用いる雑誌類（学術雑誌は表 4-1 を参照）

	薬学系	医学系
和雑誌	日本薬剤師会雑誌（日本薬剤師会） 日本病院薬剤師会雑誌（日本病院薬剤師会） ファルマシア（日本薬学会）	日本医師会雑誌（日本医師会）
	月刊薬事（じほう） 薬局（南山堂） Rp.＋レシピプラス（南山堂） 調剤と情報（じほう） 薬事日報（薬事日報社） 薬事新報（薬事新報社）	日本医事新報（日本医事新報社） 医学のあゆみ（医歯薬出版） 診断と治療（診断と治療社） 治療（南山堂） 内科（南江堂） 日本臨牀（日本臨牀社）
洋雑誌	International Pharmacy Journal（FIP） American Journal of Health-System Pharmacy	Journal of American Medical Association （米国医師会雑誌）（American Medical Association）

4）3 つの資料の取り扱い方

臨床の場での医薬品情報調査では，はじめに信頼できる三次資料を調べる．三次資料で適切な情報が得られない場合，最新情報や過去の研究を網羅的に調査したい場合には，二次資料を用いて文献検索し，一次資料を入手する．

最近は二次資料だけでなく，一次資料や三次資料も電子化が進み，コンピュータを利用して簡便に目的とする情報を得ることが可能になっている．

2 医薬品情報の種類

2-1 医薬品情報の種類

［新薬発売時］

医療用医薬品添付文書（p.76）

医薬品インタビューフォーム（p.86）

医療用医薬品製品情報概要（p.86）

承認審査情報（p.86）

使用上の注意の解説

基礎・臨床文献集

［製造販売後］

緊急安全性情報（イエローレター）：予期せぬ重大な副作用など緊急な連絡を要する副作用情報を，厚生労働省の指示により製薬会社が医療関係者に 4 週間以内に配布，伝達する．また，緊急安全性情報に次いで重大性の高い情報として安全性速報（ブルーレター）がある（薬食安発

0715 第 1 号 平 23.7.15).

医薬品安全対策情報（Drug Safety Update：DSU）：日本製薬団体連合会安全対策情報部会に参加している製薬企業が製造または輸入している医療用医薬品の「使用上の注意」改訂に関する情報（改訂内容及び参考文献など）である．通常は年 10 回の発行.

各種お知らせ類：使用上の注意の改訂，再審査・再評価結果，包装・表示の変更，薬価改正，製造・販売中止，不良品回収.

2-2 医療用医薬品添付文書[4)]

医療用医薬品の添付文書 package insert は，医薬品医療機器等法第 52〜54 条の規定に基づき，製薬会社が作成し，個々の包装に添付（封入）されたもので，各種情報の中で唯一法的根拠をもつ重要な文書である．医療用医薬品の添付文書には効能又は効果，用法及び用量，使用上の注意等の基本的情報が記されており，次の機能を有する．

① 医薬品の適正使用に必要な品質，有効性，安全性に関する正確な情報を集約した基本的情報の文書

② 医薬品医療機器等法及び行政指導により医薬品の個々の包装に添付すること，及び記載項目・内容が規定された文書

③ 研究開発時までの情報のみならず，製造販売後調査で得られた安全性情報に基づき常に改訂が行われ，最新情報としての機能をもつ文書

急速に進展しつつある医薬分業下では，医師が添付文書を手にする機会が失われつつある．「添付する」という枠組みを超えた情報伝達媒体の実現が望まれる．その 1 つの情報伝達手段として，医薬品医療機器総合機構（PMDA）ホームページ（http://www.pmda.go.jp/）を通じて添付文書情報が提供されている（p.93）.

添付文書情報は，2021 年 8 月に施行された医薬品医療機器等法の改正により，これまで医薬品などの製品と一緒に同梱されていた紙の添付文書は原則として廃止され（一般用医薬品などの消費者が直接購入する製品は除く），電子的な方法で閲覧することが基本となる．

その閲覧方法は，医薬品などが入っている箱につけられたバーコードまたは二次元コードをスマートフォンやタブレットのアプリケーションなどを使って読み取り，その情報を基にインターネットを経由して最新の添付文書にアクセスする．これにより常に最新の情報を得ることができる．なお，箱につけられたバーコードなどからは，電子化された添付文書のほか，審査報告書などの関連文書も閲覧することが可能である．

科学的で正確な情報を提供するため，医療用医薬品添付文書及び使用上の注意の記載要領が制定されている（薬生発 0608 第 1 号 平 29.6.8）.

[医療用医薬品添付文書記載項目]

図 4-1 に医療用医薬品添付文書の記載項目*とその内容を示す.

本記載様式は体外診断薬及び生物学的製剤（血漿分画製剤を除く）には適用しない.

添付文書の記載要領　ワクチン（トキソイドを含む），抗毒素及び検査に用いる生物学的製剤（薬生発 1227 第 7 号，薬生安発 1227 第 11 号　平 29.12.27），接種（使用）上の注意（薬生発 1227 第 7 号　平 29.12.27）．生物由来製品（医薬発第 0515005 号　平 15.5.15，医薬安発第 0520004 号　平 15.5.20）．体外診断薬（薬食発第 0310006 号　平 17.3.10）．

[医療用医薬品の使用上の注意記載項目]

1．警告
2．禁忌
3．組成・性状
4．効能又は効果
5．効能又は効果に関連する注意
6．用法及び用量
7．用法及び用量に関連する注意
8．重要な基本的注意
9．特定の背景を有する患者に関する注意
10．相互作用
　10.1　併用禁忌（併用しないこと）
　10.2　併用注意（併用に注意すること）
11．副作用
　11.1　重大な副作用
　11.2　その他副作用
12．臨床検査結果に及ぼす影響
13．過量投与
14．適用上の注意
15．その他の注意
　15.1　臨床使用に基づく情報
　15.2　非臨床試験に基づく情報

図 4-2 は医療用医薬品添付文書の実例である（p.80～85）.

医薬品，とくに新医薬品は，安全性情報（警告，禁忌，使用上の注意）を中心に，添付文書の改訂が頻繁に行われる．薬剤師は厚生労働省や製薬企業からの情報，添付文書記載の作成又は改訂年月に注意し，情報の収集と伝達に万全を期するよう努めなければならない（p.231）.

---

* 記載項目中の「日本標準商品分類番号」とは，総務省が定めているわが国の商品分類．医薬品は最初の2桁が87の数字で表され，最大6桁まで表示する．大分類（3桁目）は，次の9つに分類されている．

871　神経系および感覚器官用医薬品
872　個々の器官系用医薬品
873　代謝性医薬品
874　組織細胞機能用医薬品
875　主薬および漢方処方に基づく医薬品
876　病原生物に対する医薬品
877　治療を主目的としない医薬品
878　麻　薬
879　動物に使用する医薬品

ジアゼパム

4—六桁→ベンゾジアゼピン系製剤
2—五桁→催眠鎮静剤・抗不安剤
1—四桁→中枢神経系用薬
医薬品
1—三桁→神経系および感覚器官用
7—二桁→医薬品および関連製品
8—一桁→最終製品（生活・文化用品）

全般的事項
・警告以降全ての項目に固定番号が付されます.
・記載すべき内容がない項目については，記載項目が省略されます．ただし，項目番号は繰り上がりません.
・関連する項目がある場合には，相互に項目番号を用いて参照先が記載されます.
・当該医薬品の使用に限定されない一般的な事項や，医療関係者にとって常識的な事項は記載されません.
（例）本剤の使用に当たっては添付文書を熟読すること.
開封後はなるべく速やかに使用すること.

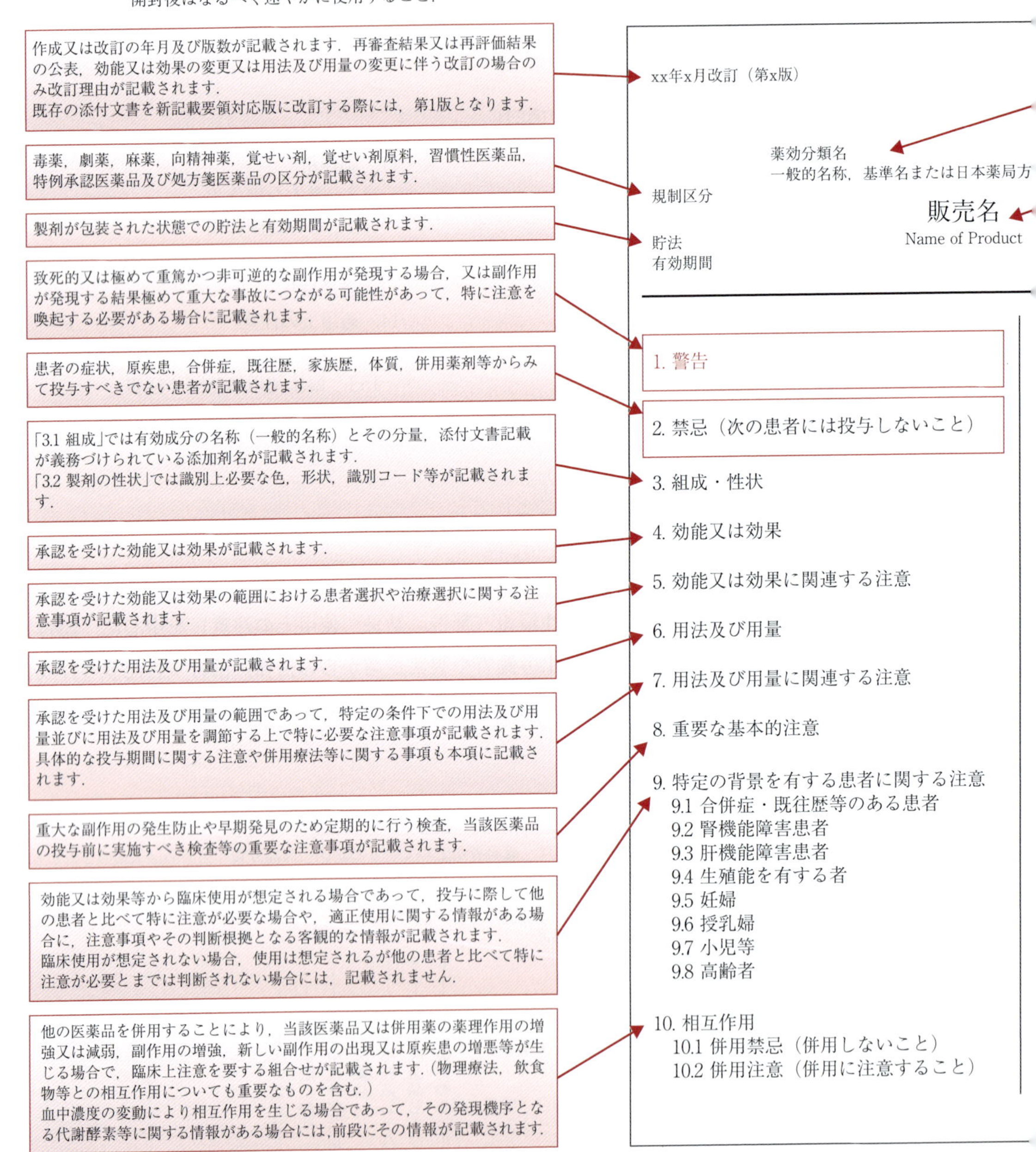

図 4-1. 添付文書の記載項目と

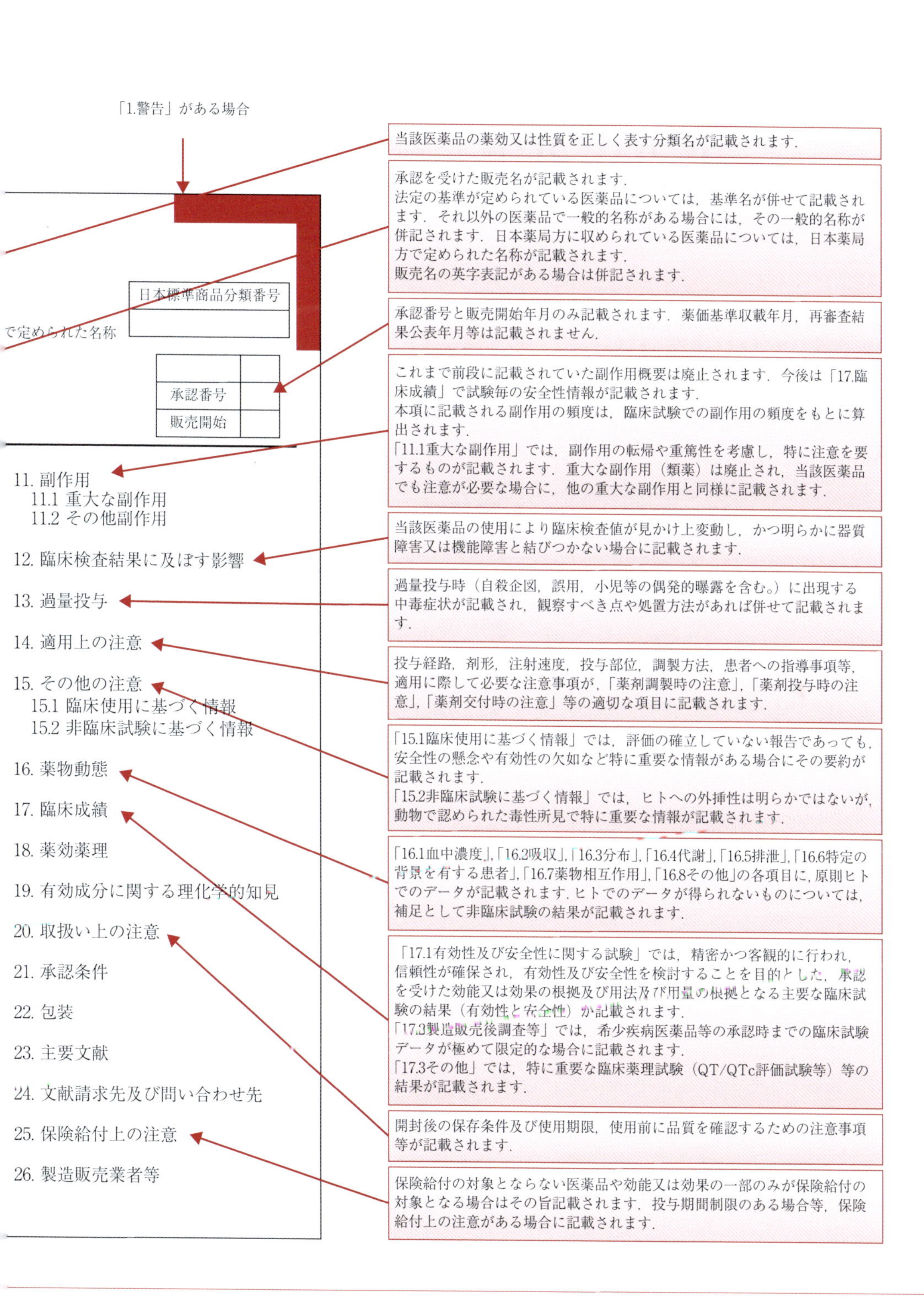

その内容（日本製薬工業協会 医薬品評価委員会 PMS 部会より一部改変）

RN
＊＊2020年4月改訂（第3版）
＊2019年7月改訂
貯　　法：室温保存
有効期間：36ヵ月

日本標準商品分類番号
871149

慢性疼痛/抜歯後疼痛治療剤

劇薬
処方箋医薬品※

トラマドール塩酸塩・アセトアミノフェン配合錠

トラムセット®配合錠

TRAMCET® Combination Tablets
※注意－医師等の処方箋により使用すること

承認番号	22300AMX00552000
販売開始	2011年7月

1. 警告

1.1 本剤により重篤な肝障害が発現するおそれがあることに注意し、アセトアミノフェンの1日総量が1500mg（本剤4錠）を超す高用量で長期投与する場合には、定期的に肝機能等を確認するなど、慎重に投与すること。［8.6参照］

1.2 本剤とトラマドール又はアセトアミノフェンを含む他の薬剤（一般用医薬品を含む）との併用により、過量投与に至るおそれがあることから、これらの薬剤との併用を避けること。［13.1、13.2参照］

2. 禁忌（次の患者には投与しないこと）

＊ **2.1** 12歳未満の小児［9.7.1参照］

2.2 アルコール、睡眠剤、鎮痛剤、オピオイド鎮痛剤又は向精神薬による急性中毒患者［中枢神経抑制及び呼吸抑制を悪化させるおそれがある。］

＊＊ **2.3** モノアミン酸化酵素（MAO）阻害剤（セレギリン塩酸塩、ラサギリンメシル酸塩、サフィナミドメシル酸塩）を投与中の患者、又は投与中止後14日以内の患者［10.1参照］

＊＊ **2.4** ナルメフェン塩酸塩を投与中の患者又は投与中止後1週間以内の患者［10.1参照］

2.5 治療により十分な管理がされていないてんかん患者［症状が悪化するおそれがある。］［9.1.1参照］

2.6 消化性潰瘍のある患者［症状が悪化するおそれがある。］

2.7 重篤な血液の異常のある患者［重篤な転帰をとるおそれがある。］［9.1.8参照］

2.8 重篤な肝障害のある患者［重篤な転帰をとるおそれがある。］［9.3.1参照］

2.9 重篤な腎障害のある患者［重篤な転帰をとるおそれがある。］［9.2.1参照］

2.10 重篤な心機能不全のある患者［循環系のバランスが損なわれ、心不全が増悪するおそれがある。］［9.1.10参照］

2.11 アスピリン喘息（非ステロイド製剤による喘息発作の誘発）又はその既往歴のある患者［アスピリン喘息の発症にプロスタグランジン合成阻害作用が関与していると考えられる。］［9.1.11参照］

2.12 本剤の成分に対し過敏症の既往歴のある患者［9.1.5参照］

3. 組成・性状

3.1 組成

販売名	トラムセット配合錠
有効成分	（1錠中） 日局トラマドール塩酸塩37.5mg 日局アセトアミノフェン325mg
添加剤	粉末セルロース、アルファー化デンプン、デンプングリコール酸ナトリウム、トウモロコシデンプン、ステアリン酸マグネシウム、ヒプロメロース、酸化チタン、マクロゴール400、黄色三二酸化鉄、ポリソルベート80、カルナウバロウ

3.2 製剤の性状

色・剤形	淡黄色のフィルムコーティング錠		
外形	表面	裏面	側面
	J-C	T/P	

大きさ	長径（mm）	短径（mm）	厚さ（mm）	重量（mg）
	15.5	6.3	5.5	441
識別コード	J-C T/P			

4. 効能又は効果

非オピオイド鎮痛剤で治療困難な下記疾患における鎮痛
○非がん性慢性疼痛
○抜歯後の疼痛

5. 効能又は効果に関連する注意

〈非がん性慢性疼痛〉
原因となる器質的病変、心理的・社会的要因、依存リスクを含めた包括的な診断を行い、本剤の投与の適否を慎重に判断すること。

6. 用法及び用量

〈非がん性慢性疼痛〉
通常、成人には、1回1錠、1日4回経口投与する。投与間隔は4時間以上空けること。
なお、症状に応じて適宜増減するが、1回2錠、1日8錠を超えて投与しないこと。また、空腹時の投与は避けることが望ましい。

〈抜歯後の疼痛〉
通常、成人には、1回2錠を経口投与する。
なお、追加投与する場合には、投与間隔を4時間以上空け、1回2錠、1日8錠を超えて投与しないこと。また、空腹時の投与は避けることが望ましい。

7. 用法及び用量に関連する注意

〈非がん性慢性疼痛〉

7.1 投与の継続
本剤投与開始後4週間を経過してもなお期待する効果が得られない場合は、他の適切な治療への変更を検討すること。また、定期的に症状及び効果を確認し、投与の継続の必要性について検討すること。

7.2 投与の中止
本剤の投与を必要としなくなった場合は、退薬症候の発現を防ぐために徐々に減量すること。

8. 重要な基本的注意

8.1 本剤は、1錠中にトラマドール塩酸塩（37.5mg）及びアセトアミノフェン（325mg）を含む配合剤であり、トラマドールとアセトアミノフェン双方の副作用が発現するおそれがあるため、適切に本剤の使用を検討すること。

8.2 連用により薬物依存を生じることがあるので、観察を十分に行い、慎重に投与すること。［11.1.4参照］

8.3 悪心、嘔吐、便秘等の症状があらわれることがあるので、観察を十分に行い、悪心・嘔吐に対する対策として制吐剤の併用を、便秘に対する対策として緩下剤の併用を考慮するなど、適切な処置を行うこと。

8.4 眠気、めまい、意識消失が起こることがあるので、本剤投与中の患者には自動車の運転等危険を伴う機械の操作に従事させないよう注意すること。なお、意識消失により自動車事故に至った例も報告されている。

8.5 感染症を不顕性化するおそれがあるので、観察を十分に行うこと。

8.6 重篤な肝障害が発現するおそれがあるので注意すること。アセトアミノフェンの1日総量が1500mg（本剤4錠）を超す高用量で長期投与する場合には定期的に肝機能検査を行い、患者の状態を十分に観察すること。高用量でなくとも長期投与する場合にあっては定期的に肝機能検査を

図 4-2. 医療用医薬品添付文書の例①

行うことが望ましい。また、高用量で投与する場合などは特に患者の状態を十分に観察すること。[1.1、11.1.9参照]

8.7 鎮痛剤による治療は原因療法ではなく、対症療法であることに留意すること。

9. 特定の背景を有する患者に関する注意

9.1 合併症・既往歴等のある患者

9.1.1 てんかん等の痙攣性疾患又はこれらの既往歴のある患者、あるいは痙攣発作の危険因子(頭部外傷、代謝異常、アルコール又は薬物の離脱症状、中枢性感染症等)を有する患者(治療により十分な管理がされていないてんかん患者を除く)

本剤投与中は観察を十分に行うこと。痙攣発作を誘発することがある。[2.5参照]

9.1.2 呼吸抑制状態にある患者

呼吸抑制を増強するおそれがある。

9.1.3 脳に器質的障害のある患者

呼吸抑制や頭蓋内圧の上昇を来すおそれがある。

9.1.4 薬物の乱用又は薬物依存傾向のある患者

厳重な医師の管理下に、短期間に限って投与すること。依存性を生じやすい。

9.1.5 オピオイド鎮痛剤に対し過敏症の既往歴のある患者(本剤の成分に対し過敏症の既往歴のある患者を除く)

[2.12参照]

9.1.6 ショック状態にある患者

循環不全や呼吸抑制を増強するおそれがある。

9.1.7 消化性潰瘍の既往歴のある患者

消化性潰瘍の再発を促進するおそれがある。

9.1.8 血液の異常又はその既往歴のある患者(重篤な血液の異常のある患者を除く)

血液障害を起こすおそれがある。[2.7参照]

9.1.9 出血傾向のある患者

血小板機能異常が起こることがある。

9.1.10 心機能異常のある患者(重篤な心機能不全のある患者を除く)

症状が悪化するおそれがある。[2.10参照]

9.1.11 気管支喘息のある患者

症状が悪化するおそれがある。[2.11参照]

9.1.12 アルコール多量常飲者

肝障害があらわれやすくなる。[10.2参照]

9.1.13 絶食・低栄養状態・摂食障害等によるグルタチオン欠乏、脱水症状のある患者

肝障害があらわれやすくなる。

9.1.14 18歳未満の肥満、閉塞性睡眠時無呼吸症候群又は重篤な肺疾患を有する患者

投与しないこと。重篤な呼吸抑制のリスクが増加するおそれがある。

9.2 腎機能障害患者

9.2.1 重篤な腎障害のある患者

投与しないこと。重篤な転帰をとるおそれがある。[2.9参照]

9.2.2 腎障害のある患者あるいはその既往歴のある患者(重篤な腎障害のある患者を除く)

腎機能が悪化するおそれがある。また、高い血中濃度が持続し、作用及び副作用が増強するおそれがある。[16.6.2参照]

9.3 肝機能障害患者

9.3.1 重篤な肝障害のある患者

投与しないこと。重篤な転帰をとるおそれがある。[2.8参照]

9.3.2 肝障害のある患者あるいはその既往歴のある患者(重篤な肝障害のある患者を除く)

肝機能が悪化するおそれがある。また、高い血中濃度が持続し、作用及び副作用が増強するおそれがある。[16.6.1参照]

9.5 妊婦

9.5.1 妊婦又は妊娠している可能性のある女性には、治療上の有益性が危険性を上回ると判断される場合にのみ投与すること。

トラマドールは胎盤関門を通過し、新生児に痙攣発作、身体的依存及び退薬症候、並びに胎児死亡及び死産が報告されている。また、動物実験で、トラマドールは器官形成、骨化及び出生児の生存に影響を及ぼすことが報告されている。

9.5.2 妊娠後期の女性へのアセトアミノフェンの投与により胎児に動脈管収縮を起こすことがある。

9.5.3 アセトアミノフェンは妊娠後期のラットで胎児に軽度の動脈管収縮を起こすことが報告されている。

9.6 授乳婦

授乳を避けさせること。トラマドールは、乳汁中へ移行することが報告されている。

9.7 小児等

＊9.7.1 12歳未満の小児

投与しないこと。海外において、12歳未満の小児で死亡を含む重篤な呼吸抑制のリスクが高いとの報告がある。[2.1参照]

9.7.2 12歳以上の小児

12歳以上の小児に対する有効性及び安全性を指標とした臨床試験は実施していない。

9.7.3 肥満、閉塞性睡眠時無呼吸症候群又は重篤な肺疾患を有する小児

投与しないこと。重篤な呼吸抑制のリスクが増加するおそれがある。

9.8 高齢者

患者の状態を観察しながら慎重に投与すること。生理機能が低下していることが多く、代謝・排泄が遅延し副作用があらわれやすい。

10. 相互作用

トラマドールは、主にCYP2D6及びCYP3A4によって代謝される。

10.1 併用禁忌(併用しないこと)

	薬剤名等	臨床症状・措置方法	機序・危険因子
＊＊	MAO阻害剤 セレギリン塩酸塩 (エフピー) ラサギリンメシル酸塩 (アジレクト) サフィナミドメシル酸塩 (エクフィナ) [2.3参照]	外国において、セロトニン症候群(錯乱、激越、発熱、発汗、運動失調、反射異常亢進、ミオクローヌス、下痢等)を含む中枢神経系(攻撃的行動、固縮、痙攣、昏睡、頭痛)、呼吸器系(呼吸抑制)及び心血管系(低血圧、高血圧)の重篤な副作用が報告されている。MAO阻害剤を投与中の患者又は投与中止後14日以内の患者には投与しないこと。また、本剤投与中止後にMAO阻害剤の投与を開始する場合には、2〜3日間の間隔を空けることが望ましい。	相加的に作用が増強され、また、中枢神経のセロトニンが蓄積すると考えられる。
＊＊	ナルメフェン塩酸塩 セリンクロ [2.4参照]	離脱症状を起こすおそれがある。また、鎮痛作用が減弱するおそれがある。 ナルメフェン塩酸塩を投与中の患者又は投与中止後1週間以内の患者には投与しないこと。	μオピオイド受容体への競合的阻害による。

10.2 併用注意(併用に注意すること)

薬剤名等	臨床症状・措置方法	機序・危険因子
オピオイド鎮痛剤 中枢神経抑制剤 フェノチアジン系薬剤 催眠鎮静剤等	痙攣閾値の低下や呼吸抑制の増強を来すおそれがある。	中枢神経抑制作用が相加的に増強されると考えられる。

図 4-2. 医療用医薬品添付文書の例②

薬剤名等	臨床症状・措置方法	機序・危険因子
三環系抗うつ剤 セロトニン作用薬 選択的セロトニン再取り込み阻害剤（SSRI）等	セロトニン症候群（錯乱、激越、発熱、発汗、運動失調、反射異常亢進、ミオクローヌス、下痢等）があらわれるおそれがある。 また、痙攣発作の危険性を増大させるおそれがある。	相加的に作用が増強され、また、中枢神経のセロトニンが蓄積すると考えられる。
** リネゾリド		リネゾリドの非選択的、可逆的MAO阻害作用により、相加的に作用が増強され、また、中枢神経のセロトニンが蓄積すると考えられる。
カルバマゼピン フェノバルビタール フェニトイン プリミドン リファンピシン イソニアジド	トラマドールの血中濃度が低下し作用が減弱する可能性がある。 また、これらの薬剤の長期連用者では肝代謝酵素が誘導され、アセトアミノフェン代謝物による肝障害を生じやすくなるとの報告がある。	これらの薬剤の肝代謝酵素誘導作用により、トラマドールの代謝が促進される。また、アセトアミノフェンから肝毒性を持つ *N* -アセチル- *p* -ベンゾキノンイミンへの代謝が促進される。
アルコール（飲酒） ［9.1.12参照］	呼吸抑制が生じるおそれがある。 また、アルコール多量常飲者がアセトアミノフェンを服用したところ肝不全を起こしたとの報告がある。	相加的に作用が増強されると考えられる。 アルコール常飲によるCYP2E1の誘導により、アセトアミノフェンから肝毒性を持つ *N* -アセチル- *p* -ベンゾキノンイミンへの代謝が促進される。
キニジン	相互に作用が増強するおそれがある。	機序不明
クマリン系抗凝血剤 ワルファリン	出血を伴うプロトロンビン時間の延長等のクマリン系抗凝血剤の作用を増強することがある。	機序不明
ジゴキシン	ジゴキシン中毒が発現したとの報告がある。	機序不明
オンダンセトロン塩酸塩水和物	本剤の鎮痛作用を減弱させるおそれがある。	本剤の中枢におけるセロトニン作用が抑制されると考えられる。
ブプレノルフィン ペンタゾシン等	本剤の鎮痛作用を減弱させるおそれがある。また、退薬症候を起こすおそれがある。	本剤が作用する μ-オピオイド受容体の部分アゴニストであるため。
エチニルエストラジオール含有製剤	アセトアミノフェンの血中濃度が低下するおそれがある。	エチニルエストラジオールは肝におけるアセトアミノフェンのグルクロン酸抱合を促進すると考えられる。
	エチニルエストラジオールの血中濃度が上昇するおそれがある。	アセトアミノフェンはエチニルエストラジオールの硫酸抱合を阻害すると考えられる。

11．副作用

次の副作用があらわれることがあるので、観察を十分に行い、異常が認められた場合には投与を中止し、適切な処置を行うこと。

11.1 重大な副作用

11.1.1 ショック、アナフィラキシー（頻度不明）

呼吸困難、喘鳴、血管浮腫、蕁麻疹等があらわれることがある。

11.1.2 痙攣（0.2%）

11.1.3 意識消失（0.2%）

11.1.4 依存性（頻度不明）

長期使用時に、耐性、精神的依存及び身体的依存が生じることがある。本剤の中止又は減量時において、激越、不安、神経過敏、不眠症、運動過多、振戦、胃腸症状、パニック発作、幻覚、錯感覚、耳鳴等の退薬症候が生じることがある。［8.2参照］

11.1.5 中毒性表皮壊死融解症（Toxic Epidermal Necrolysis：TEN）、皮膚粘膜眼症候群（Stevens-Johnson症候群）、急性汎発性発疹性膿疱症（頻度不明）

11.1.6 間質性肺炎（頻度不明）

咳嗽、呼吸困難、発熱、肺音の異常等が認められた場合には、速やかに胸部X線、胸部CT、血清マーカー等の検査を実施すること。異常が認められた場合には投与を中止し、副腎皮質ホルモン剤の投与等の適切な処置を行うこと。

11.1.7 間質性腎炎、急性腎障害（頻度不明）

11.1.8 喘息発作の誘発（頻度不明）

11.1.9 劇症肝炎、肝機能障害、黄疸（頻度不明）

劇症肝炎、AST、ALT、γ-GTPの上昇等を伴う肝機能障害、黄疸があらわれることがある。［8.6参照］

11.1.10 顆粒球減少症（頻度不明）

11.1.11 呼吸抑制（頻度不明）

11.2 その他の副作用

	5%以上	1%以上5%未満	1%未満	頻度不明
感染症及び寄生虫症			腎盂腎炎	
血液及びリンパ系障害		貧血		
代謝及び栄養障害		食欲不振	高脂血症、低血糖症	
精神障害		不眠症	不安、幻覚	錯乱、多幸症、神経過敏、健忘、離人症、うつ病、薬物乱用、インポテンス、悪夢、異常思考、せん妄
神経系障害	傾眠（25.9%）、浮動性めまい（18.9%）、頭痛	味覚異常	筋緊張亢進、感覚鈍麻、錯感覚、注意力障害、振戦、筋不随意運動、第4脳神経麻痺、片頭痛	運動失調、昏迷、会話障害、運動障害
眼障害			視覚異常	縮瞳、散瞳
耳及び迷路障害			耳不快感、耳鳴、回転性めまい	
心臓障害			動悸	不整脈、頻脈
血管障害		高血圧、ほてり		低血圧、起立性低血圧
呼吸器、胸郭及び縦隔障害			呼吸困難、嗄声	

図 4-2. 医療用医薬品添付文書の例③

	5%以上	1%以上5%未満	1%未満	頻度不明
胃腸障害	悪心(41.4%)、嘔吐(26.2%)、便秘(21.2%)、胃不快感	腹痛、下痢、口内炎、口内乾燥、消化不良、胃炎	逆流性食道炎、口唇炎、胃腸障害、腹部膨満、胃潰瘍、鼓腸、メレナ、上部消化管出血	嚥下障害、舌浮腫
肝胆道系障害	肝機能検査異常			
皮膚及び皮下組織障害	そう痒症	発疹、多汗症、冷汗		
腎及び尿路障害		排尿困難	アルブミン尿、尿閉	乏尿
全身障害及び投与局所様態	異常感	口渇、倦怠感、発熱、浮腫	胸部不快感、無力症、悪寒	疲労、胸痛、失神、離脱症候群
臨床検査		体重減少、血中CPK増加、血中尿素増加、血中トリグリセリド増加、血中ビリルビン増加、尿中血陽性、尿中ブドウ糖陽性	好酸球数増加、白血球数増加、ヘモグロビン減少、尿中蛋白陽性、血中クレアチニン増加、血中ブドウ糖増加、血小板数増加、血中クレアチニン減少、血中尿酸増加、好中球百分率増加	
傷害、中毒及び処置合併症			転倒・転落	

13．過量投与

13.1 症状

トラマドールの過量投与による重篤な症状は、呼吸抑制、嗜眠、昏睡、痙攣発作、心停止である。

アセトアミノフェンの大量投与により、肝毒性のおそれがある。また、アセトアミノフェンの過量投与時に肝臓・腎臓・心筋の壊死が起こったとの報告がある。過量投与による主な症状は、胃腸過敏症、食欲不振、悪心、嘔吐、倦怠感、蒼白、発汗等である。[1.2参照]

13.2 処置

緊急処置として、気道を確保し、症状に応じた呼吸管理と循環の管理を行うこと。

トラマドールの過量投与による呼吸抑制等の症状が疑われる場合には、ナロキソンが有効な場合があるが、痙攣発作を誘発するおそれがある。また、トラマドールは透析によりほとんど除去されない。

アセトアミノフェンの過量投与による症状が疑われる場合には、アセチルシステインの投与を考慮すること。[1.2参照]

14．適用上の注意

14.1 薬剤交付時の注意

14.1.1 PTP包装の薬剤はPTPシートから取り出して服用するよう指導すること。PTPシートの誤飲により、硬い鋭角部が食道粘膜へ刺入し、更には穿孔をおこして縦隔洞炎等の重篤な合併症を併発することがある。

14.1.2 小児の手の届かない所に保管するよう指導すること。

15．その他の注意

15.1 臨床使用に基づく情報

15.1.1 アセトアミノフェンの類似化合物(フェナセチン)の長期投与により、血色素異常を起こすことがある。

15.1.2 腎盂及び膀胱腫瘍の患者を調査したところ、類似化合物(フェナセチン)製剤を長期・大量に使用(例：総服用量1.5～27kg、服用期間4～30年)していた人が多いとの報告がある。

15.1.3 非ステロイド性消炎鎮痛剤を長期投与されている女性において、一時的な不妊が認められたとの報告がある。

15.1.4 遺伝的にCYP2D6の活性が過剰であることが判明している患者(Ultra-rapid Metabolizer)では、トラマドールの活性代謝物の血中濃度が上昇し、呼吸抑制等の副作用が発現しやすくなるおそれがある。

15.2 非臨床試験に基づく情報

15.2.1 類似化合物(フェナセチン)の長期・大量投与した動物実験で、腫瘍発生が認められたとの報告がある。

16．薬物動態

16.1 血中濃度

16.1.1 単回投与

健康成人男性に本剤1～3錠[注)]（トラマドール塩酸塩として37.5、75及び112.5mg、アセトアミノフェン(APAP)として325、650及び975mg）を単回経口投与したとき、投与量にかかわらず、トラマドール【(±)-TRAM】及びAPAPは速やかに吸収され、(±)-TRAM及びAPAPの血漿中濃度はそれぞれ投与後約1～2時間及び約1時間にC_{max}に達した後、それぞれ約5～5.5時間及び約3時間の$t_{1/2}$で低下した。両薬物の薬物動態は用量比例性を示した。また、(±)-TRAMは速やかに活性代謝物*O*-脱メチルトラマドール【(±)-M1】に代謝され、(±)-M1の血漿中濃度は投与後約2時間にC_{max}に達した後、約6.5時間の$t_{1/2}$で低下した。血漿中(±)-TRAM及び(±)-M1の各鏡像異性体【(+)-体及び(−)-体】の血漿中濃度推移及び薬物動態パラメータは類似していた[1)]。

注)本剤の承認された1回最高用量は2錠である。

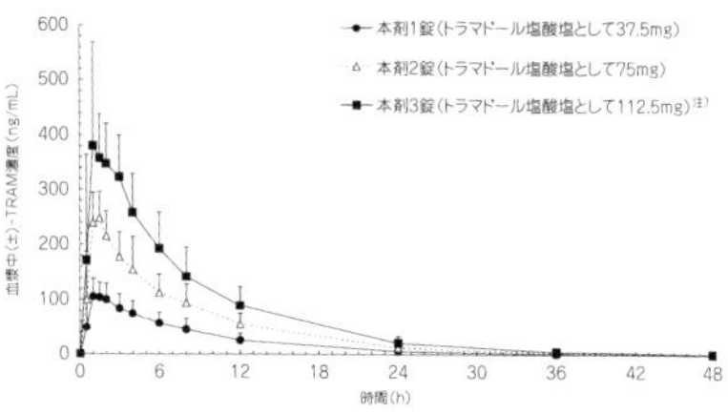

本剤1～3錠[注)]を単回経口投与したときの血漿中(±)-TRAM濃度推移(N=8，平均値+S.D.)

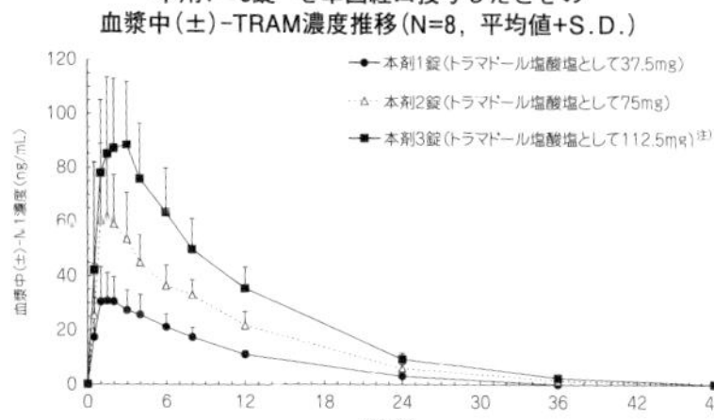

本剤1～3錠[注)]を単回経口投与したときの血漿中(±)-M1濃度推移(N=8，平均値+S.D.)

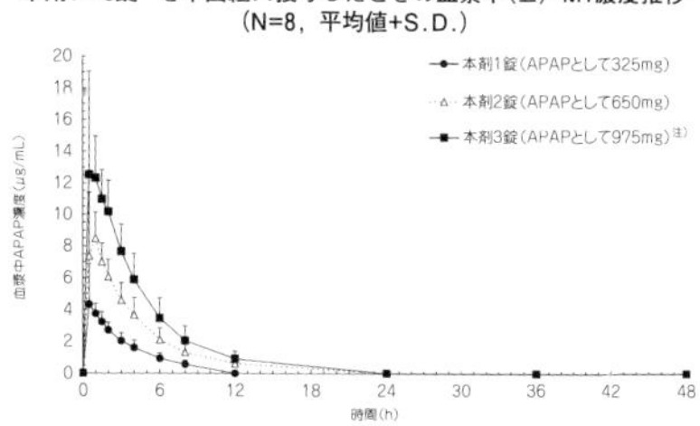

本剤1～3錠[注)]を単回経口投与したときの血漿中APAP濃度推移(N=8，平均値+S.D.)

図 4-2．医療用医薬品添付文書の例④

本剤1～3錠[注)]を単回経口投与したときの血漿中(±)-TRAM、(±)-M1及びAPAPの薬物動態パラメータ

対象	本剤	C_{max} (ng/mL)	t_{max} (h)	AUC_{∞} (ng・h/mL)	$t_{1/2}$ (h)
(±)-TRAM	1錠	119.8 (34.3)	1.8 (0.5~3.0)	938.2 (360.7)	5.1 (0.8)
	2錠	263.8 (45.6)	1.0 (0.5~1.5)	2004.3 (580.5)	5.6 (1.0)
	3錠[注)]	424.5 (146.1)	1.3 (1.0~3.0)	3274.3 (1070.4)	5.6 (1.1)
(±)-M1	1錠	34.2 (10.6)	1.8 (0.5~3.0)	359.4 (63.7)	6.4 (0.9)
	2錠	65.6 (24.4)	1.8 (1.0~4.0)	680.9 (142.2)	6.3 (0.9)
	3錠[注)]	95.7 (26.3)	1.8 (1.0~3.0)	1083.8 (224.3)	6.3 (0.9)
APAP	1錠	5.0 (2.0)[a]	0.8 (0.5~1.5)	17.1 (4.8)[b]	2.8 (0.6)
	2錠	9.2 (2.3)[a]	1.0 (0.5~1.5)	38.9 (12.4)[b]	3.3 (0.9)
	3錠[注)]	15.1 (4.3)[a]	0.8 (0.5~1.5)	62.3 (18.1)[b]	3.3 (1.0)

a：μg/mL　(N=8, 平均値(S.D.), t_{max}：中央値(範囲))
b：μg・h/mL

16.1.2 反復投与

健康成人男性に本剤1回1又は2錠(トラマドール塩酸塩として37.5又は75mg、APAPとして325又は650mg)を1日4回(6時間ごと)反復経口投与(本剤1錠：5日間、本剤2錠：3日間)したとき、血漿中(±)-TRAM及び(±)-M1濃度は反復経口投与開始後48時間までに、また血漿中APAP濃度は反復経口投与開始後24時間までに定常状態に達しており、蓄積性は認められなかった[1)]。

本剤1回1又は2錠を1日4回(6時間ごと)反復経口投与(本剤1錠：5日間、本剤2錠：3日間)したときの最終投与後の血漿中(±)-TRAM、(±)-M1及びAPAPの薬物動態パラメータ

対象	本剤	C_{max} (ng/mL)	t_{max} (h)	AUC_{τ} (ng・h/mL)	R_A	$t_{1/2}$ (h)
(±)-TRAM	1錠	290.6 (72.9)	1.0 (0.5~1.5)	1141.2 (265.8)	1.3 (0.5)	6.6 (1.0)
	2錠	542.6 (114.4)	1.3 (1.0~2.0)	2355.8 (533.3)	1.3 (0.3)	6.5 (0.6)
(±)-M1	1錠	78.5 (18.7)	1.3 (0.5~6.0)	325.2 (88.0)	0.9 (0.1)	7.4 (1.4)
	2錠	142.0 (29.3)	1.3 (0.5~2.0)	666.6 (103.8)	0.9 (0.2)	6.7 (0.9)
APAP	1錠	6.7 (1.6)[a]	0.5 (0.5~1.0)	17.4 (2.8)[b]	1.0 (0.1)	4.3 (2.7)
	2錠	11.0 (2.9)[a]	0.8 (0.5~1.5)	30.4 (4.9)[b]	0.9 (0.1)	3.3 (1.1)

a：μg/mL　(N=8, 平均値(S.D.), t_{max}：中央値(範囲))
b：μg・h/mL
R_A：蓄積率(最終投与後のAUC_{τ}/初回投与時のAUC_{∞})

16.1.3 配合による影響

健康成人男性に本剤2錠(トラマドール塩酸塩として75mg、APAPとして650mg)、トラマドール塩酸塩2カプセル(75mg)又はAPAP 2カプセル(650mg)をそれぞれ単回経口投与したとき、本剤を投与したときの(±)-TRAM、(±)-M1及びAPAPの薬物動態パラメータは、トラマドール塩酸塩及びAPAPをそれぞれ単独で投与したときと同様の値を示し、(±)-TRAM、(±)-M1及びAPAPの薬物動態にトラマドール塩酸塩及びAPAPの配合による影響は認められなかった[1)]。

16.2 吸収

16.2.1 食事による影響

健康成人に本剤3錠[注)]（トラマドール塩酸塩として112.5mg、APAPとして975mg)を高脂肪食後及び空腹時にそれぞれ単回経口投与したとき、(±)-TRAM、(±)-M1及びAPAPの薬物動態に食事による顕著な影響は認められなかった[2)]（外国人データ)。

16.3 分布

ヒト血漿蛋白結合率：(±)-TRAM(0.2～10μg/mL)及びAPAP(280μg/mL)約20%(*in vitro*)[3)、4)]

16.4 代謝

(±)-TRAMは主に肝臓でCYP2D6により活性代謝物(±)-M1に代謝される。また、その他の主な代謝経路は、肝臓でのCYP3A4による*N*-脱メチル化、グルクロン酸抱合及び硫酸抱合である。APAPの主な代謝経路は、肝臓でのグルクロン酸抱合、硫酸抱合並びにCYP1A2、CYP2E1及びCYP3A4による*N*-アセチル-*p*-ベンゾキノンイミンへの酸化及びそのグルタチオン抱合である[5)~9)]。

16.5 排泄

健康成人男性に本剤1～3錠[注)]を単回経口投与及び本剤1回1又は2錠を1日4回(6時間ごと)反復経口投与したとき、(±)-TRAM、(±)-M1及びAPAPの累積尿中排泄率(単回：投与後48時間、反復：最終投与後48時間)は、それぞれ投与量の18.2～20.3%、9.4～14.8%及び2.5～3.3%であり、投与量及び反復投与による影響は認められなかった[1)]。

16.6 特定の背景を有する患者

16.6.1 肝機能障害

(1) トラマドール

肝硬変患者12例にトラマドール塩酸塩カプセル50mgを経口投与したとき、健康成人と比較して血清中トラマドールのC_{max}及びAUC_{∞}は顕著に増加し、$t_{1/2}$は約2.6倍に延長した(外国人データ)。[9.3.2参照]

(2) アセトアミノフェン

肝機能障害患者(軽度～中等度：9例、高度：5例)にアセトアミノフェン1000mgを経口投与したとき、健康成人と比較して血漿中アセトアミノフェンのAUC_{6h}は約1.7倍増加し、$t_{1/2}$は約2時間延長した[10)]（外国人データ)。[9.3.2参照]

16.6.2 腎機能障害

(1) トラマドール

腎機能障害患者(クレアチニンクリアランス：80mL/min以下)21例にトラマドール塩酸塩100mgを静脈内投与したとき、血清中トラマドールの$t_{1/2}$及びAUC_{∞}は健康成人のそれぞれ最大で1.5倍及び2倍であった(外国人データ)。[9.2.2参照]

(2) アセトアミノフェン

腎機能障害患者(クレアチニンクリアランス：30mL/min以下)13例にアセトアミノフェン1000mgを経口投与したとき、投与8～24時間後の血漿中アセトアミノフェンの$t_{1/2}$は健康成人(4.9時間)と比較して11.7時間に延長し、$AUC_{8\text{-}24h}$も約1.9倍増加した[11)]（外国人データ)。[9.2.2参照]

17. 臨床成績

17.1 有効性及び安全性に関する試験

〈非がん性慢性疼痛〉

17.1.1 国内第Ⅲ相試験

腰痛症又は変形性関節症と診断され、非ステロイド性消炎鎮痛剤の経口投与により十分な鎮痛効果が得られない慢性疼痛患者187例(本剤群94例、プラセボ群93例)を対象に、非盲検下で本剤1回1～2錠を1日4回2週間投与した後、二重盲検期への移行規準を満たした患者に、本剤又はプラセボをランダムに割り付けて4週間投与したとき、二重盲検下での鎮痛効果不十分をイベントとしたイベント発生までの期間はプラセボ群と比較し本剤群で有意に長かった(ログランク検定、p=0.0001)[12)]。

副作用発現率は、81.9%(227/277例)であった。主な副作用は、悪心128例(46.2%)、傾眠78例(28.2%)、嘔吐77例(27.8%)、便秘53例(19.1%)、浮動性めまい47例(17.0%)であった。

17.1.2 国内長期投与試験

各種疾患(腰痛症、変形性関節症、関節リウマチ、頸肩腕症候群、帯状疱疹後神経痛、糖尿病性神経障害性疼痛など)に伴う慢性疼痛を有し、非ステロイド性消炎鎮痛剤の経口投与により十分な鎮痛効果が得られない患者190例を対象に、本剤1回1～2錠を1日4回、適宜増減して非盲検下で最長52週間投与したときのVAS値の平均値は、前観察期の65.80mmに対して、治療期28週には29.93mmに低下し、その後、治療期52週までほぼ一定の値で推移した[13)]。

副作用発現率は、96.3%(183/190例)であった。主な副作用は、悪心102例(53.7%)、便秘74例(38.9%)、嘔吐71例(37.4%)、浮動性めまい51例(26.8%)、傾眠38例(20.0%)であった。

〈抜歯後の疼痛〉

17.1.3 国内第Ⅲ相試験

骨削除及び歯冠分割を必要とする下顎埋伏智歯抜歯術を施行し、抜歯後疼痛を認めた患者328例(本剤群132例、トラマドール塩酸塩群66例、アセトアミノフェン群130例)を対象に、二重盲検下で本剤2錠、トラマドール塩酸塩75mg又はアセトアミノフェン650mgを単回投与したとき、投与後8時間までの痛みの改善度の総和(投与後の痛みの改善度を「改善なし」～「完全改善」の5段階で、0.5～8時間まで経時的に評価したときの累積値)の平均値は、本剤群17.7、トラマドール塩酸塩群12.4、アセトアミノフェン群13.3であり、本剤群と各単剤群の間に有意差が認められた(FisherのLSD法、いずれも$p<0.0001$)。また、本剤投与後に奏効するまでの時間(痛みの程度が「なし」又は「軽度」に改善するまでの時間)の中央値は約30分であり、その後に疼痛が再発した患者における効果持続時間(奏効後に痛みの程度が「中等度」又は「高度」に悪化するまでの時間)の中央値は約270分であった[14)]。

副作用発現率は、57.6%(76/132例)であった。主な副作用は、傾眠39例(29.5%)、悪心18例(13.6%)、浮動性めまい12例(9.1%)、嘔吐9例(6.8%)であった。

抜歯後の疼痛における鎮痛効果

薬剤群	解析例数	投与後8時間までの痛みの改善度の総和		
		平均値±標準偏差	中央値(最小：最大)	FisherのLSD法
本剤 2錠	132	17.7 ±7.91	18.5 (0.0：32.0)	
トラマドール塩酸塩 75mg	66	12.4 ±8.36	12.5 (0.0：29.5)	p <0.0001
アセトアミノフェン 650mg	130	13.3 ±8.07	14.0 (0.0：30.5)	p <0.0001

18. 薬効薬理

18.1 作用機序

18.1.1 トラマドール

ラット脳を用いた*in vitro*試験の結果から、トラマドールは中枢神経系で作用し、トラマドール及び活性代謝物M1のμ-オピオイド受容体への結合、並びにトラマドールによるノルアドレナリン及びセロトニンの再取り込み阻害作用が、鎮痛作用に関与すると考えられる[15)、16)]。

18.1.2 アセトアミノフェン

ラットを用いた*in vivo*試験の結果から、アセトアミノフェンは主に中枢神経系で作用し、*N*-メチル-D-アスパラギン酸受容体及びサブスタンスP受容体を介した一酸化窒素経路の阻害作用、脊髄のセロトニン受容体を介した間接的な作用などが、鎮痛作用に関与すると考えられる[17)、18)]。

図 4-2. 医療用医薬品添付文書の例⑤

18.2 鎮痛作用

18.2.1 マウスのアセチルコリン誘発ライジングにおいて、トラマドール塩酸塩とアセトアミノフェンの併用経口投与は、アイソボログラムによる解析の結果、相乗的にライジング反応を抑制することが示唆された[19]。ただし、ヒトにおいては本剤の相乗的な鎮痛作用は確認されていない。

18.2.2 アジュバント関節炎ラットにおいて、トラマドール塩酸塩(10mg/kg)とアセトアミノフェン(86.7mg/kg)の併用経口投与では、同用量の各薬物単独投与に比べて、温熱性及び機械刺激性痛覚過敏、並びに機械刺激性アロディニアを強く抑制した[20]。

19. 有効成分に関する理化学的知見

19.1 トラマドール塩酸塩

一般的名称：トラマドール塩酸塩(Tramadol Hydrochloride)
化学名：(*1RS*,*2RS*)-2-[(Dimethylamino)methyl]-1-(3-methoxyphenyl)cyclohexanol monohydrochloride
分子式：$C_{16}H_{25}NO_2 \cdot HCl$
分子量：299.84
性　状：白色の結晶性の粉末である。
化学構造式：

及び鏡像異性体

融　点：180～184℃
溶解性：水に極めて溶けやすく、メタノール、エタノール(95)又は酢酸(100)に溶けやすい。

19.2 アセトアミノフェン

一般的名称：アセトアミノフェン(Acetaminophen)
化学名：*N*-(4-Hydroxyphenyl)acetamide
分子式：$C_8H_9NO_2$
分子量：151.16
性　状：白色の結晶又は結晶性の粉末である。
化学構造式：

融　点：169～172℃
溶解性：メタノール又はエタノール(95)に溶けやすく、水にやや溶けにくく、ジエチルエーテルに極めて溶けにくい。水酸化ナトリウム試液に溶ける。

22. 包装

100錠[10錠(PTP)×10]
500錠[10錠(PTP)×50]
500錠[ボトル、バラ]

23. 主要文献

1) 社内資料：トラムセット配合錠の国内第Ⅰ臨床試験(2011年4月22日承認、CTD2.7.6.3)
2) 社内資料：トラムセット配合錠の海外第Ⅰ相臨床試験(2011年4月22日承認、CTD2.7.6.2)
3) 社内資料：トラマドールの蛋白結合率の検討(2011年4月22日承認、CTD2.7.2.2.1)
4) Gazzard BG, et al.：J Pharm Pharmacol. 1973；25：964-967
5) 社内資料：トラマドールの代謝の検討(2011年4月22日承認、CTD2.7.2.2.1)
6) 社内資料：トラマドールの代謝酵素の検討(2011年4月22日承認、CTD2.7.2.2.1)
7) Thummel KE, et al.：Biochem Pharmacol. 1993；45：1563-1569
8) Raucy JL, et al.：Arch Biochem Biophys. 1989；271：270-283
9) Goodman & Gilman's the pharmacological basis of therapeutics. 11th ed., The McGraw Hill Companies. 2006：690-695
10) Zapater P, et al.：Ailment Pharmacol Ther. 2004；20：29-36
11) Prescott LF, et al.：Eur J Clin Pharmacol. 1989；36：291-297
12) 社内資料：トラムセット配合錠の国内第Ⅲ相試験(2011年4月22日承認、CTD2.7.6.6)
13) 社内資料：トラムセット配合錠の国内第Ⅲ相試験(2011年4月22日承認、CTD2.7.6.17)
14) 社内資料：トラムセット配合錠の国内第Ⅱ/Ⅲ相試験(2011年4月22日承認、CTD2.7.6.19)
15) Raffa RB, et al.：J Pharmacol Exp Ther. 1992；260：275-285
16) Raffa RB：Am J Med. 1996；101(suppl 1A)：40S-46S
17) Björkman R, et al.：Pain. 1994；57：259-264
18) Pelissier T, et al.：J Pharmacol Exp Ther. 1996；278：8-14
19) Tallarida RJ, et al.：Life Sciences. 1996；58：PL-23-PL-28
20) 社内資料：アジュバント関節炎ラットにおけるトラマドール塩酸塩及びアセトアミノフェン併用投与による鎮痛作用(2011年4月22日承認、CTD2.6.2.2.3.2)

24. 文献請求先及び問い合わせ先

持田製薬株式会社　くすり相談窓口
〒160-8515　東京都新宿区四谷1丁目7番地
電話 03-5229-3906　0120-189-522
FAX 03-5229-3955

26. 製造販売業者等

26.1 製造販売元

ヤンセンファーマ株式会社
〒101-0065　東京都千代田区西神田3-5-2

26.2 販売

持田製薬株式会社
〒160-8515　東京都新宿区四谷1丁目7番地

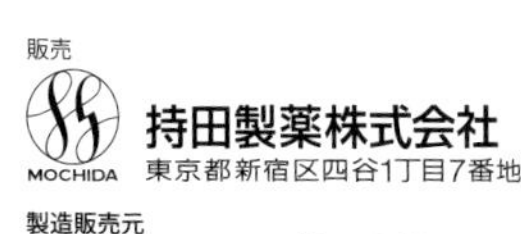

製造販売元
ヤンセンファーマ株式会社　janssen
〒101-0065 東京都千代田区西神田3-5-2
JP503068RN JP503069RN

図 4-2. 医療用医薬品添付文書の例⑥

2-3 医薬品インタビューフォーム[5~7]

医薬品を使用するための基本的情報として，医療用医薬品添付文書の評価は高い．しかし医薬品を評価するために必要な情報がすべて記されてはいない．その理由はスペースが限られていること，行政的な規制のため書けない情報があること，結論だけが記されており，なぜそうなのかという理由が記されていないことなどである．

医薬品の評価を行うには，さらに多くの情報を必要とする．その多くは行政規制情報，特殊な条件下での薬物療法の情報である．

このような必要情報を網羅的に入手するための情報リストとして，日本病院薬剤師会は医薬品インタビューフォーム（IF）記載要領を策定し，医薬品情報として次のように位置づけた．

「IF は医療用医薬品添付文書等の情報を補完し，薬剤師等の医療従事者にとって，日常業務に必要な医薬品の品質管理のための情報，処方設計のための情報，調剤のための情報，医薬品の適正使用のための情報，薬学的な患者ケアのための情報等が集約された総合的な個別の医薬品解説書として，日本病院薬剤師会が薬剤師等のために当該医薬品の製造又は販売に係わる製薬企業に作成及び提供を依頼している学術資料である」

IF は 1988 年（昭和 63 年）に策定され，2008 年（平成 20 年）改訂された．その後医薬品リスク管理計画（Risk Management Plan：RMP）の施行やチーム医療における薬剤師業務の進展など，医薬品適正使用に外的内的変化が生じたため 2013 年（平成 25 年）に新たな作成要領が公表された．IF の記載項目は表 4-4 のとおりである．図 4-3（p.88）に IF による情報の補完例を示す．

2-4 医療用医薬品製品情報概要（以下　製品情報概要）

製品情報概要とは，個々の医療用医薬品に関する正確な情報を医療関係者に伝達し，その製品の適正な使用を推進することを目的として作成される資材である．製品情報概要には製品の全体像（記載項目を網羅した）を記載した総合製品情報概要〔表 4-5（p.89）〕と臨床成績や薬効薬理等の特定の項目について記載した特定項目製品情報概要がある．

2-5 厚生労働省関係情報

新医薬品承認審査概要 Summary Basis of Approval：SBA

新医薬品の承認審査過程をまとめ，公表配布するもの．厚生労働省医薬食品局審査管理課編集．承認事項や承認の根拠となった基礎及び臨床試験データなどの概要．同効薬との臨床上における有効性の比較評価，薬理作用，毒性などの特性も記す．イリノテカン塩酸塩など，主に国内で開発され新規性の高い医薬品が対象．

厚生労働省は SBA を充実する形で，1999 年（平成 11 年）9 月以降に承認されたすべての医薬品について，審査報告書と臨床試験成績などをまとめた**新薬承認審査情報**を作成し，医薬品医療

表 4-4. 医薬品インタビューフォームの記載項目

表紙記載に関する項目
1. 作成又は改訂年月
2. 日本標準商品分類番号
3. 医薬品インタビューフォーム
4. 日本病院薬剤師会策定 IF 記載要領 2013 の準拠
5. 薬効分類名
6. 販売名：和名・洋名
7. 剤形
8. 製剤の規制区分
9. 規格・含量
10. 一般名：和名・洋名
11. 製造販売承認年月日
12. 薬価基準収載年月日
13. 発売年月日
14. 開発・製造販売（輸入）・提携・販売会社名
15. 医薬情報担当者の連絡先
16. 問い合わせ窓口
17. IF 作成のもととなった添付文書の作成又は改訂年月
18. 医薬品医療機器情報提供ホームページの URL
19. 市販直後調査のマーク
20. 承認条件等で，使用できる医師・医療機関・薬剤師等の制限，流通管理等の規定がある場合の表示
21. （表紙裏）IF 利用の手引きの概要

Ⅰ. 概要に関する項目
1. 開発の経緯
2. 製品の治療学的・製剤学的特性

Ⅱ. 名称に関する項目
1. 販売名
2. 一般名
3. 構造式又は示性式
4. 分子式及び分子量
5. 化学名（命名法）
6. 慣用名，別名，略号，記号番号
7. CAS 登録番号

Ⅲ. 有効成分に関する項目
1. 物理化学的性質
2. 有効成分の各種条件下における安定性
3. 有効成分の確認試験法
4. 有効成分の定量法

Ⅳ. 製剤に関する項目
○内用剤の場合
1. 剤形
2. 製剤の組成
3. 懸濁剤，乳剤の分散性に対する注意
4. 製剤の各種条件下における安定性
5. 調製法及び溶解後の安定性
6. 他剤との配合変化（物理化学的変化）
7. 溶出性
8. 生物学的試験法
9. 製剤中の有効成分の確認試験法
10. 製剤中の有効成分の定量法
11. 力価
12. 混入する可能性のある夾雑物
13. 注意が必要な容器・外観が特殊な容器に関する情報
14. その他

○注射剤の場合
1. 剤形
2. 製剤の組成
3. 注射剤の調製法
4. 懸濁剤，乳剤の分散性に対する注意
5. 製剤の各種条件下における安定性
6. 溶解後の安定性
7. 他剤との配合変化（物理化学的変化）
8. 生物学的試験法
9. 製剤中の有効成分の確認試験法
10. 製剤中の有効成分の定量法
11. 力価
12. 混入する可能性のある夾雑物
13. 注意が必要な容器・外観が特殊な容器に関する情報
14. その他

○外用剤の場合
1. 剤形
2. 製剤の組成
3. 用時溶解して使用する製剤の調製法
4. 懸濁剤，乳剤の分散性に対する注意
5. 製剤の各種条件下における安定性
6. 溶解後の安定性
7. 他剤との配合変化（物理化学的変化）
8. 溶出性
9. 生物学的試験法
10. 製剤中の有効成分の確認試験法
11. 製剤中の有効成分の定量法
12. 力価
13. 混入する可能性のある夾雑物
14. 注意が必要な容器・外観が特殊な容器に関する情報
15. 刺激性
16. その他

Ⅴ. 治療に関する項目
1. 効能又は効果
2. 用法及び用量
3. 臨床成績

Ⅵ. 薬効薬理に関する項目
1. 薬理学的に関連ある化合物又は化合物群
2. 薬理作用

Ⅶ. 薬物動態に関する項目
1. 血中濃度の推移・測定法
2. 薬物速度論的パラメータ
3. 吸収
4. 分布
5. 代謝
6. 排泄
7. トランスポーターに関する情報
8. 透析等による除去率

Ⅷ. 安全性（使用上の注意等）に関する項目
1. 警告内容とその理由
2. 禁忌内容とその理由（原則禁忌を含む）
3. 効能又は効果に関連する使用上の注意とその理由
4. 用法及び用量に関連する使用上の注意とその理由
5. 慎重投与内容とその理由
6. 重要な基本的注意とその理由及び処置方法
7. 相互作用
8. 副作用
9. 高齢者への投与
10. 妊婦，産婦，授乳婦等への投与
11. 小児等への投与
12. 臨床検査結果に及ぼす影響
13. 過量投与
14. 適用上の注意
15. その他の注意
16. その他

Ⅸ. 非臨床試験に関する項目
1. 薬理試験
2. 毒性試験

Ⅹ. 管理的事項に関する項目
1. 規制区分
2. 有効期間又は使用期限
3. 貯法・保存条件
4. 薬剤取扱い上の注意点
5. 承認条件等
6. 包装
7. 容器の材質
8. 同一成分・同効薬
9. 国際誕生年月日
10. 製造販売承認年月日及び承認番号
11. 薬価基準収載年月日
12. 効能又は効果追加，用法及び用量変更追加等の年月日及びその内容
13. 再審査結果，再評価結果公表年月日及びその内容
14. 再審査期間
15. 投薬期間制限医薬品に関する情報
16. 各種コード
17. 保険給付上の注意

Ⅺ. 文 献
1. 引用文献
2. その他の参考文献

Ⅻ. 参考資料
1. 主な外国での発売状況
2. 海外における臨床支援情報

ⅩⅢ. 備 考
その他の関連資料

◎添付文書

<用法・用量に関連する使用上の注意>

2. 食後に本剤を投与した場合，C_{max}及びAUCが増加するとの報告がある．食事の影響を避けるため，食事の1時間前から食後2時間までの間の服用は避けることが望ましい（【薬物動態】の項参照）．

◎インタビューフォーム

(5) 食事・併用薬の影響

<外国人における成績>

1. 食事の影響

BRAF V600変異を有するⅣ期の転移性悪性黒色腫患者を対象に2群2期のクロスオーバーで食事（高脂肪食）の影響を検討した．被験者16例を順序1（絶食/食後）8例，順序2（食後/絶食）8例に割付け，期間Aは1日目に絶食下又は食後に本剤960 mgを単回経口投与，期間Bは11日目に食事条件を変更し本剤960 mgを単回投与した．その結果，食後投与では絶食時投与と比較して，C_{max}，AUCはそれぞれ2.5倍，4.6倍に増加，T_{max}の中央値は4時間から7.5時間に延長し，単回投与時には食事の影響により血漿中ベムラフェニブ濃度が上昇することが示唆された．

食事条件別の血漿中ベムラフェニブ濃度推移

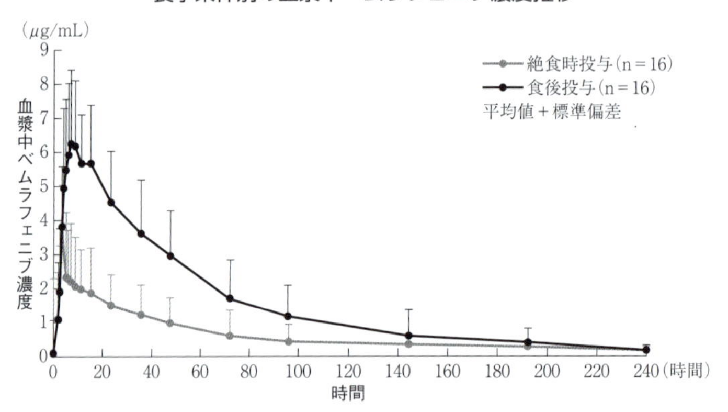

絶食時投与又は食後投与（単回投与）時のベムラフェニブの薬物動態パラメータ

	AUC_{0-last} (μg・h/mL)	AUC_{0-inf} (μg・h/mL)	C_{max} (μg/mL)	T_{max} (h)	$T_{1/2}$ (h)
絶食時投与 (n＝16)	94.3±81.8*1	115±110	3.48±2.02	4.0 (2.0－12.58)	24.6±17.2
食後投与 (n＝16)	320±158*2	351±189*1	7.38±1.98	7.51 (5.0－16.0)	26.0±17.1*1

平均値±標準偏差，T_{max}：中央値（最小値・最大値）

*1：n＝15，*2：n＝14

図 4-3. インタビューフォームによる添付文書の補完例

〔ゼルボラフ®錠240 mg（中外製薬），医療用医薬品添付文書/インタビューフォームより抜粋〕

機器総合機構のホームページ（インターネット）を通じて公表している．

新医薬品再審査概要 Summary Basis of Re-examination：SBR

再審査資料の基となった使用成績調査，特別調査，市販後臨床試験，副作用報告など．市販後調査の概要をまとめたもの．エポエチンベータ（遺伝子組換え）など．

厚生労働省緊急安全性情報

医薬品の副作用等に関し，とくに緊急に医療関係者に情報提供を必要とする場合，厚生労働省

表 4-5. 医療用医薬品製品情報概要（総合製品情報概要）に記載する事項

総合製品情報概要を作成する場合は，以下の全項目を項目順に記載すること．ただし，記載すべき適切な情報が得られていない場合には，「項目名」を含め記載しないこと．

1．表紙へ記載する項目
- 日本標準商品分類番号
- 薬効分類名（製品タイトル）
- 規制区分
- 名称
- 薬価基準収載の有無
- 警告・禁忌
- 市販直後調査統一マーク

2．開発の経緯
3．特徴（性）
4．製品情報（ドラッグインフォメーション）
- 警告・禁忌
- 組成・性状
- 有効成分に関する理化学的知見
- 効能・効果及び効能・効果に関連する使用上の注意
- 用法・用量及び用法・用量に関連する使用上の注意
- 使用上の注意

5．臨床成績
6．薬物動態
7．薬効薬理
- 臨床薬理試験
- 非臨床試験

8．安全性薬理試験及び毒性試験
- 安全性薬理試験
- 毒性試験

9．製剤学的事項
10．取扱い上の注意
11．包装
12．関連情報〔承認番号，承認年月，薬価基準収載年月，販売開始年月，効能・効果追加承認年月，再審査期間満了年月又は再審査結果公表年月，再評価結果公表年月（ただし品質に係わる再評価結果を除く），承認条件，投薬期間制限医薬品に関する情報〕
13．主要文献
14．製造販売業者の氏名又は名称及び住所（資料請求先を含む）
15．作成又は改訂年月

緊急安全性情報は2013年（平成25年）よりPMDAが運用する安全性情報などの無料配信サービス「PMDAメディナビ」によりメール配信されている．

医薬品・医療機器等安全性情報

厚生労働省医薬食品局安全対策課が編集，毎月発行．重要な副作用情報を症例とともに記載．使用上の注意の改訂，医薬品の適正使用情報，医薬品等安全性情報報告のまとめなども掲載される．厚生労働省のホームページ，日本薬剤師会雑誌，日本病院薬剤師会雑誌などにも掲載される．

2-6 医薬品リスク管理計画 Risk Management Plan：RMP[8)]

医薬品リスク管理計画書（以下RMP）は，医薬品の開発段階，承認審査時から製造販売後のすべての期間において，医薬品のベネフィットとリスクを評価して，その評価結果に基づいて必要な安全対策を実施することにより，製造販売後の安全性の確保を図ることを目的として2013年（平成25年）4月より導入された制度である．

基本的に「安全性検討事項」，「医薬品安全性監視計画」，「リスク最小化計画」の3つの要素から構成され，それぞれ，(1)「安全性検討事項」は重要な関連性が明らか，又は疑われる副作用や不足情報，(2)「医薬品安全性監視計画」は市販後に実施される情報収集活動であり，特定された安全性検討事項を踏まえて，情報を収集するために市販後に実施される調査・試験の計画である．(3)「リスク最小化計画」では医療関係者への情報提供や使用条件の設定等の医薬品のリ

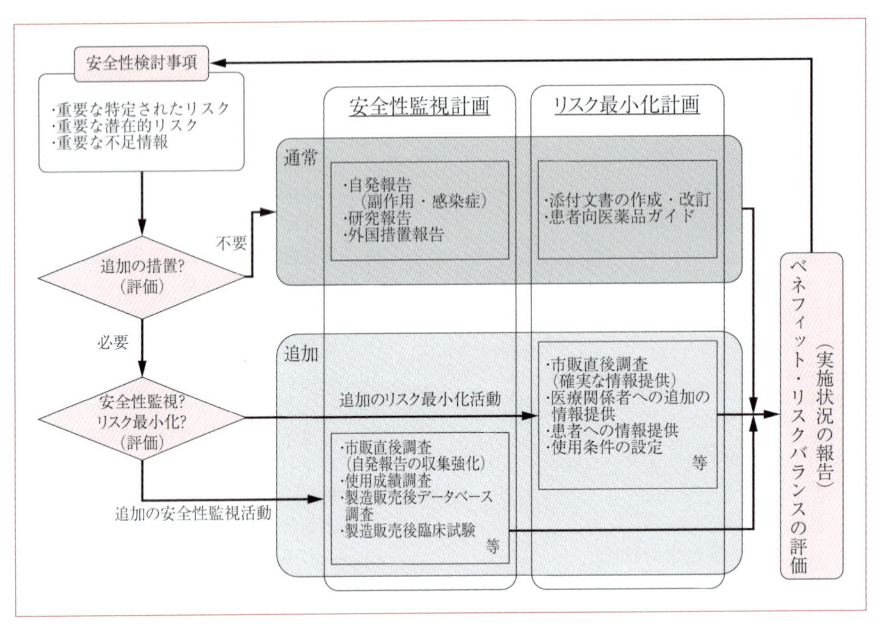

図 4-4. RMP の概念図

スクを低減するための取り組みをまとめている. 開発段階で得られた情報や市販後の副作用報告などから明らかとなったリスクを最小に抑えるための安全対策の計画である (図 4-4).

医薬品安全性監視活動とリスク最小化活動には,「通常の活動」と「追加の活動」の 2 種類がある.「通常の活動」とは, すべての医薬品に対して製造販売業者が実施する活動のことである. 具体的には, 医薬品安全性監視活動の通常の活動としては, 副作用情報の収集などが該当する. リスク最小化活動の通常の活動には, 添付文書による情報提供などが該当する. 一方,「追加の活動」とは, 医薬品の特性を踏まえ個別に実施される活動のことである. 医薬品安全性監視活動の追加の活動としては, 市販直後調査, 使用成績調査, 製造販売後臨床試験などが該当する. リスク最小化活動の追加の活動には, 市販直後調査による情報提供や適正使用のための資材による情報提供などが該当する.

RMP は, PMDA ウェブサイトに公表されており, 以下の URL より最新の資料が入手可能である. なお, RMP の概要は, 現在一部の RMP に添付されているものの, 通知施行日から 1 年以内にはすべての公表されている RMP に添付される予定である.

https://www.pmda.go.jp/safety/info-services/drugs/items-information/rmp/0002.html
※ PMDA トップページからは以下のようにアクセス
医療従事者向け→医薬品リスク管理計画 (RMP) →RMP 提出品目一覧

2-7 薬局方・添付文書集・医薬品集

1）薬局方

第十八改正日本薬局方（2021）

JP DI 2021 日本薬局方医薬品情報（日本薬剤師研修センター）　じほう　　日局18収載の一部．生薬と主な医薬品の薬物療法，調剤，服薬指導に必要な情報の解説書．

USP DI　Thomson Micromedex　　米国薬局方「USP」収載医薬品を中心に，米国およびカナダで調剤される医薬品の薬剤投与情報集．第1巻は医療専門家用医薬品情報（医師・薬剤師などの医療専門家のための医薬品情報を収載），第2巻は患者へのアドバイス（各医薬品ごとの患者への服薬指導を平易な内容で収載），第3巻は承認医薬品と法規制（同種同効製品や関連法規制）等を収載．27版で冊子体の発行は中止となっている．

2）医薬品集（製品情報集）

日本医薬品集 医療薬（日本医薬品集フォーラム）　じほう　　市販医療用医薬品の添付文書を要約し，一般名で五十音順に収録．新薬一覧，製剤識別コードも記載されている．2006年（第29版）より構造式を収載．年刊．CD-ROMでは，医療薬日本医薬品集，一般薬日本医薬品集，製剤識別コード，保険薬事典の情報もまとめて検索できる．また簡易院内医薬品集の作成機能もある．

海外の添付文書集

Physicians'Desk Reference　PDR　　通称PDRといわれる．米国製薬企業主体で編集されている医療用医薬品集で製造会社が提供している製品情報のほか，製品識別カラー写真，粉砕不可医薬品一覧なども収載されている．年刊．CD-ROMも出版．

Medicines Compendium　　イギリス製薬産業協会（ABPI）が各製薬企業から提出された資料をもとにまとめた医薬品集で，会社別に製品のアルファベット順で収載．索引は，一般名，商品名，会社名から引くことが可能である．

Rote Liste　　ドイツ製薬工業協会主導でRote Liste Serviceが編集している医薬品集（年刊）で，処方箋医薬品のほか，薬局販売医薬品，自由販売医薬品も収載されている．薬効別に商品名のアルファベット順で収載．巻頭索引には商品名，一般名，化学名がある．

Dictionnaire Vidal　　フランスの医薬品集（年刊）で商品名のアルファベット順に収載．巻頭に一般名，疾病名，薬効別の索引がある．

3）処方，調剤に日常利用する簡潔な医薬品集

病院で編集する医薬品集　各病院で編集，発行．

今日の治療薬（編集 浦部晶夫，島田和幸，川合眞一，伊豆津宏二）　南江堂　年刊．

ポケット医薬品集（龍原 徹 監修，澤田康文，佐藤宏樹 著）　南山堂　年刊．

3 医薬品情報の調べ方

調剤に伴う医薬品に関する質問を受けてから資料を調査し，回答するまでの行程は，図 4-5 のように示すことができる．質問を受けてから資料やデータベースの選択に至るまでの行程は，すべて調査する人の頭の中で判断して進められるものであり，多分に経験的な要素が含まれる．質問の調査にあたり最も留意すべきことは，質問の内容を的確に判断することである．質問の内容からキーワード key word となる調査の手がかりは何か（索引語），その手がかりをもとに調査すべき事柄は何か（検索語），その事柄を包括する概念は何か（検索項目）など，検索ロジックを具体的に設定する．

その上でどの資料が最も適切かを判断するわけであるが，それには“身近に保有しているもの”や“図書館などで利用できるもの”にどのような種類の資料があるのかを把握し，これらの資料についてあらかじめその特徴や性格をよく知っていることが必要である．

検索の範囲として現情報検索 current awareness だけでよいこともあれば，遡及的調査 retrospective search を必要とすることもある．

得られた情報を質問の内容と照合し，適切な情報であるかを判断してから提供する．

マニュアル検索に対して，オンライン検索システムを利用する場合は，シソーラス thesaurus（統制語）を利用した検索ロジックにより，調査目標に最も適切なデータベースを選択し，検索操作を行うのが望ましいが，最近はフリーターム検索（シソーラス以外のキーワードによる検索），全文検索（文章体のキーワードでの検索）も可能になってきた．検索の結果出力された情報を質問内容と照合し提供する．オンライン検索の際，検索ロジックをタイト化すると検索すべき情報に漏れを生じ，ルーズ化すると検索された情報にノイズが多くなる．またデータベースは個々に特性を有しており，相互の情報の重複率はそれほど大きくない．

医薬品関係の主な医療情報データベースは表 4-2（p.74）を参照のこと．医薬品情報の成書には CD-ROM や DVD が出版されているものが多い（p.91）．

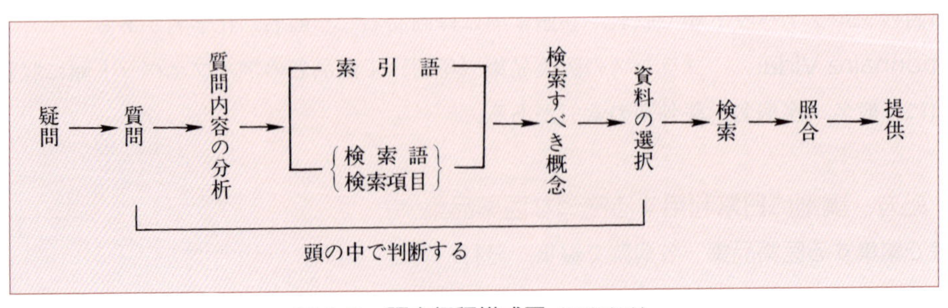

図 4-5．調査行程模式図（福室憲治）

4 医薬品の情報提供システム

情報検索の望ましい姿は，必要な時に，必要な情報を瞬時に引き出せることである．その情報収集に最も威力を発揮しているのがインターネット*である．世界中にある最新の情報を，日本にいながらにして入手できる上，自ら世界に向けて情報発信できる．

製薬会社各社は自社のホームページを開設している．

医薬品医療機器総合機構（PMDA）のホームページは医師，歯科医師，薬剤師を対象に，医療用医薬品の添付文書情報，厚生労働省からの緊急安全性情報，製薬会社からの安全性情報，副作用が疑われる症例報告に関する情報，新薬の承認に関する情報等を迅速に提供することを目的として，医薬品機構〔2004 年（平成 16 年）4 月より独立行政法人医薬品医療機器総合機構〕が中心となって 1999 年（平成 11 年）5 月より稼働を開始したシステムである（図 4-6）．

提供する情報は，その内容が随時改訂・更新されるので，最新の情報に随時アクセスすることができ，医薬品の安全かつ適正な使用の推進に寄与するものと考えられる．

インターネットを利用して提供される情報は，各種情報を相互に関連づけた医薬品安全対策業務として，医薬品等の必要な情報を広い範囲から，必要な情報を，必要なタイミングで収集することが大切である．

PMDA では，医療機関からの安全性情報，医薬品規制調和国際会議（ICH）などにおける国際的情報，医学・薬学に関する学会報告，研究報告など，必要な安全性情報を一元的に収集している．収集した情報はデータベース化等により，厚生労働省と共有している．医薬品安全対策業

図 4-6．PMDA ホームページ画面

＊ 一般に小文字で始める「internet」は複数のネットワークをつなげること，あるいは，その結果つながったネットワークのことをいう．一方，大文字で始まる「Internet」とは全世界を結ぶネットワーク全体を意味する．

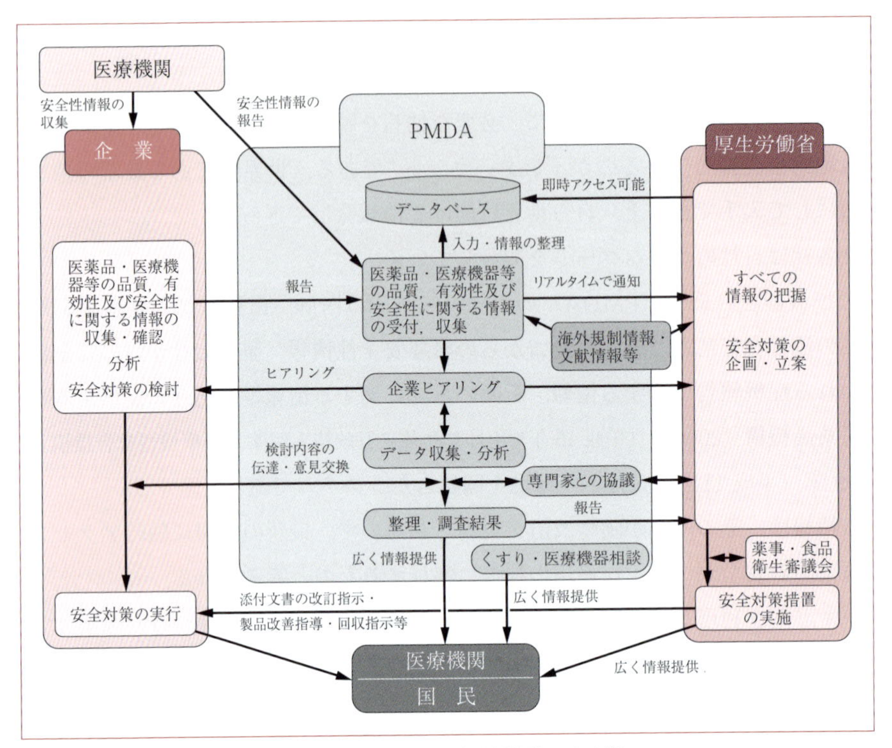

図 4-7. 医薬品安全対策業務のながれ

務のながれを図 4-7 に示す．なお，2021 年 8 月以降，電子化された添付文書情報を提供している．

5 薬剤疫学・薬剤経済学

5-1 薬剤疫学

疫学は，「人の集団における健康の状況あるいは健康に影響する事象の発生を取り上げ，その分布及び規定因子を研究して健康問題の制御に応用する学問」といえる．薬剤疫学 pharmacoepidemiology は「人の集団」を研究対象とすることは同じであるが，取り扱う健康事象が薬剤との関連が疑われるものに限定される．薬剤疫学者であるペンシルベニア大学の Strom 教授は，薬剤疫学を「人の集団を対象にして薬剤の使用とその効果や影響を研究する学問」と定義している[9]．薬剤疫学は，医薬品が投与されたとき，どのような変化が人，病気に現れるか，どのように用いればよい結果を出すことができるのかを「予測」するものといえる．そして，実態に即した予測を行い，医薬品を適正に使用するためには，より有効な手法で，データを収集する必要がある．薬剤疫学は主として製造販売後医薬品の使用実態について研究し，有効性と安全性を評価するために適用すべきものと考えられる．

薬剤疫学の目標と役割，研究デザインは図 4-8，図 4-9 のようにまとめることができる[10]．

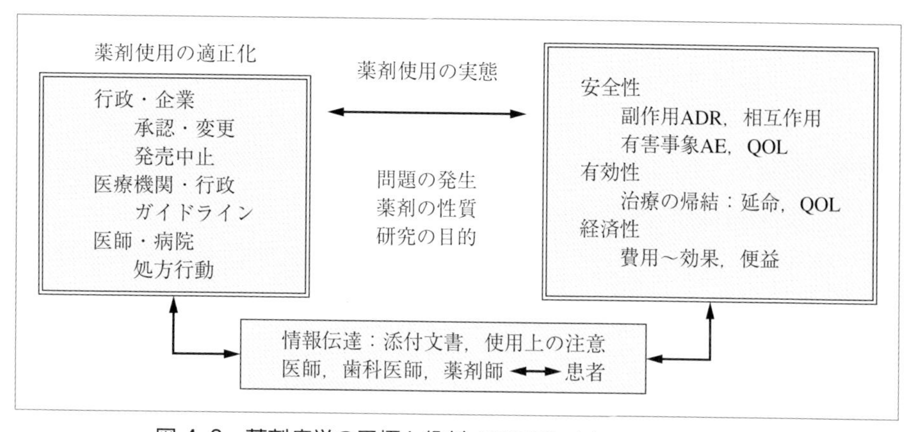

図 4-8．薬剤疫学の目標と役割（薬剤疫学 **1**(3) 12 1996 より改変）

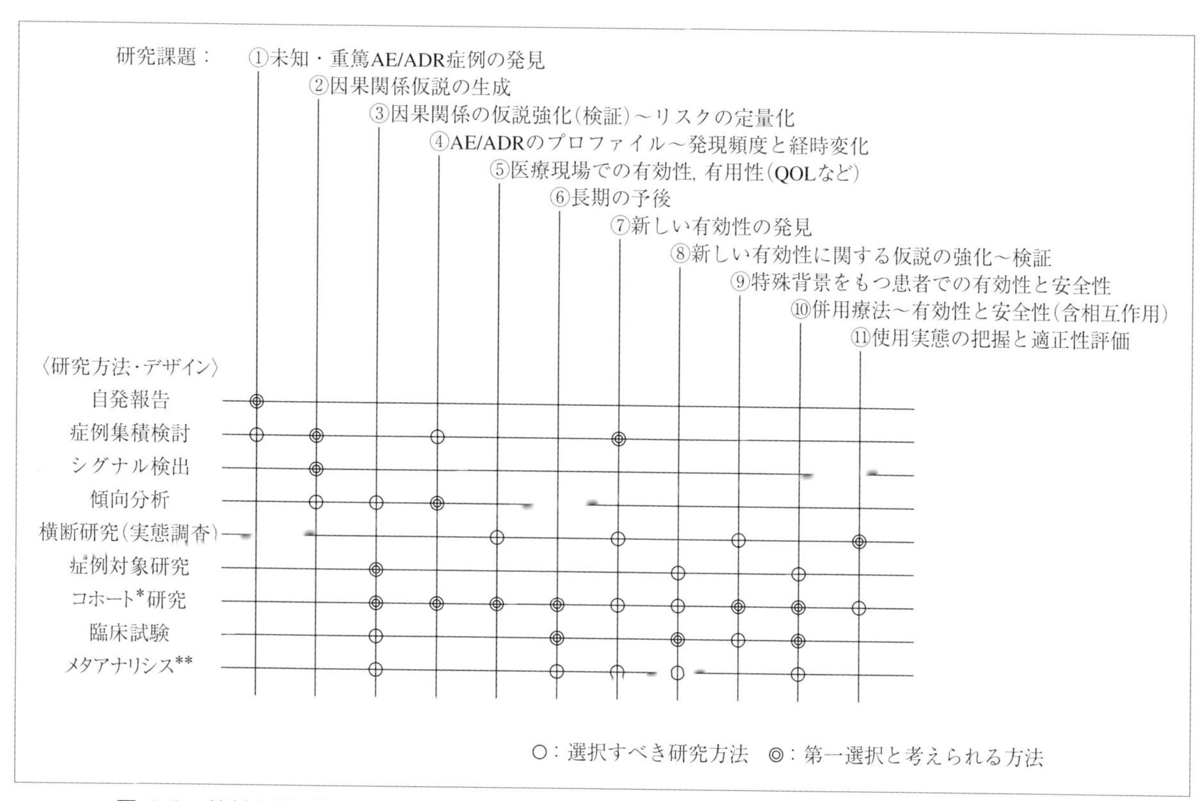

図 4-9．薬剤疫学（含：製造販売後調査）の研究課題と研究方法（薬剤疫学 **8**(1) 36 2003 より一部改変）

＊ コホート：語源は，ラテン語の cohors であり，古代ローマの兵制におけるある大きさの部隊をさすが，疫学の領域では，年齢層，性別など何らかの特性を同じくする人の集団を表す言葉として用いる．

＊＊ メタアナリシス（メタ分析）：すでに報告された同一の課題に関するいくつかの独立して行われた研究のデータを結合し，1つの大きな研究として扱い解析する統計学的手法である．いわゆる総説 review をさらに一歩進めたものといえる．

日本病院薬剤師会学術委員会では「薬剤疫学的手法を利用した医薬品適正使用に関する研究」のための小委員会を設置して，病院に蓄積された医薬品の情報を薬剤疫学研究に有効利用することを目的とした研究が報告されている[11]．バンコマイシン塩酸塩の適正使用に関する研究として，複数の病院情報システムに蓄積された臨床データを利用し，MRSA感染症の病名歴をもち，バンコマイシン塩酸塩注射剤の投与歴のある入院患者について，適正使用の観点から使用量，使用期間などの評価を行った内容である．また臨床検査値を指標として，副作用発現頻度および発現に及ぼすリスク因子（年齢，肝・腎機能等）の影響について調査した後ろ向き（retrospective）コホート研究である．

日本の病院情報システムは急速に発展しており，病院情報システムの統合は実現可能な方向と考えられる．医薬品のデータを含むレセプトデータは電子化が進み，包括医療に関して病名記載が正確になる．ただし，個人情報保護法との関係についても十分な検討が必要となる．

処方箋には，薬物療法に関する情報（投与薬剤名，投与量，投与日数，用法など）が集約されており，薬剤師はこのきわめて貴重な薬物療法に関する情報を，労せずに集めることができる．

薬剤疫学というと，疫学という言葉から膨大なデータを処理して初めて可能な印象を与えるが，実はわれわれ薬剤師が日常業務として行っている処方点検，薬歴調査，服薬指導，薬剤管理指導業務を充実すれば，その延長線上に存在するものである．とくに薬歴は，適正な薬物療法の推進，服薬指導，服薬状況の観察，副作用の早期発見，相互作用の発見など薬剤管理指導を実践する上で必須であり，これらのデータは薬剤疫学の貴重な研究対象となり得る．さらに，臨床活動の場で得られた治療効果，臨床検査値，病名，患者の病状等のデータを合わせることで，薬剤疫学は，薬剤の効果，副作用，相互作用，薬剤が及ぼす医療経済への影響などの臨床評価を可能にする．

薬剤疫学の研究成果は，エビデンスに基づく医薬品の適正使用，薬物療法の適正化につながる．

【例】シベンゾリンの低血糖リスクに及ぼすTDMの影響に関する薬剤疫学的検討[12]

Vaughan Williams分類Ⅰa群に属する抗不整脈薬であるシベンゾリンは，心血管系の重篤な副作用があることが知られているが，この副作用には血中濃度の上昇が関与している．そのため，シベンゾリンの適正使用にはTDMに基づく投与量設定が必要であると考えられている．一方，シベンゾリンの副作用として低血糖が知られているが，低血糖発作時にもシベンゾリン血中濃度が高値を示し中毒域にあったとする報告があることから，シベンゾリン血中濃度の上昇が低血糖発現にも関与していると考えられる．そこで，TDMに基づいた投与量の調節が，シベンゾリンによる低血糖のリスクにどのように影響を及ぼすかについて，薬剤疫学的手法を用いて検証した．

シベンゾリンのTDMを導入する前後において，6ヵ月ごとに一連のケース・コントロール研究を行い（導入前：Stage 1，導入後：Stage 2～5），TDM導入前と導入後のシベンゾリン使用における低血糖リスクの比較を行った．シベンゾリン低血糖リスクとしてのオッズ比は，TDM導入前のStage 1で10.4（95% CI 2.7–40.3），導入後のStage 2で3.1（95% CI 1.0–9.0），Stage 3で

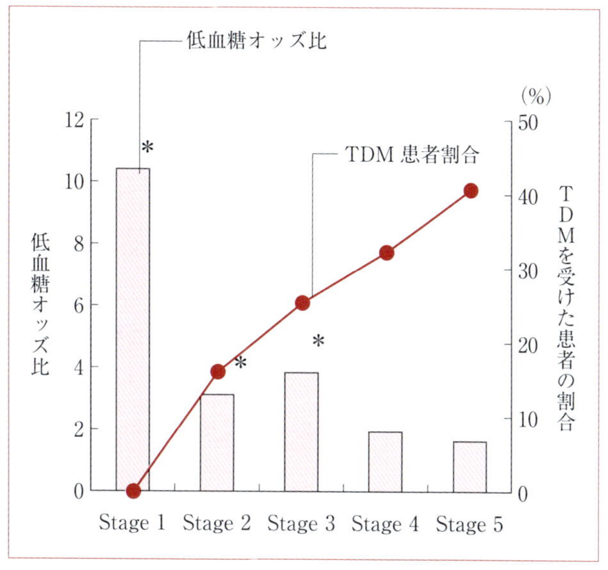

図 4-10．TDM によるシベンゾリン低血糖リスクの低下 [13)]
シベンゾリンの副作用である低血糖リスクは，TDM により血中濃度をコントロールされた患者の割合が増加するに従って低下する．

3.8（95％ CI 1.2–12.7）とシベンゾリン服用患者に低血糖リスクの有意な上昇が認められた．しかし，Stage 4 および Stage 5 では 1.9（95％ CI 0.6–6.6）と 1.6（95％ CI 0.5–4.9）であり有意な上昇が認められなかった（図 4-10）．

至適治療濃度域であると考えられるトラフ濃度 200～400 ng/mL の割合は Stage 2 および Stage 3 ではそれぞれ 25％，30.7％であったが，Stage 4 および Stage 5 ではそれぞれ 41.9％，42.6％と増加しており，適正な血中濃度を示す患者の割合が増加していた．各 Stage におけるシベンゾリン服用患者で過去に 1 回以上血中濃度の測定が行われたことのある患者の割合は，Stage 2 で 16.2％，Stage 3 で 25.6％，Stage 4 で 32.5％，Stage 5 で 40.9％であり徐々に増加の傾向が認められた．

TDM の普及に伴いシベンゾリンの低血糖リスクが低下したことから，TDM に基づく投与量調節がシベンゾリン服用患者における低血糖発現の防止に有用であると考えられた．

5-2 薬剤経済学

1）薬剤経済学とは

薬剤経済学 pharmacoeconomics とは薬物療法において，それにかかる費用と効果の両面から検討し，定量的に経済的な効率性を評価するための学問である．

薬剤経済学では，ある一定の費用を活用し最大の効果を得ることを目的としている．薬物療法に関わる費用だけをみるのではなく，効果についても知ることを目的としている．

欧米においては医療を取り巻く環境の著しい変化，病院における予算，償還制限などにより，在院日数の短縮，コスト抑制が求められている．このような状況から，経済的なエビデンス構築のための1つの手法として薬剤経済学の必要性が生じている．

2）薬剤経済学を研究するための手法

薬物療法の効果についての測定は，費用最小化分析，費用対効果分析，費用対効用分析，費用対便益分析に分けることができる．

・費用最小化分析：比較する治療法の間でアウトカムに差がない場合に，その費用のみを比較するための方法である．
・費用対効果分析：アウトカムについて同一の尺度でその効果を定量的に評価し，費用との比較を行うものである．
・費用対効用分析：費用対効果分析の効果のための指標に質調整生存年を用いたものをいう．質調整生存年とは，各病態の生活の質（QOL）を効用値としてスコア化し，生存年数を乗じて，生活の質と生存期間を含めて総合評価する方法である．
・費用対便益分析：効果をすべて金銭に換算し，費用との関係を評価する手法である．

薬剤経済学の分析事例

費用最小化分析の事例：進行再発胃がんに対する経口抗がん剤TS-1治療と既存の化学療法との費用を実測し比較した報告がある[13]．TS-1群について，進行性胃がんに対して1〜31週間実施され，そのうち3例については調査終了時にTS-1投与継続中であった．既存治療群については，レセプトによる絞り込みから40例となり，診療録の調査，医師の診断からTS-1投与可能であった進行再発胃がんを対象とした症例は10例であった．医療費全体では化学療法実施による在院率は13%，既存治療群で平均87%であり，各群の総費用は，化学療法を実施した全期間の“総費用”はTS-1群327,640±47,647円/月，既存治療群852,874±62,412円/月と既存治療群に比べてTS-1群が有意に少なかった（$p<0.05$；Wilcoxon検定）．経時的な推移，薬剤費，在院日数，アウトカムなどの比較から，TS-1は外来治療への移行が可能であり，既存の療法と比較して在院日数の短縮を可能とすることが明らかとなった．また，がん化学療法時の費用削減効果も期待できることから，臨床的，経済的側面から積極的に導入することが好ましい薬剤であることが示唆された．

文 献

1）堀岡正義編：医薬品情報—その考え方と実際　じほう　1990
2）山崎幹夫ら編：医薬品情報学（第3版）東京大学出版会　2005
3）折井孝男ら編：医薬品情報学—基礎・評価・応用（第2版）　南山堂　2009
4）独立行政法人医薬品医療機器総合機構：医療用医薬品の添付文書記載要領の改定について，医薬品・医療機器等安全性情報 No. 344 2017
5）堀岡正義，朝長文弥ら：DI業務と医薬品情報に関する調査・検討，病院薬学 **12**(2) 204 1986. **13**(2) 55 1987. **14**(2) 82 1988.
6）藤井俊志ら：インタビューフォームのあり方の調査研究，日病薬誌 **34**(11) 1398 1998

7) 藤井俊志編：新医薬品インタビューフォーム（薬事99年2月臨時増刊号） じほう 1999
8) 竹本信也：患者思考の情報提供実現のために―企業の取り組みから―. YAKUGAKU ZASSHI **138** 315-328 2018
9) Strom BL, editor：Pharmacoepidemiology, 2nd Ed. Chichester：John Wiley & Sons Ltd, 1994（邦訳 ストローム BL 編，清水直容，楠 正，藤田利治，野嶋 豊 監訳：薬剤疫学 篠原出版 1995）
10) 楠 正：日本における薬剤疫学を振り返って，薬剤疫学 **11**(1) 1-7 2006
11) 折井孝男ら：薬剤疫学的手法を利用した医薬品適正使用に関する研究：日病薬誌 **37**(1) 157 2001，**38**(1) 101，(8) 1025 2002，**39**(8) 1011 2003，**40**(8) 1016 2004，**41**(8) 1021 2005，**42**(1) 86 2006，**42**(8) 1090 2006，**43**(1) 17 2007，43(8) 994 2007．下堂薗権洋ら：**44**(1) 15 2008，**45**(1) 15 2009，**45**(8) 1005 2009．折井孝男ら：**46**(1) 21 2010，**46**(8) 993 2010
12) Takada M, Shibakawa M：Efficacy of therapeutic drug monitoring in prevention of hypoglycemia caused by cibenzoline. Eur J Clin Pharmacol **57** 695-700 2001
13) 田中克己ら：胃癌治療における化学療法の薬剤経済学的検討―経口フッ化ピリミジン製剤 TS-1 と既存化学療法の医療費分析，癌と化学療法 **30** 73-80 2003

医療提供施設における医薬品情報管理業務

6 医薬品情報管理業務（全般）

薬物療法を行うには，医薬品の適正使用に必要な情報が不可欠である．この医薬品に関する情報を薬剤師の業務として取り扱うのが医薬品情報管理（以下 DI）業務である．

DI は1965年（昭和40年）日本薬学会年会でのシンポジウム開催が契機となって，1971年（昭和46年）に「病院における DI 活動の業務基準」が制定された．この業務基準を指針として DI 業務に取り組む施設が増加し，DI 業務の発展と業務としての定着に大きく貢献した[1]．

その後20年余を経て，将来に向けた DI 業務基準の見直しが行われ，1993年（平成5年）「病院における医薬品情報管理の業務基準」が制定された．

7 医薬品情報の収集，活用，提供

7-1 医薬品情報のサイクル

調剤時に使用する医薬品情報には，収集，提供，活用，評価のサイクルがあり，そのスムースな回転により，より良質な情報ができる．

医薬品医療機器等法第68条の2には医薬品情報の提供，収集，活用，OTC 薬の情報提供が規定されている*（次頁脚注）．1994年（平成6年）の薬事法（当時）の法改正で，情報の活用が追加された[2]．

図 4-11 は1つの医療機関の医薬品情報のサイクルを描いたものである．医療施設，医療関係者の協力により，サイクルがスムースに回転すればするほど，医薬品を的確に評価した新たな情報が生まれる．薬剤師は情報の提供，活用，評価から安全性情報の収集における役割まで，すべての分野に深く関わっており，サイクルをスムースに回転させるキーマンといっても過言ではない．

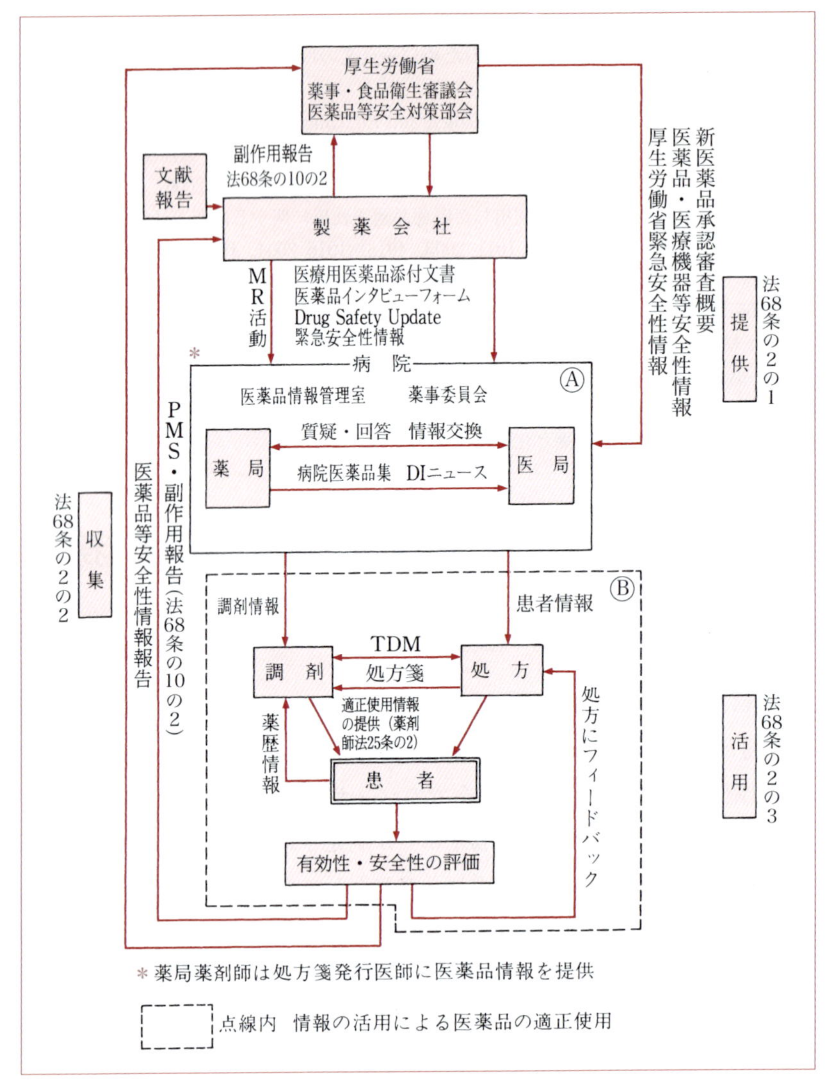

図 4-11. 医薬品情報のサイクル

図 4-11Ⓐの実線の枠内は病院での情報の提供，伝達における医師と薬剤師の関係を示す．

図 4-11Ⓑの点線の枠内は，医師，薬剤師の情報の活用による医薬品の適正使用と，患者への情報提供の構図を示す．

---

* 医薬品医療機器等法第 68 条の 2（情報の提供等） 1. 製薬会社や医薬品卸業は，医薬品等の有効性，安全性に関する事項，適正な使用のために必要な情報を収集，検討し，薬局，病院，診療所の開設者，医薬品の販売業者，医師，歯科医師，薬剤師その他の医薬関係者に対し，これを提供するよう努めなければならない．2. 薬局，病院，診療所の開設者，医薬品の販売業者，医師，歯科医師，薬剤師，その他の医薬関係者は，製薬会社等が行う医薬品等の適正な使用のために必要な情報の収集に協力するよう努めなければならない．3. 薬局開設者，病院若しくは診療所の開設者又は医師，歯科医師，薬剤師その他の医薬関係者は，医薬品等の適正な使用を確保するため，相互の密接な連携の下に第 1 項の規定により提供される情報の活用その他必要な情報の収集，検討及び利用を行うことに努めなければならない．

7-2 医薬品情報の収集

調剤業務で取り扱う内容は，物理化学的性状，薬理作用・作用機序，薬物体内動態，効能・効果，治療効果，相互作用，副作用とその処置，製剤の安定性，配合禁忌，適応上の注意及び過量服用時の対応等，多岐にわたっている．また，医師，患者及び薬剤師が必要とする情報はそれぞれ異なっている．

調剤業務を円滑に行うためにはこれらの臨床ニーズに対応できる資料を収集・整理・評価・保管しておく必要があり，施設の特性に応じた対応も求められる．多くの施設では，DI用推薦図書を基本とし，添付文書，医薬品インタビューフォーム，厚生労働省関連情報，製薬企業作成資料，各種雑誌，既存のデータベース及びインターネットを利用している．この場合，添付文書，医薬品インタビューフォーム，製品情報概要を１セットと考えてよい．添付文書は頻繁に改訂されるので作成年月に注意し，常に最新のものを整備するよう心がける．電子化された添付文書によりそれが可能となった．

医薬品の添付文書やインタビューフォームは，病院や薬局の基礎資料として，薬剤師が責任をもって整備管理する．必ずしも調剤室に配置する必要はなく，DI室に整備されていればよいが，最高裁は2006年（平成８年）１月23日の判決で，医療慣行よりも添付文書の方を重視する判断を示した[3)]．これは医療機関や薬局における添付文書の守り番としての薬剤師の責任が大きいことを示すものである．

7-3 医薬品情報の活用

調剤に関わる医薬品情報は，収集してもっているだけでは何の役にも立たない．活用してこそ医薬品情報としての価値がある．活用の第一歩は情報の利用者の必要性に合わせた情報提供である．

薬剤師には収集した調剤のための医薬品情報を正しく評価し，分かりやすく信頼できる情報に加工し，処方医に迅速，確実に提供することが求められる．

処方医に対する情報提供は，不特定多数の医療関係者に対する能動的な情報の伝達，提供と，医師からの質問に対して行う受動的な情報の提供がある．前者には薬事委員会の審議結果の報告や緊急安全性情報の伝達を含む．要は情報が正確に伝わり，処方に確実に反映されるかにある．

一方，患者（又はその看護者）に対する情報提供は，インフォームド・コンセントや情報開示の義務化，インターネットの普及などによる．

医薬品安全性情報等管理体制加算

2010年（平成22年）４月の診療報酬改定で，医薬品安全性情報等管理体制加算50点が薬剤管理指導料の初回算定時に取得することができることとなった．これは正に医薬品情報の活用を促すための加算と考える．

7-4 医薬品情報の伝達，提供

処方医をはじめとした院内医療関係者全般に広報する情報として，在庫医薬品，新規採用医薬品に関する情報，薬事委員会の審議結果の伝達，緊急性が高い安全性情報，薬事委員会や薬剤部で専門的に評価した適正使用に関する情報等がある．

提供の方法として，病院内医薬品集，院内在庫一覧，広報冊子，臨時文書（おしらせ文書），口頭，電子メール，院内オンラインの活用などがある．

① 採用医薬品の基本情報（一般名，商品名，メーカー名，規制区分，規格・単位，剤形，効能・効果，用法・用量，警告，禁忌，副作用，相互作用，体内動態，保管法，特徴など）

② 新規採用医薬品情報（提供情報①に同じ）

③ 添付文書の改訂情報

　使用上の注意の変更情報

　効能・効果の変更，用法・用量の変更情報

④ 安全性情報（医薬品・医療機器等安全性情報，緊急安全性情報の伝達）

⑤ 製造・販売中止情報

病院内医薬品集

病院で採用医薬品の基本情報を，薬効別等で配列し，これに各施設の医薬品使用時の規約，申し合わせ事項，また付録に薬物療法ガイドラインなどを収載し，コンパクトな冊子にまとめたものである．薬剤部への問い合わせを減少させる効果もある．処方のレパートリーを広げ，同効薬比較，処方薬の確認に役立つが，一定期間ごとの発行となるため，新規採用薬，添付文書の改訂など情報の追加，更新には不便である．最近では冊子体でなく，院内オンラインで提供されることも多いので，院内在庫一覧のみが作成されることもある．

広報冊子

新規採用医薬品の情報，副作用，治験薬，薬物療法の文献紹介，解説などを中心に，薬剤部が編集，定期的に発行，処方医をはじめ院内各科に配布．

このほか，緊急安全性情報，添付文書の重要な変更など，最新あるいは緊急情報を印刷物で通知することもある．

これらの情報を作成するにあたって，次の記載にも留意する．

新規採用薬：添付文書の基本情報とともに，類薬との比較，薬価など

副作用情報：副作用の発生機序，臨床経過と対応，拮抗薬，減量・中止の必要性，代替薬などの情報．緊急安全性情報では，院内の対応（使用許可制，製品回収など）も伝える．

例えばチクロピジン塩酸塩による血栓性血小板減少性紫斑病（TTP）（p.239，p.328）の副作用情報と対処法を入力しておけば，直ちに処方と検査の適正化に貢献することができる．即時的情報提供ができる院内のオンライン活用も1つの手段である．

7-5 問い合わせに対する情報提供

病院薬剤部のDI室では，院内の医師，看護師ら医療関係者からの薬の問い合わせに対応する．一部の都道府県薬剤師会の薬事情報センターでは医師会会員からの問い合わせに対応している．

問い合わせには，即時に回答を必要とする場合と，文献調査などを時間をかけて行い回答する場合とがある．

処方医等からの質疑が発生した場合，質問者，質問の目的，患者の背景，回答期限等を確認の上，調査を行う．最初に添付文書，次に医薬品インタビューフォームで調査し，その後質問事項に適した三次資料を用いて調査する（p.74参照）．その上で質問者の要望に合わせて二次資料の検索を行い，一次資料を調査する．製薬会社に調査を依頼することもある．

例えば，臨床では直腸用非ステロイド性解熱鎮痛消炎薬として，インドメタシンとジクロフェナクナトリウムの製剤が汎用されている．これらの臨床的使い分けは，坐剤の基剤に使われている親水性基剤ポリエチレングリコールと油脂性基剤グリセリン脂肪酸エステルの違いなどについて，薬学的考察を行うことによって初めて可能となる（表4-6）．

表4-6．直腸用非ステロイド性解熱鎮痛消炎薬の特徴

	インドメタシン	ジクロフェナクナトリウム
基　剤	親水性 ポリエチレングリコール	油脂性 グリセリン脂肪酸エステル
直腸内水分の影響	＋	－
体内動態	血中濃度上昇は緩徐 遅効性 最高血中濃度は低い 副作用発現は少ない	血中濃度上昇は早い 速効性 最高血中濃度は高い 副作用発現の危険あり

回答は口頭又は文書で質問者に伝える．文献を添付して参考に供することも必要である．回答が処方にどのように活かされるか，フォローアップ（追跡調査）する．

処方医等からの問い合わせの内容は記録の上，分類，蓄積し，再利用に備える．月間，年間の統計を作成しておく．

高度な質疑は，DI担当者が日頃の実力を発揮するチャンスである．ニーズに応えて満足いく回答をして信頼を獲得すると，その後再三にわたり質疑されるようになる．そのような積み重ねが，病院当局からの高い評価を得ることにつながる．

また医師からの質疑が医療薬学研究のヒントを与えてくれることもある．

7-6 医薬情報担当者による情報提供

製薬会社の医薬情報担当者（medical representatives：MR）は，会社を代表して医療関係者への自社製品の科学的プロモーションと市販後調査の症例収集を行う＊（次頁脚注）．

MR が医師ら医療関係者に面談するにあたっては，機械的，画一的な情報提供に終わることなく，全人的に相手方と接し，相手方の考えを的確に捉えるよう努める.「絞り込み」や「掘り下げ」の効いた最新情報の提供は，多忙な医師への貴重な情報となる上，薬物療法の安全性確保に貢献する．このような MR の行動は，市販後調査の情報収集にもよい結果をきたす.

医薬品卸業者も医療関係者に情報を提供する.

文 献

1) 堀岡正義ら：病院における DI 活動の業務基準設定．薬剤学 **31**(1) 別冊付録 18 1971
2) 堀岡正義：医薬品の適正使用を考える，JJSHP **31**(7，8) 845 1995
3) ペルカミン S 事件—最高裁平成 8 年 1 月 23 日判決

* MR 認定センター（旧 医薬情報担当者教育センター）による MR の定義は，次のとおりである.
医薬情報担当者とは，企業を代表し，医療用医薬品の適正な使用と普及を目的として，医薬関係者に面談の上，医薬品の品質・有効性・安全性などに関する情報の提供・収集・伝達を主な業務として行う者をいう.

5 医薬品の管理

1 医薬品の管理

薬剤師が行う医薬品管理の目的は，必要とする医薬品を必要な時に必要な場所に速やかに供給することにある．

そのためには，適正な在庫管理と品質管理が行われていることが条件となる．

医薬品管理というととかく在庫管理のみに目を向けがちであるが，品質管理を無視した在庫管理のみであれば薬剤師が管理を行う必要はない．また緊急薬の供給がうまくいかなければ患者の生命に関わることもあるし，外来患者を長時間待たせることにもなる．

さらに使用期限の切れた製剤の供給や保存条件の不適当な製剤の使用は医療事故の原因となりかねない．

在庫管理と品質管理の両者がそろって初めて適正な医薬品管理ということができる．

薬局長（薬剤部(科)長）は管理者（病院長）の委嘱を受けて，病院内における医薬品管理の実務を担当する責任者である（医療法施行規則第 14 条）（p.21）．

医療機関や薬局における医薬品の流通の過程は，図 5-1 のように示すことができる．

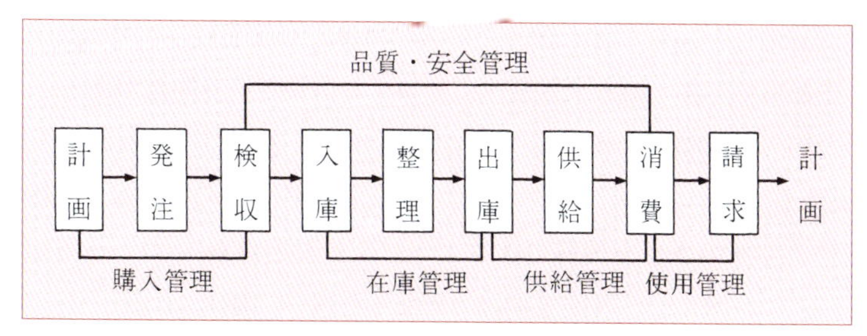

図 5-1．医療機関における医薬品の流通

医薬品管理の特徴として，次のことが挙げられる．

1）医薬品の備蓄は，常に「少量多品目」の原則から免れられない．

2）病院では薬事委員会で医薬品の採用を審議するが，次々に登場する新薬を前に，医師が処方する医薬品の変化も激しく，備蓄品目及び数量の決定は，常に不確かな予測判断にたよるしかない．

3）緊急・希用医薬品を調達しなければならない状況下に，常にある．

4）一定の在庫リスク（デッドストック）は，常に覚悟しなければならない．対策として地域の薬局では地区の薬剤師会が設置する備蓄センターを活用して，現品を入手する．また，製薬会社には小包装製品の発売を要請する．

毒薬，劇薬，麻薬，向精神薬，覚醒剤，生物由来製品などの保管方法はp.276 を参照のこと．

消防法に規定されている危険物薬品，高圧ガス，放射性医薬品の安全管理にも万全を期する．

2 医薬品の管理のためのコード[1)]

2-1 医薬品コードの現状 と 問題点

従来医薬品に関するコードは，行政や流通において，さまざまな目的で作成，使用されてきた．医療機関や薬局でもコンピュータが日常業務に使用されるようになり，さまざまな形で医薬品にコードが使用されることとなった．単独の機関内で使用される場合には，どのような医薬品コードであれ不都合が生じることは少ないが，施設を超えた形で双方向の情報交換を行う場合には,医薬品コードの共通化がなされていないと情報交換が行えないという問題が顕在化してきた．

医薬品コードの標準化という言葉を聞くことが多い．「標準」ということには，情報技術において情報を交換するための必要性と，情報を蓄積，分析するための必要性がある．情報交換のための必要性とは，病院の中において処方のオーダリングシステムを考えた場合，医師が設計した処方データを薬剤部に打ち出すため，さらに複数の医療機関の間で情報交換を行う時などに必要なためである．

医薬品のコードについては，医療の場における利用を前提とした場合，物として，どこまで細かく「分析」して識別（例えば流通上の「個装単位」の意味での識別）するのか，また，医薬品としての安全性（有効性や品質なども含めた広義の意味での安全性）の側面から，目的に応じ，どのように取りまとめて，各々のカテゴリーに分類するのかという問題がある．

情報交換等のための医療情報の標準については，「用語・名称」，「コード」，「様式」，「分類体系」の4つが考えられる．「コード」については，同じ概念の一群の用語に1つのコードを付けると，そのコードによりその概念を理解できるようになることから，「コード」は重要な「標準」ということができる．コードには，太さと間隔の異なったバーの配列による「バーコード」もある．

厚生労働省は医療用医薬品のバーコード表示実施要項を，① 特定生物由来製品，② 生物由来製品（特定生物由来製品を除く），③ 内用薬（生物由来製品を除く），④ 注射剤（生物由来製品を除く），⑤ 外用薬（生物由来製品を除く）の5種類に分類し取りまとめた．また，包装形態の単位を，① 調剤包装単位（調剤単位：PTP シートやアンプルなど，医薬品の最小包装単位），

② 販売包装単位（個装単位：PTPシートが100シート入った箱等，医薬品卸売販売業者などから医療機関などに販売される最小の包装単位），③ 元梱包装単位（元梱単位：販売包装単位の箱が10箱入った段ボール箱など，販売包装単位を複数梱包した包装単位）に分類している．

表示データは，① 商品コード，② 有効期限，③ 製造番号又は製造記号，④ 数量（元梱包装単位のみ）としている．商品コードには，調剤包装単位では「0」，販売包装単位では「1」，元梱包装単位では「2」で始まる14桁のコードが使用される．それぞれの包装単位のバーコード表示例を図5-2に示す．GTIN（表5-1参照），バーコードから医療用医薬品の添付文書が掲覧できるようになっている．

図5-2. 商品コードに加えて有効期限，製造番号又は製造記号等の情報を含むバーコード表示

（医薬品・医療機器等安全性情報，No. 337 より）

主な医薬品コードの種類とその特徴を表5-1に示す．

3 医薬品管理の実際

医薬品管理のうち（p.105 図5-1），購入管理，在庫管理及び供給管理について記す．

3-1 購入管理

薬局における医薬品の購入金額は調剤報酬請求額の約60%を占める．病院では人件費に次いで大きく，総支出の20～25%を占める．医療経済上からも無視することはできない．医薬品の購入は消費傾向と在庫残量をもとに，購入計画を立案することから始まる．医療機関の場合，薬局は購入薬品名，数量，銘柄指定を行うが，納入業者の決定，発注，納入の各段階にもある程度関与する．

納入（納品時の検収）にあたっては，品名・数量などのチェックのほか，観察による品質検査，製造年月日，ロット番号，使用期限，流通経路などをチェックする．必要に応じ試験室で薬品試験を行う．

表 5-1. 主な医薬品コード

種　類	構成内容
薬価基準収載医薬品コード	厚生労働省医政局経済課の分類コード．薬価単位に設定されている英数12桁のコードである． 薬価基準収載医薬品が対象であり，官報告示品目に限られている．このため，統一名収載品目（一般名で官報に収載されるもの）の一般名に対してひとつのコードしか付与されず，複数の商品が存在しても同じひとつのコードとなる．
個別医薬品コード （通称：YJ コード）	薬価基準収載医薬品コードと同様に英数12桁のコードであるが，統一名収載品目の個々の商品に対して別々のコードが付与される． 銘柄別収載品目（商品名で官報に収載されるもの）については，薬価基準収載医薬品コードと同じコードである．
JAN コード	国際的な流通業の情報システムで利用されている共通商品番号である． 13桁からなり，上2桁は国番号で，日本は「49」または「45」が割り当てられている．次の5桁がメーカーコードで，医薬品業界の場合は「87」から始まっている．
GTIN	医薬品の取り違え事故の防止やトレーサビリティの確保を推進するために導入された新バーコードで用いられるコードである． 表示する包装単位により，調剤包装単位コードと販売包装単位コードがある．
HOT 番号	数字13桁のコードで，現在汎用されているコードとの対応付けを目的として作成されたコードである．薬価基準収載医薬品コード，個別医薬品コード，レセプト電算処理システム用コード，JAN コードと対応している．
レセプト電算処理システム用コード	レセ電算コード，もしくは支払い基金コードと呼ばれているもので，医療機関が審査支払機関に提出する磁気レセプトにおいて使用する． コードの構成は，医薬品区分を示す「6（1桁）」から始まる9桁の番号である．

品質確保を中心とする医薬品管理のチェックポイントは表 6-1（p.121）に示す．

3-2 在庫管理

医薬品は，法的規制，保存条件，入出庫作業効率などを考慮して保管場所に分類して収納する．

分類方法としては，法的規制別，薬効別，剤形別，五十音別，使用頻度別，重量物別などがあり，これらを適宜組み合わせる．

在庫管理において，定期的に全品目の在庫量を点検する棚卸しは不可欠である．

調剤室に出庫した医薬品の在庫管理も同様に行う．

3-3 供給管理

供給管理とは，調剤室，病棟スタッフステーション，外来診察室，手術部，ICU，放射線部，臨床検査部など院内各部門に，必要とする医薬品を必要時，必要な数量を正確，迅速に供給することである．

医薬品の出庫時の注意として，正確な取り揃え，先入れ先出しの励行，使用期限など品質の確認，保存時・使用時の情報の付加などがある．

表 5-2. 注射剤供給方式の比較

	処方箋	定数配置	セット交換	箱渡し
品質の確保	◎	○	◎	×
安全性の確保	◎	△	○	×
処方変更への対応	△	○	△	◎
供給業務量	△	○	△	◎
返納業務量	△	○	△	◎
末端在庫量	◎	△	◎	×
搬送業務量	×	○	×	◎
保険収入の確実性	◎	△	◎	×

◎非常に良い　○良い　△悪い　×非常に悪い
（日本病院薬剤師会編：「病診薬局ハンドブック」第5版，2002 より一部改変）

病棟への供給の主体は注射剤である．その供給形態として，次の方式がある．

1）一患者一施用単位方式：処方箋に基づき一回に使用する単位毎に払い出す方式．

2）患者単位交付方式：処方箋に基づき調剤した薬剤を交付する方式．1日使用量単位と数日分まとめて交付の方式がある．

3）定数配置方式：一定品目の一定量を診療現場に配置し，患者に使用した後，使用済伝票で医薬品を補充する方式．

4）セット交換方式：定数の品目，数量を設定し，定期的に全品交換する方式．

5）箱渡し方式：請求に基づいて，市販の包装単位（個装単位）で供給する方式．

表 5-2 は，これら供給方式の特徴を比較したものである．

薬剤管理指導業務の実施により，患者単位の処方箋による投与薬剤の総合的管理が可能となったため，品質，安全性の確保，収入の確実性が実現するようになった．

4 医薬品の貯法と容器

4-1 貯　法

医薬品の劣化を防ぎ，品質を維持するためには，適切な貯法や容器を選択する必要がある．

医薬品は通常室温に保管するが，不安定な医薬品，例えば高い温度で不安定な場合は冷所（1～15℃）又は規定の低温に，光に不安定な場合は遮光して保存する．

保存中経時変化を生じ，薬効が減少する医薬品には，**期限又は期間** expiration date の表示（医薬品医療機器等法第 50 条第 1 項 9 号）が義務づけられている．生物学的製剤，抗生物質製剤，日本薬局方医薬品の一部が該当する．また医薬品医療機器等法第 50 条第 1 項 14 号に**使用の期限** expiration date for use の表示が定められ，亜硝酸アミル，アスコルビン酸製剤などが指定されている．

4-2 容 器

容器とは医薬品を入れるもので，栓，蓋なども容器の一部である．

容器は内容医薬品に対して物理的，化学的作用を及ぼさない（日局 18 通則 42）．

容器の定義としてしばしば問題となる個装と直接容器の関係については，直接容器も含めて容器とみなす．

容器には表 5-3 に記載の種類がある（日局 18 通則 43～46）．

表 5-3．容器の種類と品質確保のための機能性

■容器の種類

密閉容器 well-closed container	通常の取扱い，運搬又は保存状態において，固形の異物が混入することを防ぎ，内容医薬品の損失を防ぐことができる容器をいう．最も簡易的な容器で，固体，液体，気体のうち固体の進入のみを防ぐことができる．具体的には紙袋や紙箱がある．収納や取り出しがしやすく，運搬などには最適であるが液体をこぼした場合はもちろん，空気中の湿気を防ぐこともできないため保存には向かない．
気密容器 tight container	通常の取扱い，運搬又は保存状態において，固形又は液状の異物が侵入せず，内容医薬品の損失，風解，潮解又は蒸発を防ぐことができる容器をいう．ビンや缶，プラスチック容器，SP 包装，PTP 包装などがこれに該当する．
密封容器 hermetic container	通常の取扱い，運搬又は保存状態において，気体の侵入しない容器をいう．最も保存性に優れた容器が密封容器で，固体，液体に加え気体の進入も防ぐことができる．したがって酸素による酸化に弱い医薬品でも長期的に保存することができる．密封容器にはアンプルやバイアル，ガス充填された吸入剤のエアゾール容器などが該当する．

■品質確保のための機能性

遮　光 light-resistant	通常の取扱い，運搬又は保存状態において，内容医薬品に規定された性状及び品質に対し影響を与える光透過を防ぎ内容医薬品を光の影響から保護することができることをいう．

5 麻薬，向精神薬，覚醒剤の管理[2)]

5-1 麻薬の管理[3)]（麻薬の調剤 p.382）

麻薬とは，中枢神経に作用して精神機能に影響を及ぼし，依存性があり，乱用された場合有害性の強い薬物で，麻薬及び向精神薬取締法第 2 条により「別表に掲げる物」として指定されたものである．

WHO（世界保健機関）はこのような薬物を国連麻薬委員会に勧告し，同委員会が麻薬に指定し加盟国に通知する．その場合 WHO 加盟国であるわが国では自動的に麻薬に追加指定される．しかし，そのほかにわが国独自で麻薬に指定することもある．例えば，リゼルギド（リゼルギン酸ジエチルアミド）（LSD）は薬理学的には麻薬とは考えられないが，個人的，社会的に害があるので麻薬に指定し，取り締まりの対象としている．

現在わが国で発売されている麻薬は，表 5-4 のとおりである．

病院，診療所，歯科診療所，飼育動物診療施設（以下 診療施設）で麻薬を取り扱うためには，

表 5-4. わが国で発売されている麻薬

原末・希釈散・錠剤・液剤・坐剤・経皮吸収剤	
■アヘンアルカロイド系麻薬 アヘン末，散（10%），チンキ アヘン・トコン散（ドーフル散*） アヘンアルカロイド塩酸塩（オピアル） オキシコドン塩酸塩 オキシコンチン錠 5 mg，10 mg，20 mg，40 mg．オキシコンチン TR 錠（徐放製剤）5 mg，10 mg，20 mg，40 mg．オキノーム散 2.5 mg，5 mg，10 mg，20 mg モルヒネ塩酸塩 モルヒネ塩酸塩錠（10 mg），アンペック坐剤 10 mg，20 mg，30 mg．オプソ内服液 5 mg，10 mg モルヒネ硫酸塩徐放製剤 MS コンチン錠 10 mg，30 mg，60 mg．MS ツワイスロンカプセル 10 mg，30 mg，60 mg．カディアンカプセル 20 mg，30 mg，60 mg．モルペス細粒 2%，6% モルヒネ塩酸塩徐放製剤 パシーフカプセル 30 mg，60 mg，12 mg コデインリン酸塩，散（10%），錠（20 mg） ジヒドロコデインリン酸塩，散（10%）	■コカアルカロイド系麻薬 コカイン塩酸塩 ■合成麻薬 ペチジン塩酸塩（オペリジン） オピスタン原末 オキシメテバノール メテバニール錠 2 mg フェンタニル，経皮吸収型製剤 デュロテップ MT パッチ 2.1 mg，4.2 mg，8.4 mg，12.6 mg，16.8 m．ワンデュロパッチ 0.84 mg，1.7 mg，3.4 mg，5 mg，6.7 mg フェンタニルクエン酸塩 アブストラル舌下錠 100 μg，200 μg，400 μg．イーフェンバッカル錠 100 μg，200 μg，400 μg，600 μg，800 μg．フェントステープ（経皮吸収型製剤）1 mg，4 mg，6 mg，8 mg メサドン塩酸塩 メサペイン錠 5 mg，10 mg タペンタドール塩酸塩 タペンタ錠 25 mg，50 mg，100 mg
注射剤	
■アヘンアルカロイド系麻薬 アヘンアルカロイド塩酸塩（オピアル，2%） アヘンアルカロイド・アトロピン（オピアト） アヘンアルカロイド・スコポラミン（オピスコ） 弱アヘンアルカロイド・スコポラミン（弱オピスコ） モルヒネ塩酸塩（1%）1 mL，5 mL （4%）5 mL** モルヒネ・アトロピン（モヒアト） オキシコドン塩酸塩 オキファスト 10 mg，50 mg 複方オキシコドン（複方ヒコデノン） 複方オキシコドン・アトロピン（ヒコアト）	■合成麻薬 ペチジン塩酸塩（オペリジン） オピスタン 3.5%，5% ペチジン塩酸塩・レバロルファン酒石酸塩 ペチロルファン，弱ペチロルファン フェンタニルクエン酸塩 フェンタニル 0.1 mg 2 mL，0.25 mg 5 mL フェンタニルクエン酸塩・ドロペリドール タラモナール 2 mL レミフェンタニル塩酸塩 アルチバ静注用 2 mg，5 mg ■フェンサイクリジン系麻薬 ケタミン塩酸塩（1%）5 mL，20 mL IV （5%）10 mL IM

*（ ）内 局方別名

** 低温下で結晶が析出することがあるので，このような場合には体温付近まで加温，溶解後使用する（1 g/17.5 mL H_2O）．

麻薬取扱者の免許を取得することが必要である．

1．診療施設で必要な麻薬取扱免許（麻薬及び向精神薬取締法第 3 条）

麻薬施用者免許，麻薬管理者免許．

医療機関における麻薬の管理は，麻薬及び向精神薬取締法（以下 法）に規定されている．

1．譲受（麻薬の購入）と譲渡（患者への交付）（法第 24 条，第 26 条，第 32 条）

麻薬診療施設間の貸借は絶対にしてはいけない（同一開設者が開設する麻薬診療施設間

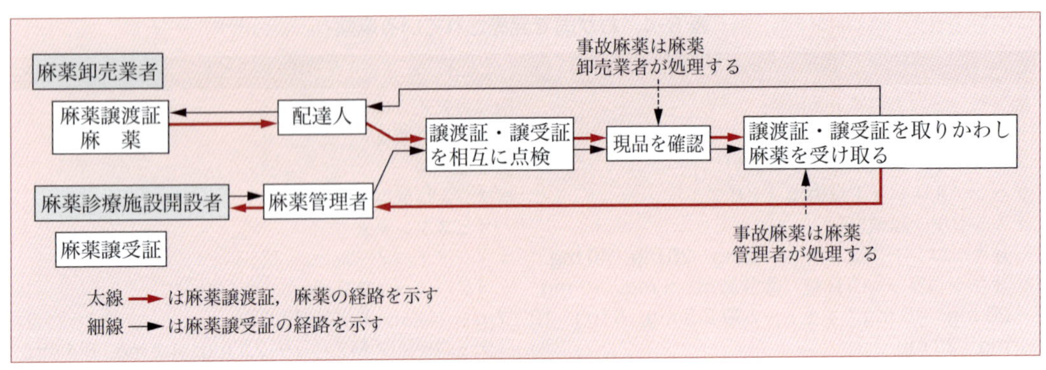

図 5-3．麻薬購入の手順

においても同様）．

麻薬卸売業者からの譲受：麻薬譲受証，麻薬譲渡証（図 5-3）

2．麻薬の保管（法第 33 条，第 34 条）

3．麻薬帳簿（法第 39 条）

4．麻薬の廃棄

・麻薬廃棄届（法第 29 条）

・調剤済麻薬廃棄届（法第 35 条）

・麻薬注射剤等の施用残液の廃棄（施用に伴う消耗）

5．麻薬の事故届（法第 35 条）

麻薬の施用・交付・処方箋の交付

1．麻薬を処方する際の注意事項（法第 27 条，第 30 条，第 33 条）

2．診療録（カルテ）への記載（法第 41 条）

3．麻薬処方箋の記載（法第 27 条）

その他（携帯輸出・輸入，立入検査）

1．携帯輸入・輸出（法第 13 条，第 17 条）

2．立入検査（法第 50 条の 38）

図 5-3 に麻薬購入時の麻薬譲渡証，麻薬譲受証を中心とする購入手順を示す．

麻薬診療施設　麻薬施用者が診療に従事する病院等をいう．

麻薬管理者　都道府県知事の免許を受けて，麻薬診療施設で施用され，又は施用のため交付される麻薬を業務上管理する者をいう．薬剤師のいる施設では通常薬剤師が麻薬管理者になる．

麻薬施用者　都道府県知事の免許を受けて，疾病の治療の目的で，業務上麻薬を施用し，若しくは施用のため交付し，または麻薬を記載した処方箋を交付する者をいう．

麻薬小売業者　都道府県知事の免許を受けて，麻薬施用者の麻薬を記載した処方箋により調剤された麻薬を譲り渡すことを業とする者をいう．

5-2 向精神薬の管理

近年，多くの国で，麻薬，覚醒剤，大麻等に加え，睡眠薬，精神安定薬等向精神薬の濫用が増加している．このため向精神薬の規制を目的とした国際条約が締結され，世界各国が協力して麻薬に準じた国際的な流通管理体制がとられている．わが国もこの条約を批准するとともに，麻薬取締法を一部改正し，新たに向精神薬の取り扱いについての規則を追加し，「麻薬及び向精神薬取締法」として1990年（平成2年）8月25日から施行された．

向精神薬とは，中枢神経に作用して，精神機能に影響を及ぼす物質（医薬品としては抗不安薬，催眠鎮静薬，鎮痛薬等が該当する．）であり，麻薬及び向精神薬取締法（以下 法）及び政令で定めるものをいう．2021年（令和3年）1月現在，85物質が向精神薬として指定されている．わが国で市販されている向精神薬を表5-5に示す．向精神薬は，その乱用の危険性及び医療上の有用性の程度により第一種から第三種までの3種類に分類され，それぞれ規制内容が異なる．対象品目は，その容器及び直接の被包に「向」の表示がある．

向精神薬取扱時の注意事項

- 譲受け（法第50条の16）
- 譲渡し（法第50条の16）
- 保管（法第50条の21）
- 廃棄（法第50条の21）
- 事故の届出（法第50条の22）
- 記録（法第50条の23）
- 立入検査（法第50条の38）
- 携帯輸入，携帯輸出（法第50条の8，第50条の11）

5-3 覚醒剤の管理

覚醒剤としてわが国で市販され，医療に供せられるものに，フェニルメチルアミノプロパン（メタンフェタミン塩酸塩）がある．覚醒アミンは連用により強い依存性を現すことから，覚醒剤取締法により厳重に規制されている．

医師が覚醒剤を施用のため交付する場合は，覚醒剤所持証明書に当該医師の署名をして，これを同時に交付しなければならない（覚醒剤取締法第20条第4項）（p.252）．薬剤師は所持証明書を確認の上，調剤を行う．

覚醒剤は，鍵のかかる堅固な場所に保管する（p.264）．

覚醒剤施用機関の管理者は帳簿を備え，受け払いの記録（法第28条）のほか，毎年年間施用数

表 5-5. 国内で市販されている向精神薬

物質名	薬理作用	商品名
第一種		
セコバルビタール	中枢抑制	アイオナール・ナトリウム
メチルフェニデート	中枢興奮	コンサータ，リタリン
モダフィニル	中枢興奮	モディオダール
第二種		
アモバルビタール	中枢抑制	イソミタール
ブプレノルフィン	鎮痛	ノルスパン，レペタン
フルニトラゼパム	中枢抑制	サイレース
ペンタゾシン	鎮痛	ソセゴン
ペントバルビタール	中枢抑制	ラボナ
第三種		
アルプラゾラム	中枢抑制	コンスタン，ソラナックス
アロバルビタール	中枢抑制	—
エスタゾラム	中枢抑制	ユーロジン
エチゾラム	中枢抑制	デパス
オキサゾラム	中枢抑制	セレナール
クアゼパム	中枢抑制	ドラール
クロキサゾラム	中枢抑制	セパゾン
クロチアゼパム	中枢抑制	リーゼ
クロナゼパム	抗てんかん	ランドセン，リボトリール
クロバザム	抗てんかん	マイスタン
クロラゼプ酸	中枢抑制	メンドン
クロルジアゼポキシド	中枢抑制	クロルジアゼポキシド，コントール，バランス
ジアゼパム	中枢抑制	セルシン，ダイアップ，ホリゾン
第三種		
ゾピクロン	中枢抑制	アモバン
ゾルピデム	中枢抑制	マイスリー
トリアゾラム	中枢抑制	ハルシオン
ニトラゼパム	中枢抑制	ネルボン，ベンザリン
バルビタール	中枢抑制	—
ハロキサゾラム	中枢抑制	ソメリン
フェノバルビタール	中枢抑制	フェノバール，フェノバルビタール，ノーベルバール，ルピアール，ワコビタール
フェノバルビタールの配合剤		アストモリジン，トランコロン，ヒダントール，アレビアチン，ベゲタミン
フルジアゼパム	中枢抑制	エリスパン
フルラゼパム	中枢抑制	ダルメート
ブロチゾラム	中枢抑制	レンドルミン
ブロマゼパム	中枢抑制	セニラン，レキソタン
ペモリン	中枢興奮	ベタナミン
マジンドール	食欲抑制	サノレックス
ミダゾラム	中枢抑制	ドルミカム，ミダフレッサ
メダゼパム	中枢抑制	レスミット
レミマゾラム	中枢抑制	アネレム
ロフラゼプ酸エチル	中枢抑制	メイラックス
ロラゼパム	中枢抑制	ワイパックス，ロラピタ
ロルメタゼパム	中枢抑制	エバミール，ロラメット

（東京都福祉保健局：向精神薬取扱いの手引，p.16-19，令和 3 年 1 月改訂版）

量の報告書を都道府県知事に提出しなければならない（法第 30 条）．

覚醒剤原料で市販されているものにエフェドリンと塩，メチルエフェドリンと塩（いずれも 10％以下含有の製剤を除く），フェニルプロパノールアミンと塩（50％以下含有の製剤を除く），セレギリンと塩がある．最近の覚醒剤事犯の動向に鑑み，これら覚醒剤原料についても覚醒剤に準じた規制がなされている（法第 30 条の 2～30 条の 17）．

6　生物由来製品，特定生物由来製品の管理

2002年（平成14年）の改正薬事法の施行に伴い，2003年（平成15年）7月より生物由来製品，特定生物由来製品に関する安全対策が強化され，その特性に応じた安全対策を行うようになった．各製品を使用した際の感染症に対するリスクを基に，主に動物に由来する原料又は材料を用いた製品を生物由来製品として位置づけ，その中でもとくに注意すべきものとして特定生物由来製品を位置づけた．また，表示及び添付文書の記載内容が変更になった．

生物由来製品とは，人その他の生物（植物を除く.）に由来するものを原料又は材料として製造をされる医薬品，医薬部外品，化粧品又は医療機器のうち，保健衛生上特別の注意を要するものとして，厚生労働大臣が薬事・食品衛生審議会の意見を聴いて指定するものをいう（医薬品医療機器等法第2条第10項）．例：ワクチン，抗毒素，細胞培養，遺伝子組換え製剤，ヘパリン等の動物成分抽出製剤 など．

特定生物由来製品とは，生物由来製品のうち，販売し，賃貸し，又は授与した後において当該生物由来製品による保健衛生上の危害の発生又は拡大を防止するための措置を講ずることが必要なものであって，厚生労働大臣が薬事・食品衛生審議会の意見を聴いて指定するものをいう（医薬品医療機器等法第2条第11項）．例：輸血用血液製剤，人血清アルブミン，人免疫グロブリン，人胎盤抽出物 など．

6-1　製薬企業の対応

従来，医薬品の品質，安全性等の確保のためにはGMP，GPMSPなど，製造工程から製造販売後に及ぶ広範囲でさまざまな安全対策がとられてきた．生物由来製品の中で最もリスクの高い特定生物由来製品については，次の安全対策がとられている．

- 製造時にはドナーの選択基準など原材料の安全性確保を，製造販売後は製品・添付文書への適切な表示，ドナー記録・販売記録の保管，感染症の定期報告が義務づけられている．
- 生物由来製品には直接の容器包装に白地，黒枠，枠囲い黒字をもって「生物」と表示する．また，製造番号・記号についても合わせて表示がされている．特定生物由来製品は直接の容器包装に白地，黒枠，枠囲い黒字をもって「特生物」と表示する．また，製造番号・記号についても合わせて表示する．さらに，血液製剤と，血液製剤と代替性のある遺伝子組換え製剤のうち特定生物由来製品に指定されているもの（人血液成分を使用しているもの）には，原料となる血液の採血国，採血方法として，「献血」又は「非献血」の区別を表示する．

6-2　医療機関の対応

特定生物由来製品を取り扱う医師その他の医療関係者は，特定生物由来製品の有効性及び安全性その他これらの適正な使用のために必要な事項について，使用の対象者に対し書面等により適

切な説明を行い，その理解を得るよう努めなければならない．必要な事項として，

・疾病の治療又は予防のため，当該特定生物由来製品の使用が必要であること．
・当該特定生物由来製品が人その他の生物に由来するものを原料又は材料としており，そのことに由来する感染症に対する安全対策が講じられてはいるものの，そのリスクを完全に排除することはできないこと．特定生物由来製品を患者に使用する際に，使用に関わるリスクとベネフィットの説明を行う（医薬品医療機器等法第68条の21）．

特定生物由来製品取扱医療関係者は，その担当した特定生物由来製品の使用の対象者について，厚生労働省令で定める事項を記録するものとする．製品名及び製品の製造番号・記号（ロット番号），使用の対象者の氏名及び住所，使用した年月日の事項を記録し，その記録を使用日から起算して少なくとも20年間保管する．なお記録の保存を電子的に行う場合には，記録を改ざんできない状態で，かつ常に書面での記録確認ができる状態としておく必要がある（医薬品医療機器等法第68条の22第3項）．

特定生物由来製品の使用で感染症発現時には，対象となる患者の情報を製造業者及び輸入業者に対し，患者や使用製品の記録を提供する（医薬品医療機器等法第68条の22第4項）．

7 感染性廃棄物の管理

廃棄物処理法に基づく感染性廃棄物処理マニュアル（感染性廃棄物処理対策検討会）では，「感染性廃棄物は医療関係機関等から生じ，人が感染し，又は感染するおそれのある病原体が含まれ，若しくは付着している廃棄物又はこれらのおそれのある廃棄物をいう．」としている．

感染性廃棄物の該否の判断は，廃棄物の「形状」，「排出場所」及び「感染症の種類」から客観的に判断することを基本としている．しかし，判断できない場合は，血液等その他の付着の程度やこれらが付着した廃棄物の形状，性状の違いにより，専門知識を有する者（医師，歯科医師及び獣医師）によって感染のおそれがあると判断される場合は感染性廃棄物とする．なお，非感染性の廃棄物であっても，鋭利なものについては感染性廃棄物と同等の取り扱いとする．

文 献

1) 医療事故防止等のための医療用医薬品へのバーコード表示の実施について，医薬品・医療機器等安全性情報 No.233 2006.10
2) 麻薬研究会：麻薬・向精神薬・覚せい剤管理ハンドブック じほう 2000
3) 加賀谷 肇ら：がんの痛みはとれる—モルヒネの誤解をとく 丸善 2000

A　調剤の基礎

6 医薬品の品質，剤形 と 製剤試験

医薬品の品質

医薬品の品質は，有効にして安全な薬物療法を行う基本となる．有効成分が分解・失効していれば所期の薬効を発揮することができない．不純物が混在していれば有害に作用することがある．含量が均一でなければ，安定した薬効を得ることは難しい．

1　医薬品の規格

日本薬局方は医療上重要と認められる医薬品の性状及び品質についての規格を示した法令（厚生労働省告示）であり，個々の医薬品に次のような項目が記載されている．新医薬品にも，これと同等の規格が要求されている．2021年（令和3年）6月7日に第十八改正日本薬局方（日局18）が告示された．

1．名称 title（日本名，英名，ラテン名，日本名別名）
2．構造式 structural formula
3．分子式及び分子量（組成式及び式量）molecular formula and mass
4．化学名 chemical name
5．ケミカル・アブストラクツ・サービス（CAS）登録番号 chemical abstracts service registry number
6．基原 origin
7．成分の含量規定 limits of the content of the ingredient（s）and/or the unit of potency
8．表示規定 labeling requirements
9．製法 method of preparation
10．製造要件
11．性状 description
12．確認試験 identification tests
13．示性値 specific physical and/or chemical values
14．純度試験 purity test

15. 意図的混入有害物質 potential adulteration
16. 乾燥減量，強熱減量又は水分 loss on drying, loss on ignition, or water
17. 強熱残分，灰分又は酸不溶性灰分 residue on ignition, total ash or acid-insoluble ash
18. 製剤試験及びその他の特殊試験 pharmaceutical tests and special tests
19. 定量法 assay
20. 貯法 containers and storage
21. 有効期間 expiration date

製剤試験は一般試験法や製剤総則に記されている．

純度試験や定量法は，原薬と製剤で試験法を異にすることがある．

上記の項目のうち，理化学的性状に関する情報は，添付文書の「有効成分に関する理化学的知見」から得ることができる．

化学構造式：

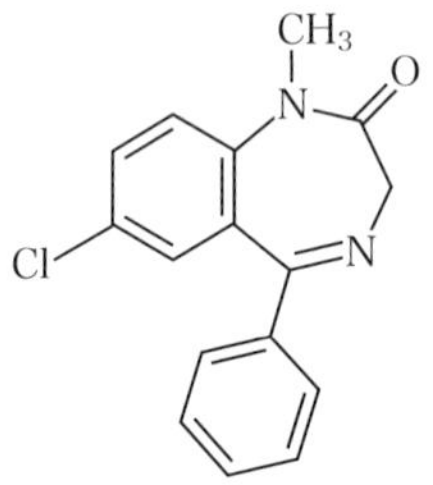

CH_3, O, N, N, Cl

一般名：ジアゼパム（Diazepam）〔JAN〕
化学名：7-Chloro-1-methyl-5-phenyl-1, 3-dihydro-*2H*-1, 4-benzodiazepin-2-one〔*439-14-5*〕*
分子式：$C_{16}H_{13}ClN_2O$
分子量：284.74
融　点：130～134℃
性　状：ジアゼパムは白色～淡黄色の結晶性の粉末で，においはなく，味はわずかに苦い．アセトンに溶けやすく，無水酢酸又はエタノール（95）にやや溶けやすく，ジエチルエーテルにやや溶けにくく，エタノール（99.5）に溶けにくく，水にほとんど溶けない．

*CAS Registry Numbers

なお日本薬局方通則16及び30に記載の温度，溶解性を示す用語の規定は次のとおりである．

温　度　標準温度20℃，常温15～25℃，室温1～30℃，微温30～40℃．

冷所 別に規定するもののほか1～15℃．

冷水10℃以下，微温湯30～40℃，温湯60～70℃，熱湯 約100℃の水．

冷浸15～25℃，温浸35～45℃．

溶解性　溶解性は，医薬品を固形の場合は粉末とした後，溶媒中に入れ，20±5℃で5分ごとに強く30秒間振り混ぜるとき，30分以内に溶ける度合である．

用　語	溶質1g又は1mLを溶かすに要する溶媒量	
極めて溶けやすい		1 mL 未満
溶けやすい	1 mL 以上	10 mL 未満
やや溶けやすい	10 mL 以上	30 mL 未満
やや溶けにくい	30 mL 以上	100 mL 未満
溶けにくい	100 mL 以上	1,000 mL 未満
極めて溶けにくい	1,000 mL 以上	10,000 mL 未満
ほとんど溶けない	10,000 mL 以上	

2 医薬品の品質確保

2-1 GMP

医薬品の品質確保は，製薬会社，医薬品卸，病院薬局，薬局など，医薬品を供給する側の責任である．

医薬品の製造管理，品質管理に関する基準，規則には次のものがある．

① 医薬品及び医薬部外品の製造管理及び品質管理の基準（Good Manufacturing Practice：GMP）

② 薬局等構造設備規則

③ 医薬品，医薬部外品，化粧品及び再生医療等製品の品質管理の基準（Good Quality Practice：GQP）

医薬品医療機器等法では，医薬品製造販売業の許可にあたってはGQP基準の適合を，医薬品製造業の許可にあたってはGMP基準の適合を義務づけている．すなわち市場へ供給する者（製造販売業者）と，工場で生産する者（製造業者）の両面に対し品質確保の規制をしている．

なおGMP基準の適合とは，ハード面の基準としての「薬局等構造設備規則第6～11条」と，ソフト面の基準としての「GMP基準に関する省令」の両方に適合することである．

薬局等構造設備規則では医薬品製造所のレイアウト，汚染防止に必要な作業所の構造設備等を定めており，一般，無菌医薬品，特定生物由来医薬品等，放射性医薬品，包装等の各区分ごとに構造設備の基準が規定されている．

バイオ医薬品（p.70）は生物（微生物，動物細胞，動物個体など）の生命現象や生体機能を利用して生産されることや，原材料に生物起源のものを使用しているため，その品質は製造プロセスに大きく影響される．このため品質やプロセスの同等性の確保を目的として化学合成医薬品のGMPに付加した内容のGMPが適用される．

GMPの原則は，① 人為的な誤りを最小限にすること，② 製品に対する汚染及び品質低下を防止すること，③ 高い品質を保証するシステムを設計することである．

GMPではバリデーション validation という用語が頻用されるが，このバリデーションとは「製造所の構造設備ならびに手順，工程その他の製造管理及び品質管理の方法が期待される結果を与

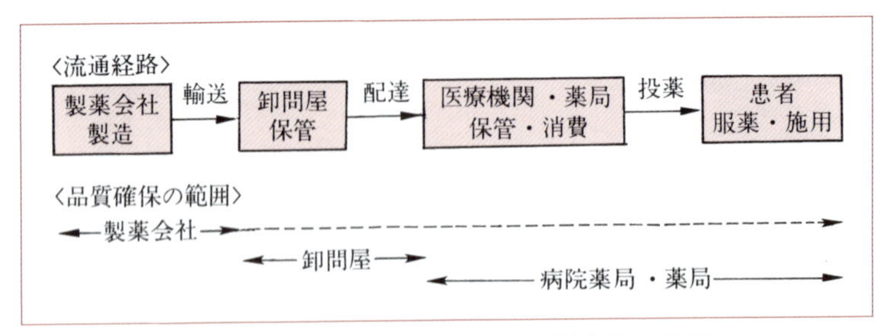

図 6-1．医薬品の流通経路と品質確保の責任

えることを検証し，これを文書化することをいう」と定義され目的とする品質に適合する製品を恒常的に製造することを目的としたものである．

医薬品の流通経路と品質確保の責任範囲は図 6-1 のように表すことができる．

製薬会社は製造時の品質のみならず卸問屋への輸送までを（その後，消費までの品質確保を追跡するのはもちろんであるが），卸問屋は倉庫での保管期間のみでなく医療機関や薬局への配達までを，品質確保の責任範囲とする．

薬局においては，投薬又は補給した時点で終わるのでなく，外来患者が最後の 1 包を服用するまで，入院患者に与薬又は施用するまでが，品質確保の責任範囲である．

GMP 工場で生産された医薬品も，その後の消費までの長い道のりで予想もしなかった事態によって品質が低下することもある．これは医薬品の製剤設計，包装設計，保存規定などが，流通及び消費過程における一定の条件を想定して設定されているが，現実にはそれを逸脱する場合も少なくないためである．すなわち，工場サイドだけの GMP では“理論と現実との間に食い違い”が生ずることを意味する．薬局で得られた情報を製薬会社にフィードバックして，製品の品質改善に協力することに積極的でありたい．

一方，容器や包装を開いた後の品質及び多剤配合時の品質は，薬剤師の責任において確保させるべきであり，製薬会社にその責任を負わせることはできない．

医療用医薬品における開封後の安定性については，インタビューフォームの情報などから読みとることができる．

2-2 使用段階における医薬品の品質確保

使用段階における医薬品の品質確保には，次の 3 つの段階に分けることができる．

1．購入時の品質確保
2．保管時の品質確保～保管と補給
3．使用時の品質確保～調剤，服薬，施用

つまり，品質のよい医薬品を購入し，よい状態で保管し，よい状態で使用することである．

これを業務の流れの順序に沿ってまとめると，表 6-1 のようになる．

医薬品を購入するにあたり，薬局は医薬品名，数量，銘柄，その他品質確保に必要な条件（有

表 6-1. 薬剤業務と品質確保

業　務	品質確保のチェックポイント
発　注 (購入計画)	(購入医薬品名, 数量) 銘柄の指定, 品質確保に必要な条件 (有効期間, 使用期限, ロットの統一など) の指定 薬品試験による比較評価
納　入 (検　収)	(品目, 数量) 製造年月日, ロット番号, 有効期間, 使用期限, 流通経路, 観察による品質検査, 薬品試験
保　管 (倉　庫)	先入先出の励行 温度管理, 湿度管理
払　出 (調剤室・病棟)	調剤室：温度管理, シート包装品の品質確保 注射剤補給：温度規制品の補給方法, 光線管理 病棟：温度管理, 光線管理
調　製 (調剤・施用準備)	調剤：季節・投薬日数に応じた調剤, クロスコンタミネーション 注射剤：混合による配合変化, 異物・微生物汚染
使　用 (服薬・注射)	服薬：患者に保管法指示 注射剤：配合変化・安定性のデータ, 異物除去

効期間, 使用期限, ロットの統一など) の指定を行う. 薬剤師は医療機関で用いる医薬品の品質確保の責任者である.

保管時の品質確保とは, 医薬品を倉庫に保管する段階から, それを調剤室に払い出して医薬品棚に格納している段階までをいう.

光分解を受けやすいなどの理由により保存条件を厳重にすることが求められる医薬品については, 薬局での取り扱い, 病棟への補給方法に工夫を要する. また, 注射剤の配合変化や固形注射剤の溶解後の安定性に関するデータを整備し, 問い合わせに応じられるようにしておく. さらに病棟業務として, 保管注射剤の品質のチェックとともに, 注射剤の混合や施用の実態の把握に努める.

調剤時や使用時の品質確保としては, 薬学の知識を活用し, 変色や沈殿生成などの外観変化はもちろん, 外観に現れない分解, 力価の低下にも注意を払う必要がある. 散剤の調剤に際しては, 配合変化や, 前に調剤した医薬品とのクロスコンタミネーションに注意を払う. 錠剤やカプセル剤の粉砕処方に対しては, インタビューフォームや書籍[1)]などから医薬品の安定性, 物理化学的性質, 組成, 添加物などの情報を収集し, 品質の保証という観点から処方監査を行い, 個々の処方に応じた調剤と服薬指導を行う必要がある.

【例】 包接化合物による安定化

ある分子 host molecule が形成する筒型構造に, 他の分子 guest molecule が取り込まれてできた複合体を包接化合物 inclusion compound という.

α-, β-, γ-シクロデキストリン (以下 CD) は, それぞれのグルコースが6, 7, 8 個環状に結合し, 内径 6, 7～8, 9～10Å の単分子的ホスト分子である. 環の外側は親水性であるが, 空洞内は疎水性で, 内径に応じた大きさのゲスト分子を包接する.

尿素やチオ尿素は数分子が集合して多分子的ホスト分子となる.

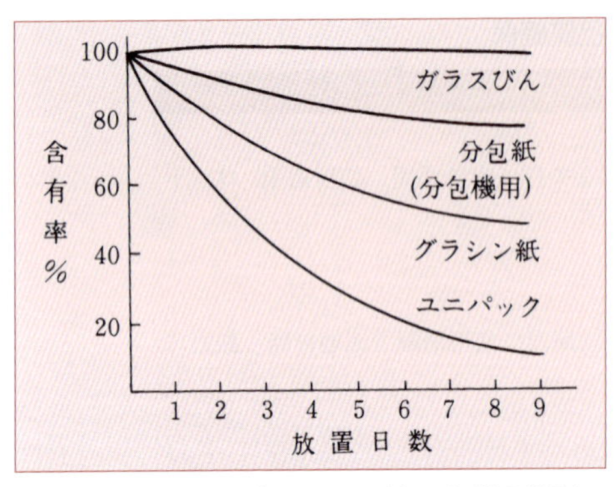

図 6-2. ニトログリセリン錠の包装形態と力価の減少との関係（30℃）

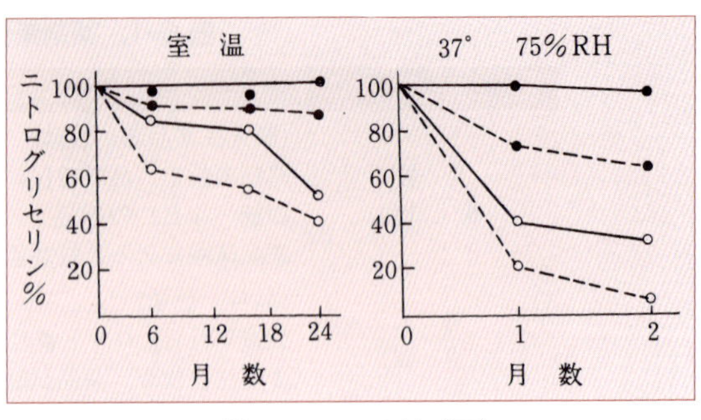

● NG・β-CD 錠　○ NG 錠（JP）
——：両面アルミ SP 包装
-----：片面アルミ，片面ラミネートポリマー SP 包装

図 6-3. ニトログリセリン（NG）製剤の安定性

医薬品の安定化，水溶性の向上，揮散の防止，刺激性や悪臭の隠蔽，液状物質の粉体化などの目的に使用される．

プロスタグランジンは水に対する溶解度が極めて小さく，また不安定であるが，α-CD と包接させると，安定化と水溶性が向上する．アルプロスタジルアルファデクス（**プロスタンディン**），リマプロストアルファデクス（**オパルモン，プロレナール**）．

β-CD と包接のベネキサート塩酸塩ベータデクス（**ウルグート**），ニトログリセリン・β-CD 錠（**ニトロペン**）もある（図 6-2，図 6-3）[2]．

MEMO

ニトログリセリンを嘗めたが

九大病院に赴任して間もなくの 1965 年（昭和 40 年）頃のことである．「調剤して 1 週間くらい経ったニトログリセリン（以下 NG）は効きが悪いようだ」．循環器内科医局の噂を耳にした．当時薬剤部では NG 錠を薬包紙又は分包機の分包紙に入れて調剤していた．

NG は揮発性の液体である．調剤後時間が経つと揮散して含量が低下しているかもしれない．そこで 4 種類の包装について NG の量を経時的に測定した．1 週間経つと薬包紙で 50%，ユニパック（塩化ビニル製）で 80%も含量が低下していることが分かった．ユニパックでは吸着もあったようである（図 6-2）．

これでは狭心症の発作で NG を嘗めた患者が，実は NG ならざる賦形薬の乳糖を嘗めて発作が治まらないということになりかねない．そこで 20 錠入りの小瓶に切りかえて，20 錠単位で処方してもらうことにした．しかし 10 錠処方のとき残りの NG 錠を，次の処方で分包紙に包んで調剤する例があることを知った．

もとの NG 錠を安定化しなければ問題は解決しない．そこで m462-シクロデキストリンとの包接化合物をつくり安定化し，この問題を解決することができた（ニトロペン錠）．ニトロペン錠は NG 錠と生物学的にも同等である（図 6-3，病院薬学 **15**(1) 36 1989）．

この発明（特許公告　昭 57-38569，昭 57.8.16 公告）は，NG 錠を服用する何万人の患者の生命を救うのに貢献したことであろう．

3 院内製剤

3-1 院内製剤の意義

製剤は，調剤と並んで患者に投与する純良な薬剤を調製する重要な業務であり，新たな技術開発や研究成果を踏まえ，今後も大事に育てていかなければならない．

製剤には，病院薬局で行う院内製剤と薬局で行う薬局製剤（p.499）がある．ここでは前者につき記す．

院内製剤 hospital preparations として，病院薬局では頻度の高い処方を約束処方として予製したり，医師の求めに応じて市販品と異なる規格の製剤をつくったり，市販されていない医薬品を臨床研究目的で特殊製剤として製したりする．

院内製剤について厚生省（当時）は「医薬品の製造であるが“業でない製造”として薬事法（当時）の規定から除外し，“調剤の予備行為として調剤の一連の行為”」との見解を示している（昭 36.9.19，薬収第 670 号）．

また，1990 年（平成 2 年）の厚生行政科学研究では，院内製剤の範囲を「患者の病態やニーズに対応するために，医師の求めに応じ，薬剤師が調製した薬剤であり，それぞれの医療機関内ですべて消費されるもの」と新たな見解を示している．薬事法の改正により，2003 年（平成 15 年）7 月より医師，医療機関主導の治験（臨床試験）が実施されるようになった．院内製剤も必要に応じ，この制度の活用が考えられる．

院内製剤を製する場合は，使用する医薬品の性状などを関連文献より調査し，製造に関わるプロトコルを決定した上で調製を始める．操作は GMP の精神に基づいて清潔な環境において行い，できるだけ異物による汚染を避け周到な注意の下で行う．

日本病院薬剤師会は，2012 年（平成 24 年）に，医療ニーズに対応し安全で安心かつ適正な院内製剤の調製および使用を図ることを目的に“院内製剤の調製及び使用に関する指針”をまとめ，2013 年（平成 25 年）にこれに準拠した“病院薬局製剤事例集”を発行している[3)]．

ここでは院内製剤の手続きおよび市販化について記す．

3-2 院内製剤の臨床使用

院内製剤の使用にあたっては，多くの場合，適応外使用であったり，未承認薬を使用する場合が多く，まず，医師とともに情報を収集・解析・評価する必要がある．具体的には，医薬品の承認時に必要な提出資料項目や添付文書の記載項目に該当する文献検索を行い十分に検討する．当該項目について情報がない場合は，自ら研究し検討する．これらをもとに製造に関わるプロトコルを作成し，科学的及び倫理的な妥当性（倫理委員会もしくは臨床研究等審査委員会での承認など）を十分に検討する．次に，院内製剤を調製するにあたっては，GMP の製造指針に基づき，品質の確かなものを供給するため，設備の改善，充実，体制の整備，製剤技術，品質保証の向上

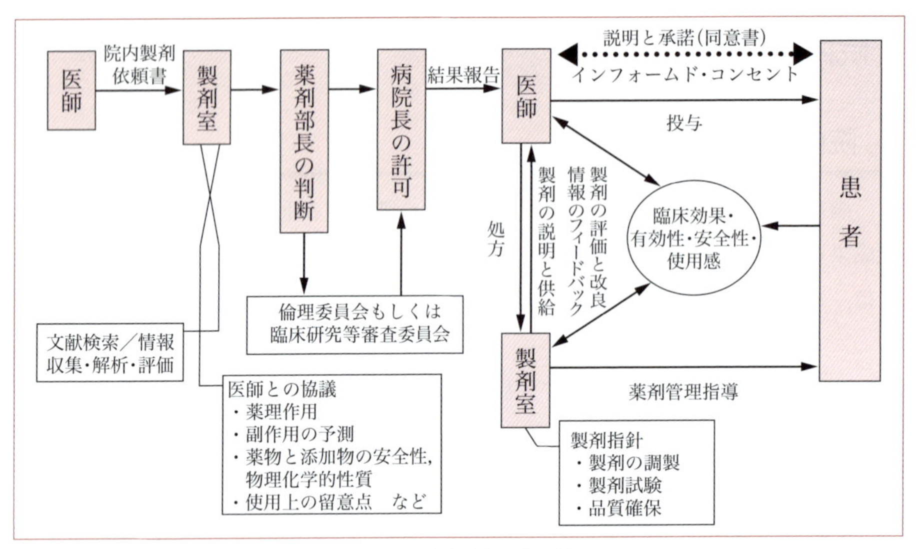

図 6-4. 院内製剤の適正使用

に努め，医療施設内で十分な協力体制を整える．臨床使用にあたっては，患者に対して十分な説明を行い，文書による同意を得る．薬剤師は依頼に基づく製剤調製にとどまらず，医師とともに，有効性や安全性の評価にも積極的に参加し薬学的管理を行うべきである．また，臨床使用成績調査を行い，臨床データの収集・解析・評価に努め，院内製剤の必要性を示すエビデンスを提示し，必要に応じ関連学会の協力のもと「院内製剤の市販品への転化を要望するための基礎資料を整える」ことも薬剤師の重要な責務である．

図 6-4 に院内製剤を適正使用するためのフローチャートを示す．

3-3 院内製剤の市販化

保険医療において使用する医薬品は，原則として医薬品医療機器等法により承認され，薬価基準に収載される必要がある．しかしながら，実際の医療現場では，患者の病態及びニーズの多様化に合わせて，市販の医薬品にはない医療上必要となる製剤を必要とする．この場合，薬剤師が医師との協議の上で院内製剤を調製している．

院内製剤は保険請求の対象とならない．もし多施設で製剤され，使用頻度が高く，医療上重要な院内製剤ならば，市販化することで多くの患者に恩恵を与えることができる．

院内製剤から市販化された医薬品は，1990 年（平成 2 年）以降でも 30 製剤以上ある．2000 年（平成 12 年）以降の例をあげると，プレドニゾロン注腸液（**プレドネマ注腸**），クリンダマイシンローション（**ダラシン T ゲル**），心停止・心筋保護液（**ミオテクター冠血管注**），ヘパリン生食液（**ヘパリン Na ロック**）がある．

病院薬局協議会は「院内製剤の市販化に向けた調査・研究」の委員会を設置して院内製剤の市販化に向けた調査研究を継続的に行っている[4, 5]．

文 献

1) 佐川賢一，木村利美 監：錠剤・カプセル剤粉砕ハンドブック 第8版 じほう 2019
2) 井津源市ら：ニトログリセリン・β-シクロデキストリン複合体舌下錠の安定性及び生物学的同等性，病院薬学 **15**(1) 36 1989
3) 日本病院薬剤師会：病院薬局製剤事例集―院内製剤の調製及び使用に関する指針準拠 薬事日報社 2013
4) 後藤伸之ら：院内製剤の市販化に向けた調査・研究，日病薬誌 毎年 No. 8 に記載.
5) 後藤伸之，政田幹夫：院内製剤の市販化と病院薬剤師の役割，Pharm Thec JAPAN **19**(6) 973 2003

剤形 と 製剤試験

4 製剤の種類

医薬品を使用するのに便利なように配合，加工し，適当な性状，形態を賦与したものを製剤 pharmaceutical preparations という．製剤化された製剤の形態を剤形 dosage form という．

創薬に対し，製剤学的手法により新たな剤形，投与法の製剤を開発することを創剤という．創剤は現代の医薬品開発の大きな柱である．

日局 18 の製剤総則［3］製剤各条には，78 の剤形が記載されている．それらは，まず投与経路別および適用部位別に大分類され，各々の大分類ごとに形状などから主要な剤形別に中分類されている．さらに必要に応じて特徴のある剤形を規定して小分類されている．また，主に生薬を原料とする生薬関連製剤（Preparations Related to Crude Drugs）については，別途「［4］生薬関連製剤各条」として 8 種類の製剤が記載されている（表 6-2）．

生薬関連製剤のうち浸剤，煎剤，チンキ剤，エキス剤，流エキス剤をガレヌス製剤と呼ぶことがある．これらは生薬の無効不用の部分を支障のない程度に取り除いた後，溶剤を用いて有効又は有用な成分のみを取り出し，使用に便利な剤形にしたもので，ローマ人 C. Galenus によって創製されたといわれている．

経口投与する製剤には，即放性製剤と放出調節製剤がある（製剤総則［3］製剤各条 1.）．即放性製剤は，製剤からの有効成分の放出性を特に調節していない製剤で，通例，有効成分の溶解性に応じた溶出挙動を示す．一方，放出調節製剤は，固有の製剤設計及び製法により放出性を目的に合わせて調節した製剤で，腸溶性製剤，徐放性製剤などが含まれる．また，皮膚に適用する製剤には，皮膚を通して有効成分を全身循環血流に送達させることを目的とした経皮吸収型製剤も含まれる．経皮吸収型製剤からの有効成分の放出速度は，通例，適切に調節される．

製剤の開発，調製にあたっては主薬の物理的化学的性質，融点，蒸気圧，pKa，吸湿性，安定性，添加剤との適合性などを知ることが必要となる．こうした情報は主薬の品質管理上重要であるばかりでなく，製剤化にあたって生ずるであろう諸問題の事前の予測に役立つ．

製剤には有効成分以外に，有効成分及び製剤の有用性を高める，製剤化を容易にする，品質の安定化を図る，又は使用性を向上させるなどの目的で，必要に応じて賦形剤 fillers, diluents,

表 6-2. 日局 18 製剤総則収載製剤の分類

大分類	中分類	小分類
経口投与する製剤 Preparations for Oral Administration	錠剤	口腔内崩壊錠，チュアブル錠，発泡錠，分散錠，溶解錠
	カプセル剤	
	顆粒剤	発泡顆粒剤
	散剤	
	経口液剤	エリキシル剤，懸濁剤，乳剤，リモナーデ剤
	シロップ剤	シロップ用剤
	経口ゼリー剤	
	経口フィルム剤	口腔内崩壊フィルム剤
口腔内に適用する製剤 Preparations for Oro-mucosal Application	口腔用錠剤	トローチ剤，舌下錠，バッカル錠，付着錠，ガム剤
	口腔用液剤	含嗽剤
	口腔用スプレー剤	
	口腔用半固形剤	
注射により投与する製剤 Preparations for Injection	注射剤	輸液剤，埋め込み注射剤，持続性注射剤，リポソーム注射剤
透析に用いる製剤 Preparations for Dialysis	透析用剤	腹膜透析用剤，血液透析用剤
気管支・肺に適用する製剤 Preparations for Inhalation	吸入剤	吸入粉末剤，吸入液剤，吸入エアゾール剤
目に投与する製剤 Preparations for Ophthalmic Application	点眼剤	
	眼軟膏剤	
耳に投与する製剤 Preparations for Otic Application	点耳剤	
鼻に適用する製剤 Preparations for Nasal Application	点鼻剤	点鼻粉末剤，点鼻液剤
直腸に適用する製剤 Preparations for Rectal Application	坐剤	
	直腸用半固形剤	
	注腸剤	
腟に適用する製剤 Preparations for Vaginal Application	腟錠	
	腟用坐剤	
皮膚などに適用する製剤 Preparations for Cutaneous Application	外用固形剤	外用散剤
	外用液剤	リニメント剤，ローション剤
	スプレー剤	外用エアゾール剤，ポンプスプレー剤
	軟膏剤	
	クリーム剤	
	ゲル剤	
	貼付剤	テープ剤，パップ剤
生薬関連製剤 Preparations Related to Crude Drugs	エキス剤	
	丸剤	
	酒精剤	
	浸剤・煎剤	
	茶剤	
	チンキ剤	
	芳香水剤	
	流エキス剤	

結合剤 binders，滑沢剤 lubricants，崩壊剤 disintegrants，安定剤 stabilizing agents，保存剤 preservatives，緩衝剤 buffering agents，等張化剤 tonicity adjusting agents，無痛化剤 soothing agents，矯味剤 corrigents，懸濁化剤 suspending agents，乳化剤 emulsifying agents，着香剤 aromatics，溶解補助剤 solubilizing agents，着色剤 coloring agents，粘稠剤 viscous agents などの適切な添加剤 additives, excipients を加えることができる[1, 2]．ただし，用いる添加剤はその製剤の投与量において薬理作用を示さず，無害でなければならない．また，有効成分の治療効果を妨げるものであってはならない〔製剤総則［1］製剤通則（6)〕．

添加剤は量的に製剤の大きな部分を占め剤形構成の基礎となる**製剤原料**と，製剤の品質を保持し，使用上の利便性を高める目的で添加する**製剤添加物**に大別される．製剤添加物の使用量は相対的に少ない．

医療用医薬品および一般用医薬品の添付文書には原則として添加物の全成分を記載することとされている（日薬連発第 712 号　平 13.10.1）．

製剤の定義（JP18 製剤総則，五十音順）

○エキス剤　Extracts

エキス剤は，生薬の浸出液を濃縮して製したもので，通例，（ⅰ）軟エキス剤，（ⅱ）乾燥エキス剤の2種類がある．

○外用液剤　Liquids and Solutions for Cutaneous Application

外用液剤は，皮膚（頭皮を含む）又は爪に塗布する液状の製剤である．

☆リニメント剤　Liniments

リニメント剤は，皮膚にすり込んで用いる液状又は泥状の外用液剤である．

☆ローション剤　Lotions

ローション剤は，有効成分を水性の液に溶解又は乳化若しくは微細に分散させた外用液剤である．

○外用固形剤　Solid Dosage Forms for Cutaneous Application

外用固形剤は，皮膚（頭皮を含む）又は爪に，塗布又は散布する固形の製剤である．

☆外用散剤　Powders for Cutaneous Application

外用散剤は，粉末状の外用固形剤である．

○カプセル剤　Capsules

カプセル剤は，経口投与する，カプセルに充てん又はカプセル基剤で被包成形した製剤で，硬カプセル剤と軟カプセル剤がある．（適切な方法により腸溶性カプセル剤又は徐放性カプセル剤とすることができる．）

○顆粒剤　Granules

顆粒剤は経口投与する粒状に造粒した製剤である．（適切な方法により，徐放性顆粒剤又は腸溶性顆粒剤とすることができる．）

☆発泡顆粒剤　Effervescent Granules

発泡顆粒剤は，水中で急速に発泡しながら溶解又は分散する顆粒剤である．

○丸剤　Pills

丸剤は，経口投与する球状の製剤である．

○眼軟膏剤　Ophthalmic Ointments

眼軟膏剤は，結膜嚢などの眼組織に適用する半固形の無菌製剤である．

○吸入剤　Inhalations

吸入剤は，有効成分をエアゾールとして吸入し，気管支又は肺に適用する製剤である．

☆吸入エアゾール剤　Metered-Dose Inhalers

吸入エアゾール剤は，容器に充てんした噴射剤と共に，一定量の有効成分を噴霧する定量噴霧式吸入剤である．

☆吸入液剤　Inhalation Liquids and Solutions

吸入液剤は，ネブライザなどにより適用する液状の吸入剤である．

☆吸入粉末剤　Dry Powder Inhalers

吸入粉末剤は，吸入量が一定となるように調製された，固体粒子のエアゾールとして吸入する製剤である．

○クリーム剤　Creams

クリーム剤は，皮膚に塗布する，水中油型又は油中水型に乳化した半固形の製剤である．油中水型に乳化した親油性の製剤については油性クリーム剤と称することができる．

○経口液剤　Liquids and Solutions for Oral Administration

経口液剤は，経口投与する，液状又は流動性のある粘稠なゲル状の製剤である．

☆エリキシル剤　Elixirs

エリキシル剤は，甘味及び芳香のあるエタノールを含む澄明な液状の経口液剤である．

☆懸濁剤　Suspensions

懸濁剤は，有効成分を微細均質に懸濁した経口液剤である．

☆乳剤　Emulsions

乳剤は，有効成分を微細均質に乳化した経口液剤である．

☆リモナーデ剤　Lemonades

リモナーデ剤は，甘味及び酸味のある澄明な液状の経口液剤である．

○**経口ゼリー剤　Jellies for Oral Administration**

経口ゼリー剤は，経口投与する，流動性のない成形したゲル状の製剤である．

○**経口フィルム剤　Films for Oral Administration**

経口フィルム剤は，経口投与するフィルム状の製剤である．

☆口腔内崩壊フィルム剤　Orally Disintegrating Films

口腔内崩壊フィルム剤は，口腔内で速やかに溶解又は崩壊させて服用する経口フィルム剤である．

○**ゲル剤　Gels**

ゲル剤は，皮膚に塗布するゲル状の製剤である．本剤には，水性ゲル剤及び油性ゲル剤がある．

○**口腔用液剤　Liquids and Solutions for Oro-mucosal Application**

口腔用液剤は，口腔内に適用する液状又は流動性のある粘稠なゲル状の製剤である．

☆含嗽剤　Preparations for Gargles

含嗽剤は，うがいのために口腔，咽頭などの局所に適用する液状の製剤である．

○**口腔用錠剤　Tablets for Oro-mucosal Application**

口腔用錠剤は，口腔内に適応する一定の形状の固形の製剤である．

☆ガム剤　Medicated Chewing Gums

ガム剤は，咀嚼により，有効成分を放出する口腔用錠剤である．

☆舌下錠　Sublingual Tablets

舌下錠は，有効成分を舌下で速やかに溶解させ，口腔粘膜から吸収させる口腔用錠剤である．

☆トローチ剤　Troches/Lozenges

トローチ剤は，口腔内で徐々に溶解又は崩壊させ，口腔，咽頭などの局所に適用する口腔用錠剤であり，服用時の窒息を防止できる形状とする．

☆バッカル錠　Buccal Tablets

バッカル錠は，有効成分を臼歯と頬の間で徐々に溶解させ，口腔粘膜から吸収させる口腔用錠剤である．

☆付着錠　Mucoadhesive Tablets

付着錠は，口腔粘膜に付着させて用いる口腔用錠剤である．

○**口腔用スプレー剤　Sprays for Oro-mucosal Application**

口腔用スプレー剤は，口腔内に適用する，有効成分を霧状，粉末状，泡沫状又はペースト状などとして噴霧する製剤である．

○**口腔用半固形剤　Semi-solid Preparations for Oro-mucosal Application**

口腔用半固形剤は口腔粘膜に適用する製剤であり，クリーム剤，ゲル剤又は軟膏剤がある．

○**坐剤　Suppositories for Rectal Application**

坐剤は，直腸内に適用する，体温によって溶融するか，又は水に徐々に溶解若しくは分散することにより有効成分を放出する一定の形状の半固形の製剤である．

○**散剤　Powders**

散剤は，経口投与する粉末状の製剤である．

○**錠剤　Tablets**

錠剤は，経口投与する一定の形状の固形の製剤である．本剤には，素錠のほか，素錠に高分子化合物などの適切なコーティング剤で薄く剤皮を施したフィルムコーティング錠，素錠に糖類又は糖アルコールを含むコーティング剤で剤皮を施した糖衣錠，組成の異なる粉粒体を層状に積み重ねて圧縮形成した多層錠または内核錠を組成の異なる外層で覆った有核錠がある．

☆口腔内崩壊錠　Orally Disintegrating Tablets/Orodispersible Tablets

口腔内崩壊錠は適切な崩壊性を有し，口腔内で速やかに溶解又は崩壊させて服用できる錠剤である.

☆チュアブル錠　Chewable Tablets

チュアブル錠は，咀嚼して服用する錠剤であり，服用時の窒息を防止できる形状とする.

☆発泡錠　Effervescent Tablets

発泡錠は，適切な酸性物質，及び炭酸塩又は炭酸水素塩を用いて製し，水中で急速に発泡しながら溶解又は分散する錠剤である.

☆分散錠　Dispersible Tablets

分散錠は，水に分散して服用する錠剤である.

☆溶解錠　Soluble Tablets

溶解錠は，水に溶解して服用する錠剤である.

○シロップ剤　Syrups

シロップ剤は，経口投与する，糖類又は甘味剤を含む粘稠性のある液状又は固形の製剤である.

☆シロップ用剤　Preparations for Syrups

シロップ用剤は，水を加えるとき，シロップ剤となる顆粒状又は粉末状の製剤であり，ドライシロップ剤と称することができる．用時溶解又は用時懸濁して用いる.

○酒精剤　Spirits

酒精剤は，通例，揮発性の有効成分をエタノール又はエタノールと水の混液に溶解して製した液状の製剤である.

○浸剤・煎剤　Infusions and Decoctions

浸剤及び煎剤は，いずれも生薬を，通例，常水で浸出して製した液状の製剤である.

○スプレー剤　Sprays for Cutaneous Application

スプレー剤は，有効成分を霧状，粉末状，泡沫状，又はペースト状などとして皮膚に噴霧する製剤である.

☆外用エアゾール剤　Aerosols for Cutaneous Application

外用エアゾール剤は，容器に充てんした液化ガス又は圧縮ガスと共に有効成分を噴霧するスプレー剤である.

☆ポンプスプレー剤　Pump Sprays for Cutaneous Application

ポンプスプレー剤は，ポンプにより容器内の有効成分を噴霧するスプレー剤である.

○腟錠　Tablets for Vaginal Use

腟錠は腟に適用する，水に徐々に溶解又は分散することにより有効成分を放出する一定の形状の固形の製剤である.

○腟用坐剤　Suppositories for Vaginal Use

腟用坐剤は，腟に適用する，体温によって溶解するか，又は水に徐々に溶解若しくは分散することにより有効成分を放出する一定の形状の半固形の製剤である.

○茶剤　Teabags

茶剤は，通例，生薬を粗末から粗切の大きさとし，一日量又は一回量を紙又は布の袋に充てんした製剤である.

○注射剤　Injections

注射剤は，皮下，筋肉内または血管などの体内組織・器官に直接投与する．通例，溶液，懸濁液若しくは乳濁液，又は用時溶解若しくは用時懸濁して用いる固形の無菌製剤である.

☆埋め込み注射剤　Implants/Pellets

埋め込み注射剤は，長期にわたる有効成分の放出を目的として，皮下，筋肉内などに埋め込み用の器具を用いて，又は手術により適用する固形又はゲル状の注射剤である.

☆持続性注射剤　Prolonged Release Injections

持続性注射剤は，長期にわたる有効成分の放出を目的として，筋肉内などに適用する注射剤である.

☆輸液剤　Parenteral Infusions

輸液剤は，静脈内投与する，通例，100 mL 以上の注射剤である．主として，水分補給，電解質補正，栄養補給などの目的で投与されるが，持続注入による治療を目的にほかの注射剤と混合して用いることもある．

☆リポソーム注射剤 Liposome Injections

リポソーム注射剤は，有効成分の生体内安定性向上や標的部位への送達，放出制御などを目的として，静脈内などに適用する注射剤である．

○注腸剤 Enemas for Rectal Application

注腸剤は，肛門を通して適用する液状又は粘稠なゲル状の製剤である．

○貼付剤 Patches

貼付剤は，皮膚に貼付する製剤である．（放出調節膜を用いた経皮吸収型製剤とすることができる．）

☆テープ剤 Tapes

テープ剤は，ほとんど水を含まない基剤を用いる貼付剤である．本剤には，プラスター剤及び硬膏剤を含む．

☆パップ剤 Cataplasms/Gel Patches

パップ剤は，水を含む基剤を用いる貼付剤である．

○直腸用半固形剤 Semi-solid Preparations for Rectal Application

直腸用半固形剤は肛門周囲又は肛門内に適用する製剤であり，クリーム剤，ゲル剤又は軟膏剤がある．

○チンキ剤 Tinctures

チンキ剤は，通例，生薬をエタノール又はエタノールと精製水の混液で浸出して製した液状の製剤である．

○点眼剤 Ophthalmic Liquids and Solutions

点眼剤は，結膜嚢などの眼組織に適用する，液状，又は用時溶解若しくは用時懸濁して用いる固形の無菌製剤である．

○点耳剤 Ear Preparations

点耳剤は，外耳又は内耳に投与する，液状，半固形又は用時溶解若しくは用時懸濁して用いる固形の製剤である．

○点鼻剤 Nasal Preparations

点鼻剤は，鼻腔又は鼻粘膜に投与する製剤である．

☆点鼻液剤 Nasal Liquids and Solutions

点鼻液剤は，鼻腔に投与する液状，又は用時溶解若しくは用時懸濁して用いる固形の点鼻剤である．

☆点鼻粉末剤 Nasal Dry Powder Inhalers

点鼻粉末剤は，鼻腔に投与する微粉状の点鼻剤である．

○透析用剤 Dialysis Agents

透析用剤は，腹膜透析又は血液透析に用いる液状若しくは用時溶解する固形の製剤である．

☆血液透析用剤 Hemodialysis Agents

血液透析用剤は，血液透析に用いる透析用剤である．

☆腹膜透析用剤 Peritoneal Dialysis Agents

腹膜透析用剤は，腹膜透析に用いる無菌の透析用剤である．

○軟膏剤 Ointments

軟膏剤は，皮膚に塗布する，有効成分を基剤に溶解又は分散させた半固形の製剤である．本剤には，油脂性軟膏剤及び水溶性軟膏剤がある．

○芳香水剤 Aromatic Waters

芳香水剤は，精油又は揮発性物質を飽和させた，澄明な液状の製剤である．

○流エキス剤 Fluidextracts

流エキス剤は，生薬の浸出液で，その1 mL 中に生薬1 g 中の可溶性成分を含むように製した液状の製剤である．ただし，成分含量に規定のあるものはその規定を優先する．

5 ドラッグデリバリーシステム

5-1 薬物送達システム（ドラッグデリバリーシステム）[3)]

新しい剤形による投与体系の開発は新薬の開発とともに治療法の改善に寄与している．

ドラッグデリバリーシステム drug delivery system は，薬物送達システムと訳され，頭文字をとって DDS という略称が用いられる．

ドラッグデリバリーシステムは，薬効をより確実に発揮させ，有害薬物反応の発現を回避することを目的とする．

① **放出制御製剤** controlled release preparations（内服用徐放性製剤 p.372）

製剤からの薬物放出を制御することにより，標的組織での薬物濃度，血中薬物濃度を維持し治療効果を向上させることや血中薬物濃度の急激な上昇に伴う副作用の発現頻度を低下させることを目的とした製剤である．

最も開発されているのが徐放性経口剤であるが（p.372），ゲル形成性高分子を利用した制御放出点眼剤も実用化されている．

また，単に放出速度を抑制するのではなく，夕刻に内服し喘息頻発時間帯の早朝に血中テオフィリン濃度を最大にできるように放出特性を設計した，病態発症リズム対応のテオフィリン徐放性製剤も市販されている．

経皮吸収型製剤は薬物が皮膚を通して吸収されて全身作用を発揮することを目的とした製剤であり，吸収を持続化することにより，より長く安定した血中薬物濃度を維持することを可能とした経皮吸収治療システム（transdermal therapeutic system：TTS）製剤が広く用いられている．現在では，ニトログリセリン（p.411），硝酸イソソルビド，エストラジオール，ツロブテロール，ニコチン，フェンタニル，リバスチグミン，ブロナンセリン，ビソプロロールなど幅広く用いられている．

微粒子製剤は薬物含有粒子が小さく注射可能なため，持続放出型の注射製剤として注目されている．このような注射剤としてはゴナドトロピン放出ホルモン（GnRH）誘導体で利用されており，乳酸・グリコール酸共重合体中にリュープロレリン酢酸塩を含有させたマイクロスフィアが実用化されている．また，ゴセレリン酢酸塩を含む棒状物（インプラント）を用いた持続放出製剤が前立腺がん・閉経前乳がんの治療に導入されている．

② **投与経路開発**

消化液により失活する，消化管粘膜内透過性が乏しい，あるいは粘膜内酵素による分解が著しい薬物は，内服では薬理効果が得られにくい．このような薬物については，内服以外の投与経路として鼻腔粘膜，直腸粘膜からの吸収経路が利用される．ブセレリン酢酸塩，ナファレリン酢酸塩などの GnRH 誘導体の鼻腔内スプレーが子宮内膜症・子宮筋腫の治療に用いられている．

③ **標的化製剤** targeting preparations

ターゲティングは薬物投与後に標的組織へ到達させる仕組みである．

薬物を標的組織へ選択的に送達させるシステムとして種々の薬物運搬体が検討されてきた.

水溶液中に脂肪の微粒子を分散させた脂肪乳剤は健常な血管壁からは漏れないが，炎症組織の血管壁からは漏れる．このため，脂肪乳剤の油滴に薬物を溶かして投与すると，その薬物を炎症組織へ選択的に分布させることができる．副腎皮質ステロイドの脂肪乳剤が関節リウマチ治療に，プロスタグランジン E_1 の脂肪乳剤が慢性動脈閉塞症治療に，またフルルビプロフェンアキセチルの脂肪乳剤が術後・各種がんの鎮痛に用いられている.

またレシチンを主成分とする微球体リポソームは薬物水溶液と異なった体内分布を示す．これを利用して，リポソーム中に抗がん薬ドキソルビシンを封入することで，薬物の治療効果を改善したリポソーム注射剤が市販されている.

5-2 プロドラッグ prodrugs

プロドラッグとは，体内で代謝されてから作用を及ぼすタイプの薬であり，多くの場合，ある薬物（親薬物）の分子構造に化学的修飾を加えることにより医薬品が有する種々の欠点を改善している．プロドラッグにおける分子構造の修飾は，次に示す目的のために一時的に施されるもので，最終的に薬効を発揮する活性本体は，化学的修飾が外れた親化合物 parent drug である（表6-3）.

1．製剤技術上の問題点の克服　製剤中における安定性の改良，水溶性の増加，揮発性物質の高沸点化.
2．生体内挙動の改善（DDS としてのプロドラッグ）　生体膜透過性（吸収性）の改善，生体内特に投与部位での安定性の改善，吸収の持続化，生体内滞留性の増加，作用部位への選択的移行性の増強.

表6-3．プロドラッグ

活性本体（親化合物）	プロドラッグ	目　的
アシクロビル	バラシクロビル塩酸塩	吸収性向上，標的部位で活性化
アンピシリン	バカンピシリン塩酸塩	脂溶化，消化管吸収増大
インドメタシン	アセメタシン	副作用軽減
エリスロマイシン	エリスロマイシンエチルコハク酸エステル， エリスロマイシンステアリン酸塩	難水溶化，苦味減少，吸収率改善
カプトプリル	アラセプリル	作用持続化
カンデサルタン	カンデサルタンシレキセチル	消化管吸収増大
クロラムフェニコール	クロラムフェニコールパルミチン酸エステル	難水溶化，苦味減少
ジョサマイシン	ジョサマイシンプロピオン酸エステル	難水溶化，苦味減少
セフカペン	セフカペンピボキシル塩酸塩水和物	消化管吸収増大
チアミン	フルスルチアミン塩酸塩	脂溶化，消化管吸収増大
テストステロン	テストステロンプロピオン酸エステル， テストステロンエナント酸エステル	脂溶化，作用持続化（油性注射液）
ドパミン	レボドパ	脳への移行性増大
ピロキシカム	アンピロキシカム	副作用軽減
フルオロウラシル	テガフール，ドキシフルリジン	組織選択性増大，副作用軽減
プレドニゾロン	プレドニゾロンコハク酸エステルナトリウム	水溶化（水性注射剤）

3．生体反応の修飾　不快な味やにおいの軽減，注射時の疼痛緩和，副作用の防止．

プロドラッグの中には市販の parent drug が存在しないものもある．例えば，解熱鎮痛消炎薬のロキソプロフェンナトリウムは代謝物の1つの *trans*-OH 体が解熱鎮痛消炎作用の本体である[4]．

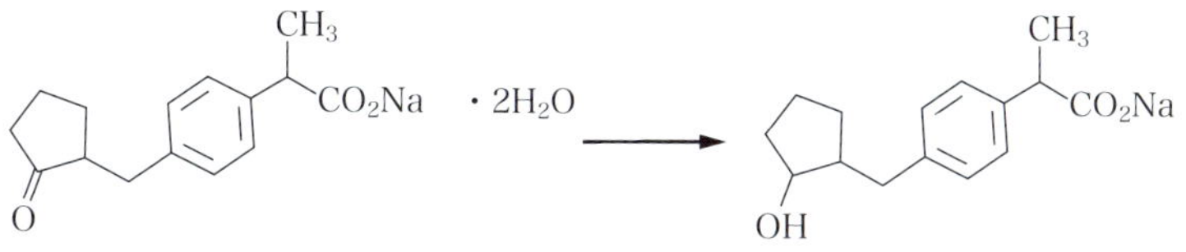

CH_3　CO_2Na　・$2H_2O$　O　→　CH_3　CO_2Na　OH

ロキソプロフェンナトリウム水和物　　*trans*-OH体

一方，プロドラッグとは逆に，局所適用製剤として投与され，投与部位では活性を有し，全身循環に入ると速やかに代謝されて不活化するか，または活性が低くなることで全身性副作用の軽減をめざした薬剤をアンテドラッグ antedrug という．

6 製剤試験

6-1 製剤試験法 pharmaceutical test

製剤としての品質を確保する製剤試験として，日局 18 の一般試験法は，化学的試験法，物理的試験法などカテゴリー別に記載されている．このうち製剤に直接関係する試験法は，次のとおりである．

4．生物学的試験法/生化学的試験法/微生物学的試験法
- 4.01　エンドトキシン試験法*
- 4.04　発熱性物質試験法
- 4.06　無菌試験法*

6．製剤試験法
- 6.01　眼軟膏剤の金属性異物試験法
- 6.02　製剤均一性試験法*
- 6.03　製剤の粒度の試験法
- 6.04　制酸力試験法
- 6.05　注射剤の採取容量試験法*
- 6.06　注射剤の不溶性異物検査法
- 6.07　注射剤の不溶性微粒子試験法*
- 6.08　点眼剤の不溶性微粒子試験法
- 6.09　崩壊試験法*
- 6.10　溶出試験法*
- 6.11　点眼剤の不溶性異物検査法
- 6.12　粘着力試験法
- 6.13　皮膚に適用する製剤の放出試験法

6.14 吸入剤の送達量均一性試験法
6.15 吸入剤の空気力学的粒度測定法
6.16 半固形製剤の流動学的測定法
6.17 タンパク質医薬品注射剤の不溶性微粒子試験法
7．容器・包装材料試験法
7.01 注射剤用ガラス容器試験法
7.02 プラスチック製医薬品容器試験法
7.03 輸液用ゴム栓試験法
＊印は，日本薬局方，欧州薬局方，米国薬局方（以下 三薬局方）での調和合意に基づき規定した一般試験法である．

6-2 崩壊試験 と 溶出試験

1）崩壊試験法（一般試験法 6.09）disintegration test

錠剤，カプセル剤，顆粒剤，シロップ用剤，丸剤が，定められた条件で規定時間内に崩壊するかを確認する試験法．製剤中の有効成分が完全に溶解するかを確認することを目的としない．

崩壊試験器の 6 本のガラス管に 1 個ずつ入れ，規定されている場合は補助盤を入れ作動する．顆粒剤及びシロップ用剤では補助筒を用いる．即放性製剤では，原則として水を用いて製剤が崩壊することを確認する．腸溶性製剤では，酸性の第 1 液では崩壊せず，中性の第 2 液で崩壊することを確認する．

2）溶出試験法（一般試験法 6.10）dissolution test

経口製剤の溶出性が規格に適合しているかを判定するために行う試験．併せて著しい生物学的非同等性を防ぐことを目的としている．

6-3 製剤均一性試験法（一般試験法 6.02）content/mass uniformity test

製剤均一性試験法とは，個々の製剤の間での有効成分含量の均一性の程度を示すための試験．含量均一性試験 content uniformity test 又は質量偏差試験＊＊mass variation test のいずれかの方法で試験される（表 6-4）．

6-4 目に投与する製剤の異物試験

1）点眼剤

点眼剤の不溶性異物検査法（一般試験法 6.11）

点眼剤中の不溶性異物の有無を調べる検査法である．白色光源を用いて肉眼で不溶性異物の有

＊＊国際単位系との整合性のため，日局 14 より“重量 weight”を“質量 mass”に改めて記載することとなった．

表 6-4. 含量均一性試験及び質量偏差試験の各製剤への適用

剤　形	タイプ	サブタイプ	含量/有効成分濃度	
			25 mg 以上かつ 25%以上	25 mg 未満又は25%未満
錠剤	素錠		MV	CU
	コーティング錠	フィルムコーティング錠	MV	CU
		その他	CU	CU
カプセル剤	硬カプセル		MV	CU
	軟カプセル	懸濁剤，乳化剤，ゲル	CU	CU
		液剤	MV	MV
分包品，凍結乾燥製剤等	単一成分のみ		MV	MV
	配合製剤	最終容器内で溶液を凍結乾燥した製剤	MV	MV
		その他	CU	CU
個別容器に入った溶液製剤			MV	MV
その他			CU	CU

CU：含量均一性試験（各条に規定），MV：質量偏差試験

無を検査する．

点眼剤の不溶性微粒子試験法（一般試験法 6.08）

点眼剤中の不溶性微粒子の大きさ及び数を試験する方法．孔径 10 μm 以下のメンブレンフィルターを用いて減圧ろ過し，捕集された 300 μm 以上の微粒子が 1 mL あたり 1 個以下であることを確認する．

2）眼軟膏剤

眼軟膏剤の金属性異物試験法（一般試験法 6.01）

眼軟膏剤の金属性異物を試験する方法．顕微鏡を用いて試験を行う．容器（金属チューブ）等に由来する残存金属片を検査する目的の試験である．

6-5 注射剤の製剤試験

1）異物試験

注射剤の不溶性異物検査法（一般試験法 6.06）

注射剤中の不溶性異物の有無を調べる検査法である．注射液を，白色光源の直下に白および黒の背景において肉眼で不溶性異物の有無を検査する．

注射剤の不溶性微粒子試験法（一般試験法 6.07）

注射剤中の不溶性微粒子（意図することなく混入した，気泡ではない容易に動く外来性，不溶性の微粒子）を試験する．第 1 法（光遮蔽粒子計数法）と第 2 法（顕微鏡粒子計数法）が規定されている．

2）注射剤の採取容量試験法（一般試験法 6.05）

表示量よりやや過剰に採取できる量が容器に充てんされていることを確認する試験法である．

6-6 エンドトキシン試験，発熱性物質試験

発熱物質 pyrogen とは，視床下部に作用して体温を上昇させる物質の総称で，インターロイキン 1（IL-1）などの内因性のものと，細菌外毒素，細菌内毒素などの外因性のものとに分けることができる．外因性発熱物質としては，なかでもグラム陰性菌由来の内毒素であるエンドトキシン endotoxin の発熱性が強い．エンドトキシンはグラム陰性菌外膜のリポポリサッカライド蛋白複合体で，活性部位はリピッドにあり，菌が死滅してからエンドトキシンが放出される．熱に安定で通常の加熱滅菌法では完全に不活化することはできない．さらに細菌ろ過用のフィルターを通過する．250℃，30 分間の乾熱処理を要する．

局方では注射剤に対し，皮内，皮下及び筋肉内投与のみに用いるものを除きエンドトキシン試験法（一般試験法 4.01）に適合することと規定している．エンドトキシン試験法の適合が困難な場合は，発熱性物質試験法（一般試験法 4.04）を用いる．

6-7 製剤の粒度の試験法（一般試験法 6.03）

particle size distribution test for preparations

製剤総則中の，製剤の粒度の規定を試験する方法である．

18 号（850 μm）及び 30 号（500 μm）のふるい（内径 75 mm）を用いる．試料 10.0 g を正確に量り，3 分間水平に揺り動かしながら時々軽くたたいてふるった後，各々のふるい及び受器の残留物の質量を量る．

製剤総則では，経口投与する粒状の製剤を顆粒剤，粉末状の製剤を散剤としている．また顆粒剤のうち 18 号のふるいを全量通過し 30 号のふるいに残留するものが全量の 10％以下のものを細粒剤と称することができるとしている．

6-8 皮膚に適用する製剤の放出試験法（一般試験法 6.13）

皮膚に適用する製剤からの医薬品の放出性を測定する方法．この結果は，放出試験規格に適合しているかどうかを判定するために使われる．

とくに，経皮吸収型製剤等では，有効成分の放出挙動の適切な維持管理が必要である．

① パドルオーバーディスク法

溶出試験法のパドル法の装置（容器および攪拌翼）を用いる．試料を底部に沈めるために，網（ディスク）を用いる．

② **シリンダー法**

溶出試験法の容器を用いるが，パドルはシリンダー回転部品に置き換えて試験を行う．

③ **縦型拡散セル法**

2つのチャンバーに分かれた縦型の拡散セルからなる専用の装置を用いて試験を行う．試料をドナー側，試験液をレセプターチャンバーに入れ，マグネチックスターラーを用いて試験液を攪拌し，規定された時間で試験液を採取する．

6-9 その他の製剤試験

散　剤　流動性（安息角），粒子径（顕微鏡法，沈降法，ガス吸着法，ふるい分け法，光散乱法，コールターカウンター法，透過法）

錠　剤　硬度（各種錠剤硬度計），磨損度

軟膏剤　のび，硬さ（p.408）

貼付剤　粘着力（粘着力試験法，一般試験法 6.12）

坐　剤　溶融温度

包装材料　透湿性試験（7.02 プラスチック製医薬品容器試験法　1.5. 水蒸気透過性試験）

7 生物学的同等性

7-1 製剤の同等性

医薬品製剤は，同一含量，同一剤形に調製されていても，粒子径，溶出速度，添加剤の種類，製造工程，製剤技術の差によって，常に同等の血中濃度，同等の臨床効果を示すとは限らない．

錠剤，カプセル剤などで同一の医薬品を同一量含む化学的同等製剤でありながら，銘柄の異なる製剤によって治療効果が異なるのは，製剤からの医薬品の溶出速度が異なり，吸収量や吸収速度に相違が生じるからである．このような製剤間の差を表す特性値として**生物学的利用能**（バイオアベイラビリティ bioavailability）がある．生物学的利用能は，投与した医薬品製剤から薬物が全身循環血流に入る程度（生物学的利用率 extent of bioavailability）とその際の速度（生物学的利用速度 rate of bioavailability）の2つの概念を含む．

生物学的利用率は，試験すべき製剤と全身循環血流到達率100％の製剤（例えば静脈注射剤）をそれぞれ投与した時に得られる血中薬物濃度－時間曲線下面積（AUC）を比較して決めることができる．

$$\text{絶対的利用率（\%）} = \frac{\text{試験製剤の AUC} \times \text{静注時投与量}}{\text{静注時の AUC} \times \text{試験製剤投与量}} \times 100$$

正常人を用いての静脈注射による絶対的利用率の測定は正確である一方，血液試料の頻回採取や，安全性が確保されていない医薬品の静脈注射による危険性の問題などがある．そこで実用的

には次の相対的利用率 relative bioavailability の測定が行われる．

$$\text{相対的利用率（\%）} = \frac{\text{試験製剤の生物学的利用率}}{\text{標準製剤の生物学的利用率}} \times 100$$

この場合，標準製剤には医薬品の溶液や評価の確立した市販製品を使用する．

同一の成分を含む複数の製剤を，薬物治療上同等の製剤と判断するには，以下のような異なる視点がある．

1）**化学的同等製剤** chemical equivalents　同一医薬品を同一剤形中に同一量含有し，公定書の物理的化学的基準に合致する製剤．

2）**製剤学的同等製剤** pharmaceutical equivalents　同一の有効成分を同一剤形中に同一量含有し（薬理学的に不活性な成分が同一である必要はない），公定書その他の規格（強度，品質，純度，含量均一性試験，崩壊試験，溶出試験など）に適合する製剤．

3）**生物学的同等製剤** bioequivalents　血中濃度や尿中排泄量で測定される生物学的利用性が同等ないし統計学的に有意な差を示さない製剤．

4）**治療学的同等製剤** therapeutic equivalents　疾患に対する治療効果や副作用が同等ないし統計学的に有意な差を示さない製剤．

求められるのは治療学的同等性であるが，すべての製剤について臨床試験を実施して有効性や安全性を比較評価することは現実的ではない．逆に化学的同等性や製剤学的同等性だけでは不十分なことも多い．このため，薬物治療上の同等性を判断するために生物学的同等性が評価される．

生物学的同等性が問題となる医薬品として，次のようなものがある．

① 生物学的同等性に問題があり，ヒトによる試験を必要とするもの．

② 治療濃度域と中毒濃度域が接近しており，TDM を実施しながら治療を進めるもの．

③ 消化管液に対する溶解度が低いもの．

④ 特定の部位から吸収される，吸収量が少ない，初回通過効果が大きい，体内消失速度が大きいなど，溶出速度が治療効果の発現に影響するもの．

⑤ 特殊な剤形のもの（徐放性製剤，腸溶性製剤，坐剤，放射性医薬品製剤）．

このような製剤は，他社製剤による代替使用にあたっては生物学的同等性の確認が重要となる．

7-2 生物学的同等性試験

経口製剤の生物学的同等性試験については，以下の 4 つのガイドラインが厚生労働省課長通知として示されている．

1）後発医薬品の生物学的同等性試験ガイドライン

2）含量が異なる経口固形製剤の生物学的同等性試験ガイドライン

3）経口固形製剤の処方変更の生物学的同等性試験ガイドライン

4）剤形が異なる製剤の追加のための生物学的同等性試験ガイドライン

また，米国やカナダ，欧州においても，それぞれ米国食品医薬品局（FDA），ヘルスカナダ

(HC）および欧州医薬品庁（EMA）より，生物学的同等性試験のガイドラインが提示されているが，わが国のガイドラインとは多少の差異がある．

試験は原則として健康成人においてクロスオーバー法で実施し，血中濃度推移を測定し薬物動態を解析する．同等性評価パラメータとしては，AUC（単回では最終投与時刻 t までの AUC_{0-t}，連続投与では次の投与までの $AUC_{0-\tau}$）および C_{max} が用いられ，AUC_{∞}，t_{max}，MRT，k_{el} などのパラメータも参考パラメータとされる．ただし，作用発現時間の差が医薬品の臨床的有用性に影響を与える可能性がある場合には，t_{max} も同等性評価パラメータとなる．原則としては，試験製剤と標準製剤の同等性評価パラメータに関して，統計的処理により両者の母平均比を求め，その 90％信頼区間が一定の範囲（0.80～1.25）にあるときに同等と判断される．換言すれば，C_{max} や AUC に 20％以上の差がある確率が 10％未満であるとき，同等とみなされる．

また，局所皮膚適用製剤に関しても別途，3 種の生物学的同等性試験ガイドラインが定められている．

文　献

1）医薬品添加物—くすりが薬となるための助剤，ファルマシアレビュー No. 22　日本薬学会　1987
2）日本医薬品添加物協会編：医薬品添加物規格 2003　薬事日報社　2003
3）橋田　充：DDS とこれからの薬物療法，日薬誌 **52**(11) 1583 2000 ～ **53**(4) 2001
4）林　了三ら：光学異性薬物の代謝—ロキソプロフェンを中心にして，薬事 **29**(10) 2059 1987

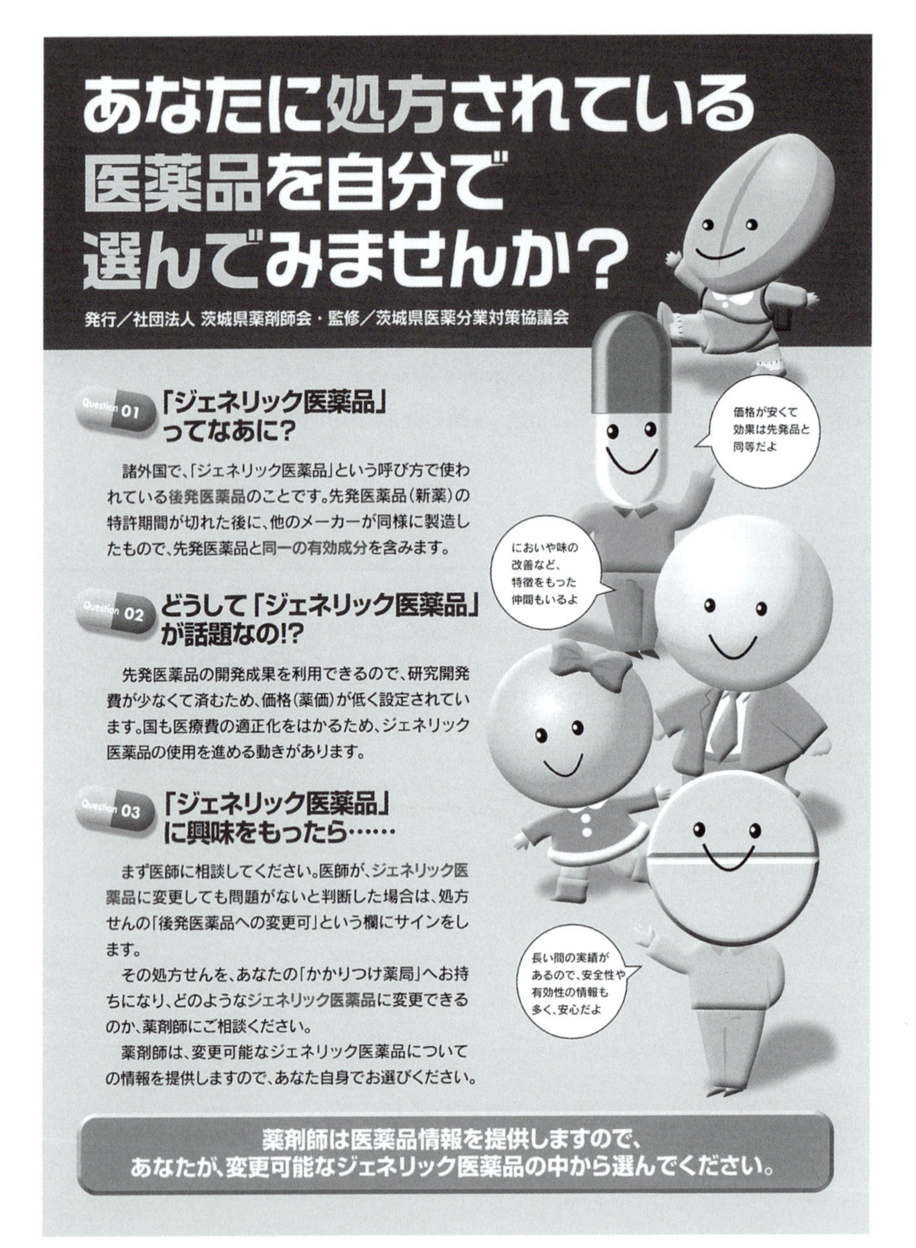

ジェネリック医薬品の CM パンフレット（茨城県薬剤師会）

百年前の薬

世に“くすりの博物館”はあっても，百年前の薬を保存している所は少ない．九州大学病院にあるBayer, Roche, Hoechstなどの薬は，明治時代に日本に進出した時，主要な病院に寄贈したものである．

伝統と歴史の中に生活しているヨーロッパの人は歴史を大切にする．

1996年Rocheが創立百年を迎えた時，同社のDigalenとAirolを貸して欲しいとの要請があり，はるばるスイスまで洋行をした．本社にも保存の製品がなかったらしい．

Digalenは1904年発売のジギタリス製剤の注射液，アンプルにはロットナンバーも付いている．当時すでに品質管理が行われていたことを思わせる．Airolは1894年発売の次没食子酸ビスマスにヨウ化水素を反応させた製剤，Roche社創立当時の記念すべき製品である．

30種類もあるバイエルの製品は，それぞれに美しいラベルが貼ってあり，翼の付いたライオンが地球に足をかけた社章が印刷されている．このマークは1895～1903年の間使用されたもので，正に百年前の薬である．

数年前その一つであるPhenacetinを九州大学病院薬剤部に依頼して試験してもらったところ，不純物，分解物は検出されず，現在使用のPhenacetinと同一含量であることが分かり驚いた．

百年前の薬の品質試験など，正に薬史学的な価値ある研究ではないか．そしてほかでは滅多にできない貴重な研究である．

1895～1903

1929～

Phenacetin（1900年頃）

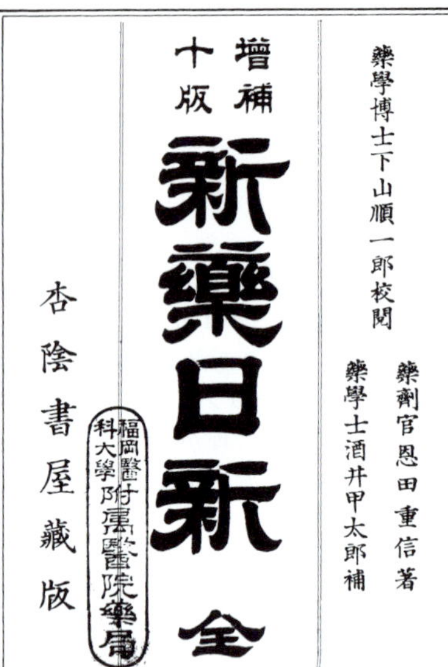
藥學博士下山順一郎校閲

藥劑官恩田重信著

藥學士酒井甲太郎補

增補十版

新藥日新 全

杏陰書屋藏版

福岡醫科大學附屬醫院藥局

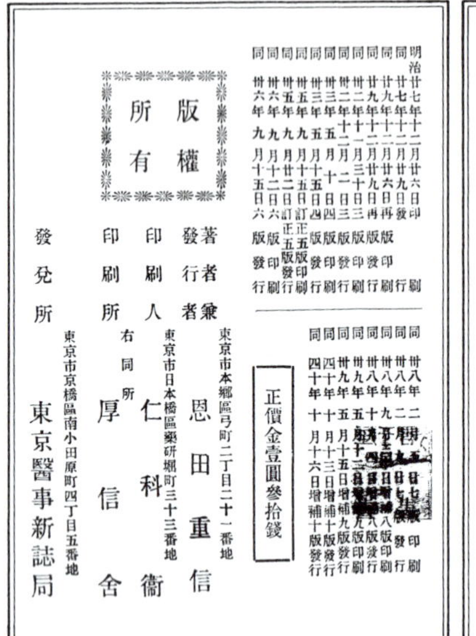
明治廿七年十二月廿六日印刷
同 廿七年十二月廿九日發行
同 廿九年十二月廿六日再版印刷
同 廿九年十二月廿九日再版發行
同 卅二年十一月三十日三版印刷
同 卅二年十二月二日三版發行
同 卅三年五月十一日四版印刷
同 卅三年五月十五日四版發行
同 卅五年九月十五日訂正五版印刷
同 卅五年九月廿二日訂正五版發行
同 卅六年九月十二日六版印刷
同 卅六年九月十五日六版發行

同 卅八年二月[illegible]七版印刷
同 卅八年二月[illegible]七版發行
同 卅八年九月[illegible]八版印刷
同 卅八年十月[illegible]八版發行
同 卅九年五月[illegible]九版印刷
同 卅九年五月十五日增補九版發行
同 四十年十月十三日增補十版發行
同 四十年十月十六日增補十版發行

正價金壹圓參拾錢

版權所有

著者兼發行者 東京市本郷區弓町二丁目二十一番地 恩田重信

印刷人 東京市日本橋區藥研堀町三十三番地 仁科衞

印刷所 右同所 厚信舍

發兌所 東京市京橋區南小田原町四丁目五番地 東京醫事新誌局

〇アスピリン Aspirin $C_6H_4<^{O.C_2H_3O}_{COOH}$

「アスピリン」ハ「ザリチル」酸ノ醋酸「エステル」ナリ故ニ「アツェチールザリチール」酸トモ云ヒ又 Acidum acetiosalicylicum トモ云フ無水醋酸カ又ハ格魯兒醋酸ヲ「ザリチル」酸ニ作用セシメテ製シ得ル白色針狀ノ結晶ナリ酒精、依的兒ニ溶ケ易ク又水ニモ稍〻溶解ス味ハ酸性ニシテ收斂ナリ亞爾加里ニ逢ヘハ忽チ分解シテ「ザリチル」酸ヲ遊離ス故ニ關節僂痲質斯ニ卓效アリ通常葡萄酒ニ和シテ與フルヲ可トス用量ハ一回〇・五乃至一・〇ニシテ一日三四回之ヲ與フベシ

處方 アスピリン 〇・五
安息酸咖啡涅那篤僧謨 〇・〇五
右每時一包ツヽ

處方 アスピリン 〇・五
實芰苔利斯葉末 〇・〇一
右每時一包宛（但シ心臟ニ病ナキ者トス）

「レーマン」氏ハ月經困難ニ「アスピリン」ノ効アルヿヲ述ベタリ其法ハ先ツ一・〇ヲ投シ

〇耵聹水 Ceruminalwasser

耳中ノ脂垢ヲ溶除スルニ用フル水ナリ重炭酸「ナトリウム」一・〇ヲ水一五・〇ニ溶解シ「グリセリン」五・〇ヲ之ニ加ヘシモノナリ醫科大學ノ處方トス

〇クロラールアミード Chloralamid.
Chloralum formamidatum. $CCl_3.CH.OH.NH(HCO)$

無水「クロラール」ニ「フォルムアミード」ヲ作用シテ得ル無色苦味ノ結晶ナリ水酒精ニ溶解ス水液ハ酸性ナリ催眠藥トシテ神經性不眠症ニ二・〇乃至三・〇ヲ就眠前頓服セシムベシ

〇クロラールイミード Chloralimid CCl_3CH-NH

「クロラールアンモニウム」ヲ百度ニ熱シ又ハ抱水「クロラール」ニ醋酸

新薬日新 第 10 版 明治 40 年 10 月（1907）

新薬日新は恩田重信（明治薬学校創始者）が薬剤官時代の明治 27 年（1894）に初版を発行し（収載品目数 509），その後 1～2 年毎に改訂が行われた．恩田の郷里信州松代藩の後輩の酒井甲太郎〔明治 28 年（1895）東大薬学科卒．陸軍薬剤官を経て，明治 36 年（1903）より九大病院薬局長〕が第 3 版〔明治 32 年（1899）〕より発行に関与している．

ここに示す第 10 版〔明治 40 年（1907）〕には 2,700 品目が収載されており，各品目につき，薬品名，分子式，起源，成分，性状，薬効，用法・用量，文献が簡潔に記されている．新薬の貴重な情報源として医療関係者に広く利用された．

A 調剤の基礎

7 医薬品の投与法

薬 用 量

1 薬 用 量

1-1 薬用量[1~4)]

常用量 usual dose とは，医薬品が最も普通に用いられた時，肝機能や腎機能が正常な大人に対して治療効果を期待しうる量で，使用者の参考に供したものである．

ときに主薬部分の塩やエステルによる投与量の変化を補正するために，薬用量が分子中の薬理的活性部分で表示されることがある（抗生物質の力価など）．

添付文書には承認された薬用量が「用法及び用量」欄に記載されている．

一部の医薬品には，薬用量の上限（制限量）が設けられている．催眠鎮静薬，消炎鎮痛薬，精神神経用薬，血圧降下薬，経口糖尿病用薬等に多い（表7-1）．高齢者への投与に制限量を設けて

MEMO

用法・用量とは

医薬品医療機器等法*や添付文書では「用法及び用量」として，次のことが記されている．

薬用量：常用量，小児量，高齢者量，病態時の薬用量

投与法：投与部位，投与間隔，投与期間，投与時期（食事との関係），服用・使用方法

では，「用法・用量」には上記の何を含むのか？ 英訳には dosage and administration とある．「用量・用法」とするとか，別の言葉を考える必要があるのではないか？

*「医薬品，医療機器等の品質，有効性及び安全性の確保等に関する法律」 平成 26 年 6 月 12 日施行

表 7-1. 薬用量に上限（制限量）が定められている医薬品の例

医薬品名	添付文書（1 日）	
	常用量	薬用量の上限（制限量）
エトレチナート	40～50 mg（寛解導入）	75 mg
カプトプリル	37.5～75 mg	150 mg
カルバマゼピン	てんかん 200～600 mg	1,200 mg
グリベンクラミド	1.25～2.5 mg	10 mg
ピオグリタゾン塩酸塩	インスリン非併用時：15～30 mg	45 mg
	インスリン併用時　：15 mg	30 mg

いるものもある（p.152 表 7-6）．上限を超えて処方された場合，薬剤師は医師に確認（疑義照会）してから調剤する．

1-2 薬用量に影響する要因

適用方法　内服，注射，直腸適用など投与方法や投与経路によって薬用量が異なる．

初期量 initial dose，**維持量** maintenance dose　分布容積が大きい薬物や薬効の発現に時間的な遅れが見られる薬物などでは，早期に薬理作用を得るために，投与初期は維持量よりも多い初期量（負荷量 loading dose）が投与される．例として，ジゴキシン，テイコプラニン，クロピドグレル（PCI 適用例），ワルファリンなどがあげられる．

一方，投与初期に副作用が見られる場合には，維持量よりも少量の初期量から始めることで副作用の発現を抑制する，漸増投与も行われる．一例として，ドネペジル塩酸塩では，消化器系の副作用を抑えるために，初期量として 3 mg より開始し，1～2 週間後に治療量である維持量の 5 mg に増量することとされている．

製剤加工　成分含量が同じであっても，吸収改善などの製剤加工が加えられた新製剤では，従前の製剤と比較して投与量が少なくなることがある．一例として，フェノフィブラートの製剤がある．フェノフィブラートは当初，1999 年（平成 11 年）に 150 mg を含有するカプセル（**リパンチルカプセル**；現在は発売されていない）が発売されたが，2005 年（平成 17 年）にはこれと生物学的に同等なフェノフィブラート 100 mg を含む微粉化カプセル剤（**リピディルカプセル**；現在は発売されていない）が発売された．さらに 2011 年（平成 23 年）には，フェノフィブラート 80 mg を含む生物学的に同等な錠剤（**リピディル錠**）が発売され現在に至っている．これら 3 種の製剤間では，含量がそれぞれ 150 mg，100 mg，80 mg と異なるにもかかわらず，消化管吸収率が異なるために，生物学的には同等となっている．

ラセミ体，光学異性体　多くの医薬品はラセミ体で供給される．例えばワルファリンは *S* 体と *R* 体の等量混合物だが，両者の効力比は 5：1 である．光学異性体が供給され薬用量を考慮すべきものに，*dl*-クロルフェニラミンマレイン酸塩（1 回 2～6 mg，1 日 2～4 回服用）と *d*-クロルフェニラミンマレイン酸塩（1 回 2 mg，1 日 1～4 回服用），オフロキサシン（1 日 300～600 mg，2～3 回に分服）とレボフロキサシン（1 回 500 mg，1 日 1 回服用）などがある．

表 7-2. 薬物代謝酵素の欠損頻度

薬物代謝酵素	日本人	白　人	代謝を受ける医薬品例
CYP2D6	0～1%	6～9%	プロプラノロール，ハロペリドール
CYP2C19	15～25	2～5	ジアゼパム，オメプラゾール
N-アセチル化転移酵素 2	12	50～70	イソニアジド
アルデヒド脱水素酵素	44	0	アルコール
キサンチンオキシダーゼ (チオプリンメチル化転移酵素)	3	4	メルカプトプリン

薬物代謝酵素の遺伝子多型 genetic polymorphism　薬物代謝酵素には遺伝的多型を示すものが存在する．多型とは遺伝的に異なる表現型（phenotype）を示す個体の頻度が1%を超えることをいう．表 7-2 は薬物代謝酵素の欠損頻度を日本人と白人について調査したものである．民族差が大きい．

適応症によって薬用量は異なる．例を表 7-3 に示す．

腎機能低下　腎機能障害者，透析患者，高齢者に，腎排泄型の医薬品を投与すると，全身クリアランスが低下し，排泄の遅延，蓄積につながる（p.179 表 8-2）．投与量，投与間隔の調節が必要となる．

腎機能低下患者に対する投与量を決定するにあたっては，添付文書に腎機能の程度に応じた用法・用量が記載されている場合は原則としてその内容に従う．また，母集団薬物動態パラメータが報告されている場合は，その値を参考にして投与設計するのもよい．

いずれの情報も得られない場合には，薬物の全身からの消失に占める腎排泄の寄与率（f_R）と，患者の腎機能をもとに 1 日量を減量する．一般に，腎機能の評価には糸球体ろ過速度（GFR）またはその指標となるクレアチニンクリアランス（Ccr）などの値を用い，「腎障害時には薬物の腎クリアランスが GFR と比例して低下する一方で腎外クリアランスは低下しない」という仮定に基づいた至適投与量の算出が行われる．この仮定に基づけば，投与量補正率 R（腎機能正常者での投与量に対する割合）は，以下の式で算出される（Giusti-Hayton 法）．

$$R = 1 - f_R \times \left(1 - \frac{GFR^*}{GFR}\right)$$

ここで，GFR^* と GFR はそれぞれ患者と腎機能正常者の GFR を表す．GFR* としては，Ccr，または日本人の GFR 推定式（p.179）により推定した eGFR を用い，腎機能正常者の値は例えば 100 mL/min などの値を用いればよい．

肝機能低下　肝機能低下患者に対する投与量を決定においても，腎機能患者の場合と同様，添付文書に肝機能の程度に応じた用法・用量が記載されている場合はその内容に従う．肝機能の指標としては，Child-Pugh 分類が用いられることが多いが，Child-Pugh 分類に応じた用法・用量が示されている例は少ない．さらに肝機能低下例では，腎機能低下時の GFR や Ccr のような，

表 7-3. 適応症による薬用量の相違の例

医薬品	薬用量（経口）	
アシクロビル	単純疱疹	1 回 200 mg，1 日 5 回
	帯状疱疹	1 回 800 mg，1 日 5 回
アスピリン	鎮痛，解熱	1 回 0.5～1.5 g，1 日 2 回までとし，1 日最大 4.5 g を限度
	リウマチ	1 日 1～4.5 g を分服
	血小板凝集抑制	1 日 1 回 1 錠（81 mg，100 mg）．4 錠（81 mg 錠），3 錠（100 mg 錠）まで
	川崎病	急性期有熱期間 1 日 30～50 mg/kg を 3 回に分服，解熱後の回復期から慢性期 1 日 3～5 mg/kg を 1 日 1 回
アマンタジン塩酸塩	パーキンソン症候群	初期量 1 日 100 mg，分 1～2，1 週間後維持量 1 日 200 mg，分 2．1 日 300 mg まで，分 3
	脳梗塞後遺症	1 日 100～150 mg，2～3 回に分服
	A 型インフルエンザウイルス感染症	1 日 100 mg，1～2 回に分服
イミプラミン塩酸塩	うつ病・うつ状態	初期 1 日 25～75 mg，1 日 200 mg まで漸増し，分服
	遺尿症	学童 1 日 25～50 mg，1～2 回に分服，幼児 1 日 25 mg，1 回服用
エストリオール	更年期障害，腟炎	1 回 0.1～1 mg，1 日 1～2 回服用
	老人性骨粗鬆症	1 回 1 mg，1 日 2 回服用
カルベジロール	高血圧	1 日 10～20 mg
	狭心症	1 日 20 mg
	慢性心不全	1 回 1.25 mg 1 日 2 回から開始し，維持量として 1 回 2.5～10 mg を 1 日 2 回
サラゾスルファピリジン	潰瘍性大腸炎	1 日 2～4 g，4～6 回に分服．症状により初回 1 日 8 g，この場合 3 週経過後，1 日 1.5～2 g へ漸減 ステロイド療法長期継続症例 2 g を併用しながらステロイドを漸減
	関節リウマチ	1 日 1 g，2 回に分服
酸化マグネシウム	制酸	1 日 0.5～1 g，数回に分服
	緩下	1 日 2 g，食前又は食後 3 回に分服，又は就寝前に服用
ジピリダモール	狭心症	1 回 25 mg，1 日 3 回服用
	血栓・塞栓の抑制	1 回 100 mg，1 日 3～4 回服用
	ネフローゼ症候群	1 回 100 mg，1 日 3 回服用
スルピリド	胃・十二指腸潰瘍	1 回 50 mg，1 日 3 回服用
	統合失調症	1 日 300～600 mg を分服，1 日 1,200 mg まで
	うつ病・うつ状態	1 日 150～300 mg を分服，1 日 600 mg まで
ゾニサミド	てんかん	最初 1 日量 100～200 mg，以後 1～2 週ごとに増量して通常 1 日量 200～400 mg まで漸増
	パーキンソン病	1 日 1 回 25 mg
ファモチジン	胃潰瘍，十二指腸潰瘍	1 回 20 mg，1 日 2 回，1 回 40 mg を 1 日 1 回就寝前も可
	急性胃炎，慢性胃炎	1 回 10 mg，1 日 2 回，1 回 20 mg を 1 日 1 回就寝前も可
ブロモクリプチンメシル酸塩	高プロラクチン血症	（ブロモクリプチンとして）1 日 1 回 2.5 mg，1 日 5～7.5 mg まで漸増，2～3 回に分服
	末端肥大症	1 日 2.5～7.5 mg，2～3 回に分服
	パーキンソン症候群	1 日 1 回 1.25 又は 2.5 mg より始め漸増，標準維持量 1 日 15～22.5 mg
メトトレキサート	白血病	1 日 5～10 mg，1 週間に 3～6 日服用
	絨毛性疾患	1 日 10～30 mg，1 クール 5 日間服用，7～12 日間休薬
	関節リウマチ	1 週間 6 mg（1 回 2 mg 12 時間間隔で 3 回服用，5 日間休薬），1 週間 16 mg まで

資料：添付文書

臓器機能に比例する生理学的パラメータとして適切なものがないため，定量的な投与設計は困難な場合も少なくない．

2 小児薬用量（服薬指導 p.343）

2-1 小児薬用量

小児に比較的頻用される薬物の場合，小児薬用量 pediatric dose は添付文書に記載がある．小児薬用量の記載形式としては，年齢ごとに投与量または成人量に対する投与量比が記載されているケース，体重あたりの投与量が記載されているケース，体表面積あたりの投与量が記載されているケースなどがあるため，それぞれの基準に照らして小児薬用量を決定する．なお，添付文書の記載においては，新生児は出生後 4 週未満，乳児は生後 4 週以上 1 歳未満，幼児は 1 歳以上 7 歳未満，小児は 7 歳以上 15 歳未満をそれぞれ表す[5)]．ただし，患児の年齢に応じた標準的体型から逸脱している場合などは，基準をそのまま当てはめると過量，もしくは過少投与となることもあるので注意が必要である．また，特別な事情がない限り小児薬用量の上限は成人量とすべきである．一部の抗菌薬などでは，体重あたりで示された小児薬用量を求めると容易に成人量を超えることがあるので，算出された投与量が成人量を超えていないかについても確認が必要となる．

しかし，添付文書に小児薬用量が記載されていたり，小児における母集団薬物動態パラメータが報告されている薬物はごく一部に過ぎない．このような場合，以下に述べる小児薬用量計算式をもとに投与量を決定することとなる．

なお，小児薬用量の監査にあたっては体重や身長などの情報が必要となる場合もあるが，これらは処方箋の記載事項ではない．体重や身長の情報が得られない場合も，年齢だけではなく，保護者からの聞き取り（おおよその値や，同年齢の平均より大きいか小さいか，など）や児童の成長曲線も参考にして，可能な限り的確な監査を心がけたい．

2-2 小児薬用量計算式[6~8)]

小児薬用量 pediatric dose の計算には，年齢，体重，体表面積などをもとに，数多くの計算式や表が考案されている．その主なものは，次のとおりである．

1）年齢から算出する方法

Young 式
$$\text{小児薬用量} = \frac{\text{年齢}}{\text{年齢} + 12} \times \text{成人量}$$

Augsberger-Ⅱ式*
$$\text{小児薬用量（2 歳以上）} = \frac{\text{年齢} \times 4 + 20}{100} \times \text{成人量}$$

* 年齢から計算できるようにした体表面積法の近似式

2）体重から算出する方法

Clark 式

$$\text{小児薬用量（2歳以上）} = \frac{\text{体重（ポンド）}}{150} \times \text{成人量}$$

$$\fallingdotseq \frac{\text{体重（kg）}}{68} \times \text{成人量} \quad 1\text{ポンド} = 0.4536\ \text{kg}$$

3）体表面積から算出する方法

Crawford 式

$$\text{小児薬用量} = \frac{\text{小児の体表面積（m}^2\text{）}}{1.73} \times \text{成人量}$$

体表面積(body surface area:BSA)は次式によって算出される.この算出式は成人にも適用される.

Du Bois 式　$\text{体表面積（cm}^2\text{）} = \text{体重（kg）}^{0.425} \times \text{身長（cm）}^{0.725} \times 71.84$

日本人の平均的な年齢と体表面積の関係については，高津らの表がある.

年 齢	新生児	1	3	5	7	10	12	成人
体表面積（m^2）	0.2	0.4	0.6	0.7	0.8	1.0	1.2	1.6

古くから用いられてきたYoung式は，小児薬用量の基準としてはあまりに少量すぎるきらいがあった．現在では体表面積に基づく方法が，理論的にも実際的にもより優れたものと認められている.

なかでも Augsberger-Ⅱ式は体表面積とよく一致する上，使い方が簡便なので広く用いられている．ただし，2歳未満には適応できない．Augsberger-Ⅱ式とともにわが国で繁用されているのが，von Harnack 表で，これは Augsberger-Ⅱ式をもとに，それを近似の整数値としたものである．von Harnack 表は，実用的で便利であり，2歳未満の小児，新生児，未熟児（低出生体重児）にも適応できる.

von Harnack 表

未熟児	新生児	1/2歳	1歳	3歳	7½歳	12歳	成人
1/10	1/8	1/5	1/4	1/3	1/2	2/3	1

2-3 小児の薬物療法

小児薬用量における計算式や算出表はおおよその目安であり，実際の薬用量は計算式より算出される値と異なる場合が多い．これは医薬品ごとに，小児の薬物動態特性や耐薬度に違いがあるためである.

さらに薬用量は，患者の個体差や病態も留意する必要がある．このため，薬物の血中濃度を測定しながら決定するのが理想的である．とくに長期にわたる投与が必要なバルプロ酸ナトリウムやフェニトインなどの抗けいれん薬，アミノグリコシド系抗菌薬やジゴキシンなどのように治療域と中毒域が近い薬物を投与する際には血中濃度の測定を行いながら薬用量を決定していく.

乳幼児は1個の発達しつつある個体であり，脳が身体に比して大きいにもかかわらず発達の程度が低いので，中枢神経に作用する医薬品に対して感受性が高い.

小児では細胞外液の占める比率が高く，水溶性薬物の体重当たりの分布容積は一般に大きい．したがって，サルファ剤，ペニシリン系抗菌薬，アミノグリコシド系抗菌薬などでは成人と同じ最高血中濃度を得るために体重 kg 当たりの投与量を多くする必要がある．15 員環マクロライド系抗菌薬であるアジスロマイシン水和物（**ジスロマック**）の小児薬用量（一般感染症）はアジスロマイシンとして 1 日 1 回 10 mg/kg，3 日間，1 日最大 500 mg までであるが，これは成人量と等しい．

新生児は肝及び腎機能が未熟である．未熟度は在胎週，出生体重にも左右されるが，肝のグルクロン酸抱合能は生後約 2 ヵ月，腎の糸球体ろ過率は生後約 1 ヵ月でほぼ幼児なみとなる．したがって，未熟児（低出生体重児）・新生児ではグルクロン酸抱合を主な代謝経路とするクロラムフェニコール，インドメタシンなどの消失クリアランスは著明に低い．加えて新生児期は薬物と血漿蛋白質との結合能が概して低いために，遊離薬物濃度が増加する．

小児の解熱に対する第一選択薬はアセトアミノフェン，第二選択薬はイブプロフェンとする．

アスピリン，サリチルアミド等のサリチル酸系製剤は，ライ症候群 Reye's syndrome との関連性を示す疫学的調査結果が報告されており，15 歳未満の水痘，インフルエンザの患者には投与しないこととされている．

一般にインフルエンザに伴う脳炎・脳症の患者は 5 歳以下が多い．ジクロフェナクナトリウムは，他の解熱薬投与群に比し死亡率が高いとの疫学的調査結果から，小児のウイルス性疾患患者には原則として投与しないこととされている[9]．メフェナム酸製剤も基本的に投与しないことが適当である．日本小児科学会は「インフルエンザに伴う発熱にはアセトアミノフェンがよい」と勧告している．

新生児に影響を与える医薬品として，表 7-4 のものがある．

局所用薬の小児薬用量については従来あまり関心がもたれていない．しかしながら，小児の体重あたりの体表面積は大人より大きく，また薬物の皮膚透過性も高いため，外用ステロイド剤に

表 7-4．新生児及び分娩直前に投与し新生児に影響を与える医薬品

（加野弘道）

医　薬　品	新生児に対する影響
クロラムフェニコール	Gray syndrome（灰白症候群）
テトラサイクリン類	骨発育不全，歯牙の着色，エナメル質形成不全
サルファ剤	高ビリルビン血症，核黄疸
ビタミン K（大量）	高ビリルビン血症，核黄疸
アスピリン	出血傾向，動脈管早期閉塞
インドメタシン	動脈管早期閉塞
バルビタール類	出血傾向，呼吸抑制
モルヒネ類	呼吸抑制，仮死，禁断症状
アミノグリコシド系抗菌薬	第 8 脳神経障害
抗甲状腺薬	甲状腺腫，甲状腺機能低下
ヨード製剤	甲状腺腫，甲状腺機能低下
経口血糖降下薬	低血糖
ワルファリン	胎児出血，死産

よる局所的，全身的副作用などが出現しやすく，より大きな注意が必要である．

一般に外用剤における小児薬用量の考え方として，軟膏やクリームなどは使用回数を少なくし，点眼剤，点鼻剤などは低濃度のものを使用するという方法がとられる．

3 高齢者薬用量（服薬指導 p.337）

3-1 高齢者の生理的変化 と 薬物療法

高齢者の薬用量を決定するにあたって注意すべきことは，加齢とともに諸臓器機能が低下しており，個人差，臓器差が少ない小児と異なり同一年齢でも個人差，臓器差が大きいので，画一的な薬用量式を定めることが困難なことである．

図 7-1 のヒトの諸生理機能の年齢的変化に関するデータから，加齢とともに諸臓器機能は直線的に低下していることがわかる．なかでも薬物動態の観点からは，腎機能低下が著明である．

経口投与した場合，高齢者では腸管からの吸収が遅くかつ低能率で，組織への到達も遅延するため効力の発現は遅い．一方肝臓での代謝や腎臓での排泄が遅延するため，体内にとどまる時間は延長する．このことは一般に有効量と中毒量の幅を狭くし，高齢者における薬物療法を困難にする一因となっている．尿中未変化体排泄率が高い薬物や脂溶性が高い薬物は，それぞれ腎クリアランスの低下や分布容積の増大により，体内滞留時間が長くなり中毒を起こす危険が高い．一般に加齢による臓器機能の低下は肝臓よりも腎臓の方が大きい．

高齢者の生理的特徴のうち薬物の体内動態に影響し，薬物血中濃度値の変動を招く因子として考えられるものをまとめると，表 7-5 のようになる．

高齢者の薬物治療でとくに注意すべき医薬品として，次のものがある[10, 11]．

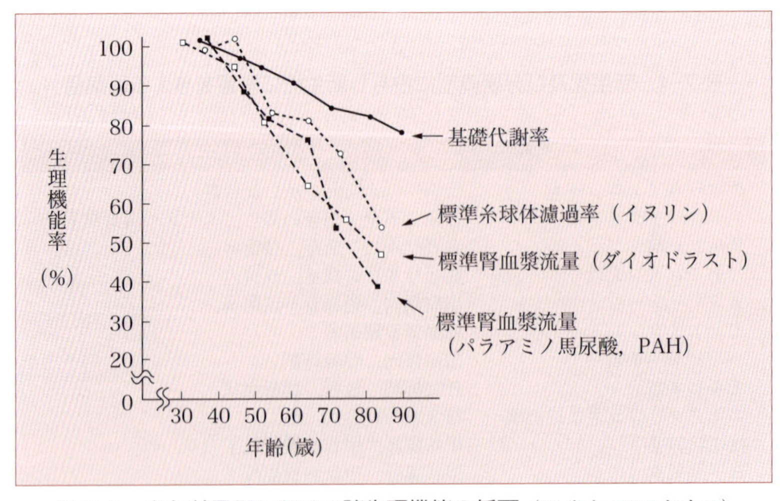

図 7-1．各年齢男子における諸生理機能の低下（30 歳を 100% とする）
（WA Ritschel：J Am Geriatr Soc **24** 344-354 1976 より改変）

表 7-5. 高齢者の生理学的変化とそれに伴う血中濃度への影響（石崎高志）*

生理的変化	薬物血中濃度	臨床効果
消化管運動，吸収能の低下	低　下	減　少
総水量（TBW），細胞外液量（ECW）の減少	上　昇	増　強
組織の脂肪変性の進行	脂溶性薬物では不変	組織への蓄積により増強
	水溶性薬物では上昇	増　強（？）
肝薬物代謝能の低下	上　昇	増　強
肝におけるアルブミン生成の低下	遊離型（蛋白非結合型）上昇	増　強
腎機能の低下	上　昇	増　強

薬物血中濃度又は組織内濃度を上昇させる因子としては消化管機能を除いてすべてであるから，高齢者の薬物反応は成人の投与量では増強することが多い．

＊ 真下啓明ら：臨床薬理・薬物治療学 137 理工学社 1980

1）消失半減期が長い医薬品　ジゴキシンなど
2）治療域が狭い医薬品　TDM を必要とする医薬品（p.174 表 8-1）
3）尿中未変化体排泄率が高い医薬品　アミノグリコシド系抗菌薬など
4）肝で主に代謝を受ける脂溶性の医薬品　ベンゾジアゼピン類など
5）強い抗コリン作用をもつ医薬品　イミプラミン，ブチルスコポラミン臭化物など
6）薬物間相互作用を起こしやすい医薬品

3-2 高齢者薬用量 [12～15]

一般に高齢者では薬力学の加齢変化に伴い薬物感受性が増大していることが多く，肝機能や腎機能などの生理機能も低下しているため，高齢者薬用量 geriatric dose は少量から試み，患者の状態を観察しながら慎重に投与量を増やしていくのが安全である．おおよそ成人量の 1/2，安全品目で2/3を目安とし，病状や医薬品の種類によりその前後に加減するという考え方や50歳から 1 歳を加えるごとに 1%ずつ減じ，60 歳で 10%，70 歳で 20%減ずるという考え方，70 歳以上では成人量の 2/3～3/4 に減量するという考え方もある．高齢者の場合一般に服薬期間が長期にわたること，有害作用の発生頻度が若年者に比べて高いことを考えれば当然といえる．

高齢者に対する薬物投与について，2，3 の例を挙げると，血糖降下薬では加齢による生理機能の低下に伴い低血糖症状が若年者より強く現れやすい．そのため血糖降下薬としては効果持続時間が短く，作用が緩和であるものが望ましい．

高齢者の不眠に対し催眠鎮静薬を用いる場合は，高齢者では若年者に比べて，クリアランスが低下し分布容積も増大している上に，催眠鎮静薬に対する感受性が亢進していることや翌日への持ち越し効果，健忘，脱力などの有害作用も出現しやすいため，消失半減期が短く，筋弛緩作用が比較的少ないものを常用量の半分程度から開始するのがよい．高齢者に対しては，できるだけ低用量を使用することが推奨される．

感染症に対する抗菌化学療法などでは，速やかに薬物の血中濃度を治療域まで上げることが治

表 7-6. 高齢者薬用量，投与上の注意

医薬品名	成人量	高齢者量*
ベンゾジアゼピン系催眠鎮静薬・抗不安薬		少量から開始．運動失調等の副作用が発現しやすい．
エチゾラム	神経症，うつ病，心身症，統合失調症における睡眠障害 1日1～3 mgを1～3回に分服	1日1.5 mgまで
トリアゾラム	不眠症1日1回0.25 mg就寝前に服用．高度な不眠症0.5 mg	1回0.125～0.25 mgまで
フルニトラゼパム	不眠症1回0.5～2 mg就寝前に服用	1回1 mgまで
アルプラゾラム	1回0.4 mgを1日3回服用．1日2.4 mgまで	1回0.4 mg，1日1～2回から開始．1日1.2 mgまで
イミプラミン塩酸塩	初期量1日25～75 mg，1日200 mgまで漸増，まれに1日300 mgまで	少量から開始．患者の状態を観察しながら慎重に投与．起立性低血圧，ふらつき，抗コリン作用による口渇，排尿困難，便秘，眼内圧亢進等が現れやすい．
ハロペリドール	1日0.75～2.25 mgから始め漸増量，維持量1日3～6 mg	少量から開始．患者の状態を観察しながら慎重に投与．錐体外路症状等の副作用が現れやすい．
チアプリド塩酸塩	（チアプリドとして）1日75～150 mgを3回に分服	主として腎から排泄，腎機能低下により血中濃度持続のおそれ．錐体外路症状等の発現に注意．低用量（例えば1回25 mg 1日1～2回）から開始．
チクロピジン塩酸塩	慢性動脈閉塞症に伴う諸症状の改善：1日300～600 mg，2～3回に分服．虚血性脳血管障害に伴う血栓・塞栓の治療：1日200～300 mg，2～3回に分服	造血機能，代謝機能の低下，体重の減少の傾向から，少量から開始．無顆粒球症などの副作用が起こりやすい．
レボドパ・ベンセラジド塩酸塩	レボドパとして初回1日100～300 mg 2～3日ごとに増量．維持量1日300～600 mg	生理機能低下．不安，不眠，幻覚，血圧低下等の副作用に注意．
ジゴキシン	急速飽和療法（飽和量1～4 mg）．初回0.5～1 mg．以後0.5 mgを6～8時間ごとに服用	少量から開始．血中濃度を測定するなど観察を十分に行い，慎重に投与．ジギタリス中毒を起こしやすい．
降圧薬 ACE阻害薬，カルシウム拮抗薬，ARB		少量から開始．患者の状態を観察しながら慎重に投与．過度の降圧は好ましくない．脳梗塞等のおそれ．
シメチジン	1回400 mgを1日2回（朝食後，就寝前に）服用．急性胃炎1日200 mgを1日2回（朝食後，就寝前に）服用	主に腎より排泄．腎機能低下により血中濃度持続のおそれ． 減量・投与間隔延長など慎重に投与．
タムスロシン塩酸塩	1回0.2 mgを1日1回食後に服用（増減）	腎機能低下の場合0.1 mgから開始．経過を観察し0.2 mgまで．それ以上増量せず．
グリベンクラミド	1日1.25～2.5 mg．必要に応じ増量．維持量を決定．1日最高10 mgまで	生理機能が低下しているので少量より開始．定期的に検査．低血糖を起こしやすい．
ワルファリンカリウム	初回1日1回1～5 mg，抗凝固効果の発現を急ぐ場合は初回投与時ヘパリン等の併用を考慮．以後血液凝固能検査で目標治療域に入るように用量調節し維持量を決定	血漿アルブミンとの結合率が高い（97%）．高齢者では血漿アルブミンが減少していることが多く，遊離型の血中濃度が高くなるおそれ．用量に注意，慎重に投与．
フルオロウラシル	1日200～300 mg，1～3回に分服	生理機能低下．骨髄機能抑制，消化器障害（激しい下痢，重篤な口内炎），皮膚障害，精神神経系の副作用が現れやすい．用量・投与間隔に留意し慎重に投与．

* 日本老年医学会は「高齢者の安全な薬物療法ガイドライン2005」を作成し，高齢者薬物療法における薬物有害作用予防のための原則として，①可能な限り非薬物療法を用いる，②処方薬剤の数を最小限にする，③服用法を簡便にする，④明確な目標とエンドポイントに留意して処方する，⑤生理機能に留意して用量を調節する（少量で開始し，ゆっくりと増量する），⑥必要に応じて臨床検査を行う，⑦定期的に処方内容を見直す，⑧新規症状出現の際はまず副作用を疑う，を挙げている．

療効果の向上につながる．1回量を減らすことが正しい治療につながらないこともある．経口抗菌薬は，75歳以上の高齢者を除き一般に常用量を投与する．重症例には注射剤を用いるが，高齢者では腎機能が高度に低下していることが多く，ペニシリン類，セフェム類などは用量を減量もしくは投与間隔を延長して投与する必要がある．抗菌薬の中で用量の調節が難しいアミノグリコシド系抗菌薬は，通常TDMを行いながら薬用量を調節するが，腎毒性があるので，やむを得ない場合を除いて高齢者への使用を避ける．

日本高血圧学会作成の日本人を対象とした「高血圧治療ガイドライン」(JSH 2019) によると，積極的適応がない場合の第一選択薬としてカルシウム拮抗薬，ARB，ACE阻害薬，利尿薬，の4種類の医薬品を推奨しているが，高齢者については，常用量の1/2から開始し1〜3ヵ月の間隔で増量することを推奨している．

その他，高齢者に対する薬物治療では，降圧薬による起立性低血圧，冠血管拡張薬による徐脈やめまい，ジギタリス製剤の蓄積によるジギタリス中毒，抗コリン薬による緑内障の悪化や排尿困難などに注意する．

表7-6に高齢者薬用量，高齢者への投与上の注意を記した実例を示す．

4 妊婦，授乳婦への医薬品投与

4-1 妊婦への医薬品投与[16, 17] (服薬指導 p.344)

妊婦に投与された医薬品の胎児に及ぼす影響は，複雑な要因が関係するため，その評価は困難であるが，胎齢によってかなり特異的なパターンがある．

受精直後2週間は全か無かの時期all or nonc periodとも呼ばれ，胎芽の医薬品に対する感受性は低く，ほとんど影響を受けないか死滅してしまうかのいずれかである．受精後2週以上8週未満（妊娠4〜9週）までの胎芽期embryonic periodは器官形成期にあたり，最も奇形を起こしやすい時期critical periodである．この時期を過ぎた受精後8週（妊娠10週）以降から出生までの胎児期fetal periodは重篤な奇形の可能性は減少するが，中枢神経系などの感受性は依然高く，種々の機能障害の他，胎児発育遅延，発がん性などが問題となってくる．妊娠初期では催奇形性が問題となることが多いのに対して，妊娠中期以降は羊水減少，子宮収縮の異常，流早産などの胎児毒性が問題となる．胎児毒性は，内服薬や注射剤のみならず，外用剤（パップ剤，テープ剤など）でも生じることが報告されている．例えばケトプロフェン外皮用剤は，妊娠後期の女性への投与は禁忌とされている．貼付剤は患者間で違法に譲渡されることも少なくないため，とくに注意が必要である．分娩時に使用される医薬品も種々の機能障害の原因となる．

妊娠初期すなわち器官形成期に投与し，胎児に先天異常を起こす可能性のある医薬品を表7-7に，分娩直前に投与し，新生児に影響を与える可能性のある医薬品を表7-4 (p.149) に示す．

表 7-7. 先天異常の危険度を増加させる医薬品（加野弘道，一部改変）

医薬品	先天異常
サリドマイド	四肢奇形，心血管奇形，耳介欠損，小眼症，腎欠損など 1961年
黄体ホルモン	新生女児の外性器異常
男性ホルモン	女性胎児の男性化
蛋白同化ステロイド	女性胎児の男性化
アミノグリコシド系抗菌薬	第8脳神経障害
抗悪性腫瘍薬	動物実験で催奇形性の報告
副腎皮質ステロイド	動物実験で催奇形性の報告
ベンゾジアゼピン系薬	奇形児等の障害児出産例が対照群と比較して有意に多いという疫学的調査報告
ワルファリン	鼻形成不全，精神発達遅延
エトレチナート	催奇形性があるので妊婦に投与禁忌．妊娠する可能性のある婦人に投与するときは投与中と中止後少なくとも2年間は避妊させる 動物実験で精子形成能異常の報告．男性も投与中及び投与中止後少なくとも6ヵ月間は避妊させる
ビタミンA含有製剤	外国で妊娠前3ヵ月から妊娠3ヵ月に10,000 IU/日以上摂取した場合，出生児に頭蓋神経堤などを中心とする奇形発現増加を推定する疫学的調査報告．投与量5,000 IU/日未満とすること
フェニトイン	胎児フェニトイン症候群（口唇裂，口蓋裂など）
バルプロ酸ナトリウム	二分脊椎児を出産した母親で，妊娠初期に本剤投与例が対象群より多いとの疫学的報告
トリメタジオン	先天異常：胎児トリメタジオン症候群（発育遅延，口唇裂，口蓋裂，耳の異常，小頭症，心奇形など）
炭酸リチウム	先天異常：心血管奇形

4-2 授乳婦への医薬品投与[18, 19]（服薬指導 p.344）

薬物の血中から母乳中への移行に影響を与える因子としては，薬物側と母親側の大きく2つに分けられる．薬物側の因子としては，薬物の解離度，脂溶性，蛋白結合率，分子量などが挙げられる．一方，母親側の因子としては，薬物の投与量や投与経路，母体の体質，乳腺発育の良否，母体合併症，母乳分泌量などが挙げられる．

薬物の乳汁移行性を表す指標としては，母乳（M：milk）中濃度と血漿（P：plasma）中濃度の比（M:P比，milk-to-plasma ratio）がある．血漿のpHは7.4であるのに対して，母乳のpHは7.0～7.1であるため，pH分配仮説によれば，酸性薬物ではM:P比は1以下，塩基性薬物ではM:P比は1以上となることが予想される．M:P比が非常に高い薬物としては，アミオダロン（M:P比4.6～13）などが知られている．

脂溶性の高い薬物（バルビツール酸，サリチル酸など），蛋白結合率の低い薬物（アルコールなど），分子量の小さい薬物（アルコール，モルヒネなど）は母乳中に移行しやすい．逆に，脂溶性が低い薬物（尿素など），蛋白結合率の高い薬物（ジアゼパムなど），分子量の大きい高分子化合物（ヘパリン，インスリンなど）は母乳中に移行しにくい．

母乳を介した乳児の薬物曝露リスクは，M:P比と母体における薬物の血中濃度によって決まる．リスク評価の指標のひとつに，相対乳児摂取量 relative infant dose（RID）がある．これは，乳児の体重1 kg当たりの1日推定摂取量（Di）を，母親の体重1 kg当たりの投与量（Dm）で除した値で，小さい方が安全である．Diは，乳児の母乳摂取量を体重1 kg当たり1日150 mLと仮定すれば，以下の式で推定できる．

Di［μg/(kg･day)］= 150 mL/(kg･day)×M：P比×授乳時の母親の平均血漿中濃度（μg/mL）

ひとつの目安として，RIDが0.1（10％）以下であれば授乳可能と判断することがある．

母体が薬物を服用している場合は，授乳を中止すれば乳児の薬物曝露は抜本的に回避できる．しかし，母乳や授乳行為にはさまざまなメリットもあるため，授乳婦が薬物を服用しているからといって無条件に授乳を中止させるべきではない．M：P比やRID値なども考慮しつつ，授乳を継続することと中止することのリスクとメリットを評価した上で，薬物治療中の授乳方針を決め，薬物の選択を行うべきである．

なお，ブロモクリプチン，プラミペキソール，カベルゴリンなどのドパミンアゴニストは，その薬理作用上，プロラクチンの分泌を抑制し，乳汁分泌を低下させるおそれがあることから，授乳婦に対しては投与すべきでない．

5 疾患 と 禁忌の医薬品 (p.236)

禁忌 contraindicationとは，患者の症状，原疾患，合併症，既往歴，家族歴，体質，併用薬などからみて，投与すべきでない場合をいう．

禁忌には，小児，高齢者，妊婦，授乳婦に禁忌の医薬品，肝障害患者，腎障害患者に禁忌のものがあるが，ここでは原疾患に禁忌の主なものを表7-8に記す．

これら禁忌が1枚の処方箋の中で見出されることは少なく，合併症による複数科受診の際に発見されることが多い．かかりつけ薬局における薬歴管理，精密な処方箋点検により“禁忌”使用のリスク解除に努めたい．

表7-8．疾患と禁忌の医薬品の例

疾　患	禁忌の医薬品	禁忌の理由
急性狭隅角緑内障	ベンゾジアゼピン系薬	散瞳により房水通路が狭窄し眼圧が上昇
重症筋無力症	ベンゾジアゼピン系薬	筋弛緩作用により症状悪化
消化性潰瘍	非ステロイド性解熱鎮痛消炎薬，副腎皮質ステロイド	胃出血，潰瘍悪化
アスピリン喘息	非ステロイド性解熱鎮痛消炎薬	喘息発作を誘発
気管支喘息	非選択的β遮断薬（内服，点眼）	喘息発作誘発，悪化
前立腺肥大による排尿障害	抗コリン薬	膀胱平滑筋の弛緩，膀胱括約筋の緊張により排尿困難を悪化させるおそれ
透析患者	アルミニウム含有製剤	長期投与によりアルミニウム脳症，アルミニウム骨症が現れる
甲状腺機能亢進症	低血圧症治療薬（ミドドリン，アメジニウム等）	心悸亢進，頻脈などを悪化
血栓性静脈炎（素因のある女性）	経口避妊薬	血栓症等心血管系障害が発生しやすい
インフルエンザ	非ステロイド性解熱鎮痛消炎薬	インフルエンザ脳症

6 遺伝子診断に基づく薬物治療の患者個別化[20~36]

2003年（平成15年）にヒトの体の設計図にあたるヒトゲノムの全塩基配列の決定が終了し，現在ゲノム研究の関心は構造（遺伝子の塩基配列）からゲノムに記されている情報（遺伝子の機能）解読へ，さらにはそれらの多様性についてへと変わってきている．これらの研究成果の恩恵を最も強く受けるのは，病気の原因解明，診断，治療といった医療の分野であり，患者の遺伝的体質に合わせた治療，いわゆる個別化医療 personalized medication に大きな期待が寄せられている．薬物動態に深く関わる薬物代謝酵素群，薬物の吸収・排泄・分布を担う薬物トランスポーターなどにおいて，薬物の血中濃度推移の個人的差異を引き起こす遺伝子多型の存在，さらに，薬物標的臓器における作用・副作用発現に深く関わるレセプター，チャネルや酵素などでも遺伝子多型の存在が明らかになってきている．これまで治療失敗の潜在的要因となっていた個人間における薬物作用の差異を，ゲノム情報の活用により克服できる可能性が示され，現在，世界中で遺伝子診断に基づく医薬品の適正使用に関する研究が盛んに進められている．

6-1 ゲノム情報の活用

具体的には，患者個々について，薬物投与前に薬物代謝酵素，薬物トランスポーター，薬物受容体などをコードする遺伝子における多様性を調べ，患者の薬物動態学的特性や薬動力学的特性を判定することで最適な医薬品を選択し，最適な用法・用量を決定することが可能になると考えられる．例えば，抗悪性腫瘍薬であるイリノテカン塩酸塩水和物の代謝には，UDP グルクロン酸転移酵素（以下 UGT）が関与しており，UGT1A1 遺伝子多型診断が2008年（平成20年）11月に保険適用となった（6-3の項，p.157参照）．UGT 活性の低い遺伝子型をもつ患者では骨髄抑制や下痢などの重篤な副作用発現が高いことがわかっており，イリノテカン塩酸塩水和物投与前に重篤な副作用を起こしうる遺伝子多型の存在を診断することで，これらを予測でき個別化医療に貢献している．また，多発性硬化症の治療薬であるシポニモドは，投与前に代謝酵素 CYP2C9 の遺伝子型を診断する必要があり，PM をもたらす遺伝子型（*CYP2C9*3/*3*）の場合には投与禁忌とされる．これらの遺伝子診断の運用にあたっては，事前に患者への文書によるインフォームド・コンセントが必要である（「ファーマコゲノミクス検査の運用指針」2009年）．ただ，医薬品の適正使用に活用しうる遺伝子診断を日常臨床の診断項目に導入するには，診断にかかるコスト，遺伝情報の取り扱いなど，経済的・倫理的に解決せねばならない問題が多々存在することも事実である．

6-2 SNP と 遺伝子変異

遺伝子変異のうち，集団における存在頻度が1%以上のものが遺伝子多型と定義されている．ヒトの約30億塩基対の中に約150万ヵ所存在するとされる一塩基多型（single nucleotide polymorphism：SNP）やその他の多型が，個人の遺伝的特徴，生活習慣病などの各種疾病感受性，さらに薬物治療効果も決定すると考えられている．

SNP は遺伝子配列中における一塩基の違いを意味するが，遺伝子変異には，いくつかの種類があり，大きく 3 つに分けられる．

① 一塩基が他の塩基に置き換わっているもの〔一塩基置換：GCTATC→GATATC（下線の塩基が違う）〕

② 一から数千の塩基あるいは遺伝子そのものが欠損あるいは挿入しているもの〔一塩基欠損：GCTATC→GTATC（下線部の塩基が欠損），一塩基挿入：GCTATC→GCCTATC（下線部の塩基が挿入）〕

③ 二塩基から十数塩基を 1 単位とする配列が繰り返し存在し，その回数が異なるもの〔マイクロサテライト多型：TATATATATA→TATATATATATA（TA が 5 回→6 回繰り返し）〕

これらの変異が薬物動態や薬理作用に関係する蛋白質の遺伝子に存在すると，治療効果の個人差の原因となる．とくに，翻訳領域（開始コドンから終止コドンまでの間）に変異があると，生成する蛋白質のアミノ酸配列が変化し，その機能に影響が及ぶことがある．非翻訳領域の遺伝子変異であっても，転写効率の変化や mRNA の安定性の変化などを介して蛋白質の発現量に影響を及ぼすことがあり，結果として薬物動態や薬理作用に変化をもたらすことがある．

ヒトのゲノムは 22 対の常染色体及び XX 又は XY の性染色体からなるため，常染色体上に存在する遺伝子の場合，1 個体当たり 2 つの同一遺伝子（対立遺伝子；アレル）を有していることになる．特定の遺伝子多型に着目したとき（仮に A 型，B 型とする），この対立遺伝子の組み合わせが A-A 又は B-B であるものをホモ型，A-B であるものをヘテロ型という．また遺伝子多型により，コードされている蛋白に質的，あるいは量的な異常が起こる場合，通例，機能が正常な多型なら野生型（*1 と表記），野生型と比べて機能に違いがあるものは変異型（*2，*3 などと表記）と定義される．上述の遺伝子多型について，A 型—野生型，B 型—変異型とすると，A-A のホモ型（野生型ホモ）を有するヒトでは正常な機能を有する蛋白質が発現している一方，B-B のホモ型を有するヒト（変異型ホモ）では機能的に異なった蛋白質が発現することが推測される．A-B のヘテロ型については，一般的にはその中間の性質を示すことになる．

6-3 薬物代謝酵素，薬物トランスポーターの遺伝子変異に基づく薬物動態の差異

脂溶性薬物の代謝のうち酸化反応（モノオキシゲナーゼ反応）を中心とする第Ⅰ相反応では，チトクロム P450（cytochrome P450：CYP）が中心的な役割を果たすが，CYP2A6，CYP2C9，CYP2C19，CYP2D6 などの分子種において，薬物の代謝能に明らかな変化を伴う重要な遺伝子多型の存在が明らかにされている．グルクロン酸抱合，アセチル抱合，メチル抱合などの第Ⅱ相反応を担う酵素では，グルクロン酸転移酵素（UGTs），*N*-アセチルトランスフェラーゼ（NAT），チオプリン-*S*-メチルトランスフェラーゼ（TPMT）などに重要な遺伝子多型が報告されている．

CYP2C9はフェニトイン，ワルファリンなどの治療域が狭い薬物の代謝を行うため，その変異には注意を要する．日本人での遺伝子多型の頻度は低い（2～3%）が，その変異型の1つである*CYP2C9*3*変異（野生型は*CYP2C9*1*）は，多くはヘテロ型（*CYP2C9*1/*3*）で存在し，基質薬物の代謝を遅らせるためとくに注意が必要である．フェニトインの成人患者における通常用量は約3.3～5.0 mg/kg/dayであるが，*CYP2C9*1/*3*を有する成人患者では，2.0 mg/kg/dayといった低用量でもフェニトインの一般的な有効血中濃度域とされる10～20 μg/mLに達する．また，*CYP2C9*3/*3*の患者では，**1/*1*の患者に比べてフェニトインのクリアランスが約1/4に低下するとされている．同様に，ワルファリンの経口クリアランスは**1/*1*の患者に比べて**1/*3*の患者では約50%に，**3/*3*の患者では約10%に低下することが報告されており，導入時に出血などの副作用の危険性が高くなるので注意が必要である．

CYP2C19にも遺伝子多型が存在し，遺伝学的にCYP2C19の機能欠損者は，日本人を含むモンゴル系人種で13～20%と高い．CYP2C19の基質薬物であるオメプラゾールの血漿中濃度の推移を検討した結果，CYP2C19の代謝能が低い（代謝が遅い）個体群（poor metabolizer：PM）では，CYP2C19の代謝能が正常（代謝が速い）な個体群（extensive metabolizer：EM）と比べ，消失半減期が約3倍に延長し，血漿中濃度下面積（AUC）が約2～5倍大きかったとの報告がある．なお，国内臨床開発試験での高用量投与例（最高80 mg）においても，用量に起因する有害事象は見られなかったとの理由により，現時点では，オメプラゾールの用法・用量において，代謝速度の個人差に基づく用量調節は設定されていない．また，抗真菌薬であるボリコナゾールにおいても，AUCがCYP2C19の代謝能が高いEMと比べてPMで約5倍大きいことが添付文書に記載されており，血中濃度と相関性が認められている肝機能異常の発現に注意する必要がある．

CYP2D6は肝臓での総CYP含量に占める割合が少ないにもかかわらず，薬物代謝に関与する割合はCYP3A分子種に次いで大きい．日本人での先天的酵素欠損者は1%以下とごくまれであるが，EMとPMの中間の代謝能を有する個体群（intermediate metabolizer：IM）の割合は大きい．IMをもたらす代表的な遺伝子型として*CYP2D6*10/*10*が知られている．CYP2D6による代謝においては多くの遺伝子多型が関与しているが，日本人では*CYP2D6*10*に加えて，CYP2D6遺伝子が欠損している*CYP2D6*5*が重要である．

グルクロン酸転移酵素（UDP-glucuronosyltransferase：UGT）のうち，UGT1A1の遺伝子多型は，抗悪性腫瘍薬であるイリノテカン塩酸塩水和物の副作用の発現に関与しているといわれている．イリノテカン塩酸塩水和物の活性代謝物であるSN-38は，肝のUGTによりグルクロン酸抱合され，SN-38のグルクロン酸抱合体（SN-38G）となり，主に胆汁中に排泄されることで解毒化されるが，*UGT1A1*の変異型アレル*UGT1A1*6*（日本人におけるアレル頻度13.0～17.7%）及び*UGT1A1*28*（同8.6～13.0%）は抱合活性の低下をもたらすため，これらの変異型ホモ結合体や変異型同士のヘテロ結合体では，重篤な副作用（とくに好中球減少や下痢など）発現リスクの増加が報告されている．

アリルアミン*N*-アセチルトランスフェラーゼ（arylamine *N*-acetyltransferase：NAT1，NAT2）のうち，NAT2の遺伝子多型についても，体内動態の変化に加えて，副作用との関連が注目されている．通常のNAT2活性を有するRA（rapid acetylator）に比べて活性が低いSA（slow acetylator）では，抗結核薬イソニアジドによる肝障害の発現頻度が2倍以上高いことが報告されている．

急性リンパ性白血病でチオプリン系薬による化学療法と頭蓋放射線療法を受ける患者のうち，チオプリンメチルトランスフェラーゼ（thiopurine methyltransferase：TPMT）の遺伝子変異を有する患者群では，骨髄抑制などの副作用により，投与量の減量又は投与の中止が必要とされることが報告されている．

近年，P-糖蛋白質（MDR1），MRP2，OATP1B1などの薬物トランスポーターにおける遺伝子多型が薬物の体内動態や効果に大きく影響することが示されてきた．P-糖蛋白質は消化管，肝及び腎などにおいて薬物の排出促進に作用する一方，抗悪性腫瘍薬に対するがん細胞の耐性化原因蛋白としても知られている．このP-糖蛋白質をコードする*MDR1*遺伝子の$C_{3435}T$変異により，小腸のP-糖蛋白質発現量が減少することで，ジゴキシンの小腸での排泄機能が著しく低下し，経口投与後のジゴキシンの血漿中AUCが上昇することが報告されている．また，肝及び腎における薬物の排出に関わるMRP2をコードする*ABCC2*遺伝子の変異をヘテロ型で有する患者においては，メトトレキサートの排泄遅延による腎障害が引き起こされることや，薬物の肝への取り込みに関与する*OATP1B1*の変異型（*OATP1B1*15*）をホモで有する患者では，プラバスタチンの血漿中濃度が有意に上昇することや，シンバスタチンによる筋障害リスクは著明に上昇することが示されている．

6-4 薬物の作用部位遺伝子変異に基づく薬物応答性の差異

薬物の作用部位，すなわち薬物受容体，酵素，イオンチャネルなどをコードする遺伝子に存在する遺伝子変異が薬剤応答性へ与える影響は，レスポンダー群とノンレスポンダー群あるいは副作用を認めた群と認めない群とで，変異出現率を比較する症例対照研究（ケースコントロールスタディ case-control study）により主に評価されている．

現在までにβ_2-アドレナリン受容体（β_2AR）遺伝子においては，少なくとも13種類の一塩基多型（SNPs）が確認されているが，変異の有無や組み合わせによりサルブタモール吸入時のFEV_1等の改善度に大きな差がみられることが小児喘息患者の大規模調査で報告されている．

ワルファリンは，以前より欧米人と比較して日本人の方が低用量で奏効することが経験的に知られてきた．しかし，ワルファリンの主代謝酵素であるCYP2C9の遺伝子変異の割合はむしろ欧米人の方が高く，この人種間差については薬物動態学的知見と治療学的知見との間に乖離があった．現在では，この主な要因として，ワルファリンの作用部位であるVKOR（vitamin K epoxide reductase）のαサブユニットをコードする遺伝子*VKORC1*（vitamin K epoxide reductase complex subunit 1）の多型が知られている．日本人では，ワルファリンに対する感受性が亢進した変異型の割合が非常に高く，このため欧米人と比較して低用量のワルファリンでも十分な薬効が得られる．

以上，いくつかの遺伝子変異が薬物動態や薬物応答に影響を与える例を紹介した．これらは医薬品の適正使用情報として利用可能であるが，相反する結果も多く報告されており，さらに大規模調査により検証していく必要がある．

文 献

1) 柳澤輝行編：新薬理学入門 改訂3版 南山堂 2008
2) 山田安彦ら編：医薬品情報評価学 医学書院 2009
3) 日本薬剤師研修センター編：日本薬局方 医薬品情報（JPDI）じほう 2011
4) Amer Soc of Health System：AHFS Drug Information 2001
5) 厚生労働省課長通知，平成29年薬生安発0608第1号 2017
6) 望月眞弓：添付文書の読み方 じほう 2005
7) 日本薬剤師会編：調剤指針 第十二改訂 薬事日報 2006
8) 乾 賢一ら編：医療薬学 第5版 廣川書店 2010
9) インフルエンザ脳炎・脳症患者に対するジクロフェナクナトリウム製剤の使用について 緊急安全性情報00-2，医薬品・医療用具等副作用情報，No. 163 6 2000.11
10) Beers MH & Ouslander JG：Risk factors in geriatric drug prescribing, a practical guide to avoiding problems, Drugs **37** 105 1989
11) 安原 一：老年患者における薬物療法の留意点，臨床薬理 **23**(1) 411 1992
12) 海野勝男ら：老人薬用量に関する調査研究，病院薬学 **18**(2) S-32 1992. **19**(2) S-25 1993. **20**(2) S-48 1994
13) 日本老年医学会編：高齢者の安全な薬物療法ガイドライン2005 メジカルビュー 2005
14) 大内尉義ら編：高齢者の薬の使い方 メジカルビュー 2005
15) 内山 真編：睡眠障害の対応と治療ガイドライン じほう 2010
16) 佐藤孝道，加野弘道：実践/妊娠と薬—1,173例の相談事例とその情報 じほう 1992
17) 林 昌洋ら編：妊娠と薬 第2版 じほう 2010
18) 菅原和信，豊口禎子：薬剤の母乳への移行 第3版 南山堂 1997
19) 伊藤真也ら編：妊娠と授乳 改訂2版 南山堂 2014
20) 栄田敏之ら：遺伝子診断に基づく医薬品の適正使用 ファルマシア **38**(5) 394 2002
21) 家入一郎，高根 浩，大坪健司：薬理遺伝学の現状と今後の展望—薬剤の適正使用を目指して— 薬局 **53**(10) 27-46 2002
22) 澤田康文企画・編集：薬物動態・作用と遺伝子多型 医薬ジャーナル社 2001
23) 杉山雄一，前田和哉：オーバービュー：薬物トランスポーターの分子多様性，組織特異性，遺伝子多型 日薬理誌 **125** 178-184 2005
24) Hiratsuka M, Sasaki T, Mizugaki M：Genetic testing for pharmacogenetics and its clinical application in drug therapy, Clin Chim Acta **363** 177 2006
25) Shastry BS：Pharmacogenetics and the concept of individualized medicine, Pharmacogenomic J **6** 16 2006
26) 田中麻子，小谷一夫：UGT1A1遺伝子多型検査の臨床的意義と運用．日本遺伝カウンセリング学会誌 **30** 79-82 2009
27) 加藤隆一：臨床薬物動態学 改訂3版 南江堂 2005
28) ミッシェルE. バートンら編：薬物動態学と薬力学の臨床応用（篠崎公一ら監訳） メディカル・サイエンス・インターナショナル 2009
29) 有井滋樹ら編：これだけは知っておきたい遺伝子医学の基礎知識 メディカルドゥ 2003
30) Schwartz PJ et al.：Diagnostic criteria for the long QT syndrome：An update. Circulation **88** 782-784 1993
31) Moss AJ et al.：Long QT syndrome：therapeutic considerations. In；Zipes DP and Jalife J editor. Cardiac electrophysiology from cell to bedside. 660-667 Philadelphia, PA：Sauders 2004
32) Chen L et al.：Mutation of an A-kinaseanchoring protein causes long-QT syndrome. Proc Natl Acad

Sci USA **104** 20990-20995 2007
33）Goldenberg I et al.：Long QT syndrome. J Am Coll Cardiol **51** 2291-2300 2008
34）Shimizu W：Clinical impact of genetic atudies in lethal inherited cardiac arrhythmias. Circ J **72** 1926-1936 2008
35）QT 延長症候群（先天性・二次性）と Brugada 症候群の診療に関するガイドライン JCS 2007
36）難病情報センターホームページ（http://www.nanbyou.or.jp）

医薬品の投与法

7 投与剤形の選択

経口投与する製剤 preparations for oral administration は一般に，① 錠剤，② カプセル剤，③ 顆粒剤，④ 散剤，⑤ 液剤，⑥ シロップ剤，⑦ ゼリー剤，⑧ フィルム剤などの剤形で用いる．経口投与後，固形剤は，崩壊，分散，溶解などの過程を経て消化管粘膜から吸収されるが，剤形の違いは，薬効の発現速度と大きさに影響する．液剤，シロップ剤（ドライシロップ剤除く）は溶解までのすべての過程を省いた剤形であり，散剤は崩壊の過程を省いた剤形である．効力の発現を早くすることを目的とした場合は，錠剤やカプセル剤より当然有利である（図 7-2）．

治療に適した血中濃度を一定時間維持できるよう，製剤学的に工夫した徐放性製剤 sustained release preparations は1日の服用回数が少なくなる上に，血中濃度の急激な上昇に伴う副作用も軽減できる．一方，服用回数を間違えた場合，用量が著しく増大することに注意が必要である．

錠剤やカプセル剤の服用が困難な乳幼児では散剤，液剤，シロップ剤なども多用する．錠剤やカプセル剤が服用困難な高齢者では，散剤などに変更を必要とする場合がある．なお，散剤は欧米ではほとんど使用されていない．

口腔内に適用する製剤 preparations for oro-mucosal application のうち舌下錠 sublingual tab-

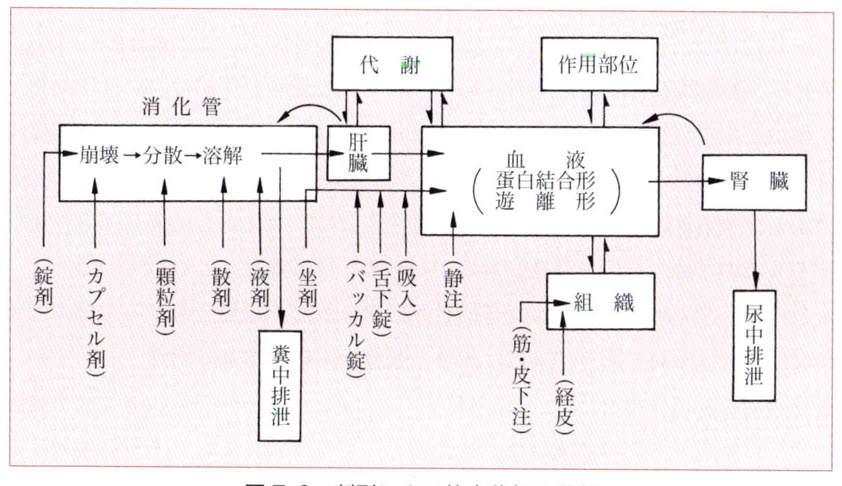

図 7-2．剤形による体内移行の過程

lets やバッカル錠 buccal tablets は有効成分が口腔粘膜から吸収され，肝臓を経由しないで作用部位に到達できる．直腸に適用する製剤 preparations for rectal application のうち坐剤は直腸粘膜から吸収されて速やかな全身効果が期待できるため多用される．直腸の上部，中部からの静脈は門脈に通じているが，直腸下部及び肛門部の静脈血は，肝臓を通らないで下大静脈に直接送られるため，肝臓における初回通過をある程度回避できる．したがって，口腔粘膜や直腸粘膜への適用は，消化液，消化管粘膜，肝臓で顕著に不活性化される医薬品の投与法として有利である．また消化管に対する副作用の軽減を図ることもできる．インドメタシン坐剤の副作用はカプセル剤に比べて少なく，とくに中枢神経系及び消化器系の副作用が顕著に減少する．

8 投与回数と投与間隔[1)]

8-1 週 1 回投与，月 1 回投与

消失半減期が非常に長い薬物や，薬効の持続時間が非常に長い薬物では，週 1 回，あるいは月 1 回の投与で十分持続的な薬効を得ることができる．代表的な薬物として，骨粗鬆症治療薬のビスホスホネート類が挙げられる．例えば，リセドロン酸ナトリウムには，1 日 1 回投与の 2.5 mg 錠に加えて，週 1 回投与の 17.5 mg 錠，月 1 回投与の 75 mg 錠がある．

治療プロトコル上，休薬期間をはさんで月 1 回また週 1 回の投与とされている薬物もある．例えば，メトトレキサートを関節リウマチに対して使用する場合は，1 週間単位の投与量を 1 回又は 2～3 回に分割して経口投与する．分割して投与する場合，初日から 2 日目にかけて 12 時間間隔で投与する．1 回又は 2 回分割投与の場合は残りの 6 日間，3 回分割投与の場合は残りの 5 日間は休薬する．これを 1 週間ごとに繰り返す．患者が誤って毎日服用を続けてしまうと重篤な有害事象の発現リスクが高まるため，確実な服薬指導が必要となる．

8-2 1 日 1 回投与

1 日 1 回投与の医薬品も，消失半減期が長い，あるいは薬効の持続時間が長い薬物が多い．例えば，降圧薬のアムロジピンは，消失半減期が 31～39 時間と長いために，1 日 1 回の投与で安定した降圧作用を得ることができる．また，オメプラゾールは消失半減期は 1.6～2.8 時間と短いが，作用部位であるプロトンポンプと不可逆的に結合するため，血中から消失しても作用部位での作用が持続する．このため，短い半減期にもかかわらず 1 日 1 回投与となっている．

抗菌薬では，耐性菌発現の観点から投与回数が設定されている場合もある．例えばオフロキサシンは，半減期が約 8 時間であり当初は 1 日 3 回投与が一般的であったが，ニューキノロン系抗菌薬は濃度依存的な殺菌作用を示すこと，MSW（mutant selection window；最小発育阻止濃度と耐性菌出現阻止濃度との間の濃度域で，耐性菌のみを生き残らせてしまう濃度域）にある時間を短くする必要があることなどから，現在では分割投与を避けることとなっている．

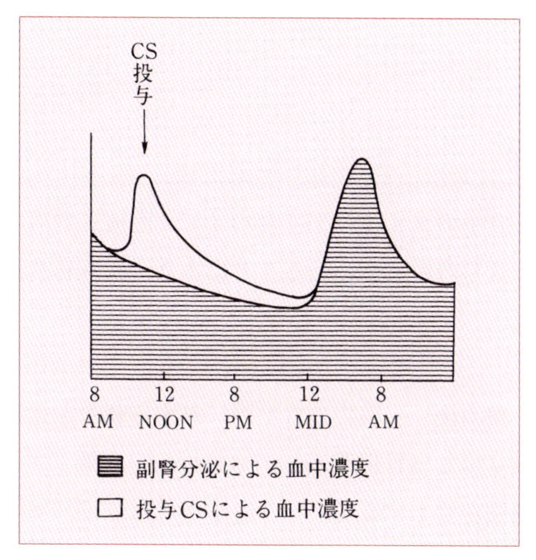

図 7-3. コルチコステロイド（CS）午前１回の投与と副腎分泌のリズム

1日1回投与の医薬品の中には，消失半減期も薬効の持続時間も短いものがある．このような薬物は，1日のうちで特定の時間帯に薬理作用を得るために，1日1回投与となっていることが多く，朝，夕，寝る前などの服用時期を厳守させることがより重要となる．一例として，催眠作用を目的とした短時間作用型ベンゾジアゼピン類（トリアゾラムなど；寝る前に服用）や，昼間の利尿を目的とした利尿薬（フロセミドなど；朝食後服用），生体リズムに合わせた副腎皮質ステロイド製剤（朝食後服用；図7-3）[2]，早朝の発作予防を目的としたテオフィリン製剤（**ユニフィルLA**；夕食後服用）などが挙げられる．とくに，生体の日内変動による薬効への影響は**時間薬理学** chronopharmacology として研究され，治療に反映されている[3~6]．

8-3 1日2回，1日3回投与

一定の薬理効果を維持するためには，半減期があまり長くない薬物の場合は，1日のうちで等間隔に近くなるように，1日2～3回投与とされる．経口剤では食事のタイミングに合わせて，注射剤では一定間隔ごと（1日2回であれば12時間ごと）に投与される．

なお，1日2回投与であっても，降圧利尿薬のように，時間薬理学的観点から，夜間の頻尿を回避しつつ日中の降圧効果を得られるよう，朝と昼に分割投与されるケースもある．また，H_2受容体拮抗薬は，1日2回の場合は朝と夕又は就寝前に投与する．

8-4 その他の投与法

消化管吸収に輸送担体が寄与しているなどの理由から，1回の服用量を増やすと吸収が低下するような薬物では，頻回の分割投与が必要となる．このような例としてアシクロビル（**ゾビラッ**

クス）が挙げられる．

8-5 食事との関係

とくに経口剤の場合は，食事のタイミングに合わせて食直前，食前，食直後，食後，食間などと指示されることが多い．食事時間に合わせることにより，飲み忘れを防ぎ，コンプライアンスを高めることができる．

食後（食後 30 分以内），**食直後**　薬物の胃粘膜に対する刺激を食物が緩和する．一方で，胃内容物の小腸への送り出し（胃排泄，gastric empty）が低下するため，とくに胃排泄律速型薬物では，吸収速度が低下する（t_{max} の遅延と C_{max} の低下が観測される）．
また，吸収に脂肪分や胆汁成分が必要な薬物では，食前や空腹時投与では吸収が低下するため，吸収率確保の観点から食後投与の遵守が重要なこともある．

食間（食後 2 時間）　食物との物理化学的な相互作用（吸着やキレート形成など）を回避することができる．また，食後と比較して胃排泄が速やかなため，医薬品の作用がより迅速に現れる．一方で，食後投与と比較して飲み忘れが起こりやすいため，注意が必要である．

食前（食事の 30 分程度前）　食欲促進薬，整腸薬，制吐薬などでは，食前投与とされることも多い．また漢方薬も食前投与のものが多い．

食直前　食後過血糖改善薬であるαグルコシダーゼ阻害薬（例：アカルボース，ボグリボース）やグリニド系薬物（例：ナテグリニド，ミチグリニド）は，食直前投与される．とくにグリニド系薬物は，食前（食前 30 分）投与すると，食事開始前に低血糖が惹起される危険性があるため，食前ではなく食直前（食事の前 10 分以内）に服用するよう指導する必要がある．

起床時　飲食物の摂取により吸収が著しく低下する場合は，起床時に投与されることがある．代表的なものとして，ビスホスホネート系薬物が挙げられる．

就寝前（空腹時）　不眠症治療薬のクアゼパムは就寝前に服用されるが，食事により吸収が空腹時の 2～3 倍に増大するため，夕食から就寝までの間が短い患者ではとくに注意が必要となる．

9 服用方法

9-1 服用方法

一般に医薬品は水又は微温湯で服用する．

錠剤を水なしでそのままのみ込むと，消化管内で崩壊しなかった例があり（〔例 1〕参照），場合によっては食道に滞留して食道潰瘍を起こすこともある．とくに，高浸透圧の水溶液を生じるカリウム製剤や，pHの低い水溶液を生ずるテトラサイクリン類などでは，食道潰瘍のリスクが高い．コップ1杯以上の水で，上体を起こした状態で嚥下服用するよう指導することが重要である．このほか，大量の水とともに服用した方がよい医薬品にサルファ剤（腎でのアセチル体の沈着防止，吸収促進），シクロホスファミド，プロベネシド（尿酸の尿細管での析出防止，少なくとも1日2L以上の水を摂取）がある．カルメロースナトリウムのような便秘治療薬はコップ1杯の水とともに服用する．口腔内崩壊錠は水なしでも服用可能だが，水で服用しても差し支えない．

胃粘膜の刺激を緩和するためにミルクで服用したり，薬の味を矯正するためにジュースなどで服用することもあるが，成分や製剤加工との相性には留意する必要がある．

【例1】 錠剤の服用法 と 体内における崩壊性[6)]

錠剤崩壊の第1段階は，錠剤内に存在する毛細管に水が侵入して内部を濡らすことである．

錠剤（裸錠）を水とともに服用すると，水が錠剤の内部に侵入し，崩壊剤を膨化させ，錠剤は崩壊する．しかし水なしで服用すると，胃壁にある高粘度のムチン質（粘度10～20 c.p.）や食物中のデンプンなどが錠剤の表面を覆い，水の侵入を阻害する結果，崩壊時間は著しく延長する．

毛細管に液が侵入して濡れる長さと時間の関係は，Washburnの式を用いて実験的に確かめられた．

$$L^2 = \frac{R\ \gamma\cos\theta}{2\eta}t$$

L：濡れた毛細管の長さ　γ：液体の表面張力
R：錠剤内の平均毛細管半径　θ：固体–液体の接触角
η：液体の粘度　t：時間

このうち錠剤に関する要因はR，試験液に関する要因はηとγ，固体液体両方に関係する要因はθである．

濡れ速度式をみると，粘度が大きくなると毛細管の濡れ速度は低下することがわかる．そこで，水にメチルセルロース400を加えて種々の粘度の溶液をつくり，PAS-Ca錠について濡れ速度を測定すると，液の粘度が上昇するにつれ濡れる速さの係数$R\gamma\cos\theta/2\eta$は激減し，したがって濡れが遅くなる．

このようなメチルセルロース溶液中で錠剤を崩壊させると，崩壊時間が非常に大きくなる．すなわち水中では3分で崩壊した錠剤も1%のメチルセルロース水溶液（粘度12.5 c. p.）中では2時間半以上も崩壊しない（表7-9）．

表7-9．濡れ速度及び崩壊時間に及ぼす粘度の効果（野上　壽）
（PAS-Ca錠，37℃）

メチルセルロースの濃度%	粘度 c. p.	$\gamma\cos\theta$の比（水を1とする）	$\frac{R\ \gamma\cos\theta}{2\eta}\times10^4$	崩壊時間（分）
0	0.6947	1	213	3
0.8	7.3840	0.7	13	90
1.0	12.5130	0.5	5.7	160

ドライシロップ製剤はそのまま散剤と同様に服用してもよいし，水に溶解又は懸濁して服用してもよい．

9-2 医薬品の服用 と 飲食物[7, 8]

経口投与した医薬品の吸収は，脂溶性，解離度（pKa），pH，粒子径，分子量，物性（結晶形など）に支配される．一部の高膜透過性低分子医薬品は胃でも吸収されるが，多くの医薬品は小腸上部で吸収される．

胃腸内に食物が存在すると，消化管内の pH，浸透圧，運動性，分泌液に変化を生じる．それらは医薬品の解離度，安定性，溶解性，過飽和の安定性，胃内滞留時間，胃内容排出時間に影響し，ひいては吸収過程に影響を及ぼす．

1）生物学的利用率[9)]

ビスホスホネート系薬物は，もともと経口バイオアベイラビリティが低いが，前述のように，食事はもちろん，水以外の飲料でも著しく吸収が低下する．これは金属イオンと難吸収性のキレートを形成するためである．

テトラサイクリン類は食物の摂取により吸収率が低下し，とくに多量の Ca を含む乳製品を摂取すると難吸収性のキレートを形成し吸収が悪くなる．

食物の存在は多くの医薬品の生物学的利用率を低下，あるいは吸収を遅延させることが多いが，逆に吸収の増加が認められる場合もある．

カルバマゼピンやシクロスポリンの生物学的利用率は食後服用の場合増加する．これは食後の胆汁分泌によりカルバマゼピン，シクロスポリンが可溶化するためと考えられる[10)]．

クアゼパムも，前述のように，空腹時より食後服用の方が吸収量が増加するため，食後の服用は禁忌とされている．

肝臓で初回通過効果を受けるプロプラノロール，メトプロロールでは食事摂取後の服用の方が，最高血中濃度，AUC ともに増加する[11)]．

リボフラビンは吸収される部位が小腸の上半部に限られ，能動輸送により吸収されるため，吸収過程に飽和が生じやすく，吸収効率は低い．食事摂取時に服用すると胃内容排出速度が遅くなり，リボフラビンが少量ずつ吸収部位である小腸上部を通過するようになるため，吸収量は増大する[12)]．

難溶性塩基性薬物は，胃内での溶解が生物学的利用率の決定要因となる．例えば，イトラコナゾールは胃内の酸性環境下で溶解し，中性の小腸上部では過飽和溶液となって吸収される．このため，胃酸の分泌が低下したり制酸剤が併用されると，胃内で十分に溶解せず，吸収率が著しく低下する．

2）医薬品 と 飲食物の相互作用[13)]

① 飲食物中の成分が医薬品の作用に影響

アルコールは多くの医薬品の吸収を促進する．また中枢神経に作用する薬ではアルコールによる作用増強に注意を要する．

ワルファリン服用時に納豆を摂取すると，腸内でのビタミンK合成能が強い納豆菌によりワルファリンの抗凝血作用が拮抗を受け，トロンボテスト値が急激に上昇するという報告がある[14]．青汁，クロレラも同様の注意を必要とする〔ビタミンK含有量（100 g中）：納豆925 μg，青汁1,970 μg，クロレラ3,600 μg〕．

シクロスポリン，タクロリムス，ジヒドロピリジン系のカルシウム拮抗薬（フェロジピン，ニトレンジピンなど）はグレープフルーツまたはその果汁を摂取していると，血中濃度が上昇するとの報告がある[15~18]．グレープフルーツジュース中のフラノクマリン類が小腸におけるCYP3A4の代謝活性を不可逆的阻害するためと考えられ，飲食物の摂取と時間をあけてもその影響は残っている．

フェキソフェナジンのような一部の水溶性薬物は，消化管において有機アニオン輸送ポリペプチドorganic anion transporting polypeptides（OATPs）による特殊輸送を介して吸収される．グレープフルーツやオレンジなどの果汁成分にはOATPsの阻害作用があるため，フェキソフェナジンは，グレープフルーツジュースやオレンジジュースなどと同時に服用すると吸収が低下することが知られている．

高蛋白食を摂取すると中性アミノ酸がレボドパ，メチルドパの消化管吸収を阻害するという報告がある[19~21]．構造類似による競合かと思われる．アミノ酸を多く含む経腸成分栄養剤についても同様の注意が必要であろう．

セント・ジョーンズ・ワート（セイヨウオトギリソウ，以下SJW）含有食品には，チトクロムP450，とくにCYP3A4，CYP1A2の誘導作用がある．これらの酵素で代謝されるシクロスポリン，ワルファリン，テオフィリン，経口避妊薬（エチニルエストラジオール含有）などは，SJW含有食品との併用により，血中濃度の低下，作用の減弱がみられる[22]．また消化管におけるP-糖蛋白質の誘導作用があるため，ジゴキシンの血中濃度の低下，作用の減弱がみられる．

② 医薬品が飲食物中の成分に影響

一方医薬品の飲食物に対する影響として，モノアミンオキシダーゼ（MAO）阻害薬がチーズ中のチラミンの代謝を阻害して，激しい昇圧反応が発生したという報告は有名である．イソニアジドにもMAO阻害作用があり，チラミンを多く含む食物と併用すると血圧上昇，動悸を起こすことがある．

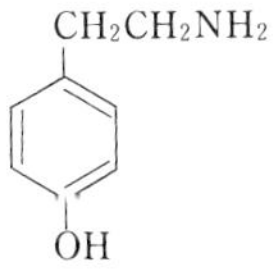

$CH_2CH_2NH_2$

OH

チラミン

またN-メチルテトラゾールチオメチル基をもつセフェム系抗菌薬を注射後，アルコール飲料を摂取すると，アルコールの代謝が阻害されてジスルフィラム様症状を呈する(p.216)．クロルプロパミドのようなスルホニル尿素系血糖降下薬もアルコール飲料の摂取により，ときにジスルフィラム様作用が現れることがある．

食事中のビタミンB_{12}（シアノコバラミン）の吸収には，胃酸の作用が必要となる．このため，プロトンポンプ阻害薬などで慢性的に胃内のpHが上昇していると，ビタミンB_{12}の吸収が低下し，欠乏性を起こすことがある．

3）味覚障害 [23〜25]

味覚障害 taste disorder の原因として薬剤性味覚障害の頻度は高く，とくに高齢者の味覚障害例が顕著である．好発時期は原因薬剤を服用後数日以内に発症することもあるが，多くは約 2〜6 週間以内に味覚障害が起こる．一度味覚障害を発症すると，服用中止後も長期にわたって症状が継続することが多い．緩解するまでに数ヵ月を要することもある．味覚障害に必須微量元素である亜鉛が重要な役割を果たすことが知られており，味覚障害の機序として亜鉛とのキレート形成が考えられる．ペニシラミンによる味覚障害例では，ペニシラミン分子構造中の SH 基が Zn と結合しキレート化合物を形成するためと指摘された．ペニシラミンの中止と硫酸亜鉛の内服 (p.368) により味覚障害の改善を認めている．

とくにチオール基（$-SH$），カルボキシル基（$-COOH$），アミノ基（$-NH_2$）を有し，五員環，六員環キレートをつくる構造式をもつ医薬品に注意する．

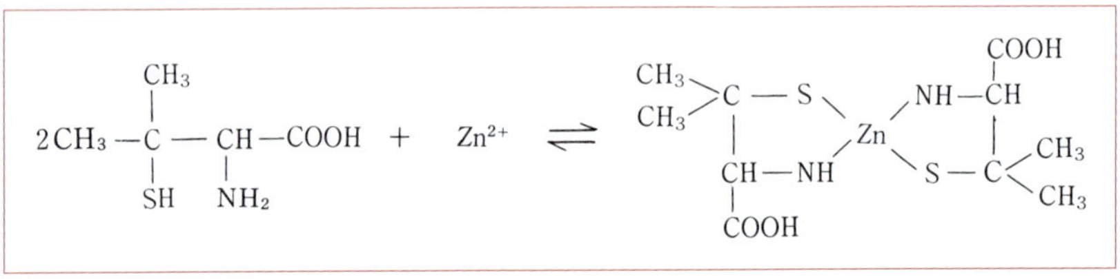

$$2\,CH_3-\underset{\underset{SH}{|}}{\overset{\overset{CH_3}{|}}{C}}-\underset{\underset{NH_2}{|}}{CH}-COOH \;+\; Zn^{2+} \;\rightleftharpoons\; \text{Zn キレート（}(CH_3)_2C-S-Zn-S-C(CH_3)_2\text{, 各 }CH(COOH)-NH-Zn\text{ 環）}$$

右辺構造
COOH
CH3>C — S \ /NH—CH
CH3/ | Zn | /CH3
CH—NH / \ S—C<
| \CH3
COOH

添付文書中の副作用の欄に味覚異常（味覚障害）及び口腔内苦味感が記載されている医薬品は多数ある．これらの副作用を起こしやすい医薬品には循環器官用薬，催眠鎮静薬，精神神経用薬が多い．

抗うつ薬（三環系：アミトリプチリン塩酸塩，イミプラミン塩酸塩，クロミプラミン塩酸塩，四環系：マプロチリン塩酸塩），フルオロウラシル系抗悪性腫瘍薬（フルオロウラシル，テガフール，カルモフール，ドキシフロリジン），プロトンポンプ阻害薬（オメプラゾール，ランソプラゾール，ラベプラゾールナトリウム），HMG-CoA 還元酵素阻害薬（プラバスタチンナトリウム，シンバスタチン，アトルバスタチンカルシウム），インターフェロン製剤，アシクロビル，アセタゾラミド，エトレチナート，シクロホスファミド，タクロリムス，ペニシラミン，メトトレキサート，レボドパ．

9-3 小児に対する薬の与え方（服薬指導 p.343）

① 小児に対する薬の与え方は，年齢に応じて量，味，におい，色などを考慮し，のみやすいように心がける．1 日の目安を表 7-10 のようにする．

② 剤形は，患児の好みを考えて決める．例えば錠剤は 5 歳以上にならないとのめないのが普通であるが，それ以上になってもまだのめない子どもがいる．逆に散剤をきらって，錠剤しかのまないという子どももいる．

表 7-10. 小児用薬剤の 1 日量の目安

	散 剤（g）	水 剤	
		全量（mL）	単シロップ添加量（mL）
乳 児	0.5～1.0	15～20	3
幼 児	1.0～1.5	30～40	5
年長児	1.5～3.0	50～70	5

③ のませ方の指導が必要である．乳児に散剤を与えるには，少量の水を混ぜてスプーンで与えるか，または水でかたく練って口蓋の奥の方につけてやる．砂糖を混ぜてもよい．ミルクや食物に混ぜて与えるのはいけない．また原則として授乳前がよい．幼児で散剤をきらう者には服薬補助ゼリーなどを活用するのもよい．

薬は子どもの手がとどかない所にしまっておくという注意も必要である．

④ 子どもの生活に応じた服用法を考える．登校しながら服薬する場合 1 日 3～4 回の分服は困難である．効果に支障がないかぎり，1 日 1～2 回にした方がよい．原則として 4～6 時間ごとの服用が望ましい場合でも，熟睡している子どもを起こしてまでのませる必要は通常ない．

実際に医薬品を内服させるにあたって最も問題が大きいのは乳児と 2 歳までの幼児である．母親に具体的な与え方を教える（p.343）．

年齢 3ヵ月

【処方】 ガランターゼ散 Galantase Powder　1 回 0.25 g（1 日 1.5 g）

1 日 6 回 哺乳時に服用 7 日分

乳糖分解酵素．乳糖不耐による消化不良．本品 1 g 中 β-ガラクトシダーゼ（アスペルギルス）0.5 g（5,000 単位）（50％散）を含む．賦形剤を加える時は，デンプンを用いる．

9-4 矯味・矯臭

1）味覚 と 嗅覚

味覚は，すっぱい（酸），しおからい（鹹），にがい（苦），あまい（甘）の 4 種の味覚質に区分される．

嗅覚は，薬味性，花香性，果実性，樹脂性，腐臭性，焦臭性の 6 種の基本臭に区分される．矯臭の目的に利用される基本臭は，花香性及び果実性とその中間のにおいである．

味覚は単独の物質による味蕾の刺激に起因する単純な感覚ばかりでなく，嗅覚，視覚，口内粘膜による触覚や温度感覚などが複雑に入り混じった総合感覚として認識される．

2）医薬品の矯味・矯臭法

従来わが国では矯味・矯臭の問題はなおざりにされてきた傾向がある．しかし不快な味やにおいは服用意欲を減ずるだけでなく，味覚が成人より鋭敏な小児では経口投与が困難となる．味やにおいのよくない医薬品について，あらかじめそれらの矯味・矯臭の方法を研究しておく必要がある．

機械的方法 のみにくい味やにおいをもつ医薬品を薬効に影響を与えない物質で包みこんで服用に伴う不快さを遮断する方法である．オブラートに包んだり，カプセルに充てんしたり，糖衣錠・フィルムコーティング・顆粒剤などの製剤とする．

化学的方法 医薬品を難溶性エステルや塩にすることにより味を改良する方法である．

パラアミノサリチル酸カルシウム，タンニン酸ジフェンヒドラミン，クロラムフェニコールパルミチン酸エステル，エリスロマイシンエチルコハク酸エステル，キニーネエチル炭酸エステル

調剤学的方法 不快な味やにおいをもつ医薬品に対して，矯正ポテンシャルの大きいフレーバーやシロップなどを使用して，矯味・矯臭する方法である．

① 乳糖，デンプン，水などで希釈すると，ある程度矯味の目的を達することができる．

② 甘味剤，フレーバー（オレンジ，レモン，ストロベリー，バニラなど）を加えることにより，味やにおいを隠すことができる．ただし，白糖やシロップ剤は糖尿病，小児の下痢を伴う疾患には用いない．このような時には合成甘味料を用いる．

医薬品によっては甘味の配合により，かえって味を悪くすることがある．ヨウ化カリウム，臭化カリウム，硫酸マグネシウムなどは酸味剤，苦味チンキなどの添加がよい．パラアミノサリチル酸ナトリウム，サリチル酸ナトリウムのような甘味を有する医薬品も甘味剤の配合によりかえって味が悪くなる．苦味チンキやハッカ水がよい．

③ 苦味をもって苦味を制するというが，キニーネ塩酸塩，コデインリン酸塩などの苦味を有する医薬品には，チョコレート，ココア末，カカオシロップなど苦味を有するものを加えると激しい苦味がなくなることがある．

【処方】		
	コデインリン酸塩	1.0 g
	ココア末	5.5 g
	サッカリンナトリウム	0.15 g
	乳糖	全量 10.0 g

④ 油類はO/W型乳剤として水層に甘味・芳香を加えると，不快な舌ざわり，味やにおいを矯正できる．

文 献

1) 大戸茂弘，吉山友二監修：時間治療の基礎と実践 丸善 2007
2) 小川暢也（編）：時間薬理学，朝倉書店 2001
3) 吉山友二：くすりはいつ飲めば効く？—生体リズムと時間治療 丸善 2002
4) 大戸茂弘：時間薬理学を駆使した投薬設計はどこまで進むか，薬事 **44**(4) 752 2002
5) 特集：ゲノム情報の活用と服薬のタイミングを考える，薬局 **53**(10) 2487 2002
6) Nogami H et al.: Studies on tablet disintegration I, The effect of penetrating rate on tablet disintegration, Chem Pharm Bull **11** 1389 1963. 仲井由宣：崩壊の理論，医薬品開発基礎講座15 製剤設計法（1）507 地人書館 1973
7)「飲食物・嗜好品と医薬品の相互作用」研究班編：改訂3版 飲食物・嗜好品と医薬品の相互作用 じほう 1998

8）緒方宏泰：飲食物と薬物の Bioavailability，日薬誌 **33**(1) 47 1981
9）加藤隆一著：臨床薬物動態学　改訂第3版　南江堂　2005
10）Levy RH et al.：Pharmacokinetics of carbamazepine in normal man, Clin Pharmacol Ther **17** 657 1975
11）Melander A et al.：Enhancement of the bioavailability of propranolol and metoprolol by food, Clin Pharmacol Ther **22**(1) 108 1977
12）Levy G & Jusko WJ：Factors affecting the absorption of riboflavin in man, J Pharm Sci **55**(3) 285 1966
13）杉山正康編：薬の相互作用としくみ　第9版　医歯薬出版　2010
14）工藤龍彦ら：抗凝固療法中の納豆によるワーファリン拮抗作用，医学のあゆみ **104** 36 1978
15）Bailey DG et al.：Interaction of citrus juices with felodipine and nifedipine, Lancet **337** 268 1991
16）Bailey DG et al.：Effect of grapefruit juice and naringin on nisoldipine pharmacokinetics, Clin Pharmacol Ther **54** 589 1993
17）Bailey DG et al.：Grapefruit juice and drugs, Clin Pharmacokinet **26**(2) 91 1994
18）澤田尚之ら：阻害剤としてのグレープフルーツジュース，薬事 **38**(3) 579 1996
19）Pincus JH et al.：Influence of dietary protein on motor fluctuations in parkinson's disease, Arch Neurol **44**(3) 270 1987
20）平田　洋ら：長期パーキンソン病患者に対する朝昼タンパク質摂取制限療法の効果，副作用および適応に関する検討，臨床神経学 **32**(9) 973 1992
21）片　芳彦：抗パーキンソン剤　b）レボドパ，医薬ジャーナル **31**(12) 2998 1995
22）セント・ジョーンズ・ワート（セイヨウオトギリソウ）含有食品と医薬品との相互作用について，医薬品・医療用具等安全性情報，No. 160 7 2000.5. 日薬誌 **52**(10) 14-25 2000
23）財団法人　日本医薬情報センター発行：重篤副作用疾患別対応マニュアル　第5集　一二三書房 2011
24）池田　稔：味覚障害，耳喉頭頸 **69**(8) 525 1997
25）原田　保：薬剤による感覚器障害，日病薬誌 **38**(12) 1485 2002

8 血中薬物濃度モニタリング（TDM）概論

1 TDM

1-1 TDMとは

第7章では処方の構成要素である薬用量と投与法について記した．それらを考えて，個々の患者の疾患や病態に応じた医薬品を選び，それら薬物の体内動態 pharmacokinetics と薬物の作用 pharmacodynamics を調べ，患者の年齢，体重，心疾患，肝・腎障害など個人差を考慮した投与計画を立てることが薬物療法の目標である．

薬物動態学の進歩と測定方法の開発は，投与した医薬品の血中薬物濃度をモニターして「より的確に個々の患者に適した処方」を作り上げることを可能とした．

TDM（therapeutic drug monitoring）とは，薬物による副作用や中毒発現を避けながら効率よく有効性を発揮するために，患者個人について測定した薬物の血中濃度の値と治療効果，さらには文献などから得られる情報，pharmacokinetics を駆使して，医薬品の薬用量，投与法を調整する手法である．

TDMでは，薬物の血中濃度が治療濃度範囲 therapeutic drug concentration range にあるかどうかを知るだけでなく，血中濃度をその範囲内に維持するよう予測計算する必要がある．計算は薬物動態学の考え方に基づくので，薬動学的パラメータの算出やTDMによる予測計算は，パーソナルコンピュータを用いて簡単に行われるが，どのような仮定，考え方のもとに計算が行われるかを知っておく必要がある．

1-2 TDMと薬剤師

薬物の効果と血中濃度の関係が臨床との結びつきで考えられるようになったのは1940年代からである．その後，薬物動態学の発展とともに，1960年代に入ってTDMが臨床の場で広く応用されるようになった．わが国では1980年（昭和55年）にリチウム製剤投与後の血中濃度測定が診療報酬に初めて適用され，今日では表8-1に示す薬物についてのTDMが保険適用となっている．

表 8-1. 特定薬剤治療管理料 1 の対象薬物（2021 年 4 月現在）

薬剤（群）	薬物名	対象患者・疾患
ジギタリス製剤	ジゴキシン	心疾患患者
抗てんかん薬	フェノバルビタール，プリミドン，フェニトイン，カルバマゼピン†，エトスクシミド，バルプロ酸†,‡，ゾニサミド，トリメタジオン，クロナゼパム，ニトラゼパム，ジアゼパム，クロバザム，レベチラセタム，トピラマート，ラモトリギン，ガバペンチン，アセタゾラミド，ラコサミド，ペランパネル，スルチアム	てんかん患者（†については躁うつ病または躁病の患者も対象，‡については片頭痛患者も対象）
テオフィリン製剤	テオフィリン	気管支喘息，喘息性（様）気管支炎，慢性気管支炎，肺気腫又は未熟児無呼吸発作の患者
抗不整脈薬	プロカインアミド，N-アセチルプロカインアミド，ジソピラミド，キニジン，アプリンジン，リドカイン，ピルシカイニド，プロパフェノン，メキシレチン，フレカイニド，シベンゾリン，ピルメノール，アミオダロン，ソタロール，ベプリジル	不整脈の患者（不整脈用剤を継続的に投与している場合）
統合失調症治療薬	ハロペリドール，ブロムペリドール	統合失調症患者
リチウム製剤	リチウム	躁うつ病
免疫抑制剤	シクロスポリン，タクロリムス，エベロリムス，ミコフェノール酸	臓器移植後の拒絶反応の抑制など[1),2),3)]
サリチル酸製剤	サリチル酸	若年性関節リウマチ，リウマチ熱又は関節リウマチの患者（サリチル酸系製剤を継続的に投与している場合）
抗悪性腫瘍剤	メトトレキサート，イマチニブ，スニチニブ	悪性腫瘍（スニチニブについては腎細胞癌）
トリアゾール系抗真菌剤	ボリコナゾール	重症又は難治性真菌感染症又は造血幹細胞移植の患者
シロリムス製剤	シロリムス	リンパ脈管筋腫症の患者
アミノ配糖体抗生物質，グリコペプチド系抗生物質	ゲンタマイシン，トブラマイシン，アミカシン，アルベカシン，バンコマイシン，テイコプラニン	感染症の入院患者

1）シクロスポリンについては，ほかにもベーチェット病（活動性・難治性眼症状を有する），非感染性ぶどう膜炎（既存治療で効果不十分），再生不良性貧血，赤芽球癆，尋常性乾癬，膿疱性乾癬，乾癬性紅皮症，関節症性乾癬，全身型重症筋無力症，アトピー性皮膚炎（既存治療で効果が不十分），ネフローゼ症候群，川崎病の急性期も対象となる．

2）タクロリムスについては，全身型重症筋無力症，関節リウマチ，ループス腎炎，潰瘍性大腸炎又は間質性肺炎（多発性筋炎又は皮膚筋炎に合併するもの）も対象となる．

3）結節性硬化症に伴う上衣下巨細胞性星細胞腫の患者であって抗悪性腫瘍剤としてエベロリムスを投与している場合も対象となる．

これらの対象薬物は，科学的エビデンスや実績に基づいて保険適用が認められるようになり，順次追加や見直しが行われている．これは，医療現場で TDM に従事する薬剤師の，薬物治療適正化への貢献が認められた結果である．すなわち，現在は対象薬物でなくても，先進的に TDM の実践に取り組んで実績を積むことで，その有用性が認められれば，保険適用が認められることとなる．薬剤師のチャレンジが求められる領域といえよう．

近年，次世代型 TDM ということで，Therapeutic Drug Monitoring を Therapeutic Drug Management と読み替え，新たなコンセプトで発展させようとの動きが活発である．これまでのTDM における血中薬物濃度測定に，薬物動態や薬物応答に関係する遺伝子多型や，バイオマーカーに関する測定等も加え（1-3 の項参照），さらに母集団薬物動態解析（3-5 の項，p.187 参照），PK/PD 解析，モデリング＆シミュレーションの技術も利用しながら，薬物療法個別化（personalized medicine）の精度を高めようとするアプローチである．

1-3 薬物の効果 と 血中濃度

薬物の作用・効果は，生体側の感受性と，その薬物の作用部位周辺の濃度によって決まる．多くの薬物は，血液中で血液成分である赤血球やアルブミン，グロブリン，α_1-酸性糖蛋白などの血漿蛋白と結合し分布する．したがって作用部位周辺での非結合型薬物濃度がわかれば，それが効果の指標になるが，それを測定することは不可能である．作用部位と血液との間に平衡関係があると仮定すれば，血中の非結合型薬物濃度を測ることが重要になる．しかし非結合型薬物濃度を測定するためには手間がかかるので，TDM では一般に非結合型と結合型との両方を合わせた総濃度が測定される．このとき，血漿蛋白への結合や血球への分配が一定であれば，血漿中あるいは全血中総濃度と非結合型濃度の比は一定となり，測定された総濃度から薬効や副作用を評価できる．これが，一般的に用いられる「治療域」である．しかし，血漿蛋白質の濃度やヘマトクリット値などが大きく変動している場合は，測定された総濃度をそのまま治療域と比較して判断することは危険である．例えば，患者のアルブミン濃度が低下していれば，アルブミンに結合する薬物では非結合型率が高くなる．こうなれば，総濃度の測定値が一般的な治療域より低くても，十分に治療効果が得られているケースも考えられる．

また血中薬物濃度と一概にいっても，採血前後に手を加えない血液まるごとの中の薬物濃度（全血中薬物濃度 whole blood drug concentration），血清分離剤入り採血管を用いたり採血後しばらく放置しておいた後の上澄液として得られる血清の中の薬物濃度（血清中薬物濃度 serum drug concentration），採血する前に試験管などに抗凝血薬を加えておき採血後遠心分離して得た血漿中の薬物濃度（血漿中薬物濃度 plasma drug concentration）がある．

血清中濃度と血漿中濃度とは大体同じ値として取り扱えるが，薬物によっては採血する試験管に加えておいた抗凝血薬が測定を阻害することがある．そこで臨床では，血清中濃度を測定する方が誤りが少なく，血清中濃度が血中濃度を意味することになる（血清分離剤が薬物を吸着する場合もある）．しかしシクロスポリンやタクロリムスのように赤血球に分布し，かつ分布の程度が保管温度に影響される薬物では，全血中濃度を測定する必要がある．

1-4 TDM と 遺伝的要因

薬物の作用・効果は，pharmacokinetics と pharmacodynamics からの検討が必要であり，pharmacokinetics に影響を及ぼす薬物代謝酵素・薬物輸送担体の SNPs（一塩基多型）と pharmacodynamicsに影響を及ぼす薬物の作用部位の遺伝子多型の研究が進んできた（p.156）.

血中薬物濃度が同じであっても，作用部位の薬物標的分子の遺伝子多型によって，個人間で薬剤感受性，反応性が異なる，いわゆるリスポンダー，ノン・リスポンダーの存在である．言い換えれば，TDMは，リスポンダー，ノン・リスポンダーの分類，そして使用する薬物の選別につながるであろう.

2 臨床におけるTDMの有用性

2-1 TDMを行うにあたって

① 血中薬物濃度と効果との関係が明らかになっていること.

② 有効血中濃度と中毒発現濃度がわかっていること.

③ 再現性のある測定方法をもっていること.

④ 少数の血中濃度から薬物の体内動態を推定するため，薬物動態モデルには不正確さが伴うことを理解しておくこと.

2-2 TDMが有用性を示すケース

1）作用・効果を直接評価しにくい薬物

抗てんかん薬では発作頻度などが薬物治療の目安になるが，定量的に評価しにくいので，TDMが治療上で有用な手段になる．しかし血圧，血糖値などのように効果を定量的に表現できる降圧薬，血糖降下薬などでは改めてTDMを行う必要は少ない．ただしTDMによって薬物の副作用や中毒発現を避ける場合は別である.

2）治療血中薬物濃度範囲が狭い薬物

フェニトイン，ジゴキシン，ハロペリドールなどは治療血中濃度範囲が非常に狭いので，その調整には細かい注意が必要であり，TDMが治療上有用な手段となる．しかし治療血中濃度範囲が広い薬物では，投与量の微調整の必要があまりないので，TDMの意義は低い.

3）体内動態の個人差が大きい薬物

薬物の体内動態は個人個人で異なるので，仮に同一の年齢，同一体重のヒトが，同一の投与量，投与法の薬剤を服用しても同じ血中薬物濃度値が得られるわけではない．フェニトイン（図8-1），ジゴキシン，テオフィリンなどは体内動態の個人差が大きく，患者個人別の投与量の設定が難しいので，TDMが有用となる.

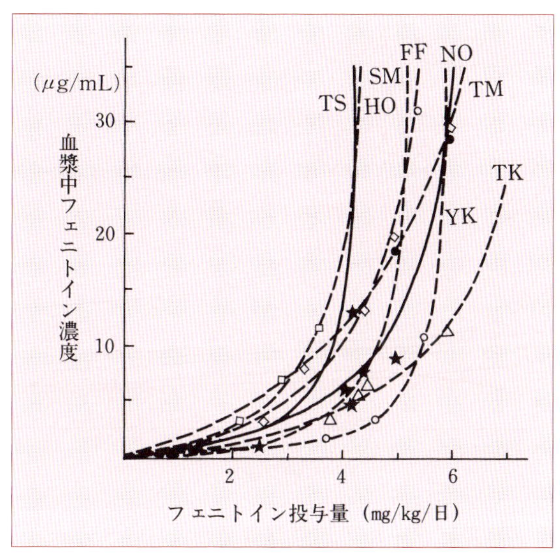

図 8-1．フェニトイン服用患者における投与量と
血中フェニトイン濃度との関係[2)]

■ 4）体内動態に非線形性が認められる薬物（p.157 CYP2C9 の遺伝子多型）

フェニトイン（図 8-1）のように投与量のわずかな変化によって体内量，血中濃度がそれに比例せず大きく変化する薬物，つまり体内動態が非線形性を示す薬物では，投与量の調整が難しいので TDM の意義が大きい．ほかに非線形性を示す薬物にジソピラミド，サリチル酸塩，アセトアミノフェン，テオフィリン（とくに小児）などがある．バルプロ酸のように血中濃度が高い場合に血漿中アルブミンなどの蛋白質との結合に飽和を生じ，非線形性を示すものもある．

多くの薬物の体内動態は線形で近似されているが，これは非線形性近似が必要となるに至っていない投与量，濃度での観察によるものと考えてよいであろう．

■ 5）小児，高齢者，妊婦，又は肝臓や腎臓などに障害がある患者で，投与量を決めにくい薬物

小 児　小児では臓器の機能の未発達，あるいは急速な発達に伴う薬物体内動態の変化のために，小児は単に成人を小型にしたヒトとして考えることはできず，年齢に応じて投与量を調整する必要がある薬物が多い．例としてフェノバルビタールについて，年齢別の治療濃度範囲に基づいた投与量と各種小児薬用量計算式に基づいた投与量との関係を図 8-2 に示す．図から投与量の設定に際して，TDM が大きな指針になることがわかる．

高齢者　高齢者では腎機能の低下あるいは分布容積の変化などにより，主として腎臓から排泄される薬物では体内からの消失が遅くなるため投与量や投与間隔の調整が必要になり，TDM が大きな役割を果たす．

妊 婦　妊婦では，心拍出量，血漿量の増加，代謝能の低下，腎血流量の増加，血漿中アルブミン濃度の減少などのために，薬物の体内動態が変化する．そのため妊娠前と同一投与量でも，

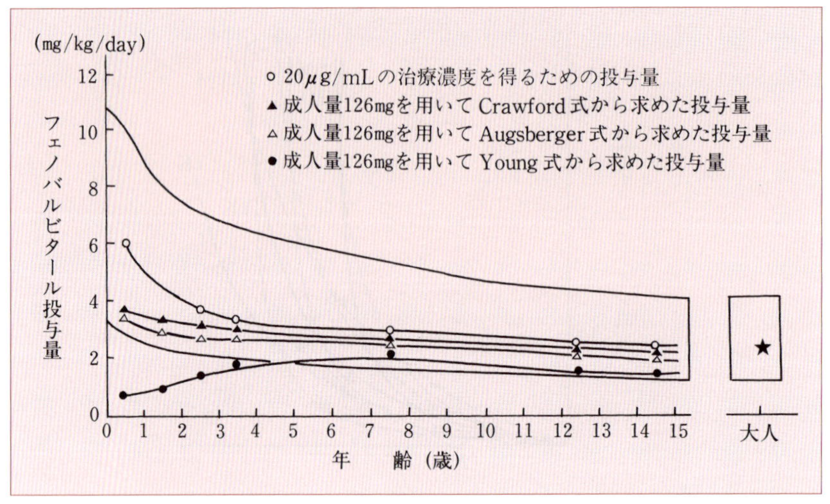

図 8-2．フェノバルビタールの治療濃度範囲（10〜35 μg/mL）に見合う年齢別の投与量[2)]

血中薬物濃度，とくに非結合型薬物濃度が変化し効果が変わることがあり，TDM が有用になる．

肝障害　肝障害がある場合には，代謝酵素量や酵素活性の低下，肝血流量の減少などによって，主に肝臓で代謝される薬物が体内に蓄積されやすくなり，中毒症状が現れやすくなるので，投与量の調整上 TDM が重要になる．また肝硬変によって血中蛋白濃度が減少する場合には，非結合型薬物が上昇するので，前述のように，非結合型薬物濃度のモニターが有用である．

腎障害（第 7 章 1-2 の項，p.144 も参照のこと）　主として腎臓から未変化体のまま排泄されるアミノグリコシド系抗菌薬やリチウムなどの薬物は，患者に腎障害があると排泄が遅延して体内に薬物が蓄積しやすくなる．その腎障害の程度は，糸球体ろ過速度（glomerular filtration rate：GFR；通常 100〜120 mL/min）を指標として表される（表 8-2）．

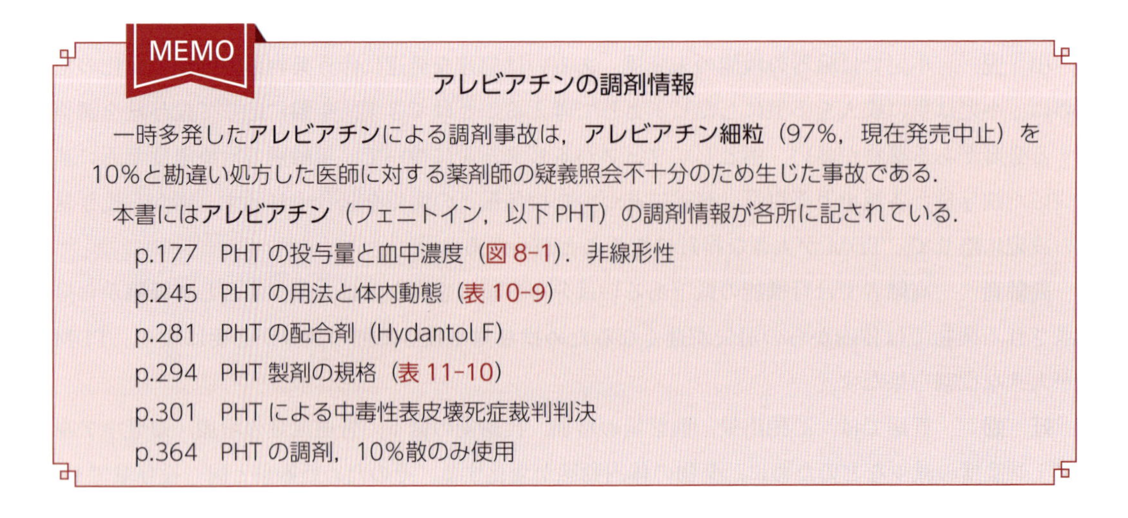
MEMO

アレビアチンの調剤情報

一時多発した**アレビアチン**による調剤事故は，**アレビアチン細粒**（97%，現在発売中止）を10%と勘違い処方した医師に対する薬剤師の疑義照会不十分のため生じた事故である．

本書には**アレビアチン**（フェニトイン，以下 PHT）の調剤情報が各所に記されている．

p.177　PHT の投与量と血中濃度（図 8-1）．非線形性
p.245　PHT の用法と体内動態（表 10-9）
p.281　PHT の配合剤（Hydantol F）
p.294　PHT 製剤の規格（表 11-10）
p.301　PHT による中毒性表皮壊死症裁判判決
p.364　PHT の調剤，10%散のみ使用

表 8-2. 腎障害の程度と GFR

程　度	GFR（mL/min）
正　常	80 以上
軽度腎不全	30〜50
中等度腎不全	10〜30
高度腎不全	5〜10 以下

GFR の指標としてはクレアチニンクリアランス（Ccr）が広く用いられている．クレアチニンクリアランス値を知るためには，クレアチニンの血中濃度，尿中濃度，尿量などが必要であるが，臨床上では血清クレアチニン濃度（Cscr）を用いて Ccr を推定する方法が用いられる．代表的な方法として，Cockcroft-Gault 法がある．

$$Ccr = \frac{(140 - \text{年齢［歳］}) \times \text{体重［kg］}}{72 \times Cscr\ \text{［mg/dL］}} \times (\text{男性：1.0，女性：0.85})$$

また，日本人において Cscr 値から直接 GFR を推定する式（$eGFR_{cre}$ 算出式）が日本腎臓学会から提示されている．

$$eGFR_{cre}\ [\text{mL/min/1.73 m}^2] = 194 \cdot Cscr^{-1.094} \cdot \text{年齢}^{-0.287} \times (\text{男性：1.0，女性：0.739})$$

近年では，筋肉量などの影響を受けにくい血清シスタチン C 値から GFR を推定する式（$eGFR_{cys}$ 算出式）も広く用いられている．

腎不全患者ではジゴキシンの尿細管分泌が抑制され，血中薬物濃度が上昇し中毒症状を発現しやすくなる．そこで投与量を少なくするため TDM が必要になる．

腎障害患者では血中アルブミン濃度の低下，アルブミンの構造の変化，結合能の低下などによって非結合型薬物濃度が高くなるので，その監視も必要である．

心疾患　心疾患患者では，心拍量が低下するので肝，腎その他組織での血流量が低下する．結果的に，肝クリアランスの低下や血流量低下に伴う糸球体ろ過速度の低下が起こり，薬物投与法の調整のための必要性が増加する．また心拍量が低下するため，全身系でうっ血が起こり細胞外液量が増大する．その結果，薬物の分布容積の変化が生じる．

6）薬物又は食物と相互作用を生じるおそれがある薬物

抗てんかん薬，ジギタリス配糖体，免疫抑制薬などは，長期にわたって服用し，その間さまざまな薬物を併用する．そのため薬物–薬物間相互作用を生じ，効果の変動をきたしやすい．薬物の相互作用による障害を避けるため，また効果に変化を生じたときの対応を速やかに講じるために，TDM が有用な手段となる．

7）ノンコンプライアンス，又は誤薬の確認への対応

ノンコンプライアンスの確認への対応　ノンコンプライアンスには，種々の原因がある．服薬指示が守られず，患者が自己判断で多く服用すると処方医は減量を考え，少なく服用すると増

量を考えるように治療方法に混乱を生じ，結果的に適正な治療が行われなくなる．その原因を確かめるためにノンコンプライアンスが疑われたときにはTDMを行うことがある．

誤薬の確認への対応 服薬や投薬に過誤が疑われる場合，TDMあるいは血中濃度の同定は医師が治療方針をたてる上で重要な手段になる．

例えば図8-1（p.177）に示すように，フェニトインは治療濃度付近でわずかな投与量の変化により急激に血中濃度が変化する．したがって，過量投与や調剤過誤によって著しい中毒症状が現れる．

2-3 TDMを行う時に注意しておく事柄

TDMの目的は，投与量調整へのデータの利用にあるので，データが正しく得られていないと，解釈を誤り，投与量の調整も誤ることになる．TDMに関係する上記のこと，及び採血器具に関する前記（p.175）の注意に加えて，次のことに注意する必要がある．

■ 1）薬剤の服用スケジュール と 採血時刻との関係

薬剤の静注又は点滴開始直後と時間が経過したあとでは血中薬物濃度が異なる．また吸収が速い薬物と遅い薬物，消失半減期が短い薬物と長い薬物，血中薬物濃度-時間曲線上で明らかに大幅な分布相が認められる薬物と直ちに体内に一様に分布するとみられる薬物では，投与後同じ経過時間に採血すると濃度の解釈が違ってくる．したがってTDMを行うにあたり，服用スケジュールと採血時刻との関係を明らかにしておかなければならない．

一般に，抗てんかん薬や循環器用薬のように継続的に服用する薬物では，朝の服用直前（最低濃度を示す時，その値をトラフ値 trough level という）に採血してTDMを行う．

しかし，いくつかの薬物では，中毒症状が現れるのを防ぐために濃度を測定する採血時間が決められている．例えば抗悪性腫瘍用薬メトトレキサートの大量投与時では，投与開始24，48，及び72時間目に採血し，濃度を測る．アミノグリコシド系抗菌薬では，治療効果と聴覚毒性発現の指標として投与後ピーク値（最高濃度）を示す時刻，そして腎毒性発現の指標としてトラフ値（最低濃度）を示す時刻の採血が勧められている．また経口用シクロスポリン（ネオーラル）については，投与後2時間値やAUC値を測定して用量を調整することにより，肝臓や腎臓などの移植時の急性拒否反応の発現率を減少できると報告されている．

■ 2）血漿中蛋白質濃度

すでに記したように，薬物の効果に直接影響するのは非結合型薬物濃度であり，それは血漿中蛋白質濃度に支配される．したがって，TDMには血漿中蛋白質濃度が大きな意味をもつ．とくに小児，妊婦，高齢者，腎障害又は肝障害患者では，血漿中蛋白質濃度を知っておく必要がある．

■ 3）むくみ，腹水の有無

循環血液量や水分量が変化するむくみや腹水貯留がある患者では，分布容積が変わり血中薬物濃度が変化するので，それらの症状の有無の把握も重要な情報である．

■ 4）血中薬物濃度データ・解析結果のなるべく速いフィードバック

血中薬物濃度データ・解析結果がなるべく速く処方医にフィードバックされれば，処方指針が立ちやすいので，そのようなシステムを作る努力が必要である．

■ 5）試料血液の取り扱い上での感染

TDM の実施に際して患者の血液を取り扱う．そこで院内及び医療従事者への肝炎ウイルス，HIV などの感染予防対策とともに，残液，使用器具，廃棄物による環境汚染について，例えば院内感染対策及び環境安全委員会等と協力し，十分対策を講じておかなければならない．

2-4 TDM における品質管理

すでに注意すべき事項をいくつか記したが，TDM を薬剤業務の 1 つとして取り組む際，ハード，ソフト両面で十分にその品質が保証されていることが必要である．品質管理という言葉はともすれば測定値の精度管理を思い浮かべがちであるが，TDM の場合，データ入手，結果報告などにも品質保証 quality assurance の視点を考慮する必要がある．これは，TDM におけるリスクマネージメントにほかならない．

■ 1）血中薬物濃度測定の精度管理

血中薬物濃度は，臨床検査値の取り扱いとは趣きを異にする．臨床検査値の場合は基準値との比較が主であるが，血中薬物濃度の場合は，すでに述べたように有効域・中毒域のチェックのみならず，測定値を用い，患者のパラメータ・至適投与量を計算することが多い．とくに，近年は 1～2 点の測定値から患者パラメータ算出や至適投与量を計算することが行われており（p.187），こういう場合では測定値の正確さ，精度がより重みを増してくる．

血中濃度の精度管理を考える場合，以下の 2 つを行う必要がある．

a．内部精度管理（再現性 precision のチェック）

b．外部精度管理（正確さ accuracy のチェック）

TDM での精度管理の真の目的は，いたずらに測定での CV 値を小さくするというのではなく，バラツキや不正確さの原因をつきとめ，業務の流れも含めた TDM システムの改善にある．

■ 2）サンプリングプロトコール

いつの時点で採血するか，何回採血するかは TDM において重要なポイントになる．臨床の場では採血回数に制約があるため TDM の適切な利用のためにはとくに気をつけなければならない点である．適切なサンプリングを徹底させるには，薬剤師はもとより，医師，看護師，検査技師にもサンプリングに関するガイドライン又は講習が必要となる．

3）薬物血中濃度測定 及び 解析申込書

血中濃度を正しく解釈し，また薬物投与計画をたてるには，血中濃度測定によって得られたデータの薬物速度論的解析が不可欠となるが，そのためには患者情報の収集が必要になる．通常この情報入手には，解析に必要な情報を記載できるよう設計された薬物血中濃度測定申込書又は解析依頼書（フォーマット）があてられる．このフォーマットについては，TDMの品質保証という点から，その重要性が高い．

表 8-3．測定依頼フォーマット記載事項

項目内容	記載有無
測定薬物の名称	◎
採血時刻	◎
試料の種類	○
最終投薬時刻	◎
投薬量	◎
投与ルート	◎
測定依頼の理由	○
併用薬物	◎
診断名，併発症	○
臨床検査値	○

◎はすべての施設で記載されている．

フォーマットの記載項目は，記入者側の労力も考慮し，薬物速度論的解析に不可欠な必要最小限の項目に限るべきである（表 8-3）．フォーマットの形式には，①各薬物に共通の形式をとるものと薬物ごとに別の形式をとるもの，②測定申込書と解析依頼書が別々になっているものとそうでないもの，③報告書（レポート）と兼用しているものとそうでないものがあるが，フォーマットの内容，形式の選択はTDM業務を円滑に進めるにあたり大きな比重を占めるため，各施設のTDMシステム（オンライン化の有無も含める）の状況，医師・看護師側の意見などを考慮しながら作成することが必要である．

4）コメント作成，コンサルテーション

TDMの質の良否はこの部分の内容如何にかかっているといっても過言ではない．品質の保証のためには以下の工夫が必要である．表 8-4は報告書の記載内容であるが，コンサルテーションでの作業の流れを示したものでもある．

① コンサルテーション，投与計画作成などにあたる薬剤師の能力維持のための研修プログラム

② チェックシート作成（オーダーの内容でチェックすべきポイント，測定対象薬物ごとに補足すべきデータ）

③ 解析手順のマニュアル，フローチャートの作成・利用（作業の効率化，リスク回避）

④ 解析を行った後，得られた内容をレポートとして医師に伝達する場合，大事なことは記述すべき内容とそうではない内容を明確にしておくことである．口頭の場合も同様である．

④-1 慎むべき内容

・血中濃度のみから，治療の有効・無効，また中毒を判定すること
・従来の生化学検査値のような感覚で血中濃度の正常・異常を論ずること
・医師の理解が及ばない専門用語，パラメータ，数式を用いること

表 8-4. 報告書（コンサルテーション・レポート）に記述する内容

ケースの記述

・患者の現在の生理的（年齢，身長，体重，性別など），病理的（既往歴，合併症，現在の病状，臨床検査値，EKG など）特徴
・コンサルテーション依頼理由
・対象薬物の簡単な薬歴（血中レベルに影響を及ぼすと考えられる薬物を含む）
・過去の血中濃度データの要約
・血中濃度測定値，実際の血液採取時間，最終服薬からの経過時間

血中濃度データの薬物動態学的解釈

・採血時間と採血方法の評価，測定結果の精度・正確さの評価
・データに不確かな点があればその理由・原因の記述
・対象患者の血中濃度と予測値（対象患者と変動要因を同じくする患者集団から得られたデータに基づく）との比較，差が見られればその要因の考察・記述
・患者の定常状態への到達度を定常状態値の％で評価（シミュレーションカーブの提示）
・対象患者の有効血中濃度域の評価（対象患者の血中濃度と“通常”の治療域との関連性・相違点及びその理由）
・血中濃度や CL，V_d，半減期などに影響を及ぼす薬物相互作用についての考察・記述
・血中濃度や CL，V_d，半減期などに影響を及ぼす生理的・病理的要因についての考察・記述

推薦スケジュール及びその理論的根拠

・推薦スケジュールでの投与量・剤形・投与間隔
・推薦スケジュール及びその後の血中濃度推移の理論的根拠（医師が望まない限り数学的な記述はできるだけ避ける）
・用いた投与計画法とパラメータ等の概略
・定常状態での予測最大血中濃度，最小血中濃度，シミュレーションカーブの提示
・次回血液採取時間及びその時間での予測血中濃度
・臨床検査値等のモニターについての指示
・副作用モニターや患者の病態が変化した時の指示

・情報量や自分の力量が及ばないケースで，投与計画を推奨したり，スケジュール変更を促したりすること

④-2　記述・伝えるべき内容

・ケースの記述と現データの解釈を必須とし，リコメンデーション（推薦スケジュール）が必要なら加える（表 8-4）
・計算結果（投与量や投与間隔）をそのまま伝えるのではなく，具体的な錠数やアンプル数などに換算して投与スケジュールを提案すること
・医師に投与スケジュールの変更を促す場合，作成した投与スケジュール，それより得られる予測血中濃度を参考的に提出し，決定は医師に委ねる姿勢も必要である

2-5　TDM を行うことによる薬物治療の質的向上

TDM により得られる有用性として，次のことが挙げられる.

・患者個々に薬物の体内動態を把握できる
・患者個々に投与量・投与間隔を設定できる
・多剤併用の良否，薬物相互作用の有無の確認

・中毒・副作用の早期発見・防止
・服薬状況（コンプライアンス）の把握

これらは最終的にはすべて患者への医療行為の質的向上につながるわけであるが，具体的には，

・併用薬剤の減少
・患者アドヒアランスの上昇
・副作用の減少，中毒防止
・入院期間の短縮
・敗血症による死亡率の低下
・Cost-Benefit Ratio の上昇
・医療費節約，経費節約

などが示されている．TDM の効果的な利用は患者の利益のみならず，医療財政面も助けることを医療関係者が認識する必要があろう．

3 TDM に必要な薬物動態理論の基礎知識

3-1 静脈注射後の血中薬物濃度－時間曲線

1）1-コンパートメントモデル

薬物静注時の血中薬物濃度-時間曲線が，図 8-3(a) のように表される場合には，1-コンパートメントモデルが適用できる．この場合血液中に入った薬物が直ちに体の各部に分布し，血中薬物濃度と速やかな平衡関係になる．つまり生体を 1 つの箱になぞらえる模型である．分布容積と全身クリアランス（または分布容積と消失速度定数）という 2 つのパラメータで表現することができる．その消失速度定数は図 8-3(b) のようにして求める．また，時間 t における血中濃度〔$C_p(t)$〕は，(1) 式により求めることができる．

$$C_p(t) = C_0 \cdot e^{-k_{el} \cdot t} \quad (1)$$

C_0：初濃度（投与量/分布容積）　t：経過時間
k_{el}：消失速度定数

また，消失半減期 $t_{1/2}$ は，$t_{1/2} = 0.693/k_{el}$ で，全身クリアランス CL_{tot} は $CL_{tot} = V_d \times k_{el}$ で，それぞれ求めることができる．

ここで抑えておくべき基本的な点は，

1）投与直後の血中濃度は投与量と分布容積によって決まり，全身クリアランスには依存しないこと
2）薬物の曝露量である血中濃度時間曲線下面積（AUC）は，投与量と全身クリアランスによって決まり，分布容積には依存しないこと
3）消失速度は，分布容積と全身クリアランスの両方のバランスで決まること

の 3 点である．

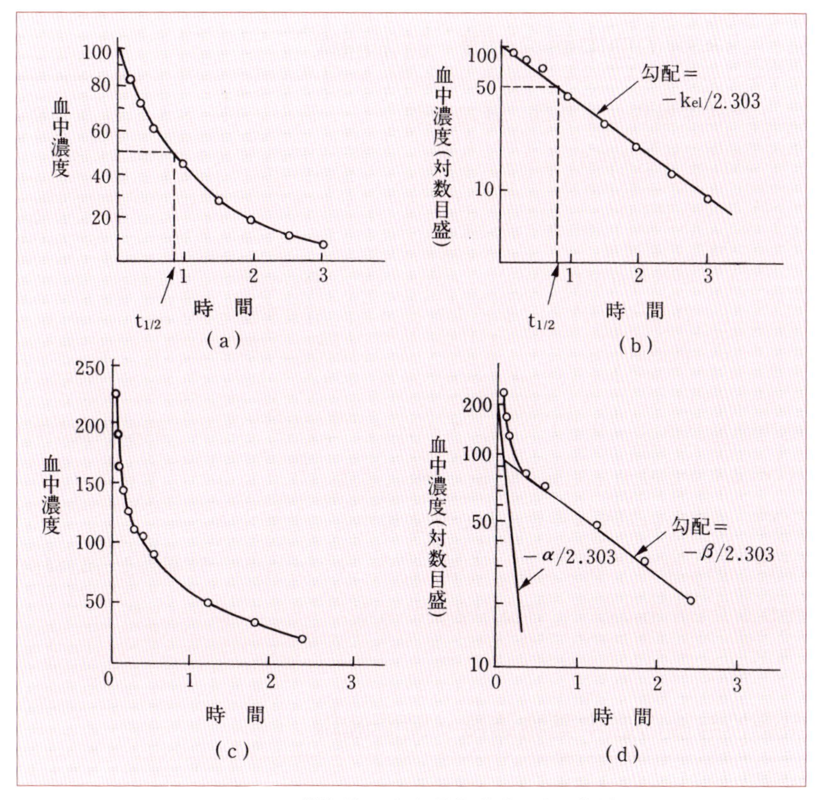

図 8-3. 静注後の血中薬物濃度-時間曲線

(a) 1-コンパートメントモデル（濃度-時間曲線を1つの指数関数で近似）
(b) 1-コンパートメントモデル (a)の縦軸（濃度）を対数目盛で表現，$t_{1/2}=0.693/k_{el}$
(c) 2-コンパートメントモデル（濃度-時間曲線を2つの指数関数の和で近似）
(d) 2-コンパートメントモデル (c)の縦軸（濃度）を対数目盛で表現，$t_{1/2}=0.693/\beta$

薬物を静注後の血中薬物濃度推移は，必ずしも図 8-3(b) のように1本の直線で表されるとは限らず，とくに投与直後の採血間隔を短くとると直線から外れることが多い．しかし，投与直後の短期的な濃度推移はそれほど重要でないケースも多いため，臨床上は多くの薬物で1-コンパートメントモデルが用いられる．

■ 2) 2-コンパートメントモデル

2-コンパートメントモデルは，薬物静注時の血中薬物濃度-時間曲線が，図 8-3(d) のように2相性の消失を示す場合に適用される．血液中に入った薬物が直ちに分布する領域（中心コンパートメント central compartment）と，分布に遅れがある領域（末梢コンパートメント peripheral compartment）とを生体中に仮定できる，つまり生体を2つの箱になぞらえる模型である．

1-コンパートメントモデルに従うか，2-コンパートメントモデルに従うかは，薬物の性質はもちろんだが，血中薬物濃度の時間推移をどこまで細かく再現したいか（時間分解能）によっても異なってくる．

3-2 経口投与後の血中薬物濃度－時間曲線

吸収過程を１次速度過程とすれば，経口1-コンパートメントモデルに従う薬物の血中濃度〔$C_p(t)$〕は，(2)式により求められる．

$$C_p(t) = \frac{k_a \cdot F \cdot D}{V_d \cdot (k_a - k_{el})}(e^{-k_{el} \cdot t} - e^{-k_a \cdot t}) \quad (2)$$

k_a：吸収速度定数　V_d：分布容積
F：経口バイオアベイラビリティ　k_{el}：消失速度定数
D：投与量　t：経過時間

すなわち薬物動態パラメータとしては，みかけの分布容積（V_d/F，静脈内投与時の分布容積を経口バイオアベイラビリティで除した値），吸収速度定数，ならびに全身クリアランス（または消失速度定数）の３つのパラメータを用いて表現することができる．

k_aやＦの値は，同じ薬物であっても，液剤，散剤，カプセル剤，錠剤のように経口投与する剤形によって変わることがあるので，注意が必要である．

3-3 点滴投与後の血中薬物濃度－時間曲線

薬剤を点滴静注する場合には，薬物が体内に一定の速度で注入されることになるので，吸収が0次速度過程で行われると考えればよい．例えば，体内動態が1-コンパートメントモデルで表される薬物で，一定速度，つまり単位時間に一定の量の薬物が体内に入ると，定常状態における血中薬物濃度は(3)式で表されることになる．

$$C_p^{ss} = k_0/CL_{tot} = k_0/(V_d \cdot k_{el}) \quad (3)$$

C_p^{ss}：定常状態での濃度　V_d：分布容積　CL_{tot}：総クリアランス
k_0：注入速度（単位：量/時間）　k_{el}：消失速度定数

臨床上では，点滴静注が頻繁に行われている．

3-4 繰り返し投与後の血中薬物濃度－時間曲線

薬物体内動態が線形性を示す薬物では，繰り返し投与したあとの血中薬物濃度推移は，上記の式の積み重ねになり，血中薬物濃度は同じ範囲の高さの中で波状になる．つまり定常状態に達する（その値の算出法については，薬剤学，薬物動態学の参考書を参照）．

長期にわたって投与する薬剤では，その定常状態に達した血中薬物濃度を監視するのがTDMといえる．

3-5 ポピュレーション・ファーマコキネティクス（母集団薬物速度論）

コンパートメントモデルでは，コンパートメントの数の2倍（経口投与1次吸収であればさらに+1つ）のパラメータがあるため，それらのパラメータを各個人で求めようとすると，頻回の採血回数（パラメータの数以上の測定点）が必要となる．これは，臨床上現実的とはいえない．そこで，母集団におけるパラメータの統計的な平均値と分布（ポピュレーションパラメータ）を活用することで，少ない測定点からその患者固有のパラメータを推定する方法として，Baysian（ベイジアン）法が用いられる．まずは，対象とする薬物を投与された患者群（試料母集団）について，年齢，肝障害や腎障害の有無，併用薬などといった変動要因（covariate）で層別して血中濃度データを集め，非線形混合効果モデル（NONMEM）などに基づきポピュレーションパラメータ（吸収速度定数，消失速度定数，分布容積などの平均値と分散）を算出する（図8-4）．ポピュレーションパラメータは，多くの場合，研究者によって算出，報告される．TDM 担当者は，このポピュレーションパラメータを用いて，解析対象の患者の血中濃度データ（1点ないしは2点でよ

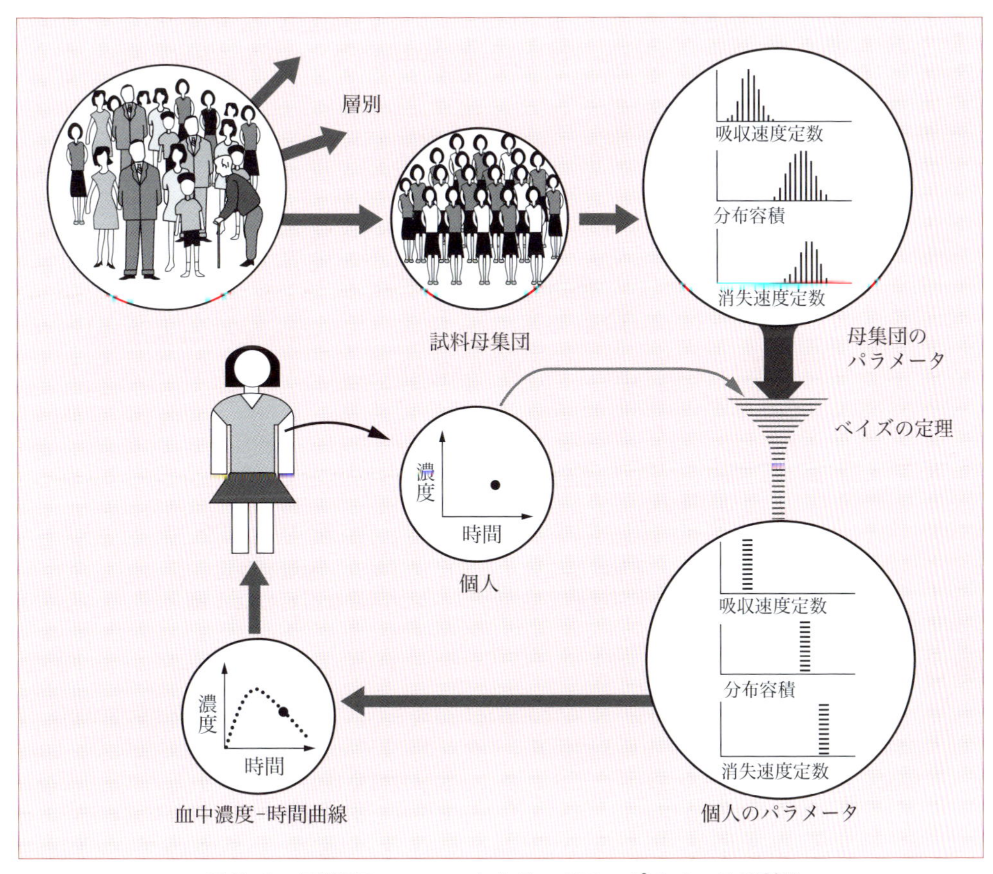

図8-4．母集団ファーマコキネティクス・パラメータの利用
〔小瀧　一，齋藤侑也：TDM THERAPEUTIC DRUG MONITORING，5(2) 20 1986，メディカル・ジャーナル社−マイルス・三共〕

い）から，Baysian 法（ベイズ最小二乗法）により当該患者の薬物動態パラメータを推算する．得られたパラメータによって，当該患者の任意の投与スケジュールにおける血中濃度推移を予測することが可能となる（図 8-4）．

4 TDM の実例

【例 1】 ジゴキシン

76 歳女性，体重 48 kg で，冠硬化症に伴う発作性心房細動と診断され，ジゴキシン 0.25 mg，1 日 1 回投与を開始した．血清カリウム値 4.1 mEq/L，血清クレアチニン値 0.8 mg/dL，クレアチニン・クリアランスは 47 mL/min であった．投与開始 3 回目の最低血中ジゴキシン濃度の測定値は 0.62 ng/mL で，本患者の薬物動態パラメータは，F = 0.6，k_{el} = 0.27day^{-1}，V_d = 9.0 L/kg と推算された．これらのパラメータを用いて，本患者の血中ジゴキシン濃度の推移を予測すると図 8-5 に示すようになる．血中ジゴキシン濃度は有効治療域（0.5～2.0 ng/mL）の中央付近に位置することが推測される．投与開始 11 日目の最低血中ジゴキシン濃度の推定値は 1.04 ng/mL で，実測値 1.13 ng/mL でほぼ一致した．

ジゴキシンは半減期が長い薬物で，維持投与量で開始した場合，定常状態に達するのに 1 週間以上要する．このため，早期に，血中ジゴキシン濃度を測定し，定常状態の血中ジゴキシン濃度を予測することは，ジゴキシン投与法の適否が判断でき，臨床的に有用である．

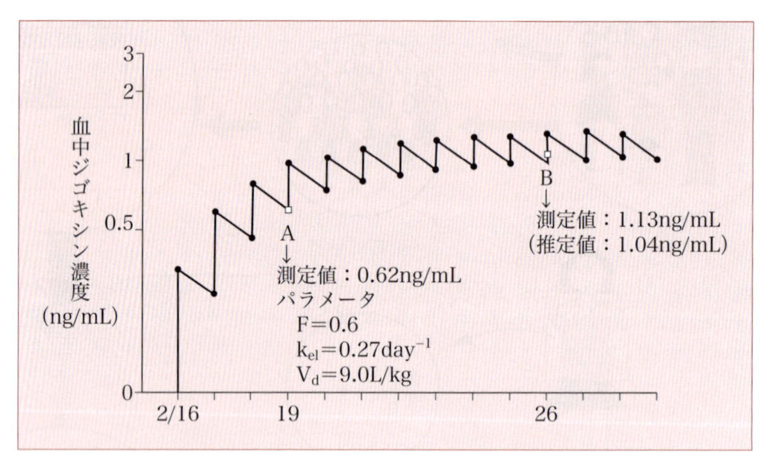

図 8-5. 定常状態に達する前にジゴキシン濃度を測定して定常状態の血中ジゴキシン濃度を推定した 1 例

【例 2】 テオフィリン

患者は，56 歳男性（65.5 kg）で気管支喘息と診断され，アミノフィリンを 1 回 200 mg，1 日 3 回 8 時間毎経口投与及び 1 日 1 回朝アミノフィリン 250 mg 静注投与を受けていた．しかし，喘息発作はコントロールされず，テオフィリン投与設計を目的として，アミノフィリン静注前と 1，3，5 時間の計 4 点採血し，本患者のテオフィリン薬物動態パラメータを求めた．この結果，半減期が 8.48 時間，見かけの分布容積が 0.50 L/kg であった．このパラメータを用いて，血中テオフィリン濃度を有効治療域（10～20 μg/mL）内に維持するために，(1)，(2) 式を用いて，アミノフィリンの投与量を算出した．

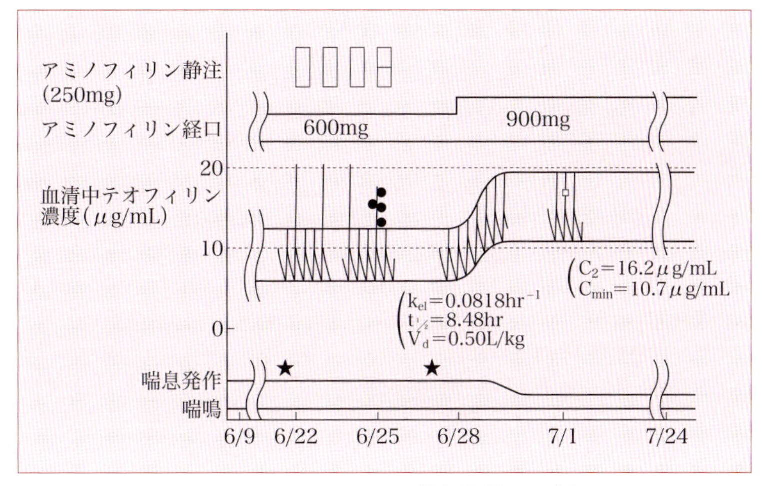

図 8-6. テオフィリン投与設計の1例

$$D = \frac{C_{min}^{D} \times V_d \times (1 - e^{-k_{el} \cdot \tau})}{F \cdot e^{-k_{el} \cdot \tau}} \quad (1)$$

$$D = \frac{C_{max}^{D} \times V_d \times (1 - e^{-k_{el} \cdot \tau})}{F} \quad (2)$$

この結果，アミノフィリン1回300 mgを8時間毎投与で血中テオフィリン濃度を有効治療域内に維持できると推定された．投与変更後に確認した血中テオフィリン濃度は投与後2時間値（C_2）が16.2 μg/mLで，最低血中濃度（C_{min}）が10.7 μg/mLと有効治療域内に維持できた．本患者は発作がコントロールされ，軽快退院した（図 8-6）．

文　献

TDM

1）伊賀立二，齋藤侑也編：薬物投与設計のためのTDMの実際　じほう　1993
2）大久保昭行，齋藤侑也編：TDM実地テキスト　くすりを効果的に使うための血中濃度モニタリング　文光堂　1992
3）西原カズヨ，伊賀立二：TDMの実際，ファルマシア **28**(11) 1236 1992
4）西原カズヨ：血中薬物，日本臨床 **53**(9) 2301 1995
5）TDM実例集編集委員会編：TDM実例集　第1集，第2集，第3集　じほう 1991，1992，1994
6）樋口　駿，松山賢治，宮崎長一郎編：ウィンドウズを用いた情報調剤―TDMによる最適投与計画を中心に　じほう　1998
7）山本康次郎，川上純一，伊賀立二，谷川原祐介，樋口　駿：薬物治療管理（TDM）の実際　最新医療薬学Ⅱ　伊賀立二，乾　賢一，澤田康文編著　273-359　南山堂　1999
8）堀　了平，北澤式文，奥村勝彦編著：薬物治療管理（TDM）　187-245　医療薬学　第3版　廣川書店　2000
9）堀岡正義：TDMの実際　新調剤学 第4版　277-298　南山堂　1992
10）伊賀立二，乾　賢一編：薬剤師・薬学生のための実践TDMマニュアル　じほう　2004

薬物動態論の基礎

1）花野　学編：ファーマコキネティクス　応用編―演習による理解　南山堂　1989
2）加藤隆一：臨床薬物動態学　南江堂　1998
3）Winter ME：Basic Clinical Pharmacokinetics 3rd ed　樋口　駿監修訳　ウインターの臨床薬物動態学の基礎―投与設計の考え方と臨床に役立つ実践法―　テクノミック　1999

4）駒田富佐夫：遺伝的変異の情報の理解 医療薬学Ⅳ 医薬品・医薬品情報の管理と提供 井上圭三監修・齋藤侑也編 179-198 東京化学同人 2000
5）増原慶壮，松本宜明：臨床薬物動態学 緒方宏泰編著 丸善 2000
6）東 純一：―現代薬処方匙加減考―「クスリに弱いヒト」と「困ったクスリ」たち じほう 2001

体内動態パラメータ

1）Thummul KE, Shen DD：“Design and Optimization of Dosage Regimens；Pharmacokinetic Data”, Goodman & Gilman's The Pharmacological Basis of Therapeutics, 10th ed., Hardman JG, Limbird LE et al.(eds), 1917-2023, McGraw-Hill, 2001
2）Clinical Pharmacokinetics Drug Data Handbook, 3rd ed., Adis International, 1998
3）a）Taeschner W, Vozeh S：“Appendix A Pharmacokinetic Drug Data”, Speight TM, Holford HG (eds.), Avery's Drug Treatment, 4th ed., 1629-1664, Adis International, 1997, b）Bennet WM：“Appendix D Guide to Drug Dosage in Renal Failure”，同書，1725-1756, c）Hebert MF：“Appendix F Guide to Drug Dosage in Hepatic Disease”，同書，1761-1792

A 調剤の基礎

9 配合と併用

1 はじめに

医薬品の配合や併用は薬物療法の常である．多剤が配合され併用されるのは，それによる薬効の増大，副作用の軽減を期待するからであり，そこに処方における「配合の妙」が発揮される．異なる投与経路，例えば内服薬と注射剤，内服薬と点眼剤のような併用もしばしば行われる．

しかし多剤を併用した時の効果はプラスの面にだけ作用するとは限らない．2 種類以上の医薬品を配合したり併用したりすると，ときに薬理学的，薬剤学的に不都合を生じることがある．これを配合変化，配合禁忌 incompatibility という．

一般に，2 種以上の薬剤の混合・調製の段階で観察される配合変化は，理化学的配合変化（理化学的相互作用）と呼ばれ，薬剤の併用服用による薬効・副作用の変容は薬物相互作用（薬物動態学的・薬力学的相互作用）と呼ばれる．

医薬品について得られる情報の大部分は単味の医薬品についてである．配合や併用に伴う薬効の変化，理化学的性状の変化についての情報は少ない．予想される膨大な組み合わせの数から考えて，情報量が少ないのはむしろやむを得ないことである．薬物療法を行う現場にいる医師や薬剤師こそ，この問題を取り上げ，配合又は併用時の有効性，安全性，品質確保を研究し，解決すべき立場にある．

薬物療法における配合や併用の研究は，調剤学，処方学，薬物動態学，臨床薬理学，薬物治療学の主要なテーマの 1 つということができる．

理化学的配合変化

2 配合変化

2-1 配合変化の種類

配合変化には，次のような種類がある．

理化学的配合変化 physico-chemical incompatibility

① 物理的な変化 physical incompatibility

② 化学的な変化 chemical incompatibility

このような分類は個々の配合変化を学ぶのに便利であるが，実際の処方では厳格に区別することが困難である．混合型の配合変化も多く存在する．吸湿という物理現象が化学反応を誘発したり，化学反応によって生じた難溶性物質のため消化管からの吸収が阻害され薬効が低下するなどである．

2-2 配合変化の程度

実用上は配合変化の程度により，配合不可，配合不適，配合注意の3段階に分けて取り扱う．

配合不可 absolute incompatibility

真の意味の配合禁忌で，配合又は併用により作用を増強したり有害物を生じたりするなどの危険のおそれのあるもの，又は薬効を著しく減退させるものであって，薬剤学上工夫の余地のないものをいう．この場合は必ず処方医に疑義照会して処方の変更を求める．

【例】 含糖ペプシン＋炭酸水素ナトリウム（水） 含糖ペプシンは強酸性で活性

シアノコバラミン＋アスコルビン酸（混注，室温，pH 7） シアノコバラミン1時間以内に100%分解．ヒドロキソコバラミン，メコバラミンも同様急速に分解

配合不適 modifiable incompatibility

配合によって湿潤し，沈殿を生じ，あるいは不溶性の医薬品が水剤に配合されるなど，そのまま調剤しては種々の不都合を生じる場合である．調剤技術上の措置を必要とする．

【例】 アスピリン＋炭酸水素ナトリウム（散） アスピリン分解

レボドパ＋酸化マグネシウム（散） レボドパ分解

トリメタジオン＋エトスクシミド（散） 湿潤液化

トリメタジオン＋エトトイン（散） 湿潤液化

難溶性毒劇薬の水剤

アスパラK散，ハイセレニン細粒の主成分アスパラギン酸カリウム，バルプロ酸ナトリウムの臨界相対湿度（critical relative humidity：CRH）は52%，42%ときわめて吸湿性であるので，すべての散剤との配合は避けた方がよい（p.198 表9-1）．

配合注意 tolerable incompatibility

配合により変色，沈殿などの理化学的変化を生じるが，薬効に変化がないのでそのまま調剤して差しつかえない場合である．患者に不安を与えないよう，交付する時その旨を説明する．

【例】 ダイオウ末+酸化マグネシウム（散） 赤色（p.195 例 4）

3 理化学的配合変化

3-1 物理的配合変化 physical incompatibility

■ 1）固形薬品の配合による湿潤，液化

融点降下による湿潤，液化（p.196）

臨界相対湿度（CRH）の低下（p.197）

潮解性物質の配合

■ 2）液剤における固相，液相の分離

固体の溶解度，液体の相互溶解度 mutual solubility の超過（例 1）

溶媒混合による溶解能の低下（例 2）

塩類による溶解度の低下（塩析，共通イオンの効果）

【例 1】 **フェノールと水の相互溶解度**

フェノール 1 g は水約 15 mL に溶解する．またフェノールにその 10%に相当する水を加えると液状になる（液状フェノール）．しかし相互溶解には限度があり，中間の混合比では完全に溶けず分離して 2 相となる．

しかし温度の上昇につれ相互溶解度が上昇し，66.8℃以上になると，自由に混じるようになる．この時の温度を臨界温度 critical temperature という（図 9-1）．

【例 2】 **有機溶媒に溶解した注射液の希釈**

溶解度を高め，又は加水分解を防止するために，有機溶媒や水との混合物を用いた製剤がある．フェノバルビタール注，ジアゼパム注は溶媒としてプロピレングリコール，エタノールなどを用いており，水や輸液で希釈すると溶解度が低下して結晶を析出する．

■ 3）吸　着 adsorption

活性の医薬品が吸着性の配合薬や容器に物理吸着 physical adsorption 又は化学吸着 chemical adsorption され，放出されにくくなる変化（例 3）．

【例 3】 **PVC バッグや輸液セットへの吸着**[1~3]

ニトログリセリン，硝酸イソソルビド，インスリン，G-CSF などは PVC バッグや輸液セットに吸着される．

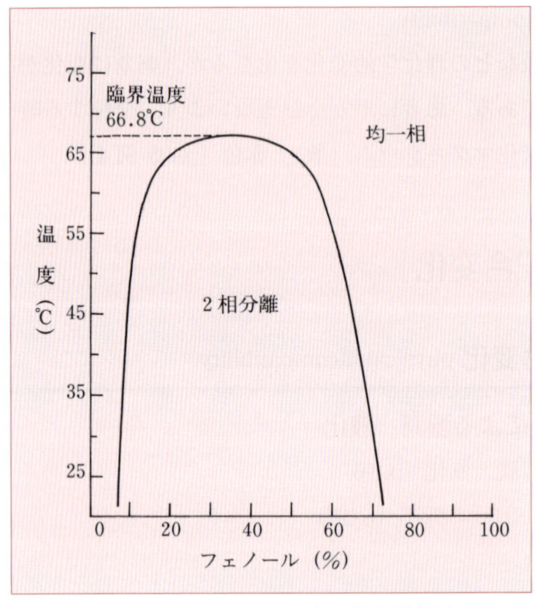

図 9-1. フェノール・水の相互溶解度

4）製剤加工の破壊

錠剤や顆粒剤，ドライシロップには，苦味のマスキングや腸溶性の付加などの目的でコーティングが施されていることがある．これらのコーティングは，対応した条件（腸溶性製剤であれば中性～塩基性）では溶解し製剤が放出される．したがって，こうした特別なコーティングが施されている散剤などでは，コーティングの破壊に留意する必要がある．

例えば，クラリスロマイシンドライシロップ（**クラリスドライシロップ**）は，口腔内での主薬の溶解を抑制し，クラリスロマイシン自体が有する著しい苦味を軽減するために，塩基性のコーティングが施されている．このため，服用時に口腔内が酸性となるような条件下では，コーティングが破壊され，さらにクラリスロマイシンの溶解度が上昇し，著しい苦味を生じる．クラリスロマイシンドライシロップを酸性飲料（果汁，スポーツドリンクなど）で溶解した場合や，酸性のシロップ剤に懸濁した場合，酸性の散剤と同時に服用した場合などがこれに該当する．

クラリスドライシロップ 10%小児用（クラリスロマイシン）
　＋**ムコダイン DS 50%**（L-カルボシステイン）

ドライシロップ製剤である**ムコダイン DS** は，溶解すると酸性を呈するため，上記処方を服用時に水に溶かすと，クラリスロマイシンが溶出して著しい苦味を生じる．なお，同じカルボシステイン製剤の先発品である**ムコダインシロップ 5%**は pH が弱塩基性に調整されているため，混合しても苦味は生じない．

3-2 化学的配合変化 chemical incompatibility

配合により化学的反応が起こり，分解失効，有毒物の生成，塩や複合体を形成するような配合変化．

外観に現れる変化としては，沈殿，着色，乳化・懸濁状態の破壊，ガス発生などがある．外観変化がなくとも分解が著しい場合がある．また主薬と添加剤の反応による変化もしばしば観察される．

1）沈 殿

遊離酸，遊離塩基の析出

難溶性塩の生成による沈殿析出（p.199）

2）着 色

酸化，還元，キレート形成，錯塩形成，pH 変化により，着色，変色，退色などの変化が生じる．

【例 4】 ダイオウ末 ＋ 酸化マグネシウム → 次第に赤色

ダイオウの成分 dianthrone glucoside の sennoside A，B，C，D，E，F（黄色）はアルカリ性で吸収極大が 500 nm まで移動し赤色を帯びてくる．

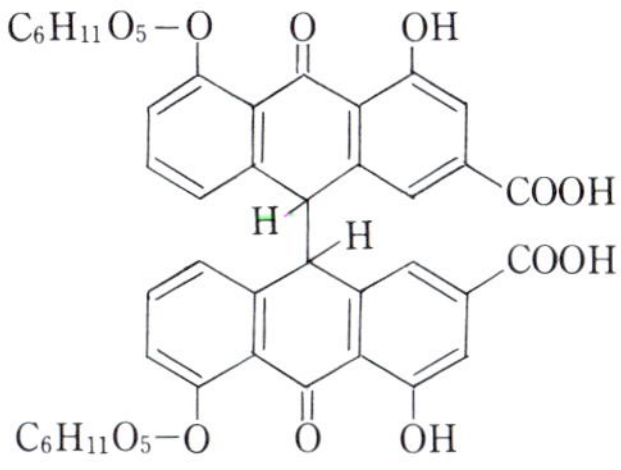

センノシドA

3）外観変化を伴わない化学的変化

固形剤，溶液剤の配合において，加水分解，酸化，開環などが起こり，外観上変化がなくとも主薬の分解が著しい場合がある．

化学動力学 chemical kinetics と製剤分析の手法，さらに分解物の同定などにより，定量的に明らかにされた例も多い．

固形剤では水分の存在が引き金になることが多く，溶液剤では pH が影響することが多い．微量金属の存在，亜硫酸ナトリウムのような酸化防止剤が分解を促進することもある．

ビタミン B_1 及びその誘導体，コカルボキシラーゼ，マイトマイシン C，ウロキナーゼ製剤は，亜硫酸塩の存在で活性が低下する．

アンピシリンナトリウム注は配合する輸液により経時変化が異なる．ブドウ糖や乳酸ナトリウムを含む輸液中では不安定である．また，アンピシリン水溶液の安定性は著しく初濃度に依存する[4)]．

光に不安定な医薬品，例えばビタミン B_{12} 製剤，ビタミン K_1，K_2 などを混注する場合，とくに点滴静注のように長時間を要する場合には，光の影響を十分に考慮する．

4 融点降下による湿潤，液化

粉末医薬品を混合すると，融点 melting point（mp）及び凝固点は原物質より低下する．A，B の2つの薬品を種々の割合で混合して融点を測定すると図9-2のような状態図が得られ，一定の混合割合で各成分よりも融点が低い均質の混合物を得る．これを共融混合物 eutectic mixture と呼び，その時の温度を共融点 eutectic point（E）という．

混合物の融点が室温以下ならば，両者を混合するだけで直ちに湿潤又は液化する．このようなものは防湿包装しても変化を防ぎ得ない．湿潤液化は温度のみに関係し，湿度には無関係だからである．

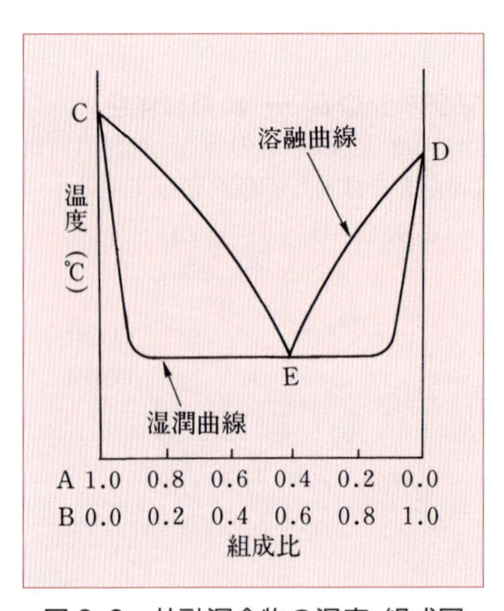

図9-2．共融混合物の温度-組成図

【例5】 トリメタジオン＋エトスクシミド

トリメタジオン（mp 45〜47℃）とエトスクシミド（mp 約48℃）を混合すると融点降下により直ちに液化する．調剤時は別包とし組み合わせ散剤として投与する．

トリメタジオンはエトトイン（mp 94℃），アミノ安息香酸エチル（mp 89〜90℃）と混合しても液化する．

5 吸　湿

5-1 吸湿の型

粉末医薬品を湿度の高い状態に放置すると，湿潤したり液化したりすることがある．これは空気中の水分が粉末医薬品に吸着されたために起こる現象である．このような性質を吸湿性 hygroscopicity という．固体が空気中の水分を吸収して，その中に溶ける現象を潮解 deliquescence という．

物質に水が吸着される量は，一定の温度において相対湿度の上昇とともに増加するが，その関係は物質によって異なっている．すなわち吸湿平衡曲線 moisture equilibrium curve から吸湿性を3群に分けることができる（図9-3）．

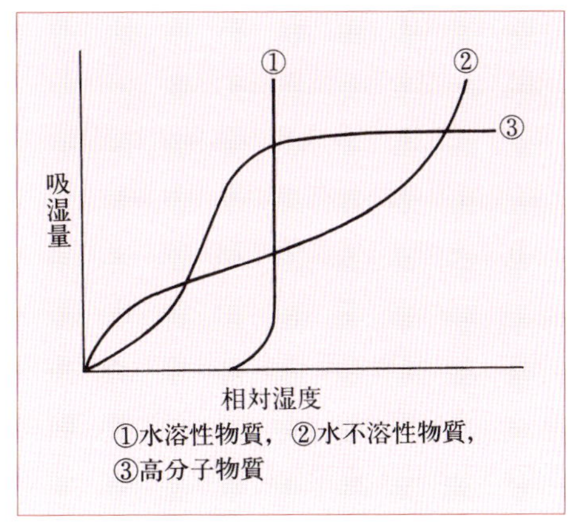

図9-3．吸湿平衡曲線

水溶性物質①ではある相対湿度まで吸湿は全く起こらず，それ以上になると急激に多量に吸湿する．吸湿が始まる点を臨界相対湿度（critical relative humidity：CRH）という．臨界相対湿度の高いものは吸湿しにくく，低いものは吸湿しやすい．表9-1に各種医薬品の臨界相対湿度を示す[5,6]．

これに対し水不溶性物質，高分子物質では湿度の変化とともに平衡吸湿量が徐々に変化する．水不溶性物質②の吸湿は表面における水蒸気の吸着に原因し，S字状のカーブを示す．高分子物質③では水に親和性を有する構造部分に吸湿が起こる．

5-2 Elderの仮説

「2種類以上の水溶性物質を混合する時，その混合系の臨界湿度は各成分の臨界湿度の積にほぼ等しい」．これをエルダーの仮説 Elder's hypothesis といい，各物質につき実験的に確かめられている．

表 9-1. 医薬品の臨界相対湿度(25℃)

医薬品	臨界相対湿度	医薬品	臨界相対湿度
アスコルビン酸	96.0%	サリチル酸ナトリウム	76.2%
l-アスパラギン酸カリウム	約 52	ピリドスチグミン臭化物	約 42
アミノフィリン	92.0	酒石酸	74.0
安息香酸ナトリウムカフェイン	71.0	スルピリン	86.5
L-エチルシステイン塩酸塩	約 70	チオ硫酸ナトリウム	65.0
ジフェンヒドラミン塩酸塩	73.6	ニコチン酸アミド	92.8
チアミン塩化物塩酸塩	88.0	乳糖	97.0
ピリドキシン塩酸塩	94.6	尿素	69.0
ピロカルピン塩酸塩	59.0	白糖	84.5
果糖	58.0	パラアミノサリチル酸ナトリウム	87.5
クエン酸	70.0	バルプロ酸ナトリウム	42.0
クエン酸ナトリウム	84.0	ブドウ糖	82.0
サッカリンナトリウム	86.3	硫酸マグネシウム	86.6

$$CRH_{A+B} = CRH_A \times CRH_B$$

CRH_{A+B}:混合物の臨界相対湿度

CRH_A, CRH_B:各成分の臨界相対湿度

【例】 白糖とチアミン塩化物塩酸塩の混合物の臨界相対湿度

$0.85 \times 0.88 = 0.75$(実測値 0.73)

Elder の仮説が成立するためには混合物の飽和水溶液中の各成分の濃度が,それぞれ単独の場合の飽和濃度とあまり差がないことが必要である.したがって混合物中に共通イオンがある場合,複合体などをつくり溶解度に差を生じる場合には成立しない(表 9-2)[7].

表 9-2. 水溶性医薬品混合物の臨界相対湿度(37℃)

成分	各成分の臨界相対湿度(%)の積	実測値
相互作用のないもの		
酒石酸,塩化ナトリウム	74×75=56%	55%
クエン酸,白糖	70×85=59	57
クエン酸,白糖,塩化ナトリウム	70×85×75=44	40
チアミン塩化物塩酸塩,白糖	88×85=75	73
共通イオン		
酒石酸,クエン酸	74×70=52	63
チアミン塩化物塩酸塩,ジフェンヒドラミン塩酸塩	88×77=68	75
パスナトリウム,安息香酸ナトリウム	88×88=77	85
互変二対塩		
チアミン塩化物塩酸塩,サリチル酸ナトリウム	88×78=69	48
塩,複合体形成		
チアミン硝化物,アスコルビン酸	100×96=96	79
アンチピリン,ニコチン酸アミド	95×93=88	66
酒石酸,ニコチン酸アミド(1:1モル)	74×93=69	95

6 交換反応による沈殿生成

2種の無機塩，有機化合物の塩と無機塩，有機酸塩と有機塩基塩の水溶液を混合すると，ときに交換反応により難溶性の塩を生成し沈殿を生じることがある．

6-1 無機塩どうしの交換反応

$$NaCl + AgNO_3 \rightarrow AgCl\downarrow + NaNO_3$$

$$CaCl_2 + Na_2SO_4 \rightarrow CaSO_4\downarrow + 2NaCl$$

無機塩の溶解度はさまざまな書籍の表に記載されているので，無機塩どうしの配合変化を予知することは比較的容易である．

6-2 有機化合物の塩 と 無機塩の交換反応

有機酸の塩はアルカリ金属を除く他の金属イオンの存在で，水に難溶性の塩を生じることがある．

例えばフェノバルビタールナトリウムや安息香酸ナトリウムは Ca^{2+}，Zn^{2+}，Al^{3+} と結合して不溶性有機酸塩を生じる．したがってフェノバルビタールナトリウムを $CaCl_2$ を含む注射液に溶解することは避けなければならない．

同様の理由により，Ca^{2+} を含む輸液は血液凝固阻止薬としてクエン酸ナトリウムを含む血液との併用を避ける．

H_5C_6, H_5C_2, O, H, N, N, O, —ONa $\xrightarrow{CaCl_2}$ H_5C_6, H_5C_2, O, H, N, N, O, —O・$\frac{1}{2}$Ca + NaCl

塩酸塩が溶けにくいためにオキシ酸塩，有機酸塩にしている塩基性薬品では，塩化ナトリウムを含む水溶液に溶解すると，沈殿を生じることがある．

塩基の臭化水素酸塩，ヨウ化水素酸塩が難溶性の場合，臭化カリウム液やヨウ化カリウム液を加えると沈殿を起こすことがある．

コデインリン酸塩 + KBr → コデイン臭化水素酸塩↓

デキストロメトルファン臭化水素酸塩 + KI

→デキストロメトルファンヨウ化水素酸塩↓

アクリノール（乳酸塩 1：15）→（塩酸塩 1：260） 生理食塩液に 0.5% アクリノール液は完全に溶解しない．

ガベキサート（メシル酸塩：水に極めて溶けやすい）→（塩酸塩：水に溶けにくい） 生理食塩液に溶解しない.

クロルヘキシジン（グルコン酸塩：水に溶けやすい）→（塩酸塩：0.06 g/100 mL） トローチにはよい.

6-3 有機化合物どうしの交換反応

有機化合物の配合変化（交換反応）は，Millerが提唱した理論により予測することができる[8].

「界面活性剤が陰イオン性，陽イオン性，非イオン性に分類されているように，有機化合物を陰イオン性（有機酸），陽イオン性（有機塩基），非イオン性の3つに区分する.

同じイオン性の化合物どうし，陽イオン性または陰イオン性と非イオン性化合物の間では配合変化は起こらない．陰イオン性と陽イオン性化合物の間では配合変化を起こし，沈殿を生じる可能性が高い．ただし，低分子の化合物では結合したものが可溶性であることが多いので，例外となる.」

陰イオン性：サリチル酸，アスピリン，バルビタール類，サルファ剤，ペニシリン類，セフェム類，酸性色素，ラウリル硫酸，脂肪酸などのNa，K塩.

陽イオン性：アルカロイド，局所麻酔薬，抗ヒスタミン薬，フェノチアジン類などの抗精神病薬，アミノグリコシド系抗菌薬，4級アンモニウム殺菌薬，塩基性色素などの塩化物，塩酸塩，硫酸塩，有機酸塩.

非イオン性：糖類，アルコール類（エタノール，ベンジルアルコール），エステル類（アミノ安息香酸エチル，パラベン類），メチルセルロース，Span，Tweenなど.

Millerは0.1～1%のアニオン性，カチオン性化合物10種ずつの組み合わせ100種類の配合変化を検討し，52種に沈殿の生成を認めている.

沈殿を生じる配合を例示する.

ベンジルペニシリンカリウム＋プロカイン塩酸塩
→ベンジルペニシリン・プロカイン↓＋KCl

ステアリン酸ナトリウム＋ベンザルコニウム塩化物
→ベンザルコニウムステアリン酸塩↓＋NaCl

クレゾールスルホン酸カリウム＋ブロムヘキシン塩酸塩
→ブロムヘキシンクレゾールスルホン酸塩↓＋KCl

上記の例のように，主薬どうしの交換反応による沈殿のほか，主薬・添加剤間の配合変化も多い.

沈殿生成に影響する因子として，分子量の大きさ，疎水性 hydrophobicity，酸性・塩基性の強さ，溶液の濃度，結合物の溶解度，水以外の溶媒・界面活性剤の存在，結晶生成を阻害する糖の存在などがある.

7 外用剤（半固形製剤）の混合

皮膚に用いられる外用の半固形製剤には，さまざまな種類があるが，不適切な混合により，配合変化が生じることがある．医療現場では，これらを混合するよう指示する処方が散見されるが，半固形製剤の混合にあたっては混合の可否に十分に注意し，十分な情報がない状態での不用意な混合は避ける必要がある．

1）連続相の異なる半固形製剤の混合

連続相の異なる半固形製剤どうしは，混合不良や乳化の破壊が生じるための，混合すべきではない．すなわち，a）連続相が油性である油脂性基剤や w/o 型基剤と，b）連続相が水性である o/w 型基剤やゲル基剤を混合してはならない．

例えば，油脂性基剤と o/w 型基剤の混合で問題となる例としては，ステロイド外用剤と保湿剤の混合として，

マイザー軟膏 0.05%（ジフルプレドナート）+ウレパールクリーム 10%（尿素）
アンテベート軟膏 0.05%（ベタメタゾン酪酸エステルプロピオン酸エステル）
+オイラックスクリーム 10%（クロタミトン）

などが挙げられる．とくに o/w 型製剤は乳化が破壊されやすく，混合には十分な注意が必要である．なお，o/w 型製剤は w/o 型製剤と比較して洗浄しやすく使用感がよいことから，広く用いられていることにも留意されたい．

2）基剤の pH

外用剤の見かけの pH は必ずしも中性ではなく，pH 5 に近いもの（例：ウレパールクリーム）や pH 8 を超えるもの（例：パスタロンソフト軟膏 10%）がある．一方，主薬によっては酸性下あるいは塩基性下で不安定なものもある．例えば，副腎皮質ステロイドは一般的に塩基性下では不安定であり，活性型ビタミン D_3 は酸性下では不安定である．したがって，成分の安定性と基剤の見かけの pH を考慮に入れることは重要である．

3）半固形製剤の希釈

半固形製剤に含まれる主薬の多くは弱イオン性物質であり，水相への溶解性が高い．例えば外用ステロイドでは，クリームであれば基剤中に主薬が溶解した状態で存在するが，軟膏であれば基剤中の主薬は溶解度が低く飽和しており，主薬の大部分は結晶（固体）として基剤中に分散している．例えばロコイド軟膏（ヒドロコルチゾン酪酸エステル）では，溶解しているのは1%未満である．したがって，水性基剤であるクリームの場合，希釈すれば基剤中のステロイド濃度は希釈されるのに対して，油脂性基剤の場合は結晶が基剤中に残っている範囲では，製剤を希釈しても基剤中の主薬濃度は変化せず，効果や副作用も減弱しない．事実，代表的な数種のステロイド軟膏において，16 倍程度の希釈では薬効の低下は見られないことが確認されている．

文 献

1) 中島新一郎ら：輸液セット中での硝酸イソソルビドの含量低下，薬剤学 **45**(4) 285 1985. 同：同（Ⅱ）ニトログリセリン溶液との比較，病院薬学 **12**(4) 316 1986. 同：同（Ⅳ）輸液セット中での硝酸イソソルビド溶液とニトログリセリン溶液の含量低下，薬剤学 **48**(3) 204 1988
2) 服部　聡ら：新生児グルコース・インスリン（GI）療法における投与セットへのインスリン吸着の検討，医療薬学 **35** 839-845 2009
3) 倉本加代ら：G-CSF 製剤（ナルトグラスチム）の持続注入時におけるシリンジへの吸着とその対策，医療薬学 **29** 691-697 2003
4) Poole JW et al.: Kinetics and mechanism of degradation of ampicillin in solution, J Pharm Sci **58** 447 1969
5) 山本隆一ら：薬剤の吸湿性と防湿に関する研究（第5報），薬誌 **78** 209 1958
6) 武田文七：塩包装に関する研究(1)食塩の吸湿性と潮解性，日本塩学会誌 **9** 87 1955
7) 山本隆一：散剤の吸湿と変化，薬剤学 **23**(3) 197 1963
8) Miller OH: Predicting incompatibilities of new drugs, J Amer Pharm Assoc pract ed **13**(9) 657 1952

薬物相互作用

8 薬物相互作用

8-1 薬物相互作用 drug interaction

薬物動態学 pharmacokinetics が発展し，生体内での薬の吸収，分布，代謝，排泄（ADME）の実態が明らかになるにつれ，ある薬の投与が他の薬の体内動態にいかなる影響を及ぼすかが問題となってきた．多くの薬の体内動態が薬物間の相互作用の結果，著しく変動することが明らかにされ，薬物相互作用という用語が用いられるようになった．

薬物相互作用 drug interaction とは，「1つの薬物の効果が，同時あるいは時期を異にして投与した他の薬物により修飾される現象」である．

薬物相互作用は処方された医薬品のほか，一般用医薬品との間にも発生する．また，飲食物やその成分，食品添加物，殺虫剤，農薬などとの間にも相互作用が発生することがある (p.166).

8-2 薬物相互作用の種類

薬物相互作用を生じる原因は，次の2つに大別することができる．

① **薬物動態学的相互作用** pharmacokinetic interaction　薬物の生体内における吸収，分布，代謝，排泄の過程が併用薬物によって影響を受ける場合．薬物の生体内濃度に変化が生じる．

② **薬力学的相互作用** pharmacodynamic interaction　薬物の特異な作用点又は薬物受容体に対する作用や結合性が，併用薬物によって増強又は抑制を受ける場合．薬物の生体内濃度に変化はみられない．

以下に，それぞれの場合の具体的なメカニズムを記す．

〔薬物動態学的相互作用〕

a．吸収速度，吸収量の変化

難吸収性複合体生成による消化管からの吸収の低下．可溶化剤や湿潤剤配合による吸収の増加

消化管液の pH への影響

胃排出時間（GER），消化管運動への影響

消化管における薬物輸送担体の阻害

b．体内分布の変化

組織分布の変化

血漿蛋白との結合の変化

c．代謝過程への影響

酵素阻害

酵素誘導

d．腎排泄の変化

尿の pH の変化

尿細管再吸収の変化

尿細管分泌の阻害

電解質バランスの変化

腎排泄に関わる薬物輸送担体の阻害

〔薬力学的相互作用〕

a．受容体部位での作用の変化

受容体部位での競合

受容体の変化

b．他の部位での作用の変化

薬物相互作用の過程を模式図で示した図 9-4 は生体内での薬物の動きばかりでなく，それらの動きに影響を与える因子も併記している[1]．

■ 1）キレート生成[2]

薬物が消化管内で金属イオンとキレート（錯体）を形成すると，消化管からの吸収が低下する．

テトラサイクリン類は鉄やアルミニウムなどと難吸収性キレートを形成する．金属イオンを含有する制酸薬の併用も注意する．ドキシサイクリンやメタサイクリンは硫酸鉄との同時服用により血中濃度が 10～20％程度にまで低下する（p.214 図 9-7）[3]．ニューキノロン系抗菌薬もアルミニウム，鉄，マグネシウムなどの多価金属カチオンと難吸収性のキレートを形成する[4]．薬物相互作用（吸収低下）の程度は，薬物や金属カチオンの種類や濃度によってさまざまである（p.240）．

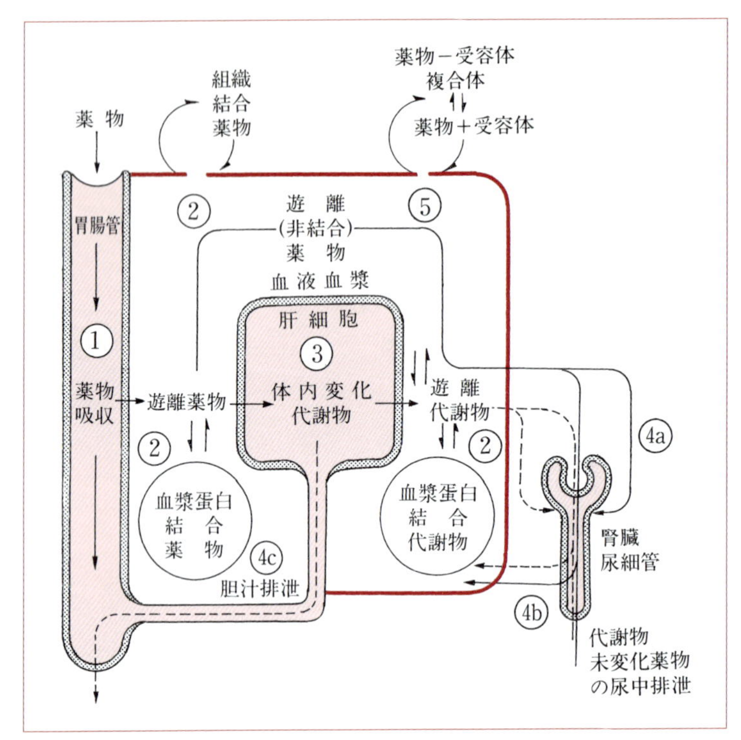

① pHの変化，難吸収性キレートの形成，消化管の運動性の変化などによる消化管の吸収部位における相互作用
② 体内の分布相における相互作用：血漿蛋白又は貯蔵組織と薬物，代謝物の結合の変化
③ 薬物代謝に影響を及ぼす相互作用：肝ミクロゾーム酵素の誘導，抑制
④ 排泄部位における相互作用
　④a 腎尿細管分泌経路に対する競合
　④b 薬物のイオン化に及ぼす尿のpH変化の影響，遠位尿細管から体内への再吸収の程度を変える
　④c 抱合，胆汁排泄に関する輸送過程への干渉
⑤ 作用部位における相互作用

図 9-4. 体内における薬物の動きと薬物相互作用の起こる部位 (Sanson)

このような相互作用を防ぐには，テトラサイクリン類やニューキノロン系抗菌薬を，制酸薬や鉄剤より2時間以上前に服用して，キレート生成を低下させるようにする (p.215 図 9-8).

経口セフェム系抗生物質セフジニルも硫酸鉄の併用によりキレートを形成し，相対的生物学的利用能が10%以下に低下する．ただしアルミニウムやマグネシウムとでは吸収率に大きな変化がなく，鉄イオンに特異性が高い[5].

ノルフロキサシンのキレート化合物　　　セフジニルのFeキレート化合物

2) 蛋白結合置換[6, 7]

血漿中の薬物は，アルブミンやα_1-酸性糖蛋白（AAG）などの血漿蛋白と結合するが，その度合は薬物によって異なる．このとき，組織に移行して薬効を発揮できるのは血漿蛋白に結合していない，非結合型薬物のみである．したがって，血漿中に血漿蛋白に結合しやすい薬物が2種類以上存在すると，結合の競合が生じ，蛋白結合率が低下することがある（蛋白結合置換）．

蛋白結合率が低下すると，同じ血漿中濃度であっても非結合型濃度は上昇するため，薬効が強く現れるが，同時にクリアランスも増大するため，原則として，両者が打ち消しあって血漿中非結合型濃度には変化が生じない．したがって，血漿中蛋白結合の置換は薬効や毒性に影響を与えないと考えられる．ただし，血中薬物モニタリング（TDM）では多くの場合全血漿中濃度を測定し，これに基づいて投与設計が行われるため，蛋白結合置換が生じている条件下では，通常の治療域より低い濃度で効果が得られることになり，通常の治療域が得られるまで投与量を増量してしまうと，過量投与となるおそれがあるので注意が必要である．

ただし，肝抽出率の大きい薬物を静脈内注射する時だけは，蛋白結合置換によって非結合型薬物濃度の上昇が起こり得ることが理論的に示されている．

結論として，現在では，かつて血漿中蛋白結合の置換が原因とされてきた薬物併用時の有害事象のほとんどは，代謝酵素の阻害，腎分泌阻害，あるいは薬理作用の重複など他の原因によると考えられるに至っている[8]．

表 9-3 に血漿中蛋白結合率の高い医薬品を示す．

表 9-3. 血漿中蛋白結合率の高い医薬品

[酸性医薬品]		ジクロフェナク	99	フロセミド	96%
インドメタシン	90%	ナプロキセン	99	プロベネシド	89
ジクロキサシリン	94	フェニトイン	89	ワルファリン	95
[塩基性医薬品]		ジアゼパム	99%	ベラパミル	93%
アミトリプチリン	96%	ニフェジピン	98	ロラゼパム	91
イミプラミン	96	フルラゼパム	97		
クロルプロマジン	95～98	プロプラノロール	93		
[その他の医薬品]		ジギトキシン	97%	タクロリムス水和物	98.8%
クロフィブラート	97%	シクロスポリン	99.5		

3) チトクロム P450[9～11]

① チトクロム P450 の分子種

薬物動態学的相互作用の中で，代謝部位で発現する相互作用は頻度が高く，臨床的にも重要なものが多い．

薬物代謝は種々の酵素によって行われるが，薬物相互作用を引き起こす頻度はチトクロム P450 を介する酸化的反応が圧倒的に多い．

P450は分子量45,000～55,000 Daのヘム蛋白質で，アミノ酸配列の異なる複数の分子種が存在し，その相同性に基づいて分類されている．アミノ酸配列の相同性が40％を超える分子種を1つの群（ファミリー）とし，55％を超える分子種をサブファミリーと細分類する．それぞれの分子種はCYP（Cytochrome P450）の後に，アラビア数字で示したファミリー，アルファベットで示したサブファミリー，さらにアラビア数字で示した分子種を表示する（表9-4）．

表9-4．薬物代謝に関わる主なヒトP450分子種の分類

ファミリー	サブファミリー	分子種
CYP1	1A	1A1
		1A2
CYP2	2A	2A6
	2B	2B6
	2C	2C8
		2C9
		2C18
		2C19
	2D	2D6
	2E	2E1
CYP3	3A	3A4
		3A5
		3A7

（千葉　寛ら：薬局 **49**(1) 53 1998）

このうちヒトの薬物代謝に関わる代表的な分子種は，CYP1A2，CYP2C9，CYP2C19，CYP2D6，CYP2E1，CYP3A4である．薬物によっては複数のP450分子種で代謝されるものもある（表9-5）．

各医薬品の代謝酵素と阻害する酵素の分子種を調べておくと，併用時の相互作用発現を予測することができる．

② P450を介した薬物相互作用

（1）**P450の阻害**　同じCYP分子種の基質と阻害剤を併用すると，代謝活性が低下し，基質の薬物血中濃度が上昇する．阻害のメカニズムには，時間依存的な阻害（time-dependent inhibition：TDI）と時間非依存的な阻害とがある．TDIでは，阻害剤が体内から消失した後も阻害効果が持続するので，薬物相互作用が遷延する．TDIの代表例として，P450によって生成された阻害剤の代謝中間体が，P450と複合体を形成し，酵素を不可逆的に不活性化する，mechanism-based inhibition（MBI）と呼ばれる阻害様式がある．CYP3A4に対するマクロライド系抗生物質やグレープフルーツ中のフラノクマリン類による阻害は，MBIであると考えられている．

時間非依存的な阻害の様式としては，活性部位において基質と阻害剤が競合する競合阻害と，アロステリックな阻害を示す非競合阻害とがある．相互作用の程度は，1）阻害剤の阻害活性が強

表 9-5. 代表的なチトクロム P450 分子種とそれらの主な基質，阻害剤，誘導剤

P450分子種	基質	阻害剤	誘導剤
1A2	オランザピン，カフェイン，チザニジン，テオフィリン，デュロキセチン，ラメルテオン	フルボキサミン，シプロフロキサシン，メキシレチン	たばこ
2C9	イブプロフェン，グリベンクラミド，グリメピリド，ジクロフェナク，セレコキシブ，フェニトイン，ワルファリン	アミオダロン，ミコナゾール，ブコローム，フルコナゾール	カルバマゼピン，フェノバルビタール，リファンピシン
2C19	オメプラゾール，クロピドグレル*，クロバザム，ジアゼパム，ボリコナゾール，ランソプラゾール	チクロピジン，フルボキサミン，フルコナゾール，ボリコナゾール，グレープフルーツジュース**	リファンピシン，リトナビル
2D6	アトモキセチン，多くの三環系抗うつ薬（アミトリプチリン，イミプラミン，クロミプラミン，ノルトリプチリンなど），デキストロメトルファン，トラマドール，トルテロジン，フレカイニド，プロパフェノン，ペルフェナジン，ベンラファキシン，マプロチリン，メトプロロール，リスペリドン	キニジン，シナカルセト，テルビナフィン，デュロキセチン，パロキセチン，ミラベグロン	
3A4	アトルバスタチン，アプレピタント，エベロリムス，カルシウム拮抗薬（ジルチアゼム，ニソルジピン，ニフェジピン，フェロジピンなど），クエチアピン，コルヒチン，シクロスポリン，シルデナフィル，シロリムス，シンバスタチン，タクロリムス，トルバプタン，バルデナフィル，多くのベンゾジアゼピン類（アルプラゾラム，トリアゾラム，ミダゾラム，ブロチゾラムなど），副腎皮質ステロイド類，ロピナビル	アゾール系抗真菌薬（イトラコナゾール，ミコナゾール，フルコナゾール，ボリコナゾール），イマチニブ，抗 HIV 薬（リトナビル），シクロスポリン，ジルチアゼム，マクロライド系抗生物質（エリスロマイシン，クラリスロマイシン），ベラパミル，グレープフルーツジュース**	カルバマゼピン，フェニトイン，フェノバルビタール，リファンピシン，セントジョーンズワート（健康食品）

* 活性代謝物の生成に関与しており，阻害剤の併用により薬効が低下する．
** 通常量では，消化管でのみ阻害．

い（酵素との親和性が高い）場合，2）阻害剤の酵素近傍濃度（肝臓中非結合型濃度）が高い場合，3）全身クリアランスに占める当該酵素の寄与が大きい場合，に大きくなる．とくに，強い阻害剤では3）が，中程度ないしは弱い阻害剤では2）が主な決定因子となる．また，2）により阻害の程度が決まるため，体内からの消失が遅い阻害剤では，相互作用は遷延する．例えば，CYP2D6 阻害剤であるテルビナフィンは体内消失が遅く，CYP2D6 阻害を介した相互作用はテルビナフィンの投与中止後数ヵ月間続くとの報告もある（p.218〔例 7〕参照）．

(2) P450 の誘導　薬物が，薬物代謝酵素の活性を増強することを酵素誘導といい，そのような薬物を誘導剤という．多くの場合，酵素の発現量（含量）を増加させることにより酵素誘導を起こすため，酵素誘導が生じるには一定の期間（数日間）が必要である．また，誘導剤の投与を中止しても酵素活性はすぐには低下せず，一定の期間かかって徐々に低下していくため，基質薬物の濃度が徐々に上昇していくことになる．

P450 の分子種と，それぞれの分子種を阻害又は誘導する代表的な薬物を表 9-5 に示す．

4）薬物トランスポーター transporter[12, 13]

生体内にはさまざまなトランスポーターが発現しているが，その組織分布や機能はトランスポーターごとに異なっている．表9-6には，とくに薬物の体内動態を制御していると考えられている代表的なトランスポーターを示す．消化管においては，P-gp（P-糖蛋白質*）やBCRP（breast cancer resistance protein）に代表されるABC（ATP binding cassette）トランスポーターが，ATPの加水分解を駆動力として，いったん消化管上皮細胞に移行した生体異物を，濃度勾配に逆らって消化管腔内にくみ出している．このため，ABCトランスポーターの基質となる薬物は，消化管での吸収が抑えられており，ABCトランスポーターが阻害されると吸収が増大する．一方消化管には，水溶性の有機物を取り込むために，アミノ酸やグルコースの輸送担体に加えて，PEPT1（peptide transporter 1），OATPs（organic anion transporting polypeptides）などのトランスポーターが発現している．これらの基質となることで消化管吸収が高められている薬物は，阻害剤が併用されると吸収が低下する．

全身に移行した薬物の多くは，未変化体あるいは代謝物の形で腎臓から排泄される．排泄過程には糸球体ろ過，尿細管分泌，尿細管再吸収が関与しているが，糸球体ろ過が物理的なろ過過程

表9-6. 薬物動態に関わる代表的なトランスポーターとその主な基質，阻害剤

トランスポーター	主な発現組織と機能	基　質	阻害剤
MDR1 (P-gp；ABCB1)	消化管（吸収抑制），肝臓（胆汁排泄），腎臓（尿細管分泌），脳（脳内以降抑制）など	シクロスポリン，ジゴキシン，ドセタキセル，パクリタキセル，ビンブラスチン，フェキソフェナジン，ベラパミル，ロペラミド	イトラコナゾール，エリスロマイシン，キニジン，シクロスポリン，ベラパミル，リトナビル
BCRP（ABCG2）	消化管（吸収抑制），肝臓（胆汁排泄），腎臓（尿細管分泌），脳（脳内以降抑制）など	メトトレキサート	
OATP1B1	肝臓（血液からの取り込み）	アスナプレビル，グラゾプレビル，スタチン類（アトルバスタチン，シンバスタチン，プラバスタチン，ロスバスタチンなど）	シクロスポリン，リファンピシン
OATP2B1, OATP1A2*	消化管など（消化管吸収）	アテノロール，セリプロロール，フェキソフェナジン，モンテルカスト	オレンジジュース，グレープフルーツジュース，アップルジュース
OATs (OAT1/OAT3)	腎臓など（尿細管分泌）	メトトレキサート	インドメタシン，プロベネシド
PEPT1	消化管など（消化管吸収）	ACE阻害薬，βラクタム系抗生物質	

* 主にどちらの分子種が発現し機能しているかについては現在解明が待たれている．

* P-糖蛋白質 P-glycoprotein　分子量約170,000の膜蛋白質．ATPのエネルギーを利用して薬物を細胞外へ能動的に排出するポンプである．腎，肝，消化管上皮，血液脳関門，胎盤などに存在し，薬物や代謝物等を排泄する役割を果たすと考えられている．また，この蛋白質が高度に発現したがん細胞は多剤耐性を示す．

であるのに対して，尿細管分泌は主にトランスポーターを介した特殊輸送である．尿細管再吸収に関しては，濃度勾配による単純拡散の場合が多いが，トランスポーターを介した特殊輸送が寄与していることもある．薬物の尿細管分泌に関与する主な輸送系として，前述のP-gp以外にも，有機アニオン輸送系（organic anion transporters，OATs），有機カチオン輸送系（OCTs），多剤排泄輸送体（multidrug and toxin extrusions，MATEs）などが知られている．

例えば，メトトレキサートは腎臓においてOATsを介した尿細管分泌を介して尿中に排泄される．このため，OATsを阻害するプロベネシドなどとの併用により血中濃度が上昇し，骨髄抑制等の副作用が増強されることがある．MATEsを介して尿細管分泌されるシメチジンとプロカインアミドの併用では，プロカインアミドの腎排泄が抑制されて血中濃度上昇をきたすことがあるので注意を要する．

ジゴキシンのようなP-gp基質の場合，P-gp阻害剤のキニジンやベラパミル，クラリスロマイシンなどとの併用で血中濃度が上昇して中毒症状が発現することがある．P-gpはジゴキシンの尿細管分泌と消化管吸収抑制の両方に寄与すると考えられるが，静脈内投与より経口投与の方が相互作用が強く現れることや，阻害剤を経口投与した場合，消化管上皮近傍の阻害剤濃度は高くなることから，消化管におけるP-gpの方が薬物相互作用により寄与が大きい可能性が高い．

肝臓においても，薬物トランスポーターは薬物の血液中から肝臓への取り込みや胆汁中への排泄に重要な役割を果たしている．例えば，プラバスタチンなどのHMG-CoA還元酵素阻害剤の，血液から肝実質細胞への取り込みは，肝臓特異的なOATPであるOATP1B1（OATP-C）が担っており，その阻害剤であるシクロスポリンにより，肝取り込みが減弱して血中濃度が上昇することが知られている．

5）薬力学的相互作用

① 類似した薬理作用を有する薬物どうしの相互作用

同一の作用点を介した薬力学的相互作用の例としては，β遮断薬とβ刺激薬併用による喘息発作の悪化，抗コリン作用を有する薬物どうしの併用による口渇や尿閉の増強，ワルファリンとビタミンKの併用によるワルファリンの効果減弱，ヒスタミンH_1受容体拮抗薬どうしの併用による睡眠障害，ドパミン受容体遮断薬どうしの併用による薬剤性パーキンソン症候群などがある．

また，HMG-CoA還元酵素阻害薬（プラバスタチン，シンバスタチンなど）は単独でも横紋筋融解症を発現するが，同じ高脂血症治療薬のフィブラート系薬剤（クロフィブラート，ベザフィブラートなど）にも同様の副作用があり，併用により発現頻度が上昇する．

② 異なる薬効群に属する薬物どうしの相互作用

異なる薬効群に属する薬物どうしの相互作用の代表例として，ニューキノロン系抗菌薬とアリルアルカン系非ステロイド性消炎鎮痛薬（NSAIDs）の併用による中枢性けいれん発作がある．

β遮断薬はベラパミル，ジルチアゼムとの併用で作用増強のおそれがある．緑内障に用いるβ遮断薬チモロール点眼薬と降圧薬ベラパミル併用による重篤な相互作用の報告がある．

■ 6）併用効果 combined effect

複数の成分を配合することにより副作用の防止，効果の増大を図った製剤の例を以下に示す．

【例 1】 スルファメトキサゾール・トリメトプリム（**バクタ配合錠/顆粒，バクトラミン**）〔ST 合剤〕

1 錠中 Ⓐ スルファメトキサゾール 400 mg，Ⓑ トリメトプリム 40 mg．Ⓐ が細菌の葉酸合成過程でパラアミノ安息香酸から二水素葉酸への経路を阻害し，Ⓑ がジヒドロ葉酸還元酵素との結合による二水素葉酸から四水素葉酸への還元を阻害する．すなわち細菌の葉酸合成経路を連続 2 ヵ所でブロックし，相乗的抗菌力が生じる（図 9-5）．

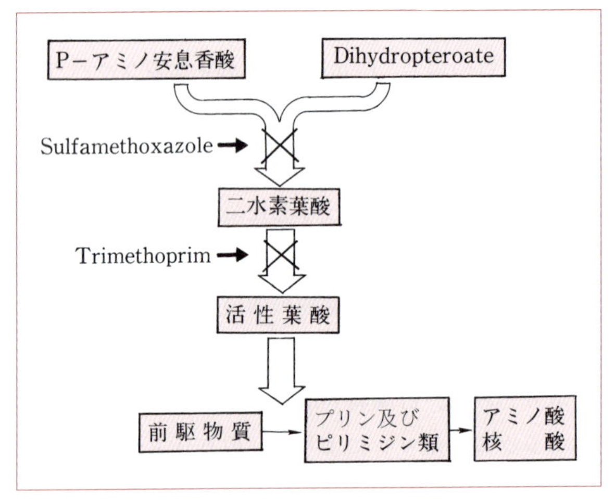

図 9-5．ST 合剤の葉酸合成阻害機序

NH_2, H_2N, N, N, CH_2, OCH_3, OCH_3, OCH_3

トリメトプリム

【例 2】 アモキシシリン・クラブラン酸カリウム（**オーグメンチン配合錠**）

オーグメンチン配合錠 250RS の場合，1 錠中 Ⓐ アモキシシリン水和物 250 mg，Ⓑ クラブラン酸カリウム 125 mg．Ⓑ は β-ラクタマーゼ阻害薬．配合により Ⓐ は失活されず，β-ラクタマーゼ耐性菌にも有効．

【例 3】 レボドパ・カルビドパ（**メネシット配合錠**）

レボドパの適応はパーキンソン病，パーキンソン症候群．1 日 200〜600 mg，1〜3 回に食後分服，漸増し 2〜3 週後維持量 1 日 2,000〜3,600 mg.

本品 1 錠中 Ⓐ レボドパ 100 mg，250 mg．Ⓑ カルビドパ 10 mg，25 mg．Ⓐ はドパミンの前駆物質．Ⓑ はレボドパ脱炭酸酵素阻害薬．併用により選択的に脳外において Ⓐ の脱炭酸反応を防ぎ，脳内への移行量を高める．

Ⓐ 単味の場合，$t_{1/2}$ 1〜3 時間，維持量 1 日 2,000〜3,600 mg．配合剤の場合，Ⓐ の $t_{1/2}$ 1〜2〜15 時間，維持量 Ⓐ として 1 日 600〜750〜1,500 mg (p.275).

レボドパ・ベンセラジド塩酸塩（**マドパー錠**）1 錠中レボドパ 100 mg，ベンセラジド塩酸塩 28.5 mg も同様の目的で配合される．維持量 Ⓐ として 1 日 300〜600 mg.

【例 4】 イミペネム・シラスタチン配合注射製剤（**チエナム点滴静注用**）

チエナム点滴静注用 0.5 g の場合，1 バイアル中 Ⓐ イミペネム水和物 0.5 g（力価，イミペネムとして），Ⓑ シラスタチンナトリウム 0.5 g（シラスタチンとして）を含有する．

Ⓐ は，ペネム系抗菌薬で，第 3 世代セフェム系抗菌薬を上回る抗菌活性と，β ラクタマーゼに対する抵抗性を有するが，腎臓に分布するデヒドロペプチダーゼにより速やかに不活性化される．このため，デヒドロペプチダーゼを阻害する Ⓑ を配合することで，抗菌活性を増強している．さらに，Ⓑ はイミペネムによる腎毒性を抑制する作用も有するとされる．

【例 5】 テガフール・ギメラシル・オテラシルカリウム配合製剤（**ティーエスワン：TS-1**）

ティーエスワンの適応症は胃癌，結腸・直腸癌，頭頸部癌，非小細胞肺癌，手術不能又は再発乳癌，膵癌，胆道癌．開始量はテガフール相当量として体表面積に応じて 1 回 40〜60 mg を 1 日 2 回．28 日連続投与後 14 日休薬を繰り返す．

ティーエスワン配合カプセル T25 の場合，1 カプセル中 Ⓐ テガフール 25 mg，Ⓑ ギメラシル 7.25 mg，Ⓒ オテラシルカリウム 24.5 mg を含有する．

Ⓐ は，5-フルオロウラシル（5-FU）のプロドラッグであるが，単独で経口投与した場合，消化管毒性が問題となる．そこで，活性本体 5-FU の主代謝酵素であるジヒドロピリミジンデヒドロゲナーゼ（DPD）を阻害する Ⓑ を配合することで，Ⓐ を単独で投与する場合の投与量（1 回 200〜400 mg）と比較して Ⓐ の配合量を減らすことを可能にした．さらに，Ⓒ により消化管におけるホスホリボシルトランスフェラーゼを阻害することで，消化管毒性を軽減された．これらの配合により，消化管毒性を軽減しつつ抗腫瘍効果を発揮できる製剤となった．

9 薬物相互作用の実例 [7, 14, 15]

【例 1】 ワルファリンの相互作用

① *S*体と*R*体 [16]

ワルファリンはラセミ体で，*S*体と*R*体がある．*S*体は*R*体の5倍の薬理作用を有する．

*S*体の代謝にはCYP2C9が，*R*体の代謝には主にCYP3A4が関与する（p.207 表9-5）．

アゾール系抗真菌薬（イトラコナゾール，フルコナゾール，ミコナゾール）はCYP2C9とCYP3A4両方の強力な阻害薬である．抗凝固作用の強い*S*体はCYP2C9で代謝されるので，両剤の併用によりワルファリンの*S*体の代謝が阻害され，抗凝固作用が増大する（図9-6）．

一方フルボキサミンはCYP1A2，CYP2C19，CYP3A4酵素を阻害するが，CYP2C9に対する阻害は弱い．ワルファリン*R*体の代謝が阻害されるが，*R*体の抗凝固作用は*S*体に比し弱いので，ワルファリン製剤全体としては，あまり抗凝固作用が増大することにはならない．

② ワルファリン＋フェノバルビタール [17]

ワルファリンにより抗凝血薬療法を受けている患者が不安状態や不眠を訴える場合，フェノバルビタールを併用することがある．フェノバルビタールはCYP2C9とCYP3A4の両方を誘導し，ワルファリンの代謝を促進するので，ワルファリンを増量する必要がある．しかしその後フェノバルビタールの投与を中止する時には，ワルファリンを再び減量する．

このような酵素誘導体は，通常1～2週間でワルファリンの効果を低下させる．逆に酵素誘導体の投与を中止すると，ワルファリンの効果は2～3週後に元に戻る．

生体内代謝によってフェノバルビタールに変化するプリミドンも同様の現象を呈する．

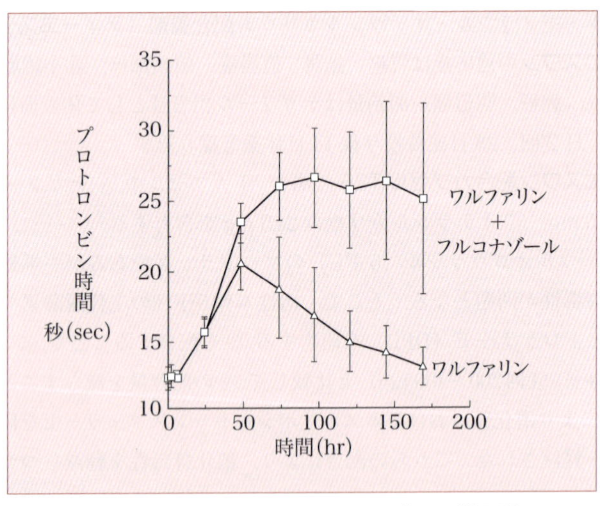

図9-6. ワルファリンとフルコナゾール併用時の経時的プロトロンビン時間の変化（n=5）

（Black ら）

【例2】 ジゴキシン＋キニジン，ベラパミルなど

ジゴキシンは，P-糖蛋白質（MDR1，P-gp）の基質である（p.208 表9-6）．このため，ジゴキシンの腎排泄にはP-gpが関与しているほか，経口投与後の消化管吸収もP-gpにより抑えられている．したがって，P-gp阻害作用を有するキニジンやベラパミルと併用すると，消失の遅延や吸収の増大が生じ，血中濃度が上昇する．ジゴキシンは心房細動に対して用いられるが，キニジンを洞調律回復などの目的で併用したときに，ジゴキシンの血中濃度が上昇したとの症例が複数報告されている（表9-7）．ジゴキシンとベラパミルはどちらも房室伝導抑制作用を有することから，高度な房室ブロックなどの薬力学的な相互作用に起因する副作用に注意が必要だが，ここには，薬物動態学的相互作用の寄与も知られている．すなわち，両剤の併用によりジゴキシンの血中濃度は60〜75%上昇，クリアランスは約35%減少したという報告がある．また49例の患者に両剤を併用して7例にジゴキシン中毒が出現し，血中濃度は約42%上昇していたという報告もある．

ジゴキシンはTDM対象薬物であり，治療域と中毒域が近接しているため，これらの相互作用には十分な注意が必要である．具体的には，ジゴキシンの中毒症状（悪心・嘔吐など）や心電図上の変化（房室ブロックなど）に注意し，血中濃度や心電図をモニターしながら必要に応じて投与量を減量することが必要である．

表9-7．キニジン併用によるジゴキシン血中濃度変化例

症例	患者	ジゴキシン血中濃度		中毒症状	備考
		併用前	併用後		
1	69歳男性	1.1 ng/mL	2.4 ng/mL	悪心・嘔吐	
2	74歳女性	1.9 ng/mL	3.7 ng/mL	心室性期外収縮	
3	94歳女性		1.3 ng/mL		ペントバルビタール服用時，キニジン血中濃度0.8 μg/mL
			4.5 ng/mL	脱力，食欲不振	ペントバルビタール服用中止，約2週間後，キニジン血中濃度2.2 μg/mL
4	12例平均	0.85 ng/mL	1.6 ng/mL	1例で中毒症状	6例で治療域以上に血中濃度が上昇した
5	27例平均	1.4 ng/mL	3.2 ng/mL	16例に食欲不振悪心・嘔吐	

注：ジゴキシンの治療血中濃度範囲0.8〜2.0 ng/mL

【例3】 テトラサイクリン類＋鉄剤[3)]

〔添付文書〕テトラサイクリン

併用注意

薬剤名	臨床症状・措置方法	機序・危険因子
カルシウム，マグネシウム，アルミニウム又は鉄剤	本剤の吸収が低下し，効果が減弱されるおそれがある．両剤の服用間隔を2～4時間とする	本剤と二価又は三価の金属イオンが消化管内で難溶性のキレートを形成して，本剤の吸収を阻害する

〔相互作用〕

両者の反応によりキレート化合物を形成し，両薬とも吸収が阻害されるので，服用時間をずらすなど適当な措置を必要とする．

Neuvonenらはテトラサイクリン類と鉄剤の同時服用後の血中濃度変化を調べている．健康な医学生に前夜絶食後，テトラサイクリン（TC）500 mg，オキシテトラサイクリン（OTC）500 mg，メタサイクリン（MTC）300 mg，ドキシサイクリン（DOTC）200 mgの単独投与群と，$FeSO_4 \cdot 6H_2O$（Feとして40 mg）の併用投与群間のTC類の血中濃度差をみている．図9-7からTC 40～50%，OTC 50～60%，MTC 80～85%，DOTC 80～90%の血中濃度の減少がみられる．持続作用があり1日1～2回の服用でよいといわれるMTC，DOTCで，最高血中濃度はMTCは単独投与群2.4 μg/mL，併用時0.5 μg/mL，DOTCは単独投与群3.0 μg/mL，併用時0.6 μg/mLを示し，有効血中濃度の下限を維持しているにすぎない．

両薬併用時の対策として時間をずらして服用すること，TC投与前2時間，投与後1時間の鉄剤投与でも影響がみられるので，その時間外の鉄剤投与が望まれる（図9-8）．

Al含有の消化性潰瘍治療薬（アルジオキサ，スクラルファート）や炭酸ランタン製剤との併用でも吸収低下がみられる．

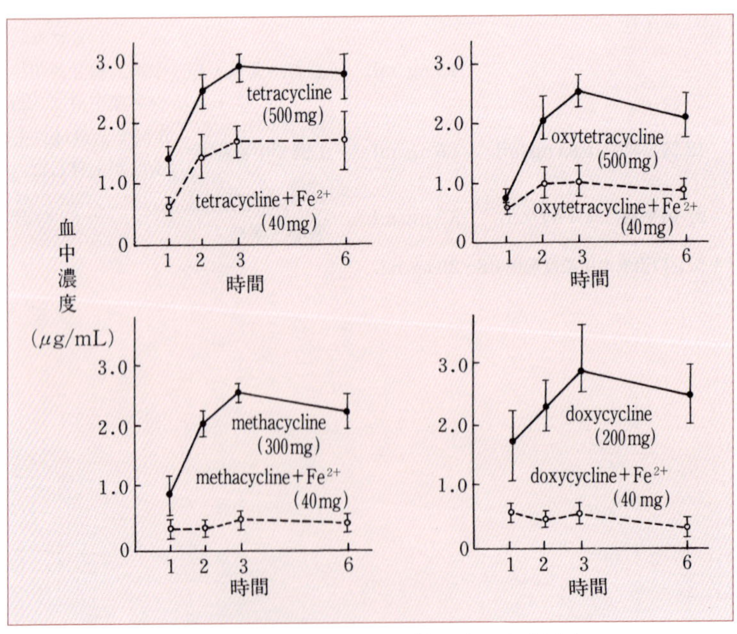

図9-7．TC類の単独投与と$FeSO_4$併用時の血中濃度（各群5名）

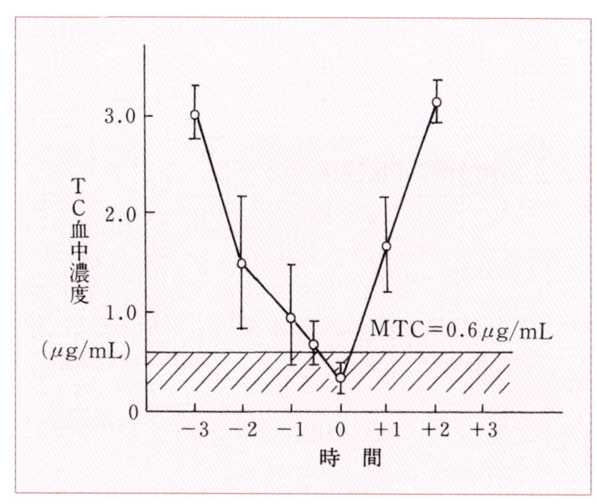

図 9-8. $FeSO_4$服用時間の相違によるTCの吸収に及ぼす影響（−前投与，＋後投与）

【例 4】 メルカプトプリン，アザチオプリン＋アロプリノール[18~20]

〔添付文書〕メルカプトプリン

併用注意

アロプリノール［本剤の代謝が抑制され副作用が増強されるので，併用する場合には，通常投与量の約 1/3～1/4 に減量する］

〔相互作用〕

メルカプトプリン（6-MP）は急性，慢性白血病治療薬，アロプリノールは痛風治療薬で，ときに併用される．

メルカプトプリンはキサンチンオキシダーゼによって酸化され，6-チオ尿酸となる．アロプリノールはキサンチンオキシダーゼ阻害作用がある（これが本来の使用目的）．そこで両者を併用した場合，メルカプトプリンの代謝が遅延し，24 時間以内に 50～70%の作用の増強がみられる（表 9-8）．

表 9-8. メルカプトプリンとアロプリノールの相互作用

メルカプトプリン投与量	アロプリノール投与量	尿中遊離メルカプトプリン量	尿中 6-チオ尿酸量	研究者
100 mg	0 → 800 mg	3.1 → 27.8%	24 → 2.4%	Hitchings
150 mg	0 → 75 mg	7.2 → 29%	25.5 → 3.4%	Rundles
6 人の患者の併用例		3～27%増加	—	Vogler

遊離メルカプトプリンの増加により，副作用と毒性を増す可能性があるので，メルカプトプリンの投与量を 1/3～1/4 に減量する．

キサンチンオキシダーゼ

メルカプトプリン　→　6-チオ尿酸

アザチオプリン

アザチオプリンは化学的，薬理学的にメルカプトプリンと類似しており，アロプリノールとの間に同様の相互作用を生じる．

【例 5】 一部のセフェム系抗菌薬（セフォペラゾン，ラタモキセフなど）＋アルコール飲料[21～24)]

〔添付文書〕セフォペラゾン*

併用注意

飲酒［ジスルフィラム様作用が起こることがある］．紅潮，悪心，頻脈，多汗，頭痛等が現れることがあるので，投与期間中及び投与後少なくとも 1 週間は飲酒を避ける

〔相互作用〕

セフェム系抗菌薬とアルコール飲料の相互作用として，ジスルフィラム様反応が報告されている．

Foster らはボランティアに対しセフォペラゾンの第 1 相試験を行ったとき，セフォペラゾン 3 g 静注，約 25 時間後に約 350 mL のビールを摂取した 24 歳の男性が 15 分以内に顔面紅潮，軽い動悸，嘔吐，頭痛を訴え，さらに 8 時間後に約 700 mL のビールを飲んだところ頻脈，発汗，頭痛，顔面紅潮が約 2 時間みられた．

McMahon は 5 名のボランティアを対象にセフォペラゾンを注射し，36 時間後にビール 450～600 mL を飲ませたところ，20 分以内に 1 例は頭・背部肩の発赤，結膜充血，頻脈，3 例に顔面紅潮を認めた．5 例ともかなりの心拍数，血圧の増加を認めた．

オキサセフェム系のラタモキセフについても Neu の同様な報告がある．嚢胞性肺線維症の 16 歳の男性及び 22 歳の女性にラタモキセフ 2 g を 8 時間ごとに静注した．それぞれ投与 3 日目に 1 本の缶ビール，4 日目にカクテルを摂取したところ，突然，顔面紅潮を呈し，顔面及び胸部に斑状発疹や発汗などの症状が発現した．

2 つの医薬品に共通していることは，3 位の側鎖に N-メチルテトラゾールチオメチル基を有することである．これら薬剤によるジスルフィラム様症状は acetaldehyde dehydrogenase の阻害によるアセトアルデヒドの代謝阻害に伴う蓄積に起因するものと思われる．

N-メチルテトラゾールチオメチル基を有するセフメノキシム，セフメタゾールもジスルフィラム様症状に注意する．

Buening らはラットを用いセフェム系抗菌薬を投与後，エタノール 2 g/kg を経口投与し，アセトアルデヒドの血中濃度を測定した．セファロチンを 100 とした場合，セフォペラゾン，ラタモキセフ，セファマンドールでは 250 前後と約 2.5 倍の値を示した．N-メチルテトラゾールチオメチルでは 677，ジスルフィラムでは 531 を示している．

セフェム系薬剤の注射は入院患者に多く用いるので，患者が飲酒する例はまれである．しかし外来患者に使う場合はジスルフィラム様症状のことを患者に的確に伝えておくことが重要である．

---

* 第Ⅲ世代のセフェム系抗菌薬．使用にあたり，各世代の特徴を認識し選択を誤らないように注意する．

		第Ⅰ世代	第Ⅱ世代	第Ⅲ世代*
抗菌力	グラム陽性菌	有効（除腸球菌）	低下	Ⅰ，Ⅱより弱い
	グラム陰性菌	有効	より有効	さらに有効
	緑膿菌・セラチア	無効	無効	有効
βラクタマーゼ		不安定	安定	より安定

* 第Ⅲ世代は一般感染症治療の第一選択としない．

セフォペラゾン

ラタモキセフ

【例6】 トリアゾラムの相互作用[25)]

〔添付文書〕トリアゾラム

併用禁忌

薬剤名等	臨床症状・措置方法	機序・危険因子
イトラコナゾール フルコナゾール ホスフルコナゾール ボリコナゾール ミコナゾール HIV プロテアーゼ阻害剤 　リトナビル エファビレンツ	本剤の血中濃度が上昇し，作用の増強及び作用時間の延長が起こるおそれがある	本剤とこれらの薬剤の代謝酵素が同じ（CYP3A4）であるため，本剤の代謝が阻害される

併用注意（抜粋）

薬剤名等	臨床症状・措置方法	機序・危険因子
エリスロマイシン クラリスロマイシン ジョサマイシン シメチジン ジルチアゼム イマチニブメシル酸塩	本剤の血中濃度が上昇するおそれがある	本剤とこれらの薬剤の代謝酵素が同じ（CYP3A4）であるため，本剤の代謝が阻害される

〔相互作用〕

ベンゾジアゼピン系睡眠導入薬トリアゾラムはCYP3A4で代謝される．イトラコナゾール，フルコナゾールなどアゾール系抗真菌薬，エリスロマイシンなどの14員環マクロライド系抗菌薬，シメチジンなどは，CYP3A4阻害作用があるため，併用するとトリアゾラムの代謝が阻害され血中濃度が上昇する．

プラセボ，イトラコナゾール200 mg又はケトコナゾール400 mgを1日1回，4日間投与し，最終投与1時間後にトリアゾラム0.25 mgを服用した場合，トリアゾラムの最高血中濃度が3倍に，AUCが20～30倍に増大したという報告がある．血中濃度の上昇とともに，ふらつきなどの副作用も増加している（図9-9）．

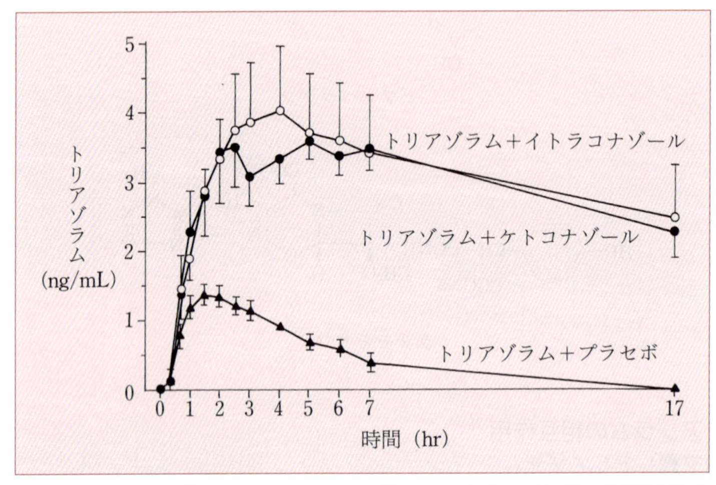

図9-9. トリアゾラムとイトラコナゾール，ケトコナゾール併用時の血中濃度推移（A. Varhe）

主にグルクロン酸抱合で代謝されるロルメタゼパム，ロラゼパムを用いるのは回避法の1つである．

なお，CYP3A4代謝阻害剤の多くは，消失半減期が長い，時間依存的阻害を示す，代謝物も阻害剤として働く，などの理由により，代謝阻害作用が長時間続くものも少なくない．このような場合，トリアゾラムと代謝阻害剤の服用時刻をずらしても，相互作用は回避できないので注意が必要である．

【例7】 テルビナフィン＋三環系抗うつ薬[26]

〔添付文書〕テルビナフィン

併用注意（抜粋）

薬剤名等	臨床症状・措置方法	機序・危険因子
三環系抗うつ薬 　イミプラミン 　ノルトリプチリン 　アミトリプチリン マプロチリン デキストロメトルファン	これらの薬剤又はその活性代謝物の血中濃度が上昇することがあるので，併用する場合には用量に注意すること	本剤のCYP2D6の阻害により，これらの薬剤又はその活性代謝物の代謝が遅延する

〔相互作用〕

真菌症治療薬のテルビナフィンはCYP2D6の阻害剤として知られている．三環系抗うつ薬は，その水酸化経路（不活性化）にCYP2D6が大きく寄与している．例えばアミトリプチリンはそれ自身活性を有するほか，CYP3A4などにより活性を有するノルトリプチリンに変換される．そして，アミトリプチリン，ノルトリプチリンいずれの不活性化も，CYP2D6が主に担っている．このため，テルビナフィンの併用によりアミトリプチリンとノルトリプチリンの両薬物の血中濃度が著しく上昇する．

図 9-10 は，37 歳の患者においてアミトリプチリン 75 mg/日で治療中に，テルビナフィン 250 mg/日による治療を行った症例におけるアミトリプチリンおよびノルトリプチリンの血漿中濃度の経日変化を示している．

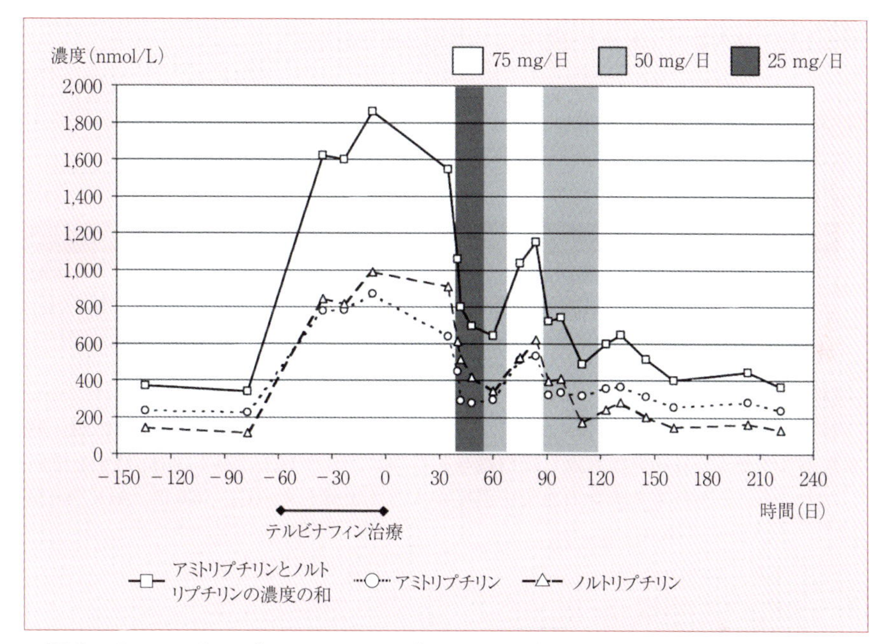

図 9-10．アミトリプチリンとテルビナフィンの相互作用症例におけるアミトリプチリンおよびノルトリプチリンの血中濃度の経日推移（I. Castberg ら）

本相互作用で特に注意すべきは，テルビナフィンの半減期が数十日間と非常に長いために，相互作用が消失するまでに 3 ヵ月以上を要している点である．したがって，テルビナフィンによる治療を行った患者には，治療終了後も少なくとも 3 ヵ月程度は薬物相互作用に注意し，他院・他診療科を受診する際にはその旨を伝えるよう，指導する必要がある．

【例 8】 シクロスポリンの相互作用[27]

〔添付文書〕シクロスポリン（ネオーラル）

併用禁忌（抜粋）

薬剤名等	臨床症状・措置方法	機序・危険因子
タクロリムス（外用剤を除く）	本剤の血中濃度が上昇することがある．また，腎障害等の副作用が現れやすくなるので併用しないこと	本剤の代謝が阻害されること及び副作用が相互に増強されると考えられる

〔相互作用〕

主に CYP 3A で代謝されるので，本酵素の活性に影響する医薬品・食品と併用する場合には可能な限り薬物血中濃度を測定しながら薬用量に留意して慎重に投与する．

CYP 3A の阻害によりシクロスポリンの代謝が阻害され血中濃度が上昇するものに，タクロリムス，アミオダロン，カルシウム拮抗薬，14 員環マクロライド系抗菌薬，アゾール系抗真菌薬などがある．代謝酵素誘導作用により本剤の代謝が促進されるものにリファンピシン，カルバマゼピンなどがある．

なお，シクロスポリンはCYP3A4 に対して阻害剤としても働くほか，P-gp や OATP1B1 の阻害剤としても働く（〔例 9〕参照）ため，上記以外にもさまざまな薬物と相互作用を生じ，他の薬物の体内動態を変動させるので注意が必要である．

【例 9】 スタチン類＋シクロスポリン

〔添付文書〕ピタバスタチン（リバロ錠 1 mg，2 mg　脂質異常症用薬）

併用禁忌

薬剤名等	臨床症状・措置方法	機序・危険因子
シクロスポリン	急激な腎機能悪化を伴う横紋筋融解症等の重篤な有害事象が発現しやすい．また，副作用の発現頻度が増加するおそれがある	シクロスポリンにより本剤の血漿中濃度が上昇（C_{max} 6.6 倍，AUC 4.6 倍）する

〔相互作用〕

ピタバスタチンは，肝チトクロム P450（CYP）によりほとんど代謝されないが，健康成人にピタバスタチン 2 mg を繰り返し経口投与した後に，シクロスポリン 2 mg/kg を単回経口投与したところ，ピタバスタチンの血漿中濃度が大きく上昇した（C_{max} 6.6 倍，AUC 4.6 倍）（図 9-11）．

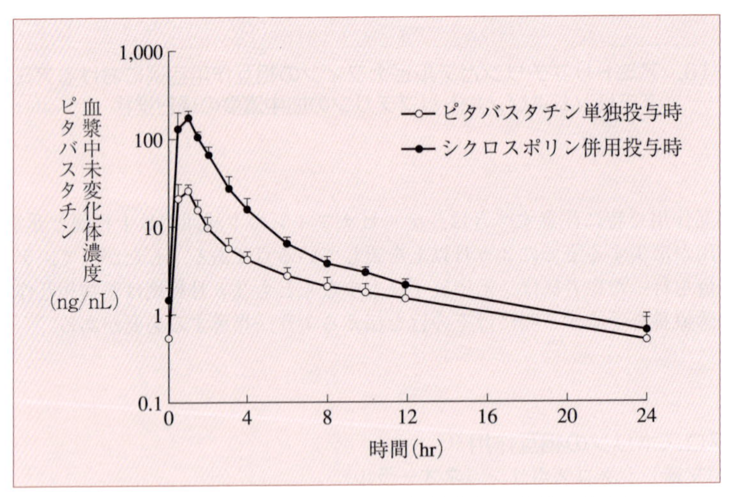

図 9-11．ピタバスタチン未変化体血漿中濃度の推移

スタチン類の多くは，OATP1B1 の基質として知られている（p.208 表 9-6）．また，全身からの消失における律速段階が肝細胞への取り込み過程にあると考えられている[28]．このため，スタチン類の肝取り込みを担う OATP1B1 の活性がシクロスポリンにより阻害されると，血中濃度が上昇し，横紋筋融解などの副作用のリスクが亢進する．参考までに，OATP1B1 に機能欠損をもたらす遺伝子型の患者では，スタチン類による横紋筋融解症のリスクが高まることも知られている．

【例 10】 チザニジン塩酸塩＋フルボキサミン 又は シプロフロキサシン

〔添付文書〕チザニジン塩酸塩（テルネリン　鎮けい薬）

併用禁忌

薬剤名等	臨床症状・措置方法	機序・危険因子
フルボキサミン シプロフロキサシン	フルボキサミン又はシプロフロキサシンとの併用により，本剤の血中濃度が上昇し，AUC がそれぞれ 33 倍，10 倍に上昇したとの報告がある．臨床症状として，著しい血圧低下，傾眠，めまい及び精神運動能力の低下等があらわれることがあるので併用しないこと	これらの薬剤が CYP1A2 を阻害し，本剤の血中濃度を上昇させると考えられる

〔相互作用〕

チザニジン塩酸塩とフルボキサミン及びシプロフロキサシンとの併用は禁忌となっている．チザニジン塩酸塩は主として肝代謝酵素チトクロム P450（CYP）1A2 で代謝されるため[29]，CYP1A2 を阻害する薬剤との併用により血中濃度が上昇する可能性がある．フルボキサミン及びシプロフロキサシンはCYP1A2 を阻害するため，併用によりチザニジン塩酸塩の血中濃度が上昇し，AUC がそれぞれ 33 倍，10 倍に上昇したとの報告がある．臨床症状として著しい血圧低下，傾眠，めまい及び精神運動能力の低下などが報告されている[30, 31]．

健康成人男子 10 名を対象とした二重盲検無作為化クロスオーバー試験．フルボキサミン（**デプロメール**，精神神経用薬）100 mg/日又はプラセボを 1 日 1 回 4 日間投与し，4 日目朝の投与 1 時間後にチザニジン 4 mg を投与した．フルボキサミン群ではプラセボ群と比較してチザニジンの AUC が 33 倍（範囲：14～103 倍）に上昇，C_{max} が 12 倍（範囲：5～32 倍）に上昇した．また，チザニジンの血中濃度上昇により収縮期血圧及び拡張期血圧がそれぞれ 35 mmHg 及び 20 mmHg 低下し，傾眠，めまいなどが認められた．

健康成人男子 10 名を対象とした二重盲検無作為化クロスオーバー試験．シプロフロキサシン（**シプロキサン**，ニューキノロン系抗菌薬）500 mg/日又はプラセボを 1 日 2 回 3 日間投与し，3 日目朝の投与 1 時間後にチザニジン 4 mg を投与した．シプロフロキサシン群ではプラセボ群と比較してチザニジンの AUC が 10 倍（範囲：6～24 倍）に上昇，C_{max} が 7 倍（範囲：4～21 倍）に上昇した．また，チザニジンの血中濃度上昇により収縮期血圧及び拡張期血圧がそれぞれ 35 mmHg 及び 24 mmHg 低下し，傾眠，めまいなどが認められた．

【例 11】 クロピドグレル＋オメプラゾール[32]

〔添付文書〕

併用注意（抜粋）

薬剤名等	臨床症状・措置方法	機序・危険因子
薬物代謝酵素（CYP2C19）を阻害する薬剤 オメプラゾール	本剤の作用が減弱するおそれがある	CYP2C19 を阻害することにより，本剤の活性代謝物の血中濃度が低下する

〔相互作用〕

クロピドグレルはプロドラッグであり，CYP2C19 を介して活性代謝物である H4 へと代謝される（図 9-12）．このため，CYP2C19 が阻害されたり，CYP2C19 の活性が低下した遺伝子型の患者では，薬効を発揮するのに十分な量の活性代謝物が生成されなくなり，クロピドグレルの抗血小板効果が減弱する．

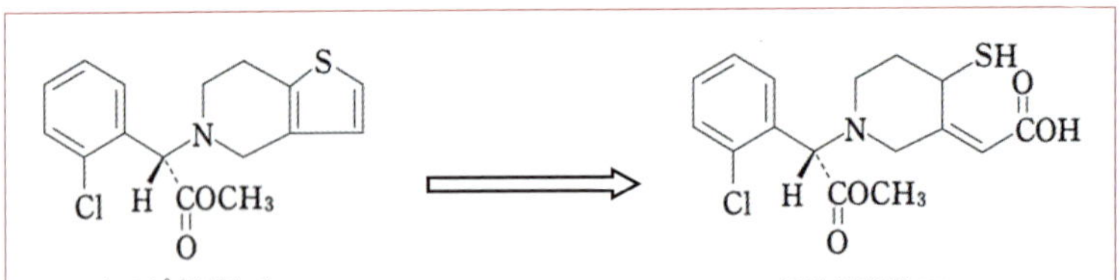

クロピドグレル

活性代謝物H4

図 9-12. クロピドグレルの代謝経路

活性代謝物への代謝は主に CYP2C19 が担っている.

活性代謝物の生成量が低下することが，実際に治療効果の減弱につながるか否かについても検討した報告がある．図 9-13 は，5,244 人のクロピドグレルを投与された冠動脈疾患患者について，退院後の予後を追跡したカプランマイヤー曲線である（クロピドグレルを投与されなかった患者群も比較のために示されている）．縦軸は，死亡又は急性冠疾患を再発した患者の累積割合を示している．クロピドグレルを投与された患者を，プロトンポンプ阻害薬（PPI）併用群と非併用群に分けて解析すると，プロトンポンプ阻害薬併用群の方が高い再発率を示している．その後，同様の研究や解析が行われ，とくにオメプラゾールについては抗血小板作用に対する影響が高いとの報告が複数なされている．

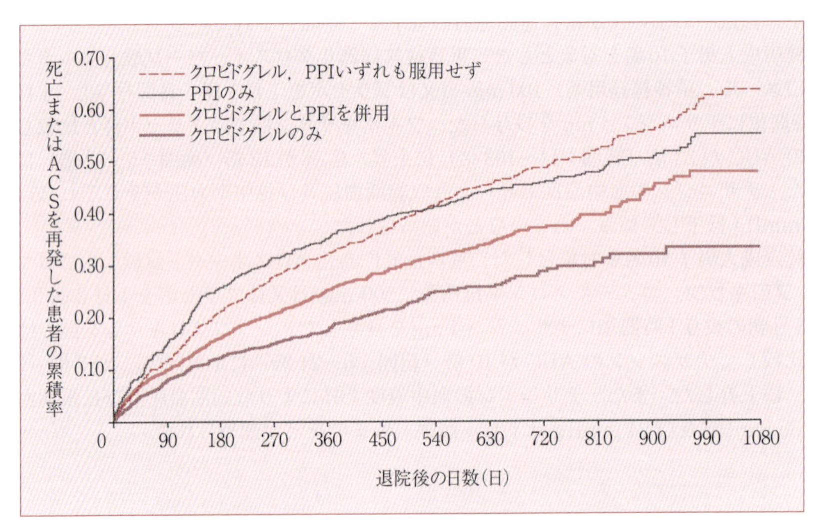

図 9-13. 急性冠動脈疾患（ACS）のため入院後に退院しクロピドグレルを投与された患者と，PPI を併用された患者における退院後のフォローアップ期間における，死亡及び ACS 再発患者の累積率（n＝5,244）（Ho PM ら）

本相互作用は，併用により明らかな副作用を呈するのではなく，期待される薬効が得られなくなる性質のものであるため，医療者に気づかれにくい．しかし，本来薬物治療により救える患者の生命を奪うことにもなりかねない相互作用であり，可能な限り併用は避ける必要がある．参考までに，CYP2C19 は日本人では遺伝的に活性が欠損した人（poor metabolizer）の割合が高いが，このような患者においてもクロピドグレルの薬効が不十分になるとの報告がある．

文 献

1) Sanson LN et al.: Drug interactions, Aust J Pharm **54** 251 323 1973
2) 澤田康文ら：薬の消化管吸収と相互作用，薬局 **52**(12) 2645 2001．**53**(4) 1619，(6) 1925，(9) 2455，(11) 2817，(12) 3000 2002．**54**(1) 135，(2) 1391 2003
3) Neuvonen PJ et al.: Interference of iron with the absorption of tetracyclines in Man, Brit Med J **4** 532 1970
4) Okabayashi Y et al.: Studies on the interaction of pyridone carboxylic acids with metals, Chem Pharm Bull **40** 962 1992
5) 出口収平ら：経口セファロスポリン系抗生物質 Cefdinir と金属との相互作用，医薬品研究 **25** 751 1994．Mooney MT et al.: Interaction of Cefdinir with iron in aqueous solution, Chem Pharm Bull **43** 374 1995
6) 緒方宏泰ら：血漿たん白質への薬物の結合の競合が原因となる薬物相互作用の臨床的意味に関する理論的，文献的考察，病院薬学 **22** 221 1996
7) 伊賀立二監修：薬物間相互作用と医薬品の適正使用，薬事 **18**(3) 537 1996．伊賀立二ら編：薬物相互作用と服薬指導，薬局 **49**(1) 1 1998
8) 佐藤　均：薬物動態学的相互作用，内科学 **88**(2) 216 2001
9) 千葉　寛：チトクロム P-450 を介した薬物相互作用，ファルマシア **31**(9) 992 1995．相互作用からみた薬物代謝，JJSHP **31**(9) 981 1995．薬物間相互作用の基礎知識・代謝過程，薬局 **49**(1) 53 1998
10) Rendic S: Summary of information on human CYP enzymes; human P450 metabolism data, Drug Metabolism Reviews **34**(1 & 2) 83 2002
11) 特集 チトクロム P450・トランスポーターと臨床上重要な相互作用，薬局 **54**(11) 2755 2003
12) May FE et al.: Drug interactions and multiple drug administration, Clin Pharmacol Ther **22** 322 1977
13) 家入一郎ら：トランスポーターを介した重要な薬物相互作用のメカニズム，薬局 **54**(11) 2769-2775 2003
14) 厚生省薬務局企画課監修：医薬品相互作用ハンドブック　じほう　1992
15) Hansten PD et al，菅家甫子ら訳：薬物相互作用トップ 100　医歯薬出版 2001
16) Black DJ et al.: Warfarin-fluconazole Ⅱ. A metabolically based drug interaction: in *vivo* studies, Drug Metab Dispos **24** 422 1996
17) MacDonald MG et al.: The effects of phenobarbital, chloral betaine, and glutethimide administration on warfarin plasma levels and hypoprothrombinemic responses in man, Clin Pharmacol Ther **10** 80 1969
18) Rundles RW et al.: Effects of a xanthine oxidase inhibitor on thiopurine metabolism, hyperuricemia and gout, Trans Ass Amer Physician **76** 126 1963
19) Hitchings GH: Summary of informal discussion on the role of purine antagonists, Cancer Res **23** 1218 1963
20) Vogler WR et al.: Metabolic and therapeutic effects of allopurinol in patients with leukemia and gout, Amer J Med **40** 548 1966
21) Foster TS et al.: Disulfiram-like reaction associated with a parenteral cephalosporin, Am J Hosp Pharm **37** 858 1980
22) McMahon FG: Disulfiram-like reaction to a cephalosporin, JAMA **243** 2397 1980
23) Neu HC et al.: Interaction between moxalactam and alcohol, Lancet **1** 1422 1980
24) Buening MK et al.: Disulfiram-like reaction to beta-lactams, JAMA **245** 2027 1981
25) Varhe A et al.: Oral triazolam is potentially hazardous to patients receiving systemic antimycotics ketoconazole or itraconazole, Clin Pharmacol Therap **56** 601 1994
26) Castberg I et al.: Prolonged pharmacokinetic drug interaction between terbinafine and amitriptyline. Ther Drug Monit **27**(5) 680-682 2005
27) 小滝　一ら：相互作用を受ける免疫抑制剤，薬事 **38**(3) 623 1996
28) 蓮沼智子ら：新規 HMG-CoA 還元酵素阻害薬ピタバスタチン（NK-104）の薬物間相互作用―シクロ

スポリンのピタバスタチン血漿中濃度に及ぼす影響—, 臨床医薬 **19**(4) 381-389 2003
29) Granfors MT et al.: Tizanidine is mainly metabolized by cytochrome P450 1A2 *in vitro*, British Journal of Clinical Pharmacology **57**(3) 349-353 2003
30) Granfors MT et al.: Fluvoxamine drastically increases concentrations and effects of tizanidine : A potentially hazardous interaction, Clinical Pharmacology and Therapeutics **76**(4) 331-341 2004
31) Granfors MT et al.: Ciprofloxacin greatly increases concentrations and hypotensive effect of tizanidine by inhibiting its cytochrome P450 1A2-mediated presystemic metabolism, Clinical Pharmacology and Therapeutics **76**(6) 598-606 2004
32) Ho PM et al.: Risk of adverse outcomes associated with concomitant use of clopidogrel and proton pump inhibitors following acute coronary syndrome. JAMA **301**(9) 937-944 2009

10 医薬品の適正使用 と 薬剤師

1 はじめに

医薬品の安全性確保や医療費との関わりの中で，近年医薬品の適正使用の重要性が指摘されている．

「21 世紀の医薬品のあり方に関する懇談会」の中間報告書（平成 5 年 5 月）では，医薬品適正使用推進の背景を次のように記している[1]．

① 新薬の開発技術が高度化し，医薬品そのものの数が増加
② 薬理活性の強い医薬品や使用方法が複雑な医薬品が増加
③ 医薬品の選択や使用に慎重な取り扱いが求められるようになってきた
④ 高齢化に伴い，複数科受診，多剤併用，長期投与が増加
⑤ インフォームド・コンセントや医療の質の向上に対する国民の関心の高まり

「医薬品の適正使用とは，まず，的確な診断に基づき患者の状態にかなった最適の薬剤，剤形と適切な用法・用量が決定され，これに基づき調剤されること，次いで，患者に薬剤についての説明が十分理解され，正確に使用された後，その効果や副作用が評価され，処方にフィードバックされるという一連のサイクルといえよう．こうした適正使用が確保されるためには，医薬品に関する情報が医療関係者や患者に適切に提供され，十分に理解されることが必須の条件である．医薬品は情報と一体となって初めてその目的が達成できるからである」（図 10-1）．

具体的方策として，次の 5 項目を挙げている．

① 医薬品情報の収集及び提供システムの充実．
② 医療現場における医薬品適正使用の推進．
③ 医薬分業の推進，かかりつけ薬局の育成．
④ 不適正な医薬品使用を助長する薬価差益の排除．
⑤ 医療関係者の教育，研修の充実と研究の推進．

医薬品の適正使用を推進するのは，行政，製薬業界，医師・薬剤師ら医療従事者の責任である．患者に適切な説明をして理解を求め，協力を得ることも必要である．とりわけ医薬品の専門職と

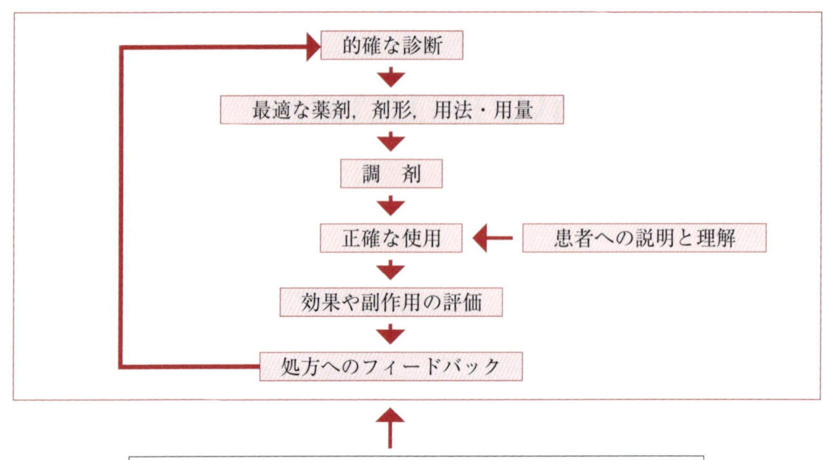

図 10-1．医薬品の適正使用

して薬剤師の果たすべき役割は大きい．すなわち医薬品の適正使用に，薬学の視点から関わりをもち，その役割を果たすことこそ，薬学的管理（ファーマシューティカルケア）の実践といえよう．

本書では全章を通じて医薬品の適正使用の観点から，医療人としての薬剤師の役割を論じているが，この章では適正使用を行政，製薬企業，医療従事者等医薬に関係するすべての分野を包括し広汎に論じてみたい．

2 医薬品の適正使用 と 行政

2-1 行政の医薬品適正使用対策

昭和時代には薬事行政の力点が医薬品の審査承認や承認後の品質確保などにおかれていたが，1992年（平成4年）に厚生省（当時）薬務局長の懇談会として「21世紀の医薬品のあり方に関する懇談会」が設置され，その中で医薬品の適正使用の推進についての議論が交わされた．懇談会から翌1993年（平成5年）5月に「医薬品の適正使用の推進について取りまとめ」が報告された．そこでは，医薬品の適正使用や適正使用サイクルについても解説されている．また報告を受けて，GPMSP（当時；Good Post Marketing Surveillance Practice）がすべての医療用医薬品に適用されることとなった．

一方で同年9月に発売された帯状疱疹治療薬ソリブジンの薬物相互作用に基づく薬害事件「ソリブジン薬害」では15名の死者を出し，関係者に大きな衝撃を与えた．すぐさま，同年11月には添付文書記載要領の改定（「相互作用」の記載位置変更）が行われ，翌1994年（平成6年）3月には，副作用報告の期限が30日から15日に短縮された．またソリブジン薬害を受けて同1994

年（平成6年）に医薬品安全性確保対策検討会が発足し，1996年（平成8年）に最終報告書が提出された．この報告書やソリブジン薬害，非加熱製剤によるHIV感染問題などと関連して同1996年（平成8年），医薬品の治験から承認審査，市販後にいたる安全性の確保を目的とした薬事法（当時）の改正が行われた．このとき，GLP，GCP，GPMSPが省令として行政指導から法体系の中に組み入れられ，副作用・感染症報告が義務化されることとなった．医薬情報担当者（MR）の定義が法令に盛り込まれたのもこのときである．この法改正を含め，ソリブジン薬害は，医薬品添付文書の記載要領の見直し，市販直後調査制度導入，新薬審査体制の強化など，薬事行政にも大きな影響を与えたことになる．2004年（平成16年）には，医薬品の審査，副作用救済，安全対策の実施などを目的に，医薬品医療機器総合機構（PMDA）が発足した．2002年（平成14年）の薬事法改正により，2005年（平成17年）からはGPMSP省令がGVP省令とGPSP省令に分離された．とくにGVP省令では医薬情報担当者（MR）が再定義され，医薬品適正使用における役割がより重要視されるようになった．2009年（平成21年）には，一般用医薬品の3段階分類が施行されている．

2012年（平成24年）には，従前の「医薬品安全性監視計画」と「リスク最小化計画」を包含するものとして「医薬品リスク管理計画」(Risk Management Plan：RMP）の策定指針が示され，2013年（平成25年）3月にGVPとGPSPが一部改正され，4月以降の製造販売承認申請よりRMPが適用となった．RMPは製造販売承認申請にあたり，申請資料としてPMDAに提出される．これにより，審査の段階から安全性情報等を把握し，承認後はこの計画に沿ってリスクの最小化を推進することが可能となった．

2013年（平成25年）には，薬事法にかわり医薬品，医療機器等の品質，有効性及び安全性の確保等に関する法律（医薬品医療機器等法）が公布され，2014年（平成26年）より順次施行された．ここでは，法の目的が改正され，医薬品と医療機器に加えて新たなカテゴリーとして再生医療等製品が加わり，医薬品の分類や販売方法（ネット販売規制等），副作用・感染症報告の一本化，定期的安全性最新報告（Periodic. Safety Update Report：PSUR）から定期的ベネフィット・リスク評価報告（Periodic. Benefit Risk Evaluation Report：PBRER）への変更などの幅広い改正が行われた．

2-2 EBMによる診療ガイドライン[2)]

EBM（Evidence-Based Medicine；根拠に基づく医療）とは，経験や勘だけによる医療をやめ，科学的に行われた医学研究の結果に基づいて診療の方針を組み立てていく手法である．

厚生労働省はEBMを医療現場に普及させるため，1999年（平成11年）から疾患ごとに研究班を設けて診療ガイドライン（以下GL）作りに着手し，高血圧，糖尿病，喘息などの診療GLが完成している（学会主導型の診療GLもある）．

EBMに基づく診療GLは医療技術の使用に関する基準や指針を記しており，臨床医をはじめ医療関係者の医療技術の選択，使用に関する意志決定を支援する情報を提供している．しかしながら臨床の現場には診療 GL で管理が困難な症例も多い．そのような個別の症例に対応する際にも根拠に基づく医療提供を目指す姿勢をもつことが大切で，EBM はそのことを強く求めている．

2-3 医薬品の安全性の確保

1）重篤副作用疾患別対応マニュアル[3)]

厚生労働省は医薬品の使用により発生する重篤な副作用疾患に対応するため，約 120 種の「重篤副作用疾患別対応マニュアル」の作成を2006年（平成18年）より始め，スティーブンス・ジョンソン症候群，間質性肺炎，薬剤性パーキンソニズム，偽アルドステロン症，間質性腎炎，再生不良性貧血などにつき副作用の概要，早期発見のポイントを記載している（p.332 参照）．

2）医薬品の安全管理指針

2006 年（平成 18 年）の医療法改正で「医療の安全の確保」の規定（p.21）が設けられたことを受けて，医療機関ではそれぞれに「医薬品の安全使用のための業務手順書」を作成することが義務づけられた．

3 創薬の論理 と 臨床適用の考え方の乖離[4)]

3-1 創薬 と 育薬

医薬品の適正使用を論ずるに先立って，開発時の非臨床試験，臨床試験から承認申請，許可発売，臨床適用に至る道程を図 10-2 のようにまとめてみた．

図 10-2 は新薬発売の時点を境に“創薬の段階”と“育薬の段階”に分かれる．

創薬の目的は，治験薬の有効性を科学的，再現性のあるデータとして把握し，承認申請，承認を取得することにある．

育薬を支えるものは臨床薬理学，医療薬学であり，“医薬品の適正使用”の確立を目標とする．薬物療法の実態に則して安全性を重視しつつ多剤併用の問題にも取り組み，個々の患者の薬物治

MEMO

EBM

EBM（evidence-based medicine）とは，科学的根拠に基づいた治療，医療を行う手法．つまり，経験や匙加減で行う医療ではなく，臨床研究の結果に基づいて診断治療を行う行動指針．臨床医にとっての一般的な EBM のプロセスは，① 患者の疑問の定式化，② 能率的で質の高い情報収集，③ 情報の批判的吟味，④ 情報の患者への適用，とされている．

医薬品の評価にもエビデンスに基づく文献が重視されている．

	創薬		育薬	
	非臨床試験 GLP	治験 新GCP	市販後調査	臨床適用
基礎学	創薬科学			臨床薬理学・医療薬学
創薬・適用	単体の医薬品			複数の医薬品併用
生体反応のバラツキ	小			大
情報	一般的情報			個々の患者の情報
動物またはヒト投与条件	薬効薬理研究 薬物動態研究 GLP 安全性薬理研究 一般毒性研究 特殊毒性研究 生体反応バラツキを極小化 純系動物 正常動物 衛生環境整備 非臨床薬物相互作用試験[2] *in vitro, in vivo*	臨床薬理試験（第Ⅰ相） 健康人 探索的試験（第Ⅱ相） 少数の患者 検証的試験（第Ⅲ相） 相当数の患者 二重盲検試験 一般臨床試験 臨床薬物動態試験[1] 臨床薬物相互作用試験[2]	市販直後調査 使用成績調査 特定使用成績調査（小児,婦人, 高齢者, 肝・腎機能低下, 長期使用） 製造販売後臨床試験 再審査 再評価 副作用報告	【身体要因】成人, 婦人, 小児, 高齢者 【生理的要因】肝機能・腎機能・臨床検査値異常, 代謝酵素遺伝的多型 【疾病要因】既往歴, 合併症, アレルギー体質, 副作用歴, 食物・嗜好 【薬剤要因】長期連用, 重複投与, 相互作用, 配合禁忌, 安定性 医薬品等安全性情報報告

1）医薬審発第796号　平13.6.1　　2）医薬審発第813号　平13.6.4

図 10-2. 創薬の論理と臨床適用の考え方の乖離

療の確立を目指す．

両者の有機的な連携は重要だが，かといって創薬の論理をそのまま臨床適用の考え方に当てはめることは困難であり，両者の間には越えることができない乖離が存在する．

3-2 創薬における臨床試験の限界

非臨床試験では動物を用いて各種の効力試験，毒性試験が生体反応のバラツキを極小化した条件下で行われる．臨床試験では専門医の管理下，健康なボランティア，特定の条件の患者を対象に，主作用や副作用が慎重に調査される．

しかし市販後は多くの患者に用いられ，医師も専門医だけが用いるわけではない．患者の病態も併用薬も複雑になり，年齢その他の因子も多様化する．まれに発生する副作用も顕在化する．長期にわたり使用して初めてわかる副作用，薬物相互作用，飲食物の影響などの情報も得られる．したがって市販後のこの時期における安全性情報の収集はきわめて大切である．

医学・薬学の評価水準が高度化した今日でも，市販後間もなく重大な副作用が発現し，製品を販売中止せざるを得ない事例が世界各国でみられている．

肝障害による経口糖尿病用薬トログリタゾンの自主販売中止，HMG-CoA 還元酵素阻害薬セリバスタチンナトリウムのゲムフィブロジル（フィブラート系）との併用で横紋筋融解症発現の報告による自主販売中止など，わが国の事例もある．

なぜ，このような事例が発生するのだろうか．

表 10-1. Five Toos（創薬における臨床試験の限界）

too few	症例数が少ない
too simple	投与方法が単純 併用薬剤・併用療法・投与量の制限 wash out の実施*
too narrow	特殊なサブグループを除外 腎・肝機能障害の合併患者，妊婦，同意を得られない患者， 専門的な医療施設での臨床試験の実施
too median-aged	小児，高齢者での使用経験が少ない
too brief	投与期間が短い

* 前投薬の影響を除外するために，治療薬の投与に先だってそれまでに投与されていた医薬品を中止すること．

非臨床試験の結果をそのままヒトに外挿し，安全性を保証することは困難である．また治験においては，対象とされる患者の数，患者の層（質），治験薬の投与期間，治験実施施設，治験に関与する人が限定されており，製造販売後発生するすべての事象を把握することは難しい．

創薬における臨床試験の限界として“Five Toos”のあることが指摘されている（表 10-1）[5]．

創薬の論理と臨床使用の考え方の乖離，新薬発売直後の安全性情報の不足を的確に表現した言葉である．

3-3 新薬発売時は安全性情報が不足

新薬の発売時，安全性情報が著しく不足している理由として，次のことが挙げられる．

① 治験における臨床試験は有効性の確認と評価が主目的となっている．効能の確認や用量設定は数百人のデータで足りるが，その程度の母集団では副作用を評価するのに十分なデータが得られない．また数百人の症例から，まれに発現する重篤な副作用を見出すことは困難である．

② 臨床の現場ではいろいろな病態の患者がおり，他剤を併用することが多い．コントロールされた条件下での治験では予測し切れないことが多く，治験の途中での脱落者もおり，副作用情報を少なくする一因となっている．

③ より有効な医薬品の開発を目指しての研究は，ヒトを用いて臨床研究を実施することが可能である．これに対し副作用の予測や回避の研究をヒトを用いて行うことは倫理的にも困難である．

創薬は医薬品単体について行われるのに対し，医療現場では多剤の配合，併用が日常行われている．新薬発売時，多剤併用の情報は不足している．医薬品は，ハードウェアとしての製剤とソフトウェアとしての情報の両者から成り立っており，市販直後の情報が不足した状態では，「未完成品」ということもできる．育薬の観点から，医師，薬剤師による情報発信が期待される．

3-4 新薬の添付文書情報

医薬品情報には，一般的情報，有効性情報，安全性情報がある．

新薬発売時の添付文書情報は，効能・効果，用法・用量，薬理作用，体内動態，臨床成績などは詳細に記されているが，この段階で安全性に関する情報の記載量はきわめて少ない．妊産婦，小児については“安全性は確立していない”との表現がほとんどである．

すなわちこの段階の添付文書情報は治験での限られたものであり，原則として単独使用時のデータである．被験者もプロトコルに定められた範囲に限られており，安全性の評価には自ら限界がある．

市販後，臨床使用を重ね，製薬会社の製造販売後調査が進むにつれ，禁忌，相互作用，副作用の症例が報告され，当局の指示又は企業の自主改訂により，使用上の注意の追加，改訂が頻繁に行われる．

例えば1990年（平成2年）に発売され，2000年（平成12年）4月に販売中止された抗アレルギー薬テルフェナジン（**トリルダン**）の使用上の注意の記載量は10年間に約5倍に増加している（途中で添付文書記載要領の変更があったが）．しかしテルフェナジン販売中止の原因となった心血管系副作用，相互作用の情報は1990年（平成2年）の発売時には全く記載されていない．

新薬の安全性情報の不足を補うため，添付文書記載要領の副作用の項には「海外のみで知られている重大な副作用については，原則として，国内の副作用に準じて記載すること」，「類薬で知られている重大な副作用については，必要に応じて記載すること」と記されている．

例えば去痰薬フドステイン（**クリアナール**）では化学構造類似のL-カルボシステインの重大な副作用の皮膚粘膜眼症候群（Stevens-Johnson症候群），中毒性表皮壊死融解症（Lyell症候群，TEN）を副作用の項に記載している．

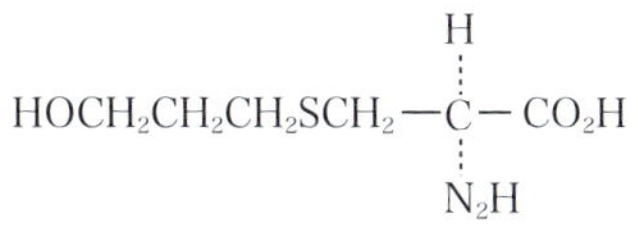

$HOCH_2CH_2CH_2SCH_2-C(H)(N_2H)-CO_2H$

フドステイン

$HO_2C\text{–}CH_2\text{–}S\text{–}CH_2\text{–}CH(NH_2)\text{–}CO_2H$

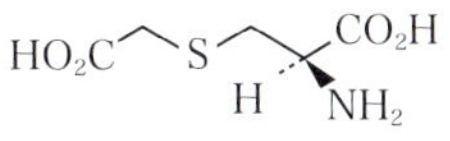

L-カルボシステイン

新薬が本当に有効か安全かの臨床評価が確立するには，最低数年を要する．その間薬剤師は医薬品インタビューフォーム，各種の臨床文献などで不足の情報を補い，添付文書の改訂に注意し，類薬（化学構造，作用メカニズム，薬効群が類似のもの，必ずしも二重盲検の対照薬でない）の添付文書を参考にする．

薬剤師は製薬会社からの情報に過大に頼りがちである．製造販売直後の新薬の安全性情報の限界を認識しておくべきである．

4 PMSは乖離の幅を縮小する

4-1 PMS

医薬品は製造販売後の調査がきわめて重要である.

開発段階における安全性試験は市販後の使用実態と同じでないため，開発段階で予想し得なかった副作用が市販後に発現したり，副作用の発現頻度の上昇を示したりすることがある.

その対策として，製造販売後調査（Post Marketing Surveillance：PMS）の実施が製薬企業に義務づけられている．PMSは

① 再審査制度及び安全性定期報告

② 再評価制度

③ 副作用・感染症報告制度

より成り立っている（p.61）．医薬品医療機器等法のほか，省令として，次のものがある.

医薬品の製造販売後の調査及び試験の実施の基準（GPSP）（p.62）.

医薬品，医薬部外品，化粧品，医療機器及び再生医療等製品の製造販売後安全管理の基準（GVP）（p.61）.

GVPで処方箋医薬品等の製造販売業者（第一種製造販売業者）は，医薬品の適正使用に必要な安全管理情報の収集（第7条），評価・検討及びその結果に基づく安全確保措置の立案（第8条），実施（第9条），及び市販直後調査（第10条，p.64）を行うと記されている．また，処方箋医薬品の製造販売業者は，医薬品リスク管理計画書を作成し，これに基づいて医薬品リスク管理を行う必要がある（第9条の2，RMP）.

第一種製造販売業者は，上記の安全確保業務を総括する部門を置かなければならない.

厚生労働省は製造販売後の安全対策として従来より一歩進めて，予測予防型の安全対策を推進する方針を重視し，重篤副作用の早期発見・対応マニュアルの作成，小児領域医薬品の用法・用量の確立，妊婦の薬相談センターの設立などに積極的に取り組んでいる.

4-2 製造販売後調査における薬剤師の役割

医療機関や医師，薬剤師ら医薬関係者には，製薬会社が行う医薬品などの適正な使用のために必要な情報の収集に協力することが求められている（医薬品医療機器等法第68条の2第2項）.

製造販売後調査において収集される臨床データは医療機関が発生源である.

しかしながら医療機関における製造販売後調査の方法は必ずしもシステム化されておらず，十分な対応がなされていない．治験においては新GCPが定められ，その円滑な推進のため治験コーディネーター（CRC）の養成が進められているように，製造販売後調査においても各医療機関が院内の製造販売後調査支援体制を整備し，医師をはじめ医薬関係者，とくに薬剤師の協力の下に，

製造販売直後調査などの円滑な推進と信頼性のある科学的調査データの収集を行う必要がある.

このように製造販売業者におけるPMS体制の整備，行政当局の安全対策の重視，医療機関・医薬関係者の重篤な副作用報告の義務化と積極的な情報発信により，創薬の論理と臨床使用の考え方の乖離の幅は急速に狭まっている.

5 薬物療法の薬学的評価

5-1 薬学的評価の基礎

薬物療法を評価するにあたり，医学を修めた医師と薬学を学んだ薬剤師の間には，共通な基盤に立っての評価もあるが，それぞれの専門性に基づいた医学的評価，薬学的評価があってしかるべきである．すなわち医学は「ヒト」を介してクスリに関わりをもち，薬学はクスリを介して「ヒト」に関わりをもつ.

医師は主として患者の病態の変化から医薬品を評価し，薬剤師は主に医薬品の体内動態から適正使用か否かを評価する．さらに投与薬剤の品質面からの評価も行う.

医師は有効性，安全性の情報に関心があり，薬剤師は安全性の確保，服薬コンプライアンス，品質の維持を重視する．そして両者は緊密な連繋のもとに情報交換を行い，評価の質を高めるように努める.

薬剤師の専門性からは，医薬品の性状，安定性，製剤と薬効，体内動態，構造-活性相関，薬理作用，毒性，使用性，経済性などに評価能力の発揮が期待できる.

とくに原薬や製剤につき数値データを収集しておき，それに基づき検討することにより適正な評価を行いうる場合が多い（表10-2）.

医療現場において，化学構造式を本当に理解できるスタッフは薬剤師だけである．薬の本体は化学構造式の中にあり，薬剤師が薬を化学物質として薬学的に評価することは，予測的な医薬品情報の提供に直結する．薬物療法の薬学的評価にあたり，基礎薬学知識の必要性をとくに強調したい.

5-2 医薬品情報，患者情報の活用

医薬品を投与する患者の条件は，一人ひとりすべて異なる.

薬剤師は的確に評価した医薬品情報，個々の患者情報（身体的，生理的，疾病体質，投与薬剤要因），現在の患者情報から，個々の患者に投与する薬剤の選択に万全を期する（図10-3）[6].

例えば投与薬剤が禁忌の疾患に投与されていないか，疾病や症状の改善に期待どおりの効果を発揮しているか，投与による副作用が佐薬の配合により防止されているか，未知の副作用による症状が生じていないか，副作用が予期以上に重篤，不可逆性であったり，併用薬剤による相互作

表 10-2. 医薬品の数値データ

化学構造式，分子量
理化学的性状
　融点，凝固点，沸点，蒸気圧，旋光度，臨界相対湿度，
　溶解度（水，アルコール，有機溶媒），pH，pKa，pKb，脂溶性（分配係数），
　反応速度定数
薬理
　pA_2，pD_2，pKi，pKd
製剤試験
　崩壊時間，溶出率，注射剤 pH 変動値，安定性
薬物動態
　バイオアベイラビリティ（%），尿中排泄率（%），蛋白結合率（%），T_{max}（h），$t_{1/2}$（h），
　全身クリアランス，治療血中濃度範囲，中毒発現血中濃度，初回通過効果（%），代謝酵素の
　消失寄与率
薬用量
　常用量，高齢者薬用量，小児薬用量，病態時薬用量，中毒量
臨床成績
　有効率，副作用発生率（治験時，再審査時）
非臨床試験
　急性毒性（LD_{50}），亜急性毒性，慢性毒性

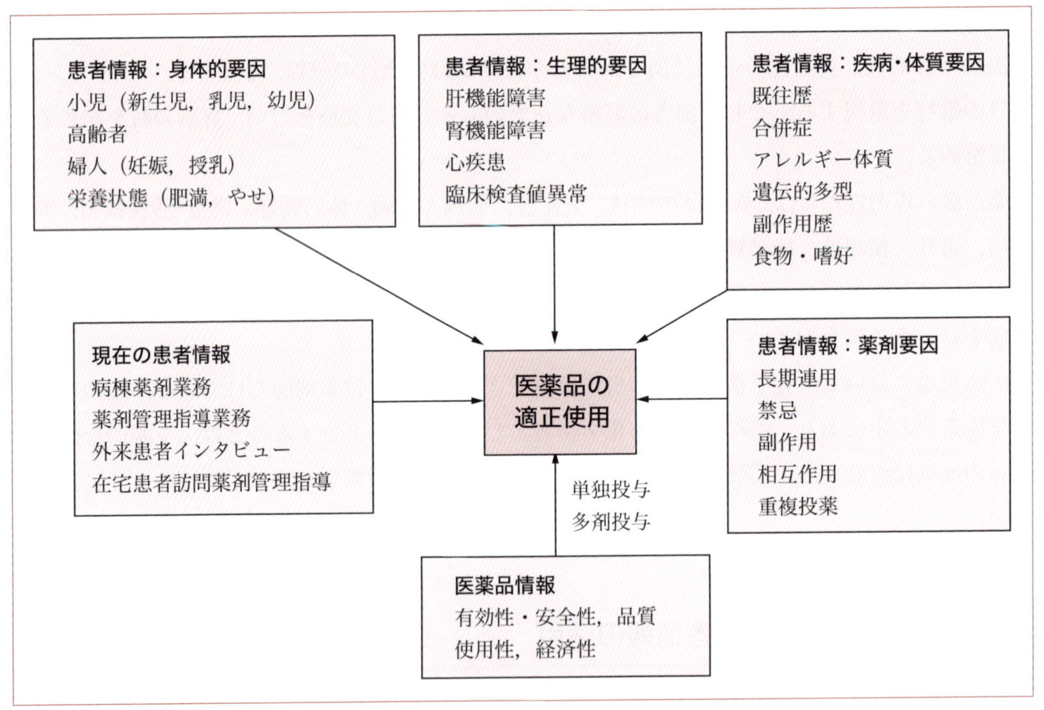

図 10-3. 医薬品の適正使用の要因

用が生じていないか，混注による配合変化が起こっていないかなどである．

薬剤師としての評価結果を医師に報告し，処方内容につき協議の上，必要ならば投与量の調節，投与方法の変更，処方の変更を行う．投与を中止することもある．問題ありと判断した症例

は，医薬品安全性情報報告書を PMDA に提出する（p.65 図 3-5）．

5-3 臨床検査値

臨床検査値は，患者の病態や生理的状況の推移，副作用の発現や消滅を反映する指標としてきわめて重要な患者情報である（図 10-3）．薬剤による副作用の早期発見・防止を目的として定期的な臨床検査を必要とする薬剤もあるので（p.239 表 10-5），臨床検査値の把握と理解は，医薬品の適正使用において必須となる．病院薬剤師にとって臨床検査値の情報を入手することは比較的容易である．一方，調剤薬局では医師や患者から教えてもらうことになり不便さを免れないが，可能なかぎり臨床検査値の把握に努めるべきである．近年は，患者の体質や薬物反応性の指標を与える遺伝子診断技術（p.156）の進歩も著しく，これからは，臨床検査値，遺伝子診断等の結果を的確に解釈評価し，薬物療法の患者個別化に役立てる技能がますます要求される．

6 医薬品の適正使用 と 薬剤師の役割

6-1 医薬品の選定

患者の病態に合わせて最適な薬剤を選択し，患者個々の薬物動態に応じた用法及び用量，投与期間の設定を行うとともに，薬物の血中濃度や検査値の変動など患者の生体情報をモニターし，治療方針を確認又は修正していくのが患者個別の医薬品の適正使用である．

治療薬の選定は医師主導で行われる．薬剤師は TDM，医薬品情報や各疾患診療ガイドライン中の薬物治療に関する情報を取り入れた薬物治療支援システムを構築して，医師による治療薬の選定を支援する．

薬剤師にとって最も重要なもののひとつは薬物動態に関する情報である．なかでも $t_{1/2}$ や尿中排泄率の値は薬物動態を理解する鍵となる．もちろん病態によって薬物動態が変動することは考慮しなければならないが，薬物の代謝・排泄の基本が明らかであれば，対象とする患者の病態・臨床検査値を考慮して，かなり的確な投与法を提案できる．薬物の効果と副作用は投与薬剤の体液中濃度や蓄積に比例することが多い．

薬物の体液中濃度測定が可能ならば，薬物を投与後，患者の血液を採取し，薬物又は同代謝物の濃度を測定解析し，処方の妥当性を確認又は修正することができる．TDM は医薬品の適正使用にきわめて有力な科学的方法である．

薬物反応の個体差を薬物代謝の遺伝子多型として捉える薬理遺伝学，生体リズムの日内変動に合わせて薬物の合理的，効率的投与を目指す時間薬理学も医薬品の選定，的確な使用に貢献する．

6-2 禁忌，副作用，相互作用の回避

1）禁忌，慎重投与，併用禁忌，併用注意に対する対処

投与禁忌である医薬品の投与や，併用禁忌である医薬品どうしの併用は，必ず避けなければならないが，薬剤師は，単に禁忌であることのみならず，その機序や危険因子等を熟知しておく必要がある．また，患者の生命を救うために真にやむを得ない場合など，特別な場合には禁忌薬の投与が必要となる場合もありうるが，このような場合には医療機関での倫理委員会等で審査を受け，患者に十分な説明をした上で文書による同意を取得してから投与するとともに，生じうるリスクに対する備えを万全とし，医師とともに症状を仔細に観察するなど，十分な措置をとるべきである．

慎重投与の医薬品の投与や，併用注意である医薬品どうしの併用については，その機序や危険因子，回避法，患者の疾患や臓器障害などの特性，投与の必要性やベネフィット，許容できるリスク，医療環境などさまざまな要因をもとに判断する必要があり，一律に投与不可，または投与可と判断すべきではない．

医薬品添付文書は公的な医薬品情報であることから，これを一つの判断材料とすることは重要であり，とくに規制面や裁判となった際には重視される．しかし一方で，医薬品添付文書の記載，規制区分は必ずしも科学的エビデンスに立脚するものではなく，むしろ主観的で断片的ですらある．また，その記載内容は平均的な患者に対してはあてはまるが，眼前の患者にそのまま適用できるとは限らない．薬剤師は，医薬品添付文書のみに基づいた判断を行うのではなく，科学的エビデンスを収集し，眼前の患者の特性を加味した上で対処法を設定，提案する必要がある．相互作用に対する対処法（投与の可否ならびに投与する場合にとるべき措置）に影響を及ぼすさまざまな要因について，図 10-4[7]に示す．

2）副作用に対する薬剤師の対処

入院患者の場合，薬剤師は担当患者の状態を薬効および副作用の両面からモニターし，処方内容と照らして副作用や相互作用の早期発見に努める必要がある．とくに，病態に起因する事象か医薬品に起因する事象か，医薬品による相互作用や副作用だとしたら原因薬剤はどれかを見極めるためには，患者情報と医薬品情報の双方を収集し，判断を下す必要がある．副作用の発見や判断に際し，必要があればフィジカルアセスメントを実施するのもよい．

このとき，かならずしもすべての副作用が医薬品添付文書に記載されているとは限らないことに留意すべきである．副作用や相互作用に関して，ある薬剤との因果関係を評価するための判断スコアシートとして，それぞれ Naranjo's ADR probability scale[8]（表 10-3）および DIPS（drug interaction probability scale）[9]（表 10-4）が提唱されている．これらは，既知の副作用・相互作用の場合はもちろん，未知の副作用・相互作用についての判断においても有用である．

また，入院中の医師の回診同行では，医師の質問に即答できるよう，頻度の高い副作用，重篤な副作用に関して，その症状，危険因子，対処法，代替薬などの情報をあらかじめ調査しておく．

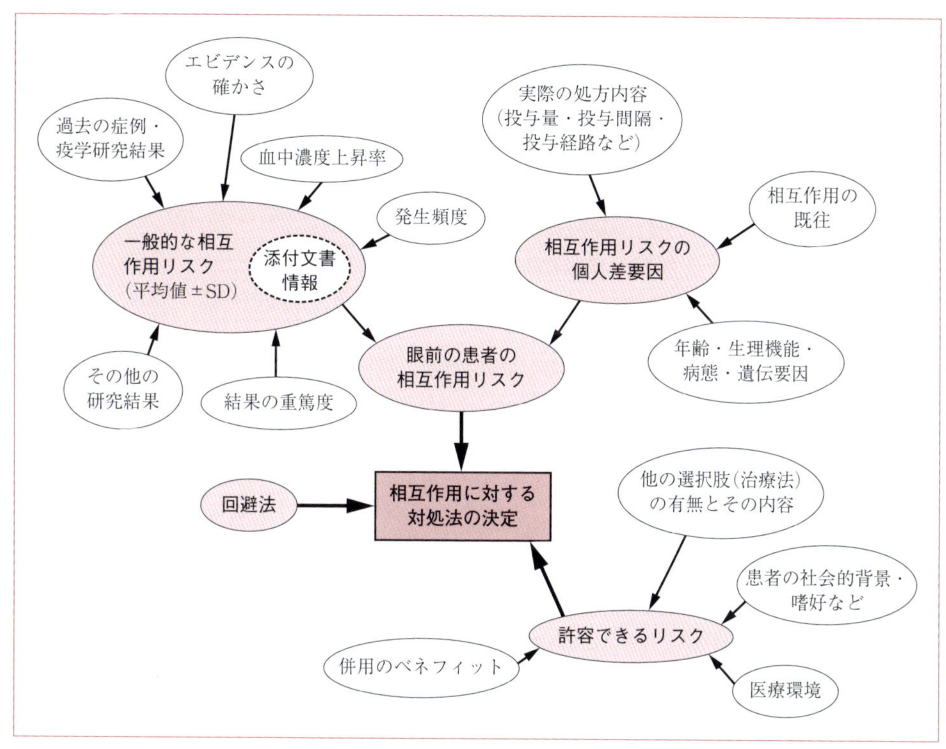

図 10-4. 薬物相互作用に対する対処法を決める上で考慮すべき諸要因[7]
医薬品添付文書の情報は，判断において考慮すべき要素のほんの一部である．

表 10-3. Naranjo's ADR probability scale[8]

	設 問	はい	いいえ	不明/非該当
1	過去に，この有害反応について‘疑問の余地がない’（conclusive）報告があるか	+1	0	0
2	有害事象は，被疑薬が投与された後に出現したものか	+2	−1	0
3	有害反応は，被疑薬を中止した後，もしくは‘特異的な’拮抗薬を投与した後に改善したか	+1	0	0
4	被疑薬を再投与したとき，その有害反応は再度発現したか	+2	−1	0
5	その有害反応を自身で引き起こし得るような，かわりの原因（被疑薬以外）があるか	−1	+2	0
6	プラセボを投与したとき，その有害反応は再度発現したか	−1	+1	0
7	薬物は，血液中（又はその他の生体液中）から，毒性濃度として知られている濃度で検出されたか	+1	0	0
8	反応は，投与量を増量したときより強く現れ，もしくは減量したとき弱くなったか	+1	0	0
9	その患者は，過去にその薬物又は類薬の‘何らかの’曝露により，似たような反応を呈したことがあるか	+1	0	0
10	その有害事象は，何らかの客観的なエビデンスによって確認されたものか	+1	0	0

1〜10 の合計点を下の基準に照らして判断する．

判定　スコア≧9　：Definite（確定的）
8≧スコア≧5　：Probable（可能性が高い）
4≧スコア≧1　：Possible（可能性がある）
0≧スコア　：Doubtful（ありそうにない）

（大谷壽一により和訳）

表 10-4. Drug interaction probability scale (DIPS)[9)]

表中の「薬物 P」とは相互作用を与える薬物 (precipitant drug),「薬物 O」とは相互作用を受ける薬物 (object drug) を表す.

	設問	はい	いいえ	不明/非該当
1	過去にヒトにおける当該相互作用の‘信頼できる’報告があるか[注 1)]	+1	−1	0
2	観察された相互作用は薬物 P の既知の相互作用の特徴と一致するか	+1	−1	0
3	観察された相互作用は薬物 O の既知の相互作用の特徴と一致するか	+1	−1	0
4	有害事象は, その相互作用で知られている, または妥当な時間経過 (発現や消失) と一致するか	+1	−1	0
5	薬物 O は変更せずに‘薬物 P’を中止した場合に相互作用は緩解したか[注 2)]	+1	−2	0
6	薬物 O を継続したままで薬物 P を再投与した場合に相互作用は再現したか	+2	−1	0
7	有害事象の原因として妥当なその他の要因はあるか[注 3)]	−1	+1	0
8	薬物 O の血中濃度や他の体液中から検出された濃度は, 想定される相互作用と一致していたか[注 4)]	+1	0	0
9	相互作用は薬物 O への影響 (8 の薬物濃度以外) と一致する客観的エビデンスによって確認されたか[注 5)]	+1	0	0
10	薬物 P を増量したときに相互作用が増強し, もしくは減量したときに減弱したか	+1	−1	0

注 1) ‘信頼できる’とは相互作用を裏付けるエビデンスが明確に示されている症例報告 (DIPS が possible 以上) や前向き臨床試験のことである. 他に症例報告がない場合は「非該当」とし, 適切に計画された臨床試験で相互作用のエビデンスがないことが示されている場合には「いいえ」とする.

注 2) 薬物 O の投与量も変更 (減量など) した場合は非該当とし, 設問 6 はとばす.

注 3) 病態, 他の併用薬, アドヒアランス, 危険因子 (年齢, 薬物 O の不適切な投与量など) を考慮し, 十分な情報があって, 言及に値する他の要因がある場合のみ「いいえ」とし, 不確かな, もしくは疑わしい場合は「不明/非該当」とする.

注 4) 薬物濃度が測定されていない場合, 薬力学的相互作用の場合は「非該当」とする.

注 5) 客観的エビデンスとは生理学的検査値の変化や薬物 O の薬理作用と一致する有害反応などといった, 臨床的エビデンスのことである. 薬力学的相互作用はここで評価される

1〜10 の合計点を下の基準に照らして判断する.

スコア≧9 : Highly Probable (非常に可能性が高い)
8≧スコア≧5 : Probable (可能性が高い)
4≧スコア≧2 : Possible (可能性がある)
1≧スコア : Doubtful (ありそうにない)

(大谷壽一により和訳)

これに対して外来患者の場合, 入院患者と比較して副作用モニターの頻度は少なくなるが, 来局時はもちろん, 高リスク患者においては積極的に在宅訪問を推進し, 副作用の早期発見に努める. とくに, 新たに投与開始した医薬品については, 初期の副作用モニターは非常に重要である.

医薬品によっては, 重大な副作用の早期発見と回避のために, 定期的に検査 (血液検査など) を受けるよう指定されているものもある (表 10-5). このようなケースでは, 指定された期間内に検査が実施されていることを (入院患者であればカルテなど, 外来患者であれば患者に対する聞き取りなどで) 確認するとともに, その結果についても目を配りたい.

■ 3) 副作用に関する患者指導

副作用に際しては, 早期から他覚症状が認められる場合もあるが, 自覚症状が先行する場合も

表 10-5. 投与開始後検査が指示されている医薬品の例

一般名	重大な副作用	副作用回避のための検査
アカルボース	劇症肝炎などの重篤な肝機能障害	投与開始後6ヵ月までは月1回，その後も定期的に肝機能検査.
チアマゾール*	重篤な無顆粒球症	投与開始後2ヵ月間は，原則として2週に1回，それ以降も定期的に白血球分画を含めた血液検査.
チクロピジン塩酸塩* 緊急安全性情報 '99-1（'99/6） '02-2（'02/7） 医薬品・医療機器等安全性情報 No. 218（'05/10）	血栓性血小板減少性紫斑病（TTP），無顆粒球症，重篤な肝障害	投与開始後2ヵ月間は，原則として2週に1回，血球算定（白血球分画を含む），肝機能検査．投与中は定期的に血液検査. 投与開始後2ヵ月間は，原則として1回2週間分を処方すること.
ベンズブロマロン* 緊急安全性情報 '99-2（'99/2）	劇症肝炎などの重篤な肝障害	投与開始後6ヵ月間，必ず定期的に肝機能検査.
イダルビシン塩酸塩*	骨髄抑制	頻回に血液検査.
テルビナフィン塩酸塩*	重篤な肝障害，汎血球減少，無顆粒球症，血小板減少	定期的に肝機能検査，血液検査.
テガフール*	劇症肝炎などの重篤な肝障害，骨髄抑制	投与開始から2ヵ月間は1ヵ月に1回以上，その後も定期的に肝機能検査，血液検査.

*警告欄に記載

少なくない．このような場合，最初に副作用に気づくのは医療従事者や家族ではなく患者本人ということになる．したがって，副作用の初期症状や前兆症状を説明し，対処法についてもあらかじめ説明しておく必要がある．ただし，副作用の説明に際しては，そのリスクを強調するあまり患者のアドヒアランスを低下させることがないよう工夫する必要がある．また外来患者であれば，他覚的症状に関しても患者本人や家族など周囲の人々に伝え，常に気を配ってもらうよう説明しておく．

副作用の種類によっては，投与を中止するまでもないが，生活上の注意が必要なケースもある．例えば，眠気やめまいを起こす医薬品であれば，自動車の運転など，危険を伴う機械の操作には従事しないよう説明しなくてはならない．また，副作用の危険因子（例えば飲酒など）についても十分に説明し，副作用リスクの低減に努める．

4）リスクマネジメント

医療事故に至らずとも「ヒヤリとした」，「ハッとした」などの医療現場での事例をヒヤリハット事例と呼ぶ．全国から寄せられるヒヤリハット事例の30～40%は処方・与薬に関するものである．300件のヒヤリハット事例は1件の事故に繋がるともいわれている（ハインリッヒの法則）．リスクマネジメントとは，ヒヤリハット事例を解析し医療事故を未然に防ぐシステムを人的・環境的に整備することである．薬剤師が医療事故を起こさないことはもちろんであるが，薬剤師には，その専門性から，処方・与薬に関する場面での医療事故防止のリスクマネージャーとしての役割が期待されている.

6-3 化学構造類似同効薬の比較評価

化学構造類似の同効薬の比較評価を，添付文書記載の情報だけで行うことは困難である．その理由として，各製品開発のプロトコルが異なるので，データの単純比較ができないことが挙げられる．

例えばACE阻害薬の副作用である空咳を，11種類の再審査時の症例（6,000〜15,000例）について比較すると，2.1〜7.1％の間にばらついているが，患者の自覚症状に関するものはアンケートのとり方，患者に対する問いかけの仕方等調査方法によって異なる結果が得られることが報告されており，安易に結論を出すことはできない[10]．

ただし，薬物動態値のように数値データとして示せるものは，比較評価の参考となる．

ニューキノロン系抗菌薬の空腹時吸収に及ぼす水酸化アルミニウムの影響を，併用時のAUCの割合で比較したのが表10-6である．併用時の対応の判断に有用な情報を与える．

表10-6. ニューキノロン系抗菌薬の空腹時吸収に及ぼす水酸化アルミニウムの影響

医薬品		制酸薬使用時のAUCの割合（％）	文　献
一般名	主な商品名		
ノルフロキサシン	バクシダール	3	薬物動態 **3**(5) 717 1988
シプロフロキサシン塩酸塩	シプロキサン	12	J Apply Therap **1** 213 1997
プルリフロキサシン	スオード	17	日化療学会 **44**(S-1) 263 1996
シタフロキサシン	グレースビット	25	日化療学誌 **56**(S-1) 25 2008
トスフロキサシントシル酸塩	オゼックス	27	Pharm Medica **10**(2) 68 1992
モキシフロキサシン塩酸塩	アベロックス	40	Clin Pharmacokinet **40**(S1) 39 2001
メシル酸ガレノキサシン	ジェニナック	42	Pharmacotherapy **27** 963 2007
ロメフロキサシン塩酸塩	バレオン	47.6	Chemotherapy **36**(S-2) 256 1988
オフロキサシン	タリビッド	52	薬物動態 **3**(6) 717 1988
レボフロキサシン	クラビット	56.2	Actimicrob Agent Ch **36** 2270 1992

6-4 高齢者における医薬品の適正使用 (p.150)

高齢者における薬物動態学的な変化やそれに伴う薬用量の設定については第7章に記載したのでここでは再度触れることは避ける．

まず，高齢者では処方される医薬品数が多くなりがちである．このため，多剤併用（ポリファーマシー）に伴う問題が生じる．薬剤師の観点からは，薬物相互作用の発見と対処が重要となる．この際，薬物動態学的な相互作用だけではなく，薬効や副作用の重複による薬力学的相互作用にも十分注意を払う必要がある．高齢者は複数の医療機関や複数の診療科を受診しているケースが多く，これが薬物相互作用の発見や対処をさらに難しいものにしている．事実，高齢者においては一人の処方医からのみ処方を受けている場合と比べて，複数の処方医からの処方を受けている場合の方が，不適切な薬物の組み合わせを受けるリスクが有意に高いことや，1ヵ所の薬局で薬を受け取っている場合はそのリスクが低減されることも報告されている.

また，高齢者においては薬力学的な変化，すなわち薬剤感受性が変化している．薬力学に及ぼす加齢の影響については，その機序が多岐にわたるため，統一的な理解は難しく，それぞれの薬物で対応しなければならない．例を挙げれば，トリアゾラムによる精神運動機能抑制作用は，とくに男性においては若年者より高齢者の方が低濃度で現れる．末梢性のα遮断薬であるプラゾシンは，薬物動態は年齢の影響をほとんど受けないにもかかわらず，降圧効果は若年者より高齢者の方が大きいとの報告がある.

6-5 患者に対する適正使用の支援

服薬指導の中では，上述のように副作用の発見なども重要であるが，患者が指示どおり服薬しているか，服薬コンプライアンスを確かめることも大切である．患者のコンプライアンスを確認するには，患者への面談・聞き取りだけではなく，家族などへの聞き取り，在宅訪問などによる残薬数の確認，治療効果・経緯との照合，他の医療従事者からの情報収集など，さまざまなチャンネルを活用するとよい.

コンプライアンスが悪い患者に対しては，まずその理由をさぐる必要がある.

アドヒアランスそのものが低い場合は，丁寧な服薬意義の説明や人間関係の構築・改善が重要となる．一方，服薬の意志はあるが忘れてしまうような場合には，家族や介助者の支援を求める，1回量包装や服薬カレンダーを作るなど，患者にあった方法論を提案していく．服用回数を減らす（例えば1日1回にする），服用パターンを揃える（複数の薬剤をすべて1日3回毎食後にする）といった方法でコンプライアンスが上昇することもある．また，患者が処方薬を物理的に服用しにくいこともある．例えば，錠剤が大きすぎる，点眼剤がうまく点眼できないなどのケースでは，それぞれ剤形変更や錠剤の粉砕，点眼補助具の活用などが考えられる.

いずれにしても，患者に対してやみくもに服薬コンプライアンスを叫ぶのではなく，その理由や患者の気持ちに立ち返った臨機応変な対処が必要となる.

6-6 薬剤経済分析[11] (p.97)

薬剤経済分析とは，ある薬物療法に関し，その費用と効果を測定し，その費用対効果を標準的な治療法のそれと比較するものである.

わが国では国民皆保険の下，出来高払いを中心とした支払い制度と低い自己負担率のために，医療現場での薬剤の選択に際して医療機関にしても患者にしても経済的な配慮はほとんど行われていなかった．しかし，次々と打ち出される医療費抑制策のために，医療現場も経済性抜きに薬剤を使用することが許されない状況になりつつあり，薬剤経済分析が注目されるようになった.

薬剤師に対しても薬の有効性・安全性だけでなく経済性に関する情報提供が期待される.

・病院薬剤師として，クリニカルパスの作成に参画し薬物療法を選択するにあたって有効性，安全性に加えて費用対効果を考慮することが求められる.
・定額制の支払制度の拡大に伴い，病院薬剤師として，費用対効果を考えた院内処方集の作成が求められる.
・薬局の薬剤師として，患者が自ら薬剤を選択する仕組みが導入されれば，価格だけでなく費用対効果についても患者への情報提供が求められる.
・後発品使用による薬剤費の節減は，診療報酬，調剤報酬から推進されている.
・このほか製薬企業においては，医療現場への情報提供や薬剤経済分析を実施するための臨床計画などさまざまな場面で薬剤経済学の知識が要求される.

7 医薬品の薬学的評価の実例

【例 1】 レボフロキサシン 500 mg 1 日 1 回投与による耐性菌の出現抑制[12)]

日本国内におけるレボフロキサシン（LVFX）の標準用量を 100 mg 1 日 3 回投与から 500 mg 1 日 1 回投与へ変更するにあたり，新たな用法・用量の妥当性を pharmacokinetics-pharmacodynamics（PK-PD）の観点より検討した. LVFX 500 mg を日本人健康成人，腎機能低下患者および呼吸器感染症患者に 1 日 1 回経口投与した時の血漿中薬物濃度を用い，母集団薬物動態解析を行った. 解析には，呼吸器感染症患者 151 例，健康成人 27 例および腎機能低下患者 22 例より得られた血漿中薬物濃度 1,362 点を用いた. 薬物動態モデルとして 1 次吸収過程を伴う 2-コンパートメントモデルを用い，非線形混合効果モデル（Nonlinear mixed effects model：NONMEM）により母集団薬物動態パラメータを推定した. 薬物動態パラメータに影響を及ぼす因子を検討した結果，経口クリアランスに対するクレアチニンクリアランス，中心コンパートメントの分布容積に対する体重と年齢，1 次吸収速度定数に対する食事の影響が認められた.

表 10-7. モンテカルロシミュレーションにより算出した *S. pseumoniae* に対する LVFX の薬物動態パラメータおよび PK-PD パラメータ[12)]

パラメータ	Statistics	500 mg×1/day	100 mg×3/day	200 mg×2/day	200 mg×3/day
薬物動態					
C_{max}	median	6.09	2.11	3.25	4.22
(μg/mL)	(5%，95%)	(3.34，10.2)	(1.23，3.89)	(1.89，5.79)	(2.46，7.77)
$AUC_{0\text{-}24h}$	median	68.41	41.04	54.72	82.09
(μg・h/mL)	(5%，95%)	(38.6，132.3)	(23.2，79.4)	(30.9，105.9)	(46.3，158.8)
PK-PD					
C_{max}/MIC	median	11.31	3.93	6.05	7.86
	(5%，95%)	(4.58，29.4)	(1.60，10.9)	(2.48，16.5)	(3.19，21.9)
$AUC_{0\text{-}24h}$/MIC	median	127.1	76.2	101.6	152.5
	(5%，95%)	(50.2，370.7)	(30.10，222.4)	(40.1，296.6)	(60.20，444.9)
PK-PD パラメータがターゲット値に達した患者の割合					
$C_{max}/MIC \geq 5$	(%)	93.5	31.4	65.8	82.9
$AUC_{0\text{-}24h}/MIC \geq 30$	(%)	98.5	95.1	97.7	98.9

得られた最終モデルの母集団薬物動態パラメータおよび*Streptococcus pneumoniae*臨床分離株のMIC分布を用い，モンテカルロシミュレーションにより呼吸器感染症患者集団のPK-PDパラメータを算出した結果，*S. pneumoniae*感染症における耐性化抑制のターゲット値とされるC_{max}/MIC≧5に到達する患者の割合はLVFX 100 mgの1日3回投与では31.4％であったのに対し，500 mgの1日1回投与では93.5％と大幅に向上した．一方，同感染症における有効性のターゲット値とされるAUC_{0-24h}/MIC≧30に到達する患者の割合は，いずれの用法・用量においても95％以上であった（表10-7）．以上より，LVFXの500 mg 1日1回投与法は，100 mg 1日3回投与と比較して同等以上の有効性が期待できるとともに，耐性化抑制の点ではより適切であることがPK-PDの観点から明らかとなった．

【例2】 ワルファリンとTS-1（S-1）併用による血液凝固能異常[13)]

ワルファリンはフッ化ピリミジン系抗がん薬との併用による抗血液凝固能作用の亢進が報告されており，適切な血液凝固能の管理が重要となる．

S-1は，胃がん，直腸がん，非小細胞肺がんなどさまざまな固形がんに対して幅広く用いられているが，ワルファリンとの相互作用に関する報告はまだ少なく詳細な検討も不十分である．そこで，2007年1月からの2年間においてワルファリンとS-1が同時に投与された患者を対象として，ワルファリンの抗血液凝固能が亢進し始める時期について検討した．

ワルファリンとS-1を併用した患者においてINR値は併用前と比較して有意に上昇しており，S-1併用によってワルファリンの抗血液凝固能が亢進していることが確認された．また，解析対象患者9人中5人の患者においては，ワルファリンの減量または中止がなされていた．全9例においてグレード1以上のINRの上昇が認められ，S-1併用後もINRが上昇する症例が認められた．併用開始から3週間後には全9人において，INRの上昇が認められた（表10-8）．S-1併用からINR最大値までの日数の中央値は16日（範囲：11～34日）であり，併用前のINRを基準とした際のINRの平均上昇率は1.63倍であった．一方，ワルファリン投与中の患者において肝疾患，腎疾患および低アルブミン血症は出血の危険因子であることが報告されている．S-1投与による血清アルブミン値，肝機能および腎機能の変化について検討を行ったが，S-1併用前と併用後では有意な変化は認められなかった．

表10-8．S-1併用期間とINR上昇の程度により分類した患者数[13)]

	Day 1-7	Day 1-14	Day 1-21
患者数	n=5	n=6	n=9
INR上昇			
上昇せず	2	2	0
Grade 1（1-1.5×$INR_{baseline}$）	2	2*1	4*3
Grade 2（1.5-2.5×$INR_{baseline}$）	1	2*2	5*4

INR：International Normalized Ratio. *1INR was measured in one patient at day 8-14 for the first time after combination with S-1. *2INR was increased in one patient from grade J during day 8-14. *3INR was measured in two patients at day 15-21 for the first time after comibination with S-1. *4INR was measured in one patient at day 15-21, and INR was increased in two patients from grade 0 during day 15-21.

【例3】 ロサルタンによる高尿酸血症の発生抑制[14)]

アンジオテンシンⅡ受容体拮抗薬であるロサルタンカリウム（以下，ロサルタン）は，尿酸排泄作用を有することが認められているが，その尿酸排泄に対する臨床効果を，他の高血圧治療薬と比較した日本人対象の大規模研究は行われていない．一方，高血圧症の患者は高尿酸血症を高頻度に発生させ，独立した心血管疾患の危険因子であるとの報告がなされている．この

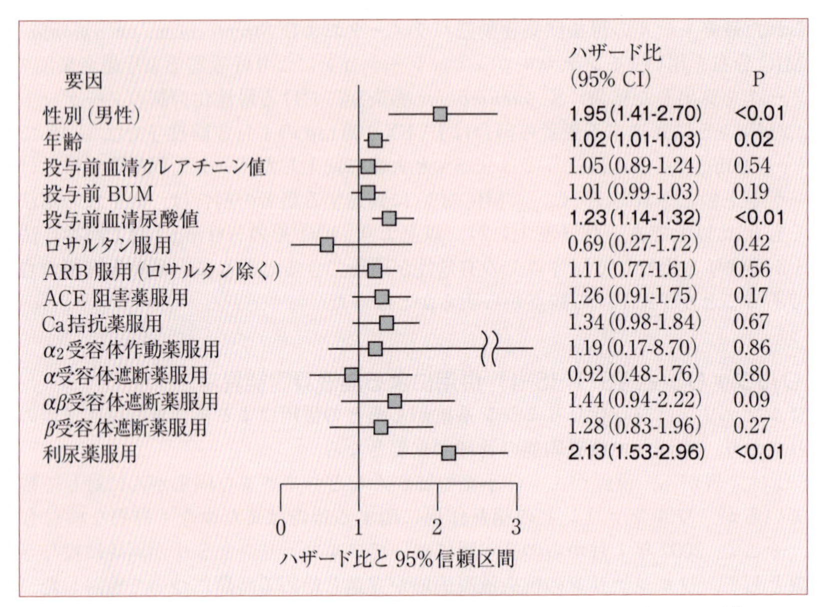

図 10-5. ロサルタンの高尿酸血症発生の要因とそのハザード比[14)]

ことから，ロサルタンが他の高血圧治療薬と比較し，高尿酸血症の発生を抑制することが明らかとなれば，高血圧の治療において非常に有用であると考えられる．そこで薬剤疫学における分析疫学のコホート研究の手法を用いて，ロサルタン服用患者における高尿酸血症の発生頻度を，他の高血圧治療薬服用患者の高尿酸血症発生頻度と比較検討した．

高尿酸血症を発生した症例はロサルタン群 242 人中 7 人（2.9%），対照群 2,984 人中 189 人（6.3%）であり，ロサルタン群の方が低い発生率であった．高尿酸血症発生に対して統計学的に有意なハザード比を示した因子は，性別，年齢，投与前血清尿酸値，利尿薬服用であった．ロサルタンは 0.69 の調整ハザード比を示したが統計学的に有意な値は示さなかった（図 10-5）．近年，多くの研究において高尿酸血症は心血管疾患の独立した危険因子であることが示されており，高血圧患者にロサルタンを投与することは高血圧の治療を行うだけでなく，高尿酸血症の発生を抑制するうえでも有用であると考えられた．

【例 4】 フェニトイン（アレビアチン）の用法は「1 日 3 回食後に分服」のままでよいのか

アレビアチンの用法・用量として，添付文書には次のように記されている．

通常成人 1 日 200～300 mg．小児には下記の用量を毎食後 3 回に分割経口投与する．

学童　100～300 mg
幼児　50～200 mg
乳児　20～100 mg

通学中の学童には，コンプライアンスの点から 1 日 3 回の投与は困難である．フェニトインは $t_{1/2}$ が 16.6 時間と長く，1 日 2 回投与で十分であることが明らかとなり，今日では次のような 1 日 2 回の投与法が一般化している．

○○○○　10 歳

【処方】　アレビアチン 散 10%　150 mg（成分量として）
1 日 2 回　朝夕食後

ちなみにわが国で使用されている抗てんかん薬の用法，$t_{1/2}$ などの薬物動態パラメータをまとめると，表 10-9 のとおりである．他薬の $t_{1/2}$ と比較して，1 日 2 回朝夕食後に分服は妥当で

表 10-9．抗てんかん薬の体内動態

医薬品（商品名）	用法（添付文書）	有効血中濃度（μg/mL）	半減期（hr）	定常状態（到達日数）
エトスクシミド（エピレオプチマル，ザロンチン）	450～1,000 mg/日，2～3分服	40～100*2	約50*2	6～12日*2
カルバマゼピン（テグレトール）	200～600 mg/日，1～2分服，1,200 mg/日まで	4～12*1	30～40→11～27*1	2～3 W*1
クロナゼパム（ランドセン，リボトリール）	初 0.5～1 mg/日，1～3分服，維持 2～6 mg/日	0.02～0.07*1 5～50 ng/mL*2	27～49*2	1 W以上*2
ゾニサミド（エクセグラン）	初 100～200 mg/日，1～3分服，最高 600 mg/日まで	15～40*1（SD～SE）	50～75*3（濃度依存）	14～21日*3
バルプロ酸ナトリウム（デパケン）	400～1,200 mg/日，2～3分服，徐放剤は1～2分服	50～100*1	6～17*1	2～3日*1
フェニトイン（アレビアチン）	200～300 mg/日，3分服	10～20*1	約22*1	約7日以上*1
フェノバルビタール（PB）（フェノバール）	30～200 mg/日，1～4分服	10～40*1（SD～SE）	約120*1	2～3 W以上*1
プリミドン（プリミドン）	初 250 mg/日，以後漸増，1日 1,500 mg，2～3分服，2,000 mg/日まで	5～12*1（PB濃度に注意）	約7*1	2～3日*1 フェノバルビタール 2～3 W以上

*1 木村利美編著：図解よくわかる TDM，第2版，じほう，2007
*2 田中一彦他編：TDM マニュアル，医薬ジャーナル社，1989
*3 大久保昭行他編：TDM 実地テキスト―くすりを効果的に使うための血中濃度モニタリング―，文光堂，1992

あり，東大病院，九大病院，北里大学病院の実態調査から処方の 80%は「1日2回朝夕食後服用」であることがわかった．

USP-DI には pediatric doses として「1日2～3回に服用」と記されている．

表 10-9 の抗てんかん薬の体内動態の表で，アレビアチンのみが1日3回となっているのは，薬物動態も定かでない 1950年（昭和25年）頃に上市した時のデータをそのまま踏襲しているためと思われる．

【例5】 化学平衡のある配合変化[15)]

日本で心臓手術が始まった1950年代の初め頃，東大病院薬局では，外科からの依頼で心臓手術用に 0.5%プロカイン塩酸塩加 5%ブドウ糖注射液 500 mL を院内製剤していた．1回の手術にかなり大量を用いるので，プロカインの毒性を懸念して，当時東大病院で開発中のスルホフタレイン系色素（例えばブロムクレゾールグリーン，BCG）による有機塩基定量法で製剤中のプロカインの定量をしたところ，測定値が上がらず予測値よりはるかに低く，しかしほぼ一定値にとどまっていることを見出した．

次のような平衡関係が考えられる．

$$\text{プロカイン} + \text{ブドウ糖} \rightleftharpoons \text{プロカイン-N-グルコシド}$$

この定量法の原理から考えて，BCG はプロカインおよびプロカイン-N-グルコシドと結合するが，後者の結合物は水溶性のため，有機溶媒のクロロホルム層に移行せず，フリーのプロカインのみを定量していることがわかった．

そこでこの定量法を用いて，経時的にプロカインを定量し，図 10-6 のような平衡図ができ上がった．平衡状態は温度により異なる．

懸念されたプロカインの毒性は，プロカイン-ブドウ糖の生成で水溶性が増し，かなり軽減されたようである．

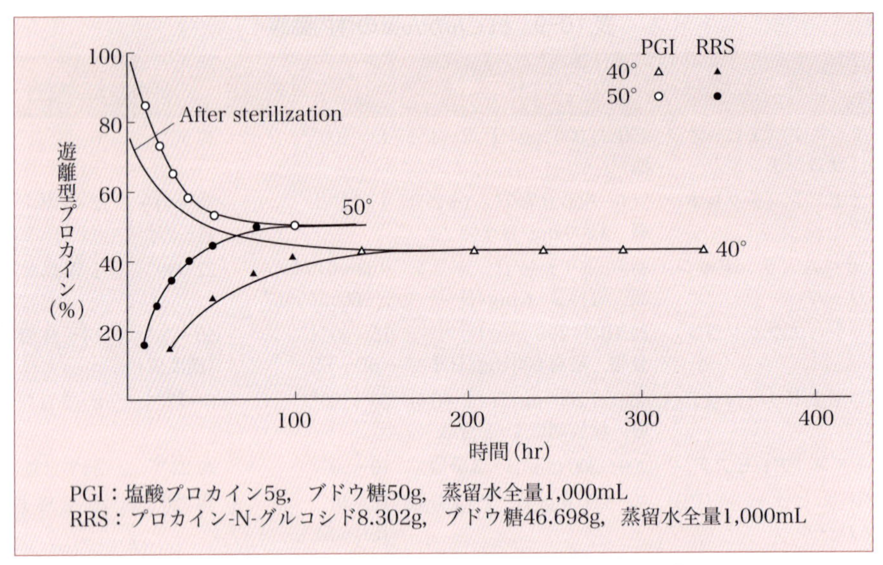

図 10-6. 0.5%プロカイン塩酸塩加 5%ブドウ糖注射液の平衡図（池田 憲）

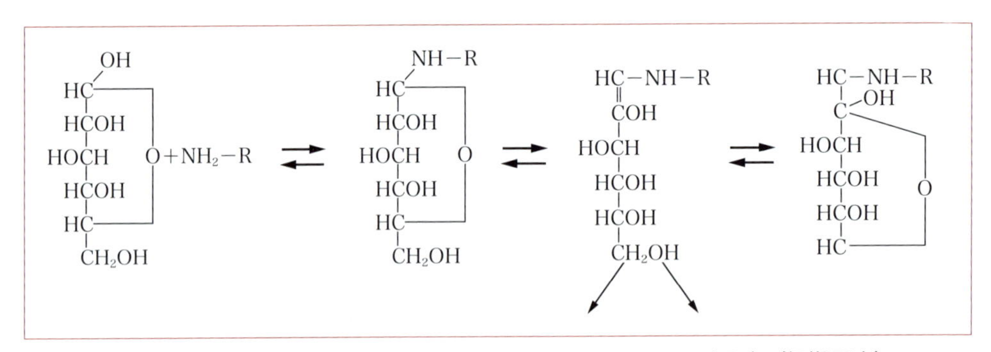

図 10-7. カルボニル化合物とアミノ化合物によるメイラード反応（初期反応）

注射剤の配合変化で，このような平衡状態が生ずる例は経験したことがないが，実際にはブドウ糖を中心にかなりあるのではないか．

配合変化というと，反応が一方的に進行するものと思い込んでいたので，このような平衡状態を生ずる配合変化を知ったことは新たな知見であった．

最近メイラード反応に，これと同じメカニズムがあることに気づいた．

高カロリー輸液調製時に問題となるメイラード Maillard 反応は，アミノカルボニル反応とも呼ばれており，カルボニル基（−CO）とアミノ基（$-NH_2$）が共存する場合に起こる着色反応である．

その初めの段階は図 10-7 のとおりであり，それが可逆的平衡反応であることは，ブドウ糖のようなアルドースの配合変化の研究に大切なヒントを与えるものである．

第1級の脂肪族アミンや芳香族アミン，ヒドラジン（$-NHNH_2$）誘導体にも注目しておきたい[16]．

市販品にもブドウ糖液を溶剤とした有機塩基の製品がいくつかみられる．

注射剤の添加剤としてブドウ糖を用いることには慎重でなければならない．

【例 6】 アセタゾラミドの適正使用[17～19]

炭酸脱水酵素阻害薬アセタゾラミドは緑内障による眼圧コントロールの目的で，1 日 250 mg～1 g を内服する．

アセタゾラミドの動態値：健常成人 12 人に 1 回 5 mg/kg を経口投与時，血中濃度は 2～4 時間後に最高値 20～30 μg/mL．赤血球内濃度の推移は血中濃度の推移より緩徐で，12 時間後にも最高値 25～52 μg/mL に近い 14～47 μg/mL を維持．$t_{1/2}$10～12 時間，24 時間以内に未変化体のまま，ほとんど尿中に排泄．

アセタゾラミドは副作用発現頻度が高く，25.9％に四肢知覚異常があると記されている．

腎排泄型の薬物であるにもかかわらず，これまで年齢，腎機能を考慮することなく，眼圧によって投与量が決定されていた．

薬剤部（京大病院）としてアセタゾラミドの有効かつ安全な投与法を確立するために，体内動態と薬効の速度論的解析を眼科医師と協力して行った．

アセタゾラミド血漿中濃度と薬効との解析：17 人の患者について眼圧をアセタゾラミドの血漿中濃度に対してプロットすると，薬効には大きな個人差が存在するが，一定の血漿中濃度以上では眼圧がプラトーに達していることがわかった．図 10-8 の太線は最終的に得られた薬効パラメータに基づく予測値である．アセタゾラミド 4 μg/mL で E_{max} の 70％の薬効が得られ，それ以上の血漿中濃度の上昇は薬効の増強にほとんどつながらないことが示された．

アセタゾラミドは赤血球によく移行し，副作用の発現が赤血球内濃度に関連するとの報告がある．23 人の患者データから，血清 Na，K 値は異常が認められなかったが，血清 Cl 値は平均 110 mEq/L と高く（23 人中 19 人が正常値を超える），代謝性アシドーシスが起こっていると推察された．また赤血球内濃度と血清 Cl 値は有意な正の相関を示した．副作用発現頻度は赤血球濃度 20 μg/mL 未満で 16.7％であったのに対し，20 μg/mL 以上では 70.6％と有意に高かった．一方血漿中濃度と副作用発現頻度との間には有意な関係はなかった．

腎機能に基づくアセタゾラミドの投与設計：ポピュレーション解析の結果，アセタゾラミドの全身クリアランスと患者の腎機能が相関していたことから，体内動態の平均パラメータ値に基づき，定常状態の最低血中濃度 4 μg/mL となるような腎機能に応じた投与量のノモグラムを作成した．

すなわちクレアチニンクリアランス 70 mL/min の腎機能良好な患者では 1 日 750 mg 分 3 の

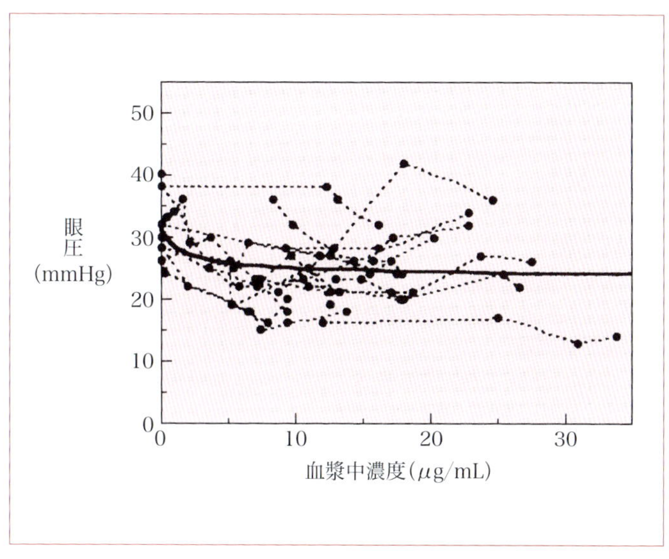

図 10-8．高眼圧患者 17 人にアセタゾラミド経口投与後の血漿中濃度と眼圧の関係

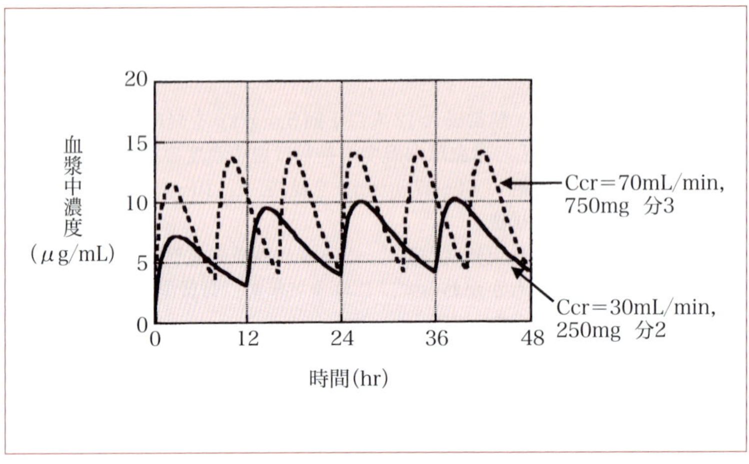

図 10-9. アセタゾラミド血漿中濃度のシミュレーションと
腎機能に応じた投与量調節

投与が最適，30 mL/min に低下した患者では 250 mg 分 2 で同程度の効果が期待できると推察した（図 10-9）.

以上のアセタゾラミドの適正使用の研究は，医療薬学の基礎と臨床を相互フィードバックする医療における薬学的評価の好例として，他の薬剤についても新たな情報発信が行われることを期待したい.

文 献

1) 厚生省薬務局監修：21 世紀の医薬品のあり方に関する懇談会報告，薬事日報社，1993

2) 遠藤弘良：診療ガイドラインとそのめざすところ，ファルマシア **38**(4) 307 2002

3) 重篤副作用疾患別対応マニュアルについて，医薬品医療機器等安全性情報 No. 230 2006.11

4) 辰野高司：日本の薬学，薬事日報社，2001

5) Rogers AS：Adverse drug events：identification and attribution, Drug Intell Clin Pharm **21** 915 1987

6) 特集：生体側因子が薬効に及ぼす影響，薬事 **45**(2) 205 2003

7) 大谷壽一：併用禁忌・併用注意とは？ どう決まる？ どう判断する？，薬局 **61**(8) 2767-2775 2010

8) Naranjo CA et al.：A method for estimating the probability of adverse drug reactions. Clin Pharmacol Ther **30** 239-245 1981

9) Horn JR et al.：Proposal for new tool to evaluate drug interaction cases. Ann Pharmacother **41** 674-680 2007

10) 後藤伸之ら：アンジオテンシン変換酵素阻害薬服用患者の咳発生頻度に及ぼす調査方法の影響，臨床薬理 **27**(4) 725 1996

11) 白神 誠ら：特集；薬剤経済学入門，薬局 **53**(9) 2313 2002

12) 谷川原 祐介ら：Levofloxacin 500 mg 経口投与時の母集団薬物動態/薬力学解析，日本化学療法学会雑誌 **57**(S-2) 47-54 2009

13) 山田孝明ら：Warfarin と S-1 併用患者における血液凝固能異常の発現時期に関する検討，YAKUGAKU ZASSHI **130**(7) 955-960 2010

14) 林 誠ら：ロサルタンによる高尿酸血症の発生抑制効果に関する薬剤疫学的検討，医療薬学 **34**(6) 538-543 2008

15) K Ikeda：Equilibrium of procaine-N-glucoside formation in parenteral solution containing procaine and glucose, Pharm Bull **5**(2) 101 1957

16) 池田 憲：薬剤学領域におけるアミノ基とカルボニル基との反応—薬品相互の結合の一つの型，薬局 **13** 1339 1963

17) Yano I et al.: Pharmacokinetics and pharmacodynamics of acetazolamide in patients with transient intraocular pressure elevation, Eur J Clin Pharmacol **54** 63 1998
18) Inatani M et al.: Relationship between acetazolamide blood concentration and its side effects in glaucomatous patients, J Ocular Pharmacol Ther **15** 97 1999
19) 乾　賢一，土井俊夫編著：腎機能別薬剤使用マニュアル　じほう　1999

日本薬剤師会（上），日本病院薬剤師会（下）の会章

11 処方 と 調剤業務

1 処方箋

1-1 処方 と 処方箋

処方 recipe，formula とは，医師，歯科医師または獣医師（以下単に医師という）が特定の患者（獣医師の場合には患畜）の特定の疾病に対して医薬品を交付する場合に，どのような薬の，どのような量を，どのような形状で，どのような方法で与えるかの意見である．

処方箋 prescription とは上記の意見を薬剤師に示すために記載したものをいう．

医師法第 22 条には，処方箋の交付義務を規定している．

医師は，患者に対し治療上，薬剤を調剤して投与する必要があると認めた場合には，患者又は現にその看護に当たつている者に対して，処方せんを交付しなければならない．ただし，患者又は現にその看護に当たつている者が処方せんの交付を必要としない旨を申し出た場合及び次の各号の一に該当する場合においては，この限りでない．

1．暗示的効果を期待する場合において，処方せんを交付することがその目的達成を妨げるおそれがある場合
2．処方せんを交付することが診療又は疾病の予後について患者に不安を与え，その疾病の治療を困難にするおそれがある場合
3．症状の短時間ごとの変化に即応して薬剤を投与する場合
4．診断又は治療方法の決定していない場合
5．治療上必要な応急の措置として薬剤を投与する場合
6．安静を要する患者以外に薬剤の交付を受けることができる者がいない場合
7．覚せい剤を投与する場合
8．薬剤師が乗り組んでいない船舶内において薬剤を投与する場合

歯科医師法第 21 条にも同様の規定がある．

1-2 処方箋の形式

■ 1）処方箋

処方箋の記載事項について医師法施行規則第21条に「医師は，患者に交付する処方せんに，患者の氏名，年齢，薬名，分量，用法・用量，発行の年月日，使用期間及び病院若しくは診療所の名称及び所在地又は医師の住所を記載し，記名押印又は署名しなければならない」とある．歯科医師法施行規則第20条にも同様の記載がある（表11-1）．

表11-1．処方箋の記載事項

	処方箋	麻薬処方箋	保険処方箋
保険者番号			○
被保険者証などの記号・番号			○
患者氏名・年齢	○	○	○
患者の住所		○	
薬名・分量，用法・用量	○	○	○
処方箋発行の年月日	○	○	○
処方箋使用期間	○	○	○
麻薬施用者の免許証番号		○	
病院などの名称，所在地又は医師の住所	○	○	○
医師氏名の記名押印又は署名	○	○	○

医師法施行規則第21条，歯科医師法施行規則第20条，保険医療機関及び保険医療養担当規則第23条，麻薬及び向精神薬取締法第27条

病院又は診療所で診療中の患者に対し，その病院又は診療所の調剤所で薬剤師が調剤を行う場合で，患者又はその看護にあたっている者に処方箋を交付しないで，その病院又は診療所の調剤を担当する薬剤師に院内用の処方箋を渡して調剤を行う場合がある．このような処方箋を院内処方箋と呼ぶ．院内処方箋では，患者の氏名，年齢，薬名，分量，用法・用量及び医師の氏名を記載した文書を当該薬剤師に交付する（薬発第94号　昭31.3.13）．

覚醒剤を処方する場合，処方箋は通常の形式のものでよいが，交付を受ける者の住所，氏名，年齢，施用方法及び施用期間を記載した書面（覚醒剤所持証明書）に当該医師の署名をして，これを同時に交付しなければならない（覚醒剤取締法第20条第4項）（図11-1）．

■ 2）麻薬処方箋 （麻薬の管理 p.110，麻薬の調剤 p.382）

麻薬処方箋については，麻薬及び向精神薬取締法第27条第6項，同施行規則第9条の2に，次のように規定している（患畜の部分省略）．

「麻薬施用者は，麻薬を記載した処方箋を交付するときは，その処方箋に，患者の氏名，麻薬の品名，分量，用法・用量，自己の氏名，免許証（麻薬施用者免許証）の番号その他厚生労働省令で定める事項を記載して，記名押印又は署名をしなければならない」（法第27条第6項）．「法第27条第6項に規定する厚生労働省令で定める事項は，次のとおりとする．ただし，麻薬診療施設

<table>
<tr><td colspan="6">覚醒剤所持証明書</td></tr>
<tr><td rowspan="2">患者</td><td>住 所</td><td colspan="4"></td></tr>
<tr><td>氏 名</td><td colspan="2"></td><td>年齢</td><td>年 カ月</td></tr>
<tr><td colspan="2">施用方法</td><td colspan="4">メタンフェタミン塩酸塩錠（1 mg） 錠を
1日量とし 1日 回 食 前/後/間 に服用</td></tr>
<tr><td colspan="2">施用期間</td><td colspan="4">平成 年 月 日より 日間</td></tr>
<tr><td colspan="2">備 考</td><td colspan="4"></td></tr>
<tr><td colspan="6">覚醒剤取締法第 20 条 4 項により上記の通り証明する
平成 年 月 日
診療科名 科
福岡市東区馬出 3 丁目 1 番 1 号
九州大学医学部附属病院
医 師 ㊞</td></tr>
</table>

図 11-1. 覚醒剤所持証明書

の調剤所において当該麻薬診療施設で診療に従事する麻薬施用者が交付した麻薬処方箋により薬剤師が調剤する場合にあつては，第 1 号，第 2 号及び第 4 号に掲げる事項を記載することを要しない．1. 患者の住所 2. 処方箋の使用期間 3. 発行の年月日 4. 麻薬業務所の名称及び所在地」（同施行規則第 9 条の 3）．

また麻薬処方箋は「すみ又はインキを用いて記載しなければならない」（同施行規則第 54 条）．ただしボールペンによる記載も認められている．

3）保険処方箋

保険医療機関及び保険医療養担当規則第 23 条には処方箋の交付について「保険医は，処方箋を交付する場合には，様式第 2 号若しくは第 2 号の 2 又はこれらに準ずる様式の処方箋に必要な事項を記載しなければならない」と規定している（図 11-2）．

医療機関で処方箋の交付を受けた患者が，保険薬局にファクシミリ通信して調剤をしてもらうことが認められている．ただし正規の処方箋は患者が交付を受け保険薬局に持参した処方箋である（薬企第 46 号 保険発第 105 号 平元.11.15）．

1-3 処方箋の記載事項

1）処方薬の組み立て

処方薬の組み立ては，次の部分よりなる．

1．主薬 principal agents　処方の主な薬効を代表する医薬品．
2．佐薬 adjuvants　主薬の薬効を補い，その副作用を防ぐもの．

処　方　箋

（この処方箋は、どの保険薬局でも有効です。）

分割指示に係る処方箋　　__分割の__回目

公費負担者番号		保険者番号	
公費負担医療の受給者番号		被保険者証・被保険者手帳の記号・番号	・

患者	氏名		保険医療機関の所在地及び名称
	生年月日	明大昭平令　年　月　日　男・女	電話番号
			保険医氏名　㊞
	区分	被保険者　被扶養者	都道府県番号　点数表番号　医療機関コード

交付年月日	令和　年　月　日	処方箋の使用期間	令和　年　月　日	特に記載のある場合を除き、交付の日を含めて４日以内に保険薬局に提出すること。

処方	変更不可	個々の処方薬について、後発医薬品（ジェネリック医薬品）への変更に差し支えがあると判断した場合には、「変更不可」欄に「レ」又は「×」を記載し、「保険医署名」欄に署名又は記名・押印すること。

備考	保険医署名	「変更不可」欄に「レ」又は「×」を記載した場合は、署名又は記名・押印すること。
	保険薬局が調剤時に残薬を確認した場合の対応（特に指示がある場合は「レ」又は「×」を記載すること。） □保険医療機関へ疑義照会した上で調剤　□保険医療機関へ情報提供	

調剤済年月日	令和　年　月　日	公費負担者番号	
保険薬局の所在地及び名称 保険薬剤師氏名	㊞	公費負担医療の受給者番号	

備考 1．「処方」欄には、薬名、分量、用法及び用量を記載すること。

2．この用紙は、日本工業規格 A 列５番を標準とすること。

3．療養の給付及び公費負担医療に関する費用の請求に関する省令（昭和51年厚生省令第36号）第１条の公費負担医療については、「保険医療機関」とあるのは「公費負担医療の担当医療機関」と、「保険医氏名」とあるのは「公費負担医療の担当医氏名」と読み替えるものとすること。

図 11-2．保険医療機関及び保険医療養担当規則第 23 条の様式第 2 号の 2

様式第 2 号には▨の部分が入っていない．

3．矯味矯臭剤 correctives　医薬品のにおい，味，色を矯正してのみやすくするもの．

4．賦形剤 fillers, diluents　医薬品に適当な形を与えて調剤及び使用を便利にするもの．

〔例〕 水，乳糖，カカオ脂．

【処方】 ロキソプロフェンナトリウム水和物 Loxoprofen Sodium Hydrate
ロキソニン錠 60 mg Loxonin　1回1錠（1日3錠）→主薬
レバミピド Rebamipide
ムコスタ錠 100 mg Mucosta　1回1錠（1日3錠）→佐薬
1日3回　朝昼夕食後に服用　3日分

ロキソプロフェンナトリウム水和物の消化器症状の副作用を防ぐためにレバミピドを加える．

2）薬品名（内服薬処方箋の記載方法の標準化　厚生労働省　平成22年1月）

薬名記載の3原則　薬品名，剤形，規格を記す．

処方箋に記す薬品名は，製剤名（薬価基準収載名）を用いる．又は後発医薬品が存在するものは一般名でも使用可能（一般名処方）．処方に略語又は別名を用いるのは，処方者の手数を省くことができるが，略語はときに誤解を生じるおそれがあるため，公的，慣例的に用いられているもの以外は避ける．

院内処方では約束処方，協定処方の略名を用いることがある．

薬剤事故防止対策として，**剤形**，**規格**は必ず記して，処方の意図が薬剤師に確実に伝達されるようにする．

【処方】 一般名処方
アテノロール錠 50 mg Atenolol　1回1錠（1日1錠）
1日1回　朝食後に服用　3日分

アテノロール錠には 25 mg と 50 mg の製剤がある．先発医薬品 **テノーミン錠** Tenormin.

3）薬品分量（内服薬処方箋の記載方法の標準化　厚生労働省　平成22年1月）

薬品分量は，最小基本単位である1回分の投与量で表示する．分量は添付文書の用法・用量欄に記載の量が基準となる．頓服薬も1回量とする．外用剤は投与全量を記載する．

常用量を著しく超えて処方する場合には，確認の意味で確認標（例えば＿＿）を薬品分量の下に付す．

【処方】 プロプラノロール塩酸塩 Propranolol Hydrochloride
インデラル錠 10 mg Inderal　1回3錠（1日9錠）
1日3回　朝昼夕食後に服用（常用量1日30～90 mg）　7日分

【処方】 ナプロキセン Naproxen
ナイキサン錠 100 mg Naixan　1回3錠（1日9錠）
1日3回　朝昼夕食後に服用（常用量1日300～600 mg）　3日分

薬品分量の表示単位は，次のとおりとする．

散　剤：g，mg，μg で表示．製剤量（原薬量ではなく製剤としての重量）を記載すること を基本とする．

液　剤：mg，mL，drop（gtt.）で表示．製剤量（原薬量ではなく製剤としての重量）を記載 することを基本とする．

軟膏剤：g で表示．

錠剤・カプセル剤：1錠中の含量と，1日（又は1回）の服用個数（錠 Tab.，カプセル Cap.）で表示．

その他：効力単位（Unit）などで表示．

4）調製法

調剤薬の剤形や調製法の指示である．しかし処方薬から判断できることが多いので，わが国の処方箋では省かれる場合が多い．

M. f. pulv.（Misce fiat pulvis 混和して散剤とせよ）

M. f. mixt.（Misce fiat mixtura 混和して水剤とせよ）

5）用法・用量

① **用　法**　用法は服用回数及び服用時期を記載する．一般に食事の時間を中心に1日3回食前，食後，食間などと指示する．抗生物質や化学療法剤は有効血中濃度を維持するため，時間ごとの服用を指示する．

隔日服用など特殊な服用を要する場合はその旨を記す．

【処方】　プレドニゾロン錠 5 mg Prednisolone　1回 0.5 錠（1日 0.5 錠）
1日1回　朝食後に服用　実質7日分（隔日投与）

医師が用法を直接患者に指示する時には，処方箋に「用法口授 as directed」と記す．

② **用量（投与日数）**　2002年（平成14年）4月の診療報酬改定により，従来の1回の投与日数の制限が原則的に廃止され，医師の裁量で自由な投与日数を処方することが可能となった．さらに2008年（平成20年）4月の診療報酬改定で見直された．ただし麻薬及び向精神薬等は14日分，30日分，90日分と，リスクに応じて投薬期間に上限が定められている．なお，1回14日分の上限が設けられている内服薬，外用薬についても，長期の旅行などのように特殊な事情が認められる場合には，1回30日分を限度として投与できる．

1）保険医が投与することができる在宅医療における注射薬（療担規則第20条第2号ト及び療担基準第20条第3号ト，p.426 表 15-5 参照）

2）投薬期間に上限が設けられている医薬品

〔1回14日分を限度とする内服薬及び外用薬ならびに注射薬〕

① 麻薬及び向精神薬取締法第2条第1号に規定する麻薬（(2) に掲げるものを除く）
省略（30日分限度の麻薬を除く）

② 麻薬及び向精神薬取締法第2条第6号に規定する向精神薬（(2) 及び (3) に掲げるものを除く）

アモバルビタール，アロバルビタール，クロラゼプ酸，セコバルビタール，バルビタール，ペンタゾシン，ペントバルビタール，マジンドール，ミダゾラム

③ 新医薬品（薬価基準記載の日の属する月の翌月から1年を経過していないものに限る）
省略

〔1回30日分投与を限度とする内服薬及び外用薬並びに注射薬〕

内服薬	アルプラゾラム，エスタゾラム，エチゾラム，オキシコドン塩酸塩，オキシコドン塩酸塩水和物，フルラゼパム塩酸塩，オキサゾラム，クアゼパム，クロキサゾラム，クロチアゼパム，クロルジアゼポキシド，コデインリン酸塩，ジヒドロコデインリン酸塩，ゾピクロン，ゾルピデム酒石酸塩，トリアゾラム，ハロキサゾラム，フルジアゼパム，フルニトラゼパム，ブロチゾラム，ブロマゼパム，ペモリン，メダゼパム，メチルフェニデート塩酸塩，モダフィニル，モルヒネ塩酸塩，モルヒネ硫酸塩，ロフラゼプ酸エチル，ロラゼパム，ロルメタゼパム，クロルプロマジン・プロメタジン配合剤，メペンゾラート臭化物・フェノバルビタール配合剤，プロキシフィリン・エフェドリン配合剤
外用薬	フェンタニル，フェンタニルクエン酸塩，モルヒネ塩酸塩
注射薬	フェンタニルクエン酸塩，ブプレノルフィン塩酸塩，モルヒネ塩酸塩

〔1回90日分投与を限度とする内服薬〕

内服薬	クロナゼパム，クロバザム，ジアゼパム，ニトラゼパム，フェノバルビタール，フェニトイン・フェノバルビタール配合剤

長期間投与の安全対策として，2004年（平成16年）4月の調剤報酬改定で「分割調剤での調剤基本料」が新設された．医療機関に照会し，調剤録に記入する．

③ **使用期間**　処方箋の使用期間は，交付の日を含めて4日以内である．ただし，長期の旅行等特殊な事情があると認められる場合は，この限りでない（療担規則第20条第3号処方せんの交付）．

6）署　名

保険医の氏名を記名押印又は署名する．病院もしくは診療所の名称及び所在地又は医師の住所を記載する．

1-4 処方用語

処方用語は，日本語，英語，ドイツ語，ラテン語又はその略語を用いる．

処方用語中，主として用法に関するものをまとめたのが表11-2である．

・Sig. t. i. d. p. c. sum.(Signa ter in die post cibos sumenda)
Sig. auf 3×tägl. n. d. E. z. n.(Signa auf dreimal täglich nach dem Essen zu nehmen)
Sig. To be taken three times a day after meals
用法　1日3回　朝昼夕食後に服用

・Sig. gtts. i in O. S.*（Oculo Sinistro）q. i. d.
用法　1日4回　左眼に1滴ずつ点眼

* O. L. Oculo Laevo（左眼）ともいう．

表 11-2. 処方用語

略　語	ラテン語	英　語	日本語
u. i. d.	una in die	once a day	1日1回
b. i. d.	bis in die	twice a day	1日2回
t. i. d.	ter in die	three times a day	1日3回
q. i. d.	quater in die	four times a day	1日4回
a. c.	ante cibos	before meals	食前
i. c.	inter cibos	between meals	食間
p. c.	post cibos	after meals	食後
h. s.	hora somni	at bedtime	就寝前
hor. una p. c.	hora una post cibos	one hour after meals	食後1時間
stat. p. c.	statim post cibos	immediately after meals	食直後
omn. tert. hor.	omni tertia hora	every three hours	3時間毎
omn. man.	omni mane	every morning	毎朝
omn. noct.	omni nocte	every night	毎夜
man. et noct.	mane et nocte	morning and night	朝と夜
s. l.	saccharum lactis	lactose	乳糖
s. s.	sirupus simplex	simple syrup	単シロップ
aq.	aqua	water	常水
aa.	ana	of each	各々
gtt.	gutta, guttae	drop	滴
q. s.	quantum sufficit	as much as sufficient	適量
ad	ad	to, up to	まで，全量
Cito !	Cito !	quickly	至急
pulv.	pulvis	powder	散剤
mist.	mistura	mixture	水剤
M. m.	misce	mix	混和せよ
f, F., ft.	fiat	make, let to be make	調製せよ
div.	divide	divide	分割せよ
sum.	sumenda	to be taken	服用せよ
O. D.	Oculo Dextro	right eye	右眼
O. L., O. S.	Oculo Laevo, Oculo Sinistro	left eye	左眼
O. U.	Oculo Uterque	each eye	両眼
p. r. n.	pro re nate	when necessary	必要ある時
S.	Signa	write on label	用法
stat.	statim	immediately	直ちに
ut dic.	ut dictum	as directed	口授の通り
略　語	**ドイツ語**	**英　語**	**日本語**
v. d. E.	vor dem Essen	before meals	食前
z. d. E.	zwischen dem Essen	between meals	食間
n. d. E.	nach dem Essen	after meals	食後
sofort n. d. E.	sofort nach dem Essen	immediately after meals	食直後
v. d. S.	vor dem Schlafengehen	at bedtime	就寝前
M. & A.	Morgen und Abend	morning and evening	朝と夕方

2 調剤室

2-1 調剤室の設備

調剤室の設備に関する法的基準として，薬局の構造設備（薬局等構造設備規則第1条），調剤所の構造設備（医療法施行規則第16条第1項第14号）がある．

薬局の構造設備の基準（一部抜粋）

1．換気が十分であり，かつ，清潔であること．
2．常時居住する場所及び不潔な場所から明確に区別されていること．
3．面積はおおむね 19.8 m^2 以上とし，薬局業務を適切に行うことができるものであること．
4．医薬品を通常陳列し，又は交付する場所にあっては 60 ルックス以上，調剤台の上にあっては 120 ルックス以上の明るさを有すること．
5．次に定めるところに適合する調剤室を有すること．
　イ　6.6 m^2 以上の面積を有すること．
　ロ　天井及び床は板張り，コンクリート又はこれらに準ずるものであること．
6．冷暗貯蔵のための設備を有すること．
7．かぎのかかる貯蔵設備を有すること．
8．次に掲げる調剤及び試験検査に必要な設備及び器具を備えていること．
　イ　液量器（20 cc 及び 200 cc のもの）
　ロ　温度計（100 度）
　ハ　水浴
　ニ　調剤台
　ホ　軟膏板
　ヘ　乳鉢（散剤用のもの）及び乳棒
　ト　はかり（感量 10 mg のもの及び感量 100 mg のもの）
　チ　ビーカー
　リ　ふるい器
　ヌ　へら（金属製のもの及び角製又はこれらに類するもの）
　ル　メスピペット及びピペット台
　ヲ　メスフラスコ又はメスシリンダー
　ワ　薬匙（ひ）（金属製のもの及び角製又はこれに類するもの）
　カ　ロート及びロート台
　ヨ　調剤に必要な書籍

調剤所の構造設備

1．採光及び換気を十分にし，かつ清潔を保つこと．
2．冷暗所を設けること．
3．感量 10 mg の天秤及び 500 mg の上皿天秤，その他調剤に必要な器具を備えること．

しかしながら，これらの内容は簡単で，現在の実状にそぐわない．

日本薬学会病院薬局協議会は，病院薬局の設備基準を大学病院，一般病院，小病院・診療所に分け，詳細な設備類を定めている[1,2]．

2-2 調剤用機器[2]

1）調剤用天秤

調剤用天秤として，秤量 100 g，感量 0.1 g の上皿天秤が用いられてきた．オイルダンパーを使用した0～5 gの目盛り板指示のものが一般的である（図 11-3）．目盛り板表示量以上はハンドルつまみで操作する1皿式のものもある．現在では電子式上皿天秤が汎用されており，レンジ切替により100 mg読みとりができる（図 11-4）．

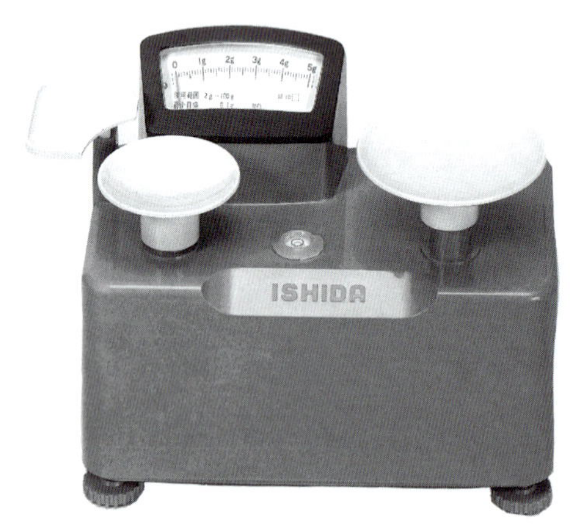

図 11-3．自動上皿天秤Ⅰ型（㈱イシダ）

図 11-4．電子天秤（LB-300 M，高園産業）

2）調剤台

調剤台は使用しやすいこと，能率的であること，収容能力が大であることを要する．寸法の決定にあたっては，日本人の標準体位，調剤の作業条件などを考慮し，人間工学的な考えを取り入れること，業務形態の変化に応じレイアウトの変更が容易であることも必要である．しかし規格品では満足いかず，調剤室のレイアウトに合わせた特注品，ベルトコンベアを組み込んだ調剤台，一定スペースに多量収容できる電動式調剤台もある．

散剤調剤台 散剤の調剤は秤量，混和，分包の各行程で薬塵発生を伴う．装置瓶への充てん時も同様である．薬局アレルギー防止のために，集塵装置の設置は調剤台，混和台，分包機に不可欠である（p.262）．

錠剤調剤台 バラ錠（瓶入り錠剤）用とシール錠用がある．錠剤の出し入れが迅速，正確にできるよう設計されていること，シール錠用の場合，端数入れがあることが必要である．

水剤調剤台 水の飛散防止，錆に対する配慮，常に清潔に保てる構造が必要である．

3）錠剤自動分割分包機

錠剤，カプセル剤調剤の能率化，合理化，与薬の正確性の向上を計るため，錠剤，カプセル剤の1回量調剤用として錠剤自動分割分包機が開発されている．パソコンと連動し，キーボードにより操作する方式である．多くの処方を記憶できるので，その間連続的に包装が可能である．またディスプレイパネル，プリンターにより入力処方内容が確認できるので，調剤内容のチェックが可能である．錠剤の品切れ，包装紙切れなど異常が発生した場合には自動制御装置により警報が発せられ自動的に停止する．

4）散剤分包機

調剤業務の能率化，合理化に果たす散剤分包機の役割は大きく，今日では調剤用機器として不可欠である．

図 11-5 の全自動分割分包機は，1～93 包，ホッパーが 2 個付いているので 186 包まで分包可能で，錠剤配分装置，多彩な印字パターンを内蔵している（幅 980 mm×奥行 600 mm×高さ 975 mm）．

散剤分包機の導入は外来患者の待ち時間を大幅短縮し，防湿包装紙の使用により調剤薬の品質保持に貢献している．

分包機の必要台数は「分包業務を円滑に行うために最低 2 台必要で，患者数（1 日の入院＋外来患者数）500 又はその端数を増すごとに 1 台の追加を必要とする」とされている．

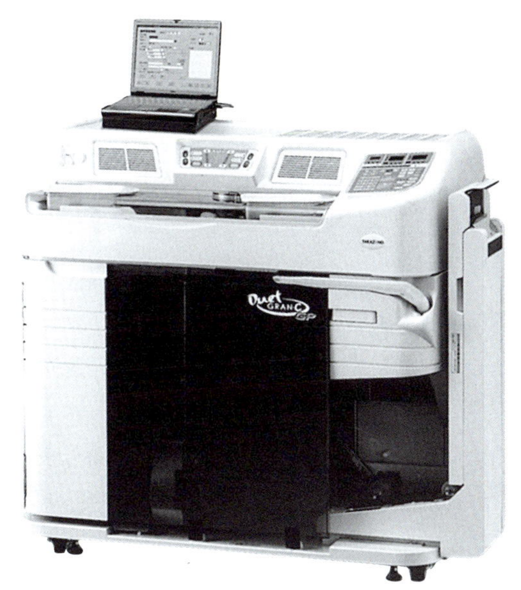

図 11-5．全自動分割分包機
（Duet GRAN・C・GP，高園産業）

5）集塵機

散剤の秤量・混和・分包，装置瓶への充てん，さらに製剤室での作業工程で発生する薬塵の吸入や接触により，薬局職員には薬局アレルギー allergy in pharmacy が多い（p.288）．薬局アレルギー防止のため，集塵装置の設置は調剤台，混和台（機），分包機などに不可欠である．

散剤調剤台を例にとると，現在の集塵装置は正常空気の排出方法により，ⓐ 吸塵口が正面にあり，正常空気を機外に排出させる方式，ⓑ 正常空気を機内に循環させる方式，ⓒ 吸塵口が調剤台上にあり循環させる方式，の 3 種がある．0.3 μm 以上，95％以上の除塵が可能である（図 11-6）．

集塵装置の選定にあたっては，風量，風速，風の流れ，フィルターの効率，清掃しやすさなどのほか，天秤への風の影響，ファンモーターからの騒音などに留意する．

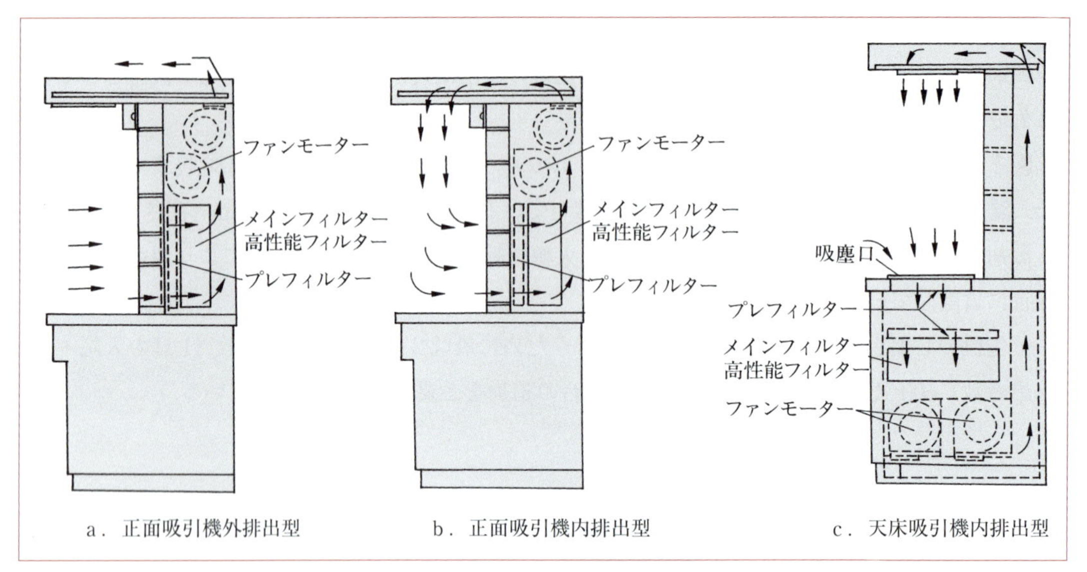

図 11-6．集塵装置

6）番号表示器

調剤済みの医薬品を患者に番号で表示する装置である．表示方法には，全番号表示と最終番号表示とがある．表示機構として，ランプ式，マグネット反転式，反復表示式，電光式，計数管式などがある．

外来患者数の多い病院では全番号表示（反復表示を含む）の番号表示器を用い，患者数の少ないところでは最終番号表示方式がよい．

7）調剤監査システム[3)]

調剤における医薬品の充てん，調剤段階でのエラーを防止するため，マイクロコンピュータを利用し，音声読み上げ機能をもち視聴覚による調剤監査システムがある（図 11-7）．とくに散剤及び液剤の調剤時に多用される．

このシステムの原理はバーコードを用いたマーキング方式である．機能として，

① **充てん段階**：医薬品の容器と装置瓶に添付したバーコードを認知し，医薬品名をプリントアウトし，かつ音声（医薬品名）を出力し充てんミスを防止する．

② **調剤段階**：バーコードより判読した医薬品名，電子天秤・計量器による秤取量をプリンターに出力する．またシステム構築の際，薬用量，配合変化などの情報を組み込むことにより，これらのチェックも可能である．以上の情報をプリントアウトする．処方箋との照合により調剤エラーを防止する．

③ **監査段階**：監査者は処方箋と，ディスプレイに出力した情報又は調剤時に出力した印刷物との照合により，調剤薬監査を行う．

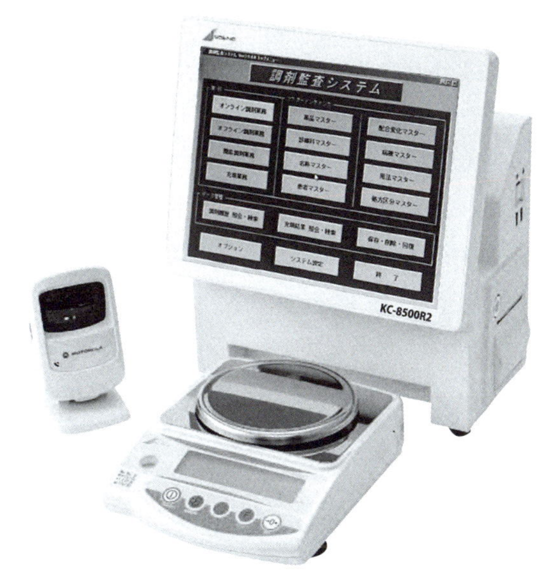

図 11-7. 調剤監査システム
（KC-8500R2，高園産業）

■ 8）その他の調剤用機器

処方箋受付・薬剤交付時のタイムスタンプ，錠剤粉砕機，散剤混和機，低温保存用の保冷庫，点眼剤の調製や小分けを行うクリーンベンチなどを設置する．

2-3 調剤室の管理

■ 1）調剤室のレイアウト

調剤室のレイアウトは基本的な考え方として，

(1) 待合室の患者の流れと調剤室内の処方箋の流れを同じ方向とする．

(2) 調剤室内で処方箋の流れが交差するのを極力防ぐ．

(3) 作業工程を少なくする．

(4) 処方箋の移動距離を短くする．

を考慮した上で，業務量，剤形分類，人員配置，取り扱い薬品数，調剤室の面積について現状分析を行い，具体的な方法を決定する．

調剤の剤形別の比率は調剤台の配置に決定的な要因となる．現状は錠剤・カプセル剤の比率が圧倒的に大きい．錠剤調剤台を書記から監査に至る最短距離の位置に配置し，散剤調剤台をその次に配置するのが妥当である．

このほか処方箋を錠剤，カプセル剤，予包品，点眼・点鼻剤，軟膏剤などの市販品，予製剤と，散剤，錠付散剤など秤量分割分包を要するものに区別し，それぞれ別のルートで受付，調剤，交付をするシステムもある．またベルトコンベアを使用し，輻輳する処方箋や調剤薬の運搬業務を単純化するなどの工夫もある．

2) 医薬品の表示，保管

薬品倉庫や調剤室における医薬品の保管管理は医薬品医療機器等法，麻薬及び向精神薬取締法，覚醒剤取締法，日本薬局方などの規定による．

適正な在庫量を維持し，先入れ先出しの原則を守り，医薬品が陳旧にならぬよう管理する．また医薬品は規定の温度，遮光のもとで保管する．

毒 薬 黒地に白わく，白字で，品名及び「毒」の文字を記載．他の物と区別して貯蔵し，鍵を施す．

劇 薬 白地に赤わく，赤字で，品名及び「劇」の文字を記載．他の物と区別して貯蔵する．

麻 薬 麻薬以外の医薬品（覚醒剤を除く）と区別し，鍵をかけた堅固な設備内に貯蔵する．ダイヤル式の鍵と普通の鍵の両方を使用した金属製の保管庫を用い，小型のものはボルトなどで固定する．

覚醒剤 鍵をかけた堅固な場所に保管する．メタンフェタミン塩酸塩．

覚醒剤原料 鍵をかけた場所に保管する．エフェドリンと塩，メチルエフェドリンと塩，フェニルプロパノールアミンと塩，セレギリンと塩 (p.113)．

3) 調剤台上の医薬品の配列

① 調剤台の医薬品は装置瓶，格納棚（トレー）に前項のラベルを貼付し，医薬品名（一般名又は製品名，和名又は英名），規格（倍散，錠剤中の含量），常用量を表示する．毒劇薬は他の物と区別して配列する．向精神薬は盗難防止に必要な注意又は施錠を行う．

② **経口糖尿病用薬，抗悪性腫瘍薬，ジギタリス製剤，ワルファリン**等誤調剤があった場合に患者に危険が及ぶような医薬品については，特別に注意をするようなマークを付ける．

③ 名称類似，外観の類似やヒヤリハット報告等が多い医薬品については，注意喚起のためのマーク等を付ける．

④ 装置瓶などの配列は，五十音順，アルファベット順，薬効別，使用繁用度別などとし，これらを組み合わせて配列することもある．散剤，錠剤，内用液剤，外用剤など剤形により別個の調剤台を用いることが多い．比較的使用頻度の低いものは回転薬品棚に置く．

⑤ 装置瓶に充てんの散剤，格納棚に配列のシート品の安定性は元封の医薬品に比べ劣るので，なるべく少量にとどめる．とくに使用頻度の少ない錠剤などは小包装のものを購入し，原包装のまま調剤台に置くようにする．

⑥ 装置瓶への医薬品の補充は，とくに慎重に行う．複数の薬剤師で行えばなおよい．使用頻度の高い医薬品は予備の装置瓶をあらかじめ準備しておく．バーコードを用いた調剤監査システムの使用により，散剤など充てん時の過誤を防止することができる (p.262)．

■ 4）調剤室の環境衛生

調剤室は調剤を行うため夏でも閉めきった室内で多数の人間が業務に従事し，調剤に伴う薬塵の飛散がはなはだしい．患者待合室との隔壁が完全でないところでは，室内の空気が非常に汚染されている．また医薬品には温度管理，光線管理，低湿保存を必要とする不安定なものが多い．したがって空気調節（温度，湿度，炭酸ガスなど），粉塵・細菌の除去について環境衛生管理が必要となる．また調剤は精神集中度の非常に高い作業ゆえ，十分な照度を必要とし，色彩調節による作業能率の向上にも留意する．

表 11-3 に示すような病院薬局環境衛生基準が制定されている[4]．

表 11-3. 病院薬局の環境衛生基準（抜粋）（朝長文彌）

	基　準		基　準
1．温　　度	19～26°（年間）	5．照　　度	普通作業　500～800 lx
2．湿　　度	40～70％（相対湿度）		精密作業　600～1,000 lx
3．浮遊粉塵	0.15 mg/m^3 以下		特に細かい文字，数字などをみる機会が多いところは 1,000～1,500 lx とすることが望ましい
4．換　　気	30 m^3/人/hr		
	CO：検出せず		
	CO_2：1,000 ppm 以下	6．騒　　音	機械休止時：55 ホン以下が望ましい
			機械稼働時：65 ホン以下が望ましい

2-4 院内感染[5] hospital-acquired infection

MRSA（メチシリン耐性黄色ブドウ球菌 methicillin-resistant *Staphylococcus aureus*）が院内感染の主要菌として多くの問題を引き起こしている．緑膿菌，VRE（バンコマイシン耐性腸球菌 vancomycin-resistant *Enterococcus*），セラチア菌による院内感染もある．

病院内には免疫機能が低下した易感染性宿主 compromised host が多数存在し，さまざまな日和見感染 opportunistic infection も起こしやすい．患者から患者への感染は医療従事者を介して行われることが多く，院内感染の予防には，まず医療従事者自身の意識の向上が必要である．着衣や使用器具を清潔に保つこと，患者に接触する前後に必ず手を洗い消毒を行うこと，患者が感染した場合は他の患者に拡がらないよう処置をとることが大切である．

MRSA 感染症には耐性パターンに従った抗菌薬の薬剤選択が必要である．重症例ではバンコマイシン塩酸塩，アルベカシン硫酸塩，テイコプラニンを点滴静注する．VRE 感染症にはリネゾリドを点滴静注し，経口投与が可能と医師が判断した場合，同量の錠剤に切り替える．これらの薬剤は血中濃度の測定を行いながら適正に使用する．

3 処方オーダリングシステム[6~8]

病院におけるコンピュータの利用は，当初は部や課を単位とするオフラインシステムで，薬剤部でも医薬品の在庫管理などに利用していた．

しかし病院業務の90％以上が即時処理を必要とする業務であることから，現在ではオンラインシステムが普及し，共有する医療情報を全病院レベルで有効に利用するためのデータベースの研究が進み，トータルシステムの方向が定着している．今日病院で総合医療情報システムと称するものは，このトータルシステムを指向して，施設全体を1つのブロックとしたLAN（local area network）構想のシステムである．

LAN構想の中で薬剤部門は，診療部門との連携の下，調剤業務に処方オーダリングなどで蓄積されるデータなどの利用を図ってきた．また医薬品の購入や供給，医薬品情報の支援，製剤処方の設計，TDMや薬物動態のパラメータ解析などが処方オーダリングシステムのサブシステムとして組み込まれつつある．

3-1 処方オーダリングシステム と 電子カルテ

医療の情報技術（IT）化は，厚生労働省の医療制度改革試案の中で示された「今後の我が国の医療の目指すべき姿」の実現のために重要な柱の1つと位置づけられており，これを着実に推進する必要がある．保健医療分野のIT化にむけてのグランドデザイン（最終提言）では「医療情報システム構築のための達成目標・発展段階の設定—電子カルテシステムを中心に」の中で，平成16年度までに全国の二次医療圏毎に少なくとも1施設は電子カルテの普及を図る，さらに，平成18年度までに全国の400床以上の病院の6割以上，全診療所の6割以上に普及ということが目標とされた．病院の薬剤部門においても利用者が，その利用方法を十分に考えることにより，診療情報を薬剤業務に有用に活用することができる（図11-8）．

ペーパーレスな診療体制の薬剤部門への活用については，処方箋をペーパーレス化することを挙げることができる．処方箋をペーパーレスとすることは業務の効率を図ることができるものの，現在では医師の署名，押印が必要とされていることから，院外処方への利用は先の話である．この問題に対しては電子署名など解決のための手段は考えられるものの，法律的な問題は解決されていないのが現実である．20年以上前から当時の厚生省（現厚生労働省）に学会を介して要望書が提出されているが未解決である．

診療情報の薬剤業務への多目的な利用については，処方情報の活用を挙げることができる．外来患者に対する薬剤情報，病棟における服薬情報の提供などにおいても処方情報に基づいた薬剤情報をコンピュータから編集，さらに処方情報から医薬品の在庫管理などにも活用可能である．データベースとしての利用については，処方情報を患者の薬歴データベースの構築に活用できる．また，処方薬剤情報と診療情報から医薬品の使用実態，調剤などに注意が必要な薬剤の管理に活用できるなど，多くの利用が考えられる．

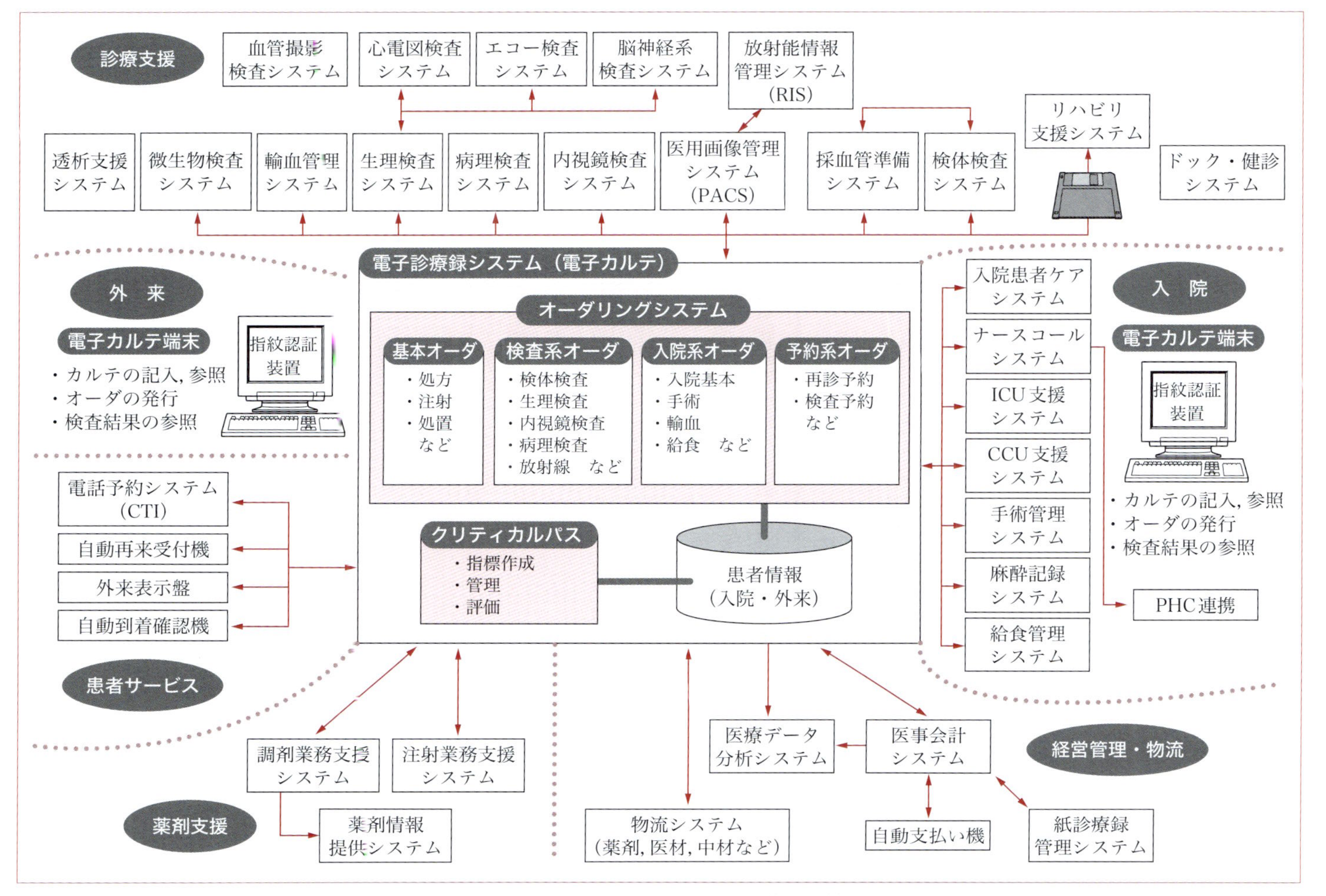

図 11-8. 電子カルテシステムを中心とした病院の総合医療情報システム（折井孝男）

3-2 処方オーダリングシステム

処方オーダリングシステムの基本概念は，医師が処方を自ら入力する発生源入力にはじまり，薬袋作成及び錠剤等の自動包装機への接続までを1つのプロセスとして捉えている．

処方オーダリングシステムでは，医師が自ら診察室あるいは病棟の端末から患者のIDによる患者の氏名，年齢，受診診療科名などの患者情報と医薬品情報を画面から参照して薬品名/分量/用法/投与日数などの処方内容を入力する．入力された処方情報は調剤室などに設置されているプリンターに処方情報紙として出力される．同時に薬袋に患者の氏名や用法などが印刷され（ラベルに印刷する方式もある），錠剤などの処方情報は自動包装機に連動している．

さらにこのシステムでは，処方の出力と同時に，処方の料金計算も瞬時にできることから，外来患者の医事会計での待ち時間短縮やレセプト作成にも役立つ．

外来診療のながれと患者の処方情報を中心にした関連システムを図11-9に示した．

3-3 処方医薬品の呼び出し方

処方オーダリングシステムの稼働に伴い，医師による処方医薬品の選び間違いなどの問題が新たに生じている．このため，処方オーダリングシステムでの薬名検索は先頭から3文字以上の入

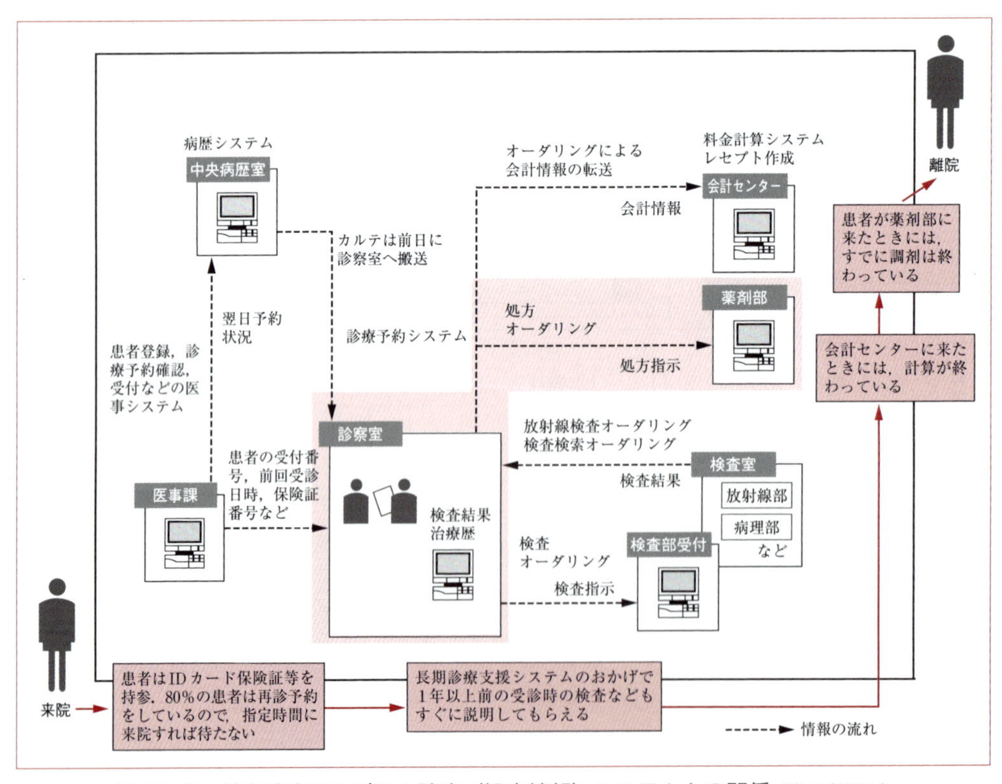

図11-9．外来診療のながれと診療（処方情報）システムとの関係（折井孝男ら）

力を行うことを取り決めとしている施設が多くみられる.

3-4 処方箋の点検

コンピュータの利用により処方箋不備のチェックが機械的に行われる. 患者の年齢がない, 分量の記載がない, 薬品名は書いてあるが判読できない, 分量が有効成分量なのか製剤としての量なのか判断できない, などという従来の手書きの処方箋にみられた不備はなくなった.

また重複投与, 相互作用, 禁忌などの内容を, 容易に画面で照会できるようになっている.

例えば保険適用外か否かのチェックであれば, 保険適用外の薬剤をデータベース作成時に除いておく. また過量のチェックであれば薬用量の範囲を設け, その範囲外の値の時は入力できなくするということが機械的にできる. また患者の年齢を入力しないと次の操作ができないようにすれば年齢の項目に必ず年齢（数値）が記載される. 実際には, 年齢など患者に関わるデータは, 患者基本情報登録のマスタからの読み込みをしている.

「処方した薬剤が, 他科受診などによって投与されている薬剤と重複していないか」などの情報の照会は, 医師が処方を入力する時点でも役に立つ. 実際に医師の入力画面には, 重複して処方した場合, 画面に「警告」という形でコメントが表示されるシステムが多い.

コンピュータを利用した処方箋の点検で注意すべきことは, コンピュータで出力された処方箋であるから間違いがない, という思い込みをしないことである. 例えば薬用量の場合, 薬用量の範囲を設け, その範囲外の値のときはチェックが働くが, 範囲内での「ケアレスミス」は, そのまま出力される. 例えばプレドニゾロンの内服量は 1 日 5〜60 mg で設定されているので, 医師が 1 日 15 mg のつもりを 45 mg と入力しても, チェックされることなく, そのまま出力される. また薬用量のチェックがなされているといっても, 現在のシステムはあくまでも単剤での薬用量チェックであって, 2 種類以上の薬剤が併用された時の薬の相加作用や相乗作用を加味した薬用量のチェックについては今後の課題である.

3-5 薬袋作成及び調剤の自動化

処方入力と同時に薬袋に直接患者の氏名や用法が印字できる. しかも印刷された薬袋と処方箋が対になって出力される（ラベルの場合は薬袋又は瓶などにラベルを人手で貼る）. 錠剤調剤の自動化は, 現在薬剤を格納する容器の数に限界があるものの, 相当数の錠剤等が自動分割包装され, 調剤の能率化に寄与している.

このように錠剤調剤の自動化は急速に進んだが, 液剤の調剤はその物性や形状から物理的に調剤機器の自動化が困難とされている. 散剤については一部自動化されているものの調剤する機器側と処方オーダリングシステムとのインターフェースプログラムの開発に遅れがみられることから錠剤等の自動分割分包機にみられる自動化に比べて遅れている.

注射剤調剤の自動化は, 注射剤が錠剤等と同様, アンプルなど計数ができる形であることから大型の輸液などを除いて自動化されている．患者ごとのラベルの印字やアンプルなどの取り揃え（調剤とみなす）は錠剤等の自動分割分包機と同じロジックである．

調剤業務の自動化は調剤の効率化のため重要な課題であるが，人力に頼らざるを得ないステップも多く残されている．とくに調剤後の薬剤監査は薬剤師による最終チェックであり，コンピュータに代わるものではない．

3-6 薬 歴

処方歴は，投薬歴（服用歴とは異なる）であり服薬指導の説明の際，あるいはインシデント（incident；患者に具体的被害が生じないミス）予防の有効な手段になる．この処方歴は調剤記録としても役に立つ．本来の薬歴とは，薬物治療に使った患者個人のすべての「薬」を時系列として，容易に参照できる検索プロセスを含めたコンピュータ利用のシステムをいう．検索にあたっては，例えば過去に［A 薬］と［B 薬］を投薬した患者数は，というようなコンテンツ（contents；情報の内容）をキーワードから瞬時に，かつ編集された形で照合できるサブシステムを備えたものを薬歴システムと呼称している．この薬歴システムは，薬剤疫学の分野にも応用できる有効なシステムといえる．

薬歴システムが備えるアイテム（item；項目）を表 11-4 に掲げた．

薬歴データの情報源は，1）処方箋，2）注射剤処方箋，3）診療録カルテ（疾患名及び投薬内容など），4）看護記録（処置薬等の使用内容），5）医師へのインタビュー，6）患者へのインタビューからの収集が欠かせない．収集データによるデータベース構築にあたっては，薬剤師サイドによる薬物血中濃度の測定値，薬物相互作用等の文献からの情報など，臨床的に医師が判定したデータでないものも収集する必要がある．

表 11-4．薬歴システムの項目

No.	項　目	No.	項　目	No.	項　目
1	患者氏名	16	薬物アレルギー	31	血圧
2	性別	17	薬物間相互作用	32	家族歴
3	年齢（生年月日）	18	副作用（症状と原因薬剤）	33	嗜好品
4	身長	19	薬効評価	34	病名
5	体重	20	配合禁忌	35	症状
6	住所	21	重複投与	36	発症年月日
7	電話番号	22	血中薬物濃度測定値	37	既往歴
8	薬剤名	23	感応テストの結果	38	治療歴
9	分量（施用量）	24	診療科名	39	特異体質
10	用法（施用部位）	25	病棟名	40	他科受診記録
11	投与日数（施用回数）	26	医師氏名	41	入院時所見
12	投与日	27	カルテ番号	42	医師のコメント
13	適応部位	28	体温	43	臨床検査値
14	投与中止・変更の理由	29	脈拍	44	家庭医
15	調剤歴	30	呼吸		

薬歴システムでは，直接画面で患者ごとの投与医薬品の名称，投与量，投与期間など時系列として参照及び印刷できる以外に，例えば20○○年○○月から20□□年□□月の期間を指定しての検索ができる．また患者Aにプレドニゾロンがどのくらいの量，何日間くらい投与されたかというキーワードによる検索も可能である．多少検索方法が複雑になるがデータの並べ替えや，チャート化した図表の作成も瞬時のうちにできる．

3-7 Do処方の問題[9)]

Do処方のDoとは，ラテン語のDitto（同上）の省略形からきた呼称である．すなわち前回処方の内容（処方箋）と全く同じものを繰り返し使用することをいう．

Do処方の利用にあたって，現在では処方医のIDが入力されていないと処方オーダができないシステムが多い．また入力端末そのものに医師専用のパスワードを設けているシステムも見受けられる．現在では指紋認証による機能も用いられている．

当初，処方オーダリングシステムでは，Do処方の扱いについて医師以外の職員が入力した場合のことを心配したが，今日ではシステムの使いやすさが進んだことと，医師の職責が問われることから医師以外の者が入力することは皆無となった．また診察室で高血圧症や糖尿病など成人の慢性疾患の場合，患者の容態を聴きながらのDo処方の利用は多くの医師の支持を得ている．

むしろ院外処方箋の発行や麻薬処方箋の取り扱いに，多くの法的規制の条項があり法改正の要望がある．Do処方を含めて，コンピュータ化が進むと，誰が，いつ，どこから，どのようにして情報を発信したのか，押印があれば信頼できるのか，責任の所在が明確になるのか，など払拭できない問題点が残る．

4 処方箋の取り扱い

4-1 一般的事項

患者を診察した医師は疾病の治療，症状の緩解のため処方箋を発行する．

処方箋を受理した薬剤師が初めに行うことは処方意図の理解と処方内容の点検・確認と処方箋の形式，薬剤調製・薬剤交付の方法の検討，すなわち**調剤設計**である．

処方箋の形式（p.273 表11-5）　処方箋の形式，記載方法に遺漏又は誤りがないかを点検する．

処方内容の点検（p.273）　処方された医薬品及び薬品分量を読み，薬用量が適正か否かを点検する．小児及び高齢者の薬用量に注意する．毒劇薬が記載されている時は薬用量に注意する．

処方された剤形，用法，用量（投薬日数）の記載を検討する．

長期連用により副作用を生じるおそれのある医薬品は投薬日数，配合変化，相互作用の有無，さらに薬剤服用歴に基づき幅広く検討を行う．

調剤の方法　調剤の方法の決定にあたっては，薬袋に記載する事項，処方された剤形の適否，調剤する製剤の規格，医薬品の性状を熟知した上で，配合変化を生じる処方や不安定な医薬品の調製法，調剤学上当然の措置などを判断する．

薬剤交付の方法 服用法を薬袋，説明書，口頭などにより指示するほか，交付薬剤の保管方法，使用に伴う生理的変化，知らせておくべき副作用の説明を行う．

薬剤師は処方箋によって推知される患者の病名，病状など，業務上知り得た個人の秘密を漏らしてはならない．患者や看護人からの質問には慎重に対処する．医療人としての常識に従った態度が必要である．また処方医や処方内容の批判を患者に漏らしてはならない．

4-2 処方箋の変更 及び 修正

薬剤師は，処方箋に記載された医薬品につき，その処方箋を交付した医師，歯科医師の同意を得た場合を除くほか，これを変更して調剤してはならない（薬剤師法第23条第2項）．

薬剤師は処方箋中に疑わしい点がある時は，その処方箋を交付した医師，歯科医師に問い合わせて，その疑わしい点を確かめた後でなければ，これによって調剤してはならない（同第24条）．

ただし調剤学的に，患者がより服用又は使用しやすくするために行う次の措置は「調剤学上当然の措置」として薬剤師の判断により行われる．

1）賦形剤の添加
2）保存剤及び安定化剤の添加
3）溶解補助剤，乳化剤及び懸濁化剤の添加
4）等張化剤及び緩衝剤の添加
5）組み合わせ剤の調製

剤形変更を要するもの：散剤→液剤（潮解性，胃粘膜刺激），処方医に照会

4-3 調剤の順序

調剤は通常次の順序で行う．

1．処方箋受付
2．処方箋点検，疑義照会
3．薬袋・薬札作成
4．薬剤調製
5．薬剤監査（検薬）
6．薬剤交付，服薬指導（情報の提供）
7．調剤後に行う業務

調剤に伴う調剤報酬又は投薬料を算定し，料金を徴収する．

調剤の順序を図示すると，図11-10のようになる．

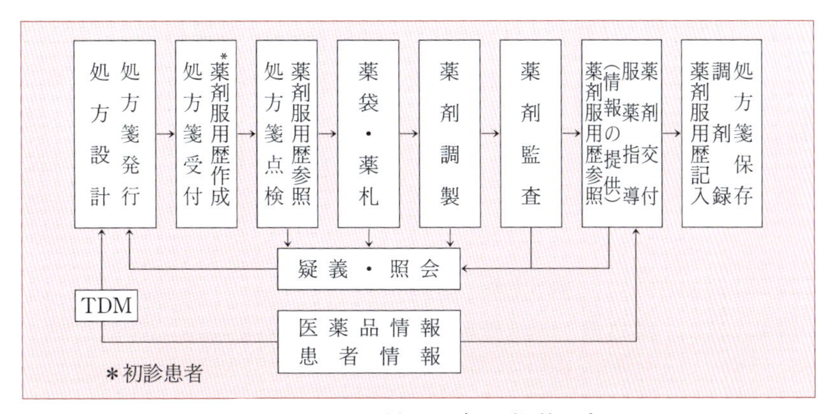

図 11-10. 調剤のながれと疑義照会

5 処方の点検

5-1 処方箋の形式

処方箋の形式についてのチェック項目をまとめると，表 11-5 のようになる.

とくに患者の年齢，処方医の署名又は記名・押印，麻薬施用者の免許証番号に注意する.

表 11-5. 処方箋の形式上のチェック項目

① 患者氏名，年齢
② 薬名，分量，用法・用量
③ 発行年月日（交付年月日）
④ 使用期間
⑤ 病院，診療所などの名称，所在地
⑥ 処方医氏名の署名あるいは記名・押印
⑦ 保険者番号，被保険者証などの記号番号
⑧ その他
（麻薬処方箋の場合）
⑨ 麻薬施用者の免許証番号
⑩ 患者の住所

5-2 処方箋の点検

処方箋点検のポイントをまとめると，表 11-6 のようになる.

処方箋を点検し，処方内容に疑問がある場合は，添付文書で確かめ，処方医に疑義照会する. 疑問をもったまま，あるいは個人的な推測などで調剤してはならない.

処方箋の点検は調剤の前ばかりでなく，調剤のあらゆる過程で常に行い，疑義が生じた場合は，処方医に問い合わせて確認する（図 11-10）.

5-3 処方意図の理解

処方箋に記されている情報量は必ずしも多くないが，記載事項のほかに患者の疾病状況，病歴，最近の経過などが行間に隠されている.

処方薬の医薬品情報とそれに基づく対応の仕方，薬剤服用歴や服薬指導記録の活用，病棟業務などによって，患者背景をできるだけ知った上で，処方意図を理解するように努める．

表 11-6. 処方点検のポイント

項目	ポイント
1. 処方箋の形式	**表 11-5** とくに患者の年齢，処方医の署名又は記名・押印に注意
2. 処方意図の理解	疑問な点は添付文書で確かめる
3. 処方内容の確認	ハイリスク薬の有無確認．あれば特に注意
1）調剤薬の特定	薬名 3 要素（商品名，剤形，含量）の確認，接頭・接尾記号を含む製品名に注意
2）分量，用法・用量	処方量をとくに注意すべき医薬品，配合製剤成分による過量投与
3）処方オーダリング	入力ミス，Do 処方の問題点
4）警告・禁忌	4.2）他診療科処方*に注意
5）相互作用	4.2）他診療科処方*に注意
6）使用上の注意	重大な副作用の初期症状，必要な検査の実施
7）配合変化	処方薬の化学構造，性状から考える
8）処方全体の考察	処方の薬学的考察
9）その他	トリアゾラム（ハルシオン），メチルフェニデート（リタリン）などは偽造処方箋**と処方内容に注意
4. 処方歴の確認	
1）前回処方	処方の確認，検査の必要性（エタンブトールの視力検査など）
2）他診療科処方	重複処方，禁忌，相互作用，お薬手帳
3）注射薬*	薬剤管理指導記録
5. 臨床検査値	
1）肝障害*，腎障害*	処方薬の選択，投与量，投与間隔への影響
2）処方薬の体内動態	消失半減期，腎排泄率
6. TDM 値の確認*	実施の有無，処方量とノンコンプライアンス
7. 病名の確認*	診療録，お薬手帳

* 必要に応じ確認　　** 日本薬剤師会：薬剤師会・薬局のための偽造処方せん対策マニュアル 2010 参照

MEMO

ハイリスク薬

ハイリスク薬とは，投与量等に注意が必要な医薬品，休薬期間が設けられている医薬品や服薬期間の管理が必要な医薬品，併用禁忌や多くの薬剤との相互作用に注意が必要な医薬品など特に安全管理が必要な医薬品である．具体的には，抗悪性腫瘍薬，免疫抑制薬，抗てんかん薬，糖尿病治療薬，血液凝固阻止薬，精神神経用薬などがある．薬剤師はハイリスク薬を含む処方箋に対し，処方薬の投与量，投与方法，投与速度，相互作用，重複投薬，配合変化，配合禁忌等に関するより慎重な点検を行い，また患者に対しては，患者の病態および服薬状況を把握した上で，副作用の早期発見，重篤化防止のための継続的な服薬指導や薬学的管理を行うことが重要である．

〈文献〉日本病院薬剤師会：ハイリスク薬に関する業務ガイドライン Ver. 2.2，2016

○○○○M　78歳

【処方】　1）Ⓐ レボドパ・カルビドパ水和物
Levodopa Carbidopa Hydrate
メネシット配合錠 100 mg Menesit　1回2錠（1日6錠）
1日3回　朝昼夕食後に服用　14日分

2）Ⓑ ブロモクリプチンメシル酸塩
Bromocriptine Mesilate
パーロデル錠 2.5 mg Parlodel　1回1錠（1日3錠）
1日3回　朝昼夕食直後に服用　14日分

3）Ⓒ センノシドA・B
Sennoside A・B
プルゼニド錠 12 mg Pursennid　1回2錠（1日2錠）
1日1回　就寝前に服用　14日分

パーキンソン病の処方．本症ではドパミンが減少しているので，前駆物質であるレボドパを投与する．長期的な症状改善のため，ドパミン受容体アゴニストである Ⓑ との併用が行われる．Ⓑ は1回1錠（1日1錠）から始め，2～4週後1回1錠（1日2錠）に，さらに2～4週後1回1錠（1日3錠）とする．

便秘はパーキンソン病の一症状であるので，緩下薬 Ⓒ を使用する．

Ⓐ，Ⓑ による胃腸障害防止のため，スクラルファートなどを加えることもある．

なお Ⓑ は高プロラクチン血症，末端肥大症・下垂体巨人症，乳汁漏出症の効能も有する．

MEMO

“処方かんさ”を考える

調剤指針には第四改訂から第八改訂にかけて「処方箋の監査」という項目があったが，第十一改訂（2001年，平成13年）で「処方鑑査の考え方」に改められた（第十三改訂では「処方監査」）．

医師が医学の知識と技術を駆使して患者を診察した上で発行する処方箋には，医師の患者に対する使命観と良心が含まれている．処方箋を受け取る薬剤師は，1枚の処方箋に含まれる医師の医学的結集に敬意を払わなければならない．薬剤師法第24条に基づく疑義照会には，医師の専門性を尊重したマナーが必要である（p.28，p.282）．

「監査」を辞書で引くと“監督し検査すること”とある．処方かんさは処方を監督するためでも，誤りを見張るためでもない．薬剤師の「処方かんさ」は，処方箋の形式及び内容の確認であり，その上で疑義を生じた時は薬剤師法第24条に基づき「医師に問い合わせ」を行うのである．その意味から「処方監査」よりも「処方鑑査」（辞書には「調べて適否，優劣を見分けること」とある）を用いる方が妥当と考える．

保険薬局及び保険薬剤師療養担当規則第3条には「処方箋の確認」，日薬の調剤申し合わせ事項「処方箋料改定に伴う分業緊急実施計画」には「医師に対する問い合わせ」の項目がある（昭和49.9.16日薬理事会承認）．日薬の公文書では，これまで「処方かんさ」という言葉を用いたことは1度もない．

これらのことから本書では「処方箋の点検」を用い，「かんさ」は用いないことにしている．

（堀岡正義：調剤学総論 改訂7版 2005より継続掲載）

○○○○M 77歳

【処方】 1）Ⓐ ジルチアゼム塩酸塩 Diltiazem Hydrochloride
ヘルベッサー錠 30 mg Herbesser 1回1錠（1日3錠）
1日3回 朝昼夕食後に服用 7日分
2）Ⓑ チクロピジン塩酸塩 Ticlopidine Hydrochloride
パナルジン錠 100 mg Panaldine 1回1錠（1日2錠）
1日2回 朝夕食後に服用 7日分
3）Ⓒ ニトログリセリン Nitroglycerin
ニトロペン舌下錠 0.3 mg Nitropen 10錠
胸痛時に1〜2錠舌下投与

Ⓐ はカルシウム拮抗薬，Ⓒ は冠動脈拡張薬である．患者は高齢であり，狭心症か心筋梗塞に対する処方である．

Ⓑ は血小板凝集抑制薬，血栓形成防止の目的で処方される．低用量のアスピリン（バファリン配合錠 A 81 mg，バイアスピリン錠 100 mg）も同様の目的に用いる（p.146）．

○○○○F 67歳

【処方】 Ⓐ エナラプリルマレイン酸塩 Enalapril Maleate
レニベース錠 5 mg Renivace 1回1錠（1日1錠）
Ⓑ フロセミド Furosemide
ラシックス錠 20 mg Lasix 1回2錠（1日2錠）
1日1回 朝食後に服用 30日分

中等度の本態性高血圧症にうっ血性心不全を合併している患者の処方．Ⓐ は ACE 阻害薬（Angiotensin Converting Enzyme Inhibitor）でプロドラッグ，持続時間が長い．$t_{1/2}$ 11時間．高血圧症のほか慢性心不全の適応あり．

Ⓑ はループ利尿薬．夜間の排尿を避けるため午前中に服用．体液中の Na，K の減少に注意．

○○○○M 55歳

【処方】 1）Ⓐ プラバスタチンナトリウム* Pravastatin Sodium
メバロチン錠 10 mg Mevalotin 1回1錠（1日1錠）
1日1回 夕食後に服用 14日分
2）Ⓑ コレスチラミン Colestyramine
クエストラン粉末 44.4% Questran 1回9 g（1日18 g）
1日2回 朝夕食直後に1包ずつ服用 14日分

*

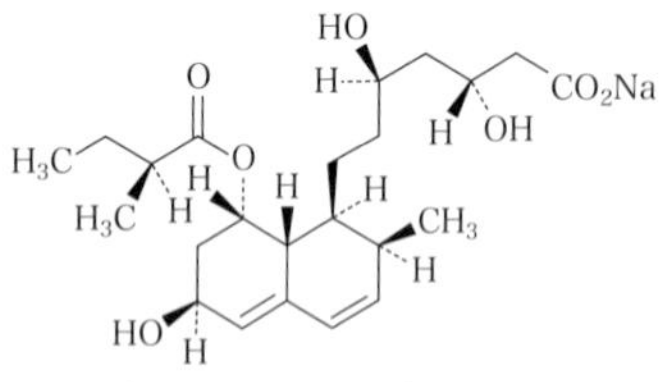

プラバスタチンナトリウム

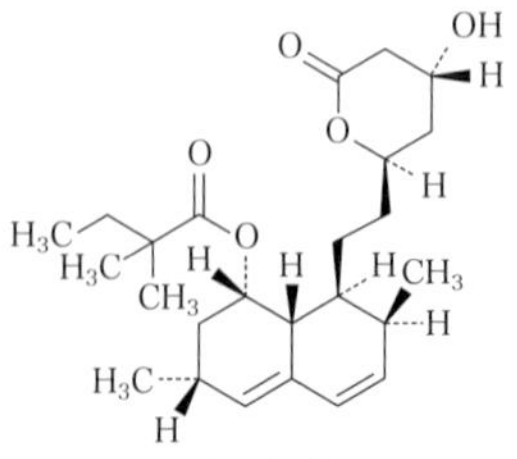

シンバスタチン

脂質異常症の処方．Ⓐ はHMG-CoA 還元酵素阻害薬（HMG-RI）．LDL-コレステロール低下に有効．まれに起こる横紋筋融解症に注意〔CPK（creatinine phosphokinase）値上昇〕．

Ⓑ は陰イオン交換樹脂．胆汁酸と腸管内で結合し再吸収を抑制．食物からのコレステロール吸収を抑制．1回クエストラン9 g中コレスチラミン（無水物として）4 g（白糖3 g添加）．100 mLの水に懸濁し服用．糖尿病患者への使用に注意．便秘を訴える場合は緩下薬を使用．

酸性物質の Ⓐ は Ⓑ と同時に服用すると，Ⓐ の吸収が遅延，減少する．これを避けるためできるだけ間隔をあけて服用する．

シンバスタチン*は服用後開環するので，Ⓐ と同様，Ⓑ との併用で，吸収が阻害される[10]．

コレスチミド Colestimide（**コレバイン** Cholebine）は1回1.5 g，1日2回，顆粒（83%）又は錠剤（500 mg）で服用．胆汁酸の吸着活性に優れ，血清総コレステロール（とくにLDL-コレステロール）を低下させる．脂溶性ビタミンの吸収阻害に注意．

○○○○M　51歳

【処方】　Ⓐ ラベプラゾールナトリウム Rabeprazole Sodium
　　パリエット錠 10 mg Pariet　1回1錠（1日2錠）
　Ⓑ アモキシシリン水和物 Amoxicillin Hydrate
　　サワシリン錠 250 mg Sawacillin　1回3錠（1日6錠）
　Ⓒ クラリスロマイシン Clarithromycin
　　クラリス錠 200 mg Clarith　1回2錠（1日4錠）
　　1日2回　朝夕食後に服用　7日分

胃潰瘍，十二指腸潰瘍におけるヘリコバクター・ピロリ *Helicobacter pylori* の感染症に対する3剤併用療法．使用にあたってはヘリコバクター・ピロリ存在の診断が必要．

Ⓐはプロトンポンプ阻害薬（PPI），Ⓑ，Ⓒは抗菌薬．Ⓐが補助薬として胃内のpHを高めることで併用抗菌薬の抗菌力を高め，2種類の抗菌薬がヘリコバクター・ピロリを除菌する．1週間投与で除菌率90%以上．

Ⓐの代わりにボノプラザンを用い，Ⓑ，Ⓒと組み合せた製剤も発売されている．

Ⓒの耐性菌により除菌できない場合は，メトロニダゾールを使用し，Ⓑ，Ⓒと組み合せた製剤も発売されている．

○○○○F　27歳

【処方】　1）Ⓐ テオフィリン Theophylline
　　テオドール錠 100 mg Theodur　1回2錠（1日4錠）
　　1日2回　朝食後，就寝前に服用　14日分
　2）Ⓑ ツロブテロール塩酸塩 Tulobuterol Hydrochloride
　　ベラチン錠 1 mg Berachin　1回1錠（1日2錠）
　　1日2回　朝夕食後に服用　14日分
　3）Ⓒ フルチカゾンプロピオン酸エステル Fulticasone Propionate
　　フルタイド 100 ディスカス Flutide Diskus　1個
　　1回1吸入ずつ　1日2回　口腔内に吸入

気管支喘息の処方．明け方の喘息発作を回避するため，Ⓐ の2回目は就寝前に服用する（p.163）．血中濃度10～20 μg/mL を維持するようモニターする．Ⓑ は気管支拡張β_2刺激薬．

Ⓒ はステロイド剤の定量噴霧吸入．1噴霧で100 μgを吸入する．内服の1/50〜1/100で済むため，副作用が少ない利点がある．ただし患者の吸入技術により効果が大きく異なるので，使用法の指導を十分に行い，その後も時に吸入状況を確認する（p.388）．

○○○○M　46歳

【処方】 1）Ⓐ リファンピシン Rifampicin
　　リファジンカプセル 150 mg Rifadin　1回3カプセル（1日3カプセル）
　　1日1回　朝食前に服用　30日分
2）Ⓑ イソニアジド Isoniazid
　　イスコチン錠 100 mg Iscotin　1回2錠（1日4錠）
　Ⓒ ピリドキサールリン酸エステル水和物 Pyridoxal Phosphate Hydrate
　　ピドキサール錠 30 mg Pydoxal　1回1錠（1日2錠）
　　1日2回　朝夕食後に服用　30日分

再興感染症として復活予兆の結核に，旧厚生省は「結核緊急事態宣言」を発表し，地方自治体，医療機関や国民に結核問題の重要性を認識して対策に取り組むよう要請した（平成11年7月）*．

上記処方は初期治療の標準的処方で，6〜9ヵ月間投与する．結核菌塗抹検査陽性の場合は，ピラジナミド（1日1.2 g），エタンブトール塩酸塩（1日0.5 g）又はストレプトマイシン硫酸塩（1日1 g，週2回）を加えた4剤併用療法を2ヵ月間行い，その後上記処方を4ヵ月間投与する（結核医療の基準　厚生省告示第213号　平7.12.26）．

Ⓐ は150 mgカプセルを使用．尿，便，唾液，痰，汗，涙液に薬物が排泄され，薬物の色である橙赤色になる，ソフトコンタクトレンズが変色する（p.333，p.335 表12-9）．また Ⓐ にはP450及びP-糖蛋白誘導作用がある（p.207）．Ⓑ は100 mg錠，Ⓒ は30 mg錠を使用．Ⓑ の副作用の視神経炎，末梢神経炎（p.328 表12-5）の防止に Ⓒ を配合する．

○○○○F　60歳

【処方】 1）Ⓐ アルファカルシドール Alfacalcidol
　　アルファロールカプセル 0.5 μg Alfarol　1回1カプセル（1日1カプセル）
　　1日1回　朝食後に服用　30日分
2）Ⓑ エストリオール Estriol
　　エストリール錠 1 mg Estriel　1回1錠（1日2錠）
　　1日2回　朝夕食後に服用　30日分
3）Ⓒ 乳酸カルシウム水和物 Calcium Lactate Hydrate
　　乳酸カルシウム　1回1 g（1日3 g）
　　1日3回　朝昼夕食後に1包ずつ服用　30日分

骨粗鬆症の処方．Ⓐ は α-OH-D製剤．肝で活性型となる．閉経後の場合，補充療法として Ⓑ を用いる．疼痛が強い時はエルカトニン（10単位，週2回筋注）を併用する．

---

* 2006年（平成18年）の感染症法の改正に伴い，結核予防法が廃止され，2類感染症として感染症法に統合された．結核対策の重要性は変わらないが，特定の病名を法律名とすることは不適合であるとの理由から廃止・統合したもの．

2006年（平成18年）改訂の「骨粗鬆症の予防と治療ガイドライン」は予防を重視の薬物治療基準を設定．骨粗鬆症との診断が確定している患者に総合評価の高いビスホスホネート製剤として，アレンドロン酸ナトリウム水和物（**ボナロン**，**フォサマック**．1錠5 mg 1日1回，1錠35 mg週1回），リセドロン酸ナトリウム水和物（**ベネット**，**アクトネル**．1錠2.5 mg 1日1回，1錠17.5 mg週1回）などがある．飲食物中のCa^{2+}などとの結合による効力低下や食道・局所への副作用を防ぐため，起床空腹時コップ1杯（約180 mL）の水で服用し，飲んでから30分間は横にならない．顎骨壊死や顎骨骨髄炎の副作用に注意．月1回服用の製剤も発売．

○○○○ F　52歳

【処方】　1）Ⓐ ファモチジン Famotidine
　　ガスター錠D 20 mg Gaster D　　1回1錠（1日2錠）
　　1日2回　朝食後，就寝前に服用　14日分
2）Ⓑ セトラキサート塩酸塩 Cetraxate Hydrochloride
　　ノイエルカプセル200 mg Neuer　　1回1カプセル（1日3カプセル）
Ⓒ ブトロピウム臭化物 Butropium Bromide
　　コリオパン錠10 mg Coliopan　　1回1錠（1日3錠）
　　1日3回　朝昼夕食後に服用　14日分
3）Ⓓ メトクロプラミド Metoclopramide
　　プリンペラン錠5 mg Primperan　　1回1錠（1日3錠）
　　1日3回　朝昼夕食前に服用　14日分

胃潰瘍の処方．Ⓐ はヒスタミンH_2受容体拮抗薬で，強力な酸分泌抑制作用を有する．Ⓑ は防御因子増強薬で，通常酸分泌抑制薬と併用する．Ⓒ は副交感神経遮断薬，鎮けい薬として疼痛の強い潰瘍に症状消失まで，Ⓓ は悪心，嘔吐の強い症例に用いる．

症状が軽快したら，維持療法に切り換える．Ⓐ を1/2量（1日1回20 mg）とし，就寝前に服用．

○○○○ M　54歳

【処方】　Ⓐ ピリドスチグミン臭化物 Pyridostigmine Bromide
　　メスチノン錠60 mg Mestinon　　1回1錠（1日3錠）
Ⓑ アトロピン硫酸塩水和物 Atropine Sulfate Hydrate
　　硫酸アトロピン Atropine Sulfate　　1回0.5 mg（1日1.5 mg）【原薬量】
1日3回　朝昼夕食後に服用　14日分

重症筋無力症に対する処方．Ⓐはコリンエステラーゼ阻害薬である．副作用の強い人があり，最初は少量から試み，副作用の程度と効力をみて投与量を決める．副作用として，ムスカリン様作用（悪心，嘔吐，下痢，縮瞳，発汗，流涎，流涙，気道分泌亢進，腹鳴，腹痛など），ニコチン様作用（線維束れん縮，筋けいれん，筋力低下など）がある．前者はアトロピン硫酸塩で抑制できる．後者には必要に応じてカリウム製剤を追加する．

Ⓐ は吸湿性であり，小児などで錠剤をつぶす場合は調剤方法に注意する．デンプンを賦形剤とする．Ⓑ の調剤には0.1％散を用いる．

同効薬にアンベノニウム塩化物，ジスチグミン臭化物，ネオスチグミンメチル硫酸塩がある．

また，重症例には免疫抑制薬としてタクロリムス水和物，シクロスポリンが使用される．エドロホニウム塩化物（注射）は重症筋無力症の診断に用いる（p.465 表 16-5）．

○○○○ M 65 歳

【処方】 1）Ⓐ カルテオロール塩酸塩 Carteolol Hydrochloride
ミケラン点眼液 2% Mikelan 1 個
1 回 1 滴ずつ 1 日 2 回 両眼に点眼
2）Ⓑ アセタゾラミド Acetazolamide
ダイアモックス錠 250 mg Diamox 1 回 1 錠（1 日 2 錠）
1 日 2 回 朝昼食後に服用 14 日分

緑内障の処方．Ⓐ は房水の産生を抑制し眼圧を低下させる．瞳孔や調節筋への影響がない．作用時間が長く，1 日 2 回の点眼でよい．点眼後は 1～5 分間閉眼して涙のう部を圧迫する．β_1 β_2 遮断薬の Ⓐ は点眼後鼻粘膜から吸収されて全身的な副作用発現が報告されており気管支喘息や心不全患者には禁忌．同効薬チモロールマレイン酸塩点眼液．

また閉塞隅角緑内障に抗コリン薬や抗コリン作用のある薬剤を投与すると，散瞳による房水通路の狭窄により眼圧が上昇するので禁忌となっている．なお，開放隅角緑内障では問題なく投与でき，薬剤師はどの病型か確認が必要である[11]．

Ⓑ は炭酸脱水酵素阻害薬．房水の産生を抑制し眼圧を低下させる．夜間の排尿を避けるため朝昼に服用（p.247）．

5-4 処方内容の確認（本項の処方は製剤名を主体に記載）

■ 1）医薬品名

・処方箋の医薬品は，薬名記載の 3 原則〔薬品名，剤形，規格（含量）〕が記されねばならない．

【処方】 トリプタノール錠 Tryptanol 1 回 1 錠（1 日 3 錠）
1 日 3 回 朝昼夕食後に服用

トリプタノール錠にはアミトリプチリン塩酸塩 10 mg，25 mg 含有の製剤がある．

【処方】 フルコート Flucort 10 g
1 日 3 回塗布（腕）

フルコートには基剤としてクリームと軟膏がある．処方医に問い合わせる．フルオシノロンアセトニド 0.025% を含む．

【処方】 デパケン Depakene 1 回 20 mg（1 日 40 mg）
1 日 2 回 朝夕食後に服用

3 歳の小児の処方，剤形指定なし．細粒 1 g 中バルプロ酸ナトリウム 200 mg，400 mg，シロップ 1 mL 中 50 mg の製剤がある．どの剤形で調剤するか，処方医に問い合わせる．

・接頭，接尾に記号を含む医薬品名が増加している．記号の書き落とし，書き損じに注意．徐放性製剤に付けられることが多い．1日の服用回数は通常製剤2～3回，徐放性製剤1～2回である．

【処方】 アダラート Adalat 1回1錠（1日2錠）
1日2回 朝夕食後に服用

アダラート（ニフェジピン）はカプセル，アダラートL及びアダラートCRは徐放性の錠剤．錠剤で1日2回服用の記載から徐放性製剤であることは明らかである．疑義照会して確かめる．

・スペル及び名称類似のものに注意（p.293）．

誤記が疑われる場合は，1日の薬用量，併用薬，診療科，薬歴などにより点検し，処方医に疑義照会する．

2）分量，用法・用量（内服薬処方せんの記載方法の標準化 厚生労働省 平成22年1月）

〔分 量〕 内服薬では1回の投与量，頓服薬では1回の投与量

経口糖尿病用薬を中心に，一部の医薬品には薬用量の上限（制限量）が記されている（p.143）．

フェニトインのように投与量と血中濃度が比例せず非線形性を示すものは，わずかな投与量の増加で血中濃度が著しく上昇するので注意を要する（p.177）．

配合製剤の成分による過量投与にも注意する．

【処方】 ヒダントールF配合錠 Hydantol F 1回6錠（1日12錠）
アレビアチン散10％Aleviatin 1回1g（1日2g）
1日2回 朝夕食後に服用

ヒダントールFは1錠中フェニトイン25 mg，フェノバルビタール8 mg，安息香酸ナトリウムカフェイン17 mg． 成分（フェニトイン）の重複．

〔用法・用量〕 用法とは内服薬では1回の服用量，1日の服用回数，服用時期，外用薬では使用部位，使用方法である．用量とは薬剤の投与総量，すなわち薬剤師が調剤する量である．

【処方】 クロミッド錠50 mg Clomid 1回1錠（1日1錠）
1日1回服用
デュファストン錠5 mg Duphaston 1回1錠（1日2錠）
1日2回服用
14日分

クロミッド錠50 mg（クロミフェンクエン酸塩，排卵誘発薬）は1日1～2錠5日間投与を限度とする．日数記載の脱落．デュファストン錠5 mg（ジドロゲステロン）は黄体ホルモン．

3）処方全般の考察・薬歴参照

処方内容を全般的に考察すると，個々の医薬品の点検とは異なる別の問題が数多く見出される．すなわち配合や併用に伴う相互作用や配合変化がないか，当該患者に禁忌ではないか，長期連用による副作用の発生が危惧されないか，主薬の副作用軽減のため佐薬の配合がなされているか，薬効の発揮と副作用軽減のために最適な剤形が選ばれているかを考察する．

さらに薬歴を参照して，複数科受診の処方による重複投薬，投与禁忌，相互作用の発生，OTC薬との相互作用などを検討する．薬歴とその活用の具体例は p.311 を参照のこと．

○○○○F 71歳

【内科】 【処方】 Ⓐ ザンタック錠 150 mg Zantac 1回1錠（1日2錠）
1日2回 朝食後，就寝前に服用 14日分
Ⓑ アルサルミン細粒 90% Ulcerlmin 1回1g（1日3g）
1日3回 朝昼夕食間に1包ずつ服用 14日分

【整形外科】 【処方】 Ⓒ ボルタレン錠 25 mg Voltaren 1回1錠（1日2錠）
1日2回 朝食後，就寝前に服用 14日分
Ⓓ ミオナール錠 50 mg Myonal 1回1錠（1日3錠）
Ⓔ アリナミンF糖衣錠 25 mg Alinamin F 1回1錠（1日3錠）
1日3回 朝昼夕食後に服用 14日分

胃潰瘍で投薬を受けている患者が腰痛のため整形外科を受診し，上記処方を服薬し，胃痛，潜血反応をみた．服薬指導の際に薬剤師が気づき，医師に連絡，**ボルタレン**を坐剤に変更して症状回復．Ⓐ ラニチジン塩酸塩，Ⓑ スクラルファート水和物，Ⓒ ジクロフェナクナトリウム，Ⓓ エペリゾン塩酸塩（中枢性筋弛緩薬），Ⓔ フルスルチアミン塩酸塩．

○○○○M 65歳

【眼科】 【処方】 Ⓐ チモプトール点眼液 0.25% Timoptol 5 mL
1回1滴ずつ 1日2回両眼に点眼

【精神神経科】 【処方】 Ⓑ トリプタノール錠 25 mg Tryptanol 1回1錠（1日3錠）
Ⓒ レキソタン錠 2 mg Lexotan 1回1錠（1日3錠）
1日3回 朝昼夕食後に服用 14日分

眼科で Ⓐ チモロールマレイン酸塩点眼液の投与を受けていた緑内障の患者が，うつ状態となり，精神神経科で Ⓑ アミトリプチリン塩酸塩，Ⓒ ブロマゼパムの投与を受け，緑内障が悪化．Ⓑ，Ⓒ は急性狭隅角緑内障に禁忌（眼圧上昇のおそれ）．薬剤服用歴により判明．

6 疑義照会

6-1 疑義照会の法的根拠

処方箋の疑義照会については薬剤師法第24条のほか，保険医療機関及び保険医療養担当規則（療担規則）第23条第2項に保険薬剤師からの疑義照会に対する保険医の対応が規定されている．

これにより保険医療においても薬剤師の疑義照会の医療における位置づけが確立したことになり，一層重い責任と義務を負うこととなった．

薬剤師法第 24 条　処方せん中の疑義

薬剤師は，処方せん中に疑わしい点があるときは，その処方せんを交付した医師，歯科医師又は獣医師に問い合わせて，その疑わしい点を確かめた後でなければ，これによつて調剤してはならない．

保険医療機関及び保険医療養担当規則第 23 条第 2 項

保険医は，その交付した処方箋に関し，保険薬剤師から疑義の照会があつた場合には，これに適切に対応しなければならない．

6-2 疑義照会のマナー

医師と薬剤師は薬物療法のよきパートナーであり，疑義照会は患者のためにベストの処方を作り上げるための共同作業の1つである．しかし実務上，医師の処方権と薬剤師の調剤権はしばしば衝突することがある．疑義照会は医師と薬剤師がお互いの専門性を尊重した信頼の上に成り立つものである．

医薬分業が進み，多くの医療機関から処方箋を受け付けるようになると，疑義照会する医師と必ずしも面識があるとは限らない．それだけに電話での応対マナーやコミュニケーションのとり方，社会人としての常識ある行動が重要となる．

6-3 疑義照会の手順[12)]

処方医への疑義照会は，電話を介して行うことが多い．

1）処方点検による疑問点を明確にする．

2）処方医の質問に備え，疑問点の解決方法（回避方法，代替薬剤）についての考え方を添付文書などであらかじめ調査しておく．

3）処方医への電話を的確で短時間に行うため，内容を整理しておく．必要に応じ上司や同僚と相談しておく．

4）受話器をもつ前に，他に問い合わせの事項がないか，もう一度確認する．

5）疑義照会した後の処置の内容を記録（処方せん）に残す（薬剤師法施行規則第15条第3号*）．

* 法第 24 条の規定により医師，歯科医師又は獣医師に疑わしい点を確かめた場合には，その回答の内容．

6-4 疑義照会後の処置

1）疑義照会の記録表

① 処方箋の概要（患者氏名，年齢，処方医師名，医療機関名，処方箋発行日）

② 問い合わせ日時

③ 問い合わせた薬剤師名

④ 電話で応対した医師名
⑤ 問い合わせ方法（電話，文書，面談など）
⑥ 問い合わせの内容
⑦ 回答の内容（確認，変更，訂正など）

記録表は専用のファイルにまとめて保管する．

2）医師への連絡表

あらかじめ連絡表の用紙を作成しておき，それに問い合わせと回答の内容を記し，後日処方医に送付し，診療録の訂正を依頼する．

6-5 処方箋疑義照会調査（日本薬剤師会）

日本薬剤師会の2015年（調査期間：平成27年7月21日～27日）度保険調剤疑義照会調査では，818保険薬局297,086枚の処方箋中，疑義照会が行われた処方箋7,607枚（2.56%）で形式的疑義照会が1,782件（21.9%），薬学的疑義照会が6,354件（78.1%）であった．薬学的疑義照会の約75%の4,758件に，何らかの処方内容の変更が行われた．内訳は図11-11のとおりである[13]．本調査から薬学的疑義照会1件あたりの処方の記入漏れを除いた医療費削減額は薬価ベースの節減額が643.2円となり，全国の薬局薬剤師が行う疑義照会による年間薬剤費節減額は約103億円と推定されている．

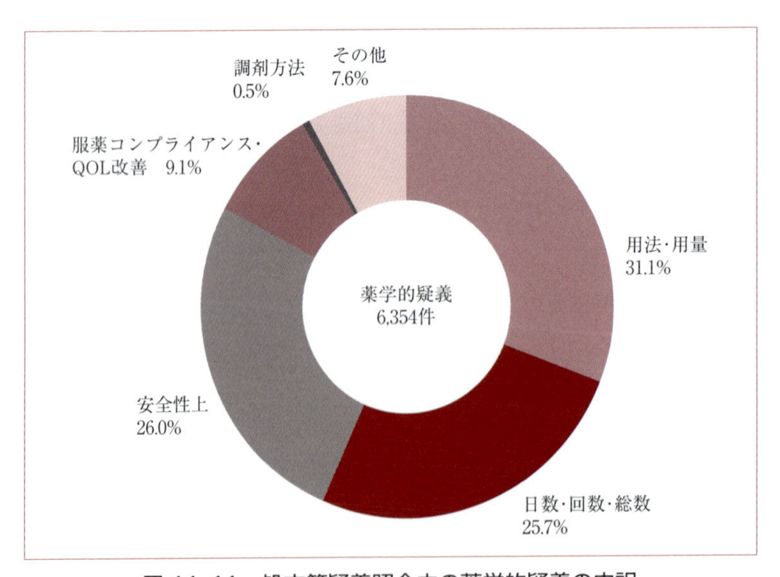

図 11-11．処方箋疑義照会中の薬学的疑義の内訳
（日本薬剤師会，平成27年度調査）

7 調剤薬の調製 と 交付

7-1 薬袋・薬札の作成

1．処方箋記載薬品の剤形，調剤薬の予想される容積，使用法から適切な薬袋・薬札を選択する．シール品，予包品はかさ張るので，比較的大きめの薬袋を用いる．

2．薬袋・薬札に患者氏名，用法・用量，調剤年月日，調剤した薬剤師の氏名，病院，診療所の名称，所在地，又は調剤した薬局の名称，所在地など必要事項を記入する（薬剤師法第25条，同施行規則第14条）．病院では診療科名，外来患者の処方箋受付番号を記す．
薬袋・薬札の数が2つ以上の場合には処方の番号を薬袋に記す．
視覚障害者向けに，薬袋の記載事項を点字で表記している病院もある．

3．用法・用量は，正確にわかりやすく記入する．
1日の服用回数，服用時期，1回の服用個（包）数，服用日数，外用薬の使用法など，用法が複雑な場合は，必要に応じ説明を書き加える．
用法を絵文字化して表示する時は，簡単な文字情報を併記する[14]．
薬袋の裏面に「一般的注意事項」を印刷しておくとよい（図 11-12）．

4．錠剤・カプセル剤の種類が多く1回の服用個数が異なる場合の表示．
色別に服用個数を記入する．
内袋を使用し服用個数を表示する．
薬袋を別々にする．

5．処方箋と薬袋・薬札をとりそろえる．

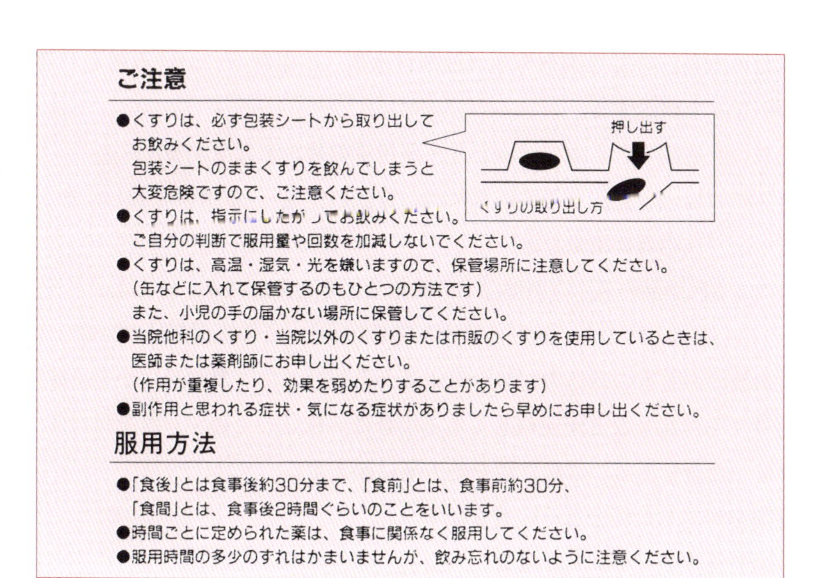

ご注意

●くすりは、必ず包装シートから取り出してお飲みください。
包装シートのままくすりを飲んでしまうと大変危険ですので、ご注意ください。

●くすりは、指示にしたがってお飲みください。
ご自分の判断で服用量や回数を加減しないでください。
●くすりは、高温・湿気・光を嫌いますので、保管場所に注意してください。
（缶などに入れて保管するのもひとつの方法です）
また、小児の手の届かない場所に保管してください。
●当院他科のくすり・当院以外のくすりまたは市販のくすりを使用しているときは、医師または薬剤師にお申し出ください。
（作用が重複したり、効果を弱めたりすることがあります）
●副作用と思われる症状・気になる症状がありましたら早めにお申し出ください。

服用方法

●「食後」とは食事後約30分まで、「食前」とは、食事前約30分、「食間」とは、食事後2時間ぐらいのことをいいます。
●時間ごとに定められた薬は、食事に関係なく服用してください。
●服用時間の多少のずれはかまいませんが、飲み忘れのないように注意ください。

図 11-12．薬袋に印刷する一般的注意事項

7-2 調剤薬の調製

各剤形の調剤工程は図 11-13 のとおりである.

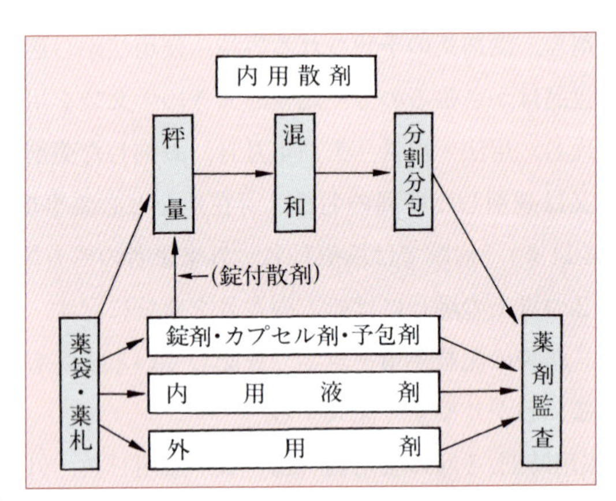

図 11-13. 剤形と調剤工程

1. 一貫調剤, 分担調剤に関係なく, 複数の剤形を含む処方箋の調剤を行う場合は, 調剤の順序を決めておく. 調剤の順序を決めるには, 剤形による調剤時間の長短, 調剤室のレイアウト, 処方箋の集中度などを考慮する. 例えば秤量, 混和, 分割分包に時間を要する散剤の調剤を優先する.
   錠付散剤, 散剤と錠剤, 散剤と水剤の処方:散剤の調剤を優先する.
   錠剤と水剤, 錠剤と外用剤:水剤, 外用剤を優先する.
2. 処方箋, 薬袋・薬札などの記載事項に遺漏又は誤りがないかを確認する.
3. 配合変化の有無, 特殊な調剤方法 (散剤付水剤, 小児調剤における剤形の選択など), 秤量の順序などを検討する.
4. 処方記載の医薬品名を正確に読みとり, 薬用量の適否を判断する.
   類似薬品名の場合 (見誤りやすい薬品名一覧表の作成), 常用量を著しく逸脱した薬用量, 小児薬用量, 高齢者薬用量など.
5. 調剤台にある医薬品の表示 (医薬品名, 常用量) を正確に読み, 処方薬品名と照合し, 医薬品をとり出し確認したのち, 処方日数分の調剤を行う. この際医薬品の品質をチェックする.
   a. 希釈散のあるものは処方記載が原末量か希釈散の量 (製剤量) かを正確に判断する.
   b. 含量, %, 記号などが記載してある場合は, 確認のためマークを付ける.
   c. 秤量した全量あるいは総錠数を処方箋に記入する.
   d. 錠剤をつぶした場合はその旨を記す.
   e. 未調剤薬のチェックと分包者への指示 (分担調剤の場合).
   錠付散剤, 散付水剤の場合, 散剤調剤者は未調剤薬に○印を付し (____の部分), 錠剤, 水剤調剤者への指示とする. また分包数を記し分包者への指示とする.

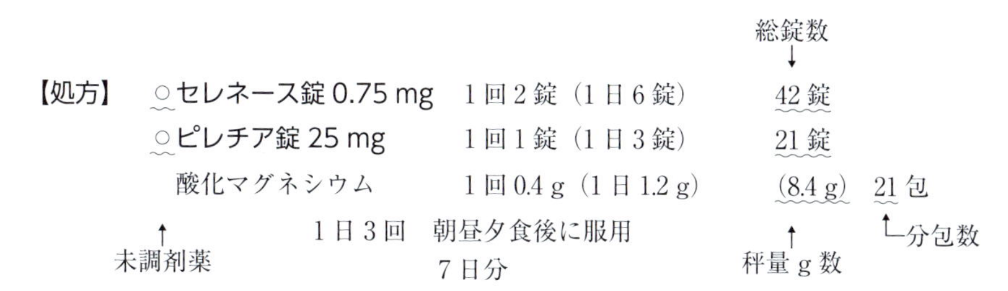

f. 別包，二段分割，その他分割分包において特別の処置を必要とする場合は，適当な方法で分包者に指示する．

6. 調剤によるクロスコンタミネーションの防止．

7. 調剤を行った過程を確認の上，調剤者の氏名を記入又は押印する．

〔分割調剤〕

処方日数が長期にわたり，一度に調剤すると変質のおそれがある等の場合は，分割調剤することができる．

分割調剤後，処方箋に調剤量，調剤年月日のほか，調剤した薬局又は病院の名称及び所在地，医師の同意を得て処方箋記載の医薬品を変更して調剤した場合は，その変更の内容，医師に疑義照会した場合は，その回答の内容を記し，記名押印又は署名しなければならない（薬剤師法第26条，同施行規則第15条）．

処方箋は患者に返却する．残りの分については別の薬局でも調剤してもらうことができる．

7-3 調剤によるコンタミネーションの防止

1）調剤によるクロスコンタミネーションと対策[15]

医薬品が他の医薬品によって汚染されるクロスコンタミネーションは，散剤調剤においてとくに問題となる．その対策として調剤に用いる器具類は1処方ごとに清潔なものを用いること，集塵装置の設置，調剤用器具や自動分包機の改良，流動化剤の添加，教育の徹底などが行われているが，なお十分とはいえない．

とくに注意すべき医薬品として，抗菌薬，抗悪性腫瘍薬などがある．

予包剤を用いてクロスコンタミネーションを避けるのも1つの方法である．

GMPによって品質管理されコンタミネーション防止に注意して製造された医薬品（薬局等構造設備規則第6条第2号）である．調剤時におけるコンタミネーション防止を含めたGDP（Good Dispensing Practice）を確立し，品質管理に努めることが必要である．

2）薬塵の調剤者への影響

調剤室や製剤室は医薬品の粉塵の多いところで，衛生学的恕限量*（5 mg/m^2）〔次頁脚注〕，労働基準法による恕限量（15 mg/m^2）を超えることが多い．粉塵の量は病院の他の場所に比べ10～20倍に及ぶ．

調剤に従事する者には，薬塵による過敏症が多い．薬剤アレルギー drug allergy と異なり，医薬品の吸入や接触によりアレルギー性鼻炎や接触性皮膚炎を発症するので，薬局アレルギー allergy in pharmacy と呼ばれる．好発薬剤として，クロルプロマジンのような抗精神病薬，消化酵素製剤などがある（表 11-7）[16]．

薬局アレルギーは調剤台に集塵機を設置することにより大幅に改善される[17]（p.261）．

表 11-7.「薬局アレルギー」と「薬剤アレルギー」の比較（笛木隆三）

	薬局アレルギー allergy in pharmacy	薬剤アレルギー drug allergy
発病者	薬局勤務者	患者
発症頻度	大（薬局勤務者の 18〜45%）	小（薬剤を投与された者の 3〜4%）
職場環境・作業との関係	大	小
薬剤の侵入経路	主として吸入，接触	主として内服，注射
アレルギー疾患の種類	アレルギー性鼻炎 接触性皮膚炎 咽頭異和感 （アレルギー性咽頭炎？） アレルギー性結膜炎 アトピー性皮膚炎 喘息 気管支炎	即時型 { じんま疹, 血管運動性浮腫, ショック, 喘息 } 遅延型又はアルサス型 { 固定疹, drug fever 等 }
好発薬剤	消化器系薬剤 抗精神病薬	ピラゾロン系誘導体 ペニシリンなど抗菌薬

3）細胞毒性を有する医薬品の取り扱い[18~21]（注射剤 p.435 参照）

細胞毒性を有する抗悪性腫瘍薬を取り扱う場合は専用の調剤器具を用い，調剤時，薬品が外皮部に直接接触しないよう，また粉末を吸入しないよう注意する．

対象となる医薬品として，シクロホスファミド，ブスルファン，メルカプトプリンなどがある．

7-4 調剤薬監査＊＊（検薬）

調剤した薬剤と処方箋を照合し，調剤薬の数を確認した上，次の順序で監査を行う．

調剤室に数人以上の薬剤師がいる薬局では専任の監査係を置く．それ以下の規模の薬局では交代で監査を行う．

小病院診療所，開業薬局などでは調剤者と監査者が同一人のことが多いが，かならず自己監査を実行する．

＊ 恕限量（じょげんりょう）：人や健康などに悪影響を及ぼさない上限の量．

1）監査の内容

a）処方内容の検討

処方箋点検の項に記した事項全般，配合変化や薬物相互作用，長期投与により副作用を生じるおそれのある医薬品と投薬日数.

b）薬袋・薬札の選択と記入事項

c）処方箋と調剤薬の照合

見誤りやすい医薬品名，多種類の含量のある医薬品，外観や包装の類似した医薬品.

d）秤量又は個数の確認

秤量g数又はmL数，個数総量，単位の取り違え，包装単位の違い.

散剤，液剤，軟膏剤など，混合されたものについては，肉眼による監査が困難である．調剤者が調剤した医薬品名や秤取量を処方箋に記載すること，調剤薬の全量又は1包を秤量することなどで，ある程度監査が可能である.

薬袋や分包紙の重量はバラツキが少なく，薬袋では $n = 100$ で $X = 3.35$ g，$\bar{R} = 0.13$ g，$\delta = 0.05$ g で，秤量誤差より十分に小さな値でばらついている．すなわち調剤薬を薬袋のまま秤量して，薬袋の最大重量差200 mg，それぞれの医薬品の最大秤量誤差を100 mgとし，なお想定の重量外にある時は，何らかの誤りがあったと推定することができる.

e）調剤薬剤の混合の良否

混合による均一性を検査する.

混合により融点降下を起こす散剤では，監査までの短い時間で湿潤，液化することがある.

f）分割の正確さ

g）包装の完全さ

h）使用時必要とする器具や用法指示紙，患者用注意文書の添付の有無

2）監査の方法

a）錠剤，カプセル剤，予包剤

形状，色，識別コード，シートに印刷の製品名，記号.

b）散　剤

外観，かさ，重量，色，におい，付着性，飛散性，逃飛性など.

c）内用液剤，外用液剤

液の色，液量，にごり，沈殿，異物の混入，栓の完全さ.

d）軟膏剤

自家製剤，小分け品では，色，におい，重量，容器の種類．市販品ではラベルより確認，基剤の種類に注意.

＊＊ 鑑（監）査は誤りなきを期する手段であって，絶対に正確なりとの証に非ず．その意味を知って事に当たるべきである（酒井甲太郎）

7-5 薬剤交付，服薬指導（情報の提供）

外来患者に薬剤を交付する窓口は，薬剤師が患者に直接接触する唯一の場所である．したがって調剤薬の交付には薬剤師自らがあたる．

1. 監査を行った調剤薬と処方箋をとりそろえる．
2. マイクロフォンによるコール，番号表示器による表示，又は両者の併用．
3. 患者の氏名，引換券の番号を確認の上，薬袋・薬札記入の氏名，番号と照合した後，交付する．
4. 薬剤の服用法，使用法につき，的確な指示を与え，服薬に際しての指導を行う．保存法について説明する．
5. 必要に応じ，他に薬をのんでいるかどうかを確かめ，予測される影響について説明する．長期連用により副作用が発現するおそれがある医薬品は，必要に応じて患者に対する問いかけと処方医への連絡を行う．
6. 経口糖尿病用薬などは，患者用注意文書を添付し，用法を厳格に守ってもらう（p.338）．服薬指導の詳細は，第12章を参照のこと（p.345）．

7-6 調剤終了後に行う業務

1）処方箋の整理

1. 調剤済みの処方箋は，診療科別（病院），病院診療所別・保険種別（保険薬局）に分類し，整理する．
2. 処方箋は毎日処方枚数，処方件数（調剤数），調剤剤数（調剤日数）の業務統計を作成する．
3. 整理した処方箋は，一定の場所に1ヵ月分ずつまとめて格納する．1ヵ月前までの分は，いつでも取り出せる所に置き，前回処方の照合や調剤薬の問い合わせ時の調査などに用いる．

2）残置薬の取り扱い[22]

1. 残置薬はいつでも患者に渡せるよう，処方箋とともに保管，格納しておく．冷所保存のものは冷蔵庫内に保管する．
2. 2日経って取りに来なかったら処方医に連絡する．その上で必要ならば患者に連絡する．
3. 残置期間は投薬日数を標準とする．それを過ぎたら廃棄する．その際，廃棄記録を残しておく．

3）処方箋の保存 と 調剤録

処方箋は薬剤師がそれによって調剤を行った証拠であり，調剤がいかなる方法によって行われたかを示す唯一の資料である．

処方箋には調剤番号，調剤量，添加物の種類と量，調剤の順序と方法，調剤及び監査した薬剤師の氏名などを記入して後日の参考に供する.

調剤済みの処方箋は調剤した日から3年間保存しなければならない（薬剤師法第27条）. 処方箋に指定された交付日数を分割して調剤したり, 処方箋を反復調剤した場合は最後に調剤した日から3年間保存する（薬発第94号　昭31.3.13）.

保険処方箋も調剤が完結した日から3年間保存しなければならない（保険薬局及び保険薬剤師療養担当規則第6条）.

麻薬処方箋の保存は法規上別に規定はないが, 一般処方箋と区別して整理保存する. 麻薬処方箋も3年間保存する.

保存期間を経過した処方箋は, 患者の秘密を守る意味からも, 焼却などの処置を講じることが望ましい.

薬局開設者は調剤録を備え, 処方箋によって調剤した時全量投与が終わらない場合は, 調剤録に患者の氏名及び年齢, 薬名及び分量, 調剤年月日, 調剤量, 調剤した薬剤師の氏名, 処方箋の発行年月日, 医師の氏名, 住所又は勤務場所などを記入し, 最終の記入の日から3年間保存しなければならない.

調剤済みとなった時は処方箋を保存する義務が生じるが, その処方箋には規定の必要な事項が記入してあるので, この時は重ねて調剤録に記入する必要はない（薬剤師法第28条, 同施行規則第16条）.

保険調剤では, 保険薬局及び保険薬剤師療養担当規則によって調剤録の作成が定められている. しかし保険調剤録も調剤済みの処方箋に規定の必要な事項を記入したもので代えることができる（保険薬局の調剤録の取扱い. 保険発第57号　昭36.6.14）.

7-7 錠剤の鑑別

患者に投与した医薬品, 患者が他の医療機関で交付された医薬品の確認に際し, 錠剤やカプセル剤などの鑑別を必要とすることが多い.

数万種類に及ぶ錠剤やカプセル剤を, 色, 大きさ, 形状だけで区別することは不可能である. そこで錠剤, カプセル剤などに識別コード identification code や, 医薬品名を刻印又は印刷することが行われている.

「識別コード」とは, 医薬品の各種製剤にそれぞれ固有のコード番号を定め, それを錠剤, カプセル剤などに表示し, 当該製品の鑑別を便ならしめるシステムであり, 会社コードと製品コードからなる[23,24].

会社コードには会社名をアルファベット2文字で表した略号又は社章が, 製品コードには通常3桁の数字が用いられている（図11-14）. 市販の成書から会社コードと製品コードを検索し, 容易に製品名を知ることができる[25,26].

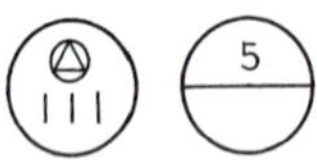
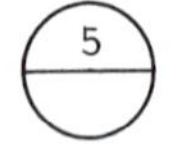

セルシン錠5 mg（武田薬品）
（ジアゼパム）

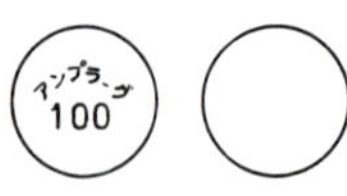

アンプラーグ錠100mg（田辺三菱製薬）
（サルポグレラート塩酸塩）

図 11-14. 識別コード

8 医薬品による事故，過誤と対策*

8-1 医薬品による事故

フェイルセーフ fail safe の概念の導入が必要である[27,28]．フェイルセーフとは「人間は誤りを犯す存在である．To Error is Human」．このことを前提に人為的ミスがあっても安全が確保されるよう幾重にも安全の網を巡らす安全性工学の仕組みで，ハイテク航空機や列車自動制御装置などを生み出した．

医薬品を専門的に取り扱う薬剤師は，事故や過誤の原因がどこにあるかを一番よく知っている．医師，看護師らの協力を含めた薬剤事故や過誤の対策立案の中心とならねばならない．

本項では実例を通して事故が発生する背景を学ぶとともに，事故防止対策を考える．

8-2 誤りに関する用語の定義[29]

医療事故に関する論議の中で，従来使用されていた用語のほかに「アクシデント」，「インシデント」，「ヒヤリハット」，「ニアミス」等さまざまな用語が使用されている．「過誤」という用語には裁判上での「過失」の有無で使い分けが行われるなど，これらの用語は使用される分野や時間的側面あるいは被害の度合によってさまざまな定義がある．

本書においては，薬剤師が犯す誤りを以下のように分類する．

1．調剤エラー：薬剤師が犯した誤りであるが，自己監査や監査部門で修正され，結果として薬剤師の範囲で誤りが発見された場合をいう．
2．調剤過誤：調剤エラーを薬剤師の範囲で発見できずに，他部門や患者に誤った医薬品等が交付された場合をいう．
3．調剤事故：調剤過誤が発見されずに，実際に患者が服用あるいは使用してしまった場合をいう．

調剤事故を患者への被害の度合で定義する例もみられるが，医薬品の場合，催奇形性等，

＊ 処方は見るな．処方を読め（石橋丸應）
一匙三礼の調剤（小山鷹二）．「一刀三礼」仏像彫刻の際一刀ごとに三度礼拝して自己の心魂を仏像に打ち込む．調剤の一挙一動においても全知全能を結集し，不注意による過誤を防ぎたい．

服用（使用）と結果の発生が時間的に密着していない場合も存在すること，あるいは，同一の誤りであっても，患者の状態によって，患者に及ぼす影響が異なることから，発生時期で判断が可能なように前記の定義とした．

厚生労働省の医療安全対策検討会議は，医療事故に関する用語を次のように整理している．

アクシデント：医療事故に相当する用語．「事故」を用いる．

インシデント：誤った医療行為が実施の前に発見，あるいは実施されたが，結果として患者に影響を及ぼさなかったもの．「ヒヤリハット」を用いる．

8-3 医薬品関連事故等の実例 と 防止策[30, 31]

1）オーダリングシステムによる医薬品誤選択

オーダリングシステムで医薬品を選択する際に，画面に表示された医薬品名のリストで誤った医薬品を選択してしまう例がみられる（表 11-8）．

表 11-8．オーダリングシステムで医薬品の選択誤りがあった例

アルサルミン	消化性潰瘍治療薬	⟷	アルケラン	抗多発性骨髄腫薬
サクシゾン	副腎皮質ステロイド	⟷	サクシン*	筋弛緩薬
セレナール	抗不安薬	⟷	セレネース	抗精神病薬
タキソール	抗悪性腫瘍薬	⟷	タキソテール	抗悪性腫瘍薬
ノルバスク	カルシウム拮抗薬	⟷	ノルバデックス	抗乳がん薬
マイスリー	睡眠導入薬	⟷	マイスタン	抗てんかん薬

* スキサメトニウムに名称変更となった．

オーダリングシステムで発行された処方箋に誤りがないという思い込みは危険である．入力に使用する文字数と医薬品名の特定に関しては，先頭 2 文字の場合で約 11%，3 文字で 67%，4 文字で 91%という報告がある[32]．頭文字が 3 字以上同一であると，それを信用してしまい，かえって過誤を生じやすいことが指摘されている．利便性と安全性のバランスを考慮する必要がある．最近では，患者に大きく影響を及ぼす医薬品を選択する場合には，医薬品名のほかに薬効等も表示して，本当に当該医薬品を選択したのかを確認する画面を用意しているシステムも普及しつつある[33]．

2）類似名称に起因する誤り

以前から指摘があるように，医薬品の名称（商品名，一般名）の類似性が関係したと思われる誤りも多数見受けられる（表 11-9）．類似性については視覚的類似性（look-alike）と聴覚的類似性（sound-alike）がある．わが国においては処方箋に記載される医薬品名には表音文字であるカタカナであることが多いので，海外に比べて両者の差はあまりない．

表 11-9. 医薬品のスペル，名称の類似が関係していると思われる調剤エラー例

商品名	アルマール*	高血圧治療薬	⟷	アマリール	経口血糖降下薬
	ウテメリン	切迫流・早産治療薬	⟷	メテナリン**	子宮収縮止血薬
	ウルグート	消化性潰瘍治療薬	⟷	カルグート	心機能改善薬
	シプロキサン	抗菌薬	⟷	ジプレキサ	抗精神病薬
	テオドール	気管支拡張薬	⟷	テグレトール	てんかん治療薬
	プレドニン	副腎皮質ステロイド	⟷	プルゼニド	便秘治療薬
一般名	エチゾラム	精神安定薬	⟷	エスタゾラム	睡眠導入薬
	一硝酸イソソルビド	狭心症治療薬	⟷	硝酸イソソルビド	狭心症治療薬
	セフカペンピボキシル塩酸塩	セフェム系抗菌薬	⟷	セフジトレンピボキシル	セフェム系抗菌薬
	フルバスタチン	高脂血症治療薬	⟷	プラバスタチン Na	高脂血症治療薬

* アロチノロールに名称変更となった.
** メチルエルゴメトリンに名称変更となった.

名称の類似性については，類似性の判断が主観的であるため，実際に起きた例の中で，多くの施設において発生していること等を根拠にせざるを得ない．最近わが国で，医薬品の名称の類似性について客観的指標を利用して判定するシステムが開発されたことから[34]，新規の医薬品名についてこのシステムを利用して，発売前に対策がとられることが期待されている．

また調剤にあたり類似性があると思われる場合には，調剤棚に注意マークを付したり，処方箋の薬品名にマークを付けるなど，注意喚起で防止するのが原則である（p.264）．

新規に医薬品を採用する場合には，名称類似の面からも検討することが必要である．

3）分量の記載方法に起因する誤り

散剤や内用液剤では処方箋に記載された量が，原薬量なのか製剤量なのかの解釈の違いにより，10 倍の差が出てしまい，事故につながっているケースがある．表 11-10 に問題となった事例の医薬品名と規格を示す．

表 11-10. 散剤において注意が必要な医薬品とその規格

アレビアチン細粒*	テオドール顆粒 20%
アレビアチン散 10%	テグレトール細粒 50%
ジゴシン散 0.1%	

* 販売中止となった医薬品.

調剤室に 1 つの規格のみを置くようにすることも大切である．

4）同一商標に起因する誤り

調剤エラーの多くは，同一商標での規格違いや記号違いあるいは剤形違いである．徐放性製剤では末尾に記号を付したものが多い．特に輸液では，同一商標で記号が異なる種類が多いこと，あるいは外観が類似していることに起因する誤りが多い．

2000年（平成12年）の通知（平成12.9.19. 医薬発第935号）により，今後新たに販売の医薬品は，当該販売名の一部を除いた場合に他の医薬品と同一になるような名称は認められないことになった．

製造指針上では販売名は原則として，ブランド名，剤形，規格の3要素を含むようにすることが定められ，かつ，既存の医薬品の販売名についても，従来に比べ簡略な手続きで3要素を含むように販売名の変更を行えることができるようになったことから，既発売品の多くの販売名がこの形になるように改められた．

同一商標の場合のエラーを防止するためには，調剤棚での表示の工夫のほか，処方箋にマーカーで注意喚起を行う等の方策が有効である．

5）外観の類似性に起因する誤り

医薬品に関する看護師のエラーは，とくに注射剤の場合に外観の類似性に起因するとの指摘が多い．1 mLの注射剤は，そのラベルの面積の少なさも相俟って，外観の類似性は高まってしまう傾向がある．また販売会社の変更等により，ラベルのデザイン変更が行われたため，今度は別の薬剤と外観が類似してしまった例もある．

日本病院薬剤師会では2000年（平成12年）に外観の類似性に関する注意を促す小冊子を作成し，その後厚生労働省によりすべての病院に配布された．

名称同様，外観の類似性も主観的判断であるため，現在，日本人間工学会等と協力して類似性の研究が開始されている．また注射剤を中心とした画像データベースの開発も行われており，外観の類似性を検討するための基盤整備が行われている．

6）充てんエラー

散剤において調剤用の瓶に充てんを行う場合に，別の医薬品を充てんしてしまった例が報告されている．充てんエラーの特徴は，被害を受ける患者が多数発生することである．充てんエラーを防止するためには，散剤監査システムの利用や，複数人による確認等があるが，そもそも充てんを行わなくてもよいように，小包装のものを購入することが有効な対策である．

日本病院薬剤師会では，ヒヤリハット報告の実例から，処方点検や調剤時，病棟への供給時に注意を要する医薬品として，本項1）2）に記したもののほか，「投与量のチェックを厳しく行うべきもの」として，タキソール，タキソテール，インスリン製剤，小児におけるアミノフィリンを，「投与方法についての注意喚起（他の医薬品との供給方法の差別化）を行うべきもの」として，カリウム製剤，リドカイン製剤（とくに点滴用キシロカイン10%，2005年3月販売中止）を挙げている．

8-4 エラー防止の取り組み

医療機関や薬局では，事故に至らなかった事例について，インシデント報告あるいはヒヤリハット報告という形で情報収集を行って，日常業務に活用している．これらは1つの重大事故の背景には29の小さな事故があり，その背景には300の事故に至らない事例があるというハインリッヒの法則が基本となっている．

次項8-5で，すでに公開されている調剤・服薬指導に関するヒヤリハットの事例とそれへの対応策を紹介する．

以前は医療事故に関する情報が医療機関の外に示されることはほとんどなかったが，情報公開の普及とともに，医療機関でもこれらの情報が出されるようになったことは大きな進歩といえる．

一方，医療事故防止の観点から，行政もさまざまな対応をとることとなった．2000年（平成12年）に厚生省医薬安全局（当時）は医薬品・医療用具等関連医療事故防止対策検討会を設置して，事故防止対策に取り組んでいる．また医薬品による医療事故防止のため，医薬品の販売名，表示事項，注入器等の基準を定めている[35]．

販売名 ブランド名に剤形，含量（又は濃度 w/w%，w/v%など）の情報を付する．散剤の濃度表示に「○○倍散」は用いない．

誤用を招きやすい剤形の医薬品

バイアル，アンプル入りの経口剤，外用剤：禁注射の表示．

錠剤，カプセル剤の剤形の外用剤：内袋等に「のまないこと」と記載．

点眼剤に類似の容器の外用剤：直接の容器に「目には入れない」と記載．

PTP シート 和文販売名，英文販売名，規格・含量，識別コード，ケアマーク，注意表示を記載．

輸液ラインに接続できないシリンジ（消毒薬による事故防止），輸液ラインと経腸栄養ラインの誤**接続を防止する製品**の供給．

8-5 ヒヤリハットの事例（本項の処方は製品名を主体に記載）

1）国立病院・療養所

厚生労働省は「国立病院・療養所における医療安全管理のための指針」を作成，その中で調剤に関するヒヤリハット事例集をまとめたのが表 11-11 である．

2）薬剤師間情報交換・研修システム

澤田康文らは，インターネットを活用して，実際に臨床で生じたさまざまな事例（ヒヤリハット事例や，薬剤師がミスの阻止や薬物治療の適正化に貢献した事例など）を全国から収集し，これを解析・解説して教育用臨床事例に加えるとともに，それを再度インターネットから配信するためのシステム（薬剤師間情報交換・研修システム；i-Phiss）を構築し，運用している．

表 11-11．ヒヤリハット事例集（厚生労働省）

ヒヤリハットメモ	エラー発生要因	防止策	事故発生時対応策
・薬が重複して処方されているのに，疑義照会しないで調剤した	・処方せんの確認を怠った	・過量，重複，用量等の確認を励行する	・処方医，患者に連絡する
・薬袋に患者名を間違って記入し，別の患者に渡した ・薬袋に1回1錠と書くところ2錠と書いてしまった	・転記ミスによる誤投薬	・最終監査で処方せんと薬袋を確認する	・処方医，患者に連絡するとともに患者宅に行き交換する
・処方せんの薬品名を読み間違い，別の薬を投薬した ・薬袋から取り出すとき場所を間違え，違う薬を投薬した	・注意不足 ・思いこみによる確認不足	・似たような名前の薬は別の薬棚に移す ・思いこみによる調剤は行わない	・処方医，患者に連絡するとともに患者宅に行き交換する
・倍散を秤量するところ，原末を秤量した ・倍散の換算を間違え，10倍量秤量した	・注意不足 ・思いこみによる確認不足	・計算し秤量した量を処方せんに記載する ・秤量者以外の薬剤師が監査を行う	・処方医，患者に連絡するとともに患者宅に行き交換する
・散剤を分包するとき，42包に分割するところを21包に分割した ・分包誤差があり，患者からクレームを言われた	・注意不足 ・思いこみによる確認不足	・分割紙に分包数を記入する ・少量の薬を分割分包するときは慎重に行う	・処方医，患者に連絡するとともに患者宅に行き交換する
・患者へ渡す薬説明文書を間違えて違う薬のものを入れた	・注意不足 ・思いこみによる確認不足	・説明文書と薬品を確認する	・錠剤棚，カセット全てを調査し別の薬品が混入していないか確認する ・処方医，患者に連絡するとともに患者宅に行き交換する
・調剤しようとしたら，別の薬品が混入していた		・品名・規格を確認し，きちんと元に戻す	
・錠剤分包機のカセットに他の薬剤が混ざっていた	・充填時に十分確認しなかった	・カセットと薬品の確認を2人で行う	
・外用液剤に内服薬のラベルを貼ってしまった		・ラベルを貼付するとき再度確認する	

以下，事例の要旨を記す．薬品名は商品名，（　）内は一般名である．

【事例 1】

ミオコールスプレー 0.3 mg（ニトログリセリン・エアゾール）を調剤してもらった患者.「初めて使う時だけ6〜7回空噴霧すること」を誤解，毎回の使用前に空噴霧してしまった（使用法の説明不十分，患者の理解不十分）.

【事例 2】

カリウム製剤の切り替え時に，K含量でなくカリウム塩の量で換算してしまった（新人薬剤師の誤調剤を監査薬剤師が発見して是正）.

【事例 3】

狭心症の貼り薬を**トクホン**と同じと考えた患者.「**ニトロダーム TTS 25 mg**，全14枚，1日1回1枚を上腕部に貼付」を調剤された70歳女性．**サロンパス**や**トクホン**と同様に考え**ニトロダーム TTS**を体中に貼付．幸い患者の体にとくに異常発生せず（使用法の説明は患者をみて丁寧に）.

【事例 4】

類似の薬品名のため別の薬を削除してしまった処方ミス．80歳男性．平素の処方を以下のように変更．

【処方】

プレタール錠 50 mg*	1回2錠（1日4錠）	1日2回	朝夕食後
プロスタール錠 25 mg	1回1錠（1日2錠）	1日2回	朝夕食後
バファリン配合錠A 81 mg	1回1錠（1日1錠）	1日1回	朝食後
エパデールカプセル 300 mg	1回1カプセル（1日3カプセル）	1日3回	朝昼夕食後
ヘルベッサーRカプセル 100 mg	1回1カプセル（1日1カプセル）	1日1回	夕食後
ニューロタン錠 25 mg	1回1錠（1日1錠）	1日1回	起床時
ハルナールカプセル 0.2 mg*	1回1カプセル（1日1カプセル）	1日1回	朝食後
アダラートL錠 10 mg	1回1錠（1日2錠）	1日2回	昼夕食後

* 販売中止となった医薬品．

↓

【処方】

プレタール錠 50 mg	1回2錠（1日4錠）	1日2回	朝夕食後
ヘルベッサーRカプセル 100 mg	1回1カプセル（1日1カプセル）	1日1回	夕食後
ニューロタン錠 25 mg	1回1錠（1日1錠）	1日1回	起床時
ハルナールカプセル 0.2 mg	1回1カプセル（1日1カプセル）	1日1回	朝食後
アダラートL錠 10 mg	1回1錠（1日2錠）	1日2回	昼夕食後

薬局でそのまま調剤したが，「間もなくポリープと目の手術をする」と聞いていたので，処方医に疑義照会したところ，**プレタール**（シロスタゾール；抗血小板薬）を削除すべきところ，**プロスタール**（クロルマジノン酢酸エステル；前立腺肥大症治療薬）を削除してしまったことが判明．患者宅に持参，服用前だったため有害事象は起こらず（医師の誤処方を是正した好例）．

薬剤師は「抗血栓薬は手術前に中止しなければならない」ということは理解していたものの，現実の場に直面した時にその知識を生かせず，即座に適切な対応ができなかった．

【事例 5】

緊急安全性情報への対応が不完全だった薬剤部の例．糖尿病患者に**オイグルコン錠 1.25 mg** のほか，**ジプレキサ錠 10 mg** が処方された．調剤投与直後に**ジプレキサ**（オランザピン）の緊急安全性情報が出て，糖尿病患者への投与禁忌とわかった．直ちに薬歴調査をしなかったため，患者は次回の処方まで同薬を服用した（緊急安全性情報への対応は即時に行うべきである）．

澤田らの厚生労働科学研究では，本システムから得られたヒヤリハット事例22事例を紹介している（表 11-12）[36]．

8-6 調剤過誤，調剤事故発生時の対応

■ 1）医療機関，薬局側の対応

調剤エラーについては，記録を残し，朝礼時等にエラーに関する情報を共有することで防止に役立てる．記録を定期的に解析することにより，調剤棚の配置や表示等，システム面での改善を行うことも必要である．

表 11-12. 平成 17 年度配信ヒヤリハット事例題名一覧[36)]

	題　名
1	誤った指導で，セレベントディスカスのマウスピースに穴をあけてしまった
2	プレタール服用患者へのグレープフルーツジュース飲用の注意は喚起すべきか？
3	麻薬処方せんの記載項目のチェックが不十分だった薬局
4	他人の薬情を誤交付され，自分の処方情報が他人に知られるのではと危惧した患者
5	高熱時頓服指示でアルビナ坐剤*が処方されても疑問に思わなかった薬剤師
6	サリグレンの副作用確認をせず，その治療のための耳鼻科受診が悔やまれた薬剤師
7	レンドルミンを口腔内崩壊錠と同じように口中でとかして服用
8	クラリスをリーマスと別物調剤！　一体，なぜ？
9	ハルナールD錠の古い指導せんには注意！　過量服用になる可能性あり！
10	いつもの呼吸器系専門医からのスピロペントの処方を喘息治療目的（実は尿失禁治療目的）と思いこんで誤服薬指導
11	剤型変更されたタケプロンの服薬ノンコンプライアンスの原因となった夫婦仲と一包化包装
12	ワルファリン錠の製造販売会社によって錠剤の色が相違して薬剤師が混乱！
13	一包化指示の記載漏れに気づかず交付して服薬ノンコンプライアンス
14	包装の問題！　PTP1 シートが 10 カプセル（錠）とは限らない
15	病院も薬局も同姓同名の患者取り違えに気づかず，そのまま薬を交付してしまった
16	PTP の色が似ているディオバン錠とアクトス錠を混乱してアクトス錠を倍量服用してしまった
17	振ってはならないナイスピー点鼻液を振ったためトラブル
18	一包化と PTP シート調剤が混在したため重複服用してしまった患者
19	リウマトレックス PTP シートへの「一週間分」の表示追加で，かえって混乱する場合がある
20	スピリーバカプセルをアルミシートから取り出し損ねた患者
21	制吐剤の説明ミスで起こった服薬ノンコンプライアンス
22	ラベル色が類似している 2 種のインスリン製剤をひとつの外箱に入れて交付してしまった

* 販売中止となった医薬品.

調剤過誤，あるいは調剤事故が発生した場合には，即座に対応ができるよう，あらかじめ手順書を作成しておく．誤りに自ら気がついた場合と相手側から指摘を受けた場合とでは対応が異なってくる．

調剤過誤の場合には，早急に正しい医薬品との取り替えを行うとともに，再発防止のための対策を立てることが必要である．調剤事故の場合には，まず患者への影響を最小限にするための対応をとる．外来患者の場合には早期に医療機関を受診できるような体制をとり，部門間の連絡をとることができるように予め手順を定め，手順に従った行動をとる．このような場合現場のみで対応を考えるのでなく，上司との連絡を密にした上で，指示に従った行動をとるようにする．

2）患者からの問い合わせへの対応

患者からの連絡で調剤過誤あるいは調剤事故が明らかになった場合には，連絡方法等さまざまな面で慎重に行動をする必要がある．

患者からの電話連絡があった場合には以下のように対処する．

1．問い合わせの内容を正確に把握する．
2．患者の氏名，受診診療科，薬剤交付日等を確認する．
3．患者の電話番号を聞き，こちらから電話をかけ直す旨を伝える．
4．処方箋等必要なものをそろえる．患者の背景を知る情報の１つとして健康保険関係の情報も有用な場合がある．過誤あるいは事故の内容を推測し，起こりうる事態について基本的心構えを整える．
5．患者へ電話をかける（調剤主任等の責任者が電話をすることが望ましい）．
6．問い合わせ内容を再確認する．
7．処方箋と問い合わせ内容を照合し，事実の確定を行う．
8．対策を話し合う．緊急を要する場合には，主治医の判断を仰ぐ．
9．対策を実施する．

調剤過誤や調剤事故が起こった場合には発生直後の対応がきわめて重要である．初期の対応を誤ると，後での解決を困難にすることがある．言葉遣いにも十分注意する．本当の意味での事故は，調剤事故発生後の対応を誤る，つまり二重に誤りが重なった場合であるといってもよい．

調剤過誤や調剤事故が発生した場合には，次回来院時の対応が重要である．主治医から，次回診察時に調剤事故等が生じたことに対する言葉を受けるか否かは，患者の医療機関に対する信頼感に大きな影響を及ぼす．また薬剤師が，前回の誤りについて謝罪する等，患者に対して必ず声をかけるように注意をすることが大切である．

調剤などにより，患者に障害を与える万一の事故に対し，日本薬剤師会や日本病院薬剤師会では「薬剤師賠償責任保険」の制度を設けている．

MEMO

フラジオマイシン含有点耳液の長期点耳による失聴

53歳の女性患者．上記点耳液を36日間点耳して，失聴．添付文書には非可逆的難聴，長期間連用回避，聴力検査を記載．処方医は一度も患者指導をせず，聴力検査もしていない．提訴により福岡地裁は2,300万円の賠償を命ずる（判例時報 No. 1837，87，2003）．

フラジオマイシンはアミノグリコシド系抗菌薬，配合剤の成分を確認していれば，聴器障害の危険性に気づくはず．疑義照会せず，服薬指導を怠った薬剤師の責任も重い．

8-7 薬剤事故例

薬剤事故例につき，原因と防止策を考えてみる[37].

1．Elaszym（エラスターゼ，脂質代謝異常改善薬）の処方を Euglucon（グリベンクラミド，経口血糖降下薬）と誤記

2．メプチンミニ（プロカテロール塩酸塩水和物，気管支拡張薬）をミケラン（カルテオロール塩酸塩，β遮断薬）と取り違えて調剤

アルマール（アロチノロール塩酸塩，高血圧治療薬）をアマリール（グリメピリド，経口血糖降下薬）と取り違えて調剤

3．装置瓶への充てん間違い事故

ペリアクチン散 1%（シプロヘプタジン塩酸塩水和物）→ セレネース細粒 1%（ハロペリドール）

エリスロシンドライシロップ 10% → セレネース細粒 1%

スルピリン末*100% → フェノバルビタール末

セルテクトドライシロップ*（オキサトミド）→ セレネース細粒 1%

* 販売中止となった医薬品.

1. は処方医，2. は薬剤師の過失である．処方医が錠剤中の含量記載を励行していれば，医師は 1. の処方記載時に誤記に気づいたであろう．また 2. の場合も薬剤師の取り違えは多分起こらなかったのではないかと思われる．3. の装置瓶への充てんミスではいずれも多数の幼児や小児が被害を受けている．入れ違えのミスに気づくのに時間を要するからである．

4．消毒剤の取り違えによる医療事故[38]

注射剤と同型の注射器に準備した消毒剤を，入院中の患者に誤って注射し，死亡・意識不明等の事故が発生．消毒剤に関する教育・指導の不備による知識の不足，取り扱い手順のマニュアルのないことが原因．日本病院薬剤師会は「消毒剤による医療事故防止対策」の指針をまとめ，消毒剤の調製業務を薬剤師が行うこと，看護師との業務連携，着色した注射器や注射針が装着できない注射筒様のもの等専用用具の開発を提言した.

5．フェニトインによる中毒性表皮壊死症で患者死亡

投薬時一般的な注意だけで，副作用を念頭においた具体的な指導を行わなかったとして，医師に説明義務を怠ったという判決（高松高裁）．薬剤過誤ではないが，患者への情報提供が十分でなかったとして，医療側が敗訴した例.

日本医療機能評価機構は医療事故情報収集事業の一環として「医療安全情報」を月 1 回のペースで提供している．共有すべき医療事故情報を，簡潔な文章やイラストでまとめたもの．同機構のホームページにも掲載.

例：インスリン含量の誤認，メトトレキサートの過剰投与など.

文 献

1) 朝長文彌ら：病院薬局の設備基準，薬剤学 **39**(2) 別冊付録 20 1979
2) 日本薬学会編：病院薬局の構造設備と機器 薬事日報社 1981
3) 中尾泰史ら：調剤監査システムの開発と応用（第1報）マイクロコンピューターによる散剤調剤監査システム，病院薬学 **9**(6) 463 1983
4) 朝長文彌：病院薬局の環境衛生のあり方，病院薬学 **7**(1) 59 1981. **8**(1) 5 1982. **9**(2) 79 1983. 病院の照度基準，JIS Z9110
5) MRSA とその予防・対応の実際，薬事臨時増刊号 **34**(11) 2293 1993
6) 酒井有子ら：大学病院における処方（外来）オーダエントリシステムの現状およびシステム利用医師側からの評価，病院薬学 **24**(4) 409～415 1998
7) 折井孝男ら：処方オーダリングシステムとは？ 最新医療薬学Ⅱ 13～19 伊賀立二，乾 賢一，澤田康文編 南山堂 1999
8) 相良悦郎：コンピューター・システム利用者のモラルとセキュリティーに関する最近の話題，薬事 **29**(9) 1863 1987
9) 堀岡正義：これからの調剤に何が求められるか，薬事 **26**(9) 1947 1984
10) Nakai A et al.: Biol Pharm Bull **19**(9) 1231 1996
11) 厚生労働省・生活衛生局：医薬品・医療機器安全性情報，No.364 2019
12) 院外処方せん発行に伴う疑義照会の徹底等について，日薬業発第 137 号 平 12.9.20
13) 鹿村恵明ら：公益社団法人日本薬剤師会委託事業「平成 27 年度全国薬局疑義照会調査報告書」 2016
14) 清水秀行ら：患者への医薬品情報提供の適正化（1）薬袋に記載する服薬情報を絵文字化することの有用性，病院薬学 **21**(2) 147 1995
15) 杉原正泰ら：調剤におけるコンタミネーション防止とその対策，病院薬学 **13**(2) 74 1987. **14**(2) 1988
16) 笛木隆三：薬局アレルギー，ファルマシア **7**(5) 364 1971
17) 藤野徳太郎ら：調剤室への集じん機設置とその成績について，病院薬学 **1**(1) 43 1976
18) Macek C : Hospital personnel who handle anticancer drugs may face risks. J Am Med Assoc **247**(1) 11 1982（薬事日報 No. 6357 1987.5.8）
19) The Society of Hospital Pharmacists of Australia's Speciality Practice Committee on Parenteral Services : Guidelines for safe handling of cytotoxic drugs in pharmacy departments and hospital wards. Hosp Pharm **16** 17 1981
20) 幸保文治ら：抗悪性腫瘍剤の院内取扱い指針作成，病院薬学 **16**(4) S-1 1990
21) 日本病院薬剤師会薬剤業務委員会：細胞毒性（変異原性）医薬品の取扱いマニュアル，JJSHP **31**(10) 1223 1995
22) 渋谷文則，坂口真弓：外来患者が調剤済み薬剤を残置する理由，病院薬学 **2**(1) 38 1976
23) 堀岡正義ら：錠剤，カプセル剤の識別コードの検討，薬剤学 **32**(1) 別冊付録 3 1972. **33**(1) 別冊付録 8 1973. **34**(1) 別冊付録 8 1974
24) 中林達郎：錠剤・カプセル剤のコード化問題について，日薬誌 **24**(9) 21 1972
25) 日本医薬情報センター編：医療薬日本医薬品集 じほう
26) 医薬情報研究所：医療用医薬品識別ハンドブック じほう
27) 特集：ヒューマンエラーとその対応，薬事 **41**(11) 2247 1999
28) 医学ジャーナリスト協会訳：人は誰でも間違える（To Err is Human） 日本評論社 2000
29) 日本薬剤師会：薬局・薬剤師のための調剤事故防止マニュアル，日薬誌 **53**(4) 付録 2001. 調剤事故防止の徹底について，日薬誌 **54**(1) 13 2002. 調剤事故発生時の対応マニュアル，新任薬剤師のための調剤事故防止テキスト 2005
30) 日本病院薬剤師会リスクマネージメント特別委員会：医薬品の事故ゼロにむけて，薬事 **45**(3) 臨時増刊号 2003
31) 取り違えることによるリスクの高い医薬品に関する安全対策について，医薬品・医療用具等安全性情報（厚生労働省医薬食品局）No. 202 2004.6
32) 土屋文人：医薬品関連医療事故防止のために．調剤と情報 **7**(2) 229 2001

33) 古川裕之ら：医薬品に関連したリスクマネジメント戦略における処方オーダリングシステムの可能性についての分析．医療情報学 **21**(1) 69 2001
34) 土屋文人ら：医薬品名の標準化と類似性の検討，医療情報学 **21**(1) 59 2001
35) 注射筒型医薬品注入器の基準等 医薬発第888号 平12.8.31．医薬審第1049号 医薬安第107号 平12.9.8．医療事故を防止するための医薬品の表示事項および販売名の取扱いについて 医薬発第935号 平12.9.19．医薬品・医療用具等安全性情報，No.163 18 平12.11
36) 澤田康文ら：厚生労働科学研究（医薬品医療機器等レギュラトリーサイエンス総合研究事業）「臨床事例を活用した実践的薬学教育研究システムの確立とその評価」報告書．2006.8.
37) 三輪亮寿：調剤の法律的諸問題，昭和62年度病診薬剤師研修会テキスト 調剤技術をめぐる諸問題 1987
38) 日本病院薬剤師会：消毒剤による医療事故防止対策について．日病薬誌 **35**(6) 1999

明治末期の病院薬局調剤室

明治時代末期の九州大学病院薬局調剤室．壁に毒劇薬の極量表が掲げられている．
右手前のラジエーターの後ろは酒井甲太郎薬局長である．

DOKAMA 散剤分包機（ドイツ製．1920 年頃輸入，九州大学病院薬剤部所蔵）

大正の末期にドイツから輸入した分包機．東大，九大，熊本大などが購入したというが，現存するのは 1920 年頃輸入の九大病院薬剤部の物のみ．

散薬を桝目で量り，成型した紙ロールに充てんし，加熱したロールで周囲を熱接着する．手廻しであるが，アイディアに優れた精巧な機械である．1960 年（昭和 35 年）頃発売の A 社の散剤分包機はこのイミテーションといわれている．

12 薬歴管理，服薬指導 ～患者への情報提供

薬歴管理

1　薬歴の作成と患者接遇

1-1　薬歴とは

薬歴 patient medication record とは，個々の患者の薬物治療に関する情報，患者情報を時系列に記録したもので，薬剤師が調剤における安全性と有効性を確保し，医師と薬剤師が薬物療法に関して情報交換を行う基盤となるものである．

薬歴の作成は，医師の処方意図，患者情報の的確な把握により，服薬指導のみでなく，処方点検，投与薬剤全般の薬学的管理を行い，より良質な薬物療法を提供することに貢献する．

調剤報酬では 1986 年（昭和 61 年）に薬剤服用歴管理指導料，1988 年（昭和 63 年）に入院調剤技術基本料（現在 薬剤管理指導料）として点数化された（p.307，p.314）．

1-2　患者との接遇

病院を受診する患者は健康に不安を抱えており，精神的にも落ち込んでいることが多く，医療にその解決を期待している．

患者が望む医療スタッフとは，医療の知識や技術の専門性が高く，患者に対して共感と理解を示す人である．患者の訴えを真剣に聞き，患者のニーズを読みとろうとする努力を示すことによって，医療スタッフと患者の良好な関係が生まれる．医療スタッフは，患者を病気の状態にある「人間」と捉えることである．

患者と接する基本的マナーとして，接客接遇面と医療人としての倫理の両面から良識ある対応が求められる．接客接遇面からは，清潔な服装，丁寧な言葉遣い，誠実で不快感を与えない態度が求められる．患者とのコミュニケーション技術として，ガイダンス（一般的な薬の説明をする），コンサルテーション（個々の患者に合わせた薬の服用方法を指導する），カウンセリング（患者自身も気づかずに抱えている問題を探しだして専門的に解決する）がある．

一方，医療人としては，職業上知り得た患者の守秘義務はもとより，診療の妨げとなるような言動は慎み，薬の専門職として十分な知識を備えた上で適切な情報提供を行い，患者を説得するのではなく自主的な納得を得るよう心掛けることが大切である．

患者への応対に際し，外来患者と入院患者の特徴を認識しておく必要がある．

2004年（平成16年）3月，日本薬剤師会は「薬局・薬剤師のための接遇マニュアル—国民・患者からの意見を踏まえて」を作成した．薬局業務や薬剤師の対応などに関する国民・患者からの意見や苦情を踏まえて，日常業務の改善や患者サービスを一層推進するため，患者接遇の基本姿勢や患者からの苦情の対応ポイントをまとめている．

願わくは，**よい薬剤師である前に，患者やその家族に優しい心をもったよい人間であってほしい**．それが医療人としての薬剤師の倫理ではなかろうか．

1-3 患者面談（接遇）の一般的注意事項

① 患者面談を始める場合には，処方箋を持参した患者又はその代理人に，薬剤服用歴管理指導の趣旨を分かりやすく説明し，理解を得ることが必要である．

② 患者情報の収集の前提として，個々の医薬品の情報と，それに基づく対応や処理の仕方を継続的に学習，研修しておく必要がある．

③ 患者面談の成否は，薬剤師が患者のバックグラウンドをどれだけ理解し，患者がどれだけ薬剤師を信頼するかにかかっている．患者の個性，使用薬剤，病態などを考慮しながら，患者の立場に立った言葉遣いや表現方法をとり，また患者が安心する態度で，思いやりをもって，上手にポイントを押さえ，重要なキーワードを聞き返すなどの姿勢で対応する．

④ 患者情報の収集のためのインタビューは，これからいかにも「インタビューします」と，身構えて行うものではない．患者が不安を抱くことのないように，さりげなく自然な会話を通して行う方がよい．

⑤ 処方箋応需業務は，患者との関係だけでなく，医師はじめ医療関係者との信頼関係が大切である．会話の中で，治療目的の妨げとなるような発言は厳に慎まなければならない．

⑥ 処方箋中の薬剤について，医師が患者に説明していないと思われるところがあった時，それは医師が治療上必要があって伝えていないことも考慮し，慎重に対処すべきである．

⑦ 患者から得られた情報の中には，まだ医師に話していないと思われる重要な情報や，患者の思い違いや理解不足からくる間違った情報もあると認識しておくべきである．処方医に機を逸せず連絡をとったり，患者の家族などから得られた情報とも併せて総合的に判断し

て，行動（服薬指導や会話など）することが肝要である．

⑧ 薬剤師が患者から得た情報は，プライバシー保護の対象となる．取り扱いには十分に注意する必要がある*．

⑨ 地域の薬局群がセンターを設け，組織的に薬剤服用歴の管理を行い，個々の保険薬局では不足しがちな患者情報（他科受診など）を補完することも，基準薬局を中心とした面分業下では必要なことである．

1-4 病棟業務へのアプローチ

病院における入院患者に対する薬歴管理には，院内関係者の理解と連携が必要である．実施にあたり，次の点に留意する．

① 薬剤師自身が業務内容を十分に理解し，積極的な姿勢をとる．

② 病棟において業務を行う際には，病棟の都合のよい時間帯に合わせる．

③ 担当者の勤務交代による中断がないようにする．

④ 医師の治療方針，薬の使用目的，患者の背景を把握し，患者との対話，服薬指導などを通じて情報を得る．

⑤ 医師の回診への同行やカンファレンスに参加するなど，積極的な姿勢をとる．

⑥ 患者のプライバシー保護には十分留意する．

⑦ 病棟専任・専従薬剤師や医療スタッフとの連携を図る．

薬剤師の病棟業務の実際は p.313 を参照のこと．

2 薬剤服用歴

2-1 調剤報酬の薬学管理料

表 12-1 は 2020 年（令和 2 年）4 月改定の調剤報酬の薬学管理料をまとめたものである．

薬剤服用歴管理指導については，厚生労働省通知により記載事項が定められている．

ア．氏名・生年月日・性別・被保険者証の記号番号・住所・必要に応じて緊急時の連絡先等の患者についての記録　イ．処方した医療機関名及び保険医氏名・処方日・処方内容等の処方についての記録　ウ．調剤日・処方内容に関する照会の要点等の調剤についての記録　エ．患者の体質・アレルギー歴・副作用歴等の患者についての情報の記録　オ．患者又はその家族等からの相談事項の要点　カ．服薬状況　キ．残薬の状況の確認　ク．患者の服薬中の体調の変化　ケ．併用薬等（要指導医薬品，一般用医

＊ 刑法第 134 条（秘密の漏示）　医師，薬剤師，医薬品販売業者，助産師，弁護士，弁護人，公証人又はこれらの職にあった者が，正当な理由がないのに，その業務上取り扱ったことについて知り得た人の秘密を漏らしたときは，6 月以下の懲役又は 10 万円以下の罰金に処する．

表 12-1. 令和 2 年度調剤報酬点数表改定の薬学管理料の内容

項 目	点 数	要 件
薬剤服用歴管理指導料 ①6ヵ月以内に再来局かつ手帳による情報提供あり ②①又は③以外 ③特別養護老人ホーム入所者 ④情報通信機器を使用*	処方箋受付 1 回につき （調剤基本料 1 の場合のみ適用） 43 点 57 点 43 点 43 点	在宅患者訪問薬剤管理指導料を算定している患者については，患者の薬学的管理指導計画に係る疾病と別の疾病又は負傷に係る臨時の投薬が行われた場合を除き，算定しない．④月 1 回に限り算定
麻薬管理指導加算	22 点	
重複投薬・相互作用等防止加算	残薬以外/残薬の場合 40 点/30 点	
特定薬剤管理指導加算 1	特に安全管理が必要な医薬品 10 点	
特定薬剤管理指導加算 2	抗悪性腫瘍剤の注射かつ悪性腫瘍の治療に係る調剤 100 点	月 1 回に限り算定
乳幼児（6 歳未満）服薬指導加算	12 点	
吸入薬指導加算	30 点	3 月に 1 回まで
調剤後薬剤管理指導加算	地域支援体制加算に係る届出薬局に限定 30 点	月 1 回に限り算定
薬剤服用歴管理指導料（特例）*	13 点	3ヵ月以内の再来局患者のうち手帳の活用実績 50% 以下
かかりつけ薬剤師指導料	処方箋受付 1 回につき 76 点	患者が選択したかかりつけ薬剤師が患者の同意を得た上で，同意を得た後の次の来局時以降に算定できる．かかりつけ薬剤師以外の薬剤師が指導等を行った場合は算定できない
麻薬管理指導加算	22 点	
重複投薬・相互作用等防止加算	残薬以外/残薬の場合 40 点/30 点	
特定薬剤管理指導加算 1	特に安全管理が必要な医薬品 10 点	
特定薬剤管理指導加算 2	抗悪性腫瘍剤の注射かつ悪性腫瘍の治療に係る調剤 100 点	月 1 回に限り算定
乳幼児（6 歳未満）服薬指導加算	12 点	
かかりつけ薬剤師包括管理料	処方箋受付 1 回につき 291 点	薬剤服用歴管理指導料又はかかりつけ薬剤指導料を算定している患者については，算定しない
服用薬剤調整支援料 1	内服薬 6 種類以上において 2 種類以上減少 125 点	月 1 回に限り算定
服用薬剤調整支援料 2	内服薬 6 種類以上において処方医への重複薬等の解消提案 100 点	3 月に 1 回まで算定可
服薬情報等提供料 1	保険医療機関からの求めの場合 30 点	月 1 回に限り算定．かかりつけ薬剤師指導料，かかりつけ薬剤師包括管理料又は在宅患者訪問薬剤管理指導料を算定している患者については，算定しない
服薬情報等提供料 2	患者・家族等からの求めの場合又は薬剤師が必要性を認めた場合 20 点	
外来服薬支援料	患者の服薬管理を支援した場合 185 点	月 1 回に限り算定．薬剤服用歴管理指導料又はかかりつけ薬剤指導料を算定している患者については，算定しない

（つづく）

項　目	点　数	要　件
在宅患者訪問薬剤管理指導料 ①単一建物患者 1 人 ②単一建物患者 2〜9 人 ③単一建物患者 10 人以上	 650 点 320 点 290 点	患者 1 人につき月 4 回（末期の悪性腫瘍の患者及び中心静脈栄養法の対象患者の場合は週 2 回かつ月 8 回）に限り算定．①〜③を合わせて保険薬剤師 1 人につき週 40 回に限り算定
在宅患者オンライン服薬指導料*	57 点	在宅患者訪問薬剤管理指導料を月 1 回算定の患者に月 1 回に限り算定．保険薬剤師 1 人につき週 10 回まで
麻薬管理指導加算	100 点	
乳幼児（6 歳未満）服薬指導加算	100 点	
在宅患者緊急訪問薬剤管理指導料	①訪問薬剤管理指導とは別に，緊急に患者宅を訪問した場合 500 点 ②①以外 200 点	月 4 回に限り算定 ①と②を合わせて月 4 回まで算定可
麻薬管理指導加算	100 点	
乳幼児（6 歳未満）服薬指導加算	100 点	
在宅患者緊急時等共同指導料	700 点	月 2 回に限り算定
麻薬管理指導加算	100 点	
乳幼児（6 歳未満）服薬指導加算	100 点	
在宅患者重複投薬・相互作用等防止管理料	残薬調整以外/残薬調整の場合 40 点/30 点	
経管投薬支援料	初回のみ 100 点	
退院時共同指導料	600 点	入院中 1 回（末期の悪性腫瘍の患者等の場合は入院中 2 回）に限り算定

* 各加算は算定不可

薬品，医薬部外品及びいわゆる健康食品を含む）の情報　コ．合併症を含む既往歴に関する情報　サ．他科受診の有無　シ．副作用が疑われる症状の有無　ス．飲食物（現に患者が服用している薬剤との相互作用が認められているものに限る）の摂取状況等　セ．後発医薬品の使用に関する患者の意向　ソ．手帳による情報提供の状況　タ．服薬指導の要点　チ．指導した保険薬剤師の氏名

平成 28 年度の調剤報酬改定により「かかりつけ薬剤師指導料」が新設された．「かかりつけ薬剤師指導料」を算定するには，保険薬局にかかりつけ薬剤師が在籍している必要がある．勤務先の保険薬局でかかりつけ薬剤師になるためには，最低限勤務先の薬局に半年以上在籍，薬剤師認定制度認証機構が認証している研修認定薬剤師の取得，医療に関わる地域活動への参加など満たしていなければならない基準がある．かかりつけ薬剤師は担当する患者に対して，薬剤服用歴管理指導料に係る業務はもちろん，担当患者から 24 時間相談に応じる体制をとり，患者が受診しているすべての保険医療機関，服用薬などの情報を把握し，調剤後も患者の服薬状況，指導などの内容を処方医に情報提供し必要に応じて処方提案を行う必要がある．また，必要に応じて患者宅を訪問して服用薬の整理などを実施しなければならない．

また，ポリファーマシー（p.322）解消に対して，平成 30 年度調剤報酬改定で服用薬剤調整支援

料が新設された．6種類以上の内服薬が処方されている患者で，処方医に保険薬剤師が文書を用いて提案し，内服薬が2種類以上減少した場合に算定できる．さらに令和2年度調剤報酬改定では，減薬の服用薬剤調整支援料1に重複投薬の状況や副作用の可能性等を踏まえ患者に処方される薬剤の種類数減少に係る提案に対し服用薬剤調整支援料2が追加された．ポリファーマシー適正化に対し薬剤師の支援が期待されている．

2-2 かかりつけ薬局*における薬歴管理

新規患者及び再来患者について，薬歴に記載する患者情報は前項に記したが，患者面談には患者をある一定時間拘束することになるので，患者の状態をよく見極めながら，無理のないようにインタビューを実施し，ある期間をかけて薬歴を徐々に充実させるように心がける（表12-2，薬剤服用歴記載事項は前記を参照）．

表12-2．患者インタビューの項目

新規患者	再来患者
1．体質	1．服薬状況
2．アレルギー歴	2．副作用
3．副作用歴	3．使用状況**
4．併用薬（他科受診，一般薬）	4．併用薬（他科受診，一般薬）
5．合併症	5．合併症
6．使用性*	6．前回までに収集されていない初回時患者情報
7．妊娠・授乳	
8．飲食物（併用薬と相互作用があるもの）	
9．生活環境，嗜好品	
10．職場環境	

* 一包化，服用しにくい剤形など，医薬品の服用を容易にするための患者情報
** 実際に服用してみて服用しにくかったなど，医薬品の服用のしやすさの情報

薬歴簿に，とくに定められた型式はない．要は個々の患者情報が継続的に的確に記載され，調剤のたびに参照しやすいように工夫をしておくことである．

かかりつけ薬局において薬剤師が薬歴を作成し，それをベースに調剤する場合には，他の診療科の処方による重複投薬，投薬禁忌，相互作用，さらにはOTC薬等との相互作用など，患者が服用する薬剤の総合的な薬学的管理が可能となり，薬物療法の適正化，安全性の確保は万全となる（p.32，p.524 図18-6）．

このような薬歴管理は医師にはできないことで，それによって薬剤の使用による障害を未然に防ぐことは，薬剤師独自の職能としてきわめて重要なことである．

* 地域住民の薬に関するプライマリケアを担う薬局．医薬分業の中核に位置づけられている．患者の処方箋を一元的に管理して安全性を確保するとともに，大衆薬，健康食品から衛生材料，介護用品まで，住民の健康，福祉の相談相手となる．

2-3 「お薬手帳」の活用による薬歴情報の一元管理

かかりつけ薬局における薬歴情報の一元化については前項に記したが，現実には受診した病院や診療所で薬を貰ったり，別の薬局で調剤してもらうこともあり，それらの情報をすべて入手することはかなり困難である．

患者の情報を一元管理して，関連する医療機関や保険薬局で情報を共有化することは最も望ましい形態であるが，それが困難な現状においては，患者が持参する「お薬手帳」**を活用して，薬歴情報を一元的に管理する方法が考えられる．

お薬手帳には処方調剤の薬剤，受診記録，患者情報，薬物療法の基礎となる患者のアレルギー歴，副作用歴などが記されており，受診時，調剤時，一般薬購入時に医師，薬剤師に提示して，医薬品の適正使用，安全性確保に役立てる（p.341 図 12-8）．

そのために患者自身によるお薬手帳の管理の意義，医師，薬剤師への提示の必要性を理解してもらうため患者の啓発が大切である．

2-4 薬歴活用の具体例

内科と整形外科の重複投薬

【処方】 Ⓐ アセメタシン Acemetacin
　ランツジールコーワ錠 30 mg Rantudil　1 回 1 錠（1 日 3 錠）
Ⓑ セフカペンピボキシル塩酸塩水和物
Cefcapene Pivoxil Hydrochloride Hydrate
　フロモックス錠 100 mg Flomox　1 回 1 錠（1 日 3 錠）
　ビオフェルミン R 錠 Biofermin-R　1 回 1 錠（1 日 3 錠）
　1 日 3 回　朝昼夕食後に服用　7 日分

47 歳の女性．内科医からの処方．Ⓐ はインドメタシンのプロドラッグ．Ⓑ はセフェム系抗菌薬．他の薬の服用を患者に聞いたところ，整形外科医よりインドメタシン徐放カプセルの投薬を受けていることが判明（重複投薬）．内科医に連絡，Ⓐ を削除．

ACE 阻害薬の副作用（空咳）

【処方】 Ⓐ ニフェジピン Nifedipine
　アダラート CR 錠 20 mg Adalat-CR　1 回 1 錠（1 日 1 錠）
Ⓑ エナラプリルマレイン酸塩 Enalapril Maleate
　レニベース錠 5 mg Renivace　1 回 1 錠（1 日 1 錠）
　1 日 1 回　朝食後に服用　14 日分

Ⓐ は Ca 拮抗薬．Ⓑ は ACE 阻害薬．かねてからこの処方により調剤されている 66 歳の女性．「咳が出るので」と OTC 薬のブロン液を求めに来局．この処方薬を服用後，喉に違和感があり

** 患者自身がもつ薬に関連した管理手帳．お薬手帳をもつことにより，薬歴情報が患者の手元に一元化されるメリットがある．医療保険では 2000 年（平成 12 年）4 月より，薬剤情報提供料における手帳として，健康手帳とともに認められている．

「のど飴」を使用していることが判明．Ⓑ等のACE阻害薬は，空咳を起こすことがある．処方医に連絡，とりあえずⒷを中止．

抗菌薬の重複投薬

【処方】（内科） Ⓐセフジニル Cefdinir
セフゾンカプセル 100 mg Cefzon 1回1カプセル
（1日3カプセル）
1日3回 朝昼夕食後に服用 5日分

【処方】（歯科） 1）Ⓑミノサイクリン塩酸塩 Minocycline Hydrochloride
ミノマイシン錠 50 mg Minomycin 1回1錠（1日2錠）
1日2回 12時間ごとに服用 3日分
2）Ⓒ ロキソプロフェンナトリウム水和物
Loxoprofen Sodium Hydrate
ロキソニン錠 60 mg Loxonin 1回1錠
疼痛時 3回分

51歳の男性．同じ日の午前に内科からの処方箋．午後に歯科からの処方箋を持参．歯科医に連絡してⒷを削除．

α遮断薬の重複投薬

【処方】（内科） 1） フロセミド Furosemide
ラシックス錠 20 mg Lasix 1回1錠（1日2錠）
1日2回 朝昼食後に服用 14日分
2）Ⓐ ブナゾシン塩酸塩 Bunazosin Hydrochloride
デタントール錠 1 mg Detantol 1回1錠（1日3錠）
1日3回 朝昼夕食後に服用 14日分

【処方】（泌尿器科） Ⓑ プラゾシン塩酸塩 Prazosin Hydrochloride
ミニプレス錠 1 mg Minipress 1回1錠（1日3錠）
1日3回 朝昼夕食後に服用 14日分

68歳の男性．腎性高血圧症で，内科より投薬を受けていたが，前立腺肥大症に伴う排尿障害で，泌尿器科よりⒷの処方箋の交付を受ける．Ⓐ，Ⓑともα遮断薬で，重複．内科医に連絡をとり，患者に詳しく説明の上，Ⓐを削除．

消炎鎮痛薬による喘息発作の頻回発生

67歳の男性．気管支喘息にてA病院で定期外来受診．

①1995年4月腹部痛，腰痛にてA病院でブチルスコポラミン臭化物注，インドメタシン坐剤を投与．1時間後に喘息発作．アドレナリン，アミノフィリン水和物で改善．カルテにアスピリン喘息と記載．

②1995年12月指の外傷にてB病院で抗菌薬とプラノプロフェン錠を投与．内服10～15分後に喘息発作．アミノフィリン水和物とデキサメタゾンリン酸エステルナトリウム注で改善．

③1996年8月腰痛にてB病院でインドメタシン坐剤を投与．坐剤使用数分後，呼吸苦，チアノーゼが出現．C診療所を受診し，A病院に紹介入院．アミノフィリン水和物とデキサメタゾンリン酸エステルナトリウム注で改善．薬剤師によりアスピリン喘息について患者に説明．

このような多施設受診による同じ副作用の頻回発生は，1軒のかかりつけ薬局で薬歴を作成して調剤をしていれば，未然に発生を防止できたはずである．

3 薬剤師の病棟業務

医師と看護師が中心となって運営してきた入院病棟に，薬剤師が参画することは，高度化多様化する医薬品の適正使用の確保のため必要不可欠なことである．病棟での薬剤師業務の概要は図12-1のように示すことができる．従来から薬剤師は，病院内において調剤を中心に重要な役割を果たしてきた．近年医薬品の適正使用に関連した幅広い活動（DI，TDM，処方点検など）により，薬剤師の職能に対する評価が高まり，かつ医薬分業による院外処方の発行増加に伴い，そこで生じた時間を入院患者に対するファーマシューティカルケアに振り向けることが可能となった．1988年（昭和63年）薬剤師の病棟業務に対して「入院調剤技術基本料」が診療報酬に算定された．その後「薬剤管理指導料」と名称が改定され，施設基準，算定条件の緩和などにより，2006年（平成18年）には全国5,000以上の病院において薬剤管理指導業務が行われるに至り，病院薬局の中核をなす業務として定着するに至った．

また，2012年（平成24年）に薬剤師が病棟で行う薬物療法の有効性，安全性の向上に資する薬剤師の病棟常駐業務が入院基本料を算定している患者に週1回加算可能な「病棟薬剤業務実施加算」として診療報酬で新設された．さらに特定集中治療室等における薬剤師配置の成果として，医師・看護師の業務負担軽減，副作用の回避・軽減や病状安定化への寄与，薬剤関連インシデントの減少等により，2016年（平成28年）に高度急性期医療を担う治療室においてチーム医療を推進する観点から1日につき加算可能な「病棟薬剤業務実施加算2」が増設された．

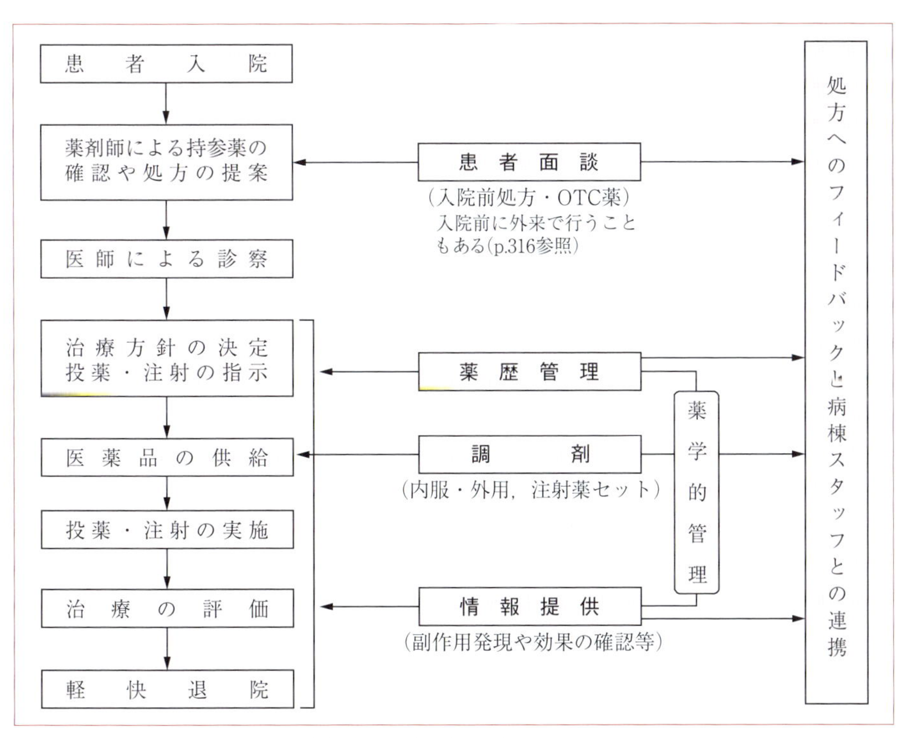

図12-1．薬剤師の病棟業務の概要（村田正弘より改変）

病棟での薬剤師の業務を大きく分けると薬剤管理指導業務は主に投薬後における患者に対する業務で，病棟薬剤業務は主に投薬前における患者に対する業務，医薬品の情報及び管理に対する業務，医療スタッフとのコミュニケーションと説明されている[1)]．

3-1 診療報酬（令和2年4月改定，点数は p.517 表 18-3）

薬剤管理指導料（医学管理等）

(1) 厚生労働大臣が定める施設基準*に適合し，地方厚生局長等に届け出た保険医療機関の入院患者に，投薬又は注射及び薬学的管理指導を行った場合，患者1人につき週1回かつ月4回を限度に算定．

(2) 算定の対象患者は，当該病院の薬剤師が医師の同意を得て薬剤管理指導記録に基づき，直接服薬指導，服薬支援その他の薬学的管理指導（処方された薬剤の投与量，投与方法，投与速度，相互作用，重複投薬，配合変化，配合禁忌等に関する確認並患者の状態を適宜確認することによる効果，副作用等に関する状況把握を含む）を行った場合に算定できる．小児，精神障害者等は，その家族等に対して服薬指導等を行った場合であっても算定できる．

(3) 薬剤管理指導料1は，特に安全管理が必要な抗悪性腫瘍剤，免疫抑制剤，不整脈用剤，抗てんかん剤，血液凝固阻止剤（内服薬に限る），ジギタリス製剤，テオフィリン製剤，カリウム製剤（注射薬に限る），精神神経用剤，糖尿病用剤，膵臓ホルモン剤又は抗 HIV 薬が投薬又は注射されている患者に対して，これらの薬剤に関し，薬学的管理指導を行った場合に算定．

(4) 過去の投薬・注射及び副作用発現状況等を患者又はその家族等から聴取し，当該病院及び可能な限り他の医療機関における投薬及び注射に関する基礎的事項を把握する．

(5) 薬剤管理指導記録には，次の事項を記載し，最後の記入の日から最低3年間保存する．

患者の氏名，生年月日，性別，入院年月日，退院年月日，診療録の番号，投薬・注射歴，副作用歴，アレルギー歴，薬学的管理指導の内容，患者への指導及び患者からの相談事項，薬剤管理指導等の実施日，記録の作成日及びその他の事項．

(6) 薬剤管理指導料を算定している患者に投薬された医薬品について，当該保険医療機関の薬剤師が以下の情報を知ったときは，原則として当該薬剤師は，速やかに当該患者の主治医に対し，当該情報を文書により提供するとともに，主治医に相談の上，必要に応じ，患者に対する薬学的管理指導を行う．

ア 緊急安全性情報，安全性速報　　イ 医薬品等安全性情報

(7) 薬剤管理指導及び麻薬管理指導を行った場合は，必要に応じ，その要点を文書で医師に提供する．

病棟薬剤業務実施加算（入院基本料等加算）

厚生労働大臣が定める施設基準**に適合しているものとして地方厚生局長等に届け出た保険医療機関に入院している患者について，薬剤師が病棟において病院勤務医等の負担軽減及び薬物療法の有効性，安全性の向上に資する薬剤関連業務を実施している場合に，一般病棟入院基本料等を算定している患者に対しては週1回120点，救命救急入院料，特定集中治療室管理料，新生児特定集中治療室管理料等を算定する治療室の患者に対しては1日につき100点を加算する．この場合において，

---

* 薬剤管理指導料の施設基準

(1) 病院に常勤の薬剤師が2名以上．薬剤管理指導に必要な体制がとられている．

(2) 医薬品情報の収集，伝達を行う専用施設を有し，院内からの相談に対応できる体制が整備されている．

(3) 有効性，安全性等薬学的情報の管理，医師等に対する情報提供．

(4) 入院患者の薬剤管理指導記録を作成，投薬，注射に際し必要な薬学的管理指導，適切な患者指導．

(5) 投薬・注射の管理は，原則として，注射薬についてもその都度処方箋による．

療養病棟入院基本料，精神病棟入院基本料又は特定機能病院入院基本料（精神病棟に限る）を算定している患者については，入院した日から起算して8週間までとする．

業務の内容

(1) 過去の投薬・注射及び副作用発現状況等を患者又はその家族等から聴取し，当該病院及び可能な限り他の保険医療機関における投薬及び注射に関する基礎的事項を把握．
(2) PMDAメディナビ（p.89，p.93）によるなど，インターネットを通じて常に最新の医薬品緊急安全性情報，医薬品・医療機器等安全性情報，製造販売業者が作成するRMP（Risk Management Plan，p.89，p.227）に関する情報，医薬品・医療機器等の回収等の医薬品情報の収集を行うとともに，重要な医薬品情報については，医療従事者へ周知している．
(3) 当該病院において投薬される医薬品について，以下の情報を知ったときは，速やかに当該患者の診療を担当する医師に対し，当該情報を文書により提供すること．
 ア 緊急安全性情報，安全性速報 イ 医薬品安全性情報 ウ 医薬品の回収等
(4) 入院時に，持参薬の有無，薬剤名，規格，剤形等を確認し，服薬計画を書面で医師等に提案するとともに，その書面の写しを診療録等に添付する．
(5) 当該病棟に入院している患者に対し2種以上（注射薬及び内用薬を各1種以上含む）の薬剤が同時に投与される場合には，治療上必要な応急の措置として薬剤を投与する場合等を除き，投与前に，注射薬と内用薬との間の相互作用の有無等の確認を行う．
(6) 患者又はその家族に対し，治療方針に係る説明を行う中で，特に安全管理が必要な医薬品等の説明を投与前に行う必要がある場合には，病棟専任の薬剤師がこれを行う．なお，ここでいう特に安全管理が必要な医薬品とは，薬剤管理指導料の対象患者に規定する医薬品のことをいう．
(7) 特に安全管理が必要な医薬品等のうち，投与の際に流量又は投与量の計算等が必要な場合は，治療上必要な応急の措置として薬剤を投与する場合等を除き，投与前に病棟専任の薬剤師が当該計算等を実施する．
(8) 退院時の薬学的管理指導について，可能な限り実施する．

3-2 病棟での薬剤師業務の実際[2~4)]

患者に面接し，入院前の服用薬，副作用歴，アレルギー歴を調査する．入院後の投与薬剤を，注射薬を含め，すべてを薬歴に記し，その内容を検討する．処方設計にあたっては，医薬品情報と前記で知り得た情報を医師に提供し，使用薬剤の決定を支援する．薬剤投与後の服薬指導によって得られた情報を基に，投与薬剤の有用性を医師とともに評価し，次の処方設計に役立てる．医薬品情報は，さまざまな症状を呈している患者のニーズに合ったものを，正確，迅速に医師に提供しなければ価値あるものとなり得ない．適応，用法・用量，投与方法，禁忌，相互作

＊＊ 病棟薬剤業務実施加算の施設基準
(1) 薬剤師が病棟において医療従事者の負担軽減及び薬物療法の質の向上に資する薬剤関連業務を実施するにあたって十分な時間（1病棟又は治療室1週間につき20時間相当以上）を確保できる体制を有している．
(2) 病棟ごとに専任の薬剤師を配置．
(3) 医薬品情報の収集及び伝達を行うための専用施設を有している．
(4) 当該医療機関における医薬品の使用状況を把握するとともに，医薬品の安全性に係る重要な情報を把握した際に，速やかに必要な措置を講じる体制を有している．
(5) 病院勤務医の負担の軽減及び処遇の改善に資する体制が整備されている．
(6) 薬剤管理料に係る届け出を行った保険医療機関である．

用，副作用などが中心となる．万一副作用が発現した場合，被疑薬の調査，回避の対応，代替薬の情報の提供ができるようにする．薬剤使用に際しては，相互作用や副作用を事前に予測し，回避又は最小限に防止しうるよう努める．特定薬剤に関してはTDMを行い有効域の維持を図るなど，薬剤師の提供する情報が役立つよう努める．患者の薬物療法に直接的に関わる内容については，その実施内容を診療録にも記録し，医師や看護師等の医療スタッフと情報共有すべきである．

1）服薬指導

① 患者への説明の統一性を図るために，事前に医師・看護師との十分な打ち合わせが必要である．「温度板」（体温，血圧，脈拍，検査値，食事の摂取，排泄，薬剤の使用状況などの日々の経過を記録）により，患者の状態を把握しておく．

② 服薬指導時には，患者に情報を提供するとともに，患者からもさまざまな情報を聴取する．これらは投薬歴や検査情報だけからは入手できない貴重な患者情報であり，副作用や治療効果のモニター，QOLの評価などに価値ある情報源となる．

③ 患者情報の内容は，医療スタッフにフィードバックし患者の治療に活用されて初めて価値ある情報となる．したがって医療チーム間で情報の共有化ができる記録の方法と保管が望まれる．

記録の方法は，医師・看護師の記録形式と同様のPOS（problem oriented system）方式に基づくSOAP形式が望ましい（表12-3，表12-4）．これにより薬剤師の指導内容と薬物療法への提案が，問題点の明確化，的確な評価として示され，他の医療スタッフが患者の状況をよく把握できる．

日本病院薬剤師会ではPOSの考えに基づき，薬物療法上の問題点を薬剤師の立場から抽出してプロブレムリストを作成する指針の調査研究を行っている[5]．

2）入院時の服薬指導

2010年（平成22年）4月30日付の医政局長通知「医療スタッフの協働・連携によるチーム医療の推進について」において，病院薬剤師は，「入院患者の持参薬の内容を確認した上で，医師に対し，服薬計画を立案するなど，当該患者に対する薬学的管理を行うこと」が指示されている．患者が入院中に安心して治療が受けられるよう薬剤師が患者や家族などと初回面談を行う．初回面談は「お薬手帳」を参考にアレルギー歴及び持参薬，一般薬も含めた服薬状況，健康食品，サプリメントなどの服用や相互作用の可能性を調査する．持参薬確認では，服用を継続する必要がある薬剤が院内で未採用であれば院内代替薬や後発医薬品の提案を行い，同効薬の重複等不適正な処方があれば減薬を薬剤師は提案しなければならない．持参薬の確認は各病棟でバラバラに行うより集約して行うと，効率よく確認することができる．初回面談により得られた情報は診療録などに記録し，入院中の処置などで使用する医薬品も含め医師へ情報提供し処方設計と提案につなげる．

アスピリンやシロスタゾールなどの抗血小板薬，ワルファリンやダビガトランエテキシラートなどの抗凝固薬やイコサペント酸エチル（EPA）など手術前休薬の必要がある薬剤を入院前に

表 12-3. SOAP 形式の概念

S（subjective data） 主観的情報	患者の訴え・質疑	・患者や患者の家族が直接提供する副作用症状など薬に関する訴えや相談事項
O（objective data） 客観的情報	病歴，診察所見，検査データ	・薬剤師としての客観的観察 ・使用薬剤，投与時間，投与量，血中濃度測定値，主要検査値，既往歴，血圧，脈拍など
A（assessment） 評価	判断，考察，評価，目標，意見	・薬剤師としての評価・回答 ・訴えや相談事項と薬剤の関連，投与方法の適否，患者への回答・指導など
P（plan） 計画	診断，治療方針，薬物投与の開始・中止	・薬物療法への情報提供 ・医師や看護師への問題点のフィードバック，患者指導計画，副作用予知，血中濃度測定計画など

表 12-4. SOAP 形式による薬剤管理指導記録の記載例[6)]

#1. アセタゾラミドの副作用
S：アセタゾラミド服用時，口周囲にしびれ感あり
O：術後の高眼圧症のため，アセタゾラミド錠（250 mg） 1回1T 朝・夕食後投与中の糖尿病性腎症患者であり，血清クレアチニン 3.5 mg/dL
A：インタビューフォームによれば，しびれ感の副作用発現率は 7.2%
血清クレアチニン 3.5 mg/dL，年齢 49 歳，体重 65 kg を Cockcroft と Gault の式に代入すると，クレアチニンクリアランス 23 mL/min と計算できる．アセタゾラミドはほとんど腎臓から排泄されるので，血中濃度が上昇していると考えられ，アセタゾラミドの減量が望ましい．
P：減量を医師に打診する
しびれ感はアセタゾラミドのためであることを患者に説明する．
しびれ以外の副作用チェックと減量後の眼圧チェックを行う．

* 京大病院眼科入院の 49 歳の男性患者

確認することが要求される．もし，中止すべき持参薬があれば，院内で取り決めた手順書をもとに麻酔科医や主治医と連携して患者に休薬期間について指導する．したがって，外来で手術が決まった時から，薬剤師は医師と協働して周術期薬物治療に参加しなければならない．また，平成 30 年度の診療報酬改定で入院時支援加算が新設され，入院前に情報を把握するため入院予定患者の面談を外来で行う施設が増えている．

3）退院時の服薬指導 （p.326）

入院患者の薬剤は病棟詰所等に置かれ，薬剤管理指導を行う薬剤師等が情報を提供しているが，退院後は患者が薬剤を自己管理することになる．退院時服薬指導は，入院から外来へスムーズに移行させるための橋渡しであり，指導は外来患者に対する服薬指導に近いものとなる．

平成 22 年度の診療報酬改定により，入院時に当該患者が服薬中の医薬品等について確認するとともに，入院中に使用した主な薬剤の名称（副作用が発現した場合は，副作用の概要，講じた措置等を含む）に関して当該患者の手帳に記載した上で，退院に際して当該患者又はその家族等に対して，退院後の薬剤の服用等に関する必要な指導を行った場合に算定するという退院時薬剤情報管理指導料（90 点）が新設された．「お薬手帳」を活用し，病院薬剤師から保険薬局薬剤師

へのスムーズな情報提供による薬剤師間の連携が望まれる（p.337）．なお，平成26年度の診療報酬改定により，病棟業務実施加算における算定要件に「退院時の薬学的管理指導について，可能な限り実施すること」が付け加えられた．

4　在宅患者訪問薬剤管理指導業務

1992年（平成4年）の第2次医療法改正で，患者の居宅も医療提供の場と認められ，さらに健康保険法，老人保健法の改正で，在宅医療の推進が図られることとなった．入院の延長線上にある在宅医療は，病院と同様多彩な医療スタッフ（医師，薬剤師，看護師，保健師，栄養士，理学療法士，作業療法士，歯科医師，歯科衛生士など）が各々の専門的な医療サービスを提供する．

訪問薬剤管理指導　医療保険制度における薬剤師の在宅医療サービス．1994年（平成6年）10月の診療報酬，調剤報酬改定で「在宅患者訪問薬剤管理指導料」として評価された．

居宅療養管理指導　介護保険制度における薬剤師の在宅医療サービス．2000年（平成12年）4月の介護保険制度発足とともに制度化．業務は医療保険の場合と同じであるが，介護保険における要支援・要介護認定者が対象となる．

保険制度上の違いはあるが，ともに病院，診療所又は薬局の薬剤師が行う在宅患者の療養上の管理及び指導で，両者の連携が必要となる．

居宅での薬剤管理指導の特徴として，次のことが挙げられる．

① 患者の生活の場に足を運ぶことにより，生活習慣や生活リズムを把握し，より個人に合わせた薬物療法の効果を検討できる．
② 急性期の治療を終えた居宅療養では，薬剤の長期服用による副作用が現れることがある．
③ 終末期としての居宅療養では，麻薬管理を必要とする場合がある．
④ 要介護状態の高齢者では，高齢者の特徴を踏まえた薬剤管理指導が必要である．

【処方】　Ⓐ チアプリド塩酸塩 Tiapride Hydrochloride
　　グラマリール錠 25 mg Gramalil　　1回1錠（1日3錠）
　　1日3回　朝昼夕食後に服用　14日分

徘徊を伴う77歳の男性に投与．1日の薬用量（75～150 mg）を75 mgにしたが，薬剤師が患者宅を訪問したところ，徘徊は収まったが，ときに尿失禁を起こしていた．処方医に連絡し25 mg 1錠を1日2回に処方変更した結果，徘徊，尿失禁ともに改善された．

Ⓐの添付文書をみると，高齢者への投与の項に「主として腎臓より排泄されるが，高齢者では腎機能が低下していることが多く，高い血中濃度が持続されるおそれがあるので，副作用（錐体外路症状，尿失禁等）に注意し，低用量（例えば1回25 mg，1日1～2回）から開始するなど慎重に投与する」と記されている．調剤後のフォローアップが添付文書の情報により裏づけされた．

高齢者に対する服薬指導では，服薬によるADL（activities of daily living）の低下に注意する必要がある．

急速な超高齢化の進展は疾病構造の変化を通じて，必要とされる医療の内容に変化をもたらしてきた．かつての「病院完結型」から患者の住み慣れた地域や自宅で医療を受ける「地域完結型」に医療は大きくシフトしてきている．在宅医療で薬物療法を受けている患者に薬剤師が薬学的管理を行うことは，質の高い医療を確保する上でこれからさらに重要となってくる．令和2年度調剤報酬における在宅医療に関する薬学管理料には，在宅患者訪問薬剤管理指導料の他，在宅患者オンライン服薬指導料，乳幼児加算，麻薬管理指導加算，在宅患者緊急訪問薬剤管理指導料，在宅患者緊急時等共同指導料，在宅患者重複投薬・相互作用等防止管理料，経管投薬支援料，退院時共同指導料などがある（p.308 参照）．

文　献

1）日本病院薬剤師会：薬剤師の病棟業務の進め方 Ver. 1.2　2016
2）乾　賢一編：薬剤師の病棟薬務―患者指導の実際，医薬ジャーナル社　1995
3）日本病院薬剤師会編：解説 薬剤管理指導業務―その考え方とあり方，じほう　1998
4）日本病院薬剤師会編：実例 薬剤管理指導業務―医薬品の適正使用に向けて，じほう　1996
5）旭　満里子ら：薬剤管理指導業務実施時の問題解決方法の調査研究，日病薬誌 **37**(1)（6）2001．**38**(1) 103（8）1031 2002．**39**(1) 85 2003
6）乾　賢一ら：患者情報の収集，薬剤師のための服薬指導ガイド（和田　攻，朝長文弥編集主幹），文光堂　1996

服薬指導 ～ 患者への情報提供

5　コンプライアンス と 患者コミュニケーション

5-1　コンプライアンス（アドヒアランス）

正確な服薬は薬物療法を行う前提である．いかに優れた処方であっても患者が服薬を守らない限り，薬物治療の効果を上げることはできない．のみ方も薬の一部である．

国内国外の調査結果は，患者が服薬を正確にしていない比率が驚くほど高いことを示している．患者が服薬を守っていると答えたにもかかわらず，血中の薬物濃度を測定したところ，薬をのんでいないことが判明した事例もある．

患者の服薬に関し compliance という言薬が用いられる．辞書に compliance とは「承諾，従順，屈従，追従」とある．つまり compliance とは「服薬態度」又は「服薬遵守」，つまり「投薬後患者がどの程度処方箋に指示されたとおりに服用しているかという態度」という意味である．

健康管理という点からコンプライアンスという概念は広範な意味を含んでおり，薬の使用のみならず食事療法，運動，休養，診察などに関する指示にも関係する．しかし，通常薬物療法に関して繁用され，患者が薬を指示どおりに用いることをコンプライアンス compliance，指示どおり用いないことをノンコンプライアンス noncompliance という．近年，服薬の意義を理解した「患者の服薬治療への積極的な参加」を意味するアドヒアランス adherence という考え方が重視されるようになってきた．

noncompliance と同じ意味を有するものとして drug-defaulting, non-adherence, non-concordance という言葉を用いることもある．医師や薬剤師が患者の服薬指導をすることを patient compliance instruction, medication counseling という.

コンプライアンスと服薬指導*の重要性が認識され，注目されるようになったのは比較的最近のことである．コンプライアンスが重視されるようになった理由として，次のことが挙げられる.

① 作用の強力な医薬品が数多く出現し，正確な服用が必要となってきたこと.

② 患者の安全性確保には，医療機関，行政当局，メーカーの努力に加えて，患者及びその家族の協力が必要と考えられるようになったこと.

③ 服用法や使用法の複雑な医薬品や処方が数多くみられるようになったこと.

④ 服薬の実態調査から，患者のノンコンプライアンスが意外に多いことが判明したこと.

薬剤師は，医療機関のなかで患者が最後に接する医療関係者であり，医薬品の専門職である．服薬指導により，患者が服薬の意義を認識し，コンプライアンスが高まり，副作用が発現した場合に対応できるようにすることは，薬物治療の実をあげ，安全性を確保する上からきわめて有用な手段である．薬物治療はまさに医師，薬剤師ら医療の担い手と患者の共同作業である.

5-2 インフォームド・コンセントとは[2,3]

インフォームド・コンセント informed consent とは「医師による適切かつ十分な説明に基づく患者の自由意思による同意」と解されている．「納得医療」と呼ぶ.

医療法は1992年（平成4年）の改正において，医療提供の理念として「患者本位の医療」を明確に打ち出した（医療法第1条の2，p.20）．医療は医療の担い手と患者の信頼関係に基づいて行われるべきであり，その信頼関係を築くための具体的な手段がインフォームド・コンセントである.

1997年（平成9年）の改正では，インフォームド・コンセントに関する具体的な条文を盛り込んでいる（医療法第1条の4第2項）.

医療法第1条の4第2項

医師，歯科医師，薬剤師，看護師その他の医療の担い手は，医療を提供するに当たり，適切な説明を行い，医療を受ける者の理解を得るよう努めなければならない.

もともとインフォームド・コンセントは，手術に先立って求められたものだが，投薬についても必要である．東京クロロキン判決（東京地裁昭和57年2月1日判決）では，そのことを明言している.

薬害は重大かつ深刻である．最近は切れ味のよい医薬品が数多く開発され，ときに投薬も手術に劣らない危険性がある．投薬にもインフォームド・コンセントが必要なことはいうまでもない.

このほか，インフォームド・コンセントに関係するものとして，治験，臨床研究における被験者の同意の問題がある.

* 日本病院薬剤師会病院薬局協議会では，「服薬説明」が適正語と提案している[1].

5-3 医師の服薬指導と薬剤師の服薬指導（法的根拠）

インフォームド・コンセントの機能の1つは，悪い結果を回避する義務，つまり薬害防止のための説明である．別の表現をすれば，この機能は「服薬指導」のうちマイナス面に関するもの，つまり有害作用の早期発見と早期対処の指導ということができる．薬剤師は薬の専門職，責任者として，薬害防止の上で最も重要な役割を果たすべき立場にある．

服薬指導の法的根拠を，医師の場合，医師法第23条に求めることができる．薬剤師の場合，1996年（平成8年）6月の薬剤師法改正で，調剤薬の適正使用の情報提供について第25条の2が新設された．これにより医師と並んで薬剤師の服薬指導にも法的根拠が与えられたことになる．さらに，2014年（平成26年）改正薬剤師法では，薬剤師法第25条の2が，従来の「情報提供義務」から「情報提供及び指導義務」へと変更になり，調剤後の薬学的知見に基づく指導に薬剤師は法的責任をもつこととなった．

医師法第23条

医師は，診察をしたときは，本人又はその保護者に対し，療養の方法その他保健の向上に必要な事項の指導をしなければならない．

薬剤師法第25条の2（情報の提供及び指導）

薬剤師は，調剤した薬剤の適正な使用のため，販売又は授与の目的で調剤したときは，患者又は現にその看護に当たつている者に対し，必要な情報を提供し，及び必要な薬学的知見に基づく指導を行わなければならない．

しかしながら，医師の服薬指導と薬剤師の服薬指導には，法的根拠に異なるものがある．

医師の服薬指導は，特定人の特定疾病に対する薬物治療の一環として，医師法第23条の療養方法等の指導として患者に薬物の説明をしている．それが医師による服薬指導である．それを業として行うことは「医業」であり，医師法第17条によって医師のみに許されている．

したがって医師の「服薬指導」はその患者（人）ないし病気に向けられたものであるから，「対人的服薬指導」ないし「治療的服薬指導」ということができる．

これに対して，薬剤師の服薬指導は，薬剤師の第一義的な業務である「調剤」の一環として，調剤された薬剤（物）について，その適正使用を中心に説明するものである．もちろん説明自体は患者に向かってなされるが，説明の対象は薬剤であり，その中心は薬害発生の防止にあるので「対物的服薬指導」ないし「薬害防止的服薬指導」ということができる．

このように，インフォームド・コンセントと関連し，医師も薬剤師も服薬指導を行っているわけであるが，決して後者が単に前者の不足を補うわけではなく，両者がともに揃って補完しあって，初めて完全な服薬指導になり，「患者本位の医療」が実現することになる．

服薬指導の基礎は医薬品情報である．すでに蓄積された情報をそのまま活用できるが，相手が薬に素人の患者であること，微妙な患者心理を読まなければならないこと，処方医との協調・事前協議など，服薬指導には豊富な経験と技術を必要とする．また，小児，高齢者，妊婦・授乳婦，糖尿病，悪性腫瘍・精神病等特殊な疾患の患者に対する服薬指導の工夫も必要である．

USP DIの“Advice for the Patient”が1992年版から“Advice for the Patient Drug Information in Lay Language”と改題されたように，“わかりやすく平易な言葉”は服薬指導を行うための必須条件である．

患者用注意文書，服薬指導文書の作成，服薬モニタリング，お薬手帳の交付，相談窓口やコーナーの設置は，インフォームド・コンセントに基づく服薬指導を進める上で，有用な手段である．

5-4 ノンコンプライアンスの実態 と 対策[4〜7)]

服薬の実態をまとめた報文は多く，ノンコンプライアンスの比率が30〜60%と大きな値を示している．

Goodman & Gilmanの薬理書の処方箋の書き方の項には，次の記述がある．

「多くの医師は診断を下し，処方を書くと，すべての患者が薬物療法の恩恵を受けると信じている．しかしながら多くの報文は外来患者の1/4〜1/2が指示どおり服薬していないことを示しており，改めて患者に対する服薬指導の重要性を認識しなければならない．」

服薬回数のノンコンプライアンスに与える影響を調査した結果では，1日3〜4回の服薬回数がのみ忘れの大きな要因となっている．服薬を忘れる時期として昼食時がもっとも多く，出勤前で忙しい朝食時も高い値を示している．これに反し朝，夕2回の服薬ではのみ忘れが少なく，さらに1日1回の方が服薬アドヒアランスは高くなる[7)]．

コンプライアンスを向上させる方法として，次のことがある．

① ノンコンプライアンスの原因を確認し，対策を講じること．

② **服用方法の指示** “指示どおりに”というあいまいな指示を極力避けるようにする．服用時期を日常生活のパターンに組み込むようにする．さらに患者が薬の服用法や使用法について理解しているかどうかよく確認する．

③ **情報の選択** 患者に与えるべき情報を選択する．患者が服用する薬の情報を薬剤師は知っておくべきであるが，患者に不安を抱かせるので知らせるべきでない情報もある．

④ **患者教育** 口頭や文書による用法指示や服薬指導，視聴覚教育など．

⑤ **服薬モニタリング** 投薬した患者のフォローアップを行い，服薬状況をチェックする．

5-5 ポリファーマシーの適正化[8〜12)]

複数の慢性疾患を有する高齢者は多剤併用が多い．多剤併用は有害事象や相互作用の増加，医療費の増加を引き起こすが，のみ忘れやのみ間違いなどにより服薬コンプライアンスの低下にもつながっている．これは近年，ポリファーマシー polypharmacyとして問題になっており，薬剤師はポリファーマシーの適正化を支援する必要がある．

ポリファーマシーとは単に服用する薬剤数が多いことではなく，それに関連して薬物有害事象のリスク増加，服薬過誤，服薬アドヒアランスの低下等の問題につながる状態をいう．また使用薬剤数が多いことに加えて，潜在的に不適切な処方（potentially inappropriate medications：PIMs）が含まれていること，同効薬が重複していること（therapeutic duplication），本来使用されるべき疾患に対して必要な薬剤が投与されていないこと（medication underuse）と定義されている．PIMsを検出する（見出す）ためには，EBMに基づいた基準が用いられている．その基準には日本老年医学会の高齢者の安全な薬物療法ガイドライン2015，海外ではBeers' criteriaやtool of older persons' potentially inappropriate prescription（STOPP）/screening tool to alert doctors to right treatment（START）criteriaなどがある．不適切な処方が検出できれば，主治医へ是正のための提案が可能となる．服用薬によっては，患者からのインフォームド・コンセントを得ておく必要があるものもある．処方継続や中止，他剤への変更について医師と協議するが，もし処方が変更となったときは病態の悪化がないか入院期間中厳重に経過観察しておく必要がある．

高齢者では，6剤以上の投薬が意識障害，肝機能障害，ふらつき・転倒などの副作用の発生増加と関連している．診療報酬では，入院前に6種類以上の内服薬が処方されていた患者（精神病棟入院患者では，入院直前又は退院1年前のいずれか遅い時点で抗精神病薬の種類数が4種類以上内服）の内服薬について，処方内容を変更しかつ療養上必要な指導を行った場合，「薬剤総合評価調整加算（退院時1回）」として，さらに2種類以上減少した場合，「薬剤調整加算」として評価されている．また，外来患者に対する減薬への評価は「薬剤総合評価調整管理料」として算定する．

6 服薬指導指針，薬剤情報提供の進め方

6-1 服薬指導指針

日本薬剤師会は1983年（昭和58年）調剤報酬制定時に「保険調剤における投薬特別指導のガイドライン」を定めた（日薬会発第335号　昭58.1.20）．

日本薬学会病院薬局協議会は1983年（昭和58年）「服薬指導指針」を作成した[13]．

ここでは「服薬指導指針」のうち，服薬指導の目的，用法指示と服薬指導，服薬指導の方法を記す．

1）服薬指導の目的

服薬指導の目的は患者が有効かつ安全な薬物療法を不安なく遂行できるよう，医師又は薬剤師が適切な指導，助言を行うことにある．

2）用法指示と服薬指導

服薬指導の中に用法指示も含まれると考えるが，従来は用法指示が中心であった．

用法指示　処方箋に基づき，服用法や使用法を患者にわかりやすく指示することである．又，処方薬の剤形，物性，作用などに関連して必要と考えられる注意事項，例えば保管法，服薬に伴う副作用や生理的影響の一部を知らせることである．

服薬指導　従来の用法指示のみにとどまらず，患者に自己の疾患，治療についての正しい認識をもたせ，患者の自覚と協力の下に有効かつ安全な薬物療法を遂行するための指導，助言を含む情報の伝達を行うことである．

3）服薬指導の方法

① **処方の公開**　処方の公開は時代の趨勢である．公開すべきでない事例については医師と協議の上，適切な取り扱いをする．

② **薬剤投与の意義の説明**　薬剤投与の意義の説明は，患者に自己の疾患，治療について自覚をもたせ，自己判断によるノンコンプライアンスを防止する上で重要である．

③ **服用法，使用法の説明**　従来から行われてきたが，今後さらにわかりやすい用語，指示方法などを研究し，患者が服用法，使用法を正しく理解するよう工夫する必要がある．

④ **「警告」，「使用上の注意」の取り扱い**　添付文書に記載の「警告」，「使用上の注意」は医師，薬剤師など医療従事者に向けられたものであるが，患者に説明しておいた方がよい事項もある．

⑤ **副作用の説明**　患者のノンコンプライアンスの理由の中に副作用を恐れて自己の判断で服薬を中止している例が少なくない．反面，副作用を強調しすぎると患者の不安をいたずらに増加させることにもなる．副作用の説明の一般的な判断基準は次のとおりである．

　ア）重篤な副作用の前駆症状として発現し，服薬中止を必要とするもの．

　イ）患者の自覚症状として現れるが，継続服薬して差し支えない軽度なもの．

　ウ）二次的に日常生活に影響を及ぼす可能性のあるもの（眠気，めまいなど）．

⑥ **服薬に関連した日常生活の指導**　服用に関連して日常生活の中に注意すべき事項が生じてくる．例えば車の運転，危険な場所での作業，食物・嗜好品・アルコール類の摂取，OTC薬の服用などに関する指導である．

⑦ **管理上の注意**　保管上の注意(冷所，遮光，防湿など)，小児の誤用防止など具体的に説明する．

⑧ **患者にたずねるべき事項**　薬の服用中に起こったことについて患者にたずねる事項として，服用に伴う自覚症状，副作用などがある．患者から報告を受けた薬剤師は医師と連絡の上，必要な対応をする．

6-2 薬剤情報提供の進め方

患者等への情報提供は法的にも整備が進められている．

薬剤師には，患者又は看護している者に対し，調剤した薬剤の適正使用に必要な情報の提供及び必要な薬学的知見に基づく指導義務が定められた（薬剤師法第25条の2）．薬局開設者又は医薬品販売業者には，医薬品を一般に購入し，又は使用する者に対し，医薬品の適正使用に必要な情報の提供努力を求める条文が設けられた（医薬品医療機器等法第68条の2第1項）．

医薬品医療機器等法第9条の3の調剤された薬剤に関する情報提供及び指導等（p.18）では，薬局薬剤師は厚生労働省令で定める事項について書面により，必要な情報を患者に提供し指導しなければならない．厚生労働省令で定める事項は以下のとおりである（医薬品医療機器等法施行規則第15条の13第1項第2号）．

① 名称
② 成分・分量
③ 用法・用量
④ 効能・効果
⑤ 使用上の注意のうち，保健衛生上の危害の発生を防止するために必要な事項
⑥ その他調剤した薬剤師がその適正な使用のために必要と判断する事項

ただし，薬剤師法第25条に規定された事項が薬袋に記載されていれば①～④は記載しなくてもよい．

なお，情報提供及び指導にあたっては，① 年齢，② 他の薬剤の使用状況，③ 性別，④ 症状，⑤ 現在罹患中の他の疾病，⑥ 妊娠の有無（妊娠週数），⑦ 授乳中か否か，⑧ 当該薬剤使用の経験の有無，⑨ 調剤された薬剤の副作用その他の事由によると疑われる疾病に罹患の有無（罹患したことがある場合はその症状，その時期，当該薬剤の名称，有効成分，服用した量及び服用状況），⑩ その他確認が必要な事項について，あらかじめ確認することが規定されている．

日本病院薬剤師会薬剤業務委員会は，患者等への薬剤情報提供の進め方を答申書として次のように作成した[14]．この答申書では提供すべき情報を，基本情報，安全性情報，有効性情報の3つに分け，医師と薬剤師のそれぞれへの関わりを，図12-2のように示した．入院患者には，薬剤管理指導業務実施の有無にかかわらず，医師の同意の下，退院時服薬指導として，基本情報，有効性情報及び安全性情報について情報提供を行う．外来患者には，まず基本情報の提供を十分に行い，医師等との連携が十分にとれ次第，有効性情報，安全性情報について情報提供することに努める．重大な副作用の初期症状について注意を喚起するポスターを提示することも1つの方法である．

日本薬剤師会は，患者に対して処方された医薬品について質問を奨励するGet the Answers*（次頁脚注）キャンペーンを行った．

薬剤師の判断		医師の判断
基本情報 薬品名及び関連情報（成分名，識別コード，色調，形状など） 用法・用量 服用上の留意事項（外用薬，注射薬なども含む） 保管上の留意事項 薬価	安全性情報 警告 禁忌 併用禁忌，併用注意 重大な副作用，その他の副作用 生活上の留意事項	有効性情報 効能・効果

図12-2．患者等への薬剤情報提供の進め方（日本病院薬剤師会）

7 服薬指導の実際（1）

7-1 プレアボイド活動[15～17)]

医薬品の使用に伴うリスクの回避に，薬剤師の果たす役割は大きい．医薬品の知識と経験，薬歴，患者情報をもとに，禁忌・副作用・相互作用発現の予測・早期発見，患者への情報提供，高齢者，妊婦・授乳婦，乳幼児，肝・腎機能不全患者など特殊条件患者の医薬品選定，薬剤事故防止（p.292），院内感染対策（p.265）など，リスクマネージャーとしての貢献は大なるものがある．

日本病院薬剤師会は会員に呼びかけて，薬剤師の患者指導，薬学的管理によって，副作用を未然にまたは重篤化を回避した事例を中心に，患者の QOL を改善した事例の収集をしている．これをプレアボイド活動と称する．

収集事例はプレアボイドオンライン報告導入に伴い，報告件数が増加し，令和元年度では年間 43,431 件に達し，“薬害の防人（さきもり）”としての薬剤師の評価が高まっている．さらに平成 28 年度から患者が本来受けることができる最適な薬物治療の成果を受けられないことを「患者不利益」の一部としてとらえ，処方設計支援や，用量最適化による治療効果増大，治療継続性向上などの成果や経済的に貢献できた事例の収集もプレアボイドの概念に包括している．

7-2 服薬に伴う自覚症状

服薬に伴う身体への影響として，医薬品本来の薬理作用による副作用と，尿・便の着色などの生理的変化がある．服薬に伴う自覚症状や生理的影響は，患者にとって関心のある事柄である．その正しい認識は服薬の不安によるノンコンプライアンスを防ぎ，重大な副作用を未然に防ぐことができる．患者の自覚症状には，次のようなものがある．

精神神経系：眠気，めまい，頭痛，幻覚 など．
循環器系：起立性低血圧，顔面紅潮，頻脈，徐脈 など．
呼吸器系：咳，喘息様症状 など．
消化器系：口渇，胃部不快感，胃痛，食欲不振，悪心，嘔吐，腹痛，下痢，便秘 など．
泌尿器系：頻尿，多尿，尿閉 など．
感覚器官：視力障害，難聴，耳鳴，鼻閉，嗄声 など．
皮膚：発疹，発赤，かゆみ，むくみ，光線過敏症，火傷様の水ぶくれ など．

---

* Get the Answers：1983 年より米国において，患者，消費者に対する医薬品情報の提供の推進を目的として行われているキャンペーン．キャンペーンには医療関係職能団体，消費者団体，製薬企業，政府機関などが参加し，患者向け情報及び教育に関する国民会議（NCPIE）が中心となって推進している．患者に対しては処方された医薬品について，名称，作用，服用方法，服用中の注意事項，予想される副作用等について医療関係者に質問するよう奨励している．一方医療関係者に対しては，患者に対して必要な情報を与えることを奨励するキャンペーンが行われている［National Council on Patient Information and Education：Get the answers campaign activity ideas for participating organizations（JJSHP **22**(10) 965 1986)］.

生理的変化：味覚異常，嗅覚異常，黄視，尿・便の色調変化，乳汁分泌，乳房肥大，インポテンツ，多汗，脱毛，多毛 など.
そ の 他：振戦，疲労感，脱力感，しびれ など.

副作用や生理的変化の服薬指導は，このような自覚症状を中心にして行う.

薬剤師は自覚症状の理由を調査しておき，患者からの質問に的確に対応できるようにしておく.

自覚症状から類推される重篤度や頻度の高い副作用を「自己観察用情報提供書」のような形で患者に提供する考えが提案されている.

7-3 重大な副作用の初期症状[18～20]，警告 Warning

医療用医薬品添付文書記載要領では，副作用を「重大な副作用」，「その他副作用」に分けている（p.78 図 4-1）.

[重大な副作用の記載要領]

① 発生頻度は，できる限り客観的に行われた臨床試験等の結果を基に具体的な数値を記載
　副詞によって頻度を表す場合：「まれに」は 0.1％未満，「ときに」は 0.1～5％未満
② 転帰や重篤性を考慮し記載
③ 初期症状（臨床検査値の異常を含む），発現機序，発生までの期間，リスク要因，防止策，特別な処置方法等について必要に応じて記載
④ 海外のみの症例も，必要に応じて記載
⑤ 類薬は，同様の注意が必要と考えられる場合に限り記載

[その他副作用]

① 発現部位別，投与方法別，薬理学的作用機序，発現機序別等に分類し，発現頻度の区分とともに記載
② 海外のみの症例も，必要に応じて記載

重大な副作用については，医薬品医療機器等法施行規則（第 228 条の 20）に，当該医薬品による副作用又は使用による感染症と疑われるもので，発生傾向が添付文書記載の使用上の注意から予測できないものとして規定した 6 項目が，重篤な症例に該当する.

(1) 死亡
(2) 障害（日常生活に支障をきたす機能不全の発生）
(3) 死亡又は障害につながるおそれのある症例
(4) 入院又は入院期間の延長が必要な症例（(3)に掲げる事例を除く）
(5) (1)～(4)に準じる重篤な症例
(6) 後世代における先天性の疾病又は異常

重大な副作用の初期症状の実例を表 12-5 に記す．患者の経過に注意する.

表 12-5. 重大な副作用の初期症状と対応の要点

薬効群	医薬品名（経口剤が主）	重大な有害反応	初期症状	症状について患者への説明・注意と対応の要点
神経作用薬	フェニトイン カルバマゼピン	中毒性表皮壊死融解症，皮膚粘膜眼症候群	広範な皮膚紅斑，水疱と剥離，発熱	皮膚保護，十分な補液，血中濃度測定
	ハロペリドール	悪性症候群	硬直，発汗，発熱，無動，けいれん	脱水・栄養不良患者で注意，服用中も中止後でも起こる
	ジクロフェナクナトリウム	ショック	冷汗，手足冷たい，乏尿，吐き気	坐剤でも短時間後でも起こりうる
	イブプロフェン	無菌性髄膜炎	頭痛，吐き気，発熱	先行した非細菌性髄膜炎感染を除外
循環器官作用薬	メチルドパ水和物	心筋炎	動悸，脈の乱れ，胸痛，微熱	心電図，安静
	アテノロール	喘息	咳，呼吸困難	喘息既往歴に注意，点眼でも起こり得る
	エナラプリルマレイン酸塩	血管浮腫	口内浮腫，会話異常，呼吸困難	口腔内観察
	ジゴキシン	心室性不整脈	吐き気，色覚異常，動悸，めまい	心電図，血中濃度測定，カリウム値注意
	プロパフェノン塩酸塩	心室性不整脈	めまい，失神，動悸，前胸部異常	心電図（QT 測定），心不全徴候注意
	プラバスタチンナトリウム	横紋筋融解症	筋痛，脱力，乏尿	腎機能が悪い例や激しい運動後投与しない
呼吸器	フェノテロール臭化水素酸塩（エアゾル）	心室性不整脈	窒息感，座位呼吸，喘息悪化	過度の吸入禁止，特に小児の喘息発作時
消化器	シメチジン	汎血球減少症	皮下出血，発熱，全身倦怠，脱力	高齢者注意，漫然と長期投与しない
	ドンペリドン	錐体外路症状	ふるえ，運動障害，硬直	パーキンソン病除外
ホルモン	チアマゾール	無顆粒球症	発熱，咽頭痛，全身倦怠	開始前，開始後 2ヵ月間は 2 週に 1 回，血球算定（白血球分画含む）
	フルオロメトロン（点眼）	緑内障	頭痛，視力低下	眼を軽く押さえて硬さをみるが，定期的に眼圧測定
	エストリオール	血栓症	下肢では特に左に多く痛み，むくみ	血栓の部位によるが，緩徐・進行性の循環障害
代謝性医薬品	グリベンクラミド	低血糖	冷汗，動悸，空腹感	食事ができない時は服用しない
	アカルボース	肝障害	腹満，吐き気，腹痛，尿黄染	低血糖，腸閉塞に注意，グルコース携帯
	ベンズブロマロン	劇症肝炎	発熱，黄疸，全身倦怠感	初めの 6ヵ月間，定期的肝機能検査
	チクロピジン塩酸塩	血栓性血小板減少性紫斑病，無顆粒球症，重篤な肝障害	突然の頭痛，嘔吐，運動麻痺，紫斑	歯茎や皮膚の出血傾向注意．開始後 2ヵ月間は 2 週に 1 回，血球算定（白血球分画含む），肝機能検査．開始後2ヵ月間は14日分ずつ投与
抗がん	メトトレキサート	間質性肺炎，骨髄抑制	咳，呼吸困難，めまい，出血	専門家以外使用せず，定期的受診必要
抗菌薬・化学療法剤	アモキシシリン水和物	偽膜性大腸炎	腰痛，下痢，粘血便	感染性腸炎除外
	ノルフロキサシン	けいれん	四肢のこわばり	フルルビプロフェンアキセチルなど NSAIDs 併用注意
	リファンピシン	溶血性貧血	黄疸，めまい，動悸，尿黄染	間欠投与時，再開投与時注意
	イソニアジド	視神経炎	視力低下，中心暗点	新聞読みの視力・視野．エタンブトール併用注意．ビタミンB_6投与
漢方	小柴胡湯	間質性肺炎	呼吸困難，発熱，咳	胸部 X 線検査，副腎皮質ステロイド投与

注 1. いずれも有害反応の例示，他の反応にも関心をもつ
2. 対応は服薬中止を含め医師の判断によるので受診を勧める

中毒性表皮壊死融解症 Lyell's syndrome, toxic epidermal necrolysis：TEN[21]　発熱と痛みを伴う紅斑で始まり，水疱ができるが，広範囲に粘膜を含む表皮の壊死により，全身の表皮が層状に簡単にむけて，第2度のやけど様にみえ，重篤な状態になる．表皮の剝脱前は次のSJSと鑑別困難．

皮膚粘膜眼症候群 Stevens-Johnson syndrome：SJS[21]　多型性紅斑（紅斑，丘疹，じんま疹，小水疱など）の重篤な病型であるが，口腔粘膜，咽頭，結膜，肛門部などの水疱が特徴で皮膚の症状はないこともある．口唇の炎症で口が閉じられず，よだれが出たり結膜炎のため開眼できないなどの症状がある．

悪性症候群 neuroleptic malignant syndrome, syndrome malin　抗精神病薬等で治療中に38～39度以上の高熱，意識障害，筋硬直，筋壊死，変動する高血圧，頻脈，錐体外路症状の増悪などを主症状とする重篤な副作用で，ドパミン受容体遮断説が有力．抗パーキンソン病薬では，せん妄などの出現により，服用を中止して発症することもある．十分な補液やダントロレンナトリウム水和物，ブロモクリプチンメシル塩酸塩などの投与で死亡率は大幅に低下しているが，致死的になることもある．

無菌性髄膜炎 aseptic meningitis　ウイルス性髄膜炎との鑑別は困難なことが多いが，髄液中で単核球増加が優位な非細菌性髄膜炎の総称．発熱，頭痛，嘔吐などの髄膜刺激症状を示す．経過は通常良好．

心室性不整脈 ventricular arrhythmia（Torsades de Pointesを含む）　心室性期外収縮，連続あるいは不連続の心室頻拍，心室細動・粗動，房室ブロックの総称である．特に抗不整脈薬でQT延長作用のある薬では先端のねじれを意味する心室頻拍の特異型Torsades de PointesというQRSベクトルの連続性変化が使用開始数日以内に起こることがある．電解質異常のある場合に起こりやすい．

横紋筋融解症 rhabdomyolysis　骨格筋細胞の融解，壊死により，筋体成分ミオグロビンが血中に流出した病態．流出した大量のミオグロビンが尿細管内に析出し，尿の生成が障害されるため，急性腎不全を併発することが多い．原因として薬剤の筋への直接的障害と，薬剤により誘発された低カリウム血症，けいれん発作などが原因で発症する二次的なものが考えられる．フィブラート製剤でも発症する．

無顆粒球症 agranulocytosis　血液中の顆粒白血球，主に好中球が減少する病態で，細菌感染などに対する抵抗力が低下する．急激な病変で，無治療では死亡率が60～80%．顆粒球コロニー刺激因子G-CSFで治療を行う．顆粒球減少症，好中球減少症とも呼ばれる．

低血糖 hypoglycemia　血中ブドウ糖値が異常に低い状態（通常45 mg/dL以下）．p.338参照．

劇症肝炎 fulminant hepatitis　肝炎ウイルスや医薬品が原因となって，肝細胞の広範な壊死をきたす重篤な肝障害．肝症状発現後，数日以内に黄疸が重症化し，高度な意識障害を伴う．予後は不良で，致死率が高い．ウイルスによる劇症肝炎と区別して（反応性のリンパ球浸潤がない），**急性肝不全** acute hepatic failureと命名した方がよいとの考え方もある．

血栓性血小板減少性紫斑病 thrombotic thrombocytopenic purpura：TTP　全身の広範な細小動脈に血栓が生じるために起こる病態である．血小板や凝固因子が減少するが，これらは血栓形成のために消費された結果である．血小板や凝固因子の減少により出血症状として紫斑が生じ，また赤血球が血栓の部位を通過する時に破壊されるため溶血性貧血の症状を示す．

間質性肺炎 interstitial pneumonitis　発熱，咳，呼吸困難などを主訴とし，胸部X線上，外下肺野を中心にびまん性にスリガラス様，小粒状陰影が，また聴診では異常肺音ベルクロ音が特徴的である．薬剤による肺障害の例としてゲフィチニブ，ブレオマイシン塩酸塩，インターフェロン製剤，メトトレキサート，小柴胡湯などが知られている．

偽膜性大腸炎 pseudomembranous colitis：PMC　抗生物質，抗菌薬投与により腸内細菌叢に菌交代現象が起こり，Clostridium difficileが増殖し，菌が産生する毒素により大腸に偽膜（壊死した粘膜や白血球，浸出液などからなる膜様物質）を形成する粘膜障害．

溶血性貧血 hemolytic anemia　赤血球が体内で異常に早く崩壊する．クームス試験陽性で網状赤血球増加，間接ビリルビン増加を伴う貧血．黄疸，脾腫が主症状．関節痛，発疹，リンパ腫脹も伴う．

（清水直容）

表 12-6．医療用医薬品添付文書に「警告」の記載のある医薬品例

一般名又は薬効群	「警告」の内容，その他
アマンタジン塩酸塩	インフルエンザの予防や治療に短期投与中の患者で自殺企図の報告，てんかん患者及びけいれん素因のある患者で，発作を誘発又は悪化．催奇形性が疑われる報告あり．妊娠又は妊娠の可能性ある婦人には投与しない．
エトレチナート	催奇形性．妊娠または妊娠している可能性のある婦人には投与しない．妊娠可能な婦人に，やむを得ず投与する場合は，使用上の注意を厳守．
ゲフィチニブ	急性肺障害，間質性肺炎が現れることがあるので，胸部X線検査等を行うなど観察を十分に行う．
高カロリー輸液基本液	ビタミンB_1を併用せずに高カロリー輸液療法を施行すると重篤なアシドーシスが発現することがあるので，必ずビタミンB_1を併用すること．
ジクロフェナクナトリウム（坐剤）	幼小児・高齢者，消耗性疾患の患者は，過度の体温下降・血圧低下によるショック症状が現れやすい．
ジドブジン	骨髄抑制が現れるので，頻回に血液学的検査を行う．
フェノテロール臭化水素酸塩エアゾル	小児には他のβ_2-刺激薬吸入剤が無効で，入院など医師の厳重な管理監督で投与の場合を除き，投与しない．
小柴胡湯	間質性肺炎が起こり，早期に適切な処置を行わない場合，死亡等の重篤な転帰に至ることがある．
スルピリン水和物（注射剤）	ショック等の重篤な副作用が発現することがある．
スルホニル尿素系血糖降下薬	重篤かつ遷延性の低血糖を起こすことがある．
ダナゾール	血栓症を引き起こすおそれ．
チクロピジン塩酸塩	血栓性血小板減少性紫斑病，無顆粒球症，重篤な肝障害等の重大な副作用．投与開始後2ヵ月間は1回2週間分を処方．
テルビナフィン塩酸塩	重篤な肝障害及び汎血球減少，無顆粒球症，血小板減少が現れることがある．
トリアゾラム	本剤服用後に，もうろう状態，夢遊症状等の睡眠随伴症状．入眠までの，あるいは中途覚醒時の出来事を健忘していることがある．
ビグアナイド系血糖降下薬	重篤な乳酸アシドーシスを起こすことがある．
フルオレセイン（注）	重篤なショック症状が現れることがある．
ブレオマイシン塩酸塩（注射，外用）	間質性肺炎・肺線維症等の重篤な肺症状を呈し，ときに致命的になることがある．特に高齢者，肺に基礎疾患を有する患者への投与に注意．
ペニシラミン	無顆粒球症等の重篤な血液障害等が起こることがある．
ベンズブロマロン	重篤な肝障害が主に投与6ヵ月以内に発現し，死亡等の重篤な転帰に至る例の報告がある．
メトトレキサート（注射） （内服：リウマチ治療）	メトトレキサート・ロイコボリン救援療法は高度の危険性を伴う． 重篤な副作用（骨髄抑制，間質性肺炎など）により，致命的な経過をたどることがある．
ヨード造影剤（注射）	ショック等の重篤な副作用が現れることがある．
ラモトリギン	中毒性表皮壊死症，皮膚粘膜眼症候群，薬剤性過敏症症候群等の重篤な皮膚障害が発現した死亡例の報告がある．用法・用量を超えて投与した場合，皮膚障害の発現率が高いので「用法・用量」を遵守すること．
レセルピン	重篤なうつ状態が現れることがある．
レフルノミド	重篤な副作用（汎血球減少症，肝不全，急性肝壊死，感染症，間質性肺炎等）により，致死的な経過をたどることがある．
ロピニロール	前兆のない突発的睡眠及び傾眠等がみられることがある．本剤服用中は自動車の運転，機械の操作，高所作業等危険を伴う作業に従事させない．

重大な副作用回避のため，薬剤師は初期症状を患者に情報提供し，異常に気づいた時は直ちに連絡するよう指示する．薬剤師は医師に連絡し，患者に受診を勧める．対応は服薬中止を含め医師の判断による．

また警告の情報は医師，薬剤師が重要事項として頭に入れておき，患者の経過に注意する（表12-6）．2012年（平成24年）10月時点で，警告欄を設けているものは289成分．警告欄の内容は，①使用する医療機関や医師を限定，②厳格な患者選択の要求，③使用方法の指定など医療関係者の行為の限定・規定 の3つに大別される．

7-4 副作用原因薬の推測

薬物療法において，患者からいつもと違うイベントを訴えられたとき，薬剤師はまず服用薬による副作用を疑う必要がある．医薬品の副作用発現で最も重要なことは，原因となっている被疑薬を推測して中止し，副作用の早期発見により重篤化を回避することである．早期発見にあたっては副作用の初期症状（7-3の項を参照）の知識が役に立つ．

副作用原因薬の推測では，単剤を使用していることは少なく，複数の医薬品を使用していることが多く，使用開始や中止が同時であったりするために容易でないこともある．現在，被疑薬のスクリーニングに多くのアルゴリズム的方法等が応用されている．その中で，フローチャートに従い原因薬物か否かの評価に基本となる米国食品医薬品局（FDA）診断方式[22]を示す（図12-3）．とくに重要視されている項目は，「症状発現と薬剤の間に合理的な時間的関係があるか」，「投与中止で症状が軽減したか」，「再投与された場合に症状が再発したか」であるが，臨床現場では患者への危険性から再投与

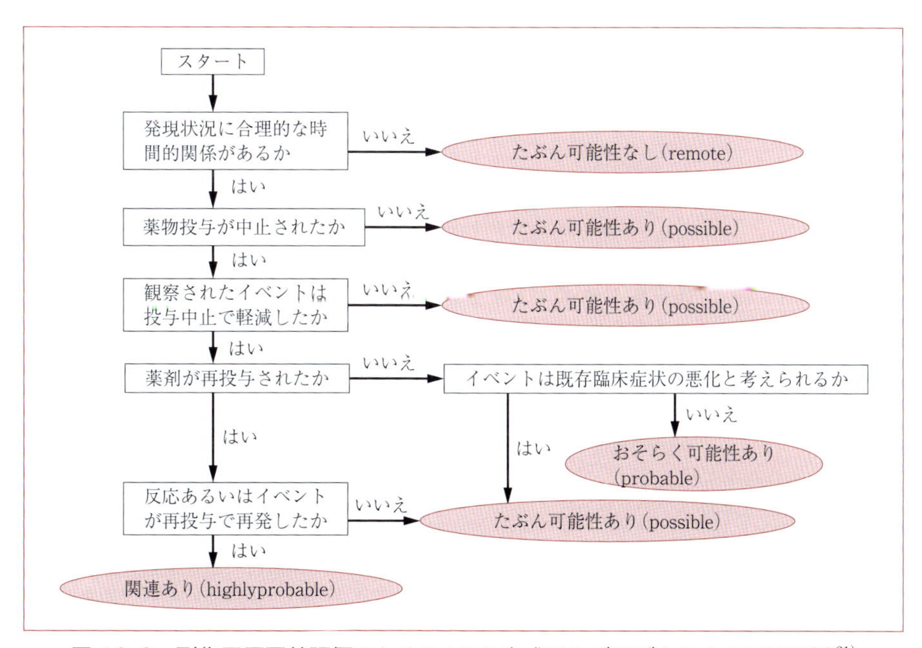

図12-3．副作用原因薬評価のためのFDA方式アルゴリズムによる因果関係[21]

表 12-7. 重篤副作用疾患別対応マニュアル記載内容の加工例

分類	副作用/好発医薬品/同義語	自覚症状/他覚症状/検査	発現機序/好発時期/リスク因子/治療
皮膚	皮膚粘膜眼症候群 (Stevens–Johnson syndrome：SJS)	【自覚症状】 「高熱（38℃以上）」，「目の充血」，「めやに（眼分泌物）」，「まぶたの腫れ」，「目が開けづらい」，「くちびるや陰部のただれ」，「排尿・排便時の痛み」，「のどの痛み」，「皮膚の広い範囲が赤くなる」	【発現機序】［過敏性（アレルギー又は特異体質）］ 活性化されたCD8陽性T細胞やNK細胞の直接的表皮細胞攻撃だけでなく，これらの細胞から産生された細胞傷害性の可溶性Fasリガンドなどの液性因子がアポトーシスを誘導する．また単球から産生されたAnnexin A1が表皮細胞のネクロプトーシスを引き起こす
	【好発医薬品】 抗菌薬，NSAIDs，抗てんかん薬，痛風治療薬，サルファ剤，消化性潰瘍薬，催眠鎮静薬・抗不安薬，精神神経用薬，緑内障治療薬，筋弛緩薬，降圧薬など	【他覚症状】 発熱（38℃以上），粘膜症状（結膜充血，口唇びらん，咽頭痛，陰部びらん，排尿排便時痛），多発する紅斑（進行すると水疱・びらんを形成）を伴う皮疹の3つが主要徴候 〔主要所見（必須）〕 皮膚粘膜移行部の重篤な粘膜病変（出血性あるいは充血性）がみられる．びらんもしくは水疱は体表面積の10%未満．発熱	【好発時期】 服用後2週間以内に発症することが多い．（数日以内あるいは1ヵ月以上のこともある） 【患者側のリスク因子】 医薬品による皮疹や呼吸器症状・肝機能障害などの既往．（肝・腎機能障害患者では症状が遷延化・重症化しやすい） アロプリノール（*HLA-B*58：01*），カルバマゼピン（*HLA-A*31：01*），フェニトイン（*CYP2C9*3*）で遺伝子多型の関与が示唆されている
	【重症型】 中毒性表皮壊死症 (Toxic epidermal necrolysis：TEN)	【検査】 CRPの上昇，白血球増加・もしくは白血球減少を含む骨髄障害，肝機能障害，腎機能障害，血尿・血便　単純ヘルペス・マイコプラズマ抗体価	【治療】 被疑薬の中止．副腎皮質ステロイド薬の全身投与：中等症0.5～1 mg/kg/日，重症1～2 mg/kg/日（プレドニゾロン換算），最重症例メチルプレドニゾロン1 g/日×3日間．高用量ヒト免疫グロブリン静注療法（重篤な感染症併発の可能性，重症例で副腎皮質ステロイド薬と併用）：400 mg/kg/日×5日間．血漿交換療法（進行がくい止められない重症例，重症感染症がある場合）．眼病変：ベタメタゾン，デキサメタゾンの点眼，ベタメタゾン眼軟膏（炎症が高度な場合），抗菌点眼薬
泌尿器	尿閉・排尿困難 (Urinary retention, Dysuria)	【自覚症状】 「おしっこがしたいのに出ない」，「おしっこの勢いが弱い」，「おしっこをしている間に何度もとぎれる」，「おしっこが出るまでに時間がかかる」，「おしっこを出すときにお腹に力を入れる必要がある」，「おしっこをしたあとにまだ残っている感じがある」．これらの症状が急に強く自覚されたり，持続したりする	【発現機序】［薬理作用］ 抗ムスカリン作用による膀胱収縮力の低下やα受容体刺激による尿道抵抗の増大
	【好発医薬品】 抗ムスカリン様作用を有する薬物，過活動膀胱治療薬，頻尿尿失禁治療薬，総合感冒薬，胃腸薬，下痢止め薬，抗精神病薬・抗うつ薬，抗不整脈薬，抗パーキンソン病薬など	【他覚症状】 —	【好発時期】 内服後数時間以内や数ヵ月後に発症する場合もある 【患者側のリスク因子】 高齢者，下部尿路閉塞患者（前立腺肥大症），排尿筋収縮障害患者（糖尿病，腰部椎間板ヘルニアなど） 【治療】 被疑薬の中止．尿閉例では導尿

試験の実施がほとんど不可能なため，結果は「たぶん可能性あり」または「おそらく関連性あり」という範疇から逸脱することができないという問題点があるものの大変有用である．

患者の薬剤服薬歴，原疾患・合併症，患者からの情報等総合的に判断して副作用原因薬の推測ができたら医師へ報告し，対応について十分協議しなければならない．情報のフィードバックのため，薬剤服用歴や診療録等へ記録するとともに厚生労働省へも副作用報告する必要がある（医薬品・医療機器等安全性情報報告制度，p.64）．

また，副作用が疑われるとき，その副作用疾患の好発医薬品，自覚症状（患者が気づく症状），他覚症状（周囲が気づく症状），臨床検査値異常，発現機序，好発時期，リスク因子，治療法について知っておくことは予測や予防，対応に重要である．とくにその副作用がどういった機序で現れるのかや好発時期は，原因薬の推測や副作用発現に対する対応を考えることができる．

服薬指導をする際には，発現時期情報を加えると，より具体的な指導に役立つ．副作用の発現機序は服用量に依存する薬理作用に基づくものと，服用量に依存しない薬物アレルギーや不耐性，特異体質による患者の体質が影響するものに大きく2つに分けられる．

厚生労働省が作成した重篤副作用疾患別対応マニュアル（p.228）のなかで「皮膚粘膜眼症候群（Stevens-Johnson syndrome）」と「尿閉・排尿困難」の副作用疾患についてわかりやすいよう加工した（表12-7）．薬剤師も重大な副作用を予測し予防するため，初期症状（自・他覚症状），発現機序，発生までの期間，リスク要因，防止策，特別な処置方法等副作用発現の背景について具体的に理解し，副作用重篤化の未然防止に対応しなければならない．

7-5 服薬による尿，便の色調の変化[23]

尿や便が着色する理由として，もとの薬剤が着色している場合（リボフラビン：黄色～橙黄色，リファンピシン：橙赤色，フェナゾピリジン：赤褐色～赤紫色），代謝物が有色な場合，アルカリ尿で着色ないし色調が濃くなる場合などがある．

アルカリ尿は炭酸水素ナトリウムなどのアルカリ性薬剤を服用する場合のほか，炭酸脱水酵素阻害薬のアセタゾラミドなどにはNa^+の強力な再吸収抑制作用があり，尿はアルカリ性になる．この場合Na^+やK^+に比べてCl^-が少ない場合にアルカリ性を示しやすい（表12-8）．

表12-8．主な利尿薬の利尿効果

薬剤名	尿のpH	尿中電解質（mEq/L）			
		Na^+	K^+	Cl^-	HCO_3^-
正常尿	6	50	15	60	1
アセタゾラミド	8.2	70	60	15	120
サイアザイド	7.4	150	25	150	25
トリアムテレン	6	150	5	150	1
フロセミド	6	200	25	220	1

【処方】 1）アセタゾラミド Acetazolamide
ダイアモックス錠 250 mg Diamox 1回1錠（1日2錠）
1日2回 朝昼食後に服用
2）センノシドA・B Sennoside A・B
プルゼニド錠 12 mg Pursennid 1回2錠（1日2錠）
1日1回 就寝前に服用

緑内障患者の症状寛解に，アセタゾラミドを朝昼食後に用い，便秘治療薬を配した処方．アセタゾラミドによりアルカリ尿となり，センノシドにより黄褐色又は赤色を帯びる（p.195）．

服薬により尿や便などが着色する例として，表12-9のものがある．原薬の色も参考に記した．

7-6 薬剤情報提供の方法 と 文書例

1）情報提供の方法

a) 口 頭

口頭指導は患者との人間関係を密接にするために有用な方法であり，また患者の理解度を確かめながら実施できる利点がある．反面，記録性に欠けるので年少者，高齢者など記憶力，理解力に疑問の持たれる患者には注意を要する．また患者の家族又は介助者を通じて行う場合は誤伝達の危険性も考えられるので十分に注意する．

口頭指導にあたる者の態度が患者の服薬コンプライアンスに大きな影響を及ぼす．指導的な態度でありながらやさしく接し，適切な用語で明確な指導，助言を与える．患者は暗い心理状態に陥りやすいので，つとめて明るい態度で応対する．

b) 文 書

文書指導は記録性があり，また口頭指導では表現しにくい事項を図示できるなどの利点がある．反面，人間的な接触に欠け，相手の理解度を確かめることができない．

文書の表現，図解の仕方は簡潔で明確，わかりやすい言葉づかいに注意する．

現在では，各薬剤のカラー製剤写真を入れた薬剤情報提供文書が市販ソフトとして発売されており，患者への情報提供として一般化している．患者の薬剤の自己管理上優れた情報提供となる．市販ソフトは販売各社それぞれに特徴があり，要はいかに患者個々の条件に合わせた情報の提供が可能であるか，情報をうまく加工することが大切である．

くすりの適正使用協議会（旧名 日本RAD-AR協議会*）はくすりの正しい使い方を周知させるため，ピクトグラムを作成している（p.358，p.359）．

---

* Risk/Benefit Assessment of Drug-Analysis &Response

表 12-9. 服薬による尿，便，涙液などの色調変化

医薬品名	尿の色調	便の色調	原薬の色（その他の色調変化）
エパルレスタット	黄褐～赤色		黄色～橙色
カルバゾクロムスルホン酸ナトリウム水和物	茶～黄褐色		橙黄色
クロファジミン	赤～茶褐色	赤～茶褐色	赤褐色 （汗・痰・毛髪・皮膚が赤～茶褐色）
サラゾスルファピリジン	アルカリ尿で黄赤色		黄色～黄褐色 （ソフトコンタクトレンズが着色）
ジオクチルソジウムスルホサクシネート・カサンスラノール	黄褐色～赤色		白色，黄褐色～褐色
次硝酸ビスマス		黒色	白色 （舌，口腔内等が青色又は青黒色）
セフジニル	赤色	鉄添加製品と併用し赤色	白色～淡黄色
センナ・センノシド	黄褐～赤色	黄～褐色	黄褐色～褐色
チニダゾール	濃黄～褐色		淡黄色
チメピジウム臭化物水和物	赤色		白色
クエン酸鉄アンモニウム		黒色	褐色又は帯褐黄色
鉄剤		黒色	帯緑白色～帯緑黄白色
銅クロロフィリンナトリウム合剤		緑色	青黒色～緑黒色
トリアムテレン	帯青色 （青白い蛍光を発する）		黄色
バルプロ酸ナトリウム		白色（製剤残渣）	白色
チペピジンヒベンズ酸塩	赤色		白色～淡黄色
フラビンアデニンジヌクレオチドナトリウム	黄色		橙黄色
フルオレセイン	輝黄（蛍光）		橙色（ソフトコンタクトレンズが着色）
フルタミド	琥珀又は黄緑色		淡黄色
プロトポルフィリン二ナトリウム		黒色	暗赤色～赤紫色
ミノサイクリン塩酸塩	黄褐～茶褐色，緑，青		黄色
メチルドパ水和物	黒（放置で暗色化）		白色又はわずかに灰色
メトロニダゾール	暗赤色		白色～微黄白色
リファンピシン	橙赤色	橙赤色	橙赤色～赤褐色 （唾液，痰，汗，涙液，血清が橙赤色）
リボフラビン酪酸エステル	黄色		黄色～橙黄色
レボドパ	黒色	黒色	白色又はわずかに灰色 （汗，唾液が黒色）

c）視聴覚

待合室の患者を対象として，掲示板，ポスター，DVD，ビデオテープ，カセットテープ，スライド，アナウンスなどによる指導は今後もっと活用してよい分野である．視聴覚に訴える方法はわかりやすく，また待ち時間の心理的負担の軽減にもなると思われる．

日本薬剤師会は医療用医薬品の家庭における使用について，図 12-4 のような文書を作成し，患者に対する啓発を行っている．ポスターにして待合室に掲示するとよい．

お薬を受け取られた皆様へ

1. 処方箋で調剤されたお薬（医療用医薬品）は，医師がその患者さんの状態を診察して，一人一人の状態にあったものを選んであります．症状が同じだからといって，他人に渡したり，勧めたり，貸したりしてはいけません．特に，大人に処方されたものを，量を減らしたからといって子供に使用するのは大変危険です．
2. 医師から処方されたお薬は，診察を受けたときの状態にあわせたものです．再び，同じ症状が現れたからといって，以前に渡されたお薬を自己判断で使用してはいけません．そのような場合には，あらためて医師の診察をお受け下さい．
3. 医師から処方されたお薬は，残ったからといって保管し，別の機会に使ってはいけません．治療が終わった時点で残ったお薬は，原則的に廃棄して下さい．

図 12-4. 日本薬剤師会作成の患者啓発用文書

（医薬安発第 0308001 号　平 14.3.8）

d) 点　字

視覚障害者に点字等により薬剤使用の情報を薬袋に記載する工夫も必要である．

身体的ハンディキャップのある患者には，きめ細かな服薬指導とフォローアップが必要である．

e) 電子媒体（IC カード・光カード）

最近，診療録などの電子媒体による保存が認められ，地域によっては患者への医薬品情報の提供に光カードや非接触型 IC カードの利用を試みているところがある．近い将来，患者への情報提供も電子媒体による提供が普及するものと思われる．

■ 2) 薬剤情報提供の文書例

調剤報酬の薬剤服用歴管理指導料（p.308）では，保険薬剤師が患者等に提供する情報の内容を，具体的に次のように記している．

① 投薬に係る薬剤の名称（一般名処方の場合は一般名），形状（色，剤形等），用法・用量，効能・効果，主な副作用及び相互作用，服用又は保管取扱い上の注意事項，保険薬局の名称，情報提供を行った保険薬剤師の氏名，保険薬局又は保険薬剤師の連絡先等

② 効能・効果，副作用及び相互作用に関する記載は，患者等が理解しやすい表現による．

③ 文書は，調剤を行ったすべての薬剤の情報が一覧できるようなものとする．複数の薬袋に入れて交付する場合は，薬袋ごとに一覧できる文書であってもよい．

④「これに準ずるもの」とは，視覚障害者に対する点字，カセットテープ又はボイスレコーダーへの録音その他のものをいう．

⑤ 抗悪性腫瘍薬や複数の異なる薬効を有する薬剤等であって特に配慮が必要と考えられるものは，情報提供の前に処方箋発行医に確認する等慎重に対応する．

薬剤師法第25条の2に基づき，情報提供及び薬学的知見に基づく指導は薬剤服用歴作成の有無にかかわらず実施する．

使用上とくに注意を要する薬剤は，医薬品ごとに文書を作成し，薬剤交付に際し患者に説明をして手渡す．経口糖尿病治療薬の患者用注意文書，ワルファリン等の説明書の例を図 12-5〜図 12-7 に示す．

7-7 お薬手帳[24, 25]

お薬手帳を患者に交付し，患者を中心に使用薬剤の一元的管理を行うことが実施されている（p.341 図 12-8）．これには投与薬剤，受診記録，患者情報が記されており，受診時，調剤時，一般用薬購入時に医師，薬剤師に提示して，医薬品の適正使用，安全性確保に役立てる．

8 服薬指導の実際（2）

8-1 高齢者の服薬指導

高齢者には薬による副作用が起こりやすい．これは薬物を代謝排泄する処理機能の低下が主な原因である．図 12-9（p.343）は年齢別，投与量別にみたフルラゼパム塩酸塩の副作用の頻度である．加齢に伴って高くなるが，この傾向は薬用量が少ない時は明らかでなく，薬用量が増加するにつれて顕著になっており，高齢者の特徴をよく示している[26]．

フルラゼパム塩酸塩（ベンゾジアゼピン系催眠導入薬）は1回 10〜30 mg を就寝前に服用する．高齢者では運動失調等の副作用が発現しやすいので，少量から開始するなど慎重に投与する．

一方，投薬数の増加による複雑な服用法，視力低下，記憶障害により，高齢者には服薬に伴う事故が多い．合併症により処方薬剤数が増えると，服用法が複雑になる．毎食前，毎食後，朝昼，朝夕，朝2錠昼1錠，就寝前など組み合わせが複雑となり，理解できなくなったり，間違うこともある．医師は処方を整理して処方薬剤数を減らし，服用法をまとめる努力が必要となる．

視力障害でよく見えない患者，耳が聴こえなくて説明が理解できない患者には，時間をかけて繰り返しゆっくり説明をする．麻痺がなくても力が弱く容器の蓋をあけられなかったり，ヒートシールを破れない患者も少なくない．患者が実際に服薬できるかを確かめる必要がある．

高齢者は多少とも記憶が障害されている．軽症の老年認知症者はうまく応対できるので認知症に気づかぬことがある．しっかりした家族がいれば服薬を安心して依頼できるが，そうでない場合は工夫が必要となる．1回量包装とし，交付に際し十分説明指導する．

高齢者に対する服薬指導では，服薬による ADL（activities of daily living）の低下にも注意する[27]（p.318）．

経口糖尿病用剤（血糖降下剤）を服用される方へ

糖尿病の薬が処方されています．
危険な低血糖症を起こすことがあります．
予防と処置法に十分注意して下さい．
この注意は必ず家族やまわりの方にも知らせておいて下さい．

1．低血糖症とは

血液中の糖分が少なくなりすぎた状態で，急に強い異常な空腹感，力のぬけた感じ，発汗，手足のふるえ，眼のちらつき等が起こったり，また頭が痛かったり，ぼんやりしたり，ふらついたり，いつもと人柄の違ったような異常な行動をとることもあります．空腹時に起こり，食物を食べると急に良くなるのが特徴です．はなはだしい場合には，けいれんを起こしたり意識を失うこともあります．低血糖症は危険な状態ですから，このようなことが起こらないように注意し，もし起こったら，軽いうちに治してしまわなければなりません．

なお，低血糖症が起こっていることを本人が気づかなかったり，わからなかったりすることがありますので，家族やまわりの方もいっしょに注意して下さい．

2．低血糖症の予防には

(1) 薬の量や飲み方は，主治医の指導を正しく守って下さい．勝手に量や飲み方をかえるような自己流のやり方は危険です．
(2) 食事をみだりに減じたり，抜いたりしないよう食事療法はきちんと守ることが大切です．酒の飲みすぎ，激しい運動，下痢などは低血糖症を起こしやすいので注意して下さい．食事がとれない時は，主治医に連絡してその指示をうけて下さい．
(3) 薬の中には，いっしょに飲むと低血糖症を起こすものがあります．何か別の薬を飲む時には，主治医に相談して下さい．他の医師に何か薬を処方してもらう時には，すでに糖尿病の薬を飲んでいることを申し出て下さい．

3．低血糖症が起こったら

(1) 低血糖症になっても軽いうちは糖分を食べると治ります．平素から3～4個の袋入り砂糖を持ち歩き，すぐその場でとることが必要です．がまんしてはいけません．
ただし，アカルボース（商品名：グルコバイ等），ボグリボース（商品名：ベイスン等），ミグリトール（商品名：セイブル）を併用している場合には砂糖は不適切です．これらの薬剤は砂糖の消化や吸収を遅らせますので，必ずブドウ糖をとって下さい．
(2) 十分注意していても，ときには意識を失うような強い低血糖症が起こらないとも限りませんから，自分は現在糖尿病で薬を飲んでいることを書いたカードを身につけておき，すぐに治療してもらえるようにしておくことが安全です．
(3) 低血糖症を起こした場合は，必ず早目に主治医に報告して下さい．

4．高所作業や自動車の運転等危険を伴う作業に従事している時に低血糖症を起こすと事故につながります．特に注意して下さい．

図 12-5．経口糖尿病用薬*の患者用注意文書

---

* 経口糖尿病用薬の種類
スルホニル尿素系薬（グリメピリド，グリベンクラミド，グリクラジド等）
ビグアナイド系薬（ブホルミン塩酸塩，メトホルミン塩酸塩）
インスリン抵抗性改善薬（チアゾリン系，ピオグリタゾン塩酸塩）
α-グルコシダーゼ阻害薬（食後過血糖改善薬．アカルボース，ボグリボース，ミグリトール）
速効型インスリン分泌促進薬（ナテグリニド，ミチグリニドカルシウム水和物）
DPP-4 阻害薬（シタグリプチンリン酸塩水和物，アログリプチン安息香酸塩等）
SGLT2 阻害薬（イプラグリフロジン L-プロリン，ダパグリフロジンプロピレングリコール等）

ワーファリンを服用される方へ

有効成分：
1錠中にワルファリンカリウム1mgを含有しています．

くすりの効き目：
ワーファリンは血液を固まりにくくする薬です．血液をさらさらにして，血栓（血の固まり）ができないようにする作用があります．
血液が固まる時にはビタミンKが必要です．ワーファリンは，体内のビタミンKの働きを阻止して，血液を固まりにくくする作用を示します．

正しいくすりの飲み方：
人によって血液の固まりやすさが違うため，血液の固まる時間を検査して，一人一人に適した量を決めています．決められた量を正しく守り，飲み忘れのないようにしましょう．

☆もし飲み忘れたら？
- 服用を忘れたことに気付いたら，できる限り早く服用して下さい．もし翌日まで気付かなかったら，忘れた分は抜き，その日の分だけを指示通りに服用して下さい．決して2回分を一度に服用しないで下さい．
- 間違えて多く服用してしまった時はすぐに主治医に連絡して下さい．

服用中の注意：
ワーファリンは血液を固まりにくくするため，まれに次のような症状が現れることがあります．以下のような症状に気付いた場合には，すぐに主治医に連絡をとり指示に従って下さい．
鼻出血，歯茎からの出血，尿や便が黒い，血が混じる．皮膚の内出血．
手足がしびれる．ろれつがまわらない．体の片側の麻痺．頭痛，嘔吐．
また服用開始後1週間程度はこのような症状に注意が必要です．
胸・太股・お尻などに痛みを感じ，その後，次第に皮膚が赤くなったり，紫色になってくる．

☆日常生活で注意することは？
- 切り傷や打撲など，けがをしないよう注意して下さい．
- 歯の治療は特に出血を伴いやすいので，治療を受ける前に必ずワーファリンを服用していることを歯科医師に告げて相談して下さい．
- ワーファリン服用中は妊娠しないように注意し，妊娠を希望する時は主治医に相談して下さい．

☆食物についての注意
① 納豆を食べてはいけません！
  - 納豆菌（“ネバネバ”のもと）が腸内でビタミンKをたくさん合成してしまうため，ワーファリンの作用が弱まってしまうからです．
  - ただし，大豆製品（醤油，味噌，豆腐など）は食べても影響ありません．
② クロレラ等の健康食品を摂らないようにしましょう．
  - クロレラにはビタミンKがたくさん含まれています．健康食品を使用する場合は，あらかじめ主治医か薬剤師に相談して下さい．
③ 緑色野菜（緑色の濃い野菜）は一人前の分量を守りましょう．
  - 緑色野菜にはビタミンKが多く含まれています．これらの野菜はたくさん食べ過ぎないよう注意しましょう．
  - たとえば，ほうれん草のおひたしなら小皿で一皿程度です．その他は大根やきゅうりなどの淡色野菜を十分とって，バランスをとりましょう．

  ビタミンKを多く含む野菜
  ほうれん草，春菊，芽キャベツ，小松菜，にら，キャベツ（外側），ブロッコリー，グリーンアスパラ等

くすりの飲み合わせ：
他のくすりと併用するとワーファリンの作用が強くなったり，弱くなったりすることがあります．他の医療機関にかかる場合や薬局で薬を購入する際は，あらかじめこの説明書を見せて相談して下さい．
① ビタミンKを併用しないで下さい．
（商品名；ケーワン，ケイツー，グラケー等）
② 胃腸薬（消化酵素剤）を併用するときは注意して下さい．
  - ビタミンKを産生する納豆菌の乾燥粉末を配合した薬剤（コンクチームN，新ドライアーゼ等）があります．
③ かぜ薬，頭痛薬，抗生物質など多くのくすりで飲み合わせに注意が必要です．

――この説明書についてご質問がありましたら薬剤部までご連絡下さい――

虎の門病院　薬剤部
TEL　03（3588）1111（内線　3401）

図 12-6．ワルファリンの説明書（虎の門病院）

【お薬説明書（服用前に必ずお読み下さい.）】

退　院
処方せん番号
診療科
ID
患者氏名　　　　　　　　　　様

処方日　　2022 年 3 月 1 日
処方医師

ガスターD錠(20mg)

1日2回　朝食後、ねる前　　40日分　　1回 1錠

効　能　過剰な胃酸やペプシンの分泌をおさえることにより、胃・十二指腸潰瘍や胃炎の症状を改善するお薬です。

副作用　０．１〜５％未満の人に、便秘などの症状があらわれる可能性があります。

使用上の注意　●このお薬は、水なしでも、のむことができます。水なしでのむ場合は、舌で軽く押しつぶすようにして、唾液と一緒にのみこんでください。

プレドニン錠(5mg)

1日1回　朝食後　　40日分　　1回 6錠

効　能　副腎皮質ホルモンです。炎症やアレルギーの症状をおさえる作用があり、リウマチ、膠原病、血液、肺、腎臓、皮膚などの様々な病気に効果があるお薬です。

副作用　５％以上の人に、過敏症（発疹、かゆみなど）、下痢、むかむかして気持ちが悪い・嘔吐、胃が痛む、胸やけ、お腹がはる、口が渇く、食欲の低下、不眠、頭痛、筋肉痛、顔が丸くなる、体がむくむ、多毛、皮膚の色が黒くなる、あざがでる、発熱、疲労感、体重増加などの症状があらわれる可能性があります。

ラシックス錠(40mg)

1日1回　朝食後　　40日分　　1回 1錠

効　能　尿量を増やしてむくみをとり血圧を下げるお薬です。

副作用　発疹、じんましん、発赤、食欲不振、下痢、ムカムカして気持ちが悪い・嘔吐、口が渇く、めまい、頭痛、脱力感、体がだるいなどの症状があらわれる可能性があります。

使用上の注意　●めまい、ふらつきがあらわれることがあるので、車の運転や機械を操作する時は注意して下さい。

リンデロンVGローション(10ml)

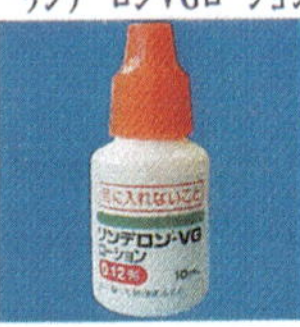

1日2回

効　能　細菌による湿疹や皮膚の炎症をおさえる塗り薬です。ステロイドと抗生物質が含まれます。

副作用　５％以上の人に、過敏症（発疹、かゆみなど）があらわれる可能性があります。

- 飲み合わせをしてはいけない薬もありますので，他に服用している薬があれば，診察時に申し出て下さい.
- 薬を飲んで，発疹・かゆみなどが現れた場合，すぐに申し出て下さい.
- 妊娠中に飲んではいけない薬もありますので妊娠中の可能性のある方は医師に申し出て下さい.

図 12-7. 薬の説明書（NTT 東日本関東病院）

あなたのお薬について たずねて下さい。

- この薬の名前は?
- 何に効くの?
- 服用する時に注意することは?
- 副作用は?
- 他の薬や食べ物との飲み合わせは?（相互作用）

氏 名

お薬手帳とは

お薬手帳は、あなたに処方されたお薬の名前や飲む量、回数、飲み方、注意することなどを記録するための手帳です。
この記録がありますと、医師・歯科医師や薬剤師が、どのようなお薬をどのくらいの期間使っているかなどを判断できます。
また、他の病院や診療所などでお薬をもらうときにも、医師・歯科医師や薬剤師にこの手帳を見せることで、同じお薬が重なっていないか、また不都合な飲み合わせ等についての確認も行ってもらえます。

医療機関のみなさまへ

この「お薬手帳」は、患者さんの薬の服用歴等を記録したものです。処方の際にご参考下さい。
また、医療機関で直接投薬されます場合には、処方等をご記入いただきますようお願いいたします。

お薬手帳の利用方法

1. 病院や診療所、歯科診療所、薬局に行くときには、毎回、忘れずに持って行きましょう。
2. 薬局で市販のお薬を買った場合にも、記録して下さい。
3. 病院や薬局でお薬の名前等を書いた説明書を渡された場合は、この手帳といっしょに保管して下さい。
4. お薬について、わからないこと、困ったこと等があるときには、右下の空欄にメモしておきましょう。
5. あなたがもらったお薬の記録（薬歴）になりますので、大切にして下さい。

図 12-8. お薬手帳①（日本薬剤師会）

あなたの大切な情報

氏 名　　　　　　　　　　男・女

生年月日　　年　　月　　日　　年齢　　歳

住 所 〒

電話番号

血 液 型 （A・AB・B・O型）

アレルギー歴（有・無）

食べ物　　　　　お薬の名前

副作用歴（有・無）

お薬の名前

主な既往歴

- □アレルギー性疾患（　　）
- □肝疾患（　　）
- □心疾患（　　）
- □腎疾患（　　）
- □消化器疾患（　　）
- □その他（　　）

※詳細は医師、歯科医師、薬剤師に記入してもらって下さい。

受 診 記 録

受診中の病院・診療所・薬局名・電話番号	医師・歯科医師・薬剤師名等

受 診 記 録

受診中の病院・診療所・薬局名・電話番号	医師・歯科医師・薬剤師名等

年月日	おくすりの名前、飲み方、注意すること、医療機関名、薬局名
． ．	
． ．	
． ．	
． ．	
． ．	
． ．	

年月日	おくすりの名前、飲み方、注意すること、医療機関名、薬局名
． ．	
． ．	
． ．	
． ．	
． ．	
． ．	

図 12-8. お薬手帳②（日本薬剤師会）

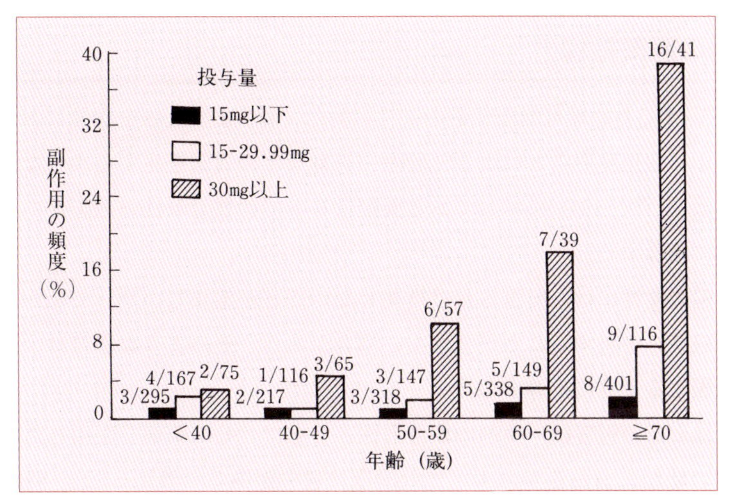

図 12-9．年齢別，投与量別にみたフルラゼパム塩酸塩の副作用の頻度

（D. J. Greenblatt）

8-2 小児の服薬指導[28)]

小児に対する服薬指導の特徴は，服薬に関して大人の介添えが必要なため，服薬指導は患者の保護者，多くは母親に対して行われることである．

小児，とくに幼児には病識がないため，医師と母親との信頼関係が重要である．服薬指導を介して，薬剤師と患児の母親との信頼関係も大切である．くすりの適正使用協議会は，幼児への服薬指導を手助けする保護者用冊子を作成している．

学校や保育園など長時間を家庭外で過ごす小児にとって1日3回の服用は困難である．家庭で保護者が服用させる場合でも，服用忘れになってしまう時間帯が生じる場合がある．とくに長期にわたって服用が必要な場合には，生活のリズムに合わせることが正しい服用の継続につながる．

授乳と薬剤の服用，ドライシロップ，シロップ剤ののませ方は別に記した（p.168）．解熱薬の坐剤を頓用で使用する場合は続けて使用すると熱が下がりすぎることがあるので，4時間以上の間隔をあけて使用するよう具体的に説明する．また小児の場合，皮膚からの吸収がよいので，軟膏の塗布が過量使用にならないよう注意する（p.149）．

慢性疾患で長期に投薬する薬剤については，副作用の早期発見という意味でも重篤な副作用の初期症状を保護者に知らせておく方がよい．とくにジギタリス製剤，喘息治療薬，抗てんかん薬などは，きちんと服用することの大切さと起こりうる副作用と対応の仕方をよく説明しておく．また重篤ではないが，眠気，ふらつき，口渇，味覚障害，便・尿の着色などは，患者や保護者の不安を取り除くためあらかじめ知らせておいた方がよい．

8-3 妊婦の服薬指導[29)]

17～45 歳ぐらいまでの妊娠可能な年齢の女性に対しては，まず妊娠を念頭において指導する必要がある．妊娠中に服用することによって胎児に奇形などの異常を生ずるような危険な薬剤はそう多くはない．表 7-7（p.154）に示してある薬剤はヒトでの催奇形性の報告があり，妊娠中の服用は避けるように指導する．

妊娠可能な年齢の女性には，できるだけ投薬しないことが望ましいが，てんかん，膠原病，喘息，心疾患など服薬を中止することができない場合がある．そのような場合は，主治医と相談の上，計画的に妊娠するように指導する．

胎児に対する催奇形の影響は，薬剤の催奇形性とともに，その薬剤を服用した時期が，胎児の器官形成期のどの時期に当たるかによって危険度に違いがある（表 12-10）．問題は最も危険な絶対過敏期（最終月経初日から 28 日～50 日目まで）では，本人もまだ妊娠していることに気がついていない場合が多いことである．したがって本人が妊娠していないといっても注意して指導する必要がある．

表 12-10．服用時期と催奇形性の危険度

最終月経初日からの日数	危険度
0 日～ 27 日目	無影響期　（全く影響はない）
28 日～ 50 日目	絶対過敏期（最も危険）
51 日～ 84 日目	相対過敏期（かなり危険）
85 日～112 日目	比較過敏期（やや危険）
113 日～出産日まで	潜在過敏期（ほとんど影響ない）

母子健康手帳（母子保健法施行規則様式第 3 号）の様式が改正され，妊娠中の薬の使用について，分娩時に使用する薬剤を含め，妊婦が事前にその必要性，効果，副作用につき，医師，薬剤師から十分な説明を受けることを定め，注意事項作成例の「薬の影響について」の欄が充実された（雇児母発第 0115001 号　平 14.1.15）．

厚生労働省は 2005 年（平成 17 年）10 月から「妊娠と薬情報センター」（国立成育医療研究センター内）を設置し，妊婦の服薬情報の提供と情報提供後の服薬情報等の収集を行っている．

8-4 授乳婦の服薬指導

薬物によっては母乳中に移行するものがあることは周知のとおりである（p.154）．一方，生後 1 週間以内の新生児では薬物を代謝する能力が不十分であり，また血液脳関門も完成されていない．また母乳中の薬物濃度がそう高くはなくても，哺乳量は 500～1,000 mL と大量になるので油断はできない．

ただし授乳中の母親と妊婦への服薬指導が異なる点は，新生児に不都合な薬剤を服薬する場合

は，授乳を一時中止すればよいということである．新生児にとって害があると思われる薬剤を服用する場合は，授乳を一時中止して，粉ミルクによる人工哺乳に切り替えるように指導する．

8-5 糖尿病患者の服薬指導[30〜32)]

わが国の糖尿病患者数は約1,000万人，耐糖能異常者（糖尿病予備軍ともいう）を合わせると約2,000万人にものぼる．さらに糖尿病の合併症は，糖尿病患者の生活に大きな影響を与え，QOLを著しく低下させている．

糖尿病治療の目的は合併症を発症もしくは進展させずに健康な人と変わらないQOLを維持し寿命を全うさせることにある．近年DCCT（Diabetes Control and Complications Trial）などにより，血糖を良好にコントロールすれば，合併症の発症及び進展を予防できることが確証された．このエビデンスは，糖尿病治療に従事する医療スタッフを勇気づけるとともに，糖尿病治療＝患者教育という糖尿病治療の基本を再認識させた．

糖尿病は自己管理の病気であるといわれるように，患者自身が治療法を十分理解し，日々の生活の中で実行していく必要がある．糖尿病の治療法は，食事療法，運動療法をはじめ，経口血糖降下薬，インスリン注射と多岐にわたる．これを習得することは必ずしも容易ではない．このため糖尿病ではチーム医療が古くから取り入れられ，多くの施設で糖尿病教室が開催されている．チーム医療が適切に実施されるためには，糖尿病治療に関して豊富な知識を有し，かつ指導法にも精通した専門スタッフが必要である．これらの要求に応えて日本糖尿病療養指導士認定機構が発足し，2001年（平成13年）に糖尿病療養指導士が誕生した．また，薬剤師としての糖尿病領域での専門性を高める目的で2011年（平成23年）に日本くすりと糖尿病学会が設立され，2018年（平成30年）から糖尿病薬物療法認定薬剤師制度を開始している．

糖尿病療養指導における薬剤師の役割は服薬指導である．1型糖尿病ではインスリン治療が必須であり，2型糖尿病では経口血糖降下薬を中心とした段階的な薬物療法が行われる．経口血糖降下薬の選択は，血糖コントロール及び肥満やインスリン抵抗性の有無を指標として決定される．

糖尿病患者への服薬指導のポイントは，まず糖尿病の治療は長期にわたるため服薬コンプライアンスの意識づけを第1とする．次に治療の基本は食事療法と運動療法であり，薬物療法は補助療法に位置することをしっかりと患者に説明する．すなわち食事療法を怠り，薬を漫然と服用し続けると，期待される薬の作用が発揮されないばかりか逆に病態が悪化する場合もあることを患者に説明し理解させる．加えて低血糖の発症・症状とその対策，シックデイ時（発熱，下痢，嘔吐の場合や食欲不振で食事ができない時）の対応なども服薬指導の範疇となる．

薬剤師が糖尿病療養指導士として評価されるためには，患者が良きパートナーとして認めてくれ，他の教育チームのスタッフと協力してトータルに患者を把握し，薬剤師としての役割を積極的に果たすことである．すなわち患者をより深く理解し，患者情報をチームで共有化し，服薬指導のみならず薬学的視点から食事や運動，そして生活習慣全般に至るまで幅広い関わりが薬剤師に求められる．

8-6 悪性腫瘍患者の服薬指導

2006年（平成18年）に「がん専門薬剤師」が誕生し，がん化学療法は複数の専門性をもったメディカルスタッフによるチーム医療に基づいて行うことが不可欠となってきている．

悪性腫瘍の治療は，まず医師により診断がなされ，それらに関して医師から患者への説明が行われた後，治療方針が決定することになる．薬剤師は，患者がどのようなインフォームド・コンセントに基づいて治療を受けるに至ったかなどの患者情報を把握した上で，患者へ治療の目標，薬剤投与スケジュール，副作用などについて服薬指導を行う．また，服薬指導については，常に他の医療スタッフと情報の共有を行うことが重要である．治療の目標は，治癒を目指したものであるか，延命を目的としたものであるか，症状の緩和（主に痛み）を目的としたものであるかを説明し，患者が理解した上で服薬指導を行う必要がある[33]．

現在のがん化学療法は，複数の薬剤を組み合わせた併用療法が主であるため，患者は口頭の説明だけでは理解し難い．そのため，薬剤投与スケジュールに関しては，レジメン（治療内容）ごとの患者用説明シートなどを用いて，経時的に薬剤の投与法，効果，副作用について説明するとよい．

入院中は医療スタッフがフォローしやすいが，外来においては自宅でのセルフケアが必要となり，服薬指導がさらに重要となる．外来患者への服薬指導は，正しい判断を促すための薬剤情報を提供すること，そして薬剤を中心とした投与開始から次回診察までの患者自身によるセルフケアをサポートすることである．そのため，患者がセルフケアできるためのパンフレットは必須となる[34]．

服薬指導では，副作用及び支持療法に関する指導が今後の治療方針に大きな影響を与えることが多いため，薬剤師としてとくに重要な役割といえる．副作用については，副作用の種類，発現時期，程度，頻度，予防法，対処法，回復時期などの説明が必要である．これらの活動が評価され，薬剤師による抗悪性腫瘍薬の投薬又は注射の必要性，副作用等の指導管理に対して，平成26年度の診療報酬改定において，「がん患者指導管理料（200点）」が，また令和2年度には保険薬局に対してがん患者指導の「特定薬剤管理指導2」が新設された．病院薬剤師と薬局薬剤師の連携強化が求められる．

麻薬の服用（使用）については，フェンタニルのパッチ剤のように毎日貼り替えや3日ごとの貼り替え[35]など，特別な投与方法が決められている薬剤があり，これらの薬剤に関しては正しい使用によって，疼痛コントロールが可能となるため，十分な服薬指導が大切である[34]．

また，副作用に対する支持療法の1つに，パクリタキセル投与に際して重篤な過敏症状の防止のために前投薬がある．前投薬は，パクリタキセル投与の約12〜14時間前及び約6〜7時間前の2回，もしくは本剤投与約30分前に投与を終了するように1回デキサメタゾンリン酸エステルナトリウム注射液を静脈内投与，本剤投与約30分前に投与を終了するようにジフェンヒドラミン塩酸塩錠の経口投与，ラニチジン塩酸塩注射液又は注射用ファモチジンを静脈内投与することとなっており，これらの投与に関する説明を十分に行い，正しく投与されることが大切である[36]．

悪性腫瘍患者の終末期医療（ターミナルケア terminal care）では，身体的ケアに加えて精神的ケアが求められる．緩和ケアとは，終末期を迎えた患者に，疼痛などに対する医学的対応，精神面を中心にしたケアを行い，残された人生の質を重視する医療をいう．そのような医療施設をホスピス hospice，診療報酬上緩和ケア病棟 palliative care unit という．

8-7 精神神経疾患患者の服薬指導[37, 38]

精神神経疾患は多岐にわたる．入院患者は統合失調症（精神分裂病）が2/3を占め，外来は統合失調症，うつ病，躁病，神経症の患者が多い．疾患により服薬指導のポイントも若干異なる．

統合失調症の治療には抗精神病薬が用いられるが，振戦，倦怠感，眠気，口渇などの副作用の発現頻度は高く，患者の不快感は大きい．さらに患者は病識がなかったり，治療が長期に及んだりすることからノンコンプライアンスにおち入りやすい．病識をもつよう治療することが望まれるが，困難な場合もある．病識がない患者の多くは薬の必要性もわからないので，まず薬の効果を自覚させ，薬識をもち，薬の必要性を理解するよう服薬指導を行うことが必要となる．その後副作用に注意しつつ，退院後も服薬を続けるための十分な服薬指導を実施することになる．抗精神病薬の急激な中断は重大な副作用である悪性症候群を引き起こすことがあるので，医師の指示を守るように繰り返し指導することが求められる．また最近は非定型抗精神病薬への切り替えに関する説明も重要なポイントとなる．

うつ病患者への処方は抗うつ薬及び抗不安薬の併用が一般的である．不眠を訴える患者には睡眠薬も処方される．抗うつ薬は通常，効果発現までに1～2週間必要なため，そのことをあらかじめ説明し，改善が感じられなくとも服用を続けることの指導が必要である．また副作用では，眠気，便秘，口渇，悪心・嘔吐（選択的セロトニン再取り込み阻害薬：SSRI）などの発現頻度が高く，患者が自覚できるものを説明する．効果よりも副作用を先に自覚し，服薬を中止してしまう患者がいるので，副作用の確認と服薬継続の説明が服薬指導のポイントとなる．

躁病患者の治療には炭酸リチウムやカルバマゼピン，抗精神病薬が用いられる．服薬指導は急性期より維持療法に移行してからがより必要である．炭酸リチウムによる口渇，悪心・嘔吐，振戦など頻度の高い副作用の発現に注意する．また炭酸リチウムは治療域の狭い薬物であり，TDMを実施しながら適正量を決めていくことが推奨されている．

神経症ではパニック障害（症候群），潔癖症，乗り物恐怖，拒食症などの患者が入院対象となる．薬物療法にはSSRIやベンゾジアゼピン系の抗不安薬が用いられる．またパニック障害（症候群）に抗うつ薬クロミプラミン塩酸塩が処方されたり，病識に欠ける拒食症患者に抗精神病薬が処方されることがあるので，服薬指導に際しては，事前に医師と十分な打ち合わせが必要である．

精神神経疾患は服薬管理が可能であれば，いずれも十分に社会適応が可能な疾患である．しかし服薬が長期に及ぶため，ノンコンプライアンスが原因で入退院を繰り返している患者が多いのも現実である．コンプライアンスを高めるために，医師，薬剤師，看護師の協力が必要である．

8-8 喘息 又は 慢性閉塞性肺疾患患者の服薬指導

吸入剤の投薬が行われている患者に対する吸入指導は，薬剤師の大事な仕事である．文書及び練習用吸入器等を用いて吸入手技の指導を行い，患者が正しい手順で吸入薬が使用されているか否かの確認が求められる（p.389 参照）．

9 服薬指導の実例

服薬指導の実例を表 12-11 に示す（p.328 表 12-5，文書例 p.338～p.340 も参照）．

表 12-11．服薬指導の実例 ①

	同様の服薬指導を行う薬効群	医薬品名	指導項目	服薬指導（薬物—薬物間相互作用を除く）
神経作用薬	ベンゾジアゼピン系抗不安薬	ジアゼパム	眠気・注意力・集中力・反射運動能力などの低下	自動車の運転など，危険を伴う機械の操作に従事しない．
			アルコールにより相互に作用増強	飲酒を避ける．
			口渇	口が渇くことがある．氷片などを口に含むと楽になる．
			大量連用により薬物依存	医師に指示された用法・用量を守る．
	抗てんかん薬	フェニトイン	眠気・注意力・集中力・反射運動能力などの低下	自動車の運転など，危険を伴う機械の操作に従事しない．
			病気の理解と服薬遵守	服薬を習慣づける．勝手に中止しない．
			歯肉増殖の防止（フェニトインのみ）	口腔内を清潔に保つ．
	トリプタン系製剤	リザトリプタン安息香酸塩	用法	頭痛発現時のみ服用．予防的に服用しない．追加投与する場合，前回投与から2時間以上あける．
			口腔内崩壊錠	口腔内で崩壊するが，口腔粘膜から吸収されないため，唾液又は水で飲み込むこと．
			眠気	自動車の運転など，危険を伴う機械の操作に従事しない．
	非ステロイド性消炎鎮痛薬	インドメタシン	胃腸障害	食直後又は食後に服用．胃腸薬が同時に処方されているときは，いっしょに服用．
			眠気，めまい	自動車の運転など，危険を伴う機械の操作に従事しない．
	フェノチアジン系精神病治療薬	クロルプロマジン塩酸塩	アルコールにより相互に作用増強	飲酒を避ける．
			眠気・注意力・集中力・反射運動能力などの低下	自動車の運転など，危険を伴う機械の操作に従事しない．
	ブチロフェノン系精神病治療薬	ハロペリドール	アルコールにより相互に作用増強	飲酒を避ける．
			眠気・注意力・集中力・反射運動能力などの低下	自動車の運転など，危険を伴う機械の操作に従事しない．

（つづく）

表 12-11．服薬指導の実例②

	同様の服薬指導を行う薬効群	医薬品名	指導項目	服薬指導（薬物—薬物間相互作用を除く）
神経作用薬	非定型抗精神病薬	リスペリドン	アルコールにより相互に作用増強	飲酒を避ける．
			眠気・注意力・集中力・反射運動能力などの低下	自動車の運転など，危険を伴う機械の操作に従事しない．
		オランザピン	高血糖・低血糖	口渇，多飲，多尿，頻尿などの高血糖症状あるいは脱力感，倦怠感，冷汗，意識障害などの低血糖症状が現れた場合，薬を直ちに中止し，医師の診察を受ける．
			体重増加	肥満に注意して，症状が現れた場合には，食事療法，運動療法などを行う．
			アルコールにより相互に作用増強	飲酒を避ける．
			喫煙により本剤の血漿中濃度を低下	喫煙を避ける．
			傾眠・注意力・集中力・反射運動能力などの低下	高所での作業あるいは，自動車の運転など，危険を伴う機械の操作に従事しない．
	選択的セロトニン再取り込み阻害薬（SSRI）	フルボキサミンマレイン酸塩	アルコールにより相互に作用増強	飲酒を避ける．
			眠気	自動車の運転など，危険を伴う機械の操作に従事しない．
			急な中止による副作用発現	勝手な中止，急激な減量により，嘔気，頭痛，めまい，不安感，不眠，集中力低下などが現れることがあるので，指示を守る．
			噛み砕くと，苦味，舌のしびれあり	十分な水とともに，かみ砕かないで服用する．
	セロトニン・ノルアドレナリン再取り込み阻害薬（SNRI）	ミルナシプラン塩酸塩	アルコールにより相互に作用増強	飲酒を避ける．
			眠気・めまい	自動車の運転など，危険を伴う機械の操作に従事しない．
			嘔気，嘔吐	空腹時に服用すると嘔気，嘔吐が強く現れることがあるので，必ず食後に服用する．
	三環系抗うつ薬	アミトリプチリン塩酸塩	アルコールにより相互に作用増強	飲酒を避ける．
			眠気・注意力・集中力・反射運動能力などの低下	自動車の運転など，危険を伴う機械の操作に従事しない．
			口渇	口が渇くことがある．氷片などを口に含むと楽になる．
			急な中止による副作用発現	勝手な中止，急激な減量により，嘔気，頭痛，倦怠感，易刺激性，情動不安，睡眠障害などが現れることがあるので，指示を守る．
			過量投与防止	うつ病の患者では，自殺企図の危険があるため，用量を守る．
			主作用発現は副作用発現の後に現れる	作用発現が遅いことをあらかじめ説明する．

（つづく）

表 12-11．服薬指導の実例 ③

	同様の服薬指導を行う薬効群	医薬品名	指導項目	服薬指導（薬物—薬物間相互作用を除く）
神経作用薬	中枢性骨格筋弛緩薬	エペリゾン塩酸塩	眠気，ふらつき，脱力感など	自動車の運転など，危険を伴う機械の操作に従事しない．
	抗ヒスタミン薬	*d*-クロルフェニラミンマレイン酸塩	アルコールにより相互に作用増強	飲酒を避ける．
			眠気	自動車の運転など，危険を伴う機械の操作に従事しない．
			口渇	口が渇くことがある．氷片などを口に含むと楽になる．
	その他	炭酸リチウム	めまい，眠気など	自動車の運転など，危険を伴う機械の操作に従事しない．
			用法・用量遵守	服薬を習慣づける．
			中毒症状の発現，副作用の防止	体調に異常があったとき連絡する．定期的に受診する．
循環器作用薬	強心配糖体	ジゴキシン	中毒症状の発現	吐き気，下痢，食欲不振，視覚異常，めまい，頭痛などの症状があったら連絡する．
	利尿薬	フロセミド	光線過敏症	過度の日光を浴びないようにする．
			電解質失調，脱水	利尿効果が急激に現れて，電解質失調，脱水が現れることがある．
			ふらつき，めまい	高所作業，自動車の運転など，危険を伴う機械の操作に従事しない．
		スピロノラクトン	電解質のバランスのくずれ	不整脈，全身倦怠感，脱力などが現れることがある．その場合は，服用を中止し，医師へ相談する．
	硝酸薬	ニトログリセリン（舌下錠）	用法・用量	常に薬剤を携帯し狭心症発作時に舌下で使用する．舌下錠の使用法を説明．狭心症の場合，1～2錠舌下，数分間で効果ないときはさらに1～2錠追加．
			追加投与	1回の発作に3錠まで投与しても効果が現れない場合，発作が15～20分以上持続する場合には，主治医に相談する．
			副作用	頭痛や起立性低血圧が起こることがある．めまい，失神を起こすことがあるので，座って服用する．
	β 遮断薬	プロプラノロール塩酸塩	急な中止で症状の悪化（狭心症患者）	勝手に中止せず，指示を守る．
			涙液分泌減少	眼が乾燥した感じになったとき連絡する．
			口渇	口が渇くことがある．氷片などを口に含むと楽になる．
	$\alpha\beta$ 遮断薬	カルベジロール	服用方法（慢性心不全の場合）	投与量を必ず守る．
			急な中止で症状の悪化	勝手に中止せず，指示を守る．
			めまい，ふらつき	自動車の運転など，危険を伴う機械の操作に従事しない．

（つづく）

表 12-11．服薬指導の実例 ④

	同様の服薬指導を行う薬効群	医薬品名	指導項目	服薬指導（薬物―薬物間相互作用を除く）
循環器作用薬	α 遮断薬	ドキサゾシンメシル酸塩	投与初期及び用量急増時のめまい	高所作業，自動車の運転など，危険を伴う機械の操作に従事しない．
	中枢性交感神経抑制薬	クロニジン塩酸塩	急な中止で急激な血圧上昇，頻脈などのリバウンド現象	勝手に中止せず，指示を守る．
	カルシウム拮抗薬	ニフェジピン	急な中止で症状の悪化 めまい 歯肉増殖（ニフェジピンのみ）	勝手に中止せず，指示を守る． 高所作業，自動車の運転など，危険を伴う機械の操作に従事しない． 連用によりまれに歯肉肥厚，現れたら中止する．
	ACE 阻害薬	カプトプリル	めまい，ふらつき 咳嗽	高所作業，自動車の運転など，危険を伴う機械の操作に従事しない． 咳がひどければ連絡する．
	アンジオテンシンⅡ受容体拮抗薬	バルサルタン	一過性の血圧低下 めまい，ふらつき	初回投与後，一過性の急激な血圧低下を起こすことがあるので，そのような場合は服用を中止し，医師に相談する． 高所作業，自動車の運転などに従事する場合注意する．
	HMG-CoA 還元酵素阻害薬	プラバスタチンナトリウム	横紋筋融解症の発現	筋肉痛，脱力感が現れたら診察を受ける．
	フィブラート系薬剤	クロフィブラート	横紋筋融解症の発現	筋肉痛，脱力感が現れたら診察を受ける．
呼吸器作用薬	キサンチン系	テオフィリン	有効血中濃度の維持	用法・用量を守り，定期的検診を受ける．
	β_2 受容体興奮薬	*dl*-イソプレナリン塩酸塩（吸入）	過度の使用で心停止	通常 1 回 1 吸入．
		プロカテロール塩酸塩	過度の使用で心停止	過度の服用により，不整脈，さらに心停止を起こすことがあるので，注意する．
	ヒスタミン H_1 受容体拮抗薬	アゼラスチン塩酸塩	眠気 効果 苦味感，味覚異常	自動車の運転など，危険を伴う機械の操作に従事しない． 気管支喘息に用いる場合，すでに起こっている発作を抑える薬でない． 薬剤の苦味のため苦味感，味覚異常が現れることがある．
	鎮咳薬	コデインリン酸塩	薬物依存 眠気，めまい	連用により薬物依存を生じることがある．必要時に服用する． 自動車の運転など，危険を伴う機械の操作に従事しない．

（つづく）

表 12-11．服薬指導の実例 ⑤

	同様の服薬指導を行う薬効群	医薬品名	指導項目	服薬指導（薬物—薬物間相互作用を除く）
消化器官作用薬	ヒスタミン H_2 受容体拮抗薬	シメチジン	再発防止	症状が軽快しても服薬を勝手に中止しないで指示を守る．
	プロトンポンプ阻害薬	オメプラゾール	再発防止	症状が軽快しても服薬を勝手に中止しないで指示を守る．
	抗コリン薬	ブチルスコポラミン臭化物	眼の調節障害	自動車の運転など，危険を伴う機械の操作に従事しない．
			口渇	口が渇くことがある．氷片などを口に含むと楽になる．
			禁忌	前立腺肥大，緑内障の患者は申し出る．
	プロスタグランジン製剤	ミソプロストール	流産	子宮収縮作用により，流産の報告があるため，妊娠中でないことを確認する．
			服薬中の避妊	本剤の妊娠に及ぼす危険性について，安全対策リーフレットを用いて説明する．服用中に妊娠が確認されたら，直ちに服用を中止する．
			下痢	軽度で一過性であるが，症状が持続する場合は，医師に相談する．
副腎皮質ステロイド	副腎皮質ステロイド	プレドニゾロン	急な中止で離脱症状	勝手に中止せず，指示を守る．
			水痘または麻疹	水痘または麻疹に感染すると，致命的な経過をたどることがあるので，投与前に既往や予防接種の有無を確認する．
			生ワクチン接種禁止	免疫機能が低下していると，ワクチン由来の感染を増強又は持続することがあるので，生ワクチンは接種しない．
	副腎皮質ステロイド外用剤	ベタメタゾン吉草酸エステル（軟膏）	ステロイド痤瘡，酒さ様皮膚炎・口周炎などの副作用	長期連用を避ける．
			吸収による下垂体・副腎皮質系機能の抑制	大量又は長期にわたる広範囲の使用などを避ける．
代謝性医薬品	インスリン	インスリン	低血糖	低血糖の徴候と処置．
			糖尿病の自覚	インスリン患者用注意文書の熟読．
	GLP-1 受容体作動薬	デュラグルチド	自己注射方法	週1回，同じ曜日に皮下投与する．
			低血糖	低血糖の徴候と処置．
	経口糖尿病治療薬	メトホルミン塩酸塩	低血糖	低血糖の徴候と処置．
			低血糖症状	高所作業，自動車の運転などに従事する場合注意する．
			糖尿病の自覚	経口糖尿病薬患者用注意文書の熟読．
			乳酸アシドーシス	悪心，嘔吐，腹痛，下痢などの胃腸症状，倦怠感，筋肉痛，過呼吸などの症状が現れたら，直ちに服用を中止して，医師に相談する．

（つづく）

表 12-11. 服薬指導の実例 ⑥

	同様の服薬指導を行う薬効群	医薬品名	指導項目	服薬指導（薬物―薬物間相互作用を除く）
代謝性医薬品	経口糖尿病治療薬	グリメピリド	低血糖	低血糖の徴候と処置.
			糖尿病の自覚	経口糖尿病薬患者用注意文書の熟読.
			低血糖症状	高所作業，自動車の運転などに従事する場合注意する.
		ミチグリニドカルシウム水和物	服用方法	食後の血糖上昇を抑制する薬のため，毎食前5分以内に服用する.
			低血糖	低血糖の徴候と処置.
			低血糖症状	高所作業，自動車の運転などに従事する場合注意する.
			糖尿病の自覚	経口糖尿病薬患者用注意文書の熟読.
		ボグリボース	服用方法	食後の血糖上昇を抑制する薬のため，食直前に服用する.
			低血糖	低血糖の徴候と処置．低血糖時は，ブドウ糖を摂取する.
			糖尿病の自覚	経口糖尿病薬患者用注意文書の熟読.
			腹部膨満，放屁増加	症状がひどい場合は，医師に相談する.
		シタグリプチンリン酸塩水和物	糖尿病の自覚	経口糖尿病薬患者用説明文書の熟読.
		イプラグリフロジン L-プロリン	低血糖	低血糖の徴候と処置.
			尿路感染症及び性器感染症	症状及びその対処方法について指導する.
			脱水	適度な水分補給を行うように指導する.
	その他	ペニシラミン	無顆粒球症などの重篤な副作用	咽頭痛，発熱，紫斑などの症状が現れたら連絡する.
			味覚異常	味覚が変わることがあれば連絡する.
			耳鳴	耳鳴がするようであれば連絡する.
	痛風治療薬	アロプリノール	血中尿酸値の低値安定	服薬習慣をつけ，用法用量を守る.
			尿酸結石を防ぐため水分摂取	尿量を１日２Ｌ以上にするよう水分を摂取する.
			皮膚症状又は過敏症	発熱，発疹などが現れたら，直ちに服用を中止し，医師の診察を受ける.
			服用方法	急性痛風発作が収まるまで，服用しない.
		コルヒチン（頓用）	服用方法	発作予感時に直ちに１錠服用する．大量服用は，避ける.
			痛風発作治療	１回１錠服用し，疼痛発作が緩解するまで 3～4 時間ごとに服用し，１日 6～8 錠を限度とする.

（つづく）

表 12-11．服薬指導の実例 ⑦

	同様の服薬指導を行う薬効群	医薬品名	指導項目	服薬指導（薬物—薬物間相互作用を除く）
代謝性医薬品	抗リウマチ薬	メトトレキサート	服用方法	特定の日のみ，服用する．過量投与を避ける．
			食道停留で潰瘍形成	多めの水で服用，就寝直前の服用は避ける．
			副作用	咳嗽，呼吸困難などの呼吸器症状，口内炎，発熱，倦怠感が現れたら，直ちに主治医に連絡する．
			避妊	女性は投与終了後少なくとも1月経周期は妊娠をさける．男性は投与終了後少なくとも3ヵ月は配偶者が妊娠を避ける．
		サラゾスルファピリジン	服用方法	腸溶性製剤であるため，かんだり，砕いたりせずに服用する．
			尿，ソフトコンタクトレンズの着色	尿が黄赤色に着色．ソフトコンタクトレンズが着色．
	抗凝固剤	ワルファリンカリウム	抗凝血療法の自覚	患者用説明書，抗凝血薬療法手帳の熟読．
			急な中止による血栓塞栓のおそれ	勝手に中止又は増量せず，指示を守る．
			出血傾向	歯ぐきの出血などがあれば受診する．
			出血注意	手術や抜歯をする時は，主治医に相談すること．創傷を受けやすい仕事には従事しない．
			納豆及びクロレラ食品の影響	納豆及びクロレラ食品は効果を減弱させるので食べない．
			他院・他科受診	本剤を服用していることを，医師，歯科医師，薬剤師に伝える．
	抗血小板剤	アスピリン	手術時の失血量増加	手術を受ける場合，主治医に相談する．
			胃腸障害	食後に服用する．
			服用方法(バイアスピリン)	腸溶錠のため，急性心筋梗塞の初期治療に用いる以外，かまずに服用する．
抗菌薬・化学療法剤	テトラサイクリン系抗菌薬	ミノサイクリン塩酸塩	めまい	自動車の運転など，危険を伴う機械の操作に従事しない．
			光線過敏症	過度の日光を浴びないようにする．
			Ca，Mg，Al，Fe により吸収低下	牛乳や Ca 製剤，制酸薬，鉄剤との同時服用は避ける．
			食道停留で潰瘍形成	多めの水で服用，就寝直前の服用は避ける．
		リンコマイシン塩酸塩水和物	食道停留で潰瘍形成	多めの水で服用，就寝直前の服用は避ける．
		リファンピシン	尿などの着色	尿，便，唾液，痰，汗，涙液などが橙赤色になる．
			ソフトコンタクトレンズの着色	ソフトコンタクトレンズを使用しない．
		エタンブトール塩酸塩	視力障害	簡単な視力検査の方法を説明．視力の変化があれば連絡する．

（つづく）

表 12-11. 服薬指導の実例 ⑧

	同様の服薬指導を行う薬効群	医薬品名	指導項目	服薬指導（薬物―薬物間相互作用を除く）
抗菌薬・化学療法剤	セフェム系	セフジニル	Fe により吸収の低下	鉄剤の併用は避ける．併用する場合は，本剤投与後 3 時間以上間隔をあけて鉄剤を投与する．
			Al，Mg により吸収低下	本剤投与後 2 時間以上間隔をあけてから，制酸剤を投与する．
			便の着色	粉ミルク，経腸栄養剤などの鉄添加製品との併用により，便が赤色調を呈する．
			尿の着色	尿が赤色調になることがある．
	ペネム系	ファロペネムナトリウム	下痢，軟便	下痢，軟便がひどい場合は，服用を中止し，医師に連絡する．
	キノロン系抗菌薬	トスフロキサシン	Ca，Mg，Al，Fe により吸収低下	牛乳や Ca 製剤，制酸薬，鉄剤との同時服用は避ける．
			光線過敏症	日光をできるだけ避ける．
	その他	フルタミド	肝障害	食欲不振，悪心，嘔吐，全身倦怠感，瘙痒，発疹，黄疸などが現れた場合には，薬を中止し，医師の診察を受ける．
			尿の着色	尿が琥珀色又は黄緑色になることがある．
	抗トリコモナス薬	メトロニダゾール，チニダゾール	飲酒により腹部の仙痛，嘔吐，潮紅	飲酒を避ける．
			尿の着色	まれに暗赤色尿が現れることがある．
骨粗鬆症治療薬	ビスホスホネート系薬剤	アレンドロン酸ナトリウム	服用方法（薬剤の吸収低下）	水のみで服用．水以外の飲み物（Ca，Mg を多く含むもの），食物及び他の薬剤と一緒に服用しない．
			食道への副作用	起床してすぐにコップ 1 杯の水で服用し，服用後 30 分以上経ってから，食事をとり，食事を終えるまで横にならない．錠剤をかんだり，口内で溶かしたりしない．
その他	リゾチーム	リゾチーム塩酸塩	卵白アレルギー	ショックを起こすことがあるので，投薬時に確認する．
	ビタミン A 剤	ビタミン A	奇形の増加	妊娠 3 ヵ月以内又は妊娠を希望する婦人への 5,000 IU/日以上の投与は避ける．
		エトレチナート	催奇形性	服用前に，注意事項についてよく説明し，同意を書面で得る．
			女性の避妊	投与中止後少なくとも 2 年間は避妊する．
			男性の避妊	投与中止後少なくとも 6 ヵ月は避妊する．
			献血の中止期間	催奇形性の副作用があるため，投与後少なくとも 2 年間は献血を避ける．

（つづく）

表 12-11. 服薬指導の実例 ⑨

	同様の服薬指導を行う薬効群	医薬品名	指導項目	服薬指導（薬物―薬物間相互作用を除く）
その他	ビタミンA剤	エトレチナート（つづき）	過骨症及び骨端の早期閉鎖	関節痛・骨痛などの症状が現れたら，直ちに主治医に連絡する．
			脱毛	脱毛が起こることがある．
			口唇炎	口唇炎が現れることがある．
			水での服用	牛乳又は高脂肪食によって，薬の吸収が増加する．
	鉄剤	クエン酸第一鉄ナトリウム	便の着色	便が黒くなることがある．
			歯の一時的な着色	歯が一時的に茶褐色になることがある．その場合には，重曹などで歯磨きを行う．
	潰瘍性大腸炎・クローン病治療薬	メサラジン	服用方法	2分割して服用可能．ただし，かまずに服用する．
			保存中の着色	保存中に，わずかに錠剤が着色することがあるが，効力には変化はない．
			糞便中の白色粒	薬剤のコーティング剤が水に溶けづらいため，糞便中に白いものが見られることがある．
	ドパミン作動薬	カベルゴリン	副作用	発熱，咳嗽，呼吸困難などが現れたら，服用を中止して医師へ連絡する．
			突発的睡眠，傾眠，起立性低血圧	高所作業，自動車の運転など，危険を伴う機械の操作に従事しない．
			妊娠を望まない患者	避妊方法を指導する．
			妊娠を希望する患者	妊娠を早期に確認するため定期的に妊娠反応などの検査を行う．

文 献

1) 中野眞汎ら：病院薬学用語に関する調査研究，病院薬学 **19**(2) S-34 1993
2) 三輪亮寿：インフォームドコンセント，薬事法規の立場から，薬事 **33**(2) 225 1991
3) 村田正弘：インフォームドコンセントと薬剤師の対応，JJSHP **23**(3) 288 1992
4) 北島麻利子ら：患者の服薬指導，薬局 **32**(7) 813 1981
5) 海野勝男ら：外来患者とNoncompliance，新潟県を含む東北7県下の病院における外来患者の服薬実態調査のまとめ，医薬品相互作用研究 **7** 3 1983
6) Hussar DA：Patient noncompliance. J Am Pharm Assoc **NS 15** 185 1975
7) Claxton et al.: A systematic review of the associations between dose regimens and medication compliance. Clin Ther **23**(8) 1296-1310 2001
8) 日本老年医学会編：高齢者の安全な薬物療法ガイドライン2015，メディカルビュー社 2015
9) 小倉史愛ら：STOPP Criteriaを用いた高齢者のポリファーマシーに対する薬剤師の介入，医療薬学 **42**(2) 78-86 2016
10) Kojima T et al.: High risk of adverse drug reactions in elderly patients taking six or more drugs : analysis of inpatient database, Geriatr Gerontol Int **12**(4) 761-762 2012
11) 中央社会保険医療協議会総会審議会資料，薬剤使用の適正化等について，2015年11月6日
12) 厚生労働省：「病院における高齢者のポリファーマシー対策の始め方と進め方」について，2021
13) 堀岡正義，紀氏汎恵，国田初男ら：服薬指導指針作成の件，病院薬学 **9**(2) 172 1983
14) 日本病院薬剤師会薬剤業務委員会：患者等への薬剤情報提供の進め方（答申書），日病薬誌 **33**(3) 1997
15) 林 昌洋：プレアボイド，ファルマシア **36**(2) 134 2000
16) 特集：プレアボイド推進，日病薬誌 **36**(8) 1055 2000
17) 日本病院薬剤師会編：プレアボイド—薬学的患者ケアの実践とその成果 じほう 2003
18) 日本病院薬剤師会編：重大な副作用回避のための服薬指導情報薬Ⅰ，Ⅱ，Ⅲ，Ⅳ じほう 1997，1998，1999，2001
19) 伊賀立二企画・編集：重大な副作用とそのモニタリング—副作用の予防と早期発見のために，薬事 **40** 3月臨時増刊号 1998
20) 松山恭子ら：副作用に関する情報提供方法の構築とその評価—リウマチ外来での試み，病院薬学 **24**(3) 243 1998
21) 医薬品による重篤な皮膚障害について，医薬品・医療用具等安全性情報 No. 177，3 2002.5
22) Turner WM：The Food and Drug Administration algorithm. Special workshop-regulatory., Drug Information J **18**(3-4) 259 1984
23) 中村 仁ら：医薬品による排泄物（尿・便）の着色に関する情報の評価，医療薬学 **28**(3) 244 2002
24) 漆畑 稔監修：おくすり手帳100%活用法，調剤と情報 **6**(10) 臨時増刊号 2000
25) 鈴木あやなら：医薬品適正使用のための処方情報の有用性とその評価—「処方カード」による患者への医薬品情報の能動的提供，病院薬学 **22**(3) 265 1996
26) Greenblatt D J et al.: Toxicity of high-dose flurazepam in the elderly, Clin Pharmacol Ther **21**(3) 355 1977
27) 上田慶二監修，日本薬剤師会編著：高齢者ケア薬剤管理マニュアル—ADLと薬剤，薬事日報社 1999
28) 特集：小児の病気と母親のための服薬説明，薬局 **53**(12) 2849 2002
29) 佐藤孝道，加野弘道：実践/妊娠と薬—1,173例の相談事例とその情報，じほう 1992
30) 厚田幸一郎編集：薬局別冊 薬剤師のための糖尿病説明ガイド，南山堂 2002
31) The Diabetes Control and Complications Trial Research Group. N Engl J Med **329**：977-986, 1993
32) 日本糖尿病学会編集：糖尿病治療ガイド2000，文光堂，2000
33) 斎藤寛子：がん化学療法，薬局 **56**(12) 3081-3091 2005
34) 国立がんセンター薬剤部編：抗がん剤業務ハンドブック じほう 2006
35) デュロテップMTパッチ，ワンデュロパッチ医療用医薬品添付文書より
36) タキソール医療用医薬品添付文書より
37) 三浦貞則，竹内尚子：精神神経科の薬剤管理指導業務 解説とQ & A—改訂版 ミクス 2001
38) 上島国利：抗うつ薬の知識と使い方．ライフサイエンス 1993

くすりの使い方（11 種類）

内 服 薬
（くすりをのむ）

点 眼 薬
（眼にさす）

点 耳 薬
（耳にさす）

ぬ り 薬
（皮膚などにぬる）

点 鼻 薬
（鼻にさす，鼻腔に噴霧する）

液 剤
（液状のくすり）

吸 入 薬
（のどに噴霧）

うがい薬［含そう薬］
（うがいをする）

眼 軟 膏
（眼につける）

舌 下 錠
（舌の下でとかす）

坐 薬
（お尻から入れる）

使う時間のめやす（14 種類）

朝，１回のむ

昼，１回のむ

夜，１回のむ

朝･夜，1日2回のむ

朝･昼，1日2回のむ

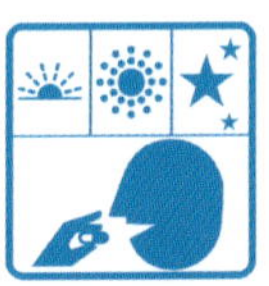
朝・昼・夜，
１日３回のむ

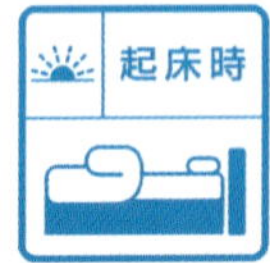

朝，起床時にのむ

夜，就寝前にのむ

食事をしたらすぐのむ
（食直後）

食事のすぐまえにのむ
（食直前）

食事をしたら
30 分後にのむ

のんだら
30 分後に食事

食間にのむ

症状が出たときだけ
のむ

くすりの正しい服用，使用上の注意の絵文字（ピクトグラム）
（2006 年 7 月　くすりの適正使用協議会）

注意すること（8種類）

多めの水でのむ

よく振ってから用いる

くすりをぬる前後に手を洗う

カプセルはパッケージから取り出す

冷蔵庫に保管

説明書きをよく読む

フラフラすることがあります

眠くなることがあります

してはいけないこと（18種）

他のくすりといっしょにのんではいけません

錠剤やカプセルをこわしてはいけません

吸湿させないでください

子供の手の置くところに保管してはいけません

のむくすりではありません

眼にさしてはいけません

紫外線はさけてください

就寝前にのんではいけません

ボトルを振ってはいけません

運転をしてはいけません

一緒にグレープフルーツジュースをのんではいけません

一緒に納豆を食べてはいけません

一緒にクロレラをとってはいけません

緑黄色野菜の摂取はできるだけさけてください

一緒にカフェインをとってはいけません

一緒にチーズを食べてはいけません

一緒にアルコールをのんではいけません

一緒に牛乳をのんではいけません

薬剤イベントモニタリング（DEM）の協力依頼ポスター（日本薬剤師会）

平成 14 年度 抗アレルギー薬による眠気発現，15 年度 アンジオテンシンⅡ受容体拮抗薬による咳の発現，16 年度 プロトンポンプ阻害薬による味覚異常，17 年度 HMG-CoA 還元酵素阻害薬による症状発現，18 年度 カルシウム拮抗薬によるイベント発現，19 年度 ビスホスホネート製剤によるイベント発現，20 年度 超短時間型睡眠導入剤によるイベント発現，21 年度 吸入ステロイドによるイベント発現，22 年度 糖尿病治療薬 SU 剤によるイベント発現，23 年度 DPP-4 阻害薬によるイベント発現，24 年度 抗血栓薬によるイベント発現，25 年度 頻尿・過活動膀胱治療薬によるイベント発現，27 年度 SGLT2 阻害薬のイベント発現，28 年度 NSAIDs 等の皮膚外用剤によるイベント発現，29 年度 平成 27 年 11 月に薬価収載された医薬品によるイベント発現．

13 剤形別の調剤〔1〕内用剤

1　散剤・顆粒剤の調剤

1-1　散剤の一般調製法

1）秤　量

① 秤量 100 g，感量 0.1 g の上皿天秤，直示天秤又は電子天秤を用いる．0.1 g 未満の秤量を要する場合は希釈散を用いる．

② 天秤は人の出入りや空調により気流を生じない場所で，振動の少ない台に置く．操作の前に，水平調整装置により水平を確かめ，ゼロ点を合わせる．

③ 天秤の右上皿に秤量紙をのせ，風袋を差し引く．秤量に必要な g 数の分銅を左上皿にのせる（電子天秤は除く）．1 皿式のものはハンドルつまみで操作する．

④ 右手に薬匙 dispensing spoon をもち，装置瓶のラベルを確かめたのち，装置瓶を左手でとる．薬匙を用いて所要量を秤量し，同時に医薬品の確認と品質のチェックを行う．装置瓶をもとの位置に戻す際に，もう一度ラベルを読み，秤量した医薬品の確認を行う（3回確認法）．

⑤ 数種の医薬品を秤量する時は，原則として処方記載の順序に行う．しかし各薬品量の差が著しい場合には少量のものから順次秤量する．

⑥ 塊を生じやすい医薬品はすりつぶし，あらかじめ 30 号（500 μm）程度のふるいを通しておく．

⑦ 通常，投薬日数又は回数に対する総量を一度に秤量する．ただし 1 回に秤量する限度は 10～14 日分以内とする．28 日分は 14 日分ずつ 2 回に分け秤量する．

⑧ 賦形剤の量が適量（q. s.）と記されている場合は，1 包量が 0.2～0.5 g になるように賦形剤を加える．乳幼児では秤量，分割分包の正確さを失わない限り，服用の利便性を考慮して賦形剤の量はなるべく少ない方がよい （p.168）．

ⓐ 賦形剤として乳糖，デンプン又はその混合物を用いる．イソニアジド系薬剤，アミノフィリン，β-ガラクトシダーゼ製剤（アスペルギルス，ペニシリウム）の賦形にはデンプンを用いる．

ⓑ 患者に2回以上にわたって同一処方を調剤する場合は，患者に不安感をいだかせないように，賦形剤の種類と量は一定にし，味覚や1回の服用量に変化をきたさないようにする．

⑨ 秤量した医薬品を厚紙上に別々に置き，処方内容と厚紙上の医薬品を照合する．

⑩ 処方頻度の高い散剤はあらかじめ混合予製しておく．これを予製散剤 stock powders という．

⑪ 抗悪性腫瘍薬の調剤にあたっては，薬品が外皮部に直接接触しないよう，また粉末を吸入しないよう注意する（p.288）．

2) 混　和

① 乳棒は乳鉢壁によく接触できる角度のものを選び，乳鉢の大きさは秤量した医薬品の総量が乳鉢の深さの1/3を超えない程度のものを用いる．秤量する量が少量の場合及び患者が小児の場合には，小さい乳鉢を用いる．

② 通常，18号（850 μm）ふるいを通し粉末又は微粒状としたのち，他の医薬品と均一になるまで混和する．量が多い場合は，1～2回篩過した後，混和する．毒劇薬などで量がきわめて少ないものは，初め賦形剤又は他の配合薬を少量ずつ加えて混和し，全量を均等にする．乳鉢の壁に付着した医薬品は，薬匙でかき落として混和する．

③ 混和にあたり，とくにクロスコンタミネーションに留意する（p.287）．

ⓐ 混和が終わった後は，次の調剤に移る前に，乳鉢・乳棒などを清潔なガーゼなどで拭っておく．

ⓑ *l*-メントール，メチオニンなど臭気が強いもの，カルバゾクロムスルホン酸ナトリウム，ダイオウ，リボフラビン，薬用炭などの有色薬は，次の調剤薬に臭気又は色がつくのを防ぐため，専用の乳鉢・乳棒を用いる．

ⓒ キニジン硫酸塩，ウルソデオキシコール酸，クロルジアゼポキシドなど苦味の強い薬剤の調剤を行った後は，乳鉢・乳棒をよく水洗する．

ⓓ サルファ剤，ペニシリン類など過敏反応を起こしやすい薬剤の調剤を行った後は，乳鉢・乳棒をよく水洗する．

3) 分割分包

① 混和したのち薬包紙上に均等に分割し分包する．分割方法は目測法又は合匙法による．

② 分割した散剤の質量偏差は，散剤（分包）の製剤均一性試験法の質量偏差試験（p.134）の考え方を準用する．秤量全量の偏差は2%以下とする．

散剤自動分包機には自動分割分包のものと手分割自動分包のものとがある（p.261）．

③ 薬包紙として，パラフィン紙，模造紙を用いる．頓服，組み合わせ散剤，遮光などの目的には着色紙を使用する．着色紙は使用目的により次のように区分する．

頓服：青色．

組み合わせ散剤：白色と青色を組み合わせる．

遮光：薬包紙の内側に赤色紙を重ねて包む.

外用：赤色.

自動分包機用のフィルムにはセロポリ，グラシン＋ポリエチレンラミネート紙，純白ロール紙＋ポリエチレンラミネート紙などを用いる．図 13-1 に薬包紙の包み方を示す[1].

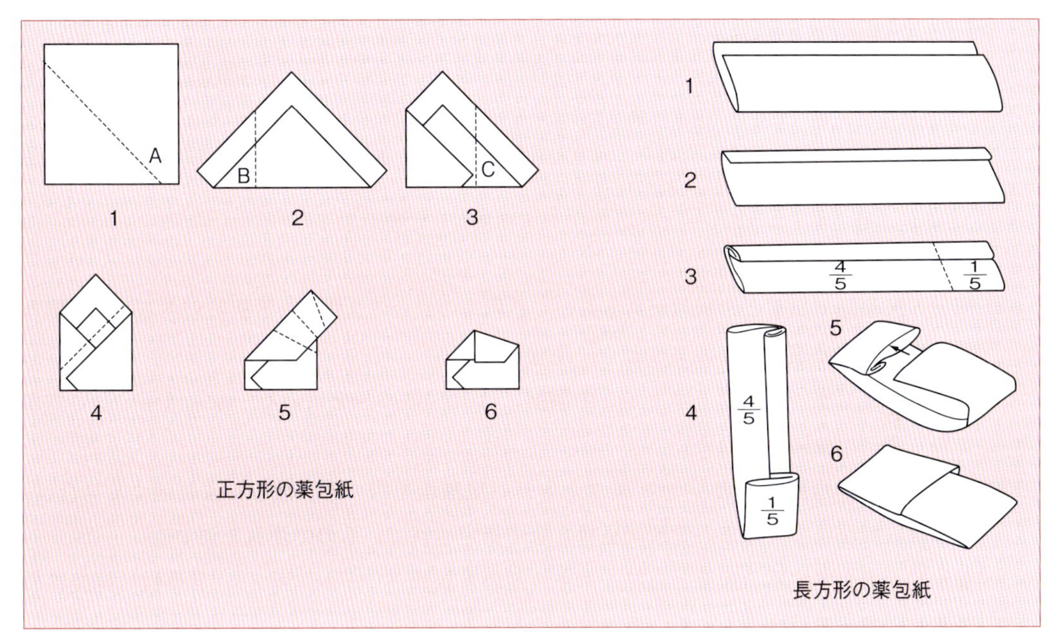

図 13-1．薬包紙の包み方

（青木　大：病院薬局の実際　42　南山堂　1973）

1-2 希釈散

1）希釈散

① 希釈散とは 0.1 g 以下の秤量を要する医薬品に，賦形剤を加えて適当な濃度に希釈した散剤である．希釈散の使用により調剤用天秤で迅速・正確に秤量できる．

従来倍散という用語が用いられてきたが，薬剤事故防止の立場から濃度表示に変更することとなり（p.296），“希釈散”の用語に変更された．例：コデインリン酸塩散 1%，エフェドリン塩酸塩散 10%など.

② 希釈散の混和の均一性を確認するため，少量の着色剤を加えることがある．色素の希釈剤として乳糖，デンプン又はこれらの混合物を用いる．乳糖は水に溶けるので水剤にも使用できる．

③ 毒薬は青色，劇薬は赤色に着色乳糖を用いて着色する．原薬が毒薬の場合は希釈しても青色とし，原薬が劇薬の場合は希釈しても赤色にする．原料医薬品が有色の場合は希釈散中における主薬の均一性を確認できるため着色の必要性はない．

青色：食用青色 1 号アルミニウムレーキ（ブリリアントブルー・FCF，色素含量 11～16%）0.002%

赤色：食用赤色 3 号アルミニウムレーキ（エリスロシン，色素含量 16～21%）0.001%

着色乳糖の製法は次の方法による．

青色 1 号アルミニウムレーキ乳糖散 0.1%

【処方】		
	青色 1 号アルミニウムレーキ	0.1 g
	乳糖	適量
	全量	100.0 g

乳鉢中に乳糖（149 μm 以下）約 20 g をとり，青色 1 号アルミニウムレーキ 0.1 g を加え，よく研和して色調が均一になったのち，残りの乳糖を少量ずつ加え，さらに色調が均一になるまで混和して製する．遮光容器に入れて保存する．

赤色 3 号アルミニウムレーキ乳糖散 0.1% も同様にして製する．

④ 同一の医薬品で原薬と希釈散があるもの，希釈率の異なる 2 種類の希釈散があるものを取り扱う場合は取り違えがないようとくに注意を要する．

フェノバルビタール，フェニトインの調剤には 10% 散のみを用いる．原末は用いない方がよい（調剤事故防止のため）．

⑤ エフェドリン塩酸塩，*dl*-メチルエフェドリン塩酸塩を用い希釈散を自家製剤する場合は，覚醒剤取締法により原末が覚醒剤原料として指定されているので注意を要する．

⑥ 製法に工夫を要する希釈散として，エキス剤の希釈散（ロートエキス），昇華性，揮発性の医薬品の希釈散（メントール，カンフル）がある．

2）希釈散の種類と例（＊散が JP 収載　＊＊原薬は毒薬，希釈散は劇薬）

(1) 10% 散（100 mg/g）

- アヘン末*
- エフェドリン塩酸塩*
- カルバゾクロムスルホン酸ナトリウム水和物
- クロルジアゼポキシド*
- コデインリン酸塩水和物*
- ジヒドロコデインリン酸塩*
- タンニン酸ジフェンヒドラミン
- デキストロメトルファン臭化水素酸塩水和物
- ヒドララジン塩酸塩*
- フェニトイン*
- フェノバルビタール*
- *dl*-メチルエフェドリン塩酸塩*
- *l*-メントール，*dl*-メントール
- モルヒネ塩酸塩水和物**
- ロートエキス*

(2) 1% 散（10 mg/g）

- クレマスチンフマル酸塩
- *dl*-クロルフェニラミンマレイン酸塩*
- コデインリン酸塩*
- ジアゼパム
- ジヒドロコデインリン酸塩*
- テルブタリン硫酸塩
- ニトラゼパム
- ハロペリドール
- プレドニゾロン
- モルヒネ塩酸塩水和物**
- リボフラビン*

(3) 0.1% 散（1 mg/g）

- ジゴキシン**
- チアミン塩化物塩酸塩*
- ベタメタゾン
- レセルピン*

(4) その他の希釈散

66.7%	トリメタジオン	20%	グルタチオン
50%	エトスクシミド		バルプロ酸ナトリウム
	カルバマゼピン	12.5%	ジピリダモール
	トラネキサム酸	5〜25%	アスコルビン酸* (50〜250 mg/g)
40%	バルプロ酸ナトリウム	0.2%	ワルファリンカリウム (2 mg/g)

1-3 工夫を要する調剤

1) 顆粒剤の調剤

顆粒剤の調剤にあたり，顆粒剤と散剤，細粒の混合は十分な混合度を得にくいので，直接混和，分割分包はしない．下記の処方例のように，2 回に分けて分割し包装する．顆粒剤と顆粒剤の混合も相互の配合量，かさ密度が異なる場合は十分な混合度を得ることができないので，2 段分割 (2 度撒き) を行う．

【処方】 アルジオキサ顆粒 50% Aldioxa Granules 50%　1 回 0.27 g (1 日 0.8 g)
酸化マグネシウム Magnesium Oxide　1 回 0.33 g (1 日 1.0 g)
1 日 3 回　朝昼夕食後に服用　7 日分

アルジオキサ顆粒と酸化マグネシウムは粒径が異なる．アルジオキサ顆粒 5.6 g を秤量し，薬包紙上に 21 包に分割し，次に酸化マグネシウム 7.0 g を秤量し，同一の薬包紙上に 21 包に分割し，包装する．

2) 錠剤を粉砕する調剤

① 錠剤は原則としてつぶさない．ただし，次の場合は粉末化し散剤として調剤する．
- 処方箋に“つぶす”，“粉末化”などの指示がある場合．
- 5 歳未満の小児や老人，嚥下障害を有する患者，経管栄養を行っている患者などで錠剤の服用が困難な場合．
- 1 回の服用量が錠剤の含量 (割線入り錠剤では 1/2 錠) の整数倍とならず，等量の服用を必要とする場合．

② 粉末化の指示のある処方箋は，精神科 (薬用量の調節，多種・多量の錠剤投与によるノンコンプライアンス防止のため)，小児科・耳鼻咽喉科 (服用困難のため) に多くみられる

③ 腸溶性や徐放性など特殊な製剤学的特徴を有する製剤は粉砕して使用すべきでないので，医師に連絡し，つぶさないで調剤することの了解を求めるか，ほかの同効製剤に変更してもらう．

④ しかし粉砕が薬学的 (有効性，有害性) に問題がないと判断される場合，例えば胃切除患者や経管栄養チューブが腸まで挿入されている患者への腸溶錠投与の場合などには，錠剤を粉砕して調剤する．

【処方】 ワルファリンカリウム Warfarin Potassium
ワーファリン錠 1 mg Warfarin 1 回 0.2 錠（1 日 0.2 錠）
1 日 1 回 朝食後に服用 14 日分

小児の慢性腎炎症候群での処方例で，ステロイドなどとともに使用されることがある．投与量はトロンボテストの値などをみて調整する．ワーファリン錠には 0.5 mg（淡黄色），1 mg（白色），5 mg（橙色）の製剤がある．どの製剤を使ってもよいが色が違うので「申し合わせ」で決めておくとよい．

5 mg の製剤を使った場合，1 錠の重量が 250 mg なので，そのまま粉砕することにより 2％の散剤として扱うことができ，使用頻度の多い施設では予製が可能である．

この処方例で，1 mg 錠を使用して調剤する場合は，ワルファリンカリウムの投与総量（用量）が 2.8 mg（0.2 mg×14 日分）であるため，3 錠を乳鉢中で粉砕し，次に全量が 3.0 g となるように乳糖を加える（0.1％散ができる）．よく研和したのち，製した希釈散より 2.8 g を秤取し，そのまま，あるいは「申し合わせ」に従って賦形し，分包する．

■ 3）組み合わせを要する散剤

配合により成分の分解，力価の低下が起こる．

アスピリン＋炭酸水素ナトリウム

レボドパ＋酸化マグネシウム

■ 4）配合により変色する散剤 （p.193）

ダイオウ末＋酸化マグネシウム

着色又は変色するが，効力に変化のないものはそのまま調剤し，患者にその旨を説明する．

■ 5）剤形変更を必要とする散剤の処方

水に対する溶解熱 heat of dissolution が大きい医薬品は，散剤とせず水剤として調剤する．発熱量又は吸熱量の大きなものを散剤で服用すると，溶解時の発熱又は吸熱による胃障害を生じるおそれがある．

【処方】 硫酸マグネシウム水和物 Magnesium Sulfate Hydrate 1 回 15 g
頓用 便秘時に服用 1 回分

硫酸マグネシウムは溶解時の吸熱量が大きいので，水剤として調剤する．又は散剤として交付し，服用時大量の水に溶かして服用する（$MgSO_4 \cdot 7H_2O$ の溶解熱 3.80 kcal/mol）．

2 錠剤・カプセル剤の調剤

2-1 一般調製法

■ 1）SP 包装，PTP 包装，バラ錠の調剤

投与総量（用量）「1 日投与量（分量）×投与日数」の錠・カプセル剤をとり薬袋に入れる．

SP 包装や PTP 包装の錠・カプセル剤では，必要数のシートと端数をシートから切り離す．バラ錠の計数には錠剤計数器を用いると便利である．

1 処方中に錠・カプセル剤の種類が 2 種類以上で 1 回の服用個数が異なる場合は別々の薬袋に入れ，それぞれに 1 回服用量，用法，投与日数を記す．

【処方】 ニコランジル Nicorandil
シグマート錠 5 mg Sigmart　　1 回 1 錠（1 日 3 錠）
1 日 3 回　朝昼夕食後に服用　7 日分

シグマート錠 5 mg を 21 錠とる．
表示　1 回 1 錠　1 日 3 回　朝昼夕食後に服用　7 日分

【処方】 セフジニル Cefdinir
セフゾンカプセル 100 mg Cefzon　　1 回 1 カプセル（1 日 3 カプセル）
1 日 3 回　8 時間ごとに服用　5 日分

セフゾンカプセル 100 mg を 15 カプセルとる．
表示　1 回 1 カプセル　1 日 3 回　8 時間ごとに服用　5 日分

【処方】 ロキソプロフェンナトリウム水和物
Loxoprofen Sodium Hydrate
ロキソニン錠 60 mg Loxonin　　1 回 1 錠（1 日 3 錠）
クロルフェネシンカルバミン酸エステル
Chlorphenesin Carbamate
リンラキサー錠 250 mg Rinlaxer　　1 回 1 錠（1 日 3 錠）
1 日 3 回　朝昼夕食後に服用　7 日分

筋緊張が強い腰痛症の処方．ロキソニン錠 60 mg（淡紅色の素錠）21 錠，リンラキサー錠 250 mg（白色素錠）21 錠をとる．
表示　1 回各 1 錠　1 日 3 回　朝昼夕食後に服用　7 日分

【処方】 ⓐ ブロムヘキシン塩酸塩 Bromhexine Hydrochloride
ビソルボン錠 4 mg Bisolvon　　1 回 1 錠（1 日 3 錠）
ⓑ チペピジンヒベンズ酸塩 Tipepidine Hibenzate
アスベリン錠 10 mg* sverin　　1 回 2 錠（1 日 6 錠）
1 日 3 回　朝昼夕食後に服用　5 日分

* 1 錠中チペピジンヒベンズ酸塩 11.07 mg（クエン酸塩として 10 mg）含有

ビソルボン錠 4 mg（白色の素錠）15 錠，アスベリン錠 10 mg（うすいだいだい色の素錠）30 錠をとる．
別々の薬袋を用い，次のように表示する．
表示　ⓐ 1 回 1 錠　1 日 3 回　朝昼夕食後に服用　5 日分
　　　ⓑ 1 回 2 錠　1 日 3 回　朝昼夕食後に服用　5 日分

予包散剤の入った処方も同様に取り扱う.

【処方】 ⓐ リオチロニンナトリウム Liothyronine Sodium
チロナミン錠 25 μg Thyronamin 1回2錠（1日2錠）
ⓑ S・M配合散（1包 1.3 g） 1回1包（1日1包）
S・M Combination Powder
1日1回朝食後に服用 14日分

チロナミン錠 25 μg（白色素錠）28錠，S・M配合散（1包 1.3 g）14包をとる.
表示 ⓐ 1回2錠 1日1回 朝食後に服用 14日分
ⓑ 1回1包 1日1回 朝食後に服用 14日分

2) 1回量包装

錠剤を1回の服用量ごとに分割する1回量包装では，バラ錠・カプセルをタブレットフィーダーを用いて分包機のホール又は薬包紙に分割して包装する．服用時により服用個数が異なる場合は，マーカーなどで色分けの表示をする.

【処方】 ハロペリドール Haloperidol
セレネース錠 1.5 mg Serenace 朝1錠，昼1錠，夕2錠（1日4錠）
トリヘキシフェニジル塩酸塩
Trihexyphenidyl Hydrochloride
アーテン錠 2 mg Artane 1回1錠（1日3錠）
1日3回 朝昼夕食後に服用 14日分

1回分としてセレネース錠 1.5 mg（白色素錠）1錠（夕食後分は2錠），アーテン錠 2 mg（白色素錠）1錠をとり，42回分包装する．朝昼食後分と夕食後分の区別は後者の包装紙にマーカーなどで線を引き区別するか，別々の内袋を用いる.

錠剤自動分割分包機は多種類の錠剤，カプセル剤をセットでき，1回量包装の調剤に便利である．包装紙に患者名，朝，昼，夕などの印字も可能である（p.260）.

3) カプセルの使用

苦味異臭の医薬品，色素などの投与には，カプセルを使用することがある．キニーネの塩類，胆汁酸製剤，硫酸亜鉛など.

使用するカプセルの大きさは，通常 00 号〜1 号である.

カプセル番号	000	00	0	1	2	3	4	5
容量（mL）	1.37	0.95	0.68	0.50	0.37	0.30	0.21	0.13

カプセルへの充てんは，手工法又は半自動式カプセル充てん器による.

【処方】 硫酸亜鉛 Zinc Sulfate 1回 100 mg（1日 300 mg）
1日3回 朝昼夕食後に服用 7日分 カプセルに充てん

味覚障害で，亜鉛の血中濃度が低い患者に用いる（p.168）．硫酸亜鉛 2.1 g を乳鉢中で粉砕，2倍量の乳糖を加え混和したのち，1号カプセル（硫酸亜鉛 100 mg）21個に分割充てんする.

2-2 工夫を要する調剤

1）2 種以上の規格のある錠剤の調剤

2種以上の含量のある錠剤で，処方の薬品名に含量の記載のない場合は，1日の薬用量が不明であるので，処方医に疑義照会の上調剤する．

2）処方錠数が 1 日の服用回数で割り切れない場合

a）毎回の服用錠数が記されていれば，それによる．

【処方】 ジアゼパム Diazepam
セルシン錠 2 mg Cercine　　朝1錠，昼1錠，夕2錠
（1日4錠）
1日3回　朝昼夕食後に服用　7日分

【処方】 トリクロルメチアジド Trichlormethiazide
フルイトラン錠 2 mg Fluitran　　朝2錠，昼1錠（1日3錠）
1日2回　朝昼食後に服用　7日分

薬理学的に不均等服用が望ましい薬剤．毎回の服用錠数が記されていない場合は，処方医に疑義照会の上，調剤する．

【処方】 テオフィリン徐放錠 Theophylline
テオドール錠 100 mg Theodur　　1日3錠
1日2回　朝食後，就寝前に服用　7日分

処方医に疑義照会．朝食後1錠，就寝前2錠．明け方の喘息発作回避のため．

【処方】 レボドパ・ベンセラジド塩酸塩
Levodopa-benserazide Hydrochloride
ネオドパゾール配合錠　　1日4錠
Neodopasol Combination
1日3回　朝昼夕食後に服用　7日分

処方医に疑義照会．朝食後2錠，昼・夕食後1錠の指示．

一般に副腎皮質ステロイド，経口糖尿病治療薬，降圧利尿薬，精神賦活薬などは朝に多く，便秘用薬，喘息治療薬，抗てんかん薬，精神安定薬などは夜に多く投与する．

3）錠剤付計量散剤

散剤（計量）と錠剤を別々に調剤し，散剤は服用回数に分包，錠剤は前記の方法に従い調剤し，ともに薬袋に入れる．薬袋には散剤1包と錠剤の1回服用個数を表示する．

散剤1包中に錠剤を包み込む方法は，かえって服用しにくくなるので避けるべきである．

【処方】 カルバゾクロムスルホン酸ナトリウム水和物
Carbazochrome Sodium Sulfonate Hydrate
アドナ散 10% Adona 1回 0.33 g（1日 1 g）
トラネキサム酸 Tranexamic Acid
トランサミン散 50% Transamin 1回 0.67 g（1日 2 g）
L-カルボシステイン L-Carbocisteine
ムコダイン錠 250 mg Mucodyne 1回 2 錠（1日 6 錠）
1日3回 朝昼夕食後に服用 5日分

アドナ散 10%，**トランサミン散 50%** を秤量して散剤とし，**ムコダイン錠 250 mg** は錠剤として調剤する．気管支拡張症などで，血痰，喀血がある時の止血の処方である．

【処方】 Ⓐバルプロ酸ナトリウム Sodium Valproate
デパケン細粒 40% Depakene 1回 0.67 g（1日 2 g）
Ⓑトリメタジオン Trimethadione
ミノアレ散 66.7% Minoale 1回 0.5 g（1日 1.5 g）
Ⓒスルチアム Sultiame
オスポロット錠 200 mg Ospolot 1回 0.5 錠（1日 1.5 錠）粉砕
Ⓓクロナゼパム Clonazepam
リボトリール錠 2 mg Rivotril 1回 2 錠（1日 6 錠）
1日3回 朝昼夕食後に服用 7日分

Ⓐ，Ⓑ，Ⓒは散剤とし，Ⓓは錠剤を用い，錠剤付散剤とする．Ⓐは**デパケン細粒 40%**，Ⓑは**ミノアレ散 66.7%** を秤量し，Ⓒは**オスポロット錠 200 mg** をつぶして用いる．

4）経管栄養チューブ使用時の調剤

経管栄養を行っている患者に錠・カプセル剤を投与する場合は，粉砕法もしくは懸濁法を用いて調剤し，経管チューブに注入する．

① **粉砕法** 錠剤を粉砕したり，カプセルを開封して粉末状にし，経管チューブに注入する際，水に懸濁させる．粉砕法では水への懸濁時の簡便性に優れているが，チューブ閉塞，投与量のロス，粉砕による物理化学的安定性の低下，薬塵吸入による健康被害，粉砕調剤時の汚染などを生じるおそれがある．

【処方】 チクロピジン塩酸塩 Ticlopidine Hydrochloride
パナルジン錠 100 mg Panaldine 1回 1 錠（1日 3 錠）粉砕
1日3回 朝昼夕食後に服用 7日分

パナルジン錠 100 mg はチクロピジン塩酸塩を 100 mg 含むフィルムコーティング錠．乳鉢中で粉砕して水に懸濁し，経管チューブに注入する．

② **簡易懸濁法** [2~9] 錠剤を粉砕したり，カプセル剤を開封して粉末状にすることなく，錠剤，カプセル剤をそのまま，あるいは一部のフィルムコーティング錠ではコーティング被膜を軽く破壊したのちに，一部のカプセル剤では脱カプセルをしたのちに，約 55℃の温湯に 10 分間放置し崩壊・懸濁させる方法．崩壊試験法（p.134）に基づき，倉田らは約 1,000 品目の錠剤，カプ

セル剤につき検討し，約85%の錠剤，カプセル剤が懸濁法を用いて経管チューブからの投与が可能であることを見出した．懸濁法は前記で示した粉砕法での多くの問題を解決でき，さらに，調剤業務の能率化や薬品識別ができなくなることによる誤薬投与リスクの回避，処方変更・中止時の経済的損失の低減などが図れる．作業も比較的簡便である．懸濁法のデメリットとしては，データ集積が十分とはいえず，水道水55℃で10分間放置した場合の化学的安定性や複数薬剤を同時に懸濁した場合の配合変化など今後データを集積していく必要がある．

散剤である重質酸化マグネシウムはチューブを閉塞しやすいが，同薬の錠剤であるマグミット錠は温湯ですぐに崩壊・懸濁し，粒子が小さく経管チューブに詰まらないので懸濁法にて投与できる．

懸濁法が困難なものに，トローチ，腸溶錠，シングルユニットタイプの徐放錠（p.372）のすべてと，一部の顆粒剤，細粒，マルチプルユニットタイプの徐放錠（**テオドール錠**など）などがある．

口腔内崩壊錠の多く（**ガスターD錠**など）は，温湯に入れることなく容易に水に溶解し，すぐに経管チューブに注入できる．しかしながら，**タケプロンOD錠**は，温湯に入れると固化してしまうため水で溶解する必要がある．

【処方】　ファモチジン Famotidine
ガスターD錠20 mg Gaster D　　1回1錠（1日2錠）水に溶解
1日2回　朝食後，寝る前に服用　5日分

懸濁法の手順

① 1回に投与するすべての錠剤，カプセル剤を蓋ができる適当な目盛り付き容器（水剤瓶など）に入れる．もしくはディスペンサー内に直接入れる（図13-2(1)）．輸液ラインへの誤接続を防止するため，注射用シリンジは用いない．

② 予め55℃付近に調製した温湯を容器に約20 mL入れ，蓋（アダプターキャップ）をし，振とう後5〜10分間放置する．ディスペンサー内にて懸濁する場合は，温湯を吸った後，キャップを付けて振とうする（図13-2（2））．

③ 錠剤，カプセル剤が完全に崩壊・懸濁していることを確認後，ディスペンサーで懸濁液を吸い取る（図13-2（3））．

④ 経管チューブに取り付け，懸濁液を注入する．

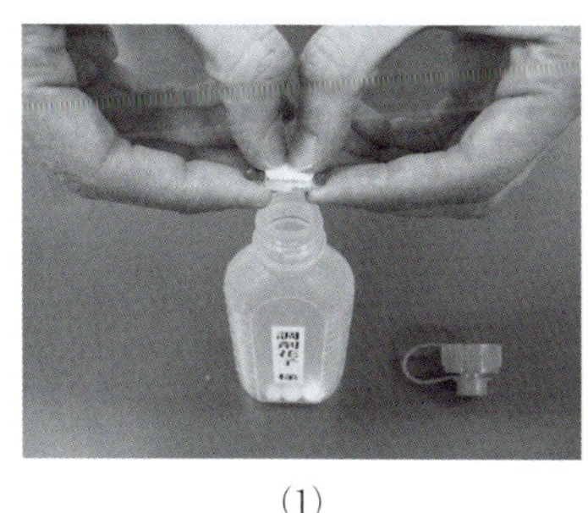
(1)

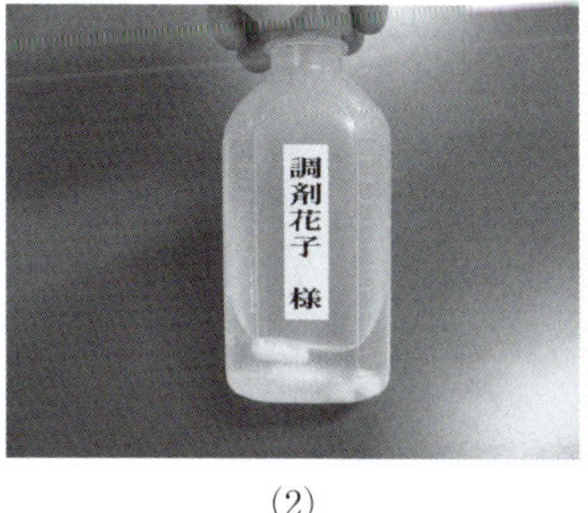

(2)

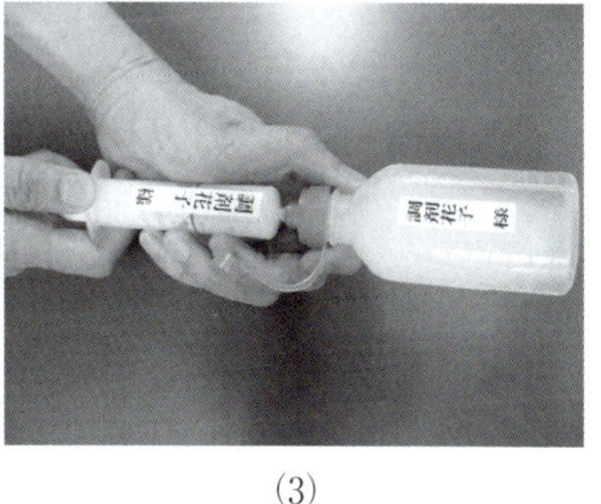
(3)

図13-2．懸濁法の手順（水剤瓶使用時）

2-3 徐放性製剤 [10〜13]

① 徐放性製剤 sustained release preparations は血中濃度曲線の凹凸 peak and valley がなく，長時間にわたり血中濃度が平坦で治療有効濃度を維持できる（図13-3）．血中濃度上昇に伴う副作用の発現が少ない．

② 徐放性製剤の服用は 1 日 1〜2 回，患者の服薬遵守 compliance を高める上で有効である．

③ 徐放性製剤は製剤手法により，次の 2 種に分類される（図 13-4）．

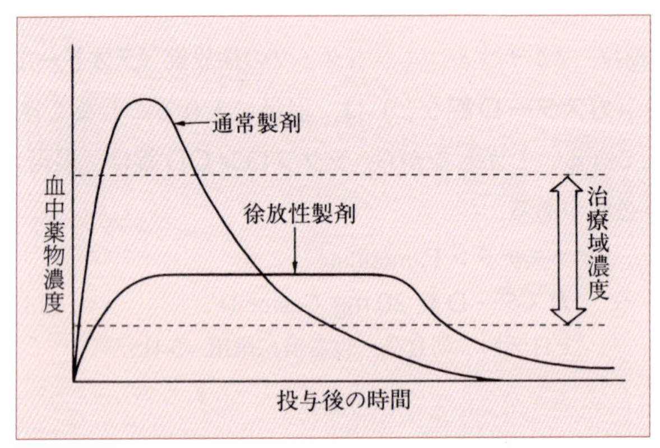

図 13-3．通常の製剤と徐放性製剤の血中薬物濃度-時間曲線

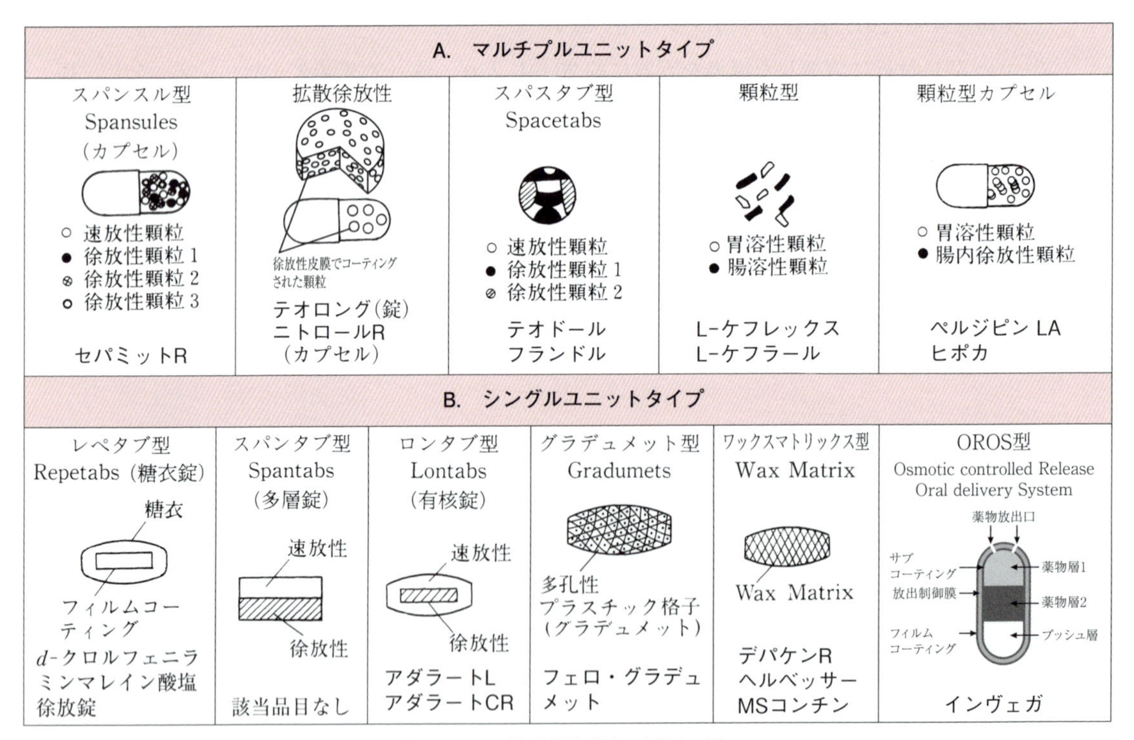

図 13-4．徐放性製剤の剤形一覧

ⓐ マルチプルユニットタイプ　服用後速やかに崩壊し，その結果生ずる顆粒1個1個が徐放性をもつように設計されている．製剤によっては異なる徐放性をもつ顆粒が配合されたものもある．

【処方】　硝酸イソソルビド Isosorbide Dinitrate
　フランドル錠 20 mg Frandol　1回1錠（1日2錠）
　1日2回　朝夕食後に服用　14日分

硝酸イソソルビドの徐放錠である．

ⓑ シングルユニットタイプ　錠剤全体が徐放性をもつように設計されている．

【処方】　ジルチアゼム塩酸塩 Diltiazem Hydrochloride
　ヘルベッサー錠 30 mg Herbesser　1回1錠（1日3錠）
　1日3回　朝昼夕食後に服用　30日分

ジルチアゼム塩酸塩の徐放錠である．

【処方】　乾燥硫酸鉄 Dried Ferrous Sulfate
　フェロ・グラデュメット錠 105 mg Fero-Gradumet　1回2錠（1日2錠）
　1日1回　朝食直後に服用　7日分

1錠中硫酸鉄水和物 $FeSO_4 \cdot 7H_2O$ 525 mg（Fe として 105 mg）が多孔性プラスチック格子の中に組み込まれている．主成分放出後のプラスチック格子の残渣が糞便とともに排泄される．

2-4 特殊な製剤の調剤

1）トローチ剤 troches/lozenges（薬価基準は外用薬）

1．主薬が唾液により徐々に溶解して，口腔，咽頭などの粘膜に対し，殺菌，収れんなどの局所的作用を示す．

2．かんだり，のみ込んだりしないで口中に含んで徐々に溶かすよう患者に注意を与え，薬袋にも表示する．

【処方】　デカリニウム塩化物 Dequalinium Chloride
　SP トローチ 0.25 mg SP Troches　1回1錠（1日6錠）
　1日6回　2～3時間ごとに服用　3日分

表示　1回1錠を2～3時間ごとに口腔内に含み，徐々に溶解．1日6錠を3日分

2）バッカル錠 buccal tablets（口腔錠）

1．頬側部に挿入し徐々に吸収させる．

2．かみくだいたり，そのままのみ込んだりしないで，歯ぐきと頬の間のくぼみに入れ，ゆっくり溶かすよう患者に注意を与え，薬袋にも表示する．

【処方】 フェンタニルクエン酸塩 Fentanyl Citrate
イーフェンバッカル錠 50 μg E-fen buccal 1回1錠
頓用 疼痛時 4回分

フェンタニルを有効成分とする強オピオイド鎮痛薬.

3) 舌下錠 sublingual tablets

1. 舌下部に挿入し迅速に吸収させる.
2. 急速な薬効の発現を求める時に使用し, ニトログリセリン, 硝酸イソソルビド, イソプレナリンなどがある.

【処方】 ニトログリセリン Nitroglycerin
ニトロペン舌下錠 0.3 mg Nitropen 1回1錠
頓用 発作時舌下に服用 10回分

崩壊時間2分以内. **ニトロペン舌下錠**はニトログリセリンを β-シクロデキストリンで安定化させた製剤 (p.122).

4) チュアブル錠 chewable tablets

1. 口中でかみくだいてから服用する錠剤. 主として幼児などに対して服用しやすい錠剤である. 抗菌薬, 気管支喘息治療薬などに適用されている.
2. のみ込まず口の中で溶かすか, かみくだいてのむよう患者に注意を与え, 薬袋にも表示する.

【処方】 モンテルカストナトリウム Montelukast Sodium
シングレアチュアブル錠 5 mg Singulair Chewable 1回1錠 (1日1錠)
1日1回 就寝前に服用 7日分

シングレアチュアブル錠は小児でも容易に服用でき, 水なしでかんでのめるチェリー風味の錠剤. 気管支喘息の発作予防薬.

5) 腸溶錠 enteric coated tablets

錠剤に特殊な剤皮〔強酸性の溶液に不溶で, 弱酸～アルカリ性の溶液に可溶な腸溶性被膜, セラセフェート (酢酸フタル酸セルロース) など〕を施すことによって, 小腸内で錠剤が崩壊, 溶出することを期待したもの.

【処方】 アスピリン Aspirin
バイアスピリン錠 100 mg Bayaspirin 1回1錠 (1日1錠)
1日1回 朝食後に服用 7日分

アスピリンの腸溶錠である.

腸溶錠の性質上, アルカリ性制酸薬 (炭酸水素ナトリウム, 酸化マグネシウムなど), 健胃散, **S・M配合散**などとの同時服用を避ける.

6）口腔内崩壊錠 OD（orally disintegrating）& D（disintegrating）tablets

唾液や少量の水で速やかに口の中で崩壊する製剤．嚥下困難な高齢者のコンプライアンス向上を目的に開発された．他に RPD（rapid disintegrating），RM（rapid melt）など．

【処方】　ブロチゾラム Brotizolam
　　レンドルミン D 錠 0.25 mg Lendormin D　　1 回 1 錠（1 日 1 錠）
　　1 日 1 回　就寝前に服用　7 日分

高齢者に対しレンドルミン D 錠は不眠症の治療を目的に処方．

7）その他

発泡錠　有機酸と炭酸水素ナトリウムを含有し，水に溶けて二酸化炭素を発生する．

付着錠（薬価基準は外用薬）[14~16]　付着層と付着後容易に溶解消失する支持層よりなる口腔粘膜付着剤．**アフタッチ**口腔用貼付剤（トリアムシノロンアセトニド含有）．

腟　錠　挿入後わずかの水分で速やかに医薬品を放出拡散する．**エンペシド腟錠**（クロトリマゾール）．

2-5　PTP の取り扱い

blister package，いわゆる press through package（PTP）が食道異物として摘出される例が，近年多くの施設から報告されている[17,18]．

錠剤，カプセル剤を交付するにあたり，PTP の取り扱い方についての説明を十分に行うことが必要である（p.285 図 11-12）．

製薬業界では PTP の誤飲を防ぐために PTP のスリット（ミシン目）を一方向のみに入れ，統一とり出し図を表示することをとり決めている．また，薬剤師の職能団体とともに啓蒙ポスターを作成し，PTP の誤飲防止の PR にも努めている．しかしながら，PTP 誤飲事故は後を絶たず，2010 年（平成 22 年）には独立行政法人国民生活センターの報告書を受け，厚生労働省は「PTP 包装シート誤飲防止対策について」を発出し，医療機関および薬局への注意喚起および周知徹底を図っている．

3　内用液剤の調剤

3-1　一般調製法

① 液状医薬品は mL で，固形医薬品は g で量る．滴数で処方された時は，「滴数を量るには，20℃において水 20 滴を滴加するとき，その質量が 0.90～1.10 g となるような器具を用いる」（日局通則 17）と規定されており，通常，標準滴瓶 standard dropper を用いる．

1 mL の滴数：精製水，希塩酸，内服用ルゴール液，0.1％硫酸アトロピン液 20 滴，エタノール 51 滴，苦味チンキ 48 滴，ハッカ油 46 滴，ハッカ水 30 滴，ピコスルファートナトリウム 15 滴（ラキソベロンの専用容器）.

1 g の滴数：アヘンチンキ 45 滴.

② 内用液剤の調製には新鮮な精製水又は常水を用いる．常水とは局方の規定に適合する水道水又は井水（せいすい）を指す.

③ 適量の水を薬瓶に入れ「しき水」とする.

④ 秤量の順序は通常処方記載の順とするが，配合医薬品によっては順序の変更を要することがある．麻薬は最後に量る.

⑤ 液状医薬品を量るには，メートグラス measuring glass を左手にもち，右手にラベルを上にして装置瓶をもち，薬液を少量ずつ注入し処方量を量る．この際液面のメニスカスの下面を眼の高さと一致させる．入れ過ぎた薬液は元の瓶に戻さない．メートグラス中に残った薬液は少量の水で洗い，洗液を薬瓶に合する．シロップ剤のような濃稠液の量取は最後に行う．粘稠性の内用液剤や TDM 対象薬剤のエリキシル剤を秤量する場合には，ディスペンサーを用いると正確な秤量が可能となる.

⑥ 固形医薬品は原則として別の容器中で適量の水に溶かし，必要があればろ過して加える.

⑦ 調剤上使用頻度の高い医薬品は，あらかじめ予製液を調製しておく．予製液の濃度は，医薬品の溶解度，常用量により定める.

希塩酸液 10%

硫酸マグネシウム液 50%

ヨウ化カリウム液 10%（チオ硫酸ナトリウム 0.04%添加）

アトロピン硫酸塩液 0.1%

⑧ ポリスチレンスルホン酸カルシウムなどの懸濁剤調製にはミキサーを用いると便利である.

⑨ 保存剤（表 13-1）及び水を加え全量とする．薬瓶の内容を検査し，異物の有無を確かめる.

表 13-1. 内用液剤に用いる保存剤と使用量

保存剤	有効濃度	予製液濃度	内用液剤 100 mL に加える量
安息香酸	0.05%	5%（45v/v エタノール）	1 mL
パラオキシ安息香酸エステル類（メチル，エチル，プロピル）	0.05%	5%（36v/v エタノール）	1 mL

⑩ 必要事項を記した用法紙を貼る．薬瓶に 2 種以上の目盛りがある場合は，使用する目盛りに印を付けるか，不用の目盛りを用法紙で覆う．1 回服用量が目盛り単位でない場合は，計量カップを添付する.

3-2 シロップ剤 syrups

1) シロップ剤の種類

シロップ剤は，小児への投与剤形として繁用される．さらにドライシロップ（用時溶解又は懸濁して用いる）の剤形が加わったことより，シロップ剤の範囲が拡大された．

水溶性の医薬品は溶液型シロップ，難溶性のもの（チペピジンヒベンズ酸塩，メフェナム酸）は懸濁シロップ，水に不安定なものはドライシロップとする．また，苦味を矯正するために難溶性のエステルや塩（クロラムフェニコールパルミチン酸エステル）とし，懸濁シロップとすることもある．

2) シロップ剤の調剤

① シロップ剤の調剤は内用液剤の一般調製法に準じる．

② ドライシロップ剤はそのまま分包して交付し，そのまま又は服用のつど1回分に適量の水を加えて内服するよう指示する．4日分までの処方は懸濁剤として調剤してもよい．

○○○○　6歳

【処方】 シプロヘプタジン塩酸塩水和物
Cyproheptadine Hydrochloride Hydrate
　ペリアクチンシロップ 0.04%　　1回2 mL（1日6 mL）
　Periactin Syrup
チペピジンヒベンズ酸塩 Tipepidine Hibenzate
　アスベリンシロップ「調剤用」2%　　1回0.67 mL（1日2 mL）
　Asverin Syrup
L-カルボシステイン L-Carbocisteine
　ムコダインシロップ 5% Mucodyne Syrup　　1回4 mL（1日12 mL）
精製水 Purified Water　　1回全量10 mL
（1日30 mL）
　1日3回　朝昼夕食後に服用　3日分

1回の服用量が10 mLになるよう精製水を加える．アスベリンシロップは懸濁液で，他の薬剤との配合で再分散が悪くなることがあるので注意を要する．

○○○○　5歳6ヵ月

【処方】 シロップ用セファレキシン Cefalexin
　ケフレックスシロップ用細粒 100 Keflex　　1回1.5 g（1日6 g）
　1日4回　6時間ごとに服用　5日分

トコンシロップ Ipecac Syrup（JP）[19〜22]（p.455）

【処方】

トコン浸出液 Ipecac Fluidextract*	70 mL
グリセリン Glycerin	100 mL
単シロップ Simple Syrup	適量
	1日全量 1,000 mL

* 総アルカロイド 1.7〜2.1 g/100 mL のトコン粗末の 75vol%エタノール浸出液

本品 100 mL 中総アルカロイド（エメチン，セファエリン）0.12〜0.15 g を含む．医薬品，化学製品，農薬などによる急性中毒時の催吐薬．特に小児の誤食時に著効．成分のうちセファエリンはエメチンより催吐作用が強い．

12 歳以上 1 日 15 mL，11〜1 歳 12 mL，1 歳〜6 ヵ月 8 mL を服用する．

3-3 水に溶けにくい医薬品配合時の内用液剤

1）溶解法の工夫

① 医薬品をすりつぶし，温湯で溶解：乳酸カルシウム

② 溶解補助剤の添加：クエン酸ナトリウム（アスピリンの溶解補助剤，2 日分まで）

③ 溶解順序の工夫

【処方】

Ⓐ クエン酸水和物 Citric Acid Hydrate	4.0 g
Ⓑ 炭酸水素ナトリウム Sodium Bicarbonate	4.0 g
Ⓒ 炭酸マグネシウム Magnesium Carbonate	2.0 g
Ⓓ トウヒチンキ Orange Peel Tincture	3.0 mL
Ⓔ 精製水 Purified Water	1日全量 100.0 mL

ⒶをⒺに溶かし，Ⓒを加える．炭酸ガスを発生しながら溶解する．Ⓑ，Ⓓ，Ⓔを加え全量 100 mL とする．初めにⒷを加えると，Ⓒを溶かすことができない．

2）振とう合剤，懸濁剤

① 水に難溶の毒劇薬，薬用量の少ない医薬品は振とう合剤としない．

② 懸濁剤は適当な懸濁化剤を加える．カルメロースナトリウム，メチルセルロースなど 0.5〜1%．比較的軽質の医薬品の場合は，ソルビトール，単シロップを用いることもある．

③「用時振とう」「用時よく振り混ぜて下さい」などの表示を用法紙に記す．

【処方】

Ⓐ ポリスチレンスルホン酸カルシウム Calcium Polystyrene Sulfonate	30 g
Ⓑ D-ソルビトール D-Sorbitol	20 g
Ⓒ アビセル RC591NF	2 g
5%エチルパラベン液 5% Ethylparaben Solution	1 mL
精製水 Purified Water	1日全量 100 mL

1 日 3 回 朝昼夕食後に服用 3 日分

Ⓐ1 日 15〜30 g の投与により血清 K 値を約 1 mEq/L 抑制する．Ⓑ，Ⓒは懸濁化剤，Ⓒは結晶セルロース 89%とカルメロースナトリウム 11%．

3-4 浸剤，煎剤

① 浸剤，煎剤はいずれも生薬を，通例，常水で浸出した液剤.
② 通例，生薬を次の大きさとし，その適量を，浸煎剤器に入れる.

葉，花，全草	粗切
材，茎，根，根茎	中切
種子，果実	細切

浸剤 通例，生薬50 gに常水50 mLを加え，約15分間潤した後，熱した常水900 mLを注ぎ，数回かき混ぜながら5分間加熱し，冷後，布ごしする.

トコン浸，カノコソウ浸，セネガ浸

煎剤 通例，1日量の生薬に常水400～600 mLを加え，30分以上かけて半量を目安として煎じ，温時，布ごしする.

ウワウルシ煎，コンズランゴ煎

これらは用時調製する.

茶剤 通例，生薬を粗末から粗切の大きさとし，1日量又は1回量を紙又は布の袋に充てんした製剤である．通例，浸剤・煎剤の製法に準じ用いられる.

今日，浸剤・煎剤を実際に調剤することは少なく，それに代わるものとして生薬エキス・漢方エキス製剤が市販されている．漢方エキス製剤は一般の散剤と同様に取り扱えばよい.

3-5 内用液剤の配合変化

内用液剤の溶剤には，水以外にアルコール，グリセリン，多価アルコールなどが使用されることがある．添加剤として懸濁化剤，乳化剤，保存剤，安定剤，矯味矯臭剤，着色剤などが加えられている．したがって内用液剤の配合変化は配合医薬品とともに添加剤も変化の要因となる.

配合変化の程度により，配合不可，配合不適（散剤付水剤，組み合わせ水剤），配合注意として取り扱う (p.192).

■ 1）酸性物質を配合の水剤

希塩酸などの酸性を呈する物質と化学反応を起こす医薬品の配合には注意を要する.

ヨウ化カリウム＋希塩酸 → 2，3日後から経日的に黄色に着色，長期保存でヨウ素が遊離　配合不適.

安息香酸ナトリウムカフェイン＋希塩酸 → 安息香酸析出，カフェイン析出　配合不適.

■ 2）アルカリ性物質を配合の水剤

炭酸水素ナトリウムなどのアルカリ性を呈する物質と化学反応を起こす医薬品の配合には注意を要する.

チアミン塩化物塩酸塩＋炭酸水素ナトリウム → チアミン塩化物塩酸塩分解（pH 8.2，2日で70％分解）配合不可．

含糖ペプシン＋炭酸水素ナトリウム → 含糖ペプシン不活性化　配合不可．

含糖ペプシンの消化力はpH 2で最大．pH 6.2〜6.4で失活をはじめ，pH 8以上で完全に失活．

【処方】		
	コデインリン酸塩	60 mg
	炭酸水素ナトリウム	2.0 g
	単シロップ	8.0 mL
	精製水	1日全量　100.0 mL

一般にアルカロイドや塩基の塩類はアルカリ性物質の配合により遊離塩基を析出，配合不適となることが多い．ただし，コデインリン酸塩は塩基の溶解度がやや大きく1：120なので配合可能である．

モルヒネ塩酸塩は塩基の溶解度が1：5,000なので析出する．配合不適．散剤付水剤とする．

デキストロメトルファン臭化水素酸塩水和物やジメモルファンリン酸塩は炭酸水素ナトリウム又はアンモニアウイキョウ精の配合で塩基が析出する．配合不適．散剤付水剤とする．

3）アルコール含有製剤を配合の液剤

フェノバルビタールエリキシル，ジゴキシンエリキシルは，水溶液製剤との配合で，沈殿の生成，成分の分解を生じる．配合不適．組み合わせ水剤とする．

アンモニアウイキョウ精はキョウニン水，セネガシロップの配合で，液が黄変混濁，ウイキョウ油が析出するが，薬効には変化ない．配合注意．用時振とうを説明して交付する．

4）シロップ剤の配合変化[23]

シロップ剤には懸濁型と溶液型の製剤がある．また，製剤ごとに各種の添加剤（安定剤，保存剤，矯味剤，緩衝剤，可溶化剤，粘稠剤など）が加えられている．

シロップ剤の配合変化の組み合わせは，各書でまちまちである．経験した一部の組み合わせのみを“配合不適”とし，基礎的な調査，全体的な考察がなされていないためであろう．添付文書の記載も十分でない．

一般に懸濁型では再分散性不良を，溶液型では化学反応や沈殿を生ずることが多い．あらかじめ製剤のpH，配合剤，添加剤を調査しておくことが望まれる．pHの大きく異なる製剤は別に調剤し，組み合わせて投与する．

再分散性試験：試料液を入れた試験管を5秒間倒立させ，次いで5秒間正位させる．この操作を1回とし，懸濁液が均質に分散するまでの回数が$n \geqq 10$の場合は再分散性不良とする．

主な市販シロップ剤のpH，添加剤は表13-2のとおりである．

1）シロップ剤が懸濁型か溶液型かを確かめる．前者では再分散性不良を，後者では沈殿，分解に注意する．pHが離れている製品は配合しない方がよい．

2）**デパケンシロップ**（pH 7.0〜7.8）は pH 6.8 以下で油状のバルプロ酸を析出する．表 13-2 のシロップ剤はほとんどが pH 6.8 以下であり，配合不可を示す．単独で調剤する．

3）TDM を必要とする**テオドールシロップ**は単独で調剤する．

表 13-2．主なシロップ剤の pH，添加剤

シロップ剤（S と略）	pH	添加剤
懸濁型		
アスベリンS（チペピジンヒベンズ酸塩）0.5%，調剤用 2%	4.3〜5.5	安息香酸 Na，クエン酸，クエン酸 Na，グリセリン脂肪酸エステル，サッカリン Na，ショ糖脂肪酸エステル，シリコーン樹脂，ステアリン酸ポリオキシル，ソルビタン脂肪酸エステル，D-ソルビトール，Bu，Pr，エタノール，バニリン，PG
テオドールS（テオフィリン）2%	2.7〜3.7	D-ソルビトール，グリセリン，キサンタンガム，酸化チタン，ラウリル硫酸 Na，シリコーン樹脂，ソルビタン脂肪酸エステル，グリセリン脂肪酸エステル，CMC-Na，クエン酸水和物，安息香酸 Na，バニリン，エタノール，PG，香料
ポンタールS（メフェナム酸）3.25%	3.5〜5.5	ポビドン，ケイ酸 MgAl，CMC-Na，安息香酸 Na，D-ソルビトール液，白糖，pH 調節剤，香料
溶液型		
アストミンS（ジメモルファンリン酸塩）0.25%	3.0〜4.5	白糖，Me，Pr，PG，エタノール，クエン酸水和物，クエン酸 Na 水和物，黄色 5 号，香料
アタラックス-P S（ヒドロキシジンパモ酸塩）0.5%	4.4	ソルビン酸，CMC-Na，PG，D-ソルビトール液，香料，黄色 5 号
ザイザルS（レボセチリジン塩酸塩）0.05%	4.7〜5.3	酢酸 Na 水和物，氷酢酸，マルチトール液，グリセリン，Me，Pr，サッカリン Na 水和物，香料，精製水
ゼスラン小児用S（メキタジン）0.03%	5.6〜6.1	D-ソルビトール，無水クエン酸，無水リン酸一水素 Na，β-CD，エタノール，香料
デパケンS（バルプロ酸ナトリウム）5%	7.0〜7.8	赤色 102 号，白糖，Pr，Me，香料成分として香料，エタノール，グリセリン，PG
トランサミンS（トラネキサム酸）5%	5.7〜6.5	白糖，クエン酸水和物，クエン酸 Na 水和物，Me，Pr，ソルビン酸 K，ピロ亜硫酸 K，赤色 3 号，香料
ペリアクチンS（シプロヘプタジン塩酸塩水和物）0.04%	3.5〜4.5	白糖，グリセリン，エタノール，サッカリン Na，ソルビン酸，水酸化 Na，香料
ポララミンS（*d*-クロルフェニラミンマレイン酸塩）0.04%	5.5〜6.8	白糖，D-ソルビトール液，塩化 Na，クエン酸 Na 水和物，エタノール，*l*-メントール，安息香酸 Na，香料，黄色 5 号
ムコダインS（L-カルボシステイン）5%	5.5〜7.5	D-ソルビトール，ソルビン酸，カラメル，香料，pH 調整剤
ムコブロチン配合S（ジヒドロコデインリン酸塩 0.3%，*dl*-メチルエフェドリン塩酸塩 0.6%，クロルフェニラミンマレイン酸塩 0.12%）	4.0〜5.0	白糖，エリスリトール，サッカリン Na 水和物，リンゴ濃縮果汁，Me，Pr，カラメル，香料，エタノール
メジコン配合S（デキストロメトルファン臭化水素酸塩水和物 0.25%，クレゾールスルホン酸カリウム 1.5%）	3.3〜4.5	エタノール，白糖，カラメル，安息香酸，水酸化 Na，チェリーエッセンス
リンデロンS（ベタメタゾン）0.01%	2.5〜3.5	PG，白糖，D-ソルビトール液，安息香酸 Na，クエン酸水和物，塩化 Na，エタノール，黄色 5 号

PG：プロピレングリコール　Me，Pr，Bu：パラオキシ安息香酸メチル，プロピル，ブチル　CD：シクロデキストリン

4 経腸栄養法 [24)]

経腸栄養法 enteral nutrition は経口摂取に次ぐ生理的な栄養法で，腸が機能していれば TPN (p.439) でなく，経腸栄養法の適応となる．ただし，腸の機能的完全閉塞，イレウス，重症の下痢を伴う場合は適応とならない．

経腸栄養剤には成分栄養剤，消化態栄養剤，半消化態栄養剤がある．

成分栄養剤は糖と蛋白質がデキストリンとアミノ酸のみで構成されており，消化態栄養剤はデキストリンとアミノ酸・ペプチドよりなる．いずれも消化を要さずに吸収されるため無残渣である．半消化態栄養剤は最終段階まで分解されていない成分からなるため，腸管内である程度の消化を必要とし残渣が残るが，アミノ酸やペプチド特有の味やにおいがないので摂取しやすい．

特殊病態時用に肝不全用経腸栄養剤，蛋白制限経腸栄養剤，腎不全用アミノ酸製剤がある．

経口摂取が困難な場合は，鼻腔経由でチューブを胃又は十二指腸まで挿入し栄養剤を投与する．投与速度は胃内で 150 mL/hr，空腸内で 100 mL/hr 前後とする．あらかじめ 37～40℃に加温してから注入する．

高浸透圧の製剤では，下痢や腹痛を起こしやすい．投与速度を遅くしたり，濃度を薄くするなどの対策が必要となる．

高カロリー輸液療法は p.439 を参照のこと．

5 麻薬の調剤 [25～28)]

5-1 麻薬の調剤

麻薬施用者は麻薬診療施設で麻薬処方箋を発行できる．麻薬処方箋の形式については p.252 に記している．

麻薬の管理（p.110），麻薬の保管（p.264）については，それぞれの頁を参照のこと．

薬局で調剤するには，麻薬小売業者の免許を必要とする．

麻薬処方の調剤にあたっては，麻薬処方箋の記載事項に不備がないかをまず確認する．

麻薬調剤はやり直しができないためとくに慎重に行う（麻薬廃棄許可申請が必要）．

麻薬及び向精神薬取締法では，病院診療所における麻薬の製剤は禁止されているが，コデインリン酸塩10％散，予製剤の調製，眼科や耳鼻咽喉科で使用する塩酸コカイン液の調製は，調剤の予備行為として，とくに認められている．

WHO（世界保健機関）はアヘン系麻薬を用いる WHO 方式がん疼痛治療法を提唱しており，わが国でもターミナルケアのあり方検討会において麻薬系鎮痛剤の積極的な使用が提言されている．近年，モルヒネ塩酸塩徐放製剤，モルヒネ塩酸塩坐剤，モルヒネ塩酸塩内服液，高用量モルヒネ塩酸塩注射液，モルヒネ硫酸塩徐放製剤，オキシコドン塩酸塩及び同徐放製剤，フェンタニルパッチ製剤，速放性フェンタニル製剤など多種の麻薬系鎮痛薬が市販されたことより，末期が

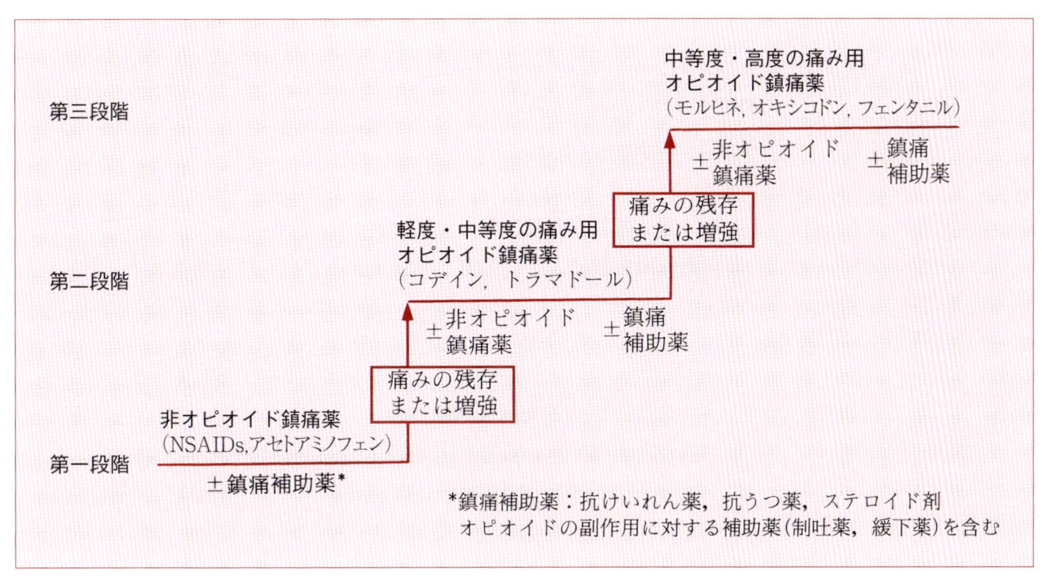

図 13-5. WHO 方式がん疼痛治療法（三段階がん疼痛治療ラダー）

ん患者の疼痛治療がしやすくなり QOL の向上につながっている.

図 13-5 に WHO 方式がん疼痛治療法を示す. 痛みが強ければ, どの段階から投与を始めてもよい.

がん疼痛治療は次の 5 つを基本原則とする. ① できる限り簡便な経路で投与する（by the mouth） ② 効力の順に鎮痛薬を選ぶ（by the ladder） ③ 個々の患者の痛みが消失する量を求めながら用いる（by the individual） ④ 時刻を決めて規則正しく投与する（by the clock） ⑤ これらの 4 原則を守った上で, 細かな点にも注意する（attention to detail）.

5-2 処方例

○○○○　59 歳

【処方】 Ⓐ コデインリン酸塩散 10%　1 回 0.2 g（1 日 0.6 g）
Codeine Phosphate
Ⓑ *dl*-メチルエフェドリン塩酸塩散 10%　1 回 0.4 g（1 日 1.2 g）
dl-Methylephedrine Hydrochloride
Ⓒ 酸化マグネシウム Magnesium Oxide　1 回 0.67 g（1 日 2 g）
1 日 3 回　朝昼夕食間に服用　3 日分

Ⓐ はアヘンアルカロイドの一種で, モルヒネをメチル化したもの. とくに鎮咳作用が強く, 主として乾性の咳に用いる. 気管支収縮作用があるので, 粘稠な痰を伴う咳や喘息には不適当である. 1% 散は麻薬指定を受けていないが, 原末及び 10% 散は麻薬に指定されている.

Ⓐ の止瀉作用による便秘を伴うことがあるので, Ⓒ を緩下薬として配合.

Ⓑ を 3.6 g, Ⓒ を 6.0 g, Ⓐ を 1.8 g の順に秤量, 混和し, 9 包とする. 麻薬の秤量, 混和は最後に行う.

○○○○ 48歳

【処方】 アヘンチンキ Opium Tincture 1.5 mL
苦味チンキ Bitter Tincture 1.5 mL
単シロップ Simple Syrup 10.0 mL
精製水 Purified Water 1日全量 100 mL
1日3回 朝昼夕食後に服用 3日分

アヘンチンキの強力な止瀉作用を目的とした処方．苦味チンキと単シロップは矯味，矯臭のため配合．

○○○○ 60歳

【処方】 1）オキシコドン塩酸塩水和物徐放錠
Oxycodone Hydrochloride Hydrate Sustained Release Tab.
オキシコンチン錠10 mg Oxycontin 1回1錠（1日2錠）
1日2回 12時間ごとに服用 3日分
2）ピコスルファートナトリウム水和物 Sodium Picosulfate Hydrate
ラキソベロン内用液0.75% Laxoberon Sol. 10 mL
就寝前に15滴服用

激しい疼痛を伴う各種がんの鎮痛．**オキシコンチン錠**による便秘の防止に緩下薬である**ラキソベロン液**を服用させる．

○○○○ 65歳

【処方】 モルヒネ塩酸塩水和物
Morphine Hydrochloride Hydrate
アンペック坐剤10 mg Anpec Sup. 1回1個（1日3個）
1日3回 8時間ごとに肛門内挿入 3日分

激しい疼痛を伴う各種がんの鎮痛．

ブロンプトン水 Brompton Mixture

【処方】 モルヒネ塩酸塩水和物 30 mg
Morphine Hydrochloride Hydrate
コカイン塩酸塩 Cocaine Hydrochloride 15 mg
ブドウ酒 Wine 6 mL
単シロップ Simple Syrup 6 mL
精製水 Purifide Water 5回分全量 30 mL
頓用 疼痛時に服用 5回分

激しい疼痛を伴う各種がんの鎮痛．コカイン塩酸塩は加えないことが多い．

最近では多種の麻薬系鎮痛薬が市販されており，ブロンプトン水が使用されることはほとんどない．

文 献

1) 青木　大：病院薬局の実際　42　南山堂　1973
2) 倉田なおみら：経管投与可能な固形製剤の検討と一覧表の作成，医療薬学 **27**(5) 461-472 2001
3) 倉田なおみ：内服薬経管投与ハンドブック 第2版（藤島一郎監修） じほう　2006
4) 簡易懸濁法研究会編：もっと知りたい簡易懸濁法 Q & A（倉田なおみ監修） じほう　2007
5) 杉山　清ら：簡易懸濁法で複数の薬剤を同時に懸濁しても大丈夫なの，薬局 **60**(8) 2922 2009
6) 湧井宣行ら：55℃のお湯で懸濁して，主薬は分解しないの，薬局 **60**(8) 2937 2009
7) 林　友典：簡易懸濁法で水道水の水は直接使ってもいいの，薬局 **60**(8) 2941 2009
8) 毎田千恵子ら：テオフィリン徐放性錠剤での適用はできる，薬局 **60**(8) 2961 2009
9) 西園憲郎ら：簡易懸濁法の導入実態-日本薬剤師会アンケート結果より，月刊薬事 **49**(3) 81 2007
10) Longer MA et al.: Sustained-release drug delivery systems, Remington's Pharmaceutical Sciences, 18th ed 1676 1990
11) 後藤　茂：徐放性薬剤の最近の進歩，日薬誌 **35**(2) 131 1983
12) Bechgaard H et al.: Controlled-release multiple-units and single-unit doses, a literature review, Drug Develop & Ind Pharm **4**(1) 53 1978
13) 日本薬剤師会編：調剤指針 第13改訂　薬事日報社　2011
14) Nagai T：Adhesive topical drug delivery system, J Controlled Release **2** 121 1985
15) Nagai T et al.: Mucosal adhesive dosage forms, Pharm International **6**(8) 196 1985
16) Nagai T：Topical mucosal adhesive dosage forms, Med Res Rev **6**(2) 227 1986
17) 林　佐知子ら：Blister Package，いわゆる Press Through Package（PTP）が食道異物として処置された症例の統計的文献考察，病院薬学 **14**(3) 203 1988
18) 岩田重信ら：当教室 PTP 食道異物の統計観察とその対策—全国 PTP 食道異物報告集計，日気食会報 **46**(3) 406 1995
19) Ipecac syrup, USP XXIV 915 2000. Pediatric ipecacuanha emetic mixtire, BP1998 1760
20) 垣内祥宏ら：トコン末およびトコンシロップについて，病院薬学 **9**(2) 200 1983
21) 手嶋大輔ら：トコンの主催吐成分（エメチン，セファエリン）の定量法について，医薬品研究 **15** 63 1984
22) 山下　衛ら：吐根シロップの臨床使用，救急医学 **10**(2) 219 1986
23) 仲川義人編，細谷　順：シロップ剤の配合変化，医薬ジャーナル社，2001
24) 特集：栄養管理と薬剤師の役割，薬事 **44**(9) 1671 2002
25) 世界保健機関編：武田文和訳：がんの痛みからの解放　WHO 方式癌疼痛治療法　金原出版　1996
26) 厚生省・日本医師会編：がん末期医療のケアに関するマニュアル　中央法規　2005
27) 武田文和：がんの痛みの鎮痛薬治療マニュアル　金原出版　2005
28) 厚生省医薬安全局オピオイド研究会監修：医療用麻薬の利用と管理 '99/'00—がん疼痛緩和へのモルヒネの適正使用　ミクス　1999

14 剤形別の調剤〔2〕外用剤

1　外用液剤

1-1　外用液剤の種類，一般調製法，容器，交付

液状の製剤で，洗浄，注入，含嗽，湿布，吸入，浣腸，塗布，清拭，薬浴，消毒，点鼻，点耳など外用に用いる．第十八改正日本薬局方の製剤総則においては，製剤を投与経路および適用部位の別で大分類し，さらに製剤の形状，機能，特性から分類されている．

調製法は内用液剤に準ずるが，溶剤として，水のほかエタノール，グリセリン，プロピレングリコール，植物油などを用いる．

容器の材質はガラス又は溶剤に侵されないプラスチック，キャップは child safety のものであることが望ましい．点眼液とまぎらわしい容器を用いないこと．

外用の薬袋，ラベルを用い，適用部位，使用回数を表示する．

使用法を記載し，必要に応じ図入りの用法紙，患者用注意文書を添付する．

外用につき，のんではいけない旨を表示する．

1-2　注入剤 irrigations

尿道，膀胱，膣，耳，鼻腔などに注入して，洗浄，消毒，収れん，腐食，緩和，麻酔，保護などに供する外用液剤．

アクリノール水和物 0.05～0.2%（遮光）

ベンザルコニウム塩化物 0.005～0.2%

プロテイン銀液 0.2～2%（遮光）

ポリミキシン B 硫酸塩　50 万単位/10～500 mL（膀胱内注入），50 万単位/10～50 mL（副鼻腔，中耳，関節腔に注入，噴霧）

1-3 含嗽剤 preparations for gargles

咽喉，口腔を洗浄し，収れん，消毒などの目的に供する外用液剤．

アクリノール水和物 0.05〜0.1%（遮光）

オキシドール 5〜10%（遮光）

アズレンスルホン酸ナトリウム水和物 0.004〜0.006%（**アズノール錠，含嗽用ハチアズレ顆粒**）（遮光）

炭酸水素ナトリウム 1〜2%

硫酸アルミニウムカリウム水和物 0.3%（ミョウバン水 JP Alum Solution）

ポビドンヨード（**イソジンガーグル液 7%**を 15〜30 倍希釈）（遮光）

1-4 湿布剤 formentations

ガーゼ又は脱脂綿に浸して，消炎，収れん，殺菌などの目的で患部に適用する外用液剤．

アクリノール水和物 0.03〜0.1%（遮光）

1-5 吸入剤 inhalations

吸入器，噴霧器などを用いて，消炎，収れん，殺菌，鎮咳，去痰などの目的で吸入する製剤．

吸入粉末剤，吸入液剤及び吸入エアゾール剤がある．吸入器具は，ネブライザー，加圧式定量噴霧吸入器（pMDI），ドライパウダー吸入器（DPI）がある．

■ 1）吸入剤の種類

気管支喘息やアレルギー性鼻炎に用いる吸入剤は表 14-1 のとおりである．

β_2 刺激薬フェノテロール臭化水素酸塩は，過度の不適切な使用により小児の死亡例が報告された．緊急安全性情報（平成 9 年 5 月，No. 97-1）により，小児には原則禁忌となっている（p.330）．

■ 2）吸入エアゾール剤 metered-dose inhalers

噴霧剤 propellants として不燃性ガスのフロンを用いたが，オゾン層を破壊することから，フロンを使用しない噴霧剤（LP ガスなど）の開発が進められている．

定量バルブの容器を用いれば，一定量の微量医薬品を 1 噴射ごとに正確に投与できる．

全身作用を目的とするエアゾール剤の利点

① 作用発現が早い（静脈内注射に匹敵）．

② 初回通過効果を回避できる．

③ 消化管内での分解を回避できる．

④ 低投与量ですみ，副作用の軽減が図れる．

表 14-1. 主な吸入剤

吸入剤	適応	用法・用量
炭酸水素ナトリウム 1～2%	上気道炎の粘液溶解	
ブロムヘキシン塩酸塩 (ビソルボン吸入液 0.2%)	去痰	1回2 mL　1日3回
クロモグリク酸ナトリウム (インタールエアロゾル 1 mg*)	気管支喘息	1回2噴霧　1日4回 緩解後1日2～3回
サルブタモール硫酸塩 (サルタノールインヘラー 100 μg*)	気管支喘息	1回2吸入 (200 μg)
フェノテロール臭化水素酸塩 (ベロテックエロゾル 100*)	気管支喘息	1回2吸入 (0.2 mg)
プロカテロール塩酸塩水和物 (メプチンエアー 10 μg 吸入 100 回*)	気管支喘息	1回2吸入 (20 μg)
チオトロピウム臭化物水和物 (スピリーバ レスピマット 1.25 μg・2.5 μg*)	気管支喘息・COPD**	1回2吸入　1日1回 最大5 μg(1回2.5 μg 2吸入)
ベクロメタゾンプロピオン酸エステル (キュバール 50・100 エアゾール*)	気管支喘息	1回100 μg　1日2回 最大1日800 μg 小児1回50 μg　1日2回 最大1日200 μg
フルチカゾンプロピオン酸エステル (フルタイド 50 μg・100 μg エアゾール*)	気管支喘息	1回100 μg　1日2回 最大1日800 μg 小児1回50 μg　1日2回 最大1日200 μg
サルメテロールキシナホ酸塩/フルチカゾンプロピオン酸エステル (アドエア 50・125・250 エアゾール*)	気管支喘息・COPD**	1回1～2吸入　1日2回

* エアゾール剤　　** COPD：chronic obstructive pulmonary disease, 慢性閉塞性肺疾患

3) 服薬指導

薬剤交付にあたり，患者に加圧式定量噴霧吸入器（MDI）やドライパウダー吸入器（DPI）の使用方法を説明する[1]（図 14-1）.

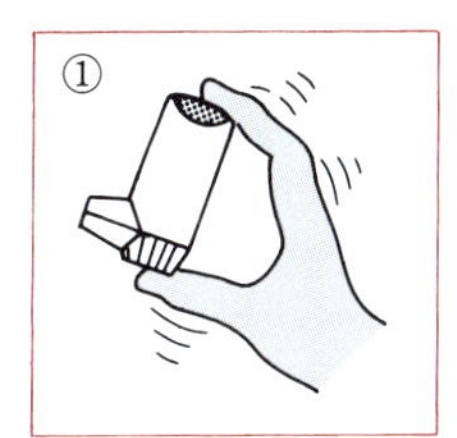

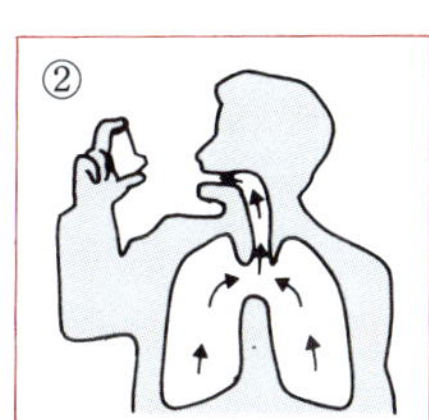

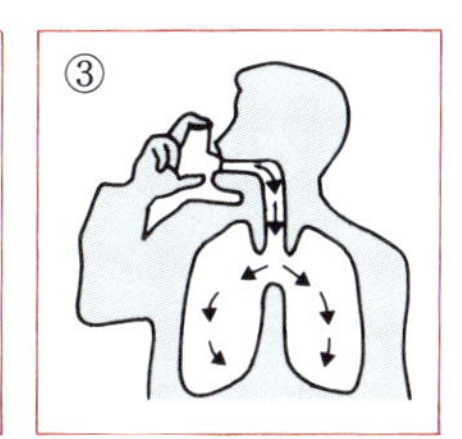

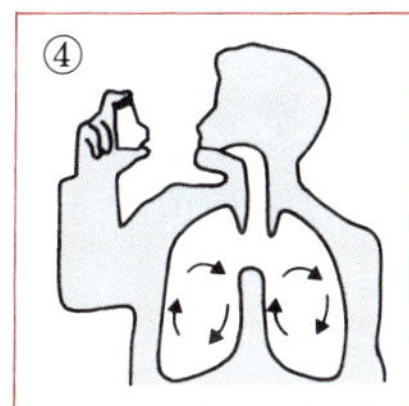

① アダプターの吸入口についているキャップをはずす.
② 容器の底が上になるように持ち，よく振りまぜる．同時に十分に息をはき出す.
③ 吸入口を口にくわえ，口から息を吸いこむと同時に容器の底を強くひと押しする.
④ アダプターを口からはずし，数秒間息を止めたのち，ゆっくり息をはき出す.
⑤ 副腎皮質ステロイドでは，吸入後口内をすすぐ（口腔内，消化管カンジダ症防止のため）.
⑥ 再度吸入する時は3分間あける.

図 14-1. 喘息用噴霧器の使用方法

1-6 浣腸剤 enemas, clysters

肛門から直腸に注入する液剤．瀉下浣腸 catharitic enemas（排便，洗浄），薬物浣腸（医薬品の吸収又は腸内における局所作用），滋養浣腸 nutrient enemas（直腸から栄養を補給）がある.

グリセリン浣腸 50%（腸管・肛門に炎症・創傷のある患者は，吸収による溶血に注意）
薬用石けん 2～5%
抱水クロラール　小児 30～50 mg/kg，微温湯に溶解：けいれん重積状態
ポリスチレンスルホン酸ナトリウム*（ケイキサレート散・ドライシロップ）：高カリウム血症
ポリスチレンスルホン酸カルシウム*（カリメート散・ドライシロップ）：高カリウム血症

1-7 塗布剤 paints

医薬品を水，エタノール，エーテル，グリセリン，植物油などに溶解又は懸濁した液剤．皮膚あるいは粘膜に塗布．

イオウ・カンフルローション（JP）（p.410） Sulfur and Camphor Lotion
メチルロザニリン塩化物 0.3～0.5%**, [2～5]
グリセリンカリ液（JP）（ベルツ水）Glycerin and Potash Solution
複方ヨード・グリセリン（JP）（塗布用ルゴール液）Compound Iodine Glycerin
クロトリマゾール（エンペシド外用液 1%）
ビホナゾール（マイコスポール外用液 1%）
} イミダゾール系抗真菌薬

1-8 清拭剤 cleaning agents

皮膚に付着した医薬品，脂肪，軟膏，血液などを拭きとるために用いる液剤．

消毒用エタノール
ハイポアルコール（チオ硫酸ナトリウム水和物）2%（ポビドンヨード液で消毒後の清拭）
ラウリル硫酸ナトリウム

1-9 浴　剤 baths

医薬品を溶液とし，あるいは生薬を煎剤として，全身又は局所の浴用に供する液剤．

ベンザルコニウム塩化物，ベンゼトニウム塩化物 0.02～0.05%
クロルヘキシジングルコン酸塩 0.02%[6]
クレゾール石ケン液 0.1%（JP）Saponated Cresol Solution

---

* 水又は 2% メチルセルロース溶液に懸濁して注腸．ソルビトール溶液は用いない（結腸壊死の報告）．医薬品副作用情報 No. 134　2　1995

** 口内炎，化膿性びらん症，カンジダ性膿痂疹．従来使用の 1% メチルロザニリン塩化物液（クリスタルバイオレット，ゲンチアナバイオレット）の塗布で，びらん，潰瘍の発生，壊死性変化など皮膚障害の報告がある．軟膏は 0.1%，水溶液は皮膚塗布 0.5%，口内，陰部塗布 0.3% を用いる[2～5]．

1-10 点鼻剤 nasal preparations

消炎，収れん，殺菌などの目的で鼻腔に用いる液剤．滴剤，噴霧剤，洗浄剤の形で用いる．等張又はやや高張な液は刺激がない．点鼻粉末剤及び点鼻液剤がある．

プロテイン銀液（JP） Silver Protein Solution

【処方】		
	プロテイン銀 Silver Protein	30 g
	グリセリン Glycerin	100 mL
	ハッカ水 Mentha Water	適量
		全量 1,000.0 mL

耳漏，咽頭炎，鼻炎．硝酸銀液のように皮膚に瘢痕を残さない．

ナファゾリン・クロルフェニラミン液（JP） Naphazoline and Chlorpheniramine Solution

【処方】		
	ナファゾリン硝酸塩 Naphazoline Nitrate	0.5 g
	クロルフェニラミンマレイン酸塩 Chlorpheniramine Maleate	1 g
	クロロブタノール Chlorobutanol	2 g
	グリセリン Glycerin	50 mL
	精製水又は精製水（容器入り） Purified Water	適量
		全量 1,000.0 mL

鼻腔内に噴霧して経鼻吸収させるものに，視床下部ホルモン GnRh 誘導体であるブセレリン酢酸塩（**スプレキュア点鼻液**．中枢性思春期早発症，子宮内膜症及び子宮筋腫に伴う諸症状の改善），抗利尿ホルモンバソプレシンの誘導体であるデスモプレシン（**デスモプレシン点鼻液，スプレー**．中枢性尿崩症，夜尿症）がある．薬剤交付に際し，適正使用のための情報提供が必要である．

【処方】		
	ブセレリン酢酸塩点鼻液 10 mL Buserelin Acetate	1本

スプレキュア Suprecur **点鼻液 0.15%**（10 mL ブセレリン 15 mg 含有）
左右鼻腔内に 1 回 1 噴射　1 日 3 回

1-11 点耳剤 ear preparations

消炎，殺菌，耳垢軟化などの目的で耳腔内に適用する液剤．

炭酸水素ナトリウム点耳液 Sodium Bicarbonate Ear-drop（耵聹（ていねい）水，耳垢（じこう）水）

【処方】		
	炭酸水素ナトリウム Sodium Bicarbonate	5 g
	グリセリン Glycerin	30 mL
	精製水 Purified Water	適量
		全量 100.0 mL

耳垢塞栓の軟化．

【処方】 0.3%オフロキサシン点耳液 Ofloxacin 5 mL
タリビッド Tarivid 耳科用液 0.3%
1回6～10滴点耳 約10分間耳浴 1日2回

中耳炎，外耳炎.

2 眼科用製剤[7)]

2-1 点眼剤の一般調製法

① 点眼剤は無菌を必要とする製剤であるが，多回使用容器 multiple dose container であり，使用中容器の先端 applicator が患部に接触のおそれがあるなど，絶えず微生物汚染の危険にさらされている.

② 点眼剤の調製，小分けはクリーンベンチ内で無菌的に行う.

③ 使用する容器，器具などはあらかじめ洗浄滅菌しておく.

④ 医薬品はとくに良品を用い，溶剤はあらかじめ保存剤，緩衝液を溶解した点眼用溶解液を用いる. 医薬品，等張化剤，安定剤などを点眼用溶解液に溶解し，点眼用溶解液を加えて全量とする. 濃度（%）は w/v%で表す.

⑤ メンブランフィルター（0.22～8 μm）を用い，ろ過を行う.

⑥ ろ過した薬液が熱に安定の場合は加熱滅菌した後，無菌的に点眼瓶に分注する. 熱に不安定な場合は無菌操作（メンブランフィルターの孔径は 0.22 μm 又は 0.45 μm）により調製した後，分注する.

⑦ 懸濁性点眼剤中の粒子は，通例 75 μm 以下とする.

⑧ 点眼剤の容器にはガラス製とプラスチック製がある. また各種の色キャップを使用し，製剤の識別を容易にする（例えばアトロピン硫酸塩点眼液は緑色のキャップ，ピロカルピン塩酸塩点眼液は赤色のキャップを使用する）. 遮光を要するものは褐色容器に充てんする.

⑨ 点眼液の交付（服薬指導 p.397）

ⓐ 薬袋に使用部位（右眼，左眼，両眼），1日の使用回数を記入する.

ⓑ 使用開始後，10日以上同一点眼容器の薬液を使用しない.

ⓒ 懸濁性点眼液は用時よく振とうして用いる.

ⓓ 冷所保存の点眼液を冷蔵庫から出して，すぐ点眼すると刺激があるので，しばらく放置してから使用する.

2-2 点眼液とpH

涙液の pH は 7.4 とされている. 涙液にはかなり緩衝性があるから，pH が多少異なった液を点眼しても大きな影響を与えないが，pH が著しく異なる時は眼粘膜に刺激を与える. 眼に刺激のない pH 域は pH 4.8～8.5 である．最近は点眼時における刺激性は pH よりむしろ総酸度，総アルカリ度に関係があると考えられており，点眼液の pH 調節は刺激を減らすよりも薬液の安定化，薬効の増強を目的とする場合が多い．

2-3 浸透圧の調整

涙液は血清と同様 0.9 w/v％塩化ナトリウム液と等張である．点眼液は涙液とほぼ等張であることが望ましい．等張化の計算には食塩価法，氷点降下度法，容積価法，グラフ法がある．最も簡単で広く用いられているのは食塩価法である（表 14-2）．

1）食塩価法（食塩当量法）sodium chloride equivalent method

ある医薬品の食塩価とは，その医薬品の一定量（1 g）をこれと同じ浸透圧を示す塩化ナトリウムの量に換算した値である．

$$x = 0.9 - a$$

x：加えるべき塩化ナトリウムの量
a：与えられた医薬品の食塩価

与えられた医薬品の食塩価を表 14-2 より探し，等張塩化ナトリウム等量 0.9 g より引けば，100 mL の溶液に加える塩化ナトリウムの g 数が得られる．

塩化ナトリウム以外の医薬品で等張にする場合には，得られた値をその医薬品の食塩価で除せば，加える g 数が得られる．

2）氷点降下度法（氷点法）freezing point depression method

涙液又は血清の氷点降下度は 0.52℃である．

$$x = \frac{0.52 - a}{b}$$

x：等張にするため溶液 100 mL に加えるべき薬品の量（g）
a：与えられた溶液の氷点降下度
b：加えるべき薬品 1 w/v％溶液の氷点降下度

3）容積価法（等張容積法）volume value method

薬品 1 g を溶かして等張液とするために必要な水の量を容積価という．

$$x = 100 - a$$

x：加えるべき生理食塩液の量（mL）
a：与えられた薬品の容積価

食塩価（E）と容積価（V）の関係は 100 mL につき次のようになる．

$$0.009 \times (100 - V) = 0.9 - E$$
$$E = 0.009\ V$$

表 14-2. 氷点降下度，食塩価及び容積価

薬 品 名	1.0%溶液の氷点降下度 ℃	食塩価	容積価 mL
アドレナリン塩酸塩	0.16	0.29	32.3
アドレナリン酒石酸水素酸塩	0.09	0.18	20.0
アトロピン硫酸塩水和物	0.07	0.13	14.3
亜硫酸水素ナトリウム	0.35	0.61	67.7
亜硫酸ナトリウム（乾燥）	0.37	0.65	72.3
エフェドリン塩酸塩	0.16	0.30	33.3
エリスロマイシンラクトビオン酸塩	0.04	0.07	
塩化カリウム	0.43	0.76	84.3
塩化ナトリウム	0.576	1.00	111.1
グリセリン	0.20	0.35	39.0
クロラムフェニコールコハク酸エステルナトリウム	0.07	0.14	15.7
クロロブタノール（$1/2H_2O$）	0.14	0.24	26.7
ゲンタマイシン硫酸塩	0.03	0.05	5.2
シクロペントラート塩酸塩	0.11	0.20	
硝酸カリウム	0.32	0.56	62.3
硝酸銀	0.19	0.33	36.7
スコポラミン臭化水素酸塩水和物	0.06	0.12	13.3
スルファメトキサゾールナトリウム	0.114	0.20	22.0
スルフイソキサゾールジエタノールアミン	0.104	0.18	
デキサメタゾンリン酸エステルナトリウム	0.09	0.17	
テトラサイクリン塩酸塩	0.07	0.14	15.7
トロピカミド	0.05	0.09	
ナファゾリン塩酸塩	0.15	0.27	25.5
ピロカルピン塩酸塩	0.13	0.24	26.7
フェニレフリン塩酸塩	0.18	0.32	35.7
ブドウ糖（無水）	0.10	0.18	20.0
フルオレセインナトリウム	0.18	0.31	34.3
プロカイン塩酸塩	0.12	0.21	23.3
プロピレングリコール	0.25	0.43	4.4
ベンザルコニウム塩化物	0.09	0.16	
ベンジルアルコール	0.09	0.17	
ベンゼトニウム塩化物	0.02	0.05	
ホウ砂	0.24	0.42	46.7
ホウ酸	0.28	0.50	55.7
ホマトロピン臭化水素酸塩	0.09	0.17	19.0
ポリミキシンB硫酸塩	0.04	0.09	10.0
ヨウ化エコチオパート	0.09	0.16	
硫酸亜鉛水和物	0.08	0.15	16.7
リン酸二水素ナトリウム（無水）	0.26	0.46	51.0
リン酸二水素ナトリウム（$2H_2O$）	0.20	0.36	44.3
リン酸水素ナトリウム水和物（$7H_2O$）	0.168	0.29	32.3
リン酸水素ナトリウム水和物（$12H_2O$）	0.12	0.22	

氷点降下度，食塩価は Merck Index 12th ed.(1996)，容積価は USP XXIII（1995），Remington's Pharmaceutical Sciences 19th ed.(1995）を主に参照.

■ 4）グラフ法 graphical method

各医薬品の氷点降下度曲線と塩化ナトリウムの氷点降下度曲線の逆曲線から等張化に必要な塩化ナトリウムの量を図式的に求める方法である.

【問】 1％アトロピン硫酸塩点眼液100 mLを等張にするに必要な塩化ナトリウムの量を，食塩価法，氷点降下度法，容積価法により求めよ.

2-4 保存剤

点眼剤は緩衝液を用いており，また少量ずつかなり長期にわたり使用するので，かびや細菌の汚染を受けやすい．滅菌する場合も無菌操作による場合も，保存剤の添加を必要とする．主な保存剤の種類と使用濃度は，表 14-3 のとおりである．

表 14-3．点眼用保存剤

保　存　剤	有効濃度　%
パラオキシ安息香酸メチル	0.05 ～0.1
パラオキシ安息香酸エチル	0.05 ～0.1
パラオキシ安息香酸プロピル	0.05 ～0.1
ベンジルアルコール	0.5
クロロブタノール	0.25 ～0.5
ベンザルコニウム塩化物*	0.003～0.01
ベンゼトニウム塩化物*	0.003～0.01

* ピロカルピン硝酸塩，サルファ剤などは配合不可であるが，ピロカルピン塩酸塩は差し支えない．

2-5 点眼用溶解液 preserved water

点眼剤調製に使用する溶剤として，緩衝剤，保存剤を加えた点眼用溶解液を用いる．

点眼用溶解液 A（pH 5.0）

【処方】		
	ホウ酸	20.0　g
	パラオキシ安息香酸メチル	0.26 g
	パラオキシ安息香酸プロピル	0.14 g
	精製水	全量　1,000.0　mL

硫酸亜鉛水和物，ジブカイン塩酸塩，エチルモルヒネ塩酸塩水和物など．

点眼用溶解液 B（pH 6.5）

【処方】		
	無水リン酸二水素ナトリウム	5.60 g
	無水リン酸水素ナトリウム	2.84 g
	パラオキシ安息香酸メチル	0.26 g
	パラオキシ安息香酸プロピル	0.14 g
	精製水	全量　1,000.0　mL

ピロカルピン塩酸塩，アトロピン硫酸塩水和物，スコポラミン臭化水素酸塩水和物，ホマトロピン臭化水素酸塩など．

点眼用溶解液 C（pH 5.7～6.0）

【処方】		
	パラオキシ安息香酸メチル	0.26 g
	パラオキシ安息香酸プロピル	0.14 g
	精製水	全量　1,000.0　mL

コカイン塩酸塩，ヨウ化カリウム，サルファ剤の塩，テトラサイクリン塩酸塩など．

2-6 点眼剤の処方例

硫酸亜鉛点眼液（JP）Zinc Sulfate Ophthalmic Solution

【処方】 Ⓐ硫酸亜鉛水和物 Zinc Sulfate Hydrate 3 g
ホウ酸 Boric Acid 20 g
塩化ナトリウム Sodium Chloride 5 g
ウイキョウ油 Fennel Oil 2 mL
精製水又は精製水（容器入り）Purified Water 全量 1,000 mL

Ⓐには 7 分子の H_2O を含む.

1％アトロピン硫酸塩点眼液

【処方】 Ⓐアトロピン硫酸塩水和物 1.0 g
Atropine Sulfate Hydrate
塩化ナトリウム Sodium Chloride 0.33 g
0.5％メチレンブルー液 1 滴
点眼用溶解液 B（pH 6.5） 全量 100.0 mL

無菌操作，遮光保存．虹彩炎．Ⓐは 1 分子の H_2O を含む.
メチレンブルーはピロカルピンなど縮瞳薬と区別のため添加.
Ⓐ60.5％，2.0％（食塩価 0.13）のときの塩化ナトリウム添加量 0.40 g，0.20 g.

1％ピロカルピン塩酸塩点眼液

【処方】 ピロカルピン塩酸塩 Pilocarpine Hydrochloride 1.0 g
塩化ナトリウム Sodium Chloride 0.26 g
点眼用溶解液 B（pH 6.5） 全量 100.0 mL

無菌操作，遮光保存．緑内障，仮性近視.
ピロカルピン塩酸塩 0.5％（食塩価 0.24）のとき塩化ナトリウム添加量 0.34 g．2％，4％はゼロ.

2-7 特殊な点眼剤

1）用時溶解する点眼剤

主薬が不安定な点眼剤は，錠剤又は粉末として点眼瓶に充てんし，調剤時溶解して交付する．溶解した点眼液は冷蔵庫に保管するよう指示する．2 本以上交付の時は，1 本分のみを溶解.

【処方】 ピレノキシン Pirenoxine 2 本
カタリン K 点眼用 0.005％ Catalin-K
1 回 1〜2 滴 両眼に点眼 1 日 3〜5 回

1 本のみを溶解し，冷蔵庫に保存するよう指示．他の 1 本は用時溶解するよう溶解法を説明.
ピレノキシン*（次頁脚注）1 包中 0.75 mg 溶解液 15 mL 溶解後 0.005％．溶解後の有効期間 遮光・冷所 3 週間．初期老人性白内障.
製剤には可溶化のため添加剤が加えられている.

2）粘性点眼剤

メチルセルロース，カルメロースナトリウム，コンドロイチン硫酸ナトリウムなどの高分子化合物を添加して粘性を高めた点眼液．人工涙液，コンタクトレンズ用液，角膜保護などに用いる．

【処方】

メチルセルロース 4,000cps		0.3 g
塩化ナトリウム		0.9 g
ベンザルコニウム塩化物 10％液		0.05 mL
精製水	全量	100.0 mL

人工涙液として，結膜乾燥症，乾燥性角膜炎に使用．

3）点眼油

医薬品を植物油に溶解又は懸濁させた点眼剤．眼軟膏剤よりも違和感が少なく，水性点眼液より局所への貯留性がよい．調製法は眼軟膏剤に準ずる．懸濁の場合はモノステアリン酸アルミニウムを 2％加えて揺変性ゲル thixotropic gel とする．

0.3％テトラサイクリン塩酸塩点眼油

【処方】

テトラサイクリン塩酸塩		0.3 g
モノステアリン酸アルミニウム		2 g
精製植物油	全量	100.0 g

4）Ocusert

高分子膜内に医薬品を包含したソフトコンタクトレンズ様の drug delivery system（薬物送達システム）による眼科用徐放剤．米国の Alza 社が開発した．

システムを構成している膜は ethylene-vinylacetate copolymer で，システムの中心 core にはピロカルピンの free base がアルギン酸と混和して薄いフィルム状をなしている（図 14-2）．

まぶたの内側に挿入しておくことにより百数十時間にわたり薬物の局所での放出が期待できる．Ocusert P は 1 週間に 1 回程度の交換で十分な眼圧の低下が保たれ，通常のピロカルピン点眼液にみられる点眼時の一時的な過量に起因する近視化などの視力障害の発現が少なく，緑内障患者に推奨されていた．しかしながら，挿入が難しく使用感も悪いため販売中止となった．

2-8 点眼剤の服薬指導（表 14-4）

点眼液の 1 滴は 30〜50 μL[8, 9]，結膜のうの最大用量は約 30 μL，したがって点眼滴数を増やしても大部分は眼外に排出されてしまう．

まばたきは結膜のうからの点眼液の排出を亢進する．涙のう部を圧迫すると排出されにくくな

＊　ピレノキシン

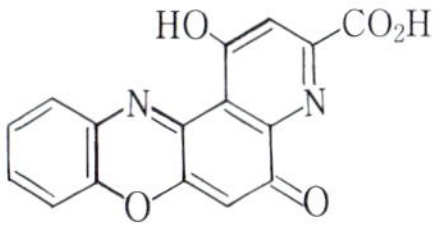

HO　CO_2H　N　N　O　O

黄褐色の粉末で，においはなく，味はわずかに苦い．
ジメチルスルホキシドに極めて溶けにくく，水，アセトニトリル，エタノール，テトラヒドロフラン又はエーテルにほとんど溶けない．
融点：約 250℃（分解）

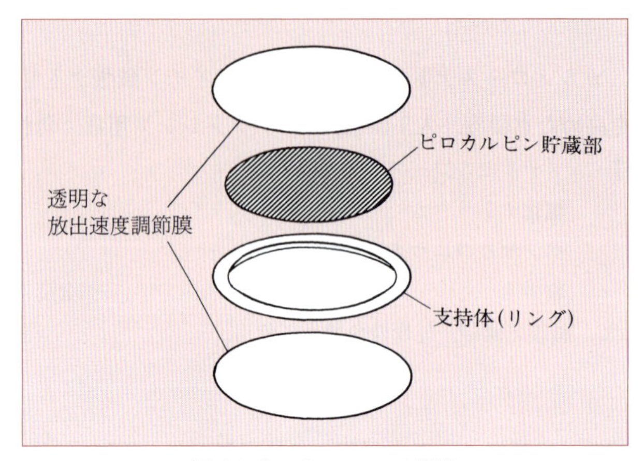

図 14-2. Ocusert の構造

り，薬物の涙管粘膜からの吸収が減少，全身性副作用発現の可能性を軽減する．また結膜のう内の涙液量は約 7 μL で，通常 1 分間に約 1.2 μL の涙液が産生されている．結膜のう内の涙液が完全に置き換わるのに 5 分強かかる．したがって，2 種類以上の点眼液を点眼する場合は約 5 分以上あけるとよい．

β 遮断薬のチモロールマレイン酸塩やカルテオロール塩酸塩の点眼液は鼻粘膜から吸収されて，コントロール不十分な心不全や気管支喘息（既往症を含むことあり）の症状を悪化させるなど全身的な副作用が報告されているが，上記の涙のう部の圧迫により薬物の全身移行を抑えることができる．

表 14-4. 点眼剤の服薬指導（東京大学病院薬剤部）

1. まず手指を石けんできれいに洗って下さい．
2. 冷蔵庫で保管している目薬は手で握って少し温めてから使用して下さい．
3. 濁っている目薬や薬物を溶かして使う目薬は，よく振ってから使用して下さい．
4. 下まぶたを軽く引いて 1 滴 点眼します（1 滴で十分です．2 滴以上点眼する必要はありません）．この時容器の先端がまぶたやまつげに触れないよう注意して下さい．
5. 点眼後は静かにまぶたを閉じてまばたきをせず，1 分ほど目をつぶっていて下さい．この時，目頭の少し下を軽く押さえて下さい．
6. あふれた目薬は清潔なガーゼやティッシュでふきとって下さい．
7. 目薬が 2 種類以上ある場合，後の目薬と前の目薬の間を 5 分間おいてから点眼して下さい．

2-9 眼軟膏剤 Ophthalmic Ointments

① 結膜のうに適用する無菌的に製した軟膏剤である．

② 基剤として遊離酸を全く含まない融点 42～45℃の良質のワセリン，又はプラスチベースを用いる．眼軟膏剤の稠度はペネトロメータにより針入度を測定する（240 程度，p.408）．

③ 本剤を製するには，医薬品を少量の水に溶かし，精製ラノリンと混和後，基剤と研和する．水に溶けない場合は，微末（75 μm 以下）を流動パラフィンと研和後，基剤と研和して製する．必要に応じて，保存剤，安定化剤などを加える．

④ 医薬品，容器・器具はあらかじめ滅菌しておく．基剤は融解ろ過後，乾熱滅菌する．調製は無菌操作法による．

⑤ 眼軟膏剤は金属性異物試験法に適合する．

⑥ チューブ入りの眼軟膏剤を使用するには，鏡を見ながら下まぶたを下にひき，チューブの先がまぶたやまつげ，眼球に触れないように注意しながら，チューブを少し押して薬を出し下まぶたにつけ，眼を閉じ，軽く上からティッシュペーパーなどをあて，強く押さえないようにマッサージをする（図 14-3）．

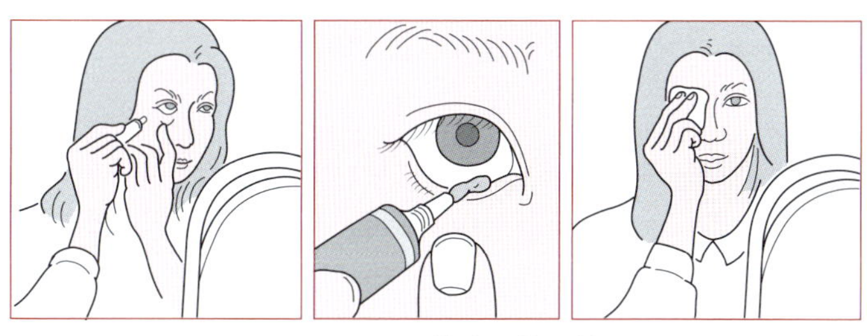

図 14-3．眼軟膏の使用法

1%アトロピン硫酸塩眼軟膏

【処方】 アトロピン硫酸塩水和物 1 g
Atropine Sulfate Hydrate
精製ラノリン Purified Lanolin 10 g
白色ワセリン White Petrolatum 全量 100 g

ポリミキシン B 硫酸塩眼軟膏

【処方】 ポリミキシン B 硫酸塩 Polymixin B Sulfate 50 万単位
白色ワセリン White Petrolatum 全量 50 g

ポリミキシン B 硫酸塩をとり，少量の流動パラフィンで研和泥状とした後，眼科用白色ワセリン（プロペト）を少量ずつ加え練合し，全質均等とする．グラム陰性菌による各種眼感染症．

アシクロビル眼軟膏

【処方】 アシクロビル眼軟膏 Aciclovir
ゾビラックス眼軟膏 3% 1 本（5 g）
Zovirax Ophthalmic Ointment
1 日 5 回左眼瞼に塗布

1 g 中アシクロビル 30 mg を含有．単純角膜ヘルペスによる角膜炎．

2-10 局方収載眼科用医薬品（*製剤が局方収載）

散瞳薬

アドレナリン

シクロペントラート塩酸塩 サイプレジン 1%点眼液

フェニレフリン塩酸塩 ネオシネジンコーワ 5%点眼液

トロピカミド ミドリン M 点眼液 0.4%

ホマトロピン臭化水素酸塩 0.5～2%

アトロピン硫酸塩水和物 0.5～2% 日点アトロピン点眼液 1%

縮瞳薬

ピロカルピン塩酸塩 0.5～4% サンピロ点眼液 0.5, 1, 2, 3, 4%

エコチオパートヨウ化物

ジスチグミン臭化物 ウブレチド点眼液 0.5, 1%

緑内障治療薬

カルテオロール塩酸塩 ミケラン点眼液, −LA 点眼液 1, 2%

チモロールマレイン酸塩 チモプトール点眼液, −XE 点眼液 0.25, 0.5%

ウイルス感染症治療薬

アシクロビル ゾビラックス眼軟膏 3% 単純ヘルペス角膜炎

副腎皮質ステロイド

フルオロメトロン フルメトロン点眼液 0.02, 0.1%

血管収縮薬

ナファゾリン硝酸塩 プリビナ点眼液 0.5 mg/mL

その他

ピレノキシン カタリン点眼用, −K 点眼用 0.005% 用時溶解 初期老人性白内障

フルオレセインナトリウム フローレス眼検査用試験紙 0.7 mg 角膜検査

硫酸亜鉛点眼液*

硫酸亜鉛水和物 サンチンク点眼液 0.2% 結膜炎の収れん

3 軟膏剤 及び 類似製剤

3-1 軟膏基剤の分類，特徴，適応

軟膏基剤は物理的性質により，油脂性基剤，乳剤性基剤，水溶性基剤，懸濁性基剤に分類する（表 14-5）．その特徴，皮疹への適応は表 14-6，表 14-7 のとおりである．

3-2 軟膏基剤 Ointment Base

1）白色ワセリン（JP）White Petrolatum

石油から得た炭化水素類の混合物を脱色して精製したもの．中性で刺激性がなく，軟膏基剤として広く用いる．融点 38～60℃．

表 14-5. 軟膏基剤の分類

分類			例	浸透性
疎水性基剤	油脂性基剤	鉱物性	白色ワセリン，流動パラフィン，プラスチベース	非浸透性
		動植物性	植物油，豚脂，ミツロウ	
親水性基剤	乳剤性基剤	水中油型基剤 (O/W)	親水クリーム， バニシングクリーム	浸透性
		油中水型基剤 (W/O)	(Ⅰ) 水相を欠くもの 親水ワセリン，精製ラノリン (Ⅱ) 水相を有するもの 吸水クリーム，加水ラノリン，コールドクリーム	
	水溶性基剤		マクロゴール軟膏	非浸透性
	懸濁性基剤	ヒドロゲル基剤	無脂肪性軟膏，ゲルベース	非浸透性
		リオゲル基剤	FAPG 基剤	浸透性

表 14-6. 軟膏基剤の特徴

	油脂性基剤	乳剤性基剤	水溶性基剤
利点	皮膚の保護作用 皮膚の柔軟作用 痂皮の軟化脱落作用 肉芽形成作用 刺激やかぶれが非常に少ない 乾燥性皮膚，アトピー性皮膚炎の基剤としてよい	浸透作用が強い 可洗性である 医薬品の配合性が大で，配合量は少なくてよい 皮膚冷却作用がある 外観が美麗で感触がよい	外観が美しい 化学的に不活性で，医薬品と反応せず，酸敗を受けない 医薬品の溶解性や混合性がすぐれている 可洗性である 吸湿性が高く，皮膚病巣面の水性分泌物を吸着し，排除，乾燥させる力が強い
欠点	不潔感がある べたべたして落ちにくい 衣服に粘着する 美容的に好ましくない 布片や包帯がいる 被髪部ではつけにくい	皮膚保護作用は弱い 若干刺激があり，ときに接触アレルギーが発生 浮腫，びらん，水疱性変化が少しでもあると，急性増悪をきたす危険がある 夏季にはカビが生えやすい 保存状態が悪いと，含有水分の蒸発によって成分の割合に変化を起こす 配合薬の種類，量によって乳化が壊れる	熱傷などの広範囲なびらん面に用いると，貼布直後にピリピリした刺激がある 長期連用すると，皮膚は過度に乾燥し，き裂を生じカサカサになる

吸水性が小さいが（水数 6～16），ラノリンなどを添加すると増大する．

2）プラスチベース Plastibase

流動パラフィンに分子量 21,000 のポリエチレン樹脂を 5% 加えて，加熱しゲル化したもの．40～100°F（4～38℃）の範囲で稠度に変化なく（図 14-4），酸化亜鉛などを比較的多量混和しても稠度はほぼ一定である[10]．一般名　ヒドロカーボンゲル軟膏基剤．

表 14-7. 軟膏基剤と皮疹への適応

軟膏基剤		皮疹の性状					
		乾燥面			湿潤面		
		紅斑丘疹	鱗屑結痂	浸潤肥厚	水疱・膿疱	びらん	潰瘍
油脂性基剤		○	◎	○	○	○	○
乳剤性基剤*	O/W 型	◎	○	◎	△	×	×
	W/O**型	◎	○	◎	△	△	×
水溶性基剤***		○	△	△	○	◎	◎
懸濁性（ゲル）基剤		◎	○	◎	○	△	△

◎：最適　○：使用して可　△：多くは用いない　×：不適

* 酸化亜鉛を加えると，ある程度浸潤面に使用可能.

** 湿潤性病巣には密封療法（ODT 療法）で著効.

*** ガーゼを豊富に重ねて分泌物を吸収，湿潤面を乾燥させる.

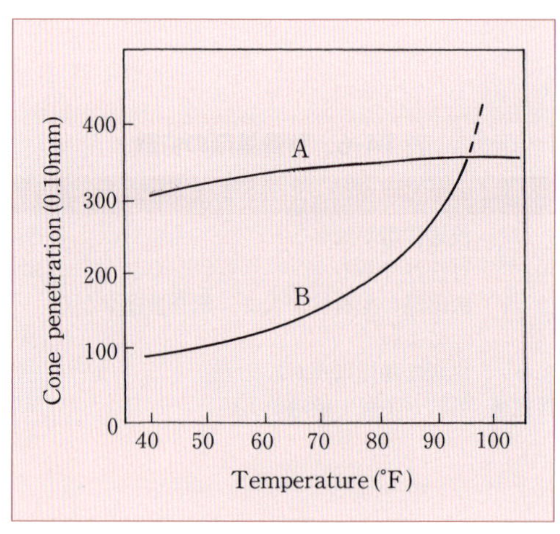

図 14-4. Plastibase（A）と白色ワセリン（B）の温度と針入度との関係（N. Margaret）

3）白色軟膏（JP）White Ointment

【処方】

サラシミツロウ White Beeswax	50 g
ソルビタンセスキオレイン酸エステル Sorbitan Sesquioleate	20 g
白色ワセリン White Petrolatum	適量
	全量 1,000 g

4）亜鉛華軟膏（JP）Zinc Oxide Ointment

【処方】

酸化亜鉛 Zinc Oxide	200 g
流動パラフィン Liquid Paraffin	30 g
白色軟膏 White Ointment	適量
	全量 1,000 g

■ 5) 単軟膏（JP）Simple Ointment

【処方】		
	ミツロウ Yellow Beeswax	330 g
	植物油 Vegetable Oil	適量
		全量 1,000 g

■ 6) 親水ワセリン（JP）Hydrophilic Petrolatum

【処方】		
	サラシミツロウ White Beeswax	80 g
	ステアリルアルコール又はセタノール Stearyl Alcohol or Cetanol	30 g
	コレステロール Cholesterol	30 g
	白色ワセリン White Petrolatum	適量
		全量 1,000 g

■ 7) 吸水クリーム（JP）Absorptive Ointment

【処方】		
	白色ワセリン White Petrolatum	400 g
	セタノール Cetanol	100 g
	サラシミツロウ White Beeswax	50 g
	ソルビタンセスキオレイン酸エステル Sorbitan Sesquioleate	50 g
	ラウロマクロゴール Lauromacrogol	5 g
	パラオキシ安息香酸エチル又はパラオキシ安息香酸メチル Ethyl Parahydoxybenzoate or Methyl Parahydoxybenzoate	1 g
	パラオキシ安息香酸ブチル又はパラオキシ安息香酸プロピル Butyl Parahydoxybenzoate or Propyl Parahydoxybenzoate	1 g
	精製水 Purified Water	適量
		全量 1,000 g

■ 8) 親水クリーム（JP）Hydrophilic Ointment

【処方】		
	白色ワセリン White Petrolatum	250 g
	ステアリルアルコール Stearyl Alcohol	200 g
	プロピレングリコール Propylene Glycol	120 g
	ポリオキシエチレン硬化ヒマシ油 60 Polyoxy 60 Hydrogenated Castor Oil	40 g
	モノステアリン酸グリセリン Glyceryl Monostearate	10 g
	パラオキシ安息香酸メチル Methyl Parahydoxybenzoate	1 g
	パラオキシ安息香酸プロピル Propyl Parahydoxybenzoate	1 g
	精製水 Purified Water	適量
		全量 1,000 g

吸水クリーム，親水クリームのような乳剤性軟膏を製するには，油性基剤や油溶性医薬品は水浴上で溶かし65～70℃に保つ．水溶性の医薬品は精製水に溶かし同温度とする．両者を混合し，固まるまでかき混ぜる．

O/W型のときは水相中に油相を注入し，W/O型のときは油相中に水相を注入して製する．ただし親水クリームは例外で逆に注入し，途中で転相させる．

防腐剤のパラオキシ安息香酸エステルは油相への分配が高いので，多めに加えている．

親水クリーム中のプロピレングリコールは保湿剤として作用し，また水相への医薬品の分配を増大させる機能をもつ．

9）マクロゴール軟膏（JP）Macrogol Ointment

【処方】		
	マクロゴール4000 Macrogol 4000	500 g
	マクロゴール400 Macrogol 400	500 g
		全量 1,000 g

マクロゴール4000及び400のそれぞれ100 g以内の量を互いに増減して，稠度を加減することができる．

10）ヒドロゲル基剤 Hydrogel Base

水相に懸濁化剤を用いて医薬品を懸濁させ，ゲル状に製した半固形剤．

無脂肪性軟膏 Greaseless Base

【処方】		
	モノステアリン酸グリセリン Glyceryl Monostearate	10 g
	グリセリン Glycerin	25 g
	超微粒子ケイ酸アルミニウム Aluminum Silicate, in super fine powder	4 g
	精製水 Purifed Water	61 g

グリセリンは本基剤使用時の乾燥を防ぐために加える．洗浄性に富み，湿潤した傷面によく付着する．

11）リオゲル Lyogel Base

FAPG（Fatty Alcohol と Propylene Glycol の頭文字）軟膏基剤ともいう．ステアリルアルコールとプロピレングリコールをゲル化した懸濁性基剤．油脂性基剤と乳剤性基剤の中間に位し，両基剤の特性を有する．

FAPG軟膏基剤 FAPG Ointment Base

【処方】		
	ステアリルアルコール Stearyl Alcohol	25 g
	ステアリン酸 Stearic Acid	5 g
	プロピレングリコール Propylene Glycol	70 g

3-3 界面活性剤

親水クリームや吸水クリームのような乳剤性基剤を製するには，界面活性剤を乳化剤 emulsifying agent として用いる．

界面活性剤 surface active agent, surfactant には陰イオン型，陽イオン型，両イオン型，非イオン型がある．陰イオン型のラウリル硫酸ナトリウムは親水軟膏の乳化に用いられたが，皮膚刺激性と配合変化による乳化破壊があることから，今日では非イオン型の界面活性剤が用いられる．

界面活性剤の応用において，その性質を示すものとして親水性基と親油性基の強さの比が考慮される．親水性親油性バランス hydrophilic lipophilic balance（HLB）は，このような考え方に基づいて提唱されたもので，最も親水性のものを 20，最も親油性のものを 0 としている*.

界面活性剤の HLB 値と用途は表 14-8 のとおりである．乳化剤（O/W 型，W/O 型）のほか，湿潤性や可溶化剤として至適な HLB 値がある．

表 14-8．界面活性剤の HLB 値と水に対する挙動ならびにその作用

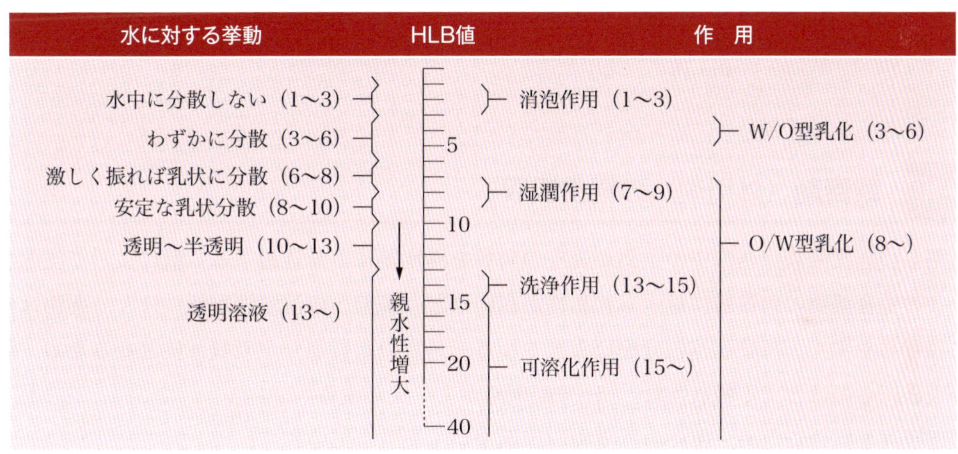

（村田敏郎ら編：INTEGRATED ESSENTIALS 薬剤学）

主な界面活性剤の HLB 値は表 14-9 のとおりである．

HLB の異なるものを混合することにより，任意の HLB 値を示す界面活性剤が得られる．例えば，2 種の界面活性剤 A（Xg）及び B（Yg）を混合した場合の混合系の HLB 値 $(\mathrm{HLB})_{\mathrm{AB}}$ は，次式を用いて計算される．

$$(\mathrm{HLB})_{\mathrm{AB}} = \frac{(\mathrm{HLB})_{\mathrm{A}} \times \mathrm{X} + (\mathrm{HLB})_{\mathrm{B}} \times \mathrm{Y}}{\mathrm{X} + \mathrm{Y}}$$

＊ HLB は初め米国 Atlas 社の Span と Tween について与えられた．原料脂肪酸の中和価，エステルのケン化価を A 及び S とするとき HLB＝20（1−S/A）

表 14-9. 局方収載界面活性剤の HLB 値

局方名	HLB 値	備考
ソルビタンセスキオレイン酸エステル	3.7	Span 83
モノステアリン酸グリセリン	3.8	
ラウロマクロゴール	9.5	
ポリオキシエチレン硬化ヒマシ油 60	14.0	
ポリソルベート 80	15.0	Tween 80
ステアリン酸ポリオキシル 40	16.9	
ラウリル硫酸ナトリウム	40.0	

【例 1】 吸水クリーム ソルビタンセスキオレイン酸エステル 50 g（HLB 3.7），ラウロマクロゴール 5 g（HLB 9.5）

$$HLB=\frac{3.7\times50+9.5\times5}{50+5}=4.2$$

【例 2】 親水クリーム ポリオキシエチレン硬化ヒマシ油 60 40 g（HLB 14.0），モノステアリン酸グリセリン 10 g（HLB 3.8）

$$HLB=\frac{14.0\times40+3.8\times10}{40+10}=11.9$$

3-4 軟膏剤（外用剤）の経皮吸収

医薬品の経皮吸収は基剤中の主薬が表皮の角質を濃度差により透過する拡散によって支配される．この場合薬物の角質層に対する親和性が高いほど，基剤への溶解性が低いほど，薬物は角質層に移行しやすく，角膜層への分配は大きくなる．角質の脂質部分が吸収部位となるため，脂溶性の大きいものほどよく吸収され，pH 分配理論がよく成立する．

経皮吸収を高めるため，種々の経皮吸収促進剤が工夫されている．

テープ剤や貼付剤で，経皮吸収により全身作用を期待するように工夫した剤形では，血中濃度が一定に維持され，持続的な薬効が期待できる．ニトログリセリン，エストラジオール，気管支拡張薬ツロブテロールなど（p.411）．

3-5 軟膏剤の一般調製法

1）一般調製法

軟膏剤の調製法には，研和法と融解法がある．

〔研和法〕

① 調製量の大小によって，手工法と機械を用いる方法がある．ここでは調剤レベルの小規模の調製，すなわち軟膏基剤を入手してそれに医薬品を練合する方法を中心に記す．

② 少量の軟膏の調製には軟膏板と軟膏へらspatulaを用い，研和法による．軟膏板には陶製と

ガラス製がある．加温装置付のものを使用する．

医薬品をあらかじめ溶解，湿潤又は微粉化したのち，軟膏板上で基剤の一部とよく練合する．次に少量ずつ基剤を加えて混和練合し，全体均質とする．基剤が固過ぎる時は，あらかじめ温め軟化して使用する．しかし基剤は練り直しただけでもかなり軟化する．

③ 軟膏へらは弾力のある薄手のステンレス製のものがよい．水を含む基剤には水牛製，プラスチック製のへらを用いる．

④ やや大量を製する時は，擂潰機を用いる．

〔融解法〕

① 融解法による時は，軟膏鍋 casserole 又は水浴付の擂潰機又は混合機を用いる．

基剤成分のうち，溶けにくいものから軟膏鍋にとり，水浴上に溶かして混和する．加温を止めてから固まるまでかき混ぜて製する．これにほかの医薬品を配合する時は固まる直前に加える．

② 擂潰機などで練合後，仕上がりをよくするため三本ローラーにかける．ただし乳剤性基剤は水分の蒸発が著しく，かつ基剤のローラーへののりがよくない．

2）医薬品の軟膏基剤への練合

医薬品の軟膏基剤への練合法は，医薬品の性状（水や油脂類に対する溶解度，安定性），軟膏基剤の種類による．

① **主薬が水溶性の場合**　水に溶解し精製ラノリンに吸収させた後，油脂性基剤に練合する．乳剤性基剤，水溶性基剤の場合は水に溶解後，直接練合する．

② **主薬が水に難溶性の場合**　なるべく微細に粉砕後，100～200 号のふるいで篩過し，軟膏基剤の一部又は表 14-10 に記す少量の研和補助剤で湿潤研和した後，基剤と練合する．

表 14-10．軟膏基剤と研和補助剤の選択

基剤		研和補助剤
油脂性基剤		植物性，流動パラフィン
乳剤性基剤	水中油型基剤	プロピレングリコール，グリセリン
	油中水型基剤	流動パラフィン，エマルゲン 408*
水溶性基剤		マクロゴール 400

* $C_{18}H_{35}O(CH_2CH_2O)_6H$

③ **主薬が水に難溶性であるが，揮発性溶剤に溶解する場合**　主薬がエーテル，アセトン，アルコールなどに溶解するものは，少量の有機溶媒と研和し微細末とした後，表 14-10 に従い適当な練合溶剤と研和する．カンフル，アミノ安息香酸エチル，サリチル酸など．

④ **主薬が油状又は流動性の場合**　直接基剤と練合する．ジフェンヒドラミン塩基，グリテールなど．

⑤ **主薬が水溶性であるが，水中で不安定な場合**　少量の流動パラフィンで湿潤研和した後，

ワセリンと練合する．ペニシリン類などの抗生物質は乳剤性基剤，水溶性基剤中ではあまり安定でない．

3）軟膏剤の交付

① 軟膏剤はふた付のプラスチック容器（ポリカーボネートなど）又は軟膏チューブに充てんして交付する．プラスチック容器は5, 10, 20, 30, 50, 100 g入りなど数種のものを準備する．

② 市販品のラベルはそのままでも，剝がして交付してもよい．
フルオロウラシル軟膏，ブレオマイシン硫酸塩軟膏など悪性腫瘍に用いるものを手で塗布する場合は，塗布後直ちに手を洗うよう指導する．

③ 薬袋には適用部位，1日の使用回数を記す．

3-6 軟膏剤の製剤試験

① **化学的試験**

基剤の油脂には酸敗するものがある．ヨウ素価，過酸化指数，カルボニル試験などで判定する．

② **物性試験**

軟膏剤の稠度又はレジオロジー的性質を調べる装置として，次のものがある（図 14-5）．

・針入度計 penetrometer　円錐状の針を試料に貫入させ，一定時間後にその深さを測定し軟膏の硬さを測る．

・スプレッドメータ spread meter　軟膏を平行板の間にサンドイッチ状にはさみ，一定の力で圧すると試料は広がる．この時の圧力，2枚の板の接近速度，広がり具合などから流動特性（のび）を知る．

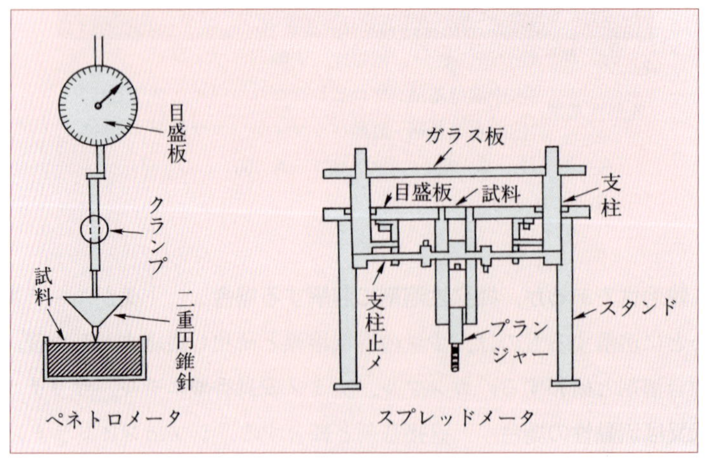

図 14-5. 軟膏剤の製剤試験器

油脂類の稠度は温度の上昇とともに低下し，針入度の数値は上昇するが，プラスチベース（p.401）は40～100°F（4～38℃）の範囲で稠度に変化なくほぼ一定である（p.402 図14-4）．

3-7 処方例

0.5%アクリノール亜鉛華軟膏

【処方】	アクリノール Acrinol		0.5 g
	亜鉛華軟膏 Zinc Oxide Ointment	全量	100 g

殺菌（膿皮症，火傷など）．

ヒドロコルチゾン・ジフェンヒドラミン軟膏（JP）Hydrocortisone and Diphenhydramine Ointment

【処方】	ヒドロコルチゾン酢酸エステル Hydrocortisone Acetate		5 g
	ジフェンヒドラミン Diphenhydramine		5 g
	白色ワセリン White Petrolatum	全量	1,000 g

消炎，鎮痒（局所アレルギー性炎症）．

1%クロトリマゾール軟膏

【処方】	クロトリマゾール Clotrimazole		1.0 g
	マクロゴール軟膏 Macrogol Ointment	全量	100.0 g

足部白癬，カンジダ症．

白糖・ポビドンヨード配合軟膏（イソジンシュガーパスタ軟膏）

【処方】	精製白糖 Purified Sucrose	300 g
	ポビドンヨード軟膏 Povidone Iodine Oint. イソジンゲル*Isodine Gel	90 g
	ポビドンヨード液 Povidone Iodine Solution イソジン液*Isodine Solution	30 mL

* 1 g（1 mL）中ポビドンヨード100 mg（有効ヨウ素10 mg）を含む．

褥瘡，難治性潰瘍，熱傷．

同効薬 1%スルファジアジン銀クリーム（ゲーベンクリーム1%）

ガベキサートメシル酸塩マクロゴール軟膏

【処方】	ガベキサートメシル酸塩 Gabexate Mesilate		2,500 mg
	マクロゴール400 Macrogol 400		25 mL
	マクロゴール軟膏 Macrogol Ointment	全量	500 g

腸瘻，人工肛門のびらん．

3-8 その他の軟膏剤 及び 関連製剤

1）口腔用軟膏 ointment for dental use

口腔粘膜の疾患に塗布し，付着性がよく，唾液の自浄作用に抵抗して患部の保護をする軟膏剤．

口腔用軟膏基剤

【処方】		
	プラスチベース Plastibase	400 g
	白色ワセリン White Petrolatum	50 g
	流動パラフィン Liquid Paraffin	200 g
	カルメロースナトリウム Carmellose Sodium	200 g
	ポリアクリル酸ナトリウム Sodium Polyacrylate	150 g

デキサメタゾン（難治性口内炎），テトラサイクリン塩基，及び両者の合剤，グアイアズレン（消炎剤）などの基剤として用いる．

同様の適応を有するトリアムシノロンアセトニド付着錠（**アフタッチ口腔用貼付剤 25 μg**）が開発されている（p.375）．

2）リニメント剤 liniments

液状又は泥状ですり込んで用いる外用剤．古くから擦剤と称する．

フェノール・亜鉛華リニメント（JP）Phenol and Zinc Oxide Liniment

【処方】		
	液状フェノール Liquefied Phenol	22 mL
	トラガント末 Tragacanth Powder	20 g
	カルメロースナトリウム Carmellose Sodium	30 g
	グリセリン Glycerin	30 mL
	酸化亜鉛 Zinc Oxide	100 g
	精製水 Purified Water	適量
		全量 1,000 g

3）ローション剤 lotions

医薬品を水性の液中に微細に分散し均質にしたもので皮膚に塗布する外用剤．物理的性状により懸濁性ローションとO/W型の乳剤性ローション（Benzyl benzoate lotion, USP）がある．

イオウ・カンフルローション（JP）Sulfur and Camphor Lotion

【処方】		
	イオウ Sulfur	60 g
	d-又は *dl*-カンフル *d*- or *dl*-Camphor	5 g
	ヒドロキシプロピルセルロース Hydroxypropylcellulose	4 g
	水酸化カルシウム Calcium Hydroxide	1 g
	エタノール Ethanol	4 mL
	常水，精製水 Water or Purified Water	適量
		全量 1,000 g

古くから用いられたクンメルフェルト液 Kummerfeld's Lotion に相当する．用時ふり混ぜて塗布するが，昼間は通常上澄液を使用する．痤瘡（にきび）．

4）懸濁化剤

チンク油（JP）Zinc Oxide Oil

【処方】		
	酸化亜鉛 Zinc Oxide	500 g
	植物油 Vegetable Oil	適量
		全量 1,000 g

植物油の一部の代わりに，ヒマシ油又はポリソルベート 20 の適量を用いることができる．火傷，湿疹，擦傷，その他一般皮膚炎．

5）経皮吸収型製剤 transdermal systems

本剤は，皮膚に適用したとき有効成分が皮膚を通して全身循環血液に送達すべく設計された製剤の総称である．第十七改正日本薬局方では，剤形として独立させず，「11. 皮膚などに適用する製剤」の項の（1）に定義し，その放出速度について「経皮吸収型製剤からの有効成分の放出速度は，通例，適切に調節される.」と言及した．本剤の一般的な構造は，支持体と有効成分を含有した粘着剤から構成され，代表的なものに，半固形マトリックス中に薬物を配合し特殊な膜で皮膚への到達量を制御する膜透過制御方式と，高分子の中に薬物を分散させているいわゆるマトリックス拡散制御方式のものがある（図 14-6）．本剤は放出特性を示す試験に適合する．

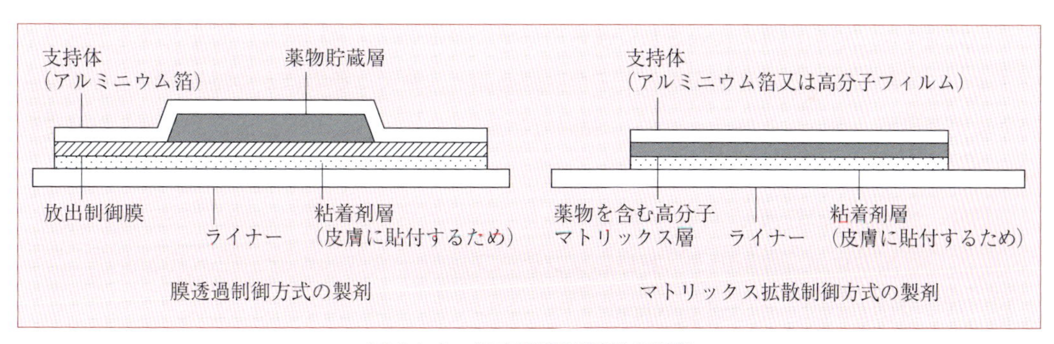

図 14-6．経皮吸収型製剤の種類

現在，わが国で医療用医薬品として実用化されている薬物としてニコチン製剤，ニトログリセリン製剤，イソソルビド製剤，エストラジオール製剤，ツロブテロール製剤及びフェンタニル製剤がある（表 14-11）．

なお，支持体にアルミニウムが含有されている経皮吸収型製剤の場合は，MRI（核磁気共鳴画像法）診断・療法を行うとき，貼付部位に火傷を起こすことがあるので，前もって除去する必要がある．

表 14-11. 経皮吸収型製剤一覧

適応領域	心臓病用薬	心臓病用薬	ホルモン補充用薬	喘息用薬	禁煙補助用薬	持続性疼痛治療薬
有効成分	硝酸イソソルビド	ニトログリセリン	エストラジオール	ツロブテロール*	ニコチン	フェンタニル
適応疾患	虚血性心疾患	狭心症	更年期障害，卵巣欠落症状	気管支喘息，急・慢性気管支炎，肺気腫	医師が禁煙を必要とした喫煙者	各種癌・慢性疼痛における鎮痛
先発製品名	フランドルテープ40 mg	ニトロダーム TTS 25 mg	エストラーナテープ0.72 mg	ホクナリンテープ0.5 mg，1 mg，2 mg	ニコチネル TTS 10，20，30	デュロテップMTパッチ2.1 mg，4.2 mg，8.4 mg，12.6 mg，16.8 mg

* JP18 収載

（塚本 均：製薬企業におけるヒューマンエラー防止対策より改変）

6）貼付剤 patches

貼付剤は古くより硬膏剤として利用され，布又はプラスチック製フィルムなどに有効成分と基剤又は添加剤からなる混合物を延ばし又は封入し，皮膚表面の患部へ，又は皮膚を通して局所患部へ有効成分を到達させるために皮膚に粘着させて用いる局所作用型外用剤である．また，放出調節膜を用いた経皮吸収型製剤とすることができる．貼付剤には，ほとんど水を含まない基剤を用いるテープ剤と，水を含む基剤を用いるパップ剤がある．

a）テープ剤 tapes

テープ剤には，単鉛硬膏に代表される硬膏の原型であるプラスター剤と，布やプラスチック製フィルムに展延してある硬膏剤がある．また，医薬品と基剤又はそのほかの添加剤からなる混合物を放出調節膜，支持体及びライナー（剝離体）でできた放出体に封入し成形して製した経皮吸収型製剤がある．

【例】 サリチル酸絆創膏（**スピール膏M**）
　　　フルドロキシコルチド（**ドレニゾンテープ**）：テープ 4 μg/cm^2，7.5×10 cm

b）パップ剤 cataplasms/gel patches

パップ剤は，医薬品を精製水，グリセリンなどの液状の物質と混和し，泥状に製するか，又は布上に展延成形して製した外用剤で，現在は成形パップ剤が主流となっている．成形パップ剤には，水の冷却効果を期待して急性炎症期の疾患に使用される冷感タイプと，トウガラシエキス又はノニル酸ワニリルアミドを含有して皮膚の温感点を刺激して慢性疾患あるいは腫脹緩解後の炎症性疾患に使用される温感タイプの２つがある．

3-9 局方収載外用医薬品（表 14-12）

表 14-12. 局方収載外用医薬品（◎：製剤が局方収載）

	軟膏	クリーム	液 ローション	その他
化膿性疾患治療薬				
スルファジアジン銀　ゲーベン 1%		○		
副腎皮質ステロイド				
ジフロラゾン酢酸エステル　ジフラール 0.05%	○	○		
ヒドロコルチゾン酪酸エステル　ロコイド 0.1%	○	○		
フルオシノニド　トプシム 0.05%	○	○	○	スプレー 0.0143%
フルオシノロンアセトニド　フルコート 0.025%	○	○	○ 0.01%	スプレー 0.007%
ベタメタゾンジプロピオン酸エステル　リンデロン DP 0.64%	○	○	○ゾル	
ベタメタゾン吉草酸エステル　リンデロン V 0.12%	○	○	○	
寄生性皮膚疾患用薬				
クロトリマゾール　エンペシド 1%		○	○	腟錠 100 mg
ケトコナゾール　ニゾラール 2%		◎	◎	
トルナフタート　ハイアラージン 2%	○		◎	
ビホナゾール　マイコスポール 1%		○	○	
ミコナゾール硝酸塩　フロリード D 1%		○		腟坐剤 100 mg
配合剤				
ベタメタゾン吉草酸エステル・ゲンタマイシン硫酸塩　リンデロン VG 0.12%	◎	◎	○	

4 坐　剤 Suppositories

4-1 坐剤の種類，特徴，市販製剤

1）坐剤の種類

坐剤には，肛門坐剤 rectal suppositories と腟用坐剤 vaginal suppositories がある．

通例，肛門坐剤は円すい形又は紡すい形で，重さ 1～3 g，長さ 3～4 cm，腟用坐剤は球形又は卵形で，重さ 2～4 g である．

油脂性基剤，水溶性基剤に，必要に応じて乳化剤，懸濁化剤などを加え，適当な形状にして製する．軟膏型，カプセル型，錠剤型の坐剤もある．

坐剤には適用部位の局所作用と，吸収させて全身作用を目的とするものがある．

本剤は，別に規定するもののほか，製剤均一性試験法に適合する．

2）坐剤の特徴

（1）局所作用

肛門，直腸，腟，尿道等の体腔における局所効果を目的とする．

(2) 全身作用

直腸粘膜から薬物を吸収させて全身作用を期待する．その特徴は

- 経口投与のように胃腸内での pH，消化酵素による薬物の分解がない
- 胃腸への刺激や障害がない
  例　ボルタレンサポ，インテバン坐剤
- 直腸下部からの吸収によると，吸収後の薬物の肝初回通過効果を避けることができる
- 脂溶性の薬物（分配係数の高いもの）はよく吸収される
- 嚥下不能の患者，小児への投与が可能である
- 挿入できる場所が限られているので使用に不便

3）坐剤の市販製剤（表 14-13）

表 14-13．市販の坐剤製品

作用	薬効	医薬品名
全身作用	催眠鎮静薬	抱水クロラール㊊検査時の鎮静催眠，けいれん重積状態，フェノバルビタールナトリウム㊊催眠鎮静，けいれん発作
	抗不安薬	ジアゼパム㊊熱性けいれん，けいれん発作，ブロマゼパム
	解熱鎮痛薬	アセトアミノフェン㊊解熱
	消炎鎮痛薬	インドメタシン*，ケトプロフェン，ジクロフェナクナトリウム㊊急性上気道炎の解熱
	制吐薬	ドンペリドン
	腫瘍用薬	テガフール
	抗菌薬	セフチゾキシムナトリウム㊊気管支炎，肺炎，尿路感染症（腎盂腎炎，膀胱炎）
	非麻薬性	ブプレノルフィン塩酸塩
	麻薬	モルヒネ塩酸塩
局所作用	潰瘍性大腸炎	ベタメタゾン，サラゾスルファピリジン
	便秘治療薬	ビサコジル*
	トリコモナス腟炎治療薬	メトロニダゾール**
	抗真菌薬	ミコナゾール硝酸塩**
	治療的流産	ゲメプロスト**

* JP18 収載　** 腟用坐剤　㊊ 小児の適応

4-2 坐剤基剤（表 14-14）

1）カカオ脂 Cacao Butter

カカオの種子から得られる脂肪．異なるトリグリセリド成分の混合物で，α，β，β'，γ の結晶形がある．

融点 31～35℃，体温で急速に溶け，刺激性なく，安定で変敗しない．

結晶多形 polymorphism のため，一度融解すると，短時間では安定な融点に戻らない欠点がある．

表 14-14. 坐剤基剤の分類

分類		例
油脂性基剤		カカオ脂
乳剤性基剤	油中水型基剤	カカオ脂 47%＋コレステロール 3%＋グリセリン 50%，ハードファット
	水中油型基剤	カカオ脂＋レシチン 1%＋水 20%
水溶性基剤		マクロゴール，グリセロゼラチン
カプセル		レクタルカプセル

2）ハードファット Hard Fat（ウイテプゾール Witepsol）

半合成基剤で炭素 12 から 18 の飽和脂肪酸をエステル化したトリグリセライド（主としてトリラウリン酸グリセリンエステル）からなり，これに少量の脂肪酸モノグリセリンエステルを乳化剤として加えたもの.

カカオ脂にみられる結晶多形がない．融点と凝固点との温度差が少ないので坐剤型へ流し込んですぐ固まる（融点 33.5〜35.5℃，凝固点 32.5〜34.5℃）．水分をよく吸収し，主薬の放出が容易である．欠点として急冷した場合，割れやすくなるので過熱を避けた方がよい.

3）マクロゴール Macrogol

ポリエチレングリコールやカーボワックスとよばれる化合物群で，通常分子量がほぼ 400 から 6,000 までのものが作られている.

マクロゴール 4000　40 ＋ マクロゴール 1500　10

マクロゴール 4000　45 ＋ グリセリン 5

4）グリセロゼラチン（USP）Glycerinated Gelatin

グリセリン，ゼラチン，水を加熱処理することによって生じるゲル状の半固体をグリセロゼラチンと呼ぶ.

【処方】		
	主薬＋精製水	10 g
	グリセリン Glycerin	70 g
	ゼラチン Gelatin	20 g

ゼラチンには A 型（酸性で陽イオン性），B 型（酸性が弱く陰イオン性）があり，主薬により使い分ける.

鎮痛薬，収れん薬，殺菌剤などの基剤.

4-3 坐剤の一般調製法

1) 手工法

カカオ脂を削り，必要とする重量を秤取する．処方薬品を秤量して乳鉢にとる．水に溶かした場合あるいは液状の薬品は少量の精製ラノリンと研和する．不溶性の薬品は微細末とする．エキス剤は少量の希アルコールで軟化する．

少量のカカオ脂を加え混和した後，残りのカカオ脂を加え，練合して均等の軟塊とする．硬すぎる時は少量の脂肪油又はグリセリンを滴下する．軟塊をとり紙間で丸め，展延板上で円柱状にのばし，へらで所要の個数を均等に分割する．手及びへらで坐剤の形に成形する．酒井式坐剤器を用いて仕上げる．

2) 融解法

カカオ脂又はハードファットを溶融鍋にとり，水浴上で溶かし（カカオ脂は温度を上げ過ぎぬよう注意），擂潰機に移し（保温設備のついたものがよい），主薬を加え撹拌し均質とする．撹拌を続け，38～40℃で坐剤型に注入，室温で放冷，固化して製する．

室温放冷後冷蔵庫などに入れ固化させる（8～10℃，30～40 分間）．固化したら坐剤型よりはみ出た部分を削りとり，坐剤型からとり出しパラフィン紙又はアルミホイルで包む．

大量に製するときは保温装置のついた坐剤充てん装置（エルウェカ製）を用いて坐剤コンテナ（プラスチックパッケージ）に注入して成形する．

マクロゴールを基剤とする坐剤，グリセリン坐剤，グリセロゼラチンも融解法によって製する．

4-4 坐剤の交付法

1) 保存上の注意

坐剤は室温ないし室温以上の温度で軟化したり主薬の放出時間に変化を起こすことがあるので，冷所に保管することが望ましい．

2) 使用上の注意

① 通常，排便後，入浴後又は就寝前に挿入することが望ましい．

② 挿入法は坐剤をつまみ，先のとがった方から局所に挿入する．

③ 中腰の姿勢で肛門の奥に入れ，しばらく（4～5 秒）おさえ，立ち上がると挿入できる．

④ 挿入困難な場合は，坐剤を多少体温で温めるか，水でぬらすと挿入しやすい．軟化や溶融している場合は冷蔵庫か 20℃以下の水に入れて固化してから用いる．

⑤ 挿入後，しばらく（20～30 分間）激しい運動を避ける．

4-5 処方例

グリセリン坐剤（JP Ⅷ）

【処方】		
	グリセリン Glycerin	100 g
	ステアリン酸 Stearic Acid	8 g
	水酸化ナトリウム Sodium Hydroxide	1.2 g
	精製水 Purified Water	適量

緩下薬として小児などに直腸投与.

ロートエキス・タンニン坐剤（JP）Scopolia Extract and Tannic Acid Suppositories

【処方】		
	ロートエキス Scopolia Extract	0.5 g
	タンニン酸 Tannic Acid	1 g
	カカオ脂又は適当な基剤	適量
	坐剤の製法により製し，10 個とする	

ブレオマイシン子宮頸管坐剤

【処方】		
	注射用ブレオマイシン Bleomycin for Injection	120 mg（力価）
	ウイテプゾール H-15 Witepsol H-15	8.5 g
	ツイン 80 Tween 80	480 mg
	以上坐剤 24 個分	

文　献

1）日本薬剤師会編：第 12 改訂調剤指針　164　薬事日報社　2006
2）篠　力ら：ピオクタニン水溶液外用による皮膚障害，臨床皮膚科 **17**(6) 515 1973
3）湖山里美ら：ピオクタニンによる皮膚障害，皮膚臨床 **17**(5) 385 1975
4）Horsfield P et al.: Oral irritation with gentian violet, Br Med J **2** 529 1976
5）Somrserer G et al.: Nekrosen nack Anwendung von Pyoktanin, Hautarzt **28** 92 1977
6）今村　弘ら：産褥早期入浴について，産婦人科治療 **28**(4) 445 1974
7）Hecht G : Ophthalmic preparations, Remington The Science and Practice of Pharmacy, 20th ed 821 2000
8）池田博昭ら：点眼液の医薬品情報の作成とその活用，薬事 **44**(8) 1477 2002
9）日本眼科医会監修：点眼剤の適正使用ハンドブック—Q & A—，点眼剤研究会　2011
10）Margaret N et al.: Modern ointment base technology I. Properties of hydrocarbon gels, J Amer Pharm Assoc sci ed **45**(2) 101 1956

薬の正しい使い方パンフレット（くすりの適正使用協議会）

15 剤形別の調剤〔3〕注射剤

1 注射剤概説

1-1 注射剤の種類，投与法，特徴，条件 [1, 2]

1）注射剤の種類

注射液（水性，非水性）～injections

懸濁注射液（水性，油性）～injections（aqueous suspension, oily suspension）

乳濁性注射液 emulsion for injection

注射用～（用時溶解又は懸濁して用いる注射剤）～for injection

用時溶解型の製剤には，粉末注射剤 powder injection，凍結乾燥注射剤 freeze-dried injection がある．そのほかにカートリッジ剤 cartridge，充てん済みシリンジ剤 pre-filled syringes for injection，植え込み注射剤 implants，持続性注射剤 prolonged release injections，輸液剤 parenteral inusions などがある．

2）注射剤の投与法

皮内注射：intradermal or intracutaneous injection

皮下注射：hypodermic or subcutaneous injection

筋肉注射：intramuscular injection

静脈注射：intravenous injection

動脈注射：intraarterial injection

腹腔内注射：intraperitoneal injection

脊髄腔内注射：intrathecal or intraspinal injection

中心静脈カテーテル：central venous catheter（CVC）

自己連続携行式腹膜透析：continuous ambulatory peritoneal dialysis（CAPD）

点滴静注：intravenous drip

3）注射剤の特徴

【メリット】

1．注射剤は，短時間でしかも確実に血中濃度の上昇が得られる．したがって，高濃度の薬剤を速やかに組織に到達させることができるため，作用の発現が速い．
2．経口投与では消化液等による分解，腸管からの吸収，肝での代謝（初回通過効果）の影響を受けるため，薬剤の生物学的利用能（バイオアベイラビリティ）が劣る可能性がある．注射剤はそれらの影響を回避できる．
3．栄養分，水分，電解質等を大量に投与できる．
4．意識障害で経口摂取が不可能な場合，上部消化管に異常があり嚥下しにくい状態にある場合でも薬剤の投与が可能である．

【デメリット】

1．患者にとって苦痛が大きい．
2．作用が強力である反面，副作用も発現しやすい．
3．感染症，筋萎縮症，静脈炎等の注射手技に伴う合併症が起きる可能性がある．
4．保管管理に注意を要するものが多い．
5．経済的に高価なものが多い．

4）注射剤の条件

1．無菌であること（無菌試験法に適合）
2．不溶性異物が混入していないこと（注射剤の不溶性異物検査法に適合）（p.135）
3．不溶性微粒子が規格内であること（注射剤の不溶性微粒子試験法に適合）（p.135）
4．発熱性物質が存在しないこと（エンドトキシン試験法又は発熱性物質試験法に適合）（p.136）
5．浸透圧はなるべく血清の浸透圧に近い（等張）こと
6．pH はなるべく血清の pH に近いこと
7．組織障害性が認められないこと

注射剤の調製工程をまとめると図 15-1 のようになる．

注射剤の製剤総則には，注射剤を調製する際の留意事項及び注射剤の製剤としての要件が詳細に記載されている．注射剤は無菌であることが保証された医薬品であるため，外観や一部の製品を抜き取った品質試験の結果だけでは製造したすべての製品の品質がよいと判断することはできない．恒常的に安定した品質を製造するためにはバリデーション（p.119）により，その製造工程が適切であることを証明する必要がある．

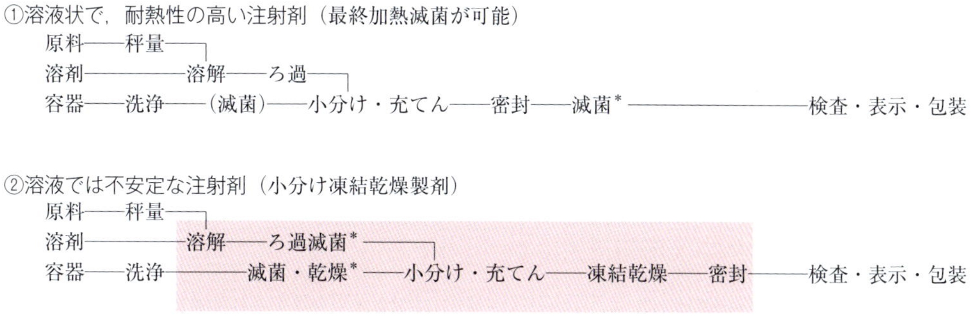

①溶液状で，耐熱性の高い注射剤（最終加熱滅菌が可能）

原料——秤量——┐
溶剤——————溶解——ろ過——┐
容器——洗浄——（滅菌）——小分け・充てん——密封——滅菌*——————————検査・表示・包装

②溶液では不安定な注射剤（小分け凍結乾燥製剤）

原料——秤量——┐
溶剤——————溶解——ろ過滅菌*——┐
容器——洗浄————滅菌・乾燥*——小分け・充てん——凍結乾燥——密封———検査・表示・包装

*製品の「無菌性」を最終的に保証する工程．容器には栓を含む．
懸濁注，乳剤注は，一般的に加熱滅菌で製剤特性に影響が出るので，懸濁・乳化工程は無菌操作で行う．
で囲んだ部分は，「無菌操作」，無菌の環境が必須．
①の製品でも，ろ過・充てん・密封などの工程は，微粒子や微生物の汚染を避けるために，通常無菌環境下で作業を行う．

図 15-1．注射剤の調製工程

1-2 注射剤の溶剤 と 添加剤

1）溶　剤（表 15-1）

注射用水 water for injection は，「常水」にイオン交換，逆浸透等による適切な前処理を行った水又は「精製水」の，蒸留又は超ろ過により製する．超ろ過により製する場合は，微生物や発熱性物質の一種であるエンドトキシンの膜透過に注意する．

注射剤の調製に用いるものは，製した後，直ちに用いる．ただし汚染を避け，かつ微生物が増殖しないように管理して一時的にこれを保存することができる．

表 15-1．注射剤に用いる溶剤例

溶剤		実例
水性溶剤		注射用水，生理食塩液，リンゲル液など
非水性溶剤	植物油*	オリーブ油，ゴマ油
	有機溶剤	プロピレングリコール，マクロゴール，エタノール，グリセリン

* 10℃で澄明，酸価 0.56 以下，コウ素価 79～137，けん化価 185～200 で，鉱油試験法に適合のもの

2）添加剤（表 15-2）

注射剤には，賦形剤（用時溶解して用いるもの），等張化剤，pH 調整剤，溶解補助剤，安定剤，懸濁化剤，乳化剤，緩衝剤，保存剤，無痛化剤などの添加剤が用いられる．

表 15-2. 注射剤に用いる添加剤例

	添加剤	製剤例
賦形剤	用時溶解の粉末注射剤	
	ブドウ糖，乳糖	
等張化剤	塩化ナトリウム，グリセリン	
pH 調整剤	酸又はアルカリ	
溶解補助剤	安息香酸ナトリウム	カフェイン
	エチレンジアミン	テオフィリン
	α-シクロデキストリン	アルプロスタジルアルファデクス
	d-糖酸カルシウム	グルコン酸カルシウム
	トロメタモール*	フルオロウラシル，非イオン造影剤
	ポリオキシエチレン硬化ヒマシ油	タクロリムス
	デスオキシコール酸ナトリウム	アムホテリシンB
安定剤	亜硫酸水素ナトリウム	アドレナリン，アミノ酸輸液
	ピロ亜硫酸ナトリウム，L-システイン	アスコルビン酸
	チオグリコール酸	チアミン塩化物塩酸塩
	エデト酸二ナトリウムカルシウム	非イオン造影剤
保存剤	分割使用を目的としているもの	
	フェノール，クレゾール	インスリン注射液
	パラオキシ安息香酸メチル	インスリン亜鉛水性懸濁注射液
	チメロサール	トキソイド，ワクチン
無痛化剤	ベンジルアルコール	エリスロマイシンラクトビオン酸塩
	局所麻酔薬（リドカイン塩酸塩等）	筋注用 多数

*
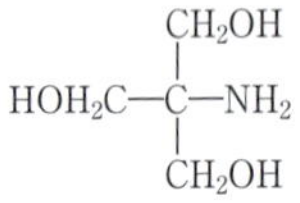

1-3 注射剤の容器 と 試験法

1) 容 器

アンプル ampoule（ガラス製，プラスチック製） ガラスの筒に薬剤を入れ先端を熔封したもの，頭部を折って薬剤を取り出す．頭部を折った時に微少なガラス片が発生し注射剤の中に混入することがある．遮光のため着色されたものもある．主に小容量に用いられる．

バイアル vial ゴム栓には複数回針を刺すことが可能なので，薬剤を分割使用したり，固形注射剤に溶解液を加えて溶解する．アンプルのようにガラス片が発生することはないが，針を刺す際に栓の一部が削り取られて異物となるコアリングが問題となることがある．輸液に使われる大型のボトルも基本的にはバイアルと同じである．

瓶 bottle（ガラス製，プラスチック製） ガラス製は少なくなり，プラスチック製が主流である．プラスチック製は破損しにくく軽い．とくに大容量のものでプラスチック容器が増えている．ガラス製の輸液ボトルの場合，エアー針を刺さないと薬液が流出してこないが，軟質プラスチック容器はエアー針を必要とせず微生物汚染などに対する安全性が高い．

バッグ bag ガラスと異なり酸素を透過するので注射剤の安定性に影響が出ることがある．混合しておくと不安定になる薬剤を，隔壁で分け使用する際に開通混合して用いる複室バッグといった特殊な容器もある．

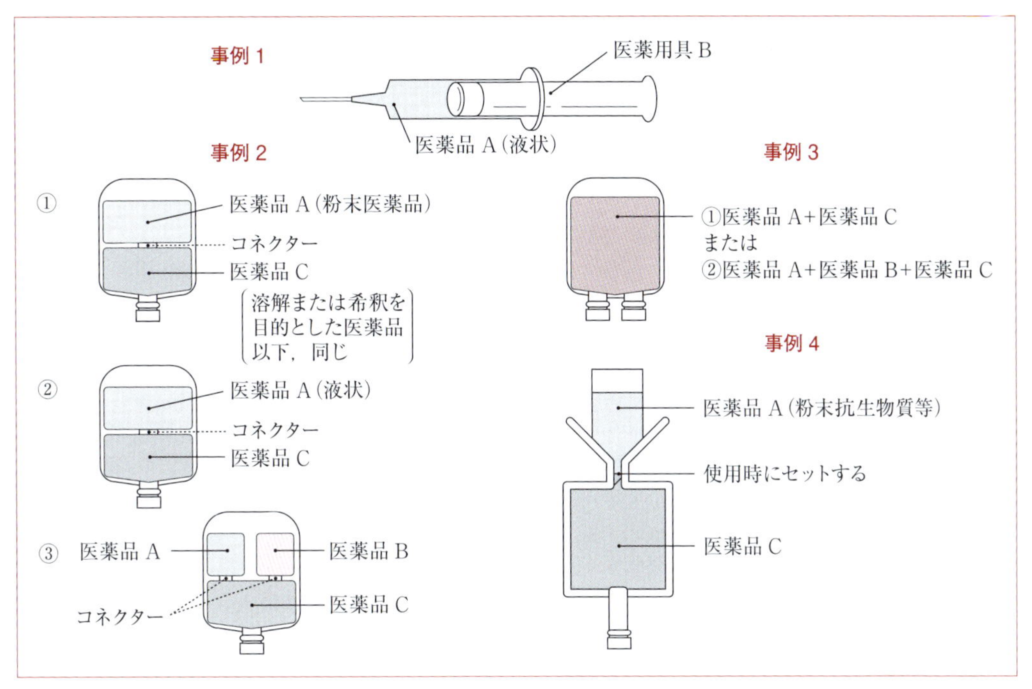

図 15-2. 注射用キット製剤の具体的事例

（昭和 61 年 3 月 12 日薬審二第 98 号より）

キット製品 kit　医療機関での混合調製時の負担軽減，細菌汚染・異物混入の防止，調製・施用時の過誤防止，救急使用時の迅速対応などを目的として，医薬品と医療用具（特殊容器を含む）を 1 つの投与体系として組み合わせた製品（薬審二第 98 号　昭 61.3.12）．あらかじめ薬液が注射器に充てんされているプレフィルドシリンジ製剤や液体・液体又は固体・液体の複室容器製剤などが発売されている（図 15-2）．

2）試験法

注射剤の容器の試験項目は表 15-3 のとおりである．

1-4 最終滅菌法 及び 無菌操作法

日局 18 には「無菌とは，定められた方法で対象微生物が検出されないこと，滅菌とは，被滅菌物の中の全ての微生物を殺滅又は除去すること，無菌操作とは，無菌を維持するために管理された方法で行う操作」と規定されている．製剤通則には，最終滅菌法と無菌操作法について次のように記載されている．

表 15-3．注射剤の容器の試験項目

容器		試験項目
注射剤用ガラス容器		透明性（無色又は淡褐色透明），気泡 ゴム栓等で密封度（分割使用を目的とする容器）
		アルカリ溶出試験 着色容器の鉄溶出試験 着色容器の遮光性試験
プラスチック製医薬品容器	ポリエチレン製又はポリプロピレン製水溶性注射剤容器	透明性，外観，水蒸気透過性，重金属，鉛，カドミウム，強熱残分，溶出物（泡立ち，pH，過マンガン酸カリウム還元性物質，紫外吸収スペクトル，蒸発残留物），細胞毒性
	ポリ塩化ビニル製容器	厚さ，透明性，外観，漏れ，柔軟性，水蒸気透過性，重金属，鉛，カドミウム，スズ，塩化ビニル，微粒子*，強熱残分，溶出物（泡立ち，pH，過マンガン酸カリウム還元性物質，紫外吸収スペクトル，蒸発残留物），細胞毒性
	その他の水性注射剤容器	透明性，外観，水蒸気透過性，細胞毒性，重金属，強熱残分，溶出物
輸液用ゴム栓		輸液として用いる注射剤に使用する内容 100 mL 以上の容器に用いるゴム栓
		カドミウム，鉛，溶出物（性状，泡立ち，pH，亜鉛，過マンガン酸カリウム還元性物質，蒸発残留物，紫外吸収スペクトル） 急性毒性，発熱性物質，溶血性

* 試験液 1.0 mL につき，5～10 μm 100 個以下，10～25 μm 10 個以下，25 μm～1 個以下．

1．最終滅菌法

製剤を容器に充填した後，滅菌する方法をいう．通例，適切な滅菌指標体*を用いるなどして，10^{-6} 以下の無菌性保証水準を担保する条件において行う．

2．無菌操作法

微生物の混入リスクを適切に管理する方法で，原料段階又はろ過滅菌後から，一連の無菌工程により製剤を製造する方法をいう．本製造法は，通例，あらかじめ使用する全ての器具及び材料を滅菌した後，環境微生物及び微粒子が適切に管理された清浄区域内において，適切な操作法を用いて一定の無菌保証が得られる条件で行う．

日局18の参考情報には，最終滅菌法を適用した無菌医薬品に対して，滅菌工程の重要滅菌パラメータを適正に管理し，10^{-6} 以下の無菌性保証水準を担保するパラメトリックリリース*を実現するためにバリデーション及び日常管理を含む必要な事項が示されている．加熱法，照射法，ガス法及びろ過法に関する各滅菌法（図 15-3）について，具体的に管理項目とユーティリティ・制御装置に分けて記されている．

1-5 貯 法

注射剤には遮光，温度管理等，保存条件に注意を要するものが多い（表 15-4）．

＊ **滅菌指標体**：滅菌バッチごとに積載被滅菌物中に入れ，被滅菌物の滅菌確認又は補助的に使用されるケミカルインジケーター，バイオロジカルインジメーター及び線量計など．

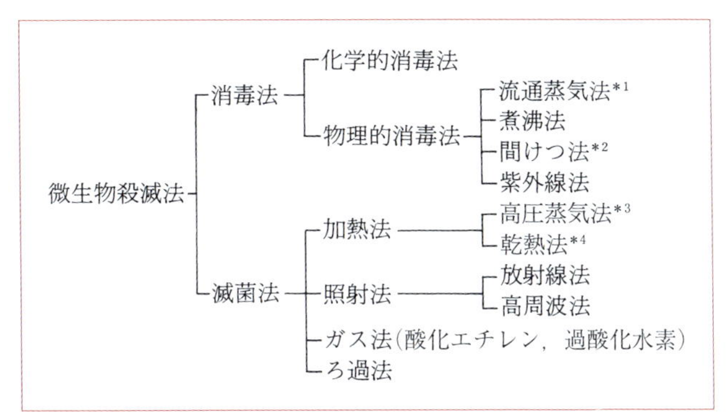

*1 100℃の流通蒸気中 30～60分間
*2 80～100℃ 1日1回，30～60分間ずつ3～5回加熱
*3 115～118℃ 30分間，121～124℃ 15分間，126～129℃ 10分間
*4 160～170℃ 120分間，170～180℃ 60分間，180～190℃ 30分間

図 15-3．日局の滅菌法の分類

表 15-4．保存条件に規定のある注射剤例

製品名	有効期限	保存条件
インフルエンザHAワクチン	検定合格の日から1年	10℃以下，凍結不可，遮光
ジフテリアトキソイド	製造日から30ヵ月	10℃以下，凍結不可，遮光
インスリン注	製造後24～30ヵ月	2～8℃，凍結不可，遮光
ヒトインスリン注（遺伝子組換え）	製造後24ヵ月	2～8℃，凍結不可，遮光
スキサメトニウム塩化物	製造後12ヵ月	5℃以下，凍結不可
ベバシズマブ	製造後2年	2～8℃，遮光
天然型インターフェロンベータ	製造後2年	10℃以下，凍結不可

1-6 注射剤の自己注射

わが国では，注射は医師及び医師の指示のもとに看護師が行いうる医療行為とされてきた．

慢性疾患の中には，インスリン依存性糖尿病（1型糖尿病）のように毎日の注射が不可欠な患者がいる．これら患者の利便性の観点から，1981年（昭和56年）6月インスリン製剤とヒト成長ホルモン製剤に自己注射の保険適用が認められた．現在では表15-5に記載の注射剤に自己注射の保険適用が認められている．

＊ パラメトリックリリース：最終製品の無菌試験結果によるものではなく，バリデーションの結果と，GMP要求事項への適合確認を基にして，滅菌工程の重要パラメータ（温度，湿度，圧力，時間，線量など）を含めて製造の過程で収集された情報を照査して出荷の可否を判断すること．

表 15-5. 厚生労働大臣の定める自己注射の可能な注射剤（令和 2 年 11 月現在）

インスリン製剤　ヒト成長ホルモン剤　遺伝子組換え活性型血液凝固第Ⅶ因子製剤　乾燥濃縮人血液凝固第Ⅹ因子加活性化第Ⅶ因子製剤　乾燥濃縮人血液凝固第Ⅷ因子製剤　遺伝子組換え型血液凝固第Ⅷ因子製剤　乾燥濃縮人血液凝固第Ⅸ因子製剤　遺伝子組換え型血液凝固第Ⅸ因子製剤　プロトロンビン複合体　乾燥人血液凝固因子抗体迂回活性複合体　性腺刺激ホルモン放出ホルモン剤　性腺刺激ホルモン製剤　ゴナドトロピン放出ホルモン誘導体　ソマトスタチンアナログ　顆粒球コロニー形成刺激因子製剤　自己連続携行式腹膜灌流用灌流液　在宅中心静脈栄養法用輸液　インターフェロンアルファ製剤　インターフェロンベータ製剤　ブプレノルフィン製剤　抗悪性腫瘍剤　グルカゴン製剤　グルカゴン様ペプチド-1受容体アゴニスト　ヒトソマトメジンC製剤　人工腎臓用透析液　血液凝固阻止剤　生理食塩水　プロスタグランジンI_2製剤　モルヒネ塩酸塩製剤　エタネルセプト製剤　注射用水　ペグビソマント製剤　スマトリプタン製剤　フェンタニルクエン酸塩製剤　複方オキシコドン製剤　ベタメタゾンリン酸エステルナトリウム製剤　デキサメタゾンリン酸エステルナトリウム製剤　デキサメタゾンメタスルホ安息香酸エステルナトリウム製剤　プロトンポンプ阻害剤　H_2受容体拮抗薬　カルバゾクロムスルホン酸ナトリウム製剤　トラネキサム酸製剤　フルルビプロフェンアキセチル製剤　メトクロプラミド製剤　プロクロルペラジン製剤　ブチルスコポラミン臭化物製剤　グリチルリチン酸モノアンモニウム・グリシン・L-システイン塩酸塩配合剤　アダリムマブ製剤　エリスロポエチン　ダルベポエチンアルファ　テリパラチド製剤　アドレナリン製剤　ヘパリンカルシウム製剤　オキシコドン塩酸塩製剤　アポモルヒネ塩酸塩製剤　セルトリズマブペゴル製剤　トシリズマブ製剤　メトレレプチン製剤　アバタセプト製剤　pH4 処理酸性人免疫グロブリン（皮下注射）製剤　電解質製剤　注射用抗菌薬　エダラボン製剤　アスホターゼアルファ製剤　グラチラマー酢酸塩製剤　脂肪乳剤　セクキヌマブ製剤　エボロクマブ製剤　ブロダルマブ製剤　アリロクマブ製剤　ベリムマブ製剤　イキセキズマブ製剤，ゴリムマブ製剤，エミシズマブ製剤，イカチバント酢酸塩製剤，サリルマブ製剤，デュピルマブ製剤，ヒドロモルフォン塩酸塩製剤，インスリン・グルカゴン様ペプチド-1 受容体アゴニスト配合剤，ヒドロコルチゾンコハク酸エステルナトリウム製剤，von Willebrand 因子製剤及びブロスマブ製剤

注 1）上記注射剤の投与日数 30 日分限度：フェンタニルクエン酸塩製剤，ブプレノルフィン製剤，モルヒネ塩酸塩製剤，その他の注射剤：投与日数制限なし

注 2）在宅中心静脈栄養法用輸液とは，高カロリー輸液及び血液凝固阻止剤をいう．なお，高カロリー輸液を投与する場合には，これ以外にビタミン剤を投与することができる．

2　注射剤の調剤

2-1　注射剤調剤の概念

薬物療法における注射剤の占める割合は近年急激に増加しており，点滴静注や中心静脈栄養輸液療法が日常診療の中で広く行われている．

内用，外用，注射という医薬品の投与方法のうち，長年の慣習とはいいながらこれまで注射剤のみが調剤の対象となっていなかった．このことは，注射剤の作用の強さ，混合施用時の配合変化，微生物汚染・異物汚染，使用方法の問題などを考える時，患者に投与する薬剤の品質，有効性，安全性を確保する薬剤師の立場からきわめて重大な問題といわざるをえない．

診療報酬の薬剤管理指導料では，注射剤も処方箋により供給すべきとして，次のように解説している（保険薬発 28 号　平 6.3.16）．

「注射薬についても，個人ごとに投薬管理を行う観点から，投薬前に薬剤師がチェックすることの重要性に鑑み，内服薬，外用薬と同様に注射薬についてもその都度処方箋により投薬される必要がある」

このことは先に記した調剤の定義と何ら矛盾するものでない（p.31）．

日本病院薬剤師会は頻発する医療事故について，病棟での注射剤の混合，配薬（与薬），処置薬

や消毒剤の調製などを病院薬剤師の関わる業務と位置づけた．また「入院患者のための注射薬調剤指針」を作成し，

1）医師の処方箋により注射剤を取り揃えて供給すること

2）医師の処方箋により注射剤を無菌的に混合調製して供給すること

を注射剤調剤とし，病棟，外来，手術室などへ伝票や集計表により注射剤の払い出し及び補充（箱渡し，定数配置等）をすること，注射剤返却の伝票処理などは，薬品管理業務の範疇とする．

日本病院薬剤師会の「病院薬剤部門の現状調査（平成20年度）」（一般病院）によると，薬剤管理指導業務認可の条件になっていることもあり，注射箋により注射剤を供給している病院は全病院で93.2%，500床以上の病院では86.4%に達している．500床以上の病院で無菌製剤処理業務を行っている施設は，中心静脈栄養81.2%，抗悪性腫瘍製剤83.6%と急増している[3]．

2-2 注射剤の安全管理

近年，医療事故や院内感染が大きな社会問題となっている．このうち医療事故の約30%は注射剤に関するものである．しかし，看護師が病棟の処置室で高カロリー栄養輸液（TPN）の調製を行っている施設がまだまだ多いのも現状である．このような状況において，より適切な薬物療法を実現するために，医療現場からは薬剤師に注射剤の薬学的管理を求める声が高まっている．

厚生労働省に設置された医療安全対策検討会は，医療事故を未然に防止するにはどのような対策を講じるべきかという観点から検討を行い報告書をまとめた（平成14年4月17日）．

報告書の「医療機関における医薬品等の安全管理」の項には，医薬品採用時の注意，病棟で保有する医薬品の見直し，疑義照会の在り方，注射報告書に関する注意事項，について記載されている．さらに，「チーム医療の推進に関する検討会 報告書」（平成22年3月19日）の基本的な考え方においても，チーム医療推進による医療安全の向上への薬剤師の積極的な関与が期待されている．

「注射薬剤に関する事故を防止するためには薬剤部門から，患者ごとに注射薬剤を仕分けして払い出すことが必要である．注射剤を混合する際は，他の業務で中断されることなく当該業務に専念できる十分な広さや清浄度が確保できる環境下で実施することが必要である．特に，抗がん剤等患者の生命に重篤な影響を及ぼす可能性のある薬剤は，薬剤部門が積極的に関与していくことが望ましい．また，混合や注入の方法等で誤りやすい注射薬など企業からの取扱い等に関する情報提供等を医療機関内に周知することが必要である．」

国立大学病院感染対策協議会の報告書でも「看護業務の削減という観点でなく，感染管理の立場から，注射剤の混合は可能な限り薬剤部で無菌的に行うべき」と提言している．

病院薬局の実態調査では，注射剤の計数調剤の実施率は薬剤管理指導料算定の条件であるのでかなり高率であり，計量調剤の実施率も大きく向上した．

注射剤を無菌的に混合調製して患者に提供することは医療上きわめて重要であり，計量調剤を中心とする注射剤調剤を実施する体制は，多くの問題を抱えるが早急に対応せねばならない．

注射剤の調剤（混合調製）の実施には，とくに人員の問題，業務合理化，勤務体制，スペース，設備・備品などの課題をクリアする必要がある．

注射剤調剤に必要な知識や技術の修得には，実施施設を見学して指導を受けたり，実施マニュアル的な書籍を参考にすることが必要となる．

さらに，今後の流れを考えると，病院薬剤部であれば，経験年数にかかわらず，いつでも注射剤調剤に対応できる能力をもつ人材の養成が必要である．

2-3 注射剤の医薬品情報

注射剤調剤に必要となる医薬品情報としては，以下のものがある．

① 組成・性状　　1管（1バイアル）中の有効成分（力価），添加剤の種類と量，性状，pH，浸透圧比，Na含量など

② 有効成分の性状　　水に対する溶解度（遊離酸，遊離塩基），pKa，化学反応性

③ 製剤の安定性　　粉末注射剤は溶解後の安定性，pH変動試験結果，配合変化

④ 適用上の注意　　投与経路，投与速度，投与部位，調製方法，薬剤交付時に必要な情報

⑤ 薬物動態　　半減期，腎排泄率，腎障害，透析時の薬用量など

①～③は精度の高い配合変化の予測を行うためにも必要である．

3 注射剤処方箋と注射剤調剤の手順

注射剤調剤の第一段階としてこれまでの指示簿だけによる看護師への指示にはそれぞれの病院において課題や問題点が多く，薬剤部，医局，看護部，医事部門と綿密な連携を要する．

注射剤処方箋の様式，記載事項

注射剤処方箋の締め切り時間の定刻化

　処方変更時の対応

薬剤師不在時の対応

　早出・遅出など勤務時間の変更を試みる．

取り扱い例外品目

　麻薬・向精神薬，毒薬，特定生物由来製品で取り扱いに規制がある注射剤

3-1 注射剤処方箋の記載事項

処方箋の記載事項は医師法施行規則第21条に記載されている（p.252）．

処方箋に剤形別の呼称はないが，注射剤投与のために発行の処方箋を便宜上「注射剤処方箋」と呼ぶこととする．

注射剤処方箋の記載は，医師の処方意図が正確に薬剤師に伝達されるよう，一部の項目につい

てはさらに具体的に記載する必要がある（表 15-6）.

表 15-6. 注射剤処方箋の記載項目

患者氏名（ID 番号），年齢（生年月日），性別，体重，処方箋発行科名（病棟名），処方医氏名	
交付年月日，投与開始年月日	
薬品名	商品名・剤形・規格（含量）・単位
分　量	薬剤の投与単位量（1 回分投与量）*
用　法	投与方法，投与速度，投与日時，投与回数
用　量	薬剤の投与総量

* 通常 1 回分の投与量であるが，抗悪性腫瘍剤など 24 時間持続投与の化学療法では 1 日分が記載されるものもある.

3-2 注射剤調剤の手順

注射剤調剤の手順は図 15-4 のとおりである[4].

注射剤調剤の業務範囲は，処方箋の交付，処方箋の点検・確認，疑義照会，処方箋記載事項を遵守した調製，監査，交付までとし，調剤に際しては注射剤の品質，有効性及び安全性を確保するため，患者の医療情報に基づき投与量，投与方法，投与速度，投与期間など処方内容が適切かどうかを確認し，疑義あるときは処方医に問い合わせ納得した上で行う.

病院薬剤師は調剤した注射剤の適正使用のため，医師，看護師などに必要な情報，例えば薬品

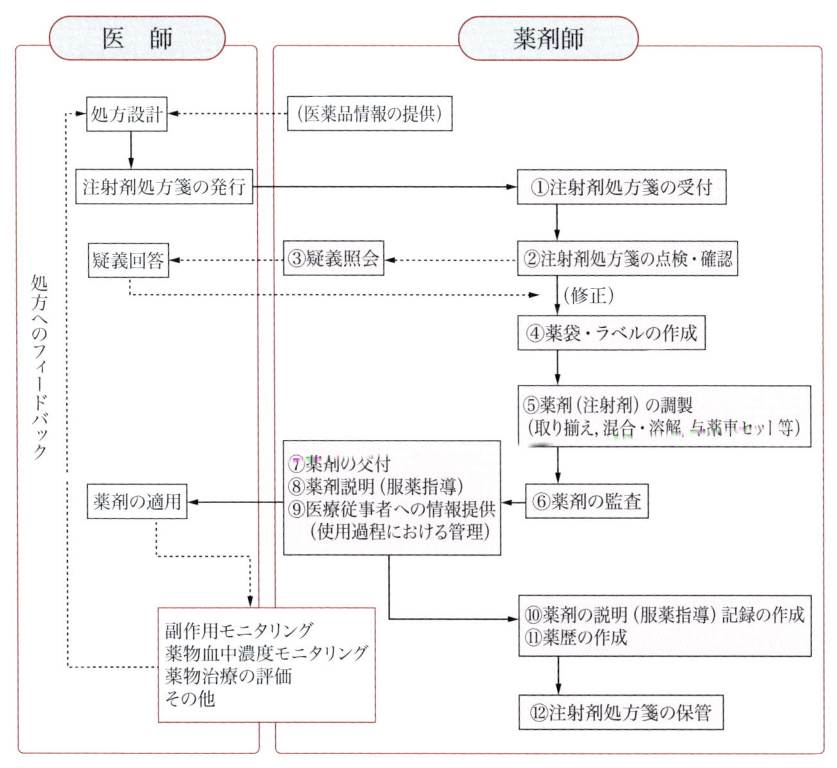

図 15-4. 注射剤調剤の手順

名，用法・用量，配合変化，保存方法，浸透圧，pH，電解質，カロリーなどの基本情報など，有効性及び安全性を確保するために必要な情報の提供を行う．

4 注射剤調剤の実際

4-1 注射剤セット業務（計数調剤）

■ 1）処方箋受付

注射剤は投与対象の大部分は入院患者であり，しかも重症患者に使われる場合も多いため，処方変更の機会が多い．

処方変更に伴う未使用注射剤の返却をできるだけ少なくする対策として，処方箋の受付時間（発行時間）と投薬時間との時間差を少なくすることが挙げられる．コンピュータによる処方オーダリングシステムは時間差を短縮できる方法として有用であるが，いずれにせよ現場との連携の強化が必須である．

■ 2）処方箋点検

注射剤処方箋の点検・確認には，薬剤管理指導記録，患者情報，医薬品情報に基づき，副作用，相互作用，禁忌などを点検する．その特殊性から次の点についても点検する．

投与方法　正しい投与法であるか．例えば，筋肉注射される薬剤に静脈内注射の指示がなされていないか（例：フェノバルビタール注）．決められた時間をかけて点滴投与すべき薬剤が単に静注で指示されていないか（例：パミドロン酸二ナトリウム注）．

投与速度　投与速度が制限されている薬剤に正しい投与速度が指示されているか（例：アミノグリコシド系薬）．

配合変化　配合変化を起こす組み合わせが同一処方の中にないか．

■ 3）ラベル（薬札）作成

紙製の薬袋は注射剤に不適当なことが多いので，ポリ袋などを使用し，用法はラベルに貼る．

輸液にはそのまま貼付できるラベルを用い，病棟名，病室番号，患者名，カルテ番号，投与日時，投与ルート，投与速度などを記載する（図 15-5）．

■ 4）薬剤調製（セット調剤）

患者ごとに単位時間（1 日単位など）に使用する注射剤を取り揃え，ラベルを付す．これらをセットにして適当な容器にいれ，患者ごとの区分けができるようにする．

患者ごとの区分けを専用カートを用いて行う方式のメリットは，多数の患者の注射剤を収納できること，調剤時間を短縮できること，そのまま搬送して病棟で保管できること，などである．

E　5　13号　　00-52-353　　NO　　25
北里　太郎
03月17日10時　（ｺﾒﾝﾄｱﾘ）
＊
10 22
ＤＩＶ（ＣＶルート）－－

図 15-5. 輸液ラベルの例

5）患者指導

入院患者に対しては内服剤，注射剤の区別なく投与薬剤についての説明，指導を行う．

自己注射（インスリン製剤，ヒト成長ホルモン製剤など），HPN（home parenteral nutrition；在宅中心静脈栄養法），CAPD（continuous ambulatory peritoneal dialysis；携行式自己腹膜透析），中心静脈植込型カテーテル（CV ポート）など，外来患者には，治療の目的，手洗いや消毒方法，注射器や用具の使用方法，感染防止，緊急時の対処方法，廃棄物の処理方法などにつき説明，指導を行う．

4-2 注射剤の混合調製（計量調剤）

1）調製室の整備

注射剤は無菌の製剤であり，患者に施用前の混合や溶解操作は無菌的に行うことが必要である．

無菌環境下で注射剤の混合を行うには，できれば専用の部屋にクリーンベンチを設置し作業を行う．クリーンベンチ内には HEPA（high efficiency particulate air）フィルターを通した清浄された空気が流れており，0.3 μm の粒子に対して 99.97％以上の捕集率を有する．クリーンベンチ内はその HEPA フィルターを通した空気が陽圧に循環し無菌状態が保たれる．抗がん剤の混合調製では，クリーンベンチ内が陰圧となる安全キャビネット（クラスⅡまたはⅢ，p.436）を使用する．

2）注射剤混合の手順

図 15-6 は注射剤混合の手順を示す．図 15-4（p.429）の④～⑥の作業手順である．この図はクリーンルームでの調製の手順となっているが，クリーンベンチ設置のみの場合でも十分である．クリーンルームへの入室には，前室で脱衣し，専用の滅菌無塵衣を着用し，マスク，帽子を装着する．エアシャワーを浴びてクリーンルームに入室後，手指を洗浄・消毒した後，ゴム手袋を装着する．

クリーンベンチは使う 30 分～1 時間前に紫外線殺菌灯をつける．使用前に殺菌灯を消し，ドアを少し開けて 5～10 分ファンを回しておく．クリーンベンチ内に搬入する器材は，塵埃をできるだけ取り去り，消毒用アルコールで噴霧消毒する．混合に際しては配合変化に注意する．

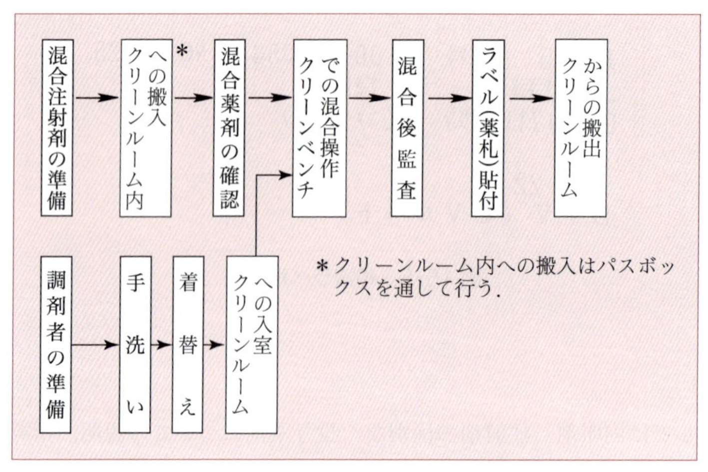

図 15-6. クリーンルーム内での注射剤混合手順

混合溶解した注射剤の監査は，使用した空アンプル，空バイアルとの照合，異物の混入，沈殿・混濁の生成，色調の変化などの観察を行う.

クリーンルーム内は作業終了後，0.05～0.2%の両性界面注射剤などの消毒剤で消毒し，殺菌灯を点灯しておく.

■ 3）混合の方法

複数の注射剤を混合することを**注射剤の混合**という. 混合注射（混注）という用語は，注射剤を混合したものを注射することまでを示す. 静脈注射用に混合された注射剤を混合静脈注射剤 intravenous admixture, IV admixture という.

輸液をベースとした注射剤の混合順序は配合変化に注意しつつ次のようにする.

① pH の近いものから混合する.

② pH の離れたもの，又は pH の移動によって外観変化がみられるものは，あらかじめ輸液中に混合するか，又は最後に輸液中に混合する. このように混合すると配合変化を回避できることがある.

③ 配合変化により生ずる沈殿は，微細，透明で，肉眼での検出が困難な場合がある. したがってリボフラビンのような有色の注射液の混合は最後に行う.

④ 配合変化について文献に報告がなく，自分自身にも経験がない場合は，患者用を調製する前に先行して，別に 1 セットを観察評価用に作成しておく. 配合変化の事実を検出した場合は，直ちに病棟に連絡し，投与中止を指示する. このような新規の事例は原因を究明し記録，今後に備える.

混合方法には，注射筒を用いる方法，両頭針，連結管を用いる方法，ミキシングバッグ等を用いる方法がある.

a）注射筒を用いる方法（図 15-7）

最も一般的に行われている方法で，1 アンプル，1 バイアルずつ 1 本の注射筒で吸引し，輸液中

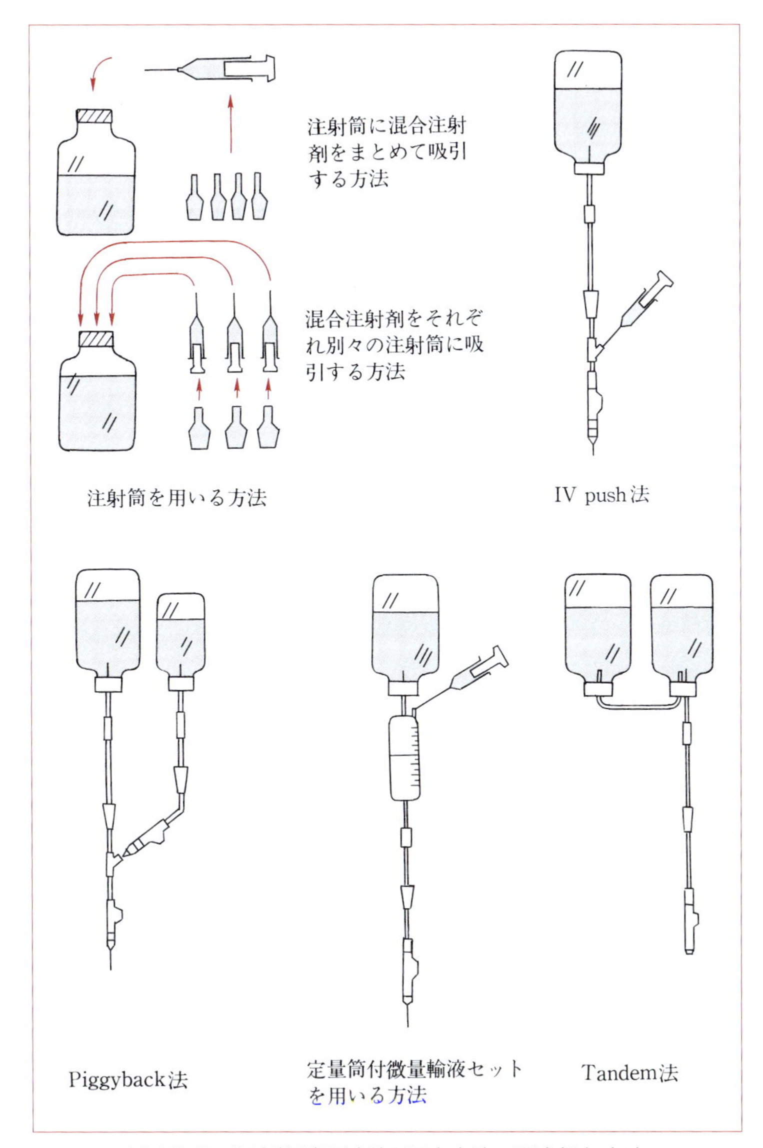

図 15-7. 混合静脈注射剤の混合方法，混合投与方法

に注入し混合する．この方法では注射筒の中で配合変化が起こることがあるので，配合変化が起こらないことが明らかな注射剤についてのみ用いる．

1アンプル又は1バイアルずつ個々に注射筒をかえて1つ1つ輸液に注入し混合する方法は，手間がかかること，微生物汚染の機会が多くなること，ゴム栓の穿刺回数が多くなることからコアリングの発生の確率が高くなり，配合変化は少ないが，多種配合時には実際的でない．

b）両頭針，連結管を用いる方法

用時溶解して用いる注射剤の溶解及び高カロリー輸液の調製時における基本液と高張アミノ酸輸液の混合等に使用される．

c）ミキシングバッグを用いる方法

高カロリー輸液用の滅菌済みプラスチックバッグを用いる方法である．

d）キット製剤 (p.423)

高カロリー輸液基本液とアミノ酸輸液のキット製剤（2室バッグの形態），抗生物質固形注射剤と溶解液のキット製剤等がある．最近では，高カロリー輸液基本液，アミノ酸及び総合ビタミン剤からなるキット製剤（3室バッグの形態）や，これに微量元素を加えたキット製剤（4室バッグの形態）も発売された．混合や溶解に他の器具を必要とせず，closed systemで安全に無菌的に混合，溶解ができる．複室バッグの形態は隔壁の開通を確実にすることが重要である．

4）注射剤調剤薬の監査

注射剤処方箋により監査を行う．混合した注射剤が正しいか否かを混合済みの空アンプル，空バイアルにより確認する．全量を使用しなかったものは残量を確認する．肉眼で色調，析出物，異物の有無を確認する．確認後，ラベルを貼付する．必要ならば遮光カバーを添付する．

使用済みの注射筒やアンプルなどは，医療廃棄物として処理する．抗悪性腫瘍薬に関係したものは，感染性の廃棄物とするなど特に処理に注意する．

5）注射時混合投与の方法

点滴静注を行うには混合静脈注射輸液に輸液セットを装着する．

点滴静注時にほかの注射液を混合する方法として，IV push法，Piggyback法，定量筒付微量輸液セット法，Tandem法などがある．各注射剤の特徴，投与方法などを考慮して適宜選択する（図15-7）．

a）IV push法

一般に側管注といわれる方法で，通常，三方活栓などより20 mL以下の注射剤の混合，投与に用いられる．点滴ルートへ直接注射液を混合，投与するため，患者の苦痛が少なく，また手技も簡便である．そのため点滴静注を行っている（末梢血管を確保している）患者への静注はほとんどこの方法で行われる．この方法は，比較的配合変化を生じやすい注射剤，不安定な注射剤，血中濃度を一過性に上昇させる必要がある注射剤の投与に適している．

b）Piggyback法

一方の輸液セットの三方活栓などに他方の輸液セットを接続し，混合，投与する方法．主として100 mL以上の注射剤の投与時に用いられ，血中濃度を一定期間保つ必要のある抗菌薬などの注射剤の投与に適している．

c）定量筒付微量輸液セットを用いる方法

通常の輸液セットのかわりに定量筒付輸液セットを用いて混合，投与する方法．容量20 mL以下の注射剤を適切な容量に希釈し，微量ずつ薬液を投与することが可能で，現在臨床の場で広く用いられている．

d）Tandem法

2つ以上の輸液を連結管で接続し，混合，投与する方法．必ずしも十分な混合が行われない場合があり，高カロリー輸液基本液とアミノ酸輸液などの投与の際には十分留意する必要がある．

4-3 薬剤の交付 と 情報提供

調剤した注射剤は，搬送用カート，ワゴンなどにまとめて病棟又は病室ごとに払い出す．

交付にあたり，医師，看護師に情報提供が必要なものとして，冷所保存・遮光保存，投与中の遮光カバーの使用，メインルートと側管投与の薬剤間の配合変化，点滴用チューブやフィルターへの成分の吸着などがある．計数調剤の場合は，溶解・混合時の注意事項，混合後の安定性などの情報を提供する．

情報提供の方法として，調剤済みの注射剤セットに，その都度「情報カード」を添付する方法が効果的である．

4-4 注射剤の混合による微生物汚染，異物汚染

注射剤の混合で問題となるものに，微生物汚染と不溶性異物・微粒子の混入がある．

微生物汚染については，注射剤の混合操作を無菌環境下（クリーンベンチなど）で適切な操作を行うことにより防止できる．

不溶性異物・微粒子は，ゴム栓への注射針の穿刺により生じるゴム小片（コア）の混入，アンプルカット時に生じるガラス小片の混入，混合によって起こる微細な不溶性物質の析出など，注射剤の混合操作により発生する．コアの発生を少なくするためにノンコアリング針が開発され，アンプルカット時のガラス小片の発生の少ないクリーンカットアンプル（CCアンプルなど）も開発されている．

また輸液セットや注射筒，注射針に由来するプラスチックや繊維状の異物などもあり，これらをすべて除去して体内に注入しなければならない[5]．

異物の除去には，注射剤の調製段階で孔径0.2又は0.45 μmのフィルター，患者へ投与する段階で孔径0.2 μmのファイナルフィルター final filter を使用する[1, 6]．

4-5 細胞毒性を有する注射剤の混合 （内用剤 p.288 参照）

1979年にFalckが細胞毒性を有する注射剤を取り扱う看護師の尿中に変異原性物質が増加すると報告して以来[7]，欧米では抗悪性腫瘍薬の取り扱いに関して注意が喚起され，その取り扱い指針も公表されている[8, 9]．

抗がん薬の危険度については，FDA胎児危険度分類，IARC(international agency for research on cancer；国際がん研究機関）発がん性リスク分類[10]があるが，わが国においては，2009年（平

成21年）に日本病院薬剤師会が抗悪性腫瘍薬の取り扱い基準（表15-7）を改訂しており，各抗悪性腫瘍薬をⅠ～Ⅳの4段階に分類している[11]．

抗悪性腫瘍薬の混合調製を行う際は，調製者の被爆による危険を回避するために安全キャビネットを使用することが望ましい．

安全キャビネットは，クラスⅠ，Ⅱ，Ⅲの3種類に分類され（表15-8）[11]，とくに抗悪性腫瘍薬の混合調製には，クラスⅡ以上を使用することが望ましいとされている．クラスⅡの安全キャビネットは，キャビネット内のエアーバリアで，内部の汚染エアロゾルを含んだ空気を調製者側

表15-7. 抗悪性腫瘍薬の取り扱い基準

危険度	判定基準
Ⅰ	①毒薬指定となっているもの ②ヒトで催奇形性または発がん性が報告されているもの ③ヒトで催奇形性または発がん性が疑われるもの 上記のいずれかに該当するもの
Ⅱ	①動物実験において催奇形性，胎児毒性または発がん性が報告されているもの ②動物において変異原性（*in vivo* あるいは *in vitro*）が報告されているもの 上記のいずれかに該当し，Ⅰに該当しないもの
Ⅲ	変異原性，催奇形性，胎児毒性または発がん性が極めて低いか，認められていないもの
Ⅳ	変異原性試験，催奇形性試験または発がん性試験が実施されていないか，結果が示されていないもの

表15-8. 安全キャビネットのタイプ別分類と特徴

分類		特徴
クラスⅠ		作業者への被爆・感染防止の性能は良好だが，構造上キャビネット内には外部微生物が混入するので，無菌操作を必要としない作業に用いる．
クラスⅡ		作業者への被爆及び感染防止とキャビネット内の高清浄度の性能を併せ持ち，無菌操作を行えるので，利用範囲が広い．
	クラスⅡA1	HEPAフィルターを通過した空気の約30%が室内に排気される．残りの約70%は安全キャビネット内を循環する． 排気設備の不具合や屋外の気象状況等に関係なく，常に安定した気流バランスが得られる．
	クラスⅡA2 クラスⅡB1・B2	HEPAフィルターで濾過した空気を排気装置により屋外へ排気する． 循環気率及び屋外排気率の比率の差によりさらにA2，B1，B2に分類される．国立がんセンター中央病院では完全屋外排気型のクラスⅡB2タイプを採用している． 本タイプでは排気装置が正常に作動することが重要である．排気ファンが正常に作動しないとキャビネット周囲へ逆流が起こり，汚染空気が室内に放出され，クラスⅡA1タイプより劣る状態になる危険性がある． したがって，排気の異常警報が鳴った場合はただちに前面のガラス戸を下ろして汚染が広がらないようにし，警報が解除されるまでの間は使用しないことが重要である．
クラスⅢ		最高危険度の生物材料を取り扱うことが可能で，信頼性が最も高い． ただし，密閉型のため操作性はかなり制限される．

に流れるのを遮断し，さらにHEPAフィルターを通して清浄空気となり，キャビネット内を無菌状態にしている．

抗悪性腫瘍薬の混合調製で使用する器具及び用具は，汚染を防止するため原則として，ディスポーザブルを使用し，ガウン，手袋，マスク，保護メガネ，キャップを着用し作業する[11]．

5 輸液療法

5-1 輸液療法の目的

輸液剤 parenteral infusionsとは，静脈内投与する，通例，100 mL以上の大容量の注射剤であると日本薬局方では定義されている．

輸液には，補充輸液と維持輸液がある．補充輸液は水，電解質の欠乏量の補充を目的とし，維持輸液は水，電解質，栄養素の最低必要量の維持を目的とする．

緊急時の病態不明の時は，Kを含まず安全域の広い輸液を最初に用いることが多く，開始液と呼ばれる．

輸液療法を使用目的によって区分すると次のようになる．

1）脱水症の治療又はその予防
2）循環血液量，血漿量の急性喪失によるショックの治療
3）体液の電解質成分の濃度異常の治療　高（低）ナトリウム血症，高（低）カリウム血症
4）酸塩基平衡異常の治療　動脈血正常値 pH 7.40±0.05，pH<7.35 アシドーシス，pH>7.45 アルカローシス
5）熱量及び栄養分の補給　高カロリー輸液（p.439）
6）血液成分の補給　赤血球製剤，血小板製剤など
7）抗生物質などを静脈内投与時の溶解液　これらに含まれるNa量の考慮も必要（p.445）

5-2 輸液の種類と適応

1）糖質液製剤

ブドウ糖，キシリトール，フルクトース（果糖），マルトース

水分・栄養の補給．

2）電解質製剤

a）等張電解質輸液（細胞外液補充液）

生理食塩液，リンゲル液，乳酸リンゲル液など

細胞外液欠乏の是正に用いる．

b）低張電解質輸液（ソリタ，ソルデム，デノサリン，リプラス，KN など）

電解質濃度は低張であるが，糖質を加え，製剤の浸透圧は等張あるいはそれ以上に処方設計されている（表 15-9）.

① 1 号液（開始液） Na^+濃度は生理食塩液の約 2/3〜1/2，K^+を含まない．病態不明時にまず用いる．

② 2 号液（脱水補給液） Na^+濃度は生理食塩液の約 1/2〜2/3，K^+を含む．混合性脱水に用いる．

③ 3 号液（維持液） Na^+濃度は生理食塩液の約 1/4．1 日に必要な水分，電解質を補給する維持療法に用いる．最も多く使用される輸液である．

④ 4 号液（術後回復液） Na^+濃度は生理食塩液の約 1/5．電解質濃度が低いため，細胞内への水分補給効果が大きい．高張性脱水，術後の水・電解質の補給．

表 15-9．電解質輸液製剤の組成

	成分（w/v%）						電解質濃度（mEq/L）					pH	浸透圧比
	塩化ナトリウム	塩化カリウム	乳酸ナトリウム	リン酸二水素ナトリウム	リン酸一水素ナトリウム	ブドウ糖	Na^+	K^+	Cl^-	$lactate^-$	Phosphate		
ソリタ-T1 号（開始液）	0.414		0.224			2.6	90		70	20		3.5〜6.5	約 1
ソリタ-T2 号（脱水補給液）	0.27	0.149	0.224	0.031	0.287	3.2	84	20	66	28	10 mmol/L	3.5〜6.5	約 1
ソリタ-T3 号（維持液）	0.09	0.149	0.224			4.3	35	20	35	20		3.5〜6.5	約 1
ソリタ-T4 号（術後回復液）	0.117		0.112			4.3	30		20	10		3.5〜6.5	約 1

3）単一電解質液（電解質補正液）

a）Na 補正用（塩化ナトリウム） 低 Na 血症

b）K 補正用（塩化カリウム，アスパラギン酸カリウム） 低 K 血症，ジギタリス中毒

c）アルカリ化剤（炭酸水素ナトリウム，乳酸ナトリウム） アシドーシス，最も多く使用される．Na^+の負荷に注意

d）酸性化剤（塩化アンモニウム） 代謝性アシドーシス，塩化アンモニウムは肝不全，腎不全には禁忌

e）Ca 補正用（塩化カルシウム，グルコン酸カルシウム） 急性の低 Ca 血症によるテタニーや高 K 血症

f）ほかに Mg や P 補正用

4）血漿増量剤

デキストラン製剤*，ヒドロキシエチルデンプン製剤.

膠質浸透圧を増加させ，循環血漿量を増加，維持.

* 経時的に不溶性デキストランが析出することがあるので注意する．析出している場合は使用しない.

5）浸透圧性利尿薬

マンニトール製剤**，グリセリン製剤.

浸透圧利尿，脳圧降下.

** 15%，20%，結晶が析出している場合は，加温溶解し，体温まで冷やして使用．溶解度1 g/約5.5 mL（水）.

6 高カロリー輸液療法

6-1 高カロリー輸液療法[12)]

高カロリー輸液療法（total parenteral nutrition：TPN）は経静脈的な方法により，生体に必要な糖質，蛋白（アミノ酸），脂肪，ビタミン，電解質，微量元素などの栄養素を完全に補給することを目的としている．以前は intravenous hyperalimentation（IVH）と称したが，この手技を示すのにより適切な用語として今日では TPN を用いる.

経口・経腸摂取不能な症例が適応となる．小腸広範切除，新生児小腸閉鎖，消化管出血，消化管のがんによる通過障害，消化吸収不全疾患，消化管の炎症・潰瘍・穿孔・瘻孔，イレウス，急性膵炎，難治性下痢，広範な熱傷，手術後など.

成人は通常1日約2,000 kcal を必要とする．これを5%ブドウ糖液（1 g＝4 kcal）で補給しようとすると約 10 L となる．ヒトに水分が過剰とならないで投与できる量は 1 日 3～4 L である．投与液量を減らすにはブドウ糖の濃度を上げる．ブドウ糖濃度を 5 倍の 25%とすると液量は 1/5 となる．しかし 25%のブドウ糖液は高張であり，大量を投与すると静脈の壊死をきたす.

1968 年，米国の外科医 S. J. Dudrick はカテーテルを鎖骨下静脈から中心静脈の上大静脈に挿入，留置し，TPN を投与する技術を開発した．この方法では投与した液は大量の血液で急速に希釈されるので，高張液の影響を最小限にとどめることができる.

TPN 施行時の 1 日投与量の目安は表 15-10 のとおりである.

6-2 高カロリー輸液の組成

1）糖　質

TPN の主な熱源はブドウ糖である．TPN の調製に用いる市販品として 30%，50%，70%などのブドウ糖液がある．これにアミノ酸輸液，ビタミン，電解質などを配合して，最終的にブドウ

表 15-10. TPN 施行時の投与量の目安（/kg 体重/日）

	成 人	乳幼児
水 分	30〜50 mL	80〜120 mL
糖 質	6〜10 g	約 25 g
アミノ酸	1〜 2 g	約 3 g
脂 質	0〜 1 g	—
カロリー	30〜50 kcal	約 100 kcal
Na^+	1〜2 mEq	3〜4 mEq
K^+	1〜2 mEq	2〜4 mEq
Cl^-	1〜2 mEq	3〜4 mEq
P	0.11〜0.28 mmol	0.56〜1.11 mmol
Ca^{2+}	0.2〜0.5 mEq	1〜2 mEq
Mg^{2+}	0.1〜0.2 mEq	0.5 mEq

（山路 昭）

糖濃度 25％程度に調製する．糖質に電解質を配合した TPN 基本液も市販されている．

インスリン非依存性のフルクトース，キシリトールを成分とするものもある．

2）脂 肪

1 g 当たり 9 kcal の熱量をもつ脂肪は，エネルギー源と必須脂肪酸（リノール酸，リノレン酸など）供給の 2 つの役割をもつ．

大豆油と卵黄レシチン又は大豆レシチンを用い，大豆油を粒子径 0.5〜1.0 μm の O/W 型乳剤とし，等張化にグリセリンを加えた 10％，20％の脂肪乳剤が市販されている．また，ブドウ糖，アミノ酸，電解質に脂肪を配合した複室型の TPN 液も市販されている．

基本的に脂肪乳剤は他剤との配合は好ましくない．

3）アミノ酸

TPN に加えるアミノ酸輸液にはすべての必須 L 型アミノ酸，非必須 L 型アミノ酸を含んでいる．アミノ酸が効率よく蛋白質合成に利用されるためには，十分な熱量の投与が必要であり，窒素 1 g（アミノ酸 6.25 g）当たり 150〜200 kcal 程度となるような補給が望ましい．

一般のアミノ酸輸液製剤には，必須アミノ酸/非必須アミノ酸比（E/N 比）約 1 のものが多い．

蛋白異化が亢進する手術直後や外傷・熱傷時，敗血症では，ロイシン，イソロイシン，バリンのような分岐鎖アミノ酸（branched chain amino acid：BCAA）の消費が増大するため，BCAA を多く含むアミノ酸輸液が用いられる．

肝不全時には血中の BCAA が低下し，芳香族アミノ酸（aromatic amino acid：AAA）が上昇傾向を示すため，Fischer 比（BCAA/AAA）を高めた製剤が使用される．

4）ビタミン

ビタミンは生体で合成されず，その作用は多くの酵素の補酵素として生体内で重要な働きをするため，1日必要量の水溶性，脂溶性ビタミンを配合した総合ビタミン製剤を添加する．

ビタミンKは腸内細菌により合成されるので通常は不要であるが，腸内細菌に影響のある病態では補充する必要がある．

5）電解質

TPNの基本液には主要電解質の一般的な必要量が配合されており，通常，電解質を補正する必要はない．しかし，混合する市販アミノ酸輸液製剤には多量のCl^-を含有しているものもあるため，注意を要する．一般的な電解質投与量を表15-10に示した．Na^+とCl^-の比は原則として1：1の比を保つようにするが，最近はNa^+に比しCl^-を少なくすることが多い．K^+の添加にはCl^-塩より酢酸塩の方がよい．

輸液のpHが中性付近の場合，Ca^{2+}イオンとリン酸イオンが20 mEq/Lを超えると，沈殿を生じる可能性がある．

6）微量元素

微量元素とは，通常生体内に存在する量が1 mg/kg以下のものを指し，ヒトではFe，I，Co，Zn，Cu，Cr，Mn，Seなどが必要と考えられている．

微量元素の補給には市販の配合製剤を用いる．最も欠乏症状が出現しやすいZnについては一部のTPN基本液に含有されている．

6-3 高カロリー輸液の調製

1）高カロリー輸液の調製法

ブドウ糖とアミノ酸を配合し加熱滅菌するとMaillard反応を起こして褐色に変化する．

そこで高カロリー輸液の調製は使用前にTPN基本液（高張糖電解質液）にアミノ酸輸液を加える．これにビタミン製剤，微量元素製剤，補正用電解質液を加える．混合は無菌操作法による．混合後は速やかに使用する．

混合後のTPN輸液は配合しているビタミンの分解に注意し，遮光して投与する．短期間保存する場合も遮光して保存する．

TPN基本液の多くは1日2バッグになるように設計されているが，高カロリー輸液処方の1日分を1バッグに調製できるような基本液や，TPN基本液とアミノ酸輸液とを隔壁を隔てて同一の容器に充てんしたキット製品，さらに最近では，TPN基本液とアミノ酸輸液に脂肪乳剤あるいは総合ビタミン製剤を一剤化したキット製品が市販されている．

一方TPN施行で，カテーテル留置による敗血症などの合併症を発症することがある．感染症の防止対策としてTPN調製時の微生物混入防止や点滴ルート交換時の清潔操作などに十分な注意を払う必要がある．

2) 熱量の計算

全熱量は糖質，脂質，蛋白質（アミノ酸）の熱量を合計したもので，1 g 当たり糖質4 kcal，脂肪9 kcal，蛋白質（アミノ酸）4 kcal として計算する．

臨床的には，全熱量からアミノ酸の熱量を差し引いた非蛋白質熱量（NPC）が重要である．

3) 高カロリー輸液 と ビタミン

a）乳酸アシドーシス[13)]

ビタミンB_1を投与せずに高カロリー輸液療法を施行すると，解糖経路において生じたピルビン酸がアセチル CoA からクエン酸回路への経路で代謝されることなく血中に蓄積され，乳酸アシドーシスをきたす．乳酸アシドーシスとは乳酸の血中濃度が 45 mg/dL 以上，動脈血の pH が正常値（7.36〜7.44）より低い状態をいう．

したがって高カロリー輸液療法施行中は，必要量（1 日 3 mg 以上）のビタミンB_1を投与する．ビタミンB_1欠乏によると思われる重篤なアシドーシスが発現した場合は，直ちに100〜400 mgのビタミン B_1 を急速静脈内投与する．

ビタミンB_1を投与していても基礎疾患，合併症などの病態の悪化により重篤なアシドーシスを発現することがある．直ちに高カロリー輸液療法を中断し，アルカリ化剤の投与等の処置を行う．

b）ビタミン剤の安定性

TPN 輸液に混合したビタミン B_1 は高張ブドウ糖・電解質液及びアミノ酸輸液中に含有の亜硫酸水素ナトリウムにより分解が促進される．配合輸液中のビタミン A，K は点滴施行中の照度条件下でも残存率の低下が著しく，遮光カバーの使用が必要である（図 15-8）[14)]．

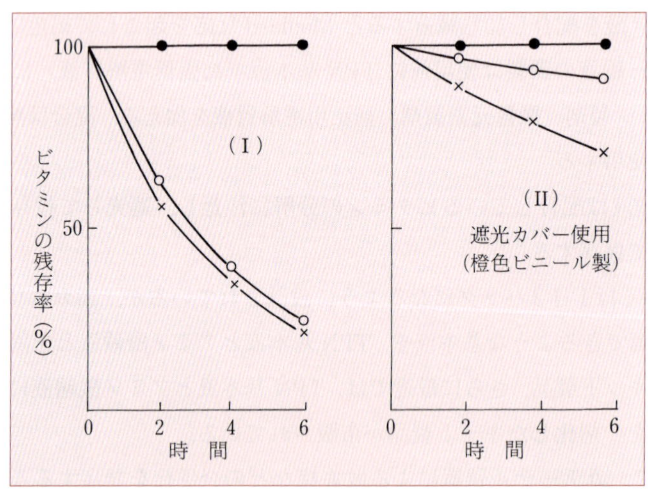

×：ビタミン A ●：ビタミン E ○：ビタミン K
条件は室内散光 2,000 ルクス
図 15-8．TPN 輸液中で脂溶性ビタミンの安定性[14)]

6-4 在宅中心静脈栄養法 home parenteral nutrition：HPN

TPN は手術前後の栄養管理，経口摂取不能患者の栄養状態の改善などに大きな成果を挙げている．一方，腸管大量切除又はこれに準ずる腸管機能不全患者では，TPN 以外の方法で栄養状態を維持することが困難なため，在宅で経静脈的栄養療法を行い，社会活動を可能にしようとするのが在宅中心静脈栄養法 HPN である．

HPN では入院時と異なり，輸液の取り扱い，ルートの交換，消毒など，すべて患者又は家族による自己管理が必要となる．

HPN には輸液をしながら自由行動を可能にした携行用輸液システム（輸液バッグ，輸液ポンプ，ジャケットなど）が開発された．

HPN は一度に 1 週間ないし 1 ヵ月分を交付するので，その混合，調製，管理，供給には，無菌性，配合性，安定性を考慮した質の高い技術が要求される．

HPN の交付に際し，患者，家族に対して治療の目的，感染予防の知識，使用法，緊急時の対処法，廃棄物の処理法について適切な指導を行う．

経腸栄養法については p.382 を参照のこと．

7 電解質の補給，補正

成人が 1 日に必要とする電解質の量は，通常次のとおりである．

Na^{+} 90～120 mEq　K^{+} 50～90 mEq　Mg^{2+} 15～30 mEq　Ca^{2+} 10～20 mEq

Cl^{-} 90～120 mEq　P 300～500 mg

1 mEq は原子量の mg 値を原子価で除した値である．

$$1\ \mathrm{mEq} = \frac{\text{原子量}}{\text{原子価}}\ \mathrm{mg}$$

$$\text{Na の } 1\ \mathrm{mEq} = \frac{23}{1} = 23\ \mathrm{mg} \qquad \text{K の } 1\ \mathrm{mEq} = \frac{39}{1} = 39\ \mathrm{mg} \qquad \text{Ca の } 1\ \mathrm{mEq} = \frac{40}{2} = 20\ \mathrm{mg}$$

電解質の計算には，mg%（又は mg/dL）から mEq/L に換算する方法と，電解質 1 g 当たりの mEq 係数（表 15-11）から計算する方法がある．

TPN を施行している場合には電解質の 1 日の必要量を注射剤として投与しなければならない．TPN 基本液とアミノ酸製剤には電解質が含まれている．しかし患者の病態に合わせて電解質を補給する必要性から，電解質を全くあるいはほとんど含まない製剤もある．したがって投与する TPN 基本液やアミノ酸製剤の組成を確認して，必要量の電解質を補給する必要がある．

表 15-11. 各電解質 1 g 当たりの mEq 係数* (概算)

電解質	分子量	イオン	mEq 係数
NaCl	58.4	Na^+, Cl^-	17.1
$NaHCO_3$	84.0	Na^+, HCO_3^-	11.9
NaH_2PO_4	120.0	Na^+	8.3
Na_2HPO_4	142.0	Na^+	14.1
Na lactate	112.1	Na^+, lactate$^-$	8.9
Na_3 citrate	258.1	Na^+, citrate^{3-}	11.6
Na acetate	82.0	Na^+, acetate$^-$	12.2
KCl	74.6	K^+, Cl^-	13.4
KH_2PO_4	136.1	K^+	7.3
K_2HPO_4	174.2	K^+	11.5
K aspartate	170.2	K^+, aspartate$^-$	5.9
K acetate	98.1	K^+, acetate$^-$	10.2
$MgSO_4$	120.4	Mg^{2+}, SO_4^{2-}	16.6
$CaCl_2$	111.0	Ca^{2+}, Cl^-	18.0
Ca gluconate	430.4	Ca^{2+}, gluconate$^-$	4.6

*電解質 1 g を mEg に換算する時に乗じる係数

【例 1】 TPN に補正する電解質

【処方】 **ハイカリック液-2 号**（TPN 基本液） 1,400 mL
プロテアミン 12 注射液（アミノ酸製剤） 400 mL
10%塩化ナトリウム注射液 q. s.

ハイカリック液-2 号は Na，Cl を全く含まない．その他の電解質として，1,400 mL 中，K^+ 60 mEq，Mg^{2+} 20 mEq，Ca^{2+} 17 mEq，P 300 mg を含む．**プロテアミン 12 注射液**は 400 mL 中 Na^+，Cl^-をそれぞれ 60 mEq 含む．成人 1 日の NaCl 必要量は 90～120 mEq なので，補正する Na^+，Cl^-は 30～60 mEq となる．塩化ナトリウム 1 g は Na^+，Cl^-をそれぞれ約 17 mEq 補正できるので（表 15-11），10%塩化ナトリウム注射液 20～30 mL を追加すればよい．

【例 2】 塩化カリウム

フロセミド錠（40 mg）を 1 日 1 回服用中のうっ血性心不全患者（70 歳，男性）の血清カリウム値が 2.5 mEq/L に低下したため（正常値 3.3～4.7 mEq/L），15%塩化カリウム注射液 20 mL を 5%ブドウ糖注射液 500 mL に混合したものを 1 回分とし，1 日 2 回点滴静注した．

補給した塩化カリウム 6,000 mg（15%，20 mL，2 回）
K^+の量 6,000 mg × 39.0/(39.0 + 35.5) = 3,141 mg　　K^+の 1 mEq = 39 mg
補給した K^+の mEq = 3,141 mg/39 mg = 80.5 mEq

塩化カリウム注射液の投与には，次の点に留意する．

① 投与経路　点滴静注のみ
② 投与量　1 回 0.75～3 g（K^+として 10～40 mEq），1 日 7.5 g（K^+として 100 mEq）を超えない．
③ 投与方法　5%ブドウ糖注射液，生理食塩液などで希釈，よく混合する．カリウムの濃度は 40 mEq/L 以下とする．
④ 点滴速度　20 mEq/h を超えない．

【例 3】　ホスホマイシンナトリウム

ホスホマイシンナトリウムはNa^+含量が多い．例えば1バイアル中1 g(力価) の製剤は1 g×182.02/136.06＝1.337 g のホスホマイシンナトリウム，すなわち 1,337 mg$\times\frac{23\times2}{182.02}\times\frac{1}{23}$＝14.69 mEq の$Na^+$を含むので，心不全，腎不全，高血圧症等ナトリウム摂取制限を要する患者に投与する場合は注意すること．したがって1日4 g（力価）を注射する場合には 58.76 mEq の Na^+を投与することになり，無視できない量となる．

$C_3H_5Na_2O_4P$：182.02

8　注射剤の配合変化，試験法，予測法

8-1　配合変化の分類 と その機序 及び 要因

注射剤は単独で用いられるよりも，他の注射剤や輸液と混合して施用されることが多い．その際，種々の原因によって混濁が生じたり，分解，着色がみられたり，また外観変化がない場合でも分解によって成分含量が低下する場合がある．

注射剤の配合変化はその機序の面から物理的配合変化，化学的配合変化及び容器への吸着/収着に分類される（表15-12）．なかでも物理的及び化学的配合変化は，その例も多いことから，事前にこれらを監査することは注射剤によるリスクを回避し，あるいは経済的損失を防ぐために重要である．

1）物理的配合変化

注射剤の物理的配合変化は，表15-12に示すように混合によって主薬が析出する現象であり，注射剤の配合変化例の中では最も発生件数が多い．すなわち，通常多くの注射剤は，主薬の濃度がその pH において溶解度以下のため pH を調整して溶液状態としている．しかし，混合によって pH が変化し，それに伴って溶解度も変化する．したがって，混合後の主薬濃度がその pH における溶解度以上となった場合には，主薬が析出し，混濁することになる．物理的配合変化例のほとんどがこの機序に基づいている．

このほか，注射剤の中には主薬を溶解させるため，アルコール類などの非水性溶媒を添加している場合がある．このため，混合後に非水性溶媒が希釈されることに伴って，主薬が析出し混濁する例もある．

物理的配合変化に関わる要因としては表15-12に示したように，pH，溶解度，非水性溶媒などが挙げられる．

2）化学的配合変化

主薬どうし，あるいは主薬と種々の添加剤との化学的反応によって，主薬含量の低下が生じる

表 15-12. 注射剤の配合変化とその要因

機序分類	代表的な配合変化例	変化の機序	関わる要因	変化の結果
物理的配合変化	ネオフィリン注と酸性注射剤（アミノフィリン） ビソルボン注と塩基性注射剤（ブロムヘキシン塩酸塩）	溶解度の減少	pH 溶解度 非水性溶媒	混濁・沈殿
化学的配合変化	カルチコール注とリン酸塩含有輸液（グルコン酸カルシウム）	難溶性塩の生成	薬物の構造（エステル，アミド等）	力価低下
	エレメンミック注（塩化第二鉄，塩化マンガン，硫酸亜鉛，硫酸銅，ヨウ化カリウム）とタガメット注（シメチジン）	難溶性キレートの生成		
	ドパミン塩酸塩注射剤と塩基性注射剤	酸化分解（着色）	添加剤 光 空気 温度	力価低下
	注射用フサンと塩基性注射剤（ナファモスタットメシル酸塩）	加水分解		
	アンピシリン注射剤とブドウ糖含有輸液	酸化還元反応		
容器への吸着	インスリン注射剤とポリ塩化ビニル製容器	吸着	容器の材質	

変化を化学的配合変化と呼ぶ．表 15-12 に示すように，化学的配合変化の機序には，難溶性塩の生成，難溶性キレートの生成，分解着色，加水分解，酸化還元反応などがあり，それらに関わる要因には，薬物の構造，添加剤，光，空気，温度などがある．

① 薬物の構造　薬物分子中にエステル（表 15-12 の**注射用フサン**），アミド，β ラクタム環（表 15-12 のアンピシリン注射剤）など分解を受けやすい構造をもつ化合物は，薬物の反応性が高いので安定性に十分気をつける必要がある．

② 添加剤の影響　カルシウム補給剤である**カルチコール注**は，緩衝剤としてリン酸塩を含む注射剤との混合により，難溶性の塩を生じ沈殿する（表 15-12）．

フトラフール注は pH 調整剤として炭酸ナトリウムを含むため，カルシウムやマグネシウムを含む注射剤と配合すると，難溶性の炭酸カルシウムや炭酸マグネシウムを生成し沈殿を生じる．

③ 光の影響　光は化学反応を促進する因子として働き，とくに可視光線よりも紫外線の方が，また人工の光よりも直射日光の方が強い影響を与える．注射剤中では，TPN 溶液中の各種ビタミン類（A，B_1，B_2，B_{12}，C，K）は散光下で経時的に含量が低下する．したがって，TPN 溶液では遮光カバーを要するものがある．

■ 3）容器への吸着

ある種の薬物は輸液容器や点滴チューブに吸着する．含量低下をもたらす容器には，ポリ塩化ビニル（PVC）製，エチレン・酢酸ビニル共重合体（EVA）製のバッグが知られている．また，ポリ塩化ビニル製の点滴チューブにも吸着することを忘れてはならない．輸液容器中で含量低下を起こす医薬品としてニトログリセリン，硝酸イソソルビド，ミダゾラム，シクロスポリン，インスリンなどが報告されている[15]．

8-2 注射剤の配合変化予測試験法

1）直接法

混合される可能性のある注射剤を実際に混ぜて経時的に調査する．

色調，沈殿，混濁，油状物や結晶析出などの外観変化を観察するほか，沈殿など析出物の確認，含量の経時的変化の測定を行う．

直接法の配合変化試験はその組み合わせを理論的に考えると天文学的数字となる．例えば30品目の注射剤について2種を組み合わせると435通り，3種で4,060通り，4種で27,405通りとなり，すべてについて実施することは困難である．

2）間接法～物理的配合変化の予測試験法

a）Henderson-Hasselbalchの式

多くの薬物は比較的水に難溶性であり，溶解性を増すために塩の形，すなわち酸性塩又は塩基性塩にしている．したがって，水溶液から非解離型（分子型）の遊離酸又は遊離塩基が析出するpHはHenderson-Hasselbalchの式及び非解離型の溶解度より計算予測することができる．

弱酸性薬品の場合

$$pH = pKa - \log Cu/Ci \qquad \cdots\cdots(1)$$

Cu，Ci：非解離型，解離型のモル濃度

例えばフェノバルビタールナトリウム1%水溶液からフェノバルビタールが沈殿するpHを求めるには，

フェノバルビタール（MW：232.2）のpKa：7.41

フェノバルビタール非解離型の溶解度：1 g/1 L＝(1/232.2) mol/L（Cu）

フェノバルビタールナトリウム1%（10 g/L）水溶液のモル濃度：(10/254.2) mol/L

沈殿が生じるpHにおける解離型のモル濃度：

全濃度－非解離型の濃度（10/254.2－1/232.2）mol/L（Ci）

上記のpKa値，Cu，Ciを(1)式に代入すると，8.32が得られる．

すなわち，沈殿を防ぐためには，このpHより大きいことが必要である．

弱塩基性薬品の場合は，次式を用いる．

$$pH = pKa - \log Ci/Cu$$

〔Henderson-Hasselbalchの式の限界〕

薬物のpKa値や溶解度は，インタビューフォームをはじめ，種々の文献や成書から調べなければならない[16]．これらの値は求めた実験方法によって変動することが多く，また薬物によってはpKa値を2～3個を有することもある（解離基が多い場合）．さらに，注射剤の中には種々の添加物や非水性溶媒が添加されている場合もあることから，単なる水溶液と実際の注射剤の間では溶解度に違いが認められることも多い．したがって，上記の式を用いた予測法は，あくまでも水溶液の場合を想定した方法であることに注意しなければならない.

b）pH 変動試験

注射剤に酸又はアルカリ（0.1 mol/L HCl 液あるいは NaOH 液）を加えて，沈殿が生成する pH（変化点 pH）を求めておき，このデータを注射剤どうしの混合の際の沈殿生成の予測に用いる試みが種々検討されてきた.

このような pH 依存性の配合試験法は，1959 年に青木ら[17]によって考案され，その後，田辺[18]（1975），幸保[19]（1973）らによって改良された．さらに仲川らは輸液をベースとする pH 変動試験法を考案し，輸液に他剤を配合した後の配合変化予測法にまで発展させた[20]．なお，仲川義人 編「注射薬配合変化予測の実際」には，pH 変動試験に基づく配合変化予測方法の開発の経緯が詳述されている[21].

図 15-9 は輸液に注射剤 2 剤を配合した際の配合変化予測法を示している.

[処方 1] ソリタ-T3 号にソルコーテフとビソルボン注を混合した時の配合変化の予測

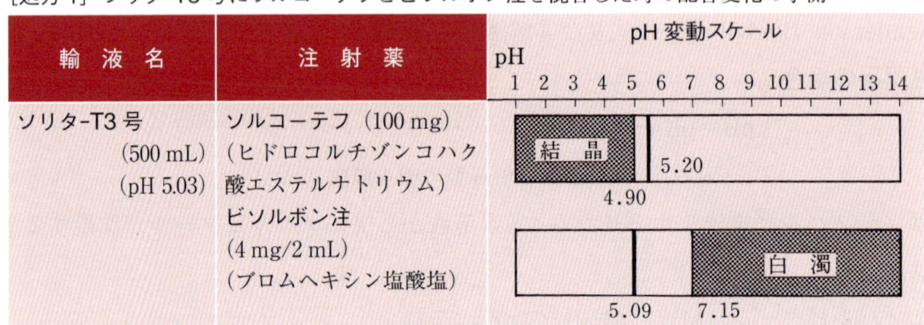

- ソリタ-T3 号＋ソルコーテフ：pH 5.20；pH 4.90 以下で結晶析出
- ソリタ-T3 号＋ビソルボン注：pH 5.09；pH 7.15 以上で白濁
- 3 種配合液の pH は 5.20 と 5.09 の間と予想されるので，処方 1 は外観変化が生じないと予測される．実際の配合結果も一致.

[処方 2] ソリタ-T3 号にサクシゾンとビタメジン静注用を混合した時の配合変化の予測

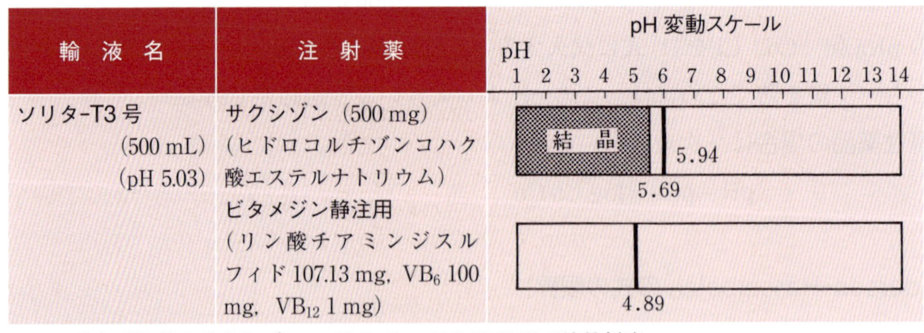

- ソリタ-T3 号＋サクシゾン：pH 5.94；pH 5.69 以下で結晶析出
- ソリタ-T3 号＋ビタメジン静注用：pH 4.89
- 3 種配合液の pH は 5.94 と 4.89 の間と予想され，pH 5.69 はこの範囲内なので混合は不可と予測される．実際に配合すると結晶が析出.

図 15-9. 輸液と注射剤の配合変化予測[20]

c）理論式による多剤配合時の pH 予測法

前述したように，注射剤を混合した際，主薬の濃度が混合時の pH における溶解度を上回った場合（濃度>溶解度）には析出・混濁が生じると考えてよい．

したがって，混合時の pH 及び溶解度を求めれば，その配合の可否を予測することが可能となる．宮崎らはこの考えに基づいて，主に輸液中での注射剤の配合について，予備検討を伴わない予測法として提案している[22, 23]．

① pHの予測法　多くの注射剤を混合したときのプロトン濃度（pH）については，Brönsted–Lowry の理論からプロトン平衡式を導くことができる．この方式の応用によって，多成分系混合水溶液中のプロトン濃度に関する一般式を導き，pH を理論的に求める[22]．

実際の注射剤においては，主薬のみならず含まれているすべての添加剤（緩衝剤，pH 調整剤，安定化剤など）の pKa 値及び濃度を把握しておく必要がある．

② 溶解度の算出　主薬の溶解度は，理論的に以下の式から求めることができる．

酸性薬物　：$S = So\ (1 + 10^{pH - pKa})$

塩基性薬物：$S = So\ (1 + 10^{pKa - pH})$

S：溶解度，So：遊離酸または遊離塩基の溶解度

文献や成書から，So を求め，式に代入してその時の pH の S（溶解度）を算出するが，実際には実測した溶解度と差がみられることも多い．したがって，正確を期すためには，1 つの pH における実測溶解度を測定して，理論溶解度と異なる場合にはいくつかの pH における溶解度，すなわち pH–溶解度曲線を求めることも必要となる．

このようにして求めた ①理論 pH と ②溶解度 から，混合時の主薬濃度>溶解度の場合には，主薬が析出する可能性はかなり高いと予想される．

図 15–10 に示したように，輸液 1 剤に注射剤 2 剤を配合した組み合わせにおいて本予測法の的中率を実際の混合後の結果と比較したところ，外観変化なしと予測された組み合わせ（混合後の濃度<理論溶解度，95 例）においては全例が「変化なし」であり，一方，外観変化ありと予測された組み合わせ（混合後の濃度>理論溶解度，85 例）のうち 69 例（81.2%）に析出や白濁が認められており，予測的中率は良好であると報告されている[23]．

本予測法の問題点　個々の施設ごとに注射剤中の成分濃度及び pKa 値をすべて収集することは，企業側の公表姿勢からみて難しい面が多い．またジェネリック医薬品（後発医薬品）の場合にはデータ収集に困難が伴う．

8–3 実際の場における配合変化監査方法

臨床の場において，注射剤処方箋に基づいて注射剤を交付あるいは混合調製（計量調剤）する場合には，用量・用法とともに混合の可・否を速やかに監査し，疑義照会を行うことが要求される．

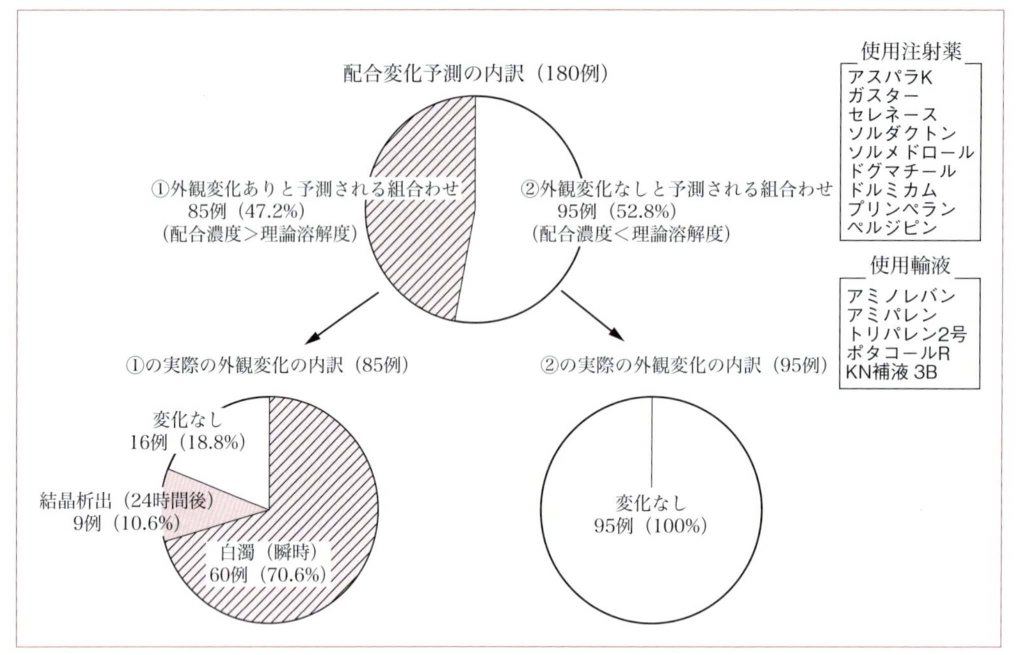

図 15-10．輸液 1 剤に注射剤 2 剤を配合したときの配合変化予測[23)]

理論 pH は，各種注射剤 1 mL（溶液）または 1 V（凍結乾燥品）に輸液 1 剤を加えて全量を 10 mL とした後，それらの溶液を等量ずつ混合した溶液の pH を計算式にて求めた．

1）物理的配合変化の監査

表 15-13 は，pH が小さく変化するだけで析出しやすい注射剤と輸液との配合時の留意点を示している．pH 移動指数とは，析出が生じるまでの pH 変化度を指している．この中には日常的に繁用される注射剤が多いことから，これらを中心に配合相手の注射剤や輸液類の pH に注意を向けて監査することになる．

これらの注射剤は，各々酸性あるいは塩基性の注射剤と直接配合すると主薬が析出する割合がきわめて高い．したがって，注射剤どうしを先に混ぜてから輸液へ配合するのではなく，原則的には注射剤 1 剤ずつを順次輸液に配合していくことが大切である．このとき，配合後の pH は輸液の pH へと移動することが多いことから，各輸液の pH を把握しておく必要がある．析出が生じる変化点 pH の情報は「注射薬調剤監査マニュアル」[24)]が，また各種輸液の pH と配合可否の情報は「表解注射薬の配合変化」[25)]が参考となる．

2）化学的配合変化の監査

これまでの多くの経験や検討結果より得られた化学的配合変化例を成書[25, 26)]より抽出し，これらを中心にして監査を行っている施設が多い．しかしながら，前述したように注射剤の配合は輸液類に配合していくことが基本となることから，輸液類と注射剤の配合変化例を抽出し，これらを参考としながら監査が行われている（表 15-14）．

表 15-13. pH が小さく変化するだけで析出しやすい注射剤

	薬剤名	薬剤 pH	pH 移動指数	備考
酸性側へ移動で沈殿・混濁	アレビアチン	12.22	1.51	生食による希釈は 4 倍まで．IVH とは同時投与しない
	イソゾール	10.51	0.86	ヴィーン D，ソリタ-T，フィジオゾール，ポタコール R とは配合不可
	ゾビラックス	11.26	0.82	ソリタ-T2 とは配合不可
	ソル・コーテフ	7.35	0.42	酸性の強い電解質輸液（ハルトマン D，フィジオゾール 3 号など）とは配合不可
	ソルダクトン	9.28	0.93	酸・中性を示すほとんどの輸液とは配合不可
	ソル・メドロール	7.58	1.48	酸性を示す高カロリー輸液とは配合不可
	水溶性プレドニン	6.72	0.40	配合 pH 6.3 以下となる輸液とは配合不可
	ネオフィリン	9.06	1.76	例えばソリタ-T3 との配合 1 時間後には黄色変化
	ラシックス（20 mg）	9.11	2.79	配合不可の輸液が多いので要注意
塩基性側へ移動で沈殿・混濁	アタラックス P	4.70	1.60	混合後 pH 6.4 以上となる抗菌薬，塩基性注射剤との配合は不可
	セレネース	3.98	2.35	混合後 pH 6.5 以上となる輸液との配合は不可
	ドルミカム	3.44	1.28	塩基性注射剤との直接配合は不可（輸液とは可が多い）
	ビソルボン	2.81	1.90	混合 pH 4.7 以上となる輸液との配合の多くは不可
	水溶性プレドニン	6.72	2.56	ネオフィリン等の塩基性薬剤を配合後の輸液との配合は注意
	ペルジピン	3.66	1.53	混合 pH 6 以上となる輸液との配合は不可
	ワソラン	6.19	1.19	多くの輸液との配合は変化点 pH 以下であり変化は生じにくい

表 15-14. 輸液と注射剤の化学的配合変化例

輸液	注射剤	備考
5%ブドウ糖液	アプレゾリン注射用 （ヒドララジン塩酸塩）	ヒドララジン塩酸塩の分解
	ブリプラチン，ランダ （シスプラチン）	クロルイオン濃度が低い輸液を用いて点滴静注すると活性が低下する アミノ酸輸液，乳酸ナトリウムを含有する輸液を用いると分解が起こる
生理食塩液	ロイナーゼ （L-アスパラギナーゼ）	用時注射用水で溶解する 溶解後に各種輸液で希釈した場合，白色繊維状の微粒子が経時的に増加する
細胞外液補充液 維持液	リン酸塩，炭酸塩を含む注射剤	カルシウムイオンを含む輸液との配合で，難溶性のカルシウム塩を形成することがある
生理食塩液をはじめ無機塩類を含む輸液	注射用フサン （ナファモスタットメシル酸塩）	アルカリ性下で加水分解 無機塩類を含む輸液で直接溶解すると難溶性の塩酸塩を析出
高濃度アミノ酸輸液など	注射用エフオーワイ （ガベキサートメシル酸塩）	安定化剤として配合されている亜硫酸水素イオンによりエステル結合が加水分解
TPN 用基本液	強力ネオミノファーゲンシー	pH 4.0 以下でゲル化
生理食塩液をはじめ電解質を含む輸液	ファンギゾン （アムホテリシン B）	電解質によりコロイド粒子が集合して沈殿

文献

1) 堀岡正義・朝長文彌監修，石射正英編集：注射剤―その基礎と調剤と適用　南山堂　1995
2) Avis KE, Levchuk JW：Parenteral Preparations, Remington The Science and Practice of Pharmacy, 20th ed 780 2000
3) 日本病院薬剤師会：平成20年度「病院薬剤部門の現状調査」集計結果報告，日病薬誌 **46**(3) 269-301 2010
4) 日本病院薬剤師会：入院患者のための注射薬調剤指針，日病薬誌 **37**(2) 287 2001
5) 堀岡正義：注射剤の異物，ファルマシア **12**(10) 827 1977
6) 内田研三ら：改良Final Filterの異物除去効果，薬剤学 **36**(2) 55 1976
7) Falck K et al.: Mutagenicity in urine of nurses handling cytotoxic drugs, Lancet Ⅰ 1250 1979
8) Harrison BR：Developing guidelines for working with antineoplastic drugs, Am J Hosp Pharm **38** 1686 1981
9) Am J Hosp Pharm May **47** 1033-1060 1990
10) 日本癌看護協会・日本臨床腫瘍学会・日本臨床腫瘍薬学会編：がん薬物療法における暴露対策合同ガイドライン2015　金原出版　2015
11) 日本病院薬剤師会監修：抗がん薬調製マニュアル　第2版　じほう　2009
12) Total parenteral nutrition/total nutrition admixture, USP DI Update Vol Ⅰ & Ⅱ 66 1996
13) 高カロリー輸液療法施行時の重篤なアシドーシス，医薬品等安全性情報No. 144 2 1997.9
14) 山路　昭ら：高カロリー輸液，注射剤―その基礎と調剤と適用（堀岡正義ら編）101　南山堂　1995
15) 河野健治：注射薬と医療用具との相互作用「輸液配合の前に」vol. 1　ジェフコーポレーション　1998
16) 渡辺善照・芳賀　信編：標準薬剤学―医療の担い手としての薬剤師をめざして　南江堂　2003
17) 青木　大ら：pH変動による注射剤配合変化予測，薬剤学 **23**(3) 260 1963
18) 田辺　登：図解による注射薬の配合変化予測法，九州薬学会会報 **29** 77 1975. 薬局 **26**(5) 565 1975
19) 幸保文治：注射薬の配合変化試験法基準，薬剤学 **33**(1) 別刷付録63 1973. J Nippon Hosp Pharm Assoc **9**(11) 348 1973
20) 仲川義人ら：輸液に混合する注射薬の配合変化予測法（第4報）―臨界点pHの概念―，病院薬学 **21**(6) 355 1995
21) 仲川義人編：注射薬配合変化予測の実際　医薬ジャーナル　1997
22) 宮崎勝巳ら：理論式による多剤配合時のpH予測方法，病院薬学 **22**(2) 183 1966. 同上（第2報），病院薬学 **23**(6) 519 1977
23) 宮崎勝巳ら：物理化学的視点からみた薬剤の安定性，薬事 **42**(9) 53 2000. 輸液中での多剤配合による配合変化の予測「輸液配合の前に」vol. 1　ジェフコーポレーション　1998
24) 山口県病院薬剤師会注射調剤特別委員会：注射薬調剤監査マニュアル　エルゼビア・ジャパン　2005
25) 菅原　満監修：表解注射薬の配合変化 改訂9版　じほう　2005
26) 全田　浩監修：これからはじめる注射剤調剤　南江堂　2003

16 特殊医薬品

1　救急用医薬品

1-1　救命救急医薬品

救命救急センターや病院の救急治療室が常備すべき救急用医薬品には強心薬，昇圧薬，アシドーシス補正薬，抗けいれん薬，副腎皮質ステロイド，輸液などがある．とくに重要なものは救急蘇生用医薬品である．これらは代謝性アシドーシスを是正し，危険な不整脈を治療し，循環系を確立し，主要臓器の機能維持を目的としている．

心停止の場合，まず心肺蘇生法に続き，一刻も早くアドレナリン1 mgを反復静注し，心臓の自動収縮能を改善させる．アトロピン硫酸塩に関しては1 mgを急速静注するが，それ以降は総投与量が3 mgまで反復投与する．低酸素血症による代謝性アシドーシスを補正するためには，炭酸水素ナトリウム｛炭酸水素ナトリウムの必要量（base deficit mEq）=〔不足塩基量（mEq/L）×0.2×体重（kg）〕｝を静注する．

カテコールアミンは血行動態のモニタリングを行いながら，状態に応じてドパミン塩酸塩，ドブタミン塩酸塩，ノルアドレナリンなどを用いる．

リドカイン塩酸塩は頻発する心室性上室性の期外収縮，発作性頻拍に対し1～2 mg/kgを1～2分かけて緩徐に静注する．効果が認められない場合には5分後に同量を追加．また，効果の持続を期待する時は10～20分間隔で同量を追加投与しても差し支えないが，1時間内の最高投与量は300 mgまでとする．

表16-1に救命救急用注射剤を示す．

1-2　中毒治療薬・拮抗薬（表16-2）

医薬品や化学物質による中毒として，自殺目的で服用した場合，治療目的で使用した医薬品によって中毒症状を呈した場合，日常生活や職場で摂取，吸入した有害物質（ヒ素，水銀，農薬など）により健康被害を生じた場合，乳幼児，小児が誤食誤飲した場合，などがある．

急性中毒の場合の応急処置は次の方法による．

① 呼吸不全の管理

② 循環不全の管理

③ 吸収の防止：催吐（トコンシロップ），胃洗浄，吸着薬・瀉下薬の投与，腸洗浄

表 16-1．救命救急用注射剤

医薬品，製品名	規　格	適応，用法・用量
炭酸水素ナトリウム メイロン静注 7・8.4%	7・8.4% 20・250 mL	アシドーシス 必要量（mEq）＝不足塩基量（mEq/L）×0.2×体重（kg），8.4%製剤は 1 mL＝$NaHCO_3$ 1 mEq
アドレナリン ボスミン注	1 mg 1 mL	蘇生時等の緊急時．1 回 0.25 mg を超えない量を生理食塩液等で希釈し，できるだけゆっくり静注．必要あれば 5～15 分ごとに繰り返す
ノルアドレナリン ノルアドリナリン注	1 mg 1 mL	急性低血圧又はショック時の補助療法 1 回 1 mg を 250 mL の生理食塩液等で希釈し，点滴静注
イソプレナリン塩酸塩 プロタノール L 注	0.2 mg 1 mL	心筋梗塞や細菌内毒素等による急性心不全，手術後の低心拍出量症候群等．緊急時：0.2 mg を等張溶液 20 mL で希釈し，2～20 mL を徐々に静注，筋注又は皮下注．心臓がまさに停止しようとする時は 0.02～0.2 mg を心内に与えてもよい
ドパミン塩酸塩 イノバン注 イノバンシリンジ 0.1・0.3・0.6%	50 mg 2.5 mL 100 mg 5 mL 0.1・0.3・0.6% 50 mL	急性循環不全（心原性ショック，出血性ショック） 1～5 μg/kg/分で点滴静注，20 μg/kg まで
ドブタミン塩酸塩 ドブトレックス注 ドブトレックスキット点滴用 0.1・0.3%	100 mg 5 mL 0.1・0.3% 200 mL	急性循環不全における心収縮力増強 1～5 μg/kg/分で点滴静注．20 μg/kg まで増量可 5 mL 製剤は生理食塩液等で希釈
アトロピン硫酸塩 アトロピン注 0.05% シリンジ	1mL（0.5 mg）	徐脈及び房室伝導障害 0.5 mg を皮下又は筋注．場合により静注
リドカイン塩酸塩 オリベス静注 オリベス点滴用 1%	100 mg 5 mL 1% 200 mL	期外収縮（心室性，上室性），発作性頻拍（心室性，上室性） ①静脈内 1 回投与：1 回 50～100 mg（1～2 mg/kg）を 1～2 分間で緩徐に静注．効果ない時 5 分後に同量投与．効果の持続を期待する時 10～20 分間隔で同量を追加．1 時間内の最高投与量 300 mg．静注の効果 10～20 分で消失 ②点滴静注：①が有効で効果の持続を期待する時は心電図の監視下点滴静注
プロカインアミド塩酸塩 アミサリン注	200 mg 2 mL 100 mg 1 mL	期外収縮（心室性，上室性），発作性頻拍（心室性，上室性），心房細動 緊急時①筋注：1 回 0.5 g を 4～6 時間ごと ②静注：1 回 0.2～1 g を 50～100 mg/分で投与
ヒドロコルチゾンリン酸エステルナトリウム 水溶性ハイドロコートン注 又は他の副腎皮質ステロイド注	100 mg 2 mL 500 mg 10 mL	外科的ショック，ショック様状態の救急． 術中・術後のショック．1 日 1～数回，1 回 250～1,000 mg を静注又は点滴静注

体内に吸収された薬物に対しては次の処置，治療を行う．

① 強制利尿，腹膜灌流，血液透析，血液灌流による体外除去（脂溶性，蛋白結合率の高いものには効果小）

② 交換輸血

③ 解毒薬，拮抗薬の投与

毒物劇物取締法施行規則第11条の5には，有機リン化合物の解毒剤として，プラリドキシムヨウ化物（PAM）及びアトロピン硫酸塩が記されている．

薬物による中毒の処置と治療の情報源としては次のものが有用である．

日本中毒情報センター・ホームページ：急性中毒の治療に必要な情報の収集と整備ならびに問い合わせに対する情報提供を行っている．

UMIN 中毒データベース検索システム：商品分類一覧から探せる．

Poisindex，Micromedex（CD-ROM，年4回改訂）

表 16-2. 中毒治療薬・拮抗薬（＊局方外）

医薬品名，製品名	製剤・用法など
吸収防止（吸着薬，催吐薬） 薬用炭	薬物中毒における吸着及び解毒 末：1日2～20 g，数回に分服．薬物中毒による吸着には1～2 g/kgを目安とし，水又はソルビトールに懸濁して用いる．
トコン（p.378）	タバコ，医薬品等誤飲時の催吐
有機リン類解毒薬	中毒症状はコリンエステラーゼ活性が阻害され，軽症では倦怠感，吐気，運動失調がみられる．縮瞳は本中毒の特徴で中等症，重症になるに従い縮瞳が強くなる．重症では歩行困難，意識障害，呼吸困難，全身けいれんなどの症状が加わる．
アトロピン硫酸塩 アトロピン塩酸塩注 0.5 mg	注：0.5 mg/1 mL．有機リン剤のコリンエステラーゼ活性阻害による症状の改善． 軽症：0.5～1 mg内服，皮下注． 中等症：1～2 mg皮下注，筋注，静注，必要時20～30分毎に反復． 重症：2～4 mg静注，アトロピン飽和の徴候（瞳孔散大，対光反射）が出るまで反復．
プラリドキシムヨウ化物＊（PAM） パム静注 500 mg CH_3 N CH=NOH I	注：500 mg/20 mL．有機リン剤によるコリンエステラーゼ活性阻害に対する拮抗薬． 1回1 gを徐々に静注．アトロピンと混合しない（混合により薬効発現が遅延することがある）．
ジアゼパム セルシン注 5 mg・10 mg ホリゾン	注：5 mg/1 mL・10 mg/2 mL．有機リン中毒，カーバメート中毒におけるけいれんの抑制．直接的な解毒作用はないので，アトロピン，プラリドキシムを投与の上，本剤を投与．呼吸状態の把握，気道の確保に注意．初回2 mL（10 mg）を緩徐に筋注又は静注．以後3～4時間ごとに注射．
除草剤（パラコート，ジクワット）中毒	除草剤散布中の事故はきわめて少ないが，自殺目的で服用すると肺障害を起こし，死亡率が高い．特異的解毒薬がないので，催吐，胃洗浄，活性炭吸着型血液浄化法などの基本治療を早期に実施する必要がある．

（つづく）

医薬品名，製品名	製剤・用法など
ポリスチレンスルホン酸ナトリウム[1,2] ケイキサレート散	末．胃洗浄後の吸着剤としてケイキサレートは活性炭の10倍以上の吸着力がある．約100 gを水200～400 mLに懸濁してのませるか，胃洗浄チューブが入っている時は，これを通して注入する．低カリウム血症に注意．
金属中毒治療薬	
エデト酸カルシウム二ナトリウム* ブライアン点滴静注1 g	腸溶錠：500 mg　注：1 g/5 mL．鉛を水溶性の錯塩として排泄する． 内服：1日1～2 gを2～3回食間分服．初め5～7日間連用，3～7日間休薬を1クールとする．必要に応じ反復． 点滴静注：1回1 gを5％ブドウ糖液，生理食塩液250～500 mLで希釈し1時間かけて1日2回，5日間点滴静注，必要時2日休薬し反復．小児：1回0.5 g以下/15 kg，15 kg当たり，1日1 gまで．
ジメルカプロール バル筋注100 mg	油性注：100 mg/1 mL．SH基と結合し体外へ排泄．ヒ素（亜ヒ酸）水銀，鉛，銅，金，ビスマス，クロム，アンチモンの中毒（亜鉛，ニッケルにも用いる）． 1回2.5 mg/kgを初日は6時間ごと，以後1日1回6日間筋注（禁静注）． 重症緊急時：1回2.5 mg/kgを初めの2日間は4時間ごと．3日目は1日4回，以後1日2回10日間又は回復するまで筋注（禁静注）．
チオプロニン* チオラ錠	錠：100 mg．SH系解毒薬．水銀中毒時の水銀排泄．1回100～200 mg 1日3回．
チオ硫酸ナトリウム デトキソール静注2 g	注：2 g/20 mL．ヒ素（亜ヒ酸）中毒：1日1～2 g緩徐に静注．
デフェロキサミンメシル酸塩 デスフェラール注500 mg	注用：500 mg．Fe^{3+}と結合し，尿へ排泄． 原発性・続発性ヘモクロマトーシスでの鉄の尿中排泄を増加． 慢性鉄過剰症：500 mgを5 mLに溶かし，1日1,000 mgを1～2回に分けて筋注，維持量1日500 mg． 重篤，ショック時：1回1,000 mgを毎時15 mg/kgで徐々に点滴，1日80 mg/kgまで．
D-ペニシラミン* メタルカプターゼカプセル	カプセル：50 mg，100 mg，200 mg．鉛・水銀・銅と可溶性キレートをつくり，尿への排泄促進．1日1,000 mg（600～1,400 mg）を食前空腹時数回に分服． 連日投与，漸増法，間歇法（5日投与，5日休薬）がある．
シアン中毒治療薬	
チオ硫酸ナトリウム デトキソール静注2 g	注：2 g/20 mL．1回12.5～25 g静注（無毒なチオシアン酸とする）．
亜硝酸アミル	吸入用：1管中0.25 mL．30～60秒間，5分ごとに吸入，患者の意識が戻るまで．次いで間隔をあけて24時間吸入を続ける．
抗酒薬	肝臓のアルコール脱水素酵素を阻害し，アセトアルデヒドの血中濃度上昇．患者，家族に薬理作用を説明し，投与中に飲酒すると危険であることを理解させ，服薬の同意を得ておくこと．
シアナミド シアナマイド液	液：10 mg/1 mL．慢性アルコール中毒者，過飲酒者に対する抗酒療法． 断酒療法：1日50～200 mg（5～20 mL）を1～2回に分服．1週間後の飲酒試験には平常の飲酒量の1/10以下の酒を飲ませ，症状により調節し，維持量を決める． 節酒療法：酒量を清酒で180 mL，ビールで600 mL前後に抑えるには，1日15～60 mg（1.5～6 mL）を1日1回又は隔日に投与．

（つづく）

医薬品名，製品名	製剤・用法など
ジスルフィラム ノックビン原末	末．慢性アルコール中毒の抗酒療法． 作用は12時間で現れ，7～8日間続く．1日0.1～0.5 gを1～3回に分服．1週間投与後に飲酒試験（平常の飲酒量の1/10以下を10～15分以上で飲む）をし，維持量を決める． 維持量：1日0.1～0.2 gを毎日又は7日投与し，7日休薬．
医薬品中毒治療薬・拮抗薬	
アセチルシステイン アセチルシステイン内用液17.6%「あゆみ」20 mL （アセチルシステインNaとして10%）	アセトアミノフェン（AA）中毒の解毒．AAは解熱鎮痛薬，総合感冒薬に広く配合されている．過量に摂取すると，肝障害，腎障害，DICなど重篤な中毒症状を呈することがある．*N*-アセチルシステイン（AC）はAAを抱合するグルタチオンの前駆物質で，AAによる劇症肝炎の発症を防止する． 本剤または本剤の希釈液を，初回にアセチルシステインとして140 mg/kg，4時間後から70 mg/kgを4時間ごとに17回，計18回経口投与．経口投与が困難な場合は，胃管又は十二指腸管により投与．投与後1時間以内に嘔吐した場合は，再度同量を投与．
グルカゴン* グルカゴン注射用1単位	注用：1 U.S.P単位/バイアル．低血糖時の救急処置． 1 mLの注射用水に溶解し，筋注，静注．15～20分で改善しない時，再投与せず，直ちに糖類を投与．
ナロキソン塩酸塩 ナロキソン塩酸塩注0.2 mg	注：0.2 mg/1 mL．麻薬による呼吸抑制・覚醒遅延の改善． 静注：1回1 mL，効果不十分の場合2～3分間隔で1 mLを1～2回追加．
メナテトレノン ケイツーN静注10 mg	注：10 mg/1 mL．各種薬剤（クマリン系抗凝血薬，サリチル酸，抗生物質など）投与中に起こる低プロトロンビン血症． 20～50 mgを皮下，筋注又は静注．
フルマゼニル* アネキセート注0.5 mg	注：0.5 mg/5 mL．ベンゾジアゼピン系薬剤による鎮静の解除，呼吸抑制の改善． 初回0.2 mgを緩徐に静注．4分以内に目標の覚醒状態が得られない場合は0.1 mgを追加．以後必要に応じ，1分間隔で0.1 mgずつを総量1 mgまで，ICU（intensive care unit集中治療部）領域は2 mgまで反復．
プロタミン硫酸塩 プロタミン硫酸塩静注100 mg	注：100 mg/10 mL．ヘパリン過量投与時の中和． ヘパリン1,000単位に対して10～15 mgを投与（中和試験により投与量決定）． 1回につき50 mgを超えない量を生理食塩液又は5%ブドウ糖液100～200 mLに希釈し，10分以上をかけて徐々に静注．
ホリナートカルシウム（ロイコボリンカルシウム，LV） ロイコボリン注3 mg	注：3 mg/1 mL．メトトレキサート（MTX）拮抗薬． MTXによる副作用発現時：1回6～12 mgを6時間ごとに筋注． MTX過剰投与時：投与したMTXと同量を投与． MTX・LV救援療法：MTX投与終了3時間目より1回15 mgを3時間間隔で9回静注　以後6時間間隔で8回静注，筋注． MTX・フルオロウラシル交代療法：MTX投与後24時間目より1回15 mgを6時間間隔で2～6回（MTX投与後24，30，36，42，48，54時間目）静注，筋注．
レバロルファン酒石酸塩 ロルファン注1 mg	注：1 mg/1 mL．麻薬拮抗薬．本薬1はペチジン100，モルヒネ50と拮抗． 過剰量判明：対応量を静注，必要ならば3分間隔で1/2量を1～2回． 過剰量不明：初回1 mgを静注，効果が現れれば必要に応じ3分間隔で0.5 mgを1～2回．

1-3 乳幼児の誤飲誤食事故[3)]

日本中毒情報センターの“中毒 110 番”(p.35) には年間約 4 万件の急性中毒の問い合わせがある. 内訳は一般より 73%, 医療機関 24%, 一般の 90%は乳幼児の誤飲誤食事故である.

なかでも 1 歳未満のタバコの誤食が多い. これは日本以外ではみられないことで, 畳と椅子の生活様式の差による. 紙巻きタバコ 1 本のニコチン含量は, 種類により異なるが, 通常 7〜20 mg. 中毒量 2〜5 mg. 誤食しても通常嘔吐により吐き出すので重篤な症状はまれである[4)].

誤飲誤食事故防止の原則は, 乳幼児のまわりに危険なものを置かない, 整理整頓して片付け, 保管を励行することである.

ジュース缶を灰皿代りに使うことは, タバコの浸出液を誤飲することになるので危険である.

家庭用品では, 蚊取り線香, 洗剤, シャンプー, 塩素系漂白剤, 防虫剤などの誤飲誤食が多い. ボタン電池の誤食にも注意.

感冒薬のシロップ剤, **マキロン**のような殺菌消毒剤には乳幼児が開けにくい安全キャップが使用されている.

2 血液製剤

2-1 血液製剤

人の血液を原料とする医薬品を血液製剤という.

血液製剤は輸血用血液製剤 (全血製剤, 血液成分製剤) と, 血漿から治療に必要な血漿蛋白を分画した血漿分画製剤に大別される (図 16-1).

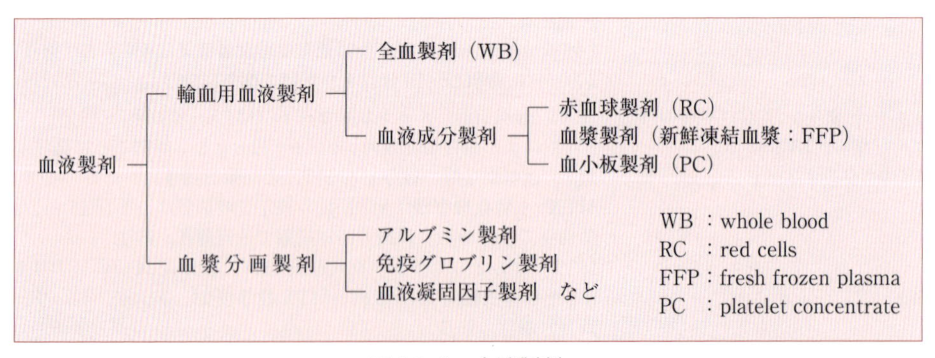

図 16-1. 血液製剤

わが国の血液製剤は従来輸入品への依存度が高かったが, 国の施策, 献血運動, 400 mL 献血, 成分献血の推進により, 段階的に自給率が高まっている. 2005 年 (平成 17 年) の国内自給率は, アルブミン製剤が約 53%, 免疫グロブリン製剤では約 83%に達している.

2002年（平成14年）7月31日「安全な血液製剤の安定供給の確保等に関する法律」が公布され（平成14年法律第96号），2003年（平成15年）7月30日より施行された．この法律の基本理念として，① 安全性の向上に配慮した上で製造，供給，使用すること，② 国内自給の確保を基本としながら安定供給を確保すること，③ 適正に使用すること，④ 国などの関係者は施策の策定，実施にあたって公正の確保と透明性の向上を図ること，と規定している．

血液製剤は薬事法（当時）上，医薬品に該当するため，同時に薬事法も改正され，2003年（平成15年）7月30日に施行された．ここでは，「人その他の生物（植物を除く）に由来する原料などを用いて製造される医薬品などのうち，保健衛生上の特別の注意を必要とするものを生物由来製品として指定し，そのうち，とくに当該製品による保健衛生上の危害の発生又は拡大を防止するための措置を講ずることが必要なものを特定生物由来製品」として血液製剤を指定するとともに，血液製剤の原料となる血液の採血国及び献血・非献血の区別を表示することを義務づけている．

血液製剤を投与する場合には，患者に対し疾病の治療のための血液製剤投与の必要性や，血液に由来する感染症のリスクを完全に排除できないことなどについても説明し，理解を得るよう努めなければならない．また，血液製剤によるウイルス等の感染症が疑われた場合に速やかに調査できるよう，医療機関や薬局では特定生物由来製品管理簿（血液製剤管理簿）を作成し，患者氏名や住所，血液製剤の名称及び製造番号，使用年月日などを記録し，それを20年間保存しなければならない（p.115参照）．

血液製剤はウイルス等の危険性を常にはらんでいる．B型肝炎ウイルス（HBV），C型肝炎ウイルス（HCV），ヒト免疫不全ウイルス（human immunodeficiency virus：HIV）による感染防止対策として，献血時の問診，採取した血液のHBs抗原，抗HCV抗体，抗HIV抗体試験に加え，核酸増幅検査（NAT検査 nucleic acid amplification test）を実施している．

血液製剤には貯法，有効期間について注意すべき製剤が多い（表16-3）．

表16-3．血液製剤の貯法，有効期間

製剤名	貯法，有効期間
保存血液	2～6℃，採血後21日
人血小板濃厚液	20～24℃要：振とう，採血後4日間
人免疫グロブリン	凍結を避け10℃以下，検定合格の日から2年
人血清アルブミン	凍結を避け30℃以下，検定合格の日から2年
血液凝固第Ⅷ因子	凍結を避け10℃以下，検定合格の日から2年

輸血による重篤な副作用の1つに輸血後GVHD（移植片細胞対宿主病 graft versus host disease）がある[5]．graft（移植片）は輸血血液，host（宿主）は輸血を受けた患者である．

これは輸血用血液製剤中のT細胞が宿主を抗原とみなして免疫反応を起こし，骨髄，皮膚，肝，腸管などに障害を与える病態をいう．衰弱患者に大量の輸血を行った場合に起こると考えられていたが，最近では免疫機能が正常な患者にも輸血後GVHDが報告されている．輸血後1～2

週間で発症し，致死率が高い．

輸血後 GVHD の予防対策として，輸血用血液製剤の放射線照射（15～50 Gy）を行い，供血者のリンパ球の増殖反応を抑えることが有効である．しかし放射線照射によるカリウム濃度の上昇，それによる高カリウム血症発現が懸念されるので，照射後速やかな使用が勧められている．

2-2 血漿分画製剤

1）免疫グロブリン製剤

免疫グロブリン製剤には，筋注用製剤と静注用製剤がある．筋注用製剤は，無又は低ガンマグロブリン血症，ウイルス性疾患（麻疹・A 型肝炎・ポリオ）の予防及び症状の軽減に，また静注用製剤は，低並びに無ガンマグロブリン血症，重症感染症において抗生物質との併用，特発性血小板減少性紫斑病，川崎病，ギラン・バレー症候群，慢性炎症性脱髄性多発根神経炎（CIDP）などに用いる．

無処理の免疫グロブリンは静注するとアナフィラキシー様症状を呈することがあるので，筋注でしか投与できない．これは免疫グロブリンの分子が重合した IgG 重合体が混在することによって，補体の異常活性化が起こることによる．そのため，IgG 重合体が生成されないように，初期には酸素処理，化学処理をした静注用製剤が開発されたが，次いでインタクト型（非修飾型）と呼ばれる製剤が開発され，現在はインタクト製剤が主流となっている．インタクト型製剤は，ポリエチレングリコール処理，pH 4 処理，イオン交換樹脂処理などにより，重合体を除去または解離させており，酸素処理製剤よりも半減期が長くなっている．

また，免疫グロブリン製剤のウイルスに対する安全性は一般的に高いと考えられているが，より安全性を高めるために加熱処理，SD 処理*やウイルス除去膜処理などの安全対策が実施されており，製剤によってその安全対策は異なっている．

そのほかに，ある特定の抗体を高濃度に含む特殊免疫グロブリン製剤がある〔抗破傷風人免疫グロブリン，抗 HBs 人免疫グロブリン，乾燥抗 D（Rho）人免疫グロブリン〕．

2）アルブミン製剤

アルブミン製剤には，人血清アルブミン，加熱人血漿蛋白がある．

アルブミンの喪失（熱傷，ネフローゼ症候群など）及びアルブミン合成低下（肝硬変症など）による低アルブミン血症，出血性ショックに用いる．

3）血液凝固因子製剤

人血液凝固第Ⅷ因子製剤，人血液凝固第Ⅸ因子製剤，人血液凝固第ＸⅢ因子製剤，トロンビン製剤，フィブリノゲン製剤がある．

＊ 有機溶媒（Solvent）と界面活性剤（Detergent）を用いて，ウイルスや細菌の外被膜（エンベロープ）を破壊．

第Ⅷ因子製剤は血友病Aに，第Ⅸ因子製剤は血友病Bに用いる．

第Ⅷ因子製剤は遺伝子組換え型の製剤も発売されている．

その他，抗凝固に働くものとして，アンチトロンビンⅢ製剤があり，先天性アンチトロンビンⅢ欠乏症や汎発性血管内凝固症候群（DIC）に用いる．

3 放射性医薬品

3-1 放射性医薬品 radiopharmaceuticals

放射性医薬品とは，ラジオアイソトープ（radioisotope：RI）（放射性同位元素）を使用した医薬品で，放射性医薬品を取り扱う臨床医学分野を核医学という．放射性医薬品には，直接人体に投与し，体外から特殊な装置で放射性同位元素が放出する微量の放射線を測定するもの（体内診断用放射性医薬品）と治療に用いるもの，直接人体には投与せず，血液及び尿中に含まれる微量の物質を体外で測定するもの（体外診断用放射性医薬品）がある．

体内診断用放射性医薬品は，一般的に使用される薬の量が治療用の医薬品と比べ，はるかに少ないため，人体への負担が少なく検査ができる．投与された微量のアイソトープが病気の部位に特異的に集まる（あるいは集まらない）状態を，それらの部位から放出される放射線を検出することにより画像にできる．また，体外診断用放射性医薬品は，患者から採取した血液や尿の中に含まれている，ごく微量の物質を測定する放射性医薬品であり，採取した血液や尿を用いての検査で，患者の身体への被曝は全くない．

治療では1960年代から放射性医薬品を用いた甲状腺疾患の治療が行われている．2008年（平成20年）には，放射性物質イットリウム（^{90}Y）またはインジウム（^{111}In）を結合させた抗CD20抗体のイブリツモマブチウキセタンが難治性の悪性リンパ腫の治療薬として承認された．アポトーシスの誘発および^{90}Yからのβ線放出により細胞傷害を誘発する．院内で放射性同位元素の標識が必要である．

放射性医薬品を使用する核医学検査は，患者への負担が少なく，かつ，高感度な診断方法である．放射性医薬品は，ラジオアイソトープを含み放射線を放出することによって，疾病の診断，治療に用いる医薬品である．放射性医薬品は日本薬局方のほか，放射性医薬品基準にも収載されている．局方収載のものを表16-4に示す．

放射性医薬品は，次の点で一般の医薬品と異なっている．

1）放射性医薬品に含まれるラジオアイソトープは，一定の$t_{1/2}$に従って壊変するので，医薬品としての効力は時間とともに減少する．とくに$t_{1/2}$の短いものは短時間で失活する．

2）取り扱い方を誤ると，放射線障害を生じる危険がある．

3）放射性医薬品は物質量としてはきわめて微量で，化学的に確認，定量することは困難である．したがって，放射化学的手法で，確認，純度，定量等の試験を行う．

4）放射性医薬品の使用にあたり，患者の被曝量を少なくするため，投与量は最小限度にとど

表 16-4. 放射性医薬品（＊局方外）

医薬品名	用 法	適 応（目的臓器）	核種半減期（$t_{1/2}$）
塩化インジウム（^{111}In）注射液	37～111 MBq を肘静注	骨髄シンチグラムによる造血骨髄の診断	67.4 h
塩化タリウム（^{201}Tl）注射液	心筋シンチ 74 MBq，脳腫瘍シンチ 55.5～111 MBq，その他の腫瘍 55.5～74 MBq を肘静注	心筋シンチグラフィによる心臓疾患の診断．腫瘍シンチグラフィによる脳腫瘍，甲状腺腫瘍，肺腫瘍，骨・軟部腫瘍及び縦隔腫瘍の診断．副甲状腺シンチグラフィによる副甲状腺疾患の診断	72.9 h
過テクネチウム酸ナトリウム（^{99m}Tc）注射液	脳シンチ 74～740 MBq，甲状腺シンチ 74～740 MBq，唾液腺シンチ・RI シアログラフィ 185～555 MBq，異所性胃粘膜シンチ 185～370 MBq を静注	脳腫瘍・脳血管障害の診断，甲状腺疾患の診断，唾液腺疾患の診断，異所性胃粘膜疾患の診断	6.01 h
テクネチウムスズコロイド（^{99m}Tc）注射液*	37～111 MBq を肘静注	肝脾シンチグラムによる肝脾疾患の診断	6.01 h
クエン酸ガリウム（^{67}Ga）注射液	腫瘍 1.11～1.48 MBq/kg，炎症 1.11～1.85 MBq/kg を静注	悪性腫瘍・炎症性病変の診断	78.1 h
クロム酸ナトリウム（^{51}Cr）注射液	被検血液 20～30 mL に 1.11～3.7 MBq を加え標識血液を調製，^{51}Cr-標識血液 10～20 mL を静注	循環血液量・循環赤血球の測定，赤血球寿命の測定	27.7 日
ヨウ化ナトリウム（^{123}I）カプセル	甲状腺摂取率 3.7 MBq を経口，甲状腺シンチ 3.7～7.4 MBq を経口	甲状腺疾患の診断 甲状腺機能の検査	13.2 h
ヨウ化ナトリウム（^{131}I）カプセル	診断用：甲状腺放射性ヨウ素摂取率測定 0.185～1.85 MBq，甲状腺シンチ 0.74～3.7 MBq，甲状腺がん転移巣のシンチ 18.5～370 MBq を経口 治療用：バセドウ期待照射線量 30～70 Gy を算定し投与，甲状腺がん及び転移巣 1 回 1.11～7.4 GBq を経口	甲状腺機能検査，甲状腺疾患の診断，シンチグラムによる甲状腺がん転移巣の発見．甲状腺機能亢進症の治療，甲状腺がん及び転移巣の治療	8.04 日
ヨウ化人血清アルブミン（^{131}I）注射液	循環血漿量・循環血液量 0.185～0.74 MBq，血液循環時間 0.185～1.85 MBq，心拍出量 0.185～1.85 MBq を静注	循環血漿量・循環血液量，血液循環時間，心拍出量の測定	8.04 日
ヨウ化ヒプル酸ナトリウム（^{131}I）注射液	機能検査 0.37～1.85 MBq，シンチ 1.85～18.5 MBq を静注	腎及び尿路疾患の診断	8.04 日

シンチグラフィ：*in vivo* 診断のために放射性医薬品の分布画像を得る検査
シンチグラム：シンチグラフィで得られる画像

める．妊婦・授乳婦には診療上の有益性が被曝による不利益を上回るとされる場合のほか，原則として投与しない．18 歳未満の者には診療上の有益性が被曝による不利益を上回ると判断される場合にのみ投与する．

核医学診断では短半減期・α，β線を放出しない放射性核種が選ばれる．実際にはTcが最も多く用いられるが，その理由として，放射能の性質が臨床診断に適しており，ジェネレータで容易に製造できることが挙げられる．

放射性医薬品の安全および安全使用の体制確保のために「放射性医薬品取り扱いガイドライン」が2011年（平成23年）に作成されている[6]．放射性医薬品の管理は薬剤師が行い，調製も医師や診療放射線技師と協働して薬剤師が行う必要がある．治療機関における調製は，短半減期核種 short-lived radionuclide のミルキングによって得られるラジオアイソトープの製剤化と医療用小型サイクロトロンによる陽電子放射線の化合物の合成とその製剤化がある．

3-2 ミルキング

Aという放射線核種が壊変してBという核種に変わっていく時，Bが安定でなく，さらに放射線壊変によってCという核種に変わっていく場合がある（A→B→C）．この過程でBのみを抽出分離して，BからCに変わる時のエネルギーを疾病の診断，治療に利用することがある．この時Aを親核種，Bを娘核種という．Bを完全に抽出分離しても再びAからBが生まれてくる．ちょうど牝牛から牛乳をしぼるように，ある時間ごとに何回でも繰り返し抽出することができるので，この操作をミルキングと呼ぶ．

親核種Aから短半減期の娘核種Bを分離する装置をジェネレータ generator という．

たとえば ^{99m}Tc ジェネレータは，$(NH_4)_2{}^{99}MoO_4$ の形で親核種の ^{99}Mo を適当なカラムに充てんしたアルミナに吸着させてあり，生理食塩液の注入により $^{99m}TcO_4^-$ 水溶液として溶離する．^{99}Mo はカラムに吸着されたまま残る．溶出直後にはカラム内に ^{99m}Tc 過テクネチウム酸はほとんどないが，時間の経過とともに徐々に増加し，23時間後には ^{99}Mo と ^{99m}Tc が放射平衡となり一定のレベルに達する（図16-2）．

^{99m}Tc の $t_{1/2}$ は約6時間であるので，毎回の溶出量を計算することができる．

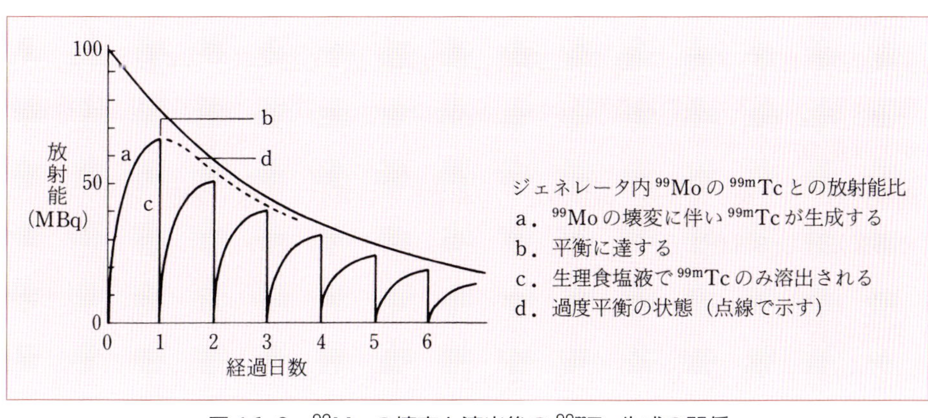

図16-2．^{99}Mo の壊変と溶出後の ^{99m}Tc 生成の関係

3-3 PET 用医薬品

半減期の短い ^{15}O や ^{18}F などのポジトロン核種を用いる PET（positron emission tomography；ポジトロン断層撮影法）用放射性医薬品の調製には，使用現場でサイクロトロンによりこれらの放射性同位元素を製造して，目的とする標識化合物を合成し，ヒトに投与できる製剤として調製する必要がある．

2-デオキシ-2-[^{18}F]フルオロ-D-グルコース（[^{18}F]FDG）が 2002 年（平成 14 年）に保険診療として承認されたことから，サイクロトロンを設置し，ポジトロン標識薬を院内製剤として臨床に供する施設が増加した．

[^{18}F]FDG はグルコースと同様にブドウ糖輸送体 glucose transporter（GLUT）により細胞に取り込まれ，ヘキソキナーゼによりリン酸化を受けるが，グルコースと異なり解糖系の酵素であるホスホグルコースイソメラーゼによるフルクトースへの異化反応を受けないことから，リン酸化体として細胞内に滞留する．その滞留した ^{18}F 由来のポジトロンを核医学検査装置で追跡することにより，腫瘍細胞の診断，虚血性心疾患による心筋バイアビリティの診断，及びてんかん焦点の診断が可能となる．

4 診断用医薬品

4-1 臨床検査薬

臨床検査について，検査の意義，具体的検査値（正常値，異常値）を理解することは，患者の病態を知り，薬効の評価，副作用モニターを行い，医薬品の適正使用を進める上で不可欠である．

問診（医療面接）や視診，聴診，打診，バイタルサイン（体温，脈拍，血圧，呼吸数など），身長体重測定，腹囲計測なども広い意味では検査ではあるが，一般的には患者自身を対象とする生体検査と，患者から採取した血液，尿などを検査する検体検査を臨床検査としている．

1）生体検査

① **生理学的検査**　心電図，筋電図，脳波，内視鏡検査，心臓カテーテル検査など．

② **機能検査**　患者に**機能検査薬** functional diagnostics を投与して臓器の状態や機能を検査する（表 16-5）．

③ **画像診断**　X 線，超音波，電磁波などを利用した装置で，頭部，脊椎，腹部などの病変部を画像処理して検査する．

2）検体検査

① **生化学的検査**（血液，尿）　血液，尿などの化学成分や酵素活性を測定し，組織，器官の病変や全身性疾患の診断に必要な情報を得る．

表 16-5. 機能検査薬（＊局方外）

医薬品名，製品名	剤形，含量	適　応
消化機能検査		
ベンチロミド* 膵外分泌機能検査用 PFD 内服液	液 500 mg/10 mL/瓶	膵外分泌機能検査
下垂体機能検査		
L-アルギニン塩酸塩 アルギニン	注 30 g/300 mL/V	下垂体機能検査
ゴナドレリン酢酸塩 LH-RH 注射液	注 0.1 mg/1 mL/A	脳下垂体 LH 分泌機能検査
ソマトレリン酢酸塩* 注射用 GRF	注 50・100 μg/V	下垂体成長ホルモン分泌機能検査
プロチレリン酒石酸塩水和物 ヒルトニン	注 0.5・1・2 mg/1 mL/A	下垂体 TSH 分泌機能検査
プロチレリン TRH 注射液	注 0.5 mg/1 mL/A	下垂体 TSH 分泌機能検査 下垂体プロラクチン分泌機能検査
メチラポン メトピロン	カプセル 250 mg	下垂体 ACTH 分泌予備能の測定
その他の内分泌機能検査		
テリパラチド酢酸塩*	注 100 単位/V	副甲状腺機能検査 (Ellsworth-Howard 試験)
肝機能検査		
インドシアニングリーン* ジアグノグリーン	注 25 mg/V	肝機能検査，循環機能検査
腎機能検査		
インジゴカルミン	注 20 mg/5 mL/A	腎機能検査
パラアミノ馬尿酸ナトリウム* パラアミノ馬尿酸ソーダ	注 2 g/20 mL/A	腎血漿流量測定
フェノールスルホンフタレイン	注 7.8 mg/1.3 mL/A	腎機能検査
その他		
アレルゲンエキス（各種)*	注　スクラッチエキス，皮内エキス	アレルゲンの診断
エドロホニウム塩化物 アンチレクス	注 10 mg/1 mL/A	重症筋無力症の診断
グルカゴン* グルカゴン G	注 1 mg/V	成長ホルモン分泌機能検査，インスリノーマの診断，肝糖原検査
デンプン部分加水分解物* トレーラン G 液 50 g，75 g	ブドウ糖として 50 g/150 mL，75 g/225 mL	糖尿病診断時の糖負荷試験
フルオレセインナトリウム フルオレサイト	注 500 mg/5 mL/A	ぶどう膜・網膜，視神経等の疾患の診断

② **血液学的検査**　血球，血液凝固系，線溶系などを調べ，造血器疾患，感染症，出血性素因，血栓形成傾向などを検査する．

③ **免疫・血清学的検査**　血清又は血漿中の抗原や抗体，特殊な微量物質を免疫反応により検出する．感染症や自己免疫疾患の診断に重要となる．

医薬品の投与が臨床検査値に与える影響として，次のものがある．

1. 医薬品の副作用により検査値が異常を示す場合
2. 薬物相互干渉 drug interference 医薬品の投与が検査反応に干渉して検査値に影響を与える場合．検査値が偽陽性や偽陰性になることがある（表 16-6）．

4-2 造影剤

1）X 線造影剤（注射）（表 16-7）

X 線造影剤（注射）としてイオン性造影剤のトリヨード安息香酸誘導体のナトリウム塩，メグルミン塩が用いられてきた．その最大の欠点はイオン解離による高い浸透圧（人血漿の 5～8 倍）と，それに伴う注入時の疼痛と熱感である．

最近になりイオン性造影剤中の －COOH 基を除き，側鎖に多くの水酸基を付して水溶性を高めた非イオン性造影剤が開発され，これまでの欠点が大幅に改善された．

1. イオン性造影剤を非イオン性化することで，浸透圧が低減された．ヨード数I/粒子数Pが増加し，造影能を低下させずに低浸透圧化することが可能となった．
2. 注入時の疼痛，熱感等の副作用が大幅に減少した．
3. 疼痛による体動が少ないので，有効な画像が得られやすい．
4. 毒性が低い（急性毒性，マウス）．
5. 神経毒性等人体の機能への影響が小さい．
6. ショックなどの重篤な副作用はイオン性造影剤より少ないが，確実な予知テストがないので，十分な問診を行い，慎重な注意と救急体制の下に用いる．
   非イオン性造影剤は投与後 1 時間以上，ときに数時間以上経過してショック等を発現する遅発性副作用にも注意する必要がある[7～15]．
7. 非イオン性造影剤の血液凝固抑制作用は，イオン性造影剤と比較して弱いことが *in vitro* 試験で認められているので，血管撮影にあたってはカテーテル内をヘパリン含有液で頻回にフラッシュするなどの防止策を行う．

X 線造影剤には 1 つの製品に濃度，容量の異なる各種の製剤があり，それぞれに適応，適用部位，用量が異なる．なお最近医療の場での非イオン性造影剤の定着により，イオン性造影剤の血管内投与に関する効能・効果が削除され，体腔内投与のみとなった．

表 16-6. 医薬品の臨床検査値に及ぼす影響例

医薬品名，薬効群	臨床検査値に及ぼす影響
アスコルビン酸	各種の尿糖検査で尿糖の検出を妨害 各種の尿・便鮮血反応検査で偽陰性 腫瘍マーカー検査で検査値低下
リボフラビン	尿を黄変させ検査値に影響（ビタミン B_2 による）
レボドパ	ニトロプルシドナトリウムの検尿テープによる尿検査，ケトン体反応が偽陽性
カプトプリル	尿中ケトン（アセトン）が偽陽性
メチルドパ水和物	カテコールアミンと同波長の蛍光を発するため，尿中カテコールアミン値が高くなり，褐色細胞腫の診断に支障
気管支拡張 β_2 刺激薬 プロカテロール，フェノテロール	アレルゲンによる皮膚反応を抑制（皮膚テストを実施の時は，12 時間前より投与を中止）
アレルギー性疾患治療薬 トラニラスト，ケトチフェン	アレルゲンによる皮内反応を抑制，アレルゲンの確認に支障
エパルレスタット	尿が黄褐色又は赤色を呈するため，ビリルビン及びケトン体の尿定性試験に影響
プロベネシド	ベネディクト試薬による尿糖検査で偽陽性 パラアミノ馬尿酸，フェノールスルホンフタレイン，17-ケトステロイドの排泄を抑制 スルホブロモフタレインの肝及び腎からの排泄を抑制
鉄製剤	便潜血反応が偽陽性
血漿代用剤 デキストランなど	血液型判定又は交差試験を妨害，試験は本剤の投与前に実施
セフェム系抗生物質	テステープ反応を除くベネディクト試薬，フェーリング試薬，クリニテストによる尿糖検査で偽陽性 直接クームス試験陽性
リファンピシン	リファンピシンが赤色～赤褐色のため BSP（スルホブロモフタレイン），ICG（インドシアニングリーン）の測定値に影響．
ヨウ素 X 線造影剤（内用，注射）	甲状腺機能検査等の放射性ヨウ素による診断，検査値に影響（本剤投与後 1 ヵ月間影響の報告）
ヨウ素含有製品 （ヨウ化カリウム，ヨウ化物）	^{131}I の摂取率を低下させ，PBI（蛋白結合ヨウ素）検査成績に影響（検査の 1 週間前に服用中止）
ベンザルコニウム塩化物	本剤で消毒したカテーテルで採尿の尿，スルホサリチル酸法による尿蛋白試験で偽陽性
マルトースを含む輸液，イコデキストリンを含む透析液，ガラクトース負荷試験，キシロース吸収試験	血糖測定器（グルコース脱水素酵素法のうち補酵素にピロロキノリンキノンを使用するもの）が実際の血糖値より高値を示す
リチウム・抗てんかん薬	γ-アミノ酪酸（GABA）検査値上昇

表 16-7. X 線造影剤（注射）（＊局方外）

医薬品名，製品名	含量	ヨード%	浸透圧比	適応
イオン性造影剤				
アミドトリゾ酸ナトリウムメグルミン注	60%	29.2%	6	逆行性尿路，内視鏡的逆行性膵胆管，経皮経肝胆道，関節
ウログラフイン注（60%，76%）	76%	37.0%	9	唾液腺
イオトロクス酸メグルミン注＊ ビリスコピン DIC 50	10.55%	5%	1	胆のう，胆管
非イオン性造影剤				
イオヘキソール注＊（次頁脚注）	30.2%	14%	1	血管用：動脈性 DSA[1]，CT[2]
オムニパーク 140，180，240，300，350	38.82%	18%	1	脳槽・脊髄用：CT（脳槽，脊髄），腰部脊髄
				脳槽・脊髄用：CT（脳槽，脊髄），頸部脊髄，胸部脊髄，腰部脊髄
	51.77%	24%	2	尿路・血管・CT 用：四肢血管，CT，静脈性尿路
	64.71%	30%	2	脊髄用：CT（脊髄），頸部脊髄 尿路・血管・CT 用：脳血管，選択的血管，四肢血管，静脈性 DSA，CT，静脈性尿路
	75.49%	35%	3	尿路・血管用：血管心臓，大動脈，選択的血管，四肢血管，静脈性 DSA，CT，静脈性尿路，小児血管心臓
イオパミドール注	30.62%	15%	1	動脈性 DSA，CT，静脈性尿路，逆行性尿路
イオパミロン 150，300，370	61.24%	30%	3	脳血管，大動脈，選択的血管，四肢血管，静脈性 DSA，動脈性 DSA，CT，静脈性尿路，逆行性尿路
	75.52%	37%	4	血管心臓，大動脈，選択的血管，四肢血管，静脈性 DSA，動脈性 DSA，CT，静脈性尿路
イオベルソール注＊	50.9%	24%	2	CT
オプチレイ 240，320，350	67.8%	32%	2	脳血管，大動脈，選択的血管，四肢血管，動脈性 DSA，静脈性 DSA，CT，静脈性尿路
	74.1%	35%	3	血管心臓，大動脈，選択的血管
イオメプロール注＊ イオメロン 300，350，400	61.24%	30%	約 2	脳血管，胸部血管，腹部血管，四肢血管，静脈性 DSA，動脈性 DSA，CT，静脈性尿路
	71.44%	35%	約 2	心臓血管，胸部血管，腹部血管，四肢血管，静脈性 DSA，動脈性 DSA，CT，静脈性尿路
	81.65%	40%	約 3	心臓血管，胸部血管，腹部血管，静脈性尿路
イオジキサノール注＊（次頁脚注）	55%	27%	1	脳血管，四肢血管，逆行性尿路，内視鏡的逆行性膵胆管
ビジパーク 270，320	65%	32%	1	四肢血管

1）DSA：digital subtraction angiography デジタル X 線撮影法による血管撮影．直接撮影に使用する造影剤の 10%以下の量で血管をはっきり描出する工夫．

2）CT：computed tomography X 線 CT．コンピュータ断層撮影 身体の横断断層を撮影する特殊な X 線装置．

■ 2）X 線造影剤（内服）（表 16-8）

表 16-8. X 線造影剤（内服）

医薬品名，製品名	含量，用法用量	適　応
アミドトリゾ酸ナトリウムメグルミン ガストログラフイン経口・注腸用	ヨード含量 37%，液 76% 経口：1 回 60 mL 注腸：3〜4 倍に希釈，最高 500 mL まで	消化管（経口，注腸）
硫酸バリウム バリトゲン，バリトップ	懸濁液 66，75，79，100，120，150，200% など	消化管（経口，注腸）

■ 3）MRI 用造影剤（注射，内服）（表 16-9）

MRI**（次頁脚注）は人体を強力な磁場に入れた時に生じる水素原子核の運動や密度の変化をコンピュータ処理し，断層画像化する方法である．

表 16-9. MRI 用造影剤（＊局方外）

医薬品名，製品名	含量，用法用量	適　応
ガドリニウム製剤		
ガドキセト酸ナトリウム注* EOB・プリモビスト	181.43 mg/mL　浸透圧比：約 2. 通常 0.1 mL/kg 静注.	肝
ガドテル酸メグルミン注* マグネスコープ	376.95 mg/mL　浸透圧比約 5. 通常 0.2 mL/kg，腎臓：0.1 mL/kg 静注.	脳・脊髄，躯幹部・四肢
ガドジアミド水和物注* オムニスキャン	323 mg/mL　浸透圧比：2.7〜3.3. 通常 0.2 mL/kg，腎臓：0.1 mL/kg 静注.	脳・脊髄，躯幹部・四肢
ガドテリドール注* プロハンス	280 mg/mL　浸透圧比：約 2. 通常 0.2 mL/kg，腎臓：0.1 mL/kg 静注.	脳・脊髄，躯幹部・四肢
ガドブトロール注* ガドビスト	1.0 mmol（604.720 mg）/mL　浸透圧比：約 6. 通常 0.1 mL/kg 静注.	脳・脊髄，躯幹部・四肢
鉄製剤		
フェルカルボトラン* リゾビスト	44.6 mg/1.6 mL　浸透圧比：約 1. 0.016 mL/kg　静注.	肝腫瘍局在検査
内服剤		
クエン酸鉄アンモニウム* フェリセルツ	1 包（3 g）中 600 mg. 水で 1 包を 300 mL に溶解し服用．必要に応じ 1,200 mg まで．胆道膵管撮影時の消化管陰性造影：2 包を 150 mL に溶解し服用.	消化管（胃，十二指腸，空腸） 胆道膵管撮影時の消化管陰性造影
塩化マンガン四水和物* ボースデル	1 袋（250 mL）中 36 mg（マンガンとして 10 mg）を服用.	胆道膵管撮影における消化管陰性造影

（前頁の脚注）

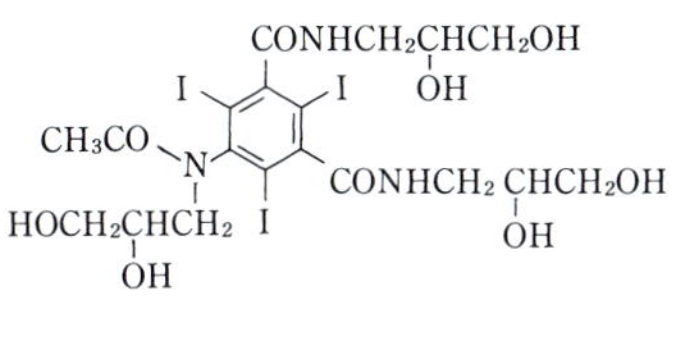

CONNHCH₂CHCH₂OH / OH; I, I; CH₃CO–N; CONHCH₂CHCH₂OH / OH; HOCH₂CHCH₂ / OH; I

イオヘキソール

OH, OH; CONHCH₂CHCH₂OH　CONHCH₂CHCH₂OH; I, I, I, I; OH HOCH₂CHCH₂HNOC; OH NCH₂CHCH₂N; OH CONHCH₂CHCH₂OH; I, I; CO CH₃; CO CH₃

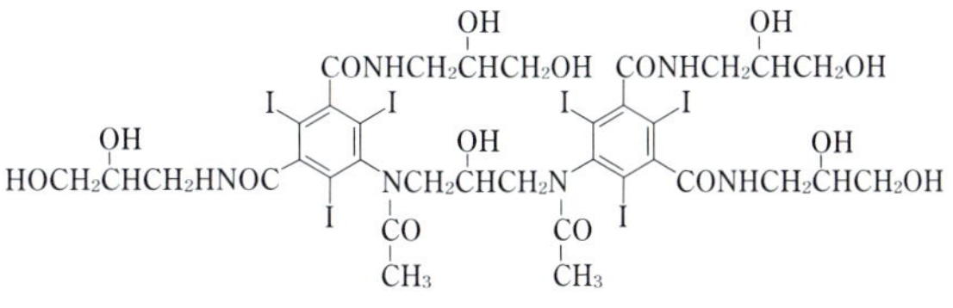

イオジキサノール

MRI用造影剤には，ガドリニウム製剤（陽性造影剤）と鉄・マンガン製剤（陰性造影剤）があり，X線造影剤に比べ安全性が高いといわれる．MRI機器の向上とともに，臓器特異性のあるMRI用造影剤の開発が進められた．これにより静磁場と変動磁場を用い，生体の任意の方向の断層を得ることができる画像診断法は生体の解剖描出のみでなく，多くの組織や臓器の画像診断が可能となった．

2003年のノーベル医学生理学賞はMRIの開発に貢献したPaul C Lauterbur米イリノイ大学教授とPeter Mansfield英ノッティンガム大学名誉教授に授与された．Lauterbur教授は磁場の強さを調整することにより測定データを二次元画像化できることを見出し，Mansfield教授はデータ解析に数学的手法を導入し画像の質を高めるとともに，より素早く画像を撮影できる原理を示した．

4）造影補助剤（表16-10）

表16-10．造影補助剤（＊局方外）

医薬品名，製品名	含量，用法用量	適　応
ブチルスコポラミン臭化物 ブスコパン	注20 mg/1 mL． 1回10～20 mg．静注，皮下，筋注	消化管のX線・内視鏡検査の前処置（胃腸管運動・胃液分泌の抑制）
クエン酸マグネシウム* マグコロール	内液250 mL中13.6％（34 g）． 1回27～34 g	大腸造影前処置用下剤
炭酸水素ナトリウム・酒石酸* バロス発泡顆粒	顆粒1 g中 酒石酸0.42 g，炭酸水素ナトリウム0.46 g，1回必要量．	胃・十二指腸二重造影用発泡剤
ジメチコン* ガスコン	滴剤ドロップ1 mL中20 mg 2％，錠40 mg． 検査3～4日前から，1日120～240 mgを食後又は食間3回に分服．	腹部X線検査時の腸内ガスの駆除

5 消毒薬

5-1 消毒薬 disinfectants [16, 17]

消毒disinfectionとは，滅菌と違い微生物又は病原体を殺滅又は減弱させ，伝染又は感染の能力を失わせる処置をいう．消毒法には，消毒薬を用いる化学的方法と，湿熱（流通蒸気法，煮沸法，間けつ法），紫外線を用いる物理的方法がある（p.425 図15-3）．

消毒薬の種類は多岐にわたり，それぞれ微生物や生体，物質に対する作用が異なるので，各々の特徴を把握した上で，使い分ける必要がある．

＊＊ MRI：magnetic resonance imaging 磁気共鳴コンピュータ断層撮影
MRIは人体に強力な磁場をあて，生体の水分，脂肪等に含まれる水素原子核を高エネルギー状態にした後，電波を切ることにより，エネルギーが失われ，元に戻る状態（これを緩和という）の電磁波を電気信号に変換し，画像化したものである．造影剤はX線吸収の大きい陽性造影剤と透過しやすい陰性造影剤に大別される．

表 16-11．消毒薬の使用一覧表（＊局方外）

	消毒薬	消毒対象物						対象微生物										
		Disinfectans			Antiseptics		排泄物	一般細菌	MRSA	緑膿菌類	梅毒トレポネーマ	結核菌	真菌	芽胞	ウイルス			
		環境	器具 金属	器具 非金属	手指・皮膚	粘膜									中間サイズ脂質を含む	小型サイズ脂質を含まない	HIV	HBV
低水準消毒薬	ベンザルコニウム塩化物	○	○	○	○	○	×	○	△	△	○	×	△	×	△	×	×	×
	ベンゼトニウム塩化物	○	○	○	○	○	×	○	△	△	○	×	△	×	△	×	×	×
	クロルヘキシジングルコン酸塩	○	○	○	○	×	×	○	△	△	○	×	△	×	△	×	×	×
	アルキルジアミノエチルグリシン塩酸塩*	○	○	○	○	○	×	○	△	△	○	△	△	×	△	×	×	×
中水準消毒薬	消毒用イソプロパノール	△	○	○	○	×	×	○	○	○	○	○	○	×	○	△	○	△
	消毒用エタノール	△	○	○	○	×	×	○	○	○	○	○	○	×	○	△	○	△
	ポビドンヨード	×	×	×	○	○	×	○	○	○	○	○	○	△	○	○	○	○
	希ヨードチンキ	×	×	×	○	○	×	○	○	○	○	○	○	△	○	○	○	○
	フェノール	△	△	△	△	×	○	○	○	○	○	○	△	×	△	×	×	×
	クレゾール石けん液	△	△	△	△	×	○	○	○	○	○	○	△	×	△	×	×	×
	次亜塩素酸ナトリウム*	△	×	○	△	△	△	○	○	○	○	△	○	△	○	○	○	○
高水準消毒薬	グルタラール*	△	○	○	×	×	△	○	○	○	○	○	○	○	○	○	○	○
	フタラール*	×	○	○	×	×	×	○	○	○	○	○	○	○	○	○	○	○
	過酢酸*	×	△	△	×	×	○	○	○	○	○	○	○	○	○	○	○	○

○：使用可　△：注意して使用　　○：有効　△：十分な効果が得られないことがある
×：使用不適　　×：無効　—：効果を確認した報告がない

注）消毒効果は濃度や接触時間により異なることがあるので，この表はあくまでも目安として考える．

消毒薬の使用一覧，使用濃度は表 16-11，表 16-12 のとおりである．

消毒薬に最も抵抗性を示す微生物は細菌芽胞，次いで結核菌とウイルスである．ウイルスの抵抗性はウイルス間で差があり，最も抵抗性を示すのはＢ型・Ｃ型肝炎ウイルスである．アスペルギルス属などの糸状真菌は，カンジダなど酵母様真菌に比し抵抗性が強い．

微生物への抗菌スペクトルにより消毒薬は低水準，中水準，高水準に分類される（表16-11）．

5-2 消毒薬使用上の注意

① 消毒薬の効力を理解して消毒薬と消毒法を選択する．

消毒の目的に応じて必要な消毒水準を判断するとともに，抗微生物スペクトルや消毒薬抵抗性の存在などを考慮して消毒薬を選択する．

② 消毒対象物の材質，構造などに適した消毒薬と消毒法を選択する．

消毒薬の中には，金属，樹脂などを腐食，変質，変色するものがあるので，対象物に悪影響を

表 16-12. 消毒薬の使用濃度（空欄は使用せず）

対象	消毒薬	原液の濃度	人体（%）					器具・環境等（%）			備　考
			手指・皮膚	皮膚の創傷部位	粘膜の創傷部位	手術部位	含嗽用	医療用具	室内（手術室，病室）	排泄物	
ヒト・環境・器具	消毒用イソプロパノール	50 vol%	50%					50%			
	消毒用エタノール	76.9～81.4 vol%	76.9～81.4 %			76.9～81.4 %		76.9～81.4 %			
	ベンザルコニウム塩化物	10%	0.05～0.1	0.01～0.025	0.01～0.025	0.1～0.2		0.1	0.05～0.2		配合禁忌多い
	ベンゼトニウム塩化物	10%	0.05～0.1	0.01～0.025	0.01～0.025	0.1～0.2		0.1	0.05～0.2		配合禁忌多い
	クロルヘキシジングルコン酸塩	5% 0.5%（エタノール液）	0.1～0.5	0.05		0.1～0.5 0.5		0.1～0.5 0.5	0.05		
	アルキルジアミノエチルグリシン塩酸塩	10%	0.05～0.2	0.01～0.05	0.01～0.05	0.1～0.2		0.05～0.2	0.05～0.2		
	過酢酸	6%						0.3			
主にヒト	ポビドンヨード	10%		10	10	10	7%液の15～30倍				
	希ヨードチンキ	2.8～3.2%	原液又は2～5倍	原液又は2～5倍							
	オキシドール	2.5～3.5%		原液又は2～3倍	原液又は2～3倍		10倍				
主に環境	液状フェノール	88%	1.5～2					2～5	2～5	3～5	
	クレゾール石ケン液	50%	0.5～1			0.5～1		0.5～1	0.5～1	1.5	
	次亜塩素酸ナトリウム							0.02～0.05 (200～500)*	0.02～0.05 (200～500)*	0.1～1 (1,000～10,000)*	金属製器具不可
	グルタラール	2，20%						0.5，2	0.5，2		
	フタラール	0.55%						0.55			

*（　）有効塩素濃度 ppm

及ぼしにくい消毒薬を選択する．

③ 消毒薬を正しく調製し使用する．

定められた希釈で正しい濃度に調製し，十分な接触時間が確保できるような方法で使用する必要がある．また，希釈水の温度や室温が20℃を下回る場合など作用温度が低すぎる場合には消毒効果に影響がでるので留意する．消毒薬によっては脱脂綿などの担体に吸着して濃度が低下するものがあるので，この場合には担体に対して十分な量の消毒薬を用いる．

④ 血液など有機物で汚染されているものを消毒する場合には前洗浄を十分に行う．

消毒薬の蛋白凝固力により血液などが凝固してしまうと消毒薬が浸透しないため，薬液が消毒対象物の表面と接触しない場合があり，消毒効果に影響がでる．

⑤ 消毒薬の副作用，毒性に留意する．

消毒薬は基本的に生体に対して毒性をもつ化学物質である．過敏症者への適用，過度の使用，禁忌部位への適用などを避けるよう留意が必要である．また器具に使用する消毒薬の中には，接触した皮膚を損傷したり，蒸散ガスが臭気を伴うだけでなく毒性を発揮するものもあるので，必要に応じて手袋，マスクなどを着用するとともに浸漬する際には適切な容器を用い，換気に十分注意を必要とする．

⑥ 消毒薬の保管，廃棄に留意する．

消毒薬は化学的に不安定なものがあり，指定された保管方法を守る．消毒薬の廃棄にあたっては，廃水処理設備の活性汚泥に対する影響や環境全般に与える影響に配慮する必要がある．

病床数300床以上の医療機関は「水質汚濁防止法」の規制を受けるが，病床数にかかわらずフェノール類は水質汚濁防止法や下水道法の排水基準によって5 ppm 以下とする必要がある*．

5-3 各種消毒薬の特性

1）低水準消毒薬

a．ベンザルコニウム塩化物

陽イオン界面活性剤（逆性石けん）である．金属製品，繊維製品に対する腐食性は少ない．実用濃度では皮膚粘膜に対する刺激性も少なく臭気もほとんどないので，粘膜などの生体消毒に使用される．

陰イオン界面活性剤（石けんや一部の合成洗剤など）により沈殿物を生じて殺菌力が低下するので両者を混合しない．

b．クロルヘキシジングルコン酸塩

皮膚に対する刺激が少なく，臭気がほとんどない生体消毒薬（antiseptics）で，皮膚に残留して持続的な抗菌作用を発揮する．日本では，結膜嚢以外の粘膜への適用は禁忌である．金属製品，繊維製品に対する腐食性は少ない．

結核菌，多くのウイルス，芽胞には無効である．速効的な殺菌力はあまり優れていないが，持続効果や静菌力は優れている．したがって，速効的な殺菌力が必要な場合には，アルコールの殺菌作用などを付加した製剤を用いることが望ましい．

陰イオン界面活性剤（石けん）や次亜塩素酸ナトリウムと反応して着色沈殿し，また塩素イオンと沈殿物を生じることがある．

c．アルキルジアミノエチルグリシン塩酸塩（両性界面活性剤）

1分子中に陰イオンと陽イオンを含むため，陰イオンの洗浄作用と陽イオンの殺菌作用を備えている．逆性石けんと比較すると，殺菌作用の速効性は劣るが，幅広い pH 領域で殺菌効果がある．脱脂作用があるのでもっぱら環境，器具の消毒に用いられる．

多くのウイルス，芽胞に無効である．

石けん類は本剤の殺菌作用を弱めるので，石けん分を洗い落としてから使用する．

金属器具を長時間浸漬する必要がある場合は，腐食を防止するため0.1～0.5%の割合で亜硝酸ナトリウムを加える．

---

*「水質汚濁防止法」及び「下水道法」により，フェノールは廃水中最大5 ppm の排水規制がある．本規制を超える場合には下記の基準で廃棄する．
（廃棄の基準）1．燃焼法：木粉（おが屑）などに混ぜて焼却炉で焼却，又は可燃性溶剤とともに焼却炉の火室へ噴霧焼却．2．活性汚泥法．

2）中水準消毒薬

a）消毒用エタノール

生体及び非生体のいずれにも繁用される中水準消毒薬である．抗微生物スペクトルが広く，芽胞を除くほとんどすべての微生物に有効で，作用も速効的である．

粘膜や創傷部位へ使用すると刺激を生じるので，これらの部位には使用しない．

消毒用エタノール液と低水準消毒薬を配合し速乾性と消毒効果の持続性を期待する製剤が市販されている（クロルヘキシジン，ベンザルコニウム，ポビドンヨードなどを配合したラビング剤）．

b）ポビドンヨード

広い抗微生物スペクトルをもち，生体への刺激性が低く，副作用も少ない優れた生体消毒薬である．手術部位の皮膚や皮膚の創傷部位をはじめ，口腔，腟などの粘膜にも適用が可能で，エイズウイルスやB型肝炎ウイルスにも有効である．

一部の芽胞に有効であるが，バチルス属など一部の芽胞には無効である．

熱傷部位，腟，口腔粘膜などでは吸収されやすいために，長期間又は広範囲に使用すると，血中濃度が上昇し，甲状腺代謝異常などの副作用が現れることがある．

c）次亜塩素酸ナトリウム

低濃度においても細菌に対して速効的な殺菌力を発揮し，またヒト免疫不全ウイルス，B型肝炎ウイルスなどウイルスに対する効力で信頼のおける消毒薬である．1,000 ppm（0.1%）以上の高濃度であれば結核菌を殺菌することもできる．物品，環境への使用が可能で，非生体消毒薬として最も有用な消毒薬の1つであるが，大量の芽胞を殺滅することはできない．結核菌には1,000 ppm（0.1%）以上の濃度で有効である．HBV，HIVに対する有効性も確認されている．

患者用プール水の消毒に使用する場合には残留塩素が1 ppm以上にならないようにする．

酸性物質が混入すると塩素ガスが発生するので注意が必要である．

3）高水準消毒薬

a）グルタラール

アルデヒド系の医療機器専用の高水準消毒薬で，高圧蒸気滅菌など加熱処理のできないセミクリティカル器具，特に軟性内視鏡の化学的滅菌又は殺菌消毒に使用される．グルタラールは，そのままでは酸性であり，芽胞に対する殺滅力が劣るため，通常緩衝化剤を入れてアルカリ性にし活性化して使用する．金属，ゴム，プラスチックに対して腐食性がなく有機物による効力低下が小さいため，さまざまな用途において有用であるが，手術室など環境への適用については，毒性の問題があることから2003年（平成15年）7月に適用が削除された．

HBV，HIVに対する有効性も確認されている．

蒸気吸入による結膜炎，鼻炎，喘息，付着による皮膚炎の副作用が報告されているので，使用時は，蒸気がなるべく拡散しないような容器を用い，換気を十分に行い，ゴム手袋，マスク，ゴーグル，防水エプロンを着用する．

人体に使用しないこと．

b）フタラール

芽胞を含むすべての微生物に有効なアルデヒド系消毒薬である．作用機序は微生物中のSH基，OH基，COOH基，NH基をアルキル化し，DNA，RNA，蛋白質合成に影響を与えると考えられる．抗酸菌，ウイルスに対してグルタラールよりも短時間で有効であるが，芽胞数を減少させるにはグルタラールよりも長時間が必要であり，殺滅には32時間の接触をする．

軟性内視鏡などの医療機器の化学的滅菌又は殺菌消毒薬として0.55％製剤が市販されている．取り扱い時には換気をしてマスク，ゴーグル，手袋，ガウン等を着用する．

$OHCCH_2CH_2CH_2CHO$

グルタラール Glutaral
（ステリハイド）

(benzene ring with two CHO groups)

フタラール Phtharal
（ディスオーパ）

c）過酢酸

主に医療器具の化学的滅菌又は殺菌消毒に0.3％の濃度で用いられる，ほとんどすべての細菌，真菌，芽胞，ウイルスに対しグルタルアルデヒドと同等かそれ以上の効果を示すが，グルタルアルデヒドと違い，人体に対する感作性やアレルギー性，変異原性が低い．分解生成物は酢酸，過酸化水素で，酢酸は環境微生物により炭酸ガスと水に分解され，環境に悪影響を及ぼすことはない．また，過酸化水素も最終的に水と酸素に分解されるため，実質的にほぼ無害である．なお，使用時は付着や吸入を避けるために，ゴム手袋，ガウン，マスク，眼鏡等の保護具を着用する．

文　献

1）Yamashita M et al.：The effectiveness of a cation resin（Kayexalate）as an adsorbent of paraquat. Experimental and clinical studies, Hum Toxicol **6** 89 1987
2）仲佐啓詳ら：除草剤（ダイコートおよびダイコート・パラコート配合剤）のケイキサレート，アドソルビン，活性炭への吸着，中毒研究 **3** 249 1990
3）日本中毒情報センター編：急性中毒処置の手引―必須272種の化学製品と自然毒情報　じほう　1999
4）福本真理子：タバコ―誤食とニコチン中毒，薬事 **44**(5) 931 2002
5）輸血用血液製剤と輸血後GVHD，医薬品副作用情報 No. 137 5 1996. 5，No. 142 10 1997. 4
6）日本核医学会・核技術会・診療放射線技師会・病院薬剤師会：放射性医薬品取り扱いガイドライン第2版　2012
7）ヨード造影剤の副作用に関する臨床調査，日本医学放射線学会雑誌 **48**(4) 423 1988
8）ヨード造影剤予備テストの妥当性について検討する委員会報告，日本医学放射線学会雑誌 **49**(11) 1439 1989
9）低浸透圧性造影剤投与後の遅発性のショック，医薬品副作用情報 No. 96 6 1989
10）高橋隆一：X線造影剤による副作用，医薬品副作用情報 No. 98 9 1989
11）ヨード造影剤（注射剤）投与とショック，医薬品副作用情報 No. 102 2 1990
12）Yoshikawa H：Late adverse reaction to nonionic contrast media, Radiology **183** 737 1992
13）吉川裕幸ら：造影剤による遅発性副作用の現状，日本医学放射線学会雑誌 **54**(10) 2 1994
14）イソビスト280（イオトロラン）による重篤な遅発性副作用（アナフィラキシー様症状など）の発現について，緊急安全性情報 No. 95-1 1995. 9
15）非イオン性造影剤による副作用，医薬品副作用情報 No. 136 8 1996
16）日本病院薬剤師会編：消毒薬の使用指針　薬事日報社　1999
17）神谷　晃ら：消毒剤の選び方と使用上の留意点　じほう　1998

アセトアミノフェン中毒

アセトアミノフェン（以下 AA）は OTC 薬の総合感冒薬，解熱鎮痛薬の主成分として広く配合されている．これら製品の生産額は年間 1,000 億円を超える．

欧州薬局方（EP）で Paracetamol と称するこの薬（JP では別名）は，自殺者や常用者の過量摂取が大きな問題となっている．イギリスでは 1 年間に約 900 名の AA 中毒患者が国内 6 ヵ所にある中毒センターに入院し，重篤な肝障害患者が約 150 名いるという．イングランドとウェールズで AA による死亡が年間 100 名という統計もある．

わが国でも上記の生産額を考えるとき，AA 中毒患者は膨大な数と推測される．

AA は常用量では安全性の高い医薬品であるが，過量に摂取すると，肝障害，腎障害，DIC などの重篤な症状を呈する．

AA は通常肝臓でグルクロン酸抱合又は硫酸抱合され，無毒化，排泄される．一部は P450 により代謝され，活性代謝物 *N*-アセチルイミドキノンとなる．これは通常グルタチオンにより解毒されるが，大量摂取時にはグルタチオンが枯渇し，*N*-アセチルイミドキノンが肝細胞内の蛋白や核酸と結合して壊死を起こす．

AA 内服 125 mg/kg 以下では肝障害は発生しない．250 mg/kg 以上で中等～重症となり，350 mg/kg 以上となると常に重症化するといわれる．

しかし AA 常用者ではグルタチオンが枯渇，欠乏しているため，上記の中毒量よりも低用量で中毒症状を呈することがある．

セデス A30 錠（1 錠中 AA80mg；販売中止），2.4 g で死亡の症例がある．6.4 g，12.8 g，4.8 g，9.6 g，9.275 g での死亡例もある．決して油断できない．

AA 中毒の治療には，肝のグルタチオン欠乏を補うことが必要である．しかしグルタチオン自身は細胞内に移行しにくく，前駆物質 *N*-アセチルシステイン（AC）を用いる．その使用法は p.457 に詳記しているが，18 回にわたり連続して使用するので，緊急の場合に備え常備しておかねばならない．

（日薬誌 **39**(3) 205 1987）

$NHCOCH_3$ / OH
アセトアミノフェノン
→ グルクロン酸抱合 硫酸抱合 → $NHCOCH_3$ / glucuronide or sulfate

↓ チトクロムP450

$NCOCH_3$ / O
N-アセチルイミドキノン
→ グルタチオン抱合 → $NHCOCH_3$ / glutathione / OH

細胞壊死　　メルカプツール酸

17 医療施設管理・薬局管理

1 医療法 と 医療施設

医療法は，1948年（昭和23年）に施行された．その目的は「医療を提供する体制の確保を図り，もって国民の健康の保持に寄与する」ことにある．

以下のように施設面から医療のあるべき姿を法律上明確にしている．

① ベッド数20床以上を病院，無床又は19床以下を診療所と区分け．（なお，20床以上の病院も200床以下と200床以上とに区分けし，200床以上を大病院，200床以下を中小病院と区分けしている）

② 病院には一定数以上の医師や看護師，薬剤師等の医療従事者を置くという人員配置基準と，診療室，処置室，エックス線装置などを設置する構造設備基準を定めている．

最近の人口の高齢化，疾病構造の変化，医療技術の進歩等に対応するため，医療法は1985年（昭和60年），1992年（平成4年），1997年（平成9年），2000年（平成12年），2006年（平成18年）の5回にわたり改正され，施設法から医療基本法の性格を強めることとなった（p.19）．

2007年（平成19年）4月1日より改正医療法・改正薬事法が施行され，これまで病院と有床診療所に義務づけられていた医療安全管理体制が，無床診療所や薬局においても義務化された．また，新たに院内感染防止対策，医薬品や医療機器の安全使用を確保するための体制整備も義務化された（表17-1）．各医療機関においては，以下に示すマニュアルなどを作成し，すべての職員に周知徹底すること，さらに，必要に応じ見直しを図ることの義務づけがなされた．

1）医療安全管理指針【必携】
2）院内感染対策指針（薬局を除く）【必携】
3）医薬品業務手順書【必携】
4）医療機器保守点検計画書
5）輸血マニュアル
6）褥瘡対策マニュアル
7）その他

診療報酬制度においては，医療安全対策及び院内感染対策のそれぞれについて，一定の基準を満たした病院に対して，入院基本料への加算のインセンティブが与えられている．

今後は，急性期→亜急性期→回復期（リハビリ）→慢性期又は在宅という流れの中で，一般病

表 17-1．医療安全対策に係る義務づけの概要

項目＼医療機関		病院			診療所	
			特定機能病院	臨床研修病院	有床	無床
医療安全管理	指針	○	○	○	○	○
	委員会	○	○	○	○	
	研修	○	○	○	○	○
	改善方策	○	○	○	○	○
	専任担当者		○	○		
	部門		○	○		
	相談体制		○	○		
院内感染対策	指針	○	○	○	○	○
	委員会	○	○	○	○	
	研修	○	○	○	○	○
	改善方策	○	○	○	○	○
	専任担当者		○			
医薬品安全管理	責任者	○	○	○	○	○
	研修	○	○	○	○	○
	業務手順書	○	○	○	○	○
	改善方策	○	○	○	○	○
医療機器安全管理	責任者	○	○	○	○	○
	研修	○	○	○	○	○
	保守点検	○	○	○	○	○
	改善方策	○	○	○	○	○

（注）1「○」は医療法施行規則等により，当該事項が義務づけられていることを示す．
2「臨床研修病院」は，医師法第 16 条の 2 等で規定される診療に従事しようとする医師が臨床研修を受ける病院で，指定される基準の一つに医療安全に関する体制の確保が求められている．
（総務省行政評価局：医療安全対策に関する行政評価・監視，平成 25 年 8 月）

床は急性期，亜急性期を，療養病床は回復期，慢性期の入院医療を，そしてかかりつけ医は在宅医療を担い，それぞれが連携して，地域の中で切れ目のない医療が提供されるよう求められている．また，2007 年以降の 5 年ごとの医療法改正においては，前述のように，より医療機関の機能に着目した改正が行われ，超高齢社会に対応すべく提言されている「地域包括ケアシステム」に対応し，医療機関完結型医療から，地域完結医療の確率を支援すべく医療機関の機能分化を進める改定が行われている．

2 医療施設の種類

病院と診療所は医療法上病床数によって区分されている (p.20)．

診療所はその地域の中に密着して「かかりつけ医」機能を発揮し，きめの細かい診療を行う．病気になったとき，まず近所の「かかりつけ医」を訪れて相談することは，ごく自然な医療の行われ方である．

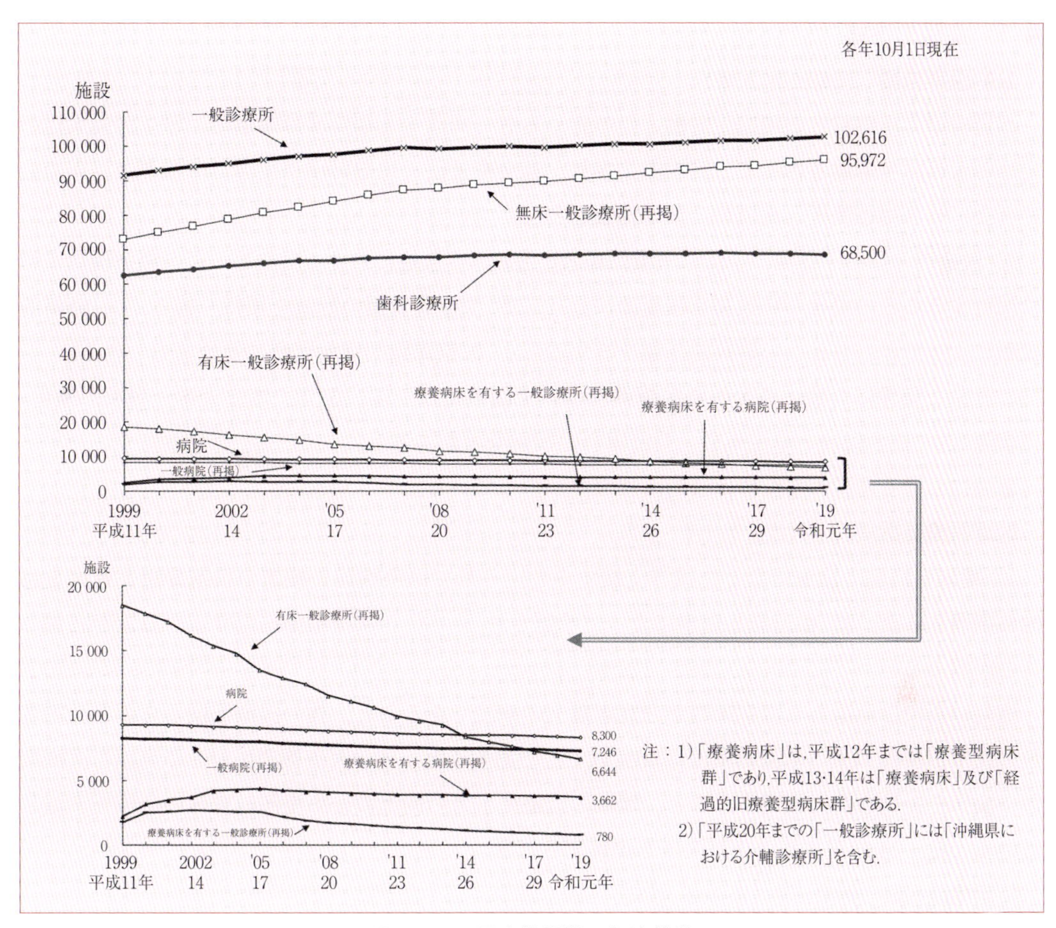

図 17-1. 医療施設数の年次推移

（厚生労働省：令和元（2019）年医療施設調査）

しかし診療所は，1人ないし少数の医師によって診療行為が行われているので，専門分野が限られており，施設や設備にも限界がある．このような場合には，患者を病院に紹介し，病院の医療機能と患者の収容機能を十分に利用するようにする．

病院は入院患者を中心に医療を行うところである．わが国の病院は外来診療が活発に行われてきたが，入院患者の診療に重点を置くのが本来の使命である．そして診断・治療法が確立して外来通院が可能になった患者は，長く再来部門にひきとめておくべきでない．このような患者は積極的に診療所へ戻すようにする．

全国の医療施設は179,416施設で，前年に比べ326施設増加している〔2019年(令和元年)10月1日現在〕.「病院」は8,300施設で前年に比べ72施設減少しており，「一般診療所」は102,616施設で511施設増加，「歯科診療所」は68,500施設で113施設減少している（図 17-1）．

医療法は医療施設を次のように体系化し，地域の医療計画を整備することを大きな目標としている．

医療法上，医療提供施設には次のものがある．

1）病院の性格

公的医療機関（医療法第31条）

都道府県，市町村その他厚生労働大臣の定める者の開設する病院又は診療所．厚生労働大臣の定める者は厚生労働省告示で，日本赤十字社，社会福祉法人恩賜財団済生会，厚生農業協同組合連合会，社会福祉法人北海道社会事業協会などとしている．

① 医療のみならず保健，予防，医療関係者の養成，へき地における医療等一般の医療機関に常に期待することのできない業務を積極的に行う，② 医療費負担の軽減を期待し得る，③ 経済的変動によって左右されない財政的基盤を有する，④ 医療保障制度と緊密に連携協力し得る．

こうした条件に合致する公的な医療機関は，上記のほか，国（国立，国立大学，労災，逓信，自衛隊等）・社会保険・厚生年金・共済組合の病院などがある．

地域における基幹的な医療は公的医療機関が担っている．

地域医療支援病院（医療法第4条，p.21）

① 地域の病院，診療所などを後方支援するという形で医療機関の機能の役割分担と連携を目的に創設された，② 都道府県知事によって承認される，③ 二次医療圏当たり1つ以上存在することが望ましい．

病院の規模は原則として病床数が200床以上の病院であること．他の医療機関からの紹介患者数の比率が80%以上（承認初年度は60%以上）であること．他の医療機関に対して高額な医療機器や病床を提供し共同利用すること．地域の医療従事者の向上のため生涯教育等の研修を実施していること．24時間体制の救急医療を提供すること．

特定機能病院（医療法第4条の2，p.21）

以下のような条件をすべて満たし，厚生労働大臣の承認を得た病院．

① 高度の医療を提供する能力を有すること，② 内科・外科など主要な診療科が10以上ある，③ 病床（ベッド）数が400以上ある，④ 高度の医療技術の開発及び評価を行う能力を有すること，⑤ 医師・看護師・薬剤師らが特定数以上いる，など．

一般医療機関では実施することが難しい手術や高度先進医療などの先進的な高度医療を，高度な医療機器，充実した施設の中で行うことができる病院．現在，特定機能病院に承認されているのは，大学病院と，国立がん研究センター（東京都），国立循環器病研究センター（大阪府）など全国に87施設ある（2021年11月1日現在）．

2）病床の種類（医療法第7条第2項）

精神病床　病院の病床のうち，精神疾患を有する者を入院させるためのもの．

感染症病床　病院の病床のうち，感染症の予防及び感染症の患者に対する医療に関する法律第6条第2項，第3項，第7項，第8項に規定する一類感染症，二類感染症（結核を除く），新型インフルエンザ等感染症，指定感染症の患者並びに第6条第9項に規定する新感染症の所見がある者を入院させるためのもの．

結核病床　病院の病床のうち，結核の患者を入院させるためのもの．

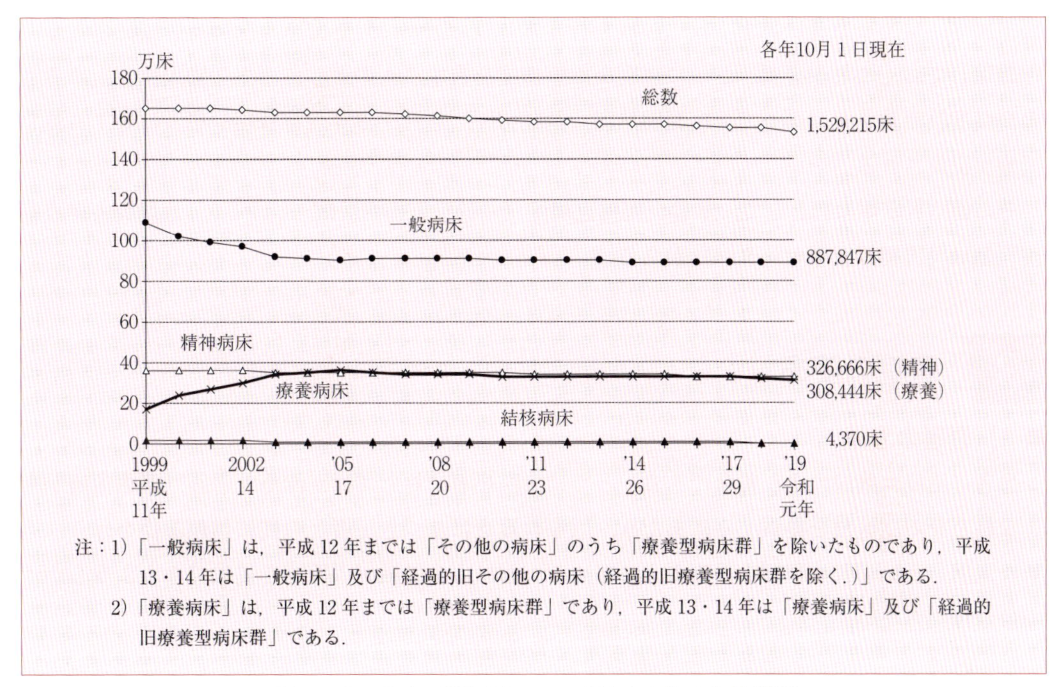

図 17-2．病床の種類別にみた病院病床数の年次推移

（厚生労働省：令和元（2019）年医療施設調査）

療養病床　病院又は診療所の病床のうち，前3号に掲げる病床以外の病床であって，主として長期にわたり療養を必要とする患者を入院させるためのもの.

一般病床　病院又は診療所の病床のうち，前各号に掲げる病床以外のもの.

図 17-2 に病床の種類別にみた病院病床数の年次推移を示した.

■ 3）救急指定病院

救急病院等を定める省令（昭和39年2月20日）に基づき，都道府県知事が告示する病院.

① 救急医療について，相当の知識及び経験を有する医師が常時診療に従事していること，② エックス線装置，心電計，輸血及び輸液のための設備その他救急医療を行うために必要な施設及び設備を有する，③ 救急隊による傷病者の搬送に容易な場所に所在し，かつ傷病者の搬入に適した構造設備を有する，④ 救急医療を要する傷病者のための専用病床又は当該傷病者のために優先的に使用される病床を有する.

初期救急（一次救急）　入院や手術を伴わない医療で，休日夜間急患センターや在宅当番医などによって行われる.

二次救急　入院や手術を要する症例に対する医療で，いくつかの病院が当番日を決めて救急医療を行う病院群輪番制や，共同利用型病院方式がある.

三次救急　二次救急まででは対応できない重篤な疾患や多発外傷に対する医療で，救命救急センターや高度救命救急センターがこれにあたる．救命救急センターは，心筋梗塞や脳卒中，頭部損傷等，重篤な患者に対する救急医療を行う常時救命医療に対応できる医師や医療従事者などを確保しておくことが必要．さらに高度な診療機能を有するものとして厚生労働大臣が定めるものが高度救命救急センターで，広範囲熱傷，指肢切断，急性中毒等の特殊疾病患者に対する救急医療が提供される．

その他防災基本計画として，基幹災害拠点病院（基幹災害拠点医療センター），地域災害拠点病院（地域災害拠点医療センター）がある．

3 病院の使命

1）患者の治療

患者の治療は病院の主な使命である．とくに入院患者に対しては，診療と看護，薬物治療が大きな柱となる．医療を提供するにあたり，医療の理念に基づき患者との間に信頼関係を作り，適切な説明を行い患者の理解を得るように努める．常に安全で最良の医療を提供できるよう心がけなければならない．

2）公衆衛生活動

病院が病人の治療だけをしていたのでは，世の中から病人はなくならない．一歩進めて，病気の予防や健康の増進にまで業務を広げなければならない．

定期健診，がんや結核の集団検診，予防接種，育児相談，母親学級，生活習慣病対策，公害対策など幅広い活動を行うべきである．

3）医療職員の教育・研修

病院には各種の専門的業務にたずさわる職員がいる．医師，薬剤師，看護師，診療放射線技師，臨床検査技師，理学療法士，栄養士，医療ケースワーカーなど．

これらの職種の教育は，いずれも大学あるいは学校における教育だけでは十分でない．卒業後の実地研修を経て，初めて完成されたものになる．

医学・薬学は常に進歩を続けている．生涯学習は医療関係者の社会的責任である．病院は彼らの研修を支援するよう努める．

4）医学・薬学の研究

医学・薬学の進歩に研究は不可欠である．病院における臨床的な研究は医学・薬学の進歩に貢献するところが大きい．

医療法第７条第６項には「営利を目的として，病院，診療所又は助産所を開設しようとする者に対しては，第４項の規定（施設の構造設備及び人員が規定に適合していること）にかかわらず，第１項の許可（都道府県知事の開設許可）を与えないことができる」とし，また私的病院は医療法人とし,「医療法人は, 剰余金の配当をしてはならない」(同法第54条) と, 利益 (剰余金) という概念は病院にないことを示している.

このように医療機関には一般の営利企業とは異なる公共性のバックボーンがなければ, 社会と患者の信頼をつなぐことができない.

4 病院の組織

4-1 病院の構成員

病院は医師, 歯科医師, 薬剤師, 看護師をはじめ, 診療放射線技師, 臨床検査技師, 理学療法士など医師と協力して医療に従事するメディカルスタッフ medical staff (医療関連技術者) 等多数の専門職によって構成されている.

近代医療の特徴は組織化された医療である. 名医といえども1人ですべての領域をカバーすることはできない. おのおのの診療科であらゆる機能を自給するには限度がある. 各科に共通する部分は独立部門として中央化した方が能率的であり, より近代的である. 現代の医療は, それぞれの専門職が, それぞれの専門性を医療に反映させての「チーム医療」により, 質の高い医療の提供が求められるようになった.

メディカルスタッフ部門の発展は近代医療の特徴の1つである.

病院におく医師, 歯科医師, 薬剤師, 看護師などの員数の標準は, 医療法施行規則に定められている (表17-2).

4-2 病院の組織

病院を構成する主な部門に次のものがある.

(1) 診療部門
(2) 中央診療施設系部門 (放射線部, 臨床検査部, 手術部, リハビリテーション部, 集中治療部, 材料部, 輸血部)
(3) 看護部門
(4) 薬剤部門
(5) 栄養部門
(6) 医療社会事業部門
(7) 医療安全管理部門
(8) 感染対策部門
(9) 地域医療連携部門
(10) 事務部門 (施設部門, ハウスキーピング部門)

病院の組織図の1例を, 図17-3に示す.

病院長を補佐するために副院長を置くことがある. この場合の副院長の立場はラインとしてで

表 17-2. 医療施設別，病床区分別の人員配置標準について

	病床区分	職種							
		医師	歯科医師（歯科，矯正歯科，小児歯科，歯科口腔外科の入院患者を有する場合）	薬剤師	看護師及び准看護師	看護補助者	栄養士	診療放射線技師，事務員その他従業	理学療法士作業療法士
一般病院	一般	16：1	16：1	70：1	3：1	—	病床数100以上の病院に1人	適当数	適当数
	療養	48：1	16：1	150：1	4：1（注1）	4：1（注1）			
	外来	40：1（注2）	病院の実状に応じて必要と認められる数	取扱処方箋の数 75：1	30：1	—			
特定機能病院	入院（病床区分による区別はなし）	すべて（歯科，矯正歯科，小児歯科，歯科口腔外科を除く）の入院患者	歯科，矯正歯科，小児歯科，歯科口腔外科の入院患者	すべての入院患者	すべての入院患者	—	管理栄養士1人	適当数	—
		8：1	8：1	30：1	2：1				
	外来	20：1	病院の実状に応じて必要と認められる数	調剤数 80：1（標準）	30：1				
療養病床を有する診療所		1人	—	—	4：1（注1）	4：1（注1）	—	適当数（事務員その他の従業者）	—

（注1）療養病床の再編成に伴い省令改正．平成36年3月31日までは，従来の標準である「6：1」が認められている．
（注2）耳鼻咽喉科，眼科に係る一般病院の医師配置標準は，80：1である．

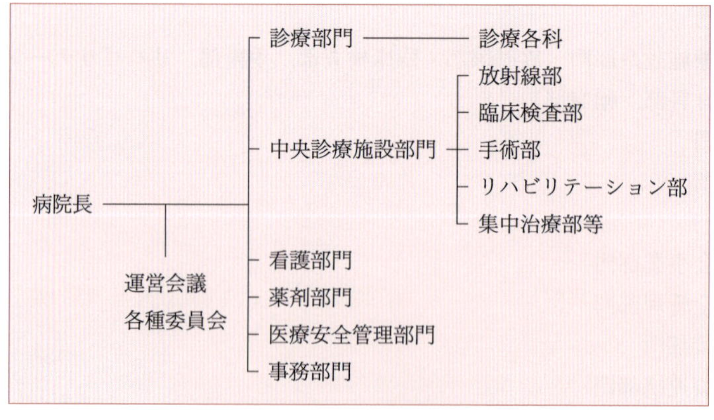

図 17-3. 病院の組織図の1例

表 17-3. 病院の種類・主な職種別にみた 100 床当たり常勤換算従事者数

（単位：人） 各年 10 月 1 日現在

		総数	医師	歯科医師	薬剤師	看護師	准看護師	診療放射線技師・診療エックス線技師	臨床検査技師・衛生検査技師	管理栄養士・栄養士	その他
平成 29 年 (2017 年)	総　数	135.7	14.1	0.6	3.2	52.3	7.4	2.9	3.6	1.8	49.8
	精神科病院	68.2	3.7	0.1	1.2	22.7	10.6	0.2	0.4	1.3	28.0
	一般病院	148.4	16.1	0.7	3.6	57.9	6.7	3.4	4.2	1.9	53.9
平成 28 年 (2016 年)	総　数	135.1	13.9	0.7	3.2	51.7	7.9	2.9	3.5	1.7	49.6
	精神科病院	68.9	3.6	0.1	1.2	22.3	11.1	0.2	0.4	1.2	28.8
	一般病院	147.7	15.9	0.8	3.6	57.3	7.3	3.4	4.1	1.8	53.6

（厚生労働省：平成 29（2017）年医療施設調査）

なく，スタッフとするのが適当である．

病院の運営は病院長，診療科の代表，中央診療施設部門の長，薬剤部長（薬局長），事務部長，看護部長らのスタッフによって構成される運営会議が中心となって行われる．

病院長の諮問機関として，各種委員会がある．委員会には，部門間の調整を行い院内のコミュニケーションをよくするもの，業務の遂行に助言を与える役割をもたせたもの，両者の中間のものなどがある．

予算委員会，人事委員会，薬事委員会，治験審査委員会，給食委員会，感染防止委員会，病歴委員会，保険委員会，リスクマネージメント委員会をはじめ，中央診療施設部門運営のための委員会等がある．

表 17-3 は病院の種類・職種別にみた 100 床当たり常勤換算従事者数である．

5 病院の業務

5-1 診療部門

診療部門で行う業務には，入院診療，外来診療，救急診療，公衆衛生活動がある．

入院患者の診療は病院活動の中心であるが，従来わが国の病院は外来診療のウエイトが大きい．病院と診療所の機能を分化させるべきであることは，先に記した．

これらの外来診療の方向として，紹介制の実施，再来患者の予約制，院外処方の発行などがある．

交通事故の多発，脳卒中，心疾患の危急時，さらに熱傷，中毒など，外科的，内科的な救急医療体制の必要性は大きい．病院においては救急診療部門を独立させ，適切な処置を講じ得るような体制を整備しておく．

公衆衛生活動については，先に記した（p.482）．

5-2 中央診療施設系部門

■ 1）手術部

手術室は以前は外科の付属施設であったが，手術施設設備の高度化，麻酔の発達などにより，どこの病院でも中央化の形態をとるようになった．回復室もこれに付設する．

手術部の管理責任者としては麻酔科医が最適である．実務の管理は手術部看護師長が行う．

麻酔医が行う業務としては，各種の麻酔，手術部の管理のほか，ペインクリニック，呼吸不全の救急処置などがある．

手術部では臨床工学技士が人工心肺装置の操作，保守点検の業務に従事する．

臨床工学技士（法 60 昭 62.6.2） 厚生労働大臣の免許を受けて，医師の指示の下に，生命維持管理装置*の操作及び保守点検を行うことを業とする者．

■ 2）集中治療部 intensive care unit：ICU

病棟を患者の病気別とせず重症度で分ける看護方式を，段階別患者看護方式（progressive patient care：PPC）と呼ぶ．

集中治療部 ICU は，PPC の中心をなす病棟である．すなわち急性心疾患，消化管からの大出血，大手術後の患者，重症の外傷・火傷，急性腎不全，急性中毒など，看護の強化を必要とする患者を収容し，昼夜の別なく絶え間ない看護を行う．

心疾患に対しては冠動脈疾患集中治療部 CCU（coronary care unit）が設けられることもある．

したがって ICU における患者の滞在日数は平均 3〜5 日で，危機を脱すれば一般病棟に戻る．

最近は ICU と一般病棟の中間的な治療室としてハイケアユニット HCU（high care unit）を設定している病院がある．

■ 3）放射線部

放射線部の業務は放射線による診断と治療である．すなわち X 線による診断，及び X 線による治療とラジオアイソトープによる治療とがある．全身用 X 線 CT（p.468），MRI（p.469）による撮影も行われる．

放射線部では，診療放射線技師が業務に従事する．

放射線部においては放射線医がフィルムの読影，並びに治療を行う．また診断用放射線の防護（医療法施行規則第 24〜30 条の 27），撮影フィルムの保管も重要である．

診療放射線技師 厚生労働大臣の免許を受けて，医師，歯科医師の指示の下に，放射線を人体に対して照射（撮影を含み，照射機器又は放射性同位元素を人体に挿入して行うものを除く）を行う者．

＊ 人の呼吸，循環又は代謝の機能の一部を代替し又は補助する装置（人工心肺装置，人工呼吸器，血液浄化装置など）．

4）臨床検査部（臨床検査技師等に関する法律　法 39　平 17.5.2）

臨床検査には検体についての検査と生理機能検査がある．患者から採取する検体による検査には，一般検査（尿や便など），血液検査，細菌検査，生化学検査，病理検査があり，患者の生理機能の検査には循環機能検査，神経生理検査，呼吸生理検査，腹部・体表超音波検査，聴力・平衡機能検査などがある．

臨床検査の今後の方向としては簡易化，機械化，超微量化の 3 点を進める必要がある．

臨床検査の業務には，臨床検査技師が従事する．

臨床検査技師　厚生労働大臣の免許を受けて，医師又は歯科医師の指示の下に，検体検査のほか厚生労働省で定める生理学的検査（心電図，心音図，脳波，筋電図，基礎代謝，呼吸機能，脈波，超音波検査など）を行う者．又診療の補助として採血を行うことができる．

5）リハビリテーション部

リハビリテーションには，医療に関連性の強い時期 medical rehabilitation と，職業訓練を主体に社会復帰につながる時期 vocational rehabilitation とがある．

リハビリテーションは専門医を中心にして理学療法士（PT），作業療法士（OT），義肢装具士，言語聴覚士（ST），視能訓練士などの協力体制の下に行われる．

理学療法士 physical therapist：PT（理学療法士及び作業療法士法　法 137　昭 40.6.29）　厚生労働大臣の免許を受けて，医師の指示の下に，理学療法を行う者．理学療法とは，身体に障害のある者に対し，主としてその基本的動作能力の回復を図るため，治療体操その他の運動を行わせ，及び電気刺激，マッサージ，温熱その他の物理的手段を加えることをいう．

作業療法士 occupational therapist：OT（法 137　昭 40.6.29）　厚生労働大臣の免許を受けて，医師の指示の下に，作業療法を行う者．作業療法とは，身体又は精神に障害のある者に対し，主としてその応用的動作能力又は社会的適用能力の回復を図るため，手芸，工作その他の作業を行わせることをいう．

義肢装具士（法 61　昭 62.6.2）　厚生労働大臣の免許を受けて，医師の指示の下に，義肢及び装具の装着部位の採型並びに義肢及び装具の製作及び身体への適合を行うことを業とする者．

言語聴覚士 speech therapist：ST（法 132　平 9.12.19）　厚生労働大臣の免許を受けて，音声機能，言語機能又は聴覚に障害のある者にその機能の維持向上を図るため，言語訓練その他の訓練，これに必要な検査及び助言，指導その他の援助を行うことを業とする者．

視能訓練士 orthoptic therapist（法 64　昭 46.5.20）　厚生労働大臣の免許を受けて，医師の指示の下に，両眼視機能の障害のある者に視機能回復のための矯正訓練及び必要な検査を行うことを業とする者．

6）材料部

注射器，手術や処置の用具，リネンや衛生材料など滅菌するものを一括処理し，必要とするところに供給する部門である．

最近ではディスポーザブルな器具として注射器，カテーテル，ゴム手袋などが多く用いられる．これらの用具の採用と種類の指定には，本部門が中心となって検討する．

5-3 看護部門

看護業務は，医師の診療の介助と患者の療養上の世話に大別される．

看護とは自立できない人の支えとなることであり，肉体的・精神的に傷ついている人に力を貸すことである．また入院患者の症状の観察も大切な仕事で，患者に一番近い関係にあることより，その様子を最も知りうる立場にある．

病棟における看護は3交代制の24時間勤務で，日勤，準夜勤，深夜勤があり，他職種とは異なる勤務体制がとられている．

看護師　厚生労働大臣の免許を受けて，傷病者若しくは褥婦に対する療養上の世話又は診療の補助を行うことを業とする者（保健師助産師看護師法第5条）．

准看護師　都道府県知事の免許を受けて，医師，歯科医師又は看護師の指示を受けて，傷病者若しくは褥婦に対する療養上の世話又は診療の補助を行うことを業とする者（保健師助産師看護師法第6条）．

5-4 薬剤部門

後述（p.490）を参照のこと．

5-5 医療情報部門

国立大学法人病院などでは医療情報部を置き，主として診療に関する医療情報処理システムの企画，開発，管理，運用並びに研究を行っている．

医療情報処理システムでは，患者情報，処方，注射，臨床検査，X線検査などのデータをコンピュータに蓄積，管理することにより，院内各部門でのデータ共同利用が可能となり，よりよい医療情報の提供に貢献する．

医療情報処理システムの開発には，病院関係者とコンピュータ専門家との緊密な協力を必要とする．医療情報の収集，提供にインターネットも利用されている．

5-6 栄養部門

主治医の治療方針に従い，患者の食事療法をつかさどる部門である．

患者給食には一般食と特別食がある．特別食には腎臓食，高血圧食，肝臓食，潰瘍食，糖尿病食などがあり，医師の食事箋の指示により調製する．乳児の調乳，離乳食も調製する．

給食業務において，配膳室から病床へ運び，患者に食べさせるのは看護業務である．看護師の協力により，患者の嗜好調査，残食調査を行い，与えられた給食費の範囲内で，できるだけ患者に喜ばれる食事を提供するよう努力する．

栄養部門の構成人員は栄養士と調理師である．栄養士は献立の栄養配分とカロリー計算を行う．1962年（昭和37年）から管理栄養士の制度が発足し，専門職としての権威が高められることとなった．

栄養士　都道府県知事の免許を受け栄養士の名称を用いて栄養の指導に従事することを業とする者．ただし，栄養指導で保険点数が取れるのは管理栄養士のみ．

管理栄養士　厚生労働大臣の免許を受けて，管理栄養士の名称を用いて，傷病者に対する療養のため必要な栄養の指導，個人の身体の状況，栄養状態等に応じた高度の専門的知識及び技術を要する健康の保持増進のための栄養の指導並びに特定多数人に対して継続的に食事を提供する施設における利用者の身体の状況，栄養状態，利用の状況等に応じた特別の配慮を必要とする給食管理及びこれらの施設に対する栄養改善上必要な指導等を行うことを業とする者．

5-7 医療社会事業部門

医療とは病気を治すことでなく，病人を治すことであるといわれる．病院の医療に欠けているこの人間の要素に強く働きかけるのが医療社会事業 medical social work である．

具体的には，医療機関の一部門として社会科学の立場から医師の診断を助け，患者又はその家族が直面しているいろいろな困難，精神的，経済的，家庭的な悩み，治療方針についての悩みなどの相談に応じ，治療をより完全なものとし，正しい社会生活へ戻れるように補導することを任務とする．

この事業に従事するのは医療ソーシャルワーカー（MSW）である．病院に医療社会事業部や医療相談部を置き，患者との面接室を設けるなど，この部門の充実が望ましい．

5-8 医療安全管理部門

医療の安全を確保するために，専任のリスクマネージャーや，医療安全のための委員会を開催し，医療安全を推進していく．ヒヤリハット事例を収集・分析し，問題のある部署への対応を協議するとともに，病院全体での連携を図りながら，安全な医療の提供に取り組む．

5-9 地域連携室

患者・地域の医療機関や福祉機関等の連携により，よりよい医療提供とサービス向上に努めている．医療ソーシャルワーカーを配置し，患者や家族が安心して医療が受けられるようさまざまな方面での心配事等の相談を受け，他機関との密接な連携により問題の解決等を支援する．

5-10 事務部門

病院の事務は大別して管理事務と医療事務とがある．前者には庶務，人事，経理，用度（資材）などが，後者には外来医事，病棟医事がある．施設とハウスキーピングも事務部門に所属していることが多い．

病院における物品や材料の購買は膨大な量で，購入には専門知識を必要とするものが多い．また，2008年（平成20年）から病院勤務医の負担軽減を目的に，医師事務作業補助者が診療報酬上評価された．

医療事務としては，外来及び入院患者の受付，診療費の計算・収納，診療報酬請求書の作成などを行う．近年この関係の事務量の合理化，省力化のため，コンピュータの導入が図られている．

病院の大型化に伴い，施設部門の業務は重要度を増した．換気，暖冷房，空調，給排水，蒸気，ガス，電気などの管理・運転のほか，エレベーター，エアシューター，リフトなどの搬送設備，電話，インターホン，ドクターコールなどの通信機器の管理も担当する．

ハウスキーピングとは，病院の環境整備である．業務としては保清（清掃，汚物処理，衛生害虫の駆除，室内外の装飾，調度の整備），リネンの補給と洗濯などがある．

6 病院薬剤部の管理[1, 2]

6-1 病院薬剤部の機能

病院薬剤部は病院を構成する1つの部門であって，病院で使用する医薬品を専門的な立場から取り扱い，薬剤師の職能を生かし，患者治療や病院の機能に寄与・貢献する．

近代の医療は医薬品に依存するところが大きい．医薬品を適切に管理し，有効かつ安全に使用することは診療レベルの維持，向上を図るために重要である．また病院経営の上からも，病院の総支出に占める医薬品費の比率はすこぶる高く，経済的な管理もゆるがせにできない．

医薬品は他の物品と異なり，多くの特徴を有している．病人に使用するもので直接生命に関係すること，用量が微量で作用が強力なものが多いこと，高度の品質が要求されること，高価なものが多いことなどである．これを取り扱いうるのは，医薬品の専門家である薬剤師によって構成される薬剤部門以外にない．

このような機能を果たすために，病院薬剤部は病院の規模の大小及び病院の性格に応じて，必要にして十分な構造，施設設備を整え，業務が常に合理的に能率よく，しかも完璧に遂行できるよう工夫，研究を積まなければならない．

6-2 病院薬剤部の組織と運営

病院での薬局は医療法上で，調剤所と称する（第21条）．調剤所の構造設備の規定は，医療法

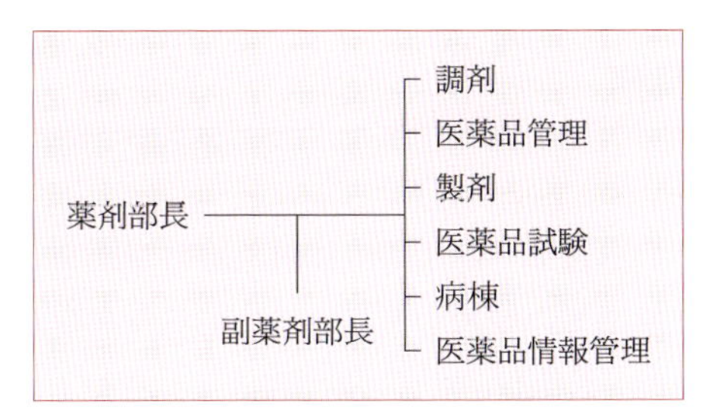

図 17-4. 病院薬剤部の組織図の 1 例

施行規則第 16 条第 1 項第 14 号，病院薬局設備基準に記されている（p.259）.

病院薬剤部の組織は，業務の種類を中心に構成される．組織図の 1 例を図 17-4 に示す．規模が小さい施設では，この中のいくつかを統合して行うことになる．たとえ薬剤師が 1 人の病院，診療所でも，薬剤部の業務にはこれらの要素があることを心得て，仕事にあたるべきである．

病院薬剤部の規模が一定以上になると副薬剤部長（副薬剤科長）を置くことがある．

「チーム医療」の実践に伴い，薬剤師の業務も日常業務だけではなく，医療の品の確保，医療安全，医薬品の適正使用のため，その専門性を十分に発揮すべきである．

薬剤部長（薬局長，薬剤科長）には病院の管理職としての立場と，薬剤部のリーダーとしての立場がある．

病院の管理者は，その病院が有する医薬品，再生医療等製品及び用具が医薬品医療機器等法の規定に違反しないよう注意しなければならない（医療法施行規則第 14 条，p.21）．薬剤部長は管理者（病院長）の委嘱を受けて，病院内における医薬品管理の実務を担当する責任者である．また薬剤部長は通常麻薬管理者となる．

とくに医療施設における毒薬等の適正な保管管理の徹底，医療従事者の監督に万全を期する（医政指発第 3 号，医薬監麻発第 4 号　平 13.1.11．医薬発第 418 号　平 13.4.23）.

一方，薬剤部長は病院薬剤部の管理運営の責任者でもある．薬剤部職員に対し指導監督の責任をもつとともに，学術研修を奨励し，スタッフが医療人としての使命を自覚し，将来への展望をもって業務に従事できるよう，人間関係の確立，職場の環境づくりに努めなければならない．

今日，病院薬剤部は大きな変革を求められている．薬剤部長が自らの責任において，それを決断しなければならない時がある．それには薬剤業務に対する先見性と，それに対応できる医療に関する幅広い知識，職員の訓練等が必要である．

病院薬剤部の業務規程を作り，各部門の業務内容を明確にしておくことは，責任と業務の権限，相互の調整，さらに職場改善，意欲向上の上から必要なことである．

日本病院薬剤師会は病院薬剤部業務の適正化のために「病院薬剤師のための業務チェックリスト」を作成している[3)]．また入院時に患者の持参薬について薬剤師が必ず関与することを求めている[4)]．

6-3 病院薬剤部の業務

1）薬品管理

病院内で使用されるすべての医薬品（内用薬，注射薬，外用薬など）の購入・在庫・供給，その品質管理を行う．麻薬や覚醒剤等の管理も薬品管理にて行う病院がほとんどである．また，医薬品管理業務にSPD（supply processing & distribution）を導入する施設も増えている．

購入管理　病院内で使用する医薬品を，納入業者から購入する．医薬品の納品に際しては検収作業を行い，薬品名，規格・包装単位などの確認や有効期間，使用期限，製造番号（ロット番号）などもチェックする．

在庫管理　必要な時に必要な医薬品が病院内に在庫されていないと，診療に大きな影響を与えることになるため，在庫を切らすことがないよう配慮する．最近では，多くの病院においてコンピュータを活用した在庫管理を行っている．

供給管理　病棟や外来診療科などに，必要な医薬品を必要量払い出す．病院の規模によってそのシステムは異なる．最近，薬剤師が入院患者に使用される注射薬を，患者ごとにカートや袋などにセットして供給している病院も増加している．

品質管理　医薬品の品質確保を十分に行う．倉庫内における温度，光度，湿度などを適切に管理するとともに，先入れ先出し（先に購入した医薬品を先に使用する）を心がける．また，病棟や外来診療科などに供給した医薬品に関しての管理にも注意を払う．

2）調　剤

処方された薬ののみ方や用法・用量，相互作用などをチェックした後に，調剤し，患者にのみ方の説明などをして渡すまでの一連の作業．最近では発生源入力による処方オーダリングシステムを導入している施設が多い．自動錠剤分包機を処方オーダリングシステムと接続し，1回服用量毎に一包化して（one dose package）いる施設も多い．

3）製　剤[5, 6] (p.123)

一般製剤，特殊製剤．

4）医薬品試験

購入医薬品の品質試験，院内製剤規格・品質試験，医薬品分析，TDMなど．

5）医薬品情報

医師・歯科医師・薬剤師・看護師その他の医療従事者，及び患者への医薬品に関する情報の提供を通じて，良質かつ適正な薬物療法の発展を図り，医療の質の向上と安全に寄与する部門．薬事委員会など院内の医薬品に関連する事務局としての業務もある．

6）病棟業務[7]

病棟薬剤業務，薬剤管理指導業務（p.313）.

その他にも今後は，治験コーディネーター，治験支援スタッフとしての活動分野も重要となる.

また薬学の専門知識，技術を生かして，給食，飲食物・水質検査，環境衛生検査，院内感染防止，臨床化学検査，毒物検査，中央材料部運営などへの協力も行う.

病院薬剤師業務の変遷と現状を図にまとめると，図 17-5 のようになる[8].

また病院薬局の実態調査から，病院薬剤師が取り組む業務として次の14項目が挙げられている[2].

(1) 医療・薬物治療の安全確保と質の向上

1）薬歴に基づく処方監査

2）患者情報に基づく服薬指導と薬学的ケア

3）入院患者の持参薬管理

4）注射薬の処方箋に基づく調剤

5）がん化学療法への参画

6）手術室・集中治療室等における医薬品の適正使用

昭和 40 年代

外来患者中心

- 調剤：外来調剤
：入院調剤
製剤・薬品管理など薬剤部内での日常業務が主体
- 医薬品情報管理
医薬品集の作成

昭和 50 年代

外来患者中心
（一部新しい業務）

- 調剤業務に新しい概念の導入
- 外来・入院調剤
服薬指導
患者情報の把握及び処方内容の確認
- 医薬品情報管理
医療従事者への情報提供
- 新薬開発における業務
治験薬管理
- 臨床薬学の導入

平成時代

病棟への業務展開
（分業の進展）

- 新しい調剤業務の拡大
- 外来・入院調剤
服薬指導の拡大
患者情報の把握及び処方内容の確認の拡大
- 注射薬調剤
注射処方せんによる調剤
- 病棟業務
薬剤管理指導業務の導入
総合的薬学管理

平成 10 年代～

入院患者中心へ

- 新しい調剤の充実
- 外来・入院調剤
服薬指導の充実
患者情報の把握及び処方内容の確認の充実
薬歴管理
- 注射薬調剤の拡大
注射処方せんによる調剤
- 病棟業務の拡大・充実
薬剤管理指導業務の定着
総合的薬学管理
退院時指導，薬薬連携
- 医薬品情報管理
患者及び医療従事者対象
根拠に基づく医療への貢献
- 新薬開発における業務
治験コーディネーター
治験管理
- 医療事故・過誤防止への関与
医薬品のリスクマネジャー

現　在

入院患者中心へ

- 新しい調剤の定着
- 患者情報の把握及び処方内容・設計への関与
服薬指導
院外処方せんの監査
危険薬の薬歴に基づく調剤など
- 病棟業務
薬剤管理指導業務の定着
総合的薬学管理
退院時指導，薬薬連携の充実
- 注射薬調剤
注射処方せんによる調剤
化学療法剤の混合調製
- 医療事故・過誤防止への貢献
持参薬の管理
- 夜間休日体制の充実
救命救急センター常駐
- チーム医療への参画・がん・NST，ICT，褥瘡など専門薬剤師の育成
- 薬学教育への参画
長期実務実習指導

病院薬剤師業務の現状

○ 外来患者中心から入院患者中心(病棟)そしてチーム医療へ

○ 医療の進展に伴い薬剤師業務も高度化，多様化へ

○ 患者が安心して受けられる医薬品適正使用への貢献（疑義照会等）

○ 医療の安全，経済的視点，新薬開発への協力など，さらなる業務の多様化，充実化が求められる

図 17-5．病院薬剤師業務の変遷と現状（日本病院薬剤師会資料一部改変）

7）高齢者の適正な薬物治療への参画
8）精神科領域薬物治療における服薬遵守の向上
9）チーム医療への参画による安全性の確保と質の向上
10）個々の患者に応じた薬物療法への参画
11）夜間休日の病院薬剤師業務の実施

⑵ 医療の安全確保のための情報業務

1）医療安全確保のための情報の共有化（後発医薬品を含む）
2）医薬品採用に必要な情報の収集と提供（後発医薬品を含む）

⑶ その他取り組むべき業務

1）教育・研修への積極的な参画

7 薬局管理

薬局は，薬剤師が販売又は授与の目的で調剤の業務を行う場所である（その開設者が医薬品の販売業を併せ行う場合は，その販売に必要な場所を含む）（医薬品医療機器等法第2条第12項）と規定されている．

しかし，薬局は処方箋に基づく調剤のみならず，国民に対し一般用医薬品等も適正に，かつ必要に応じて支障なく地域に供給するという社会的使命も併せ求められている．しかしながら，わが国に薬剤師・薬局が欧州から導入された明治初期以降，2019年12月8日に公布され，2020年4月から順次施行されている，改正医薬品医療機器等法（薬機法＝旧薬事法）に至るまで，幾度かの改正が行われたが基本的なコンセプトは130年前と変わらず「薬局とは薬剤師が調剤をする場所」薬剤師は「医師の処方箋に基づき調剤をする者」とされてきた．こうした，社会から期待される役割とその有すべき機能に関する乖離を改め，今後求められる役割を地域で果たせるよう，薬局とは「薬剤師が販売又は授与の目的で調剤の業務並びに薬剤及び医薬品の適正な使用に必要な情報の提供及び薬学的知見に基づく指導の業務を行う場所」（医療品医療機器等法第2条第12項）と再定義され，併せて「薬局開設者は，医療を受けようとする者に必要な薬剤及び医薬品の安定的な供給を図るとともに，当該薬局において薬剤師による前項の情報提供が円滑になされるよう配慮しなければならない」とされた．このことはすなわち，「薬局は，あらゆる医薬品を取り扱う場所で，服薬指導を行う場所である」と法律上明確化されたことに他ならない．今回の法改正により，「調剤のみに特化した薬局」や「OTC薬の販売に特化した店舗」は薬局としての適格性に欠ける施設で，国民の期待に応えられない施設といっても過言ではない（表17-4〜表17-6）．

また，医療保険制度のもとで調剤を行う場合，すなわち保険調剤を行うためには，医薬品医療機器等法上の薬局開設許可に加えて，薬局所在地の都道府県知事から「保険薬局」の指定を受けなければならない（健康保険法第65条）とされていることから，医薬品医療機器等法に規定される薬局として適格性に欠ける施設については，当然ながら「保険薬局」の指定を受ける上でも適

表 17-4. 薬局の定義の改正（医薬品医療機器等法　第二条第十二項）

■ 薬局の定義の改正　（令和２年９月１日施行）

	改正後	改正前
法	第二条 〈略〉 12　この法律で「薬局」とは，薬剤師が販売又は授与の目的で調剤の業務並びに薬剤及び医薬品の適正な使用に必要な情報の提供及び薬学的知見に基づく指導の業務を行う場所（その開設者が併せ行う医薬品の販売業に必要な場所を含む.）をいう．ただし，病院若しくは診療所又は飼育動物診療施設の調剤所を除く.	第二条 〈略〉 12　この法律で「薬局」とは，薬剤師が販売又は授与の目的で調剤の業務を行う場所（その開設者が医薬品の販売業を併せ行う場合には，その販売業に必要な場所を含む.）をいう．ただし，病院若しくは診療所又は飼育動物診療施設の調剤所を除く.

薬局は，あらゆる医薬品を取り扱う場所，服薬指導等を行う場所であることを法律上明確化

■ 薬局開設者に対する義務規定も追加

	改正後	改正前
法	第一条の五 〈略〉 3　薬局開設者は，医療を受ける者に必要な薬剤及び医薬品の安定的な供給を図るとともに，当該薬局において薬剤師による前項の情報の提供が円滑になされるよう配慮しなければならない.	第一条の五 〈略〉 （新設）

（日本薬剤師会作成：改正薬機法説明会資料より）

表 17-5. 医薬関係者の責務の改正（医薬品医療機器等法　第一条の五）

【新設（第２項及び第３項）】　（令和２年９月１日施行）

法	第一条の五 医師，歯科医師，薬剤師，獣医師その他の医薬関係者は，医薬品等の有効性及び安全性その他これらの適正な使用に関する知識と理解を深めるとともに，これらの使用の対象者（動物への使用にあつては，その所有者又は管理者．第六十八条の四，第六十八条の七第三項及び第四項，第六十八条の二十一並びに第六十八条の二十二第三項及び第四項において同じ.）及びこれらを購入し，又は譲り受けようとする者に対し，これらの適正な使用に関する事項に関する正確かつ適切な情報の提供に努めなければならない. 2　薬局において調剤又は調剤された薬剤若しくは医薬品の販売若しくは授与の業務に従事する薬剤師は，薬剤又は医薬品の適切かつ効率的な提供に資するため，医療を受ける者の薬剤又は医薬品の使用に関する情報を他の医療提供施設（医療法（昭和二十三年法律第二百五号）第一条の二第二項に規定する医療提供施設をいう．以下同じ.）において診療又は調剤に従事する医師若しくは歯科医師又は薬剤師に提供することにより，医療提供施設相互間の業務の連携の推進に努めなければならない. 3　薬局開設者は，医療を受ける者に必要な薬剤及び医薬品の安定的な供給を図るとともに，当該薬局において薬剤師による前項の情報の提供が円滑になされるよう配慮しなければならない.

○　薬剤師は，患者の服薬状況等に関する情報について，他の医療提供施設で診療又は調剤に従事する医師，歯科医師，薬剤師へ提供することにより連携推進に努めなければならない.
○　薬局開設者は，薬剤師による情報の提供が円滑になされるよう配慮しなければならない.

（日本薬剤師会作成：改正薬機法説明会資料より）

格性に欠ける施設と認識することが重要である.

7-1　薬局の開設

薬局開設の許可を得るには，次の物的要件，人的要件の基準を満たすことが必要である．加え

表 17-6. 服薬状況等の継続的な把握・服薬指導等，記録の義務化

【新設】 （令和２年９月１日施行）

薬剤師法	（情報の提供及び指導） 第二十五条の二 ２ 薬剤師は，前項に定める場合のほか，調剤した薬剤の適正な使用のため必要があると認める場合には，患者の当該薬剤の使用の状況を継続的かつ的確に把握するとともに，患者又は現にその看護に当たつている者に対し，必要な情報を提供し，及び必要な薬学的知見に基づく指導を行わなければならない． ［前項：調剤時］
医薬品医療機器等法	（調剤された薬剤に関する情報提供及び指導等） 第九条の三 ５ 第一項又は前項に定める場合のほか，薬局開設者は，医師又は歯科医師から交付された処方箋により調剤された薬剤の適正な使用のため必要がある場合として厚生労働省令で定める場合には，厚生労働省令で定めるところにより，その薬局において薬剤の販売又は授与に従事する薬剤師に，その調剤した薬剤を購入し，又は譲り受けた者の当該薬剤の使用の状況を継続的かつ的確に把握させるとともに，その調剤した薬剤を購入し，又は譲り受けた者に対して必要な情報を提供させ，又は必要な薬学的知見に基づく指導を行わせなければならない． ６ 薬局開設者は，その薬局において薬剤の販売又は授与に従事する薬剤師に第一項又は前二項に規定する情報の提供及び指導を行わせたときは，厚生労働省令で定めるところにより，当該薬剤師にその内容を記録させなければならない． ［第一項：調剤時 前項（第四項）：相談時］ ［第一項・・・調剤時 前二項 第四項・・・相談時 第五項・・・継続的］

○ 薬剤師は，調剤時・相談時のみならず，患者の服薬状況の継続的な把握や薬学的知見に基づく指導等を行わなければならない．
○ 薬局ではその内容の記録も必須．（場合・方法は省令で定める）

（日本薬剤師会作成：改正薬機法説明会資料より）

て，2019 年改正医薬品医療機器等法では前述のように，薬局の定義をこれまでとは大きく変えていることから，開設許可を申請する際にも単なる人的要件のみならず，その有する機能についても十分な配慮が求められる．

■ 1）物的要件（薬局等構造設備規則第１条）（p.259）．

① 薬局の換気・清潔性
② 居住場所・不潔な場所からの区分
③ 一定以上の面積及び調剤室
④ 室内の照度
⑤ 貯蔵設備
⑥ 調剤及び薬品検査に必要な設備・器具

■ 2）人的要件

薬剤師の員数（薬局及び一般販売業の薬剤師の員数を定める省令）

薬局 1日平均取扱処方箋数40又はその端数を増すごとに1．ただし眼科，耳鼻いんこう科，歯科の処方箋数については，３分の２に換算して算定する．

一般販売業 常勤薬剤師１

上記の人的要件については，調剤機器の発達に伴って，員数規定の見直しを求める議論がかま

びすしいが，2015 年（平成 27 年）に厚生労働省より公表された「患者のための薬局ビジョン」に示された「対物中心の業務から対人中心の業務」へと，薬剤師の視点の変革が求められる中で，2019 年医薬品医療機器等法改正に伴って一部改正された薬剤師法では，患者等が服薬期間中に服用・使用する医薬品を薬剤師が一元的，継続的に把握することを通じて，当該患者や地域住民の医薬品安全を守る役割を全うするには，適切に薬剤師が薬局に配置されることが不可欠であり，そのために薬剤師による不断の業務の見直しが不可欠である．

7-2 薬局の管理者（管理薬剤師）

薬局開設者が薬剤師である時は，原則として自らがその薬局の管理者となる．しかし，薬局の開設者が法人の場合，あるいは薬剤師でない場合には，薬局で業務に従事する薬剤師の中から 1 名を当該薬局を管理する薬剤師（一般的には管理薬剤師と呼ばれる）に指名して管理にあたらせなくてはならない．

薬局に管理薬剤師を置く理由は，薬局を開設しようとする者に特別な資格を要しないことから，医薬品の専門家である薬剤師が薬局を管理する必要があるためである（医薬品医療機器等法第 7 条）．こうした規則は，この法律の原型が作られた明治初期，薬局は薬剤師が開設しその薬剤師が当該薬局を管理することとされたことに由来し，現代に至るまでその精神が引き継がれていることにあると考えられている．

管理薬剤師は，その薬局に勤務する薬剤師その他の従業者を監督し，薬局の構造設備及び医薬品その他の物品を管理し，その他その薬局の業務につき，必要な注意をしなければならない．また，保健衛生上支障を生ずるおそれがないよう，その薬局の業務につき薬局開設者に必要な意見を述べなければならない（法第 8 条）．

薬局開設者は法第 9 条に基づき薬局管理者の意見を尊重しなければならない．また，調剤された薬剤の適正な使用のため，薬剤師にあらかじめ患者の年齢，他の薬剤又は医薬品の使用状況その他の厚生労働省令で定める事項を確認させ，当該薬剤に関する必要な情報を提供させ，必要な薬学的知見に基づく指導を行わせなければならない（法第 9 条の 3）．

7-3 薬局の業務

① 薬剤師・薬局の役割

薬局は調剤・一般用医薬品等の地域への供給をその主たる任務と規定されていたが，外来患者への調剤並びに投薬が医療機関内で行われていた（いわゆる院内調剤）時代には，一般用医薬品の販売を中心に地域住民の健康・福祉に奉仕してきた（セルフメディケーション・セルフケアの支援）．しかしその内容は，医薬品を販売するという観点から一般小売業として分類されていたこともあり，一般的には商業的色彩が強いものと認識されており，社会から医療関連施設という理解がされていなかった．

医療法が改正され，薬局が「病院，診療所，介護老人保健施設」と並び医療提供施設として地域医療において医療を担う施設と規定され，医療計画の立案に薬剤師の代表が参画し，医療計画に「医薬分業の推進」とのみ記載されていた薬剤師・薬局の役割が，医師・歯科医師・看護師等と並んで，積極的に医療計画の中に記載されることとなった．薬局が医療提供施設として医療法上明確に位置づけられたことによって，これまで，資格職としての薬剤師は医師・歯科医師・看護師と同様に，法制上医療の担い手として位置づけられていたが，その薬剤師が業務を行う施設，すなわち薬局が医療提供施設として位置づけられたことによって，名実ともに地域医療を担うものとなった．

医薬分業が進展して薬局業務の中心が調剤となった今日であるからこそ，薬局の開設者は医療の公共性と薬剤師の医療人としての使命達成，すなわち地域への過不足ない医薬品の提供体制の確立と同時に医薬品適正使用を確保するという「薬剤師・薬局」の基本理念に立脚し，専門職としての自律の下，地域住民や患者の利益を第一に薬局運営を目指すことが求められている．

② 調剤業務

医薬分業の法的根拠は，処方箋交付の原則を定めた医師法第 22 条，歯科医師法第 21 条と，薬剤師による調剤業務の原則的独占を規定した薬剤師法第 19 条である．

薬剤師法第21～28条には調剤の求めに応ずる義務（応召義務；医師・歯科医師にも同様の義務が課せられている），調剤を行う場所，無処方箋調剤の禁止，処方箋上の疑義の取り扱い，調剤した薬剤の表示事項，調剤した薬剤の患者への情報提供及び薬学的知見に基づく指導義務，調剤済処方箋への記載事項と保存，調剤録の作成・記入と保存が規定されている（p.16）．加えて，2019年医薬品医療機器等法改正に伴って，患者の服薬記録の一元的・継続的な把握が薬剤師に義務づけられたことによって，これまで大人・子ども，男性・女性といった大まかな括りで，医薬品を使う患者・住民をとらえていたが，そうした視点を変えてその患者に焦点を当てた，薬物治療への関わりが必要となってきている．言い換えれば，「患者（a patient）から，その患者（the patient)」への視点の転換といっても過言ではない．

③ 保険調剤（保険薬局及び保険薬剤師療養担当規則）

保険調剤を実施するに際しては，薬剤師法・医薬品医療機器等法の定めを遵守することが求められており，その上で，健康保険法等医療保険に給付に関するさまざまな要件を満たすことが必要となる．したがって，保険調剤を担当しようとする薬剤師・薬局は，薬剤師法・医薬品医療機器等法に基づく免許並びに薬局開設許可を受けた後，健康保険法等の療養を担当する薬剤師・薬局として，保険薬剤師登録ならびに保険薬局の指定を受けなくてはならない．

療養の給付は，保険医の発行する保険処方箋に基づき「薬剤又は治療材料の支給並びに居宅における薬学的管理及び指導とする」（同規則第 1 条）．

調剤の一般的方針として，患者の療養上妥当適切に調剤並びに薬学的管理及び指導を行わなければならない（同規則第 8 条）．

④ 一般用医薬品の供給

薬局のもう 1 つの大きな機能である一般用医薬品等の販売，供給については，医薬品医療機器等法第36条の10第1項により，「薬局の開設者は，医薬品を一般に購入し，又は使用する者に対し，医薬品の適正な使用のために必要な情報を提供するよう努めなければならない」と規定されている．具体的な一般用医薬品等の販売に際して，その分類ごとに薬剤師又は登録販売者から消費者に対して，適切な情報提供が行われ安全な使用を確保することとされている．

一般用医薬品等に対する販売規制緩和議論を受けて，一般用医薬品等については，その含む成分によって，薬剤師が直接対面で情報提供を伴って販売が認められる要指導医薬品，対面もしくは非対面でかつ薬剤師からの情報提供が必要な第1類医薬品と，登録販売者でも販売できる第2類，第3類医薬品に分類されている（いわゆるネット販売と呼ばれる非対面販売の場合には，第2類，第3類であっても薬剤師による確認が必要とされている）．

また，2020年にわが国を襲った「新型コロナ感染症パンデミック」の影響もあり，これまで大きな議論を呼びながら，なかなかに医療提供側と医療享受側，規制改革を目指す側と意見の一致をみなかったオンライン等ICT技術を使っての服薬指導に関して，感染防止等の観点から，一定の条件の下で非対面による「オンライン服薬指導」や「オンライン診療」が医療現場に導入されており，今後は平時における活用の議論が進むことが想定されるが，その際にも，薬剤師として利便性のみの議論ではなく「患者の安全が確保された上」という視点を忘れてはならない．

日本薬剤師会は，一般消費者が一般用医薬品等を安全に使用できる環境を確保する観点から，一般用医薬品等販売時の薬剤師の対応などを「対面話法例示集」としてまとめた．薬剤師による一般用医薬品等販売の定義，各薬効群の販売時での対応フローチャート，顧客との対話事例などが盛り込まれており，薬剤師が一般用医薬品等販売時に手引きとして活用することを求めている．

⑤ 薬局製剤の製造，供給[9, 10]

薬局製剤（正式な名称は薬局製造販売医薬品）とは，薬局が都道府県知事の承認・許可を受けて，薬局の設備・器具を用いて，混和・溶解等の簡単な操作により製造できる医薬品のことで，薬局製剤として承認された品目はその成分・含量等が厳格に規定されている．

薬局製剤は，薬局薬剤師が患者の訴えに対応して自らの判断で供給することができる．現在（平成21年1月27日現在）394品目（漢方212品目を含む）が厚生労働省告示・通知により定められている．薬局製剤は医薬品製造業の許可を受けて製造するので，製造した製品の品質を確保するため一定の品質試験も義務づけられる一方，製造物責任法の対象となる（p.67）．

⑥ 製造販売後の安全対策への協力（p.61）．

医薬品等の製造・販売後の安全対策である「医薬品・医療機器等安全性情報報告制度」で，薬局及び店舗販売業の開設者は，調剤した薬剤及び販売した一般用医薬品について，副作用等の報告が求められている．さらに，超高齢社会を迎えたわが国では，これまでの外来中心から居宅・施設等で療養を継続する患者に対して，医師や看護師等と密接な連携をとりながら相互に役割分担を行い協働する，チーム医療の実践が地域においても必要となる．薬剤師が地域住民や地域に住まう患者に対して適切な薬学的視点に立ったサービス（薬剤師サービス）を提供するためには，医師等との連携の下で，在宅訪問服薬指導や，高カロリー輸液の混合調製，また介護サービスの提供などにも積極的に加わっていかねばならない．

7-4 薬局のグランドデザイン

1990年（平成2年）4月，日本薬剤師会は有効にして安全な薬物療法の遂行と患者サービスを目指して認定基準薬局制度を導入した．この制度は薬局の地域保健，地域医療への総合的機能を充実させた薬局像を具体的に提示したもので，39項目の「認定基準」が示されている．基準薬局は薬局の申請に基づき都道府県薬剤師会会長が認定し，基準薬局の標識サイン看板が交付される．

2007年（平成19年）日本薬剤師会は基準薬局制度の新認定基準を策定，実施した．新認定基準は，① 責任をもって処方箋を調剤している，② 医療提供施設として適切な体制を整備している，③ 一般用医薬品等を販売し，その販売方法が適切である，④ 地域の保健・医療・福祉に貢献している，⑤ 十分な知識・経験のある薬剤師が勤務している，⑥ その他，に大別される．新たな項目として，後発品供給体制や医療安全体制，たばこの非販売，災害時の救援活動などが盛り込まれた．なお，本制度は2014年（平成26年）度末をもって発展的に解消することとなった．その後，各都道府県で独自に基準薬局制度が継続されていたが2015年（平成27年）厚生労働省が公表した「患者のための薬局ビジョン」で示された，かかりつけ薬剤師・薬局の実践とともに，地域の医療に貢献する薬局の姿として「健康サポート薬局」制度をスタートさせている．さらに，2019年医薬品医療機器等法改正によって，患者からその薬局の有する機能がわかりやすく判断できるよう，「地域連携薬局」と「専門医療機関連携薬局」の認定薬局制度が2021年8月からスタートした．多くの薬剤師の耳目が新たな2つの認定薬局に向いているが，基本的な認識として「新たな規定に基づいた『薬局』として地域で機能できていない施設は，新たな認定薬局としての基準を満たせない」ということを認識することが大切である．図17-6に新たな薬局の機能と認定薬局等を模式的に示す．

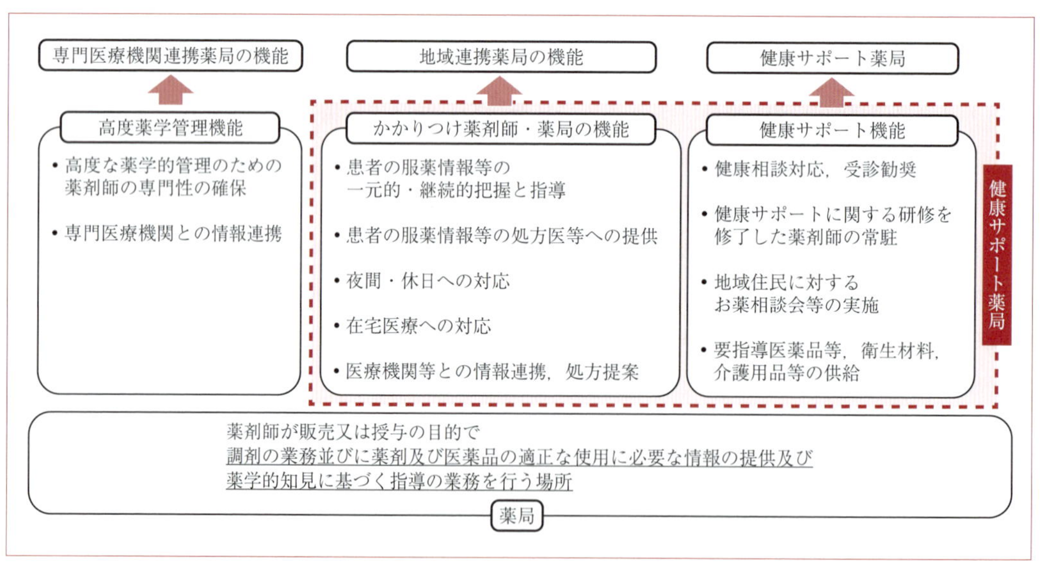

図17-6．国民・患者の薬局選択に資する仕組み

（厚生労働省資料を一部改変）

1993 年（平成 5 年）4 月厚生省（当時）は「薬局業務運営ガイドライン」を通知し，調剤による良質かつ適切な医療の供給，地域保健医療への貢献，薬局選択の自由を薬局の基本理念とした（薬発第 408 号，平 5.4.30）．

1997 年（平成 9 年）日本薬剤師会は「薬局のグランドデザイン」を策定し，21 世紀初頭に向けての活動指針を示した．その中で薬局の体質改善と薬剤師の意識改革を求め，ファーマシューティカルケアの推進により，医薬品の適正使用と患者の QOL の向上への貢献を挙げている[11]．

医薬分業が進展し，調剤医療費の増加に伴って医薬分業の質的充実が求められ，医薬分業の費用対効果を評価検証すべきとの声が高まっている．2006 年（平成 18 年）日本薬剤師会は厚生労働省の委託事業として「薬局機能評価マニュアル」（自主点検用）をまとめ，住民から求められる理想の薬局機能を，① 基本項目，② 供給品目，③ 構造・設備，④ 住民へ提供されるサービス，⑤ 組織・管理，⑥ 専門性に基づく業務，の 6 領域につき，約 250 項目の評価項目を設定した．

同事業は国民・患者と医療の専門家による双方の視点から，薬剤師・薬局のあるべき姿を探り，薬局のもつ機能を評価できる仕組みを構築することを目的とする．評価結果に基づいて各薬局が業務を改善していくことで，薬局の質の向上やより良いサービスの提供を目指す．

先に厚生労働省から公表された「患者のための薬局ビジョン」や医薬品医療機器等法の改正さらには薬物治療の高度化等を受けて，あるいは薬局業務運営ガイドライン，日薬版「薬局の将来ビジョン」等を踏まえ，2025 年・2030 年に向けて 1973 年以降長い間，薬剤師はもとより，社会全体で理解されてきた「処方箋の発行とその応需」をもって医薬品業とする考え方を拡大して，欧州流の「社会，地域に対する過不足のない医薬品提供に対して，薬剤師がすべての責任を持つこと」を定義し，社会制度としてわが国に定着させることを目標とする薬局の将来像を目指し，2021 年日薬版「政策提言」が公表されている（図 17-7）．

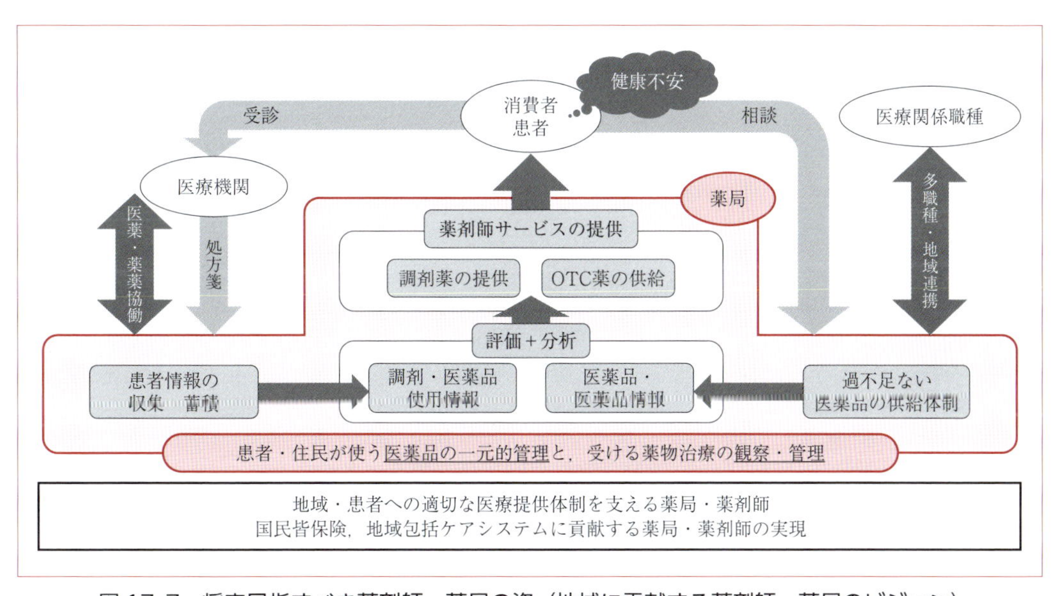

図 17-7．将来目指すべき薬剤師・薬局の姿（地域に貢献する薬剤師・薬局のビジョン）
（2021 年 6 月，日本薬剤師会「政策提言」より抜粋）

文 献

1) 堀岡正義：病院薬局学（第11版）南山堂 1993
2) 日本病院薬剤師会：「病院における薬剤師の業務及び人員配置標準に関する検討会」について，日病薬誌 **43**(10) 1277～1322 2007
3) 日本病院薬剤師会薬剤業務委員会：病院薬剤師のための業務チェックリスト，日病薬誌 **39**(10) 1273 2003
4) 日本病院薬剤師会：持参薬についての薬剤師の対応について（平17.1.31），日病薬誌 **41**(3) 2005
5) 杉原正泰ら：院内製剤の製造指針に関する研究，病院薬学 **18**(2) 537 1992．**19**(2) 540 1993．**20**(2) 571 1994
6) 宮崎勝巳ら：院内製剤の品質保証に関する研究，病院薬学 **20**(2) 536 1994
7) 日病薬誌 **40**(4) 2003
8) 病院薬剤師業務の変遷，日病薬誌 **40**(2) とじこみ 2003
9) 日本薬剤師会編：薬局製剤業務指針（第4版） 薬事日報社 1996．薬局製剤・新添付文書集 薬事日報社 2002
10) 日薬薬局委員会第二委員会：作ってみよう薬局製剤．日本薬剤師会：作ってみよう薬局製剤 薬事日報社 2003
11) 日本薬剤師会医薬分業推進対策本部幹事会：薬局のグランドデザイン―将来ビジョンと21世紀初頭に向けての活動指針，日薬誌 **49**(3) 付録 1997

18 医療関連制度

1 社会保障制度

社会保障制度とは，「疾病・負傷・分娩・廃疾・死亡・老齢・失業・災害・不況等によって，国民が日常生活するうえで，個々の努力のみでは解決が困難な著しい困窮を引き起こす原因に対して，保険的な方法や直接公費等社会的な仕組みで負担することによって，経済的保障を行い，生活困窮者に対して国家的な扶助をもって生活を保障する一方，公衆衛生並びに社会福祉の増進やその質の向上を図り，すべての国民がわが国の国民として文化的社会生活を営むことができるようにする制度である」と考えると理解しやすい．この考え方は，一般的には憲法第 25 条の規定に依拠すると考えられており，わが国の国民は「勤労・納税・教育」の 3 大義務を果たすことで，国から国民として健全な生活を営むために必要な支援を受けることができる制度で，これらの義務を果たさない場合には，給付対象とならないこともある点を忘れてはならない．

こうした社会保障制度は，国民が晒されている一定の危険に対して，前述の憲法の規定に従って社会全体（財源は国民の拠出によるので『社会』ではあるが，実行主体は国が規定に則って行うこととなる）で保証する制度で，大まかに社会保険・公的扶助・社会福祉・公衆衛生などの諸分野に分けられていると考えられている．これらのうち，社会保険は，加入者に一定の負担を課す（一般的には保険料と呼ばれることが多い）ことによって，個人に係る過剰な負担を和らげる効果が期待されているもので，最近では「平時の安全保障」と呼ばれることもある．社会保険はその対象により，医療保険・介護保険・年金保険・雇用保険・労災保険があり，これらの保険には原則としてわが国の国民はそれぞれの働く場所等に応じて，保険制度への加入が義務づけられており「国民皆保険」あるいは「国民皆保険制度」と呼ばれ，世界的にみて他に類をみない完備された制度といわれている．近年，国連等を通じて「Universal Health Coverage」という概念が提唱され，グローバルなムーブメントとなっているが，わが国では 1960 年代に世界が目指すその制度がすでに完成していた．

一方，公的扶助は前述のように国民の最低限の文化的生活を保証する「日本国憲法」の理念に基づいている．すでに生活が困窮状態にある人々に対して，資産等の状況を調査した上で，公費による生活そのもの，すなわち「生活に要する費用，教育，住宅，医療など」を生活保護法に基づいて無償で給付するものをいう．また，社会福祉は，老人・児童・身体障害・精神薄弱・母子（父子）家庭等，経済面や心身面でのハンディキャップをもった人々に対する支援を行うもので，老人福祉法や児童福祉法等に基づいて支援が行われる．さらに，公衆衛生の分野に目を転じると，人々の健康増進を図るために結核予防法・精神保健及び精神障害者福祉に関する法律・公害健康被害の補償に関する法律などに基づきさまざまな対策が行われる．制度の概略は以上のとおりであるが，給付（保障）の内容は，社会補償制度の根幹となる，所得保障・医療保障・その他社会福祉サービス等を，単独あるいはそれらを組み合わせて，広い意味での「所得の再配分機能」を発揮しているといえよう（2020 年初頭にわが国でも確認され，その後，国内外を問わず感染が拡大し世界的な規模でパンデミックを起こしている「新型コロナウイルス感染症（COVID-19）」等への対応も，公衆衛生上の対応と考えられるが，これまでに未経験の感染症であることから，法的な整備が整わず，強制力を十分に発揮できていなかったが，2021 年以降，公衆衛生上の視点に加え国家的緊急事態と捉えて，国は社会生活の制限を含む措置に加えてワクチン接種を法の範囲内で積極的に進めている）．

2 医療保障制度 [1)]

わが国の医療保障制度は，前述の国民が直面する危険のうち最も重要な，疾病に対してさまざまな給付を行う制度である．疾病は突然に個々の国民に発生し，猶予ない経済的負担の増加を強制し，その一方で当該個人の労働力の喪失とともに所得の喪失も惹起することから，当該本人のみならず家庭にまでその影響が及んで生活困窮の最大の要因となる．こうした事態に至らぬよう，すべての国民がいつでもどこでも，治療上必要な最低限の医療を受けられる機会を保障することが必要となる．これが「年金・福祉」とともにわが国の社会保障の 3 本柱の一つである「医療保障制度」であって，その必要性は超高齢社会における年金・福祉のみならず，医学の進歩・効果的な医薬品の開発によって，これまで不治の病とされてきた疾病も克服の可能性が高まるにつれてその役割はますます重要な位置づけとなる．制度の概略は，医療保険制度・後期高齢者医療制度・公費負担医療制度に加えて，図中には記載されていないが，就業中（通勤途上・正規の出張等も含む）に遭遇するさまざまな健康被害に対する保障制度である労災保健制度や，医療保険制度とは少し仕組みや考え方が異なるが，介護保険制度に大別される（図 18-1）．

2-1 医療保険制度

わが国の医療保障制度は，1922 年（大正 11 年）に健康保険法が制定されている．一方，1938 年（昭和13年）に制定された旧国民健康保険法は，戦時下の健民健兵策として制定され，その加入範囲も農山漁村の住民や自営業とされていたが，1958 年にはすべての市町村（特別区を含む）を基準とする強制加入制度に改正され，1961 年（昭和 36 年）に現在の「国民皆保険」体制が完

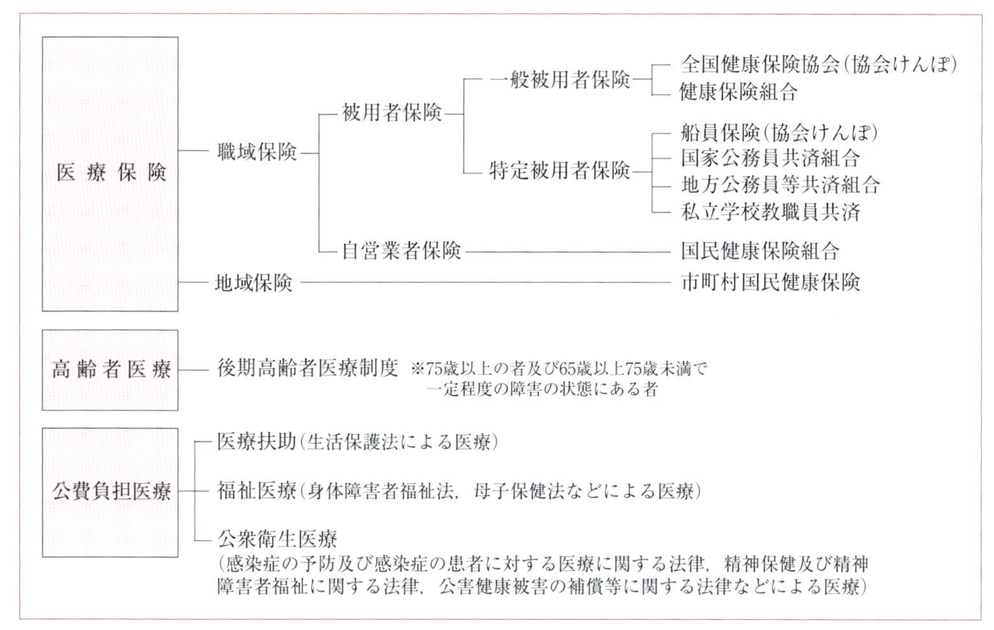

図 18-1. 医療保障制度の種類
(日本薬剤師会:2020 年版 保険薬局業務指針より)

成した.現在,すべての国民は皆保険制度の下で,被用者保険(いわゆる健康保険)もしくは国民健康保険(地域保険と医師国保・薬剤師国保など一部の職域保険)に大別されるいずれかの医療保険制度への加入が義務づけられており,被用者保険(健康保険)は,全人口の約 60%をカバーしている.

■ 1) 被用者保険(健康保険)

給与所得者(いわゆるサラリーマン等)及びその扶養家族(サラリーマン等の家族)が,その職場で加入する保険が被用者保険(健康保険)で,現在,次の 4 種類に分けられる.

① **組合管掌保険(組合保険)**:健康保険法に基づき,いわゆる大企業が個別に,もしくは同一の業種が設立した健康保険組合が保険者となり,当該企業の労働者及びその家族を対象としたもの.最近の不況の影響で保健組合の維持が財政上容易でないことから,解散を余儀なくされている健康保険組合も少なくない.

② **全国健康保険協会保険(協会けんぽと呼ばれる,旧政府管掌保険=政管健保)**:健康保険法に基づき,自社の健康保険組合をもたない,中小企業に勤務者及びその扶養家族を対象とするもの.かつては,社会保険庁が保険者となっていたことから政府管掌保険とも呼ばれたが,2008 年(平成 20 年)健保法の改正により,全国健康保険協会が設立され社会保険庁から保険者機能を引き継ぎ,組織が変更された.

③ **共済組合健康保険**:国家公務員等共済組合,地方公務員等共済組合,私立学校共済組合などがあり,国家公務員,地方公務員,私立学校教職員及びその扶養家族を対象とするもの.

④ **船員保健**：船員保険法に基づき，全国健康保険協会が保険者となって船員並びにその家族を対象とするもの.

2）国民健康保険

国民健康保険法によって運営される保険制度で，農山漁村の住民と自営業者を対象に1938年に創立された．その後，改変を経て1958年にすべての市町村（特別区を含む）を保険者として運営されていることから「地域保険」と呼ばれることもある．国民健康保険は被用者保険の被保険者以外のすべての一般国民を対象とした保険で，農業者・自営業者・無職の者・パート従業員・及びその家族がその加入者となる．一方，医師，薬剤師等，職域で国保組合を作ることも可能で，職域国保あるいは組合国保などと呼ばれている．2021年現在，全国で161の組合国保がある.

2-2 後期高齢者医療制度

この制度は，75歳以上の高齢者を「後期高齢者」と呼び，一定の対象層として独立させて，新しい保険システムの下に組み入れる制度である（一般的に高齢者と呼ばれる65歳以上の高齢者の中で，65歳以上75歳未満の高齢者が「前期高齢者」と呼ばれる）．ただし，前期高齢者であっても，「寝たきり等の生活をする上で一定の障害がある」と認定された前期高齢者は，原則としてこの新たな制度に加入することとされ「後期高齢者医療制度」の被保険者となる.

1983年（昭和58年）に創設された「老人保健法」に基づく老人保健制度（老健法）は，少子高齢化といったわが国の人口構成の変化に伴って増加する高齢者への医療等給付を安定的に行うことを目指した制度である．しかし，その後の急速な人口の高齢化や平均寿命の延伸等に伴い，老人保健制度加入対象年齢となるまでの加入していた被用者保険あるいは国民健康保険に加入したまま，それぞれの保険制度からの拠出金（全体の50%）と公費（税金から50%）に依存した制度運営に対して，原籍となる保険者の負担増や社会保障に基づく給付のあり方等に関する議論を受けて，2008年（平成20年）に新たな概念のもとに創設された．この制度の創設によって，後期高齢者については「独立した医療制度」とし，前期高齢者については，これまでの老人保健制度のように保険者間で負担するものの，双方の負担の不均衡を調整する仕組みを導入している．したがって，この制度のスタートに伴い75歳以上の後期高齢者については，国民健康保険あるいは被用者保険（健康保険）と同時に「老人保健制度」からも医療等の給付が受けられていた仕組みから脱退して，「後期高齢者医療制度」に加入することとされている．また，費用負担（給付の仕組み）も保険者からの拠出金（現役世代の負担）と老人保健制度からの給付方式から，すべての保険者からの支援金（40%）と後期高齢者自身が支払う保険料（10%）と公費（50%）で賄う保険料方式に改正された.

2021年現在，75歳以上の後期高齢者が医療の給付を受けた際に支払う負担金の割合は1割給付とされているが，後期高齢者間あるいは現役世代との負担率の不均衡是正のため，2022年からは75歳を超えても一定以上の収入がある場合には2割負担とすることとされている〔参考までに，

表18-1（p.508）に医療保険制度の概要と，図18-2（p.510）に各世代別の負担割合の概要を示す〕.

2-3 労災保険制度

労災保険は，加入者が就業中に遭遇するさまざまな健康被害に備えたものであることから，業種ごとに被災リスクが異なるため，他の保険と異なって給与所得に基づく保険料ではなく，業種ごとにその業務の実態に合わせて保険料率が定められる．したがって，事業の種類が同じでも，作業工程，機械設備，作業環境，事業主等の災害防止努力の大小により個々の事業所に災害率の差が生じることとなる．そこで，労災保険制度では，事業主の保険料負担の軽減や公平性を確保し，労働災害の防止を促進するためのメリット制を設けている.

2-4 公費負担医療制度

公費負担医療とは，特定の疾病又は特定の人々を対象に給付が行われる医療制度である．わが国の医療保障制度において「医療保険制度」と並んで重要な役割を担っている．公費負担医療制度は，法律に基づき行われるものと，予算措置によって行われるものとがある（p.505 図18-1）.

厚生労働省が指定する特定疾患（ベーチェット病，重症筋無力症，全身性エリテマトーデス，再生不良性貧血，サルコイドーシス等），小児慢性特定疾患（悪性新生物，ぜん息，膠原病，先天性代謝異常等）にも公費負担医療が適用される.

2-5 介護保険制度

1）介護保険制度の創設

わが国の国民のうち，2025年に約700万人強の高齢者が要介護状態になると予測され，寝たきりや認知症の高齢者が急増する中で，高齢介護者問題は喫緊に解決しなくてはならない超高齢社会最大の不安要因と考えられている．高齢者介護に関する従来の制度は，老人福祉と老人保健の2つの制度によって行われてきたため，その高齢者に適した総合的なサービスが利用できにくいとの指摘がされていた.

介護保険制度は，これまでの2つの制度を再編成して，給付と負担の関係が明確な社会保険方式を採用した．そして，社会全体で介護を支える新たな仕組みを創設し，利用者の選択により保健・福祉・医療にわたる総合的な介護サービスの利用を可能とするためのものと考えられている.

介護保険制度の創設は，医療と不可分に存在する介護サービスを医療保険と切り離して，医療については治療を最優先する制度を目指し，社会保障制度改革の第一歩と位置づけられていたが，2000年（平成12年）にスタートした介護保険制度は，人口の高齢化等時代の流れに対応し，2005年（平成17年），2008年（平成20年），2011年（平成23年），2014年（平成26年），2017年（平成29年），2018年（平成30年），2021年（令和3年）に，それぞれ改定が行われている.

表 18-1．医療保険制度の

<table>
<tr><th colspan="3" rowspan="3">制度名</th><th rowspan="3">保険者
(平成 29 年
3 月末)</th><th rowspan="3">加入者数
(平成 29 年
3 月末)
[本人
家族]千人</th><th colspan="2">保険給付</th></tr>
<tr><th colspan="2">医療給付</th></tr>
<tr><th>一部負担</th><th>高額療養費制度，高額医療・介護合算制度</th></tr>
<tr><td rowspan="3">健康保険</td><td rowspan="2">一般被用者</td><td>協会けんぽ</td><td>全国健康保険協会</td><td>38,071
[22,428
15,643]</td><td rowspan="10">義務教育就学後から 70 歳未満　3 割
義務教育就学前　2 割
70 歳以上 75 歳未満
2 割（※）
(現役並み所得者　3 割)
(※)平成 26 年 3 月末までに既に 70 歳に達している者
1 割</td><td rowspan="10">(高額療養費制度)
・自己負担限度額
(70 歳未満の者)
(年収約 1,160 万円～)　252,600 円＋(医療費－842,000 円)×1%
(年収約 770～約 1,160 万円)　167,400 円＋(医療費－558,000 円)×1%
(年収約 370～約 770 万円)　80,100 円＋(医療費－267,000 円)×1%
(～年収約 370 万円)　57,600 円
(住民税非課税)　35,400 円

(70 歳以上 75 歳未満の者)
(現役並み所得者)　80,100 円＋(医療費－267,000 円)×1%，
外来（個人ごと）57,600 円
(一般)　57,600 円，
外来（個人ごと）14,000 円（年 144,000 円）
(住民税非課税世帯)　24,600 円，外来（個人ごと）8,000 円
(住民税非課税世帯のうち特に所得の低い者)
15,000 円，外来（個人ごと）8,000 円

・世帯合算基準額
70 歳未満の者については，同一月における 21,000 円以上の負担が複数の場合は，これを合算して支給

・多数該当の負担軽減
12 月間に 3 回以上該当の場合の 4 回目からの自己負担限度額
(70 歳未満の者)
(年収約 1,160 万円～)　140,100 円
(年収約 770～約 1,160 万円)　93,000 円
(年収約 370～約 770 万円)　44,400 円
(～年収約 370 万円)　44,400 円
(住民税非課税)　24,600 円

(70 歳以上の現役並み所得者・一般所得者)　44,400 円
・長期高額疾病患者の負担軽減
血友病，人工透析を行う慢性腎不全の患者等の自己負担限度額 10,000 円
(ただし，年収約 770 万円超の区分で人工透析を行う 70 歳未満の患者の自己負担限度額 20,000 円)

(高額医療・高額介護合算制度)
1 年間（毎年 8 月～翌年 7 月）の医療保険と介護保険における自己負担の合算額が著しく高額になる場合に，負担を軽減する仕組み．自己負担限度額は，所得と年齢に応じきめ細かく設定．</td></tr>
<tr><td>組合</td><td>健康保険組合
1,399</td><td>29,463
[16,284
13,179]</td></tr>
<tr><td colspan="2">健康保険法第 3 条第 2 項被保険者</td><td>全国健康保険協会</td><td>19
[13
6]</td></tr>
<tr><td colspan="3">船員保険</td><td>全国健康保険協会</td><td>122
[58
64]</td></tr>
<tr><td rowspan="3">各種共済</td><td colspan="2">国家公務員</td><td>20 共済組合</td><td rowspan="3">8,697
[4,154
4,184]</td></tr>
<tr><td colspan="2">地方公務員等</td><td>64 共済組合</td></tr>
<tr><td colspan="2">私学教職員</td><td>1 事業団</td></tr>
<tr><td rowspan="3">国民健康保険</td><td colspan="2" rowspan="2">農業者
自営業者等</td><td>市町村
1,716</td><td rowspan="3">32,940
市町村
30,126
国保組合
2,814</td></tr>
<tr><td>国保組合
163</td></tr>
<tr><td colspan="2">被用者保険の退職者</td><td>市町村
1,716</td></tr>
<tr><td colspan="3">後期高齢者医療制度</td><td>[運営主体]
後期高齢者医療広域連合
47</td><td>16,778</td><td>1 割
(現役並み所得者　3 割)</td><td>自己負担限度額　外来（個人ごと）
(現役並み所得者)　80,100 円＋(医療費－267,000 円)×1%　57,600 円
多数該当の場合：　44,400 円
(一般)　57,600 円　14,000 円（年 144,000 円）
多数該当の場合：　44,400 円
(住民税非課税世帯)　24,600 円　8,000 円
(住民税非課税世帯のうち特に所得の低い者)
15,000 円　8,000 円</td></tr>
</table>

(注) 1．後期高齢者医療制度の被保険者は，75 歳以上の者及び 65 歳以上 75 歳未満の者で一定の障害にある旨の広域連合の認定を受けた者．

2．現役並み所得者は，住民税課税所得 145 万円（月収 28 万円以上）以上または世帯に属する 70～74 歳の被保険者の基礎控除後の総所得金額等の合計額が 210 万円以上の者．ただし，収入が高齢者複数世帯で 520 万円未満若しくは高齢者単身世帯で 383 万円未満の者，及び旧ただし書所得の合計額が 210 万円以下の者は除く．特に所得の低い住民税非課税世帯とは，年金収入 80 万円以下の者等．

概要

（平成30年6月時点）

入院時食事療養費	入院時生活療養費	現金給付	財源 保険料率	財源 国庫負担・補助
（食事療養標準負担額） ・住民税課税世帯 1食につき　460円 ・住民税非課税世帯 90日目まで　1食につき　210円 91日目から　1食につき　160円 ・特に所得の低い住民税非課税世帯 1食につき　100円	（生活療養標準負担額） ・医療区分 （Ⅰ）（Ⅱ）（Ⅲ） 1食につき　460円 +1日につき　370円 ・住民税非課税世帯 1食につき　210円 +1日につき　370円 ・特に所得の低い住民税非課税世帯 1食につき　130円 +1日につき　370円 ※療養病床に入院する65歳以上の方が対象 ※難病等の入院医療の必要性の高い患者の負担は求めない	・傷病手当金 ・出産育児一時金　等	10.00％ （全国平均）	給付費等の16.4％
		同　上 （附加給付あり）	各健康保険組合によって異なる	定　額 （予算補助）
		・傷病手当金 ・出産育児一時金　等	1級日額390円 11級　3,230円	給付費等の16.4％
		同　上	9.60％ （疾病保険料率）	定　額
		同　上 （附加給付あり）	— — —	な　し
		・出産育児一時金 ・葬祭費	世帯毎に応益割（定額）と応能割（負担能力に応じて）を賦課 保険者によって賦課算定方式は多少異なる	給付費等の41％
				給付費等の35.9～47.3％
				な　し
同　上	同　上 ただし， ・老齢福祉年金受給者 1食につき　100円	葬祭費　等	各広域連合によって定めた被保険者均等割額と所得割率によって算定されている	・保険料　約10％ ・支援金　約40％ ・公費　約50％ （公費の内訳） 国：都道府県：市町村 4：1：1

3．国保組合の定率国庫補助については，健保の適用除外承認を受けて，平成9年9月1日以降新規に加入する者及びその家族については協会けんぽ並とする．
4．加入者数は四捨五入により，合計と内訳の和とが一致しない場合がある．
5．船員保険の保険料率は，被保険者保険料負担軽減措置（0.50％）による控除後の率．

（日本薬剤師会：2020年版 保険薬局業務指針より）

医療費の一部負担（自己負担）割合について

○ 現役世代よりも軽い1割の窓口負担で医療を受けられます．
それぞれの年齢層における一部負担（自己負担）割合は，以下のとおりです．
・75歳以上の者は，1割（現役並み所得者は3割）．
・70歳から74歳までの者は，2割*（現役並み所得者は3割）．
・70歳未満の者は3割．6歳（義務教育就学前）未満の者は2割．

＊平成26年4月以降70歳となる者が対象．これまで，予算措置により1割に凍結してきたが，世代間の公平を図る観点から止めるべき等との指摘を踏まえ，平成26年度から，高齢者の生活に過大な影響が生じることのないよう配慮を行った上で，段階的に2割とした．

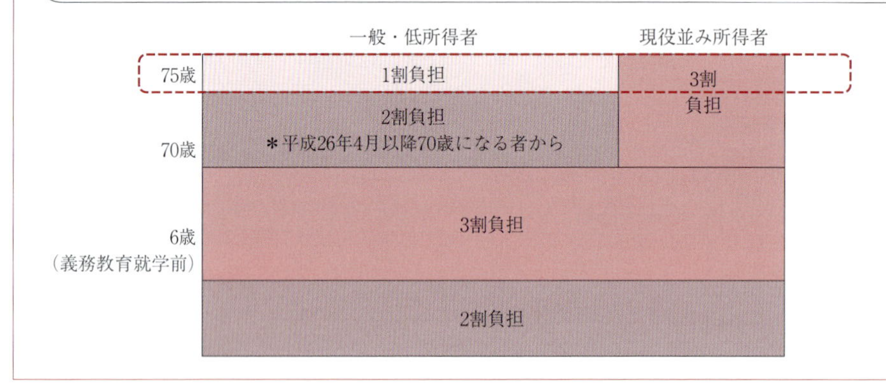

図 18-2．世代別負担金一覧

（厚生労働省資料より）

2）介護保険制度の概要

人生 100 年時代，超高齢社会の到来を目前に控えて，高齢者の自立支援と介護状態の重症化を防止し，地域完結型地域医療提供体制の下で地域共生社会の実現を図るとともに，医療・介護両制度の持続可能性を確保するため，サービスを必要とする住民に必要なサービスが提供できるよう，新たな地域医療提供体制の構築が求められており，医療・介護・生活支援を三位一体で考える「地域包括ケアシステム」と呼ばれる新たなシステムが指向されている．

高齢者が地域で自立した生活を営めるよう，医療，介護，予防，住まい，生活支援サービスが切れ目なく提供される「地域包括ケアシステム」の実現に向けた取り組みを進める．

1．医療と介護の連携の強化等

① 医療，介護，予防，住まい，生活支援サービスが連携した要介護者等への包括的な支援（地域包括ケア）を推進．
② 日常生活圏域ごとに地域ニーズや課題の把握を踏まえた介護保険事業計画を策定．
③ 単身・重度の要介護者等に対応できるよう，24 時間対応の定期巡回・随時対応サービスや複合型サービスを創設．
④ 保険者の判断による予防給付と生活支援サービスの総合的な実施を可能とする．
⑤ 介護療養病床の廃止期限（令和 6 年 3 月末）を猶予（新たな指定は行わない）．

2．介護人材の確保とサービスの質の向上

① 介護福祉士や一定の教育を受けた介護職員等によるたんの吸引等の実施を可能とする．
② 介護福祉士の資格取得方法の見直しを実施（平成 25 年 1 月試験から）．

③ 介護事業所における労働法規の遵守を徹底，事業所指定の欠格要件及び取消要件に労働基準法等違反者を追加.
④ 公表前の調査実施の義務づけ廃止など介護サービス情報公表制度の見直しを実施.

3．高齢者の住まいの整備等

○ 有料老人ホーム等における前払金の返還に関する利用者保護規定を追加.
※厚生労働省と国土交通省の連携によるサービス付き高齢者向け住宅の供給を促進（高齢者の居住の安定確保に関する法律の改正）

4．認知症対策の推進

① 市民後見人の育成及び活用など，市町村における高齢者の権利擁護を推進.
② 市町村の介護保険事業計画において地域の実情に応じた認知症支援策を盛り込む.

5．保険者による主体的な取組の推進

① 介護保険事業計画と医療サービス，住まいに関する計画との調和を確保.
② 地域密着型サービスについて，公募・選考による指定を可能とする.

6．保険料の上昇の緩和

○ 各都道府県の財政安定化基金を取り崩し，介護保険料の軽減等に活用.

【施行日】

1の⑤，2の②については公布日施行．その他は2012年（平成24年）4月1日施行.

介護サービスの種類は図 18-3 のとおりである.

市町村が指定・監督を行うサービス	都道府県・政令市・中核市が指定・監督を行うサービス		
◎地域密着型介護サービス ○定期巡回・随時対応型訪問介護看護 ○夜間対応型訪問介護 ○地域密着型通所介護 ○認知症対応型通所介護 ○小規模多機能型居宅介護 ○看護小規模多機能型居宅介護 ○認知症対応型共同生活介護（グループホーム） ○地域密着型特定施設入居者生活介護 ○地域密着型介護老人福祉施設入所者生活介護 ○複合型サービス（看護小規模多機能型居宅介護）	◎居宅介護サービス 【訪問サービス】 ○訪問介護（ホームヘルプサービス） ○訪問入浴介護 ○訪問看護 ○訪問リハビリテーション ○居宅療養管理指導 ○特定施設入居者生活介護 ○福祉用具貸与	【通所サービス】 ○通所介護（デイサービス） ○通所リハビリテーション 【短期入所サービス】 ○短期入所生活介護（ショートステイ） ○短期入所療養介護	介護給付を行うサービス
	◎居宅介護支援	◎施設サービス ○介護老人福祉施設 ○介護老人保健施設 ○介護療養型医療施設 ○介護医療院	
◎地域密着型介護予防サービス ○介護予防認知症対応型通所介護 ○介護予防小規模多機能型居宅介護 ○介護予防認知症対応型共同生活介護（グループホーム）	◎介護予防サービス 【訪問サービス】 ○介護予防訪問入浴介護 ○介護予防訪問看護 ○介護予防訪問リハビリテーション ○介護予防居宅療養管理指導	【通所サービス】 ○介護予防通所リハビリテーション 【短期入所サービス】 ○介護予防短期入所生活介護（ショートステイ） ○介護予防短期入所療養介護	予防給付を行うサービス
◎介護予防支援	○介護予防特定施設入居者生活介護 ○介護予防福祉用具貸与		

この他，居宅介護（介護予防）福祉用具購入，居宅介護（介護予防）住宅改修，介護予防・日常生活支援総合事業がある.

図 18-3．介護サービスの種類
（公的介護保険制度の現状と今後の役割，厚生労働省老健局総務課，平成30年度）

3 国民医療費の動向[1)]

国民医療費とは，国民が1年間に医療機関等（薬局における処方箋調剤も含む）において疾病の治療に要した費用の合計と規定され，診療報酬，歯科診療報酬，調剤報酬など保険診療（健康保険・国民健康保険等）で支給される看護費，移送費用等を含んだ額の総額である．一方，正常な分娩費，健康診断や予防接種の費用，入院時の差額ベッド等の費用，歯科差額分やOTC薬品の使用にかかる費用は含まれていない．近年，諸外国との国民医療費の比較が論議の課題とされ，その多寡が指摘されているが，諸外国の多くは「当該国の国民医療費」を示す場合，医療保険に要した費用のみであるが，わが国では国民医療費の範囲に含めないとされている項目も含まれている場合が多いので，比較にあたっては注意が必要である．

国民医療費は毎年約1兆円程度の増加を示している．その要因として，人口の高齢化とそれに伴う罹病率の増加と受診率の上昇，医療技術の高度化，有効性は十分あるものの高額な医薬品の医療現場への登場などが挙げられている．国民医療費の主な財源は，「国民が支払う保険料と公費（税金）と患者の自己負担金で賄われている．その比率はおおむね「保険料：公費：自己負担金＝50%：25%：25%」とされており，少し極端な言い方をすれば「医療給付を受けた際の自己負担金は10～30%であるが，残り90～70%もすべて国民自身の負担で賄われている」ことを忘れてはならない．また，世界規模での経済の低迷や，2020年に世界規模で発生した「新型コロナウイルス感染症パンデミック」等による景気の減速時にあっても，医療費の上昇を確実に抑制できない．こうした，医療費の増加要因の大部分は高齢者の医療費とされ，2018年度の65歳以上の高齢者の国民医療費は全体の60.6%を占め，1人当たりの医療費も全世代平均の188,300円を大きく超えて738,700円と，約4倍となっている．提供する医療の質やアクセスを損なうことなく，医療費を適正化することが「超高齢社会」を目前にした国としての最大の課題である（表18-2）．

4 診療報酬 と 薬価基準

4-1 診療報酬

医療保険制度における診療報酬（医科・歯科・調剤を含む）の額は，厚生労働大臣が中央社会保険医療協議会（中医協）*に諮り，その答申を受けて定めることとされている（健康保険法第82条）．現行制度の下で診療報酬が決まるプロセスの概略を図18-4に示す．

診療報酬とは，医療保険制度に従って保険診療を行った際に医療機関等（薬局での保険調剤を含む）が行う診療行為等の対価として計算される報酬，すなわち診療サービスの対価といえる．対価の算定は診療報酬点数表に基づいて計算され，点数で表現され，医療行為を行った医療機関

＊ 医療保険を運営する厚生労働大臣の諮問機関．委員構成は健保・国保など保険者，被保険者代表7名，医師・歯科医師・薬剤師など医療担当者代表7名，公益代表6名の三者構成．診療報酬額および算定方法の改定や治療指針・使用基準の改定などにつき協議する．

表 18-2. 国民医療費と国民所得の年次推移

年 度	国民医療費 総 額（億円）	国民医療費 対前年度増減率（%）	人口1人当たり国民医療費（千円）	人口1人当たり国民医療費 対前年度増減率（%）	国民所得（億円）	国民所得 対前年度増減率（%）	国民医療費の国民所得に対する比率（%）
昭和 29 年度（'54）	2 152	…	2.4	…	…	…	…
30（'55）	2 388	11.0	2.7	12.5	69 733	…	3.42
40（'65）	11 224	19.5	11.4	17.5	268 270	11.5	4.18
50（'75）	64 779	20.4	57.9	19.1	1 239 907	10.2	5.22
60（'85）	160 159	6.1	132.3	5.4	2 605 599	7.2	6.15
平成 2 年度（'90）	206 074	4.5	166.7	4.1	3 468 929	8.1	5.94
7（'95）	269 577	4.5	214.7	4.1	3 801 581	1.9	7.09
12（'00）	301 418	△1.8	237.5	△2.0	3 901 638	3.2	7.73
17（'05）	331 289	3.2	259.3	3.1	3 881 164	△0.1	8.54
22（'10）	374 202	3.9	292.2	3.5	3 646 882	3.4	10.26
27（'15）	423 644	3.8	333.3	3.8	3 926 293	4.2	10.79
28（'16）	421 381	△0.5	332.0	△0.4	3 922 939	△0.1	10.74
29（'17）	430 710	2.2	339.9	2.4	4 006 881	2.1	10.75
30（'18）	433 949	0.8	343.2	1.0	4 022 290	0.4	10.79
令和元年度（'19）	443 895	2.3	351.8	2.5	4 012 870	△0.2	11.06

注　国民所得額は，内閣府発表の国民経済計算による．
資料　厚生労働省：「国民医療費」 平成 12 年以降については医療費の一部が介護保険に移行．

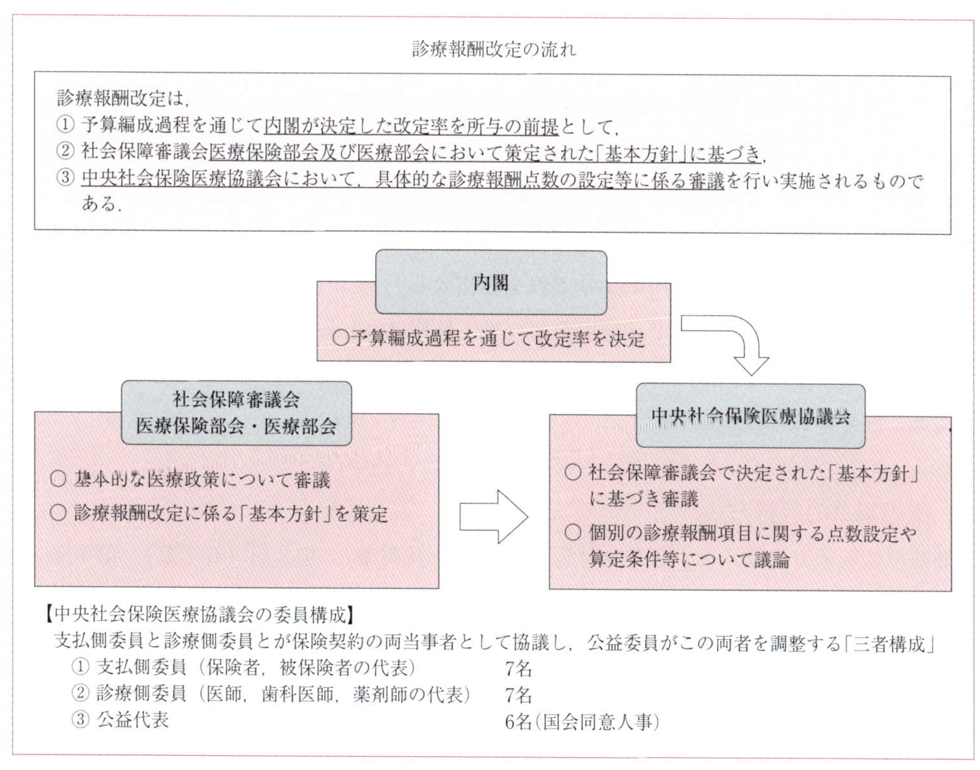

図 18-4. 改定決定プロセス

や調剤を実施した薬局の保険診療の額の総和を意味する．医科診療報酬・歯科診療報酬には，医師又は歯科医師や看護師，その他の医療従事者の医療行為に対する技術料，医療機関に勤務する薬剤師の調剤料・薬剤管理指導料・病棟薬剤業務実施加算，使用した医薬品の費用，特定保険医療材料，医療行為に必要な検査費用などが含まれる．

一方，調剤報酬には，調剤を実施した薬剤師の調剤行為に対する技術料（調剤基本料・調剤料），当該患者の安全な薬物治療を確保する上で不可欠な薬剤服用歴管理指導の記録（「患者の服薬記録・調剤記録・生活の記録等の記載された記録」いわゆる薬歴簿と呼ばれている記録）等を含む薬学管理料，使用した医薬品の費用にあたる薬剤料，自己注射用シリンジ等の特定保険医療材料等が含まれる．保険診療を受けた患者は，診療報酬あるいは調剤報酬の総額の一部（おおむね10～30%）をそれぞれ窓口で支払い，残りはそれぞれの患者が加入する保険者から医療機関・薬局に支払われる．健康保険等公的保険制度を利用しない診療を自由診療と呼び，要する医療費は診療報酬点数表に規定されず，全額を患者が負担することとされている．

4-2 薬価基準

1）薬価基準の意義

薬価基準とは，保険医療担当者（医師，歯科医師，薬剤師）が使用しうる医薬品について，診療報酬算定にあたって基準となるべき価格を定めたものである．したがって，薬価基準は2つの意義を有している．

① **品目表としての意義**：「保険医は，厚生労働大臣の定める医薬品以外の薬物を患者に施用し，又は処方してはならない」（療担則第19条第1項）．「保険薬剤師は，厚生労働大臣の定める医薬品以外の医薬品を使用して調剤してはならない」（薬担則第9条）の規定の「厚生労働大臣の定める医薬品」に相当する医薬品の一覧表．

② **価格表としての意義**：「保険医療機関又は保険薬局が療養の給付に際し，保険者に請求する額は……厚生労働大臣の定める所によりこれを算出する」（健康保険法第43条の9）により定められた「いわゆる点数表」のなかで「使用薬剤の購入価格は別に厚生労働大臣が定める」とある．つまり医療担当者は使用医薬品を現実には種々の価格で購入するが，薬剤料として請求しうる金額は薬価基準で定められた価格による．

2）薬価基準の収載方式

薬価基準の収載方式は，第1部（内用薬），第2部（注射薬），第3部（外用薬），第4部（歯科用薬剤）に区分され，それぞれ五十音順に記載される．このほか製造中止等の理由で薬価基準から削除された品目が経過措置品目として収載される（一定期間に限り医療保険で使用を認める）．

収載名は品目の種類により，次の2つの方式による．

① **統一名**：日本薬局方収載医薬品，生物学的製剤，基準収載医薬品，一般名収載品，生薬及び血液製剤の一部．

② 銘柄別：①以外は，販売名.

3）薬価基準価格の決め方

a）新医薬品の薬価算定

新医薬品の薬価算定は，「類似薬効比較方式」を基本とした算定方式により行われる.

類似薬効比較方式は，基本的に効能・効果，薬理作用及び構造式の3つの観点から，新医薬品に類似すると考えられる既収載医薬品を比較対象薬として選定し，1日通常最大量による薬価比較を行い，1日当たりの価格が比較対象とした医薬品と同じになるように算定する．このようにして算定された価格をベースとして，当該新医薬品の画期性，有用性，市場性，小児の4つのメリットについて評価を行い，必要に応じてそれぞれ補正加算が行われ，最終的に薬価が決定される.

一方，新規性に乏しい新医薬品については，薬理作用，効能・効果が類似した医薬品の価格の平均を超えない水準に薬価が設定される.

比較対象薬が選定できない新医薬品については，「原価計算方式」により算定される.

b）既収載品の薬価算定

薬価基準に収載された医薬品についても，その市場実勢価格は変動しており，その実勢価格を薬価調査により把握し，薬価を適宜改定している.

この見直しを薬価基準改正といい，おおむね2年に1回実施されている.

現在の算定方法は「市場実勢価格加重平均値調整方式」と呼ばれている方式である.

2010年（平成22年）度から，新薬創出・適応外薬解消等促進加算が試験的に採用された．この加算は適応外薬等（ドラッグラグの解消など）の問題解決を促進させ，革新的な新薬の創出を目的に後発医薬品が上市されていない新薬のうち，その乖離率が全既収載医薬品の加重平均乖離率の範囲内の新薬品について，ほぼ薬価が引き下がらない方式である.

いわゆる長期収載品（後発品のある先発医薬品）では，特例引き下げが行われる.

医療上，真に必要とされる分野での新薬の開発には，次のような補正加算を行う.

画期性加算70～120%，有用性加算（Ⅰ）35～60%，（Ⅱ）5～30%，市場性加算（Ⅰ）10～20%，（Ⅱ）5%，小児加算5～20%，先駆導入加算10%

画期性加算には以下の要件をすべて満たすことが必要である.

① 臨床上有用な新規の作用機序を有すること.

② 類似薬に比し，高い有効性又は安全性を有することが客観的に示されていること.

③ 当該新薬の収載により，対象となる疾病又は負傷の治療方法の改善が客観的に示されていること.

これまでに対象となった主なものは，免疫抑制薬タクロリムス水和物，脳梗塞急性期用薬エダラボン，抗真菌薬ミカファンギンナトリウムである.

有用性加算（Ⅰ）は上記の①から③のうち2要件を満たすもの，（Ⅱ）は下記㋑～㋥のいずれかの要件を満たすものに適用される.

㋑ 臨床上有用な新規の作用機序を有すること.

㋺ 類似薬に比して高い有効性又は安全性を有することが客観的に示されていること．

㋩ 製剤における工夫により，類似薬に比して高い医療上の有用性を有することが客観的に示されていること．

㋥ 対象となる疾病又は負傷の治療方法の改善が客観的に示されていること．

市場性加算（Ⅰ）は希少疾病用医薬品のように，患者数がきわめて少ない疾患を適応とするもの，（Ⅱ）は市場規模が小さく，新薬の開発が行われにくい薬効群に属するもの．

小児加算は小児の効能・効果，用法・用量が明示されているもの．

先駆導入加算は，外国及び日本のいずれかの国において承認されている既存の薬剤とは異なる新規の作用機序で，かつ日本で最初に薬事承認を取得したもの．

なお，2020 年（令和 2 年）度診療報酬等改定の際に，政府が定めた「薬価基準価格と実勢価等の間に著しく乖離にあるものの解消を図るために，定時改定の中間年に薬科調査を行い，価格の乖離を是正する」という方針に従って，2021 年（令和 3 年）には薬価のみ改定が行われた（2021 年改定幅については，当初方針の「著しく乖離の大きい薬剤」とする方針とは異なり，定時の改定に近い収載されている医薬品の 70％近くの品目が改定対象となっている）．

5 調剤報酬，診療報酬〔2020 年（令和 2 年）改定〕

5-1 調剤報酬（表 18-3）

保険薬局における調剤の報酬算定は調剤報酬点数表により算定する．

調剤報酬＝調剤技術料〔調剤基本料（処方箋受付 1 回につき）＋調剤料（内服薬・屯服薬・外用薬等）〕＋薬学管理料＋薬剤料＋特定保険医療材料料

の総和で算定され，その算定に当たっては詳細に算定の要件が決められている．

なお，薬物治療の高度化に伴って，薬剤師業務も大きく変化を求められており，これまでの対物（医薬品）中心の業務から，対人（患者）中心の業務へとその視点を移していることを踏まえて，薬局・医療機関に関わらず，技術料の評価軸も対人業務へとシフトしてきている点に留意する必要がある．

5-2 診療報酬（投薬料関係のみ）

病院・診療所の薬剤師が行う調剤等の業務は，診療報酬点数表の医学管理料，投薬料の算定にかかる点数表により算定する．診療報酬では薬剤師の業務の評価は，入院患者への薬剤師サービスにかかる技術評価に重点が置かれた点数構成となっている．なお，処方箋を発行した場合には投薬料は処方箋料となる．さらに，外来患者に対する投薬については，医療機関内での投薬と，保険薬局での投薬とでは，その報酬体系の基本的な概念が異っていることから，一概に両者を比較して論ずることは合理的とはいえない点に十分留意することが必要である．

表 18-3. 調剤報酬点数表

《調剤技術料》 （令和 2 年 4 月 1 日施行）

項目	要件，算定上限	点数
調剤基本料	処方箋受付 1 回につき	注）妥結率 50% 以下などは 50%減で算定
①調剤基本料 1	②～④以外，医療資源の少ない地域に所在する保険薬局	42 点
②調剤基本料 2	処方箋受付回数および集中率が，次のいずれかに該当 イ）月 4,000 回超 かつ 集中率 70%超 ロ）月 2,000 回超 かつ 集中率 85%超 ハ）月 1,800 回超 かつ 集中率 95%超 ニ）特定の保険医療機関に係る処方箋が月 4,000 回超 ※ 1. 保険薬局と同一建物内の保険医療機関は合算 ※ 2. 同一グループの他の保険薬局で集中率が最も高い保険医療機関が同一の場合は，当該処方箋受付回数を含む	26 点
③調剤基本料 3	同一グループの保険薬局の処方箋受付回数の合計が月 3.5 万回超かつ次のいずれかに該当 イ）集中率 85%超（同一グループ 月 4 万回超，月 40 万回超） ロ）集中率 95%超（同一グループ 月 3.5 万回超～4 万回以下） ハ）特定の保険医療機関と不動産の賃貸借関係あり	同一グループの合計 月 3.5 万回超～40 万回以下 21 点 月 40 万回超 16 点
④特別調剤基本料	次のいずれかに該当 イ）病院と特別な関係（敷地内）かつ集中率 70%超 ロ）届出を行っていない	9 点
分割調剤（長期保存の困難性等） 〃 （後発医薬品の試用）	1 分割調剤につき（1 処方箋の 2 回目以降） 1 分割調剤につき（1 処方箋の 2 回目のみ）	5 点 5 点
地域支援体制加算		38 点
後発医薬品調剤体制加算 1 後発医薬品調剤体制加算 2 後発医薬品調剤体制加算 3	後発医薬品の調剤数量が 75%以上 後発医薬品の調剤数量が 80%以上 後発医薬品の調剤数量が 85%以上	15 点 22 点 28 点
後発医薬品減算	後発医薬品の調剤数量が 40%以下	▲ 2 点
調剤料		
内服薬 7 日分以下 8～14 日分 15～21 日分 22～30 日分 31 日分以上	1 剤につき，3 剤分まで	28 点 55 点 64 点 77 点 86 点
屯服薬		21 点
浸煎薬	1 調剤につき，3 調剤分まで	190 点
湯 薬 7 日分以下 8～28 日分（1～7 日目の部分） 〃 （8～28 日目の部分） 29 日分以上	1 調剤につき，3 調剤分まで	190 点 190 点 10 点/1 日分 400 点
注射薬		26 点
外用薬	1 調剤につき，3 調剤分まで	10 点
内服用滴剤	1 調剤につき	10 点

（つづく）

項 目	要件，算定上限	点 数
嚥下困難者用製剤加算	※内服薬のみ	80点
一包化加算 42日分以下 43日分以上	｝※内服薬のみ	34点/7日分 240点
無菌製剤処理加算 中心静脈栄養法用輸液 抗悪性腫瘍剤 麻薬	1日につき ※注射薬のみ 6歳以上，6歳未満の乳幼児 6歳以上，6歳未満の乳幼児 6歳以上，6歳未満の乳幼児	 69点，137点 79点，147点 69点，137点
麻薬等加算（麻薬，向精神薬，覚醒剤原料，毒薬）	1調剤につき	70点，8点，8点，8点
自家製剤加算（内服薬） 錠剤，丸剤，カプセル剤，散剤，顆粒剤，エキス剤 液剤	1調剤につき	 20点/7日分 45点
自家製剤加算（屯服薬） 錠剤，丸剤，カプセル剤，散剤，顆粒剤，エキス剤 液剤	1調剤につき	 90点 45点
自家製剤加算（外用薬） 錠剤，トローチ剤，軟・硬膏剤，パップ剤，リニメント剤，坐剤 点眼剤，点鼻・点耳剤，浣腸剤 液剤	1調剤につき	 90点 75点 45点
計量混合調剤加算 液剤 散剤，顆粒剤 軟・硬膏剤	1調剤につき ※内服薬・屯服薬・外用薬	 35点 45点 80点
時間外等加算（時間外，休日，深夜）	基礎額＝調剤基本料（各加算を含む）＋調剤料＋無菌製剤処理加算＋在宅患者調剤加算	基礎額の100%，140%，200%
夜間・休日等加算	処方箋受付1回につき	40点
在宅患者調剤加算	処方箋受付1回につき	15点

《薬学管理料》

項 目	要件，算定上限	点 数
薬剤服用歴管理指導料	処方箋受付1回につき	
①6カ月以内に再来局（かつ 手帳による情報提供） ②①，③，④以外 ③特別養護老人ホーム入所者 ④情報通信機器を使用	 月1回まで，各加算は算定不可	43点 57点 43点 43点
麻薬管理指導加算 重複投薬・相互作用等防止加算 特定薬剤管理指導加算1 特定薬剤管理指導加算2 乳幼児服薬指導加算 吸入薬指導加算 調剤後薬剤管理指導加算	 残薬調整以外，残薬調整 厚生労働大臣が定める特に安全管理が必要な医薬品 抗悪性腫瘍剤の注射 かつ 悪性腫瘍の治療に係る調剤，月1回まで 6歳未満の乳幼児 3月に1回まで 月1回まで（地域支援体制加算に係る届出薬局に限る）	22点 40点，30点 10点 100点 12点 30点 30点
薬剤服用歴管理指導料（特例）	3カ月以内の再来局患者のうち，手帳の活用実績が50%以下，各加算は算定不可	13点
かかりつけ薬剤師指導料	処方箋受付1回につき	76点
麻薬管理指導加算 重複投薬・相互作用等防止加算 特定薬剤管理指導加算1	 残薬調整以外，残薬調整 厚生労働大臣が定める特に安全管理が必要な医薬品	22点 40点，30点 10点

（つづく）

項　目	要件，算定上限	点　数
特定薬剤管理指導加算 2	抗悪性腫瘍剤の注射 かつ 悪性腫瘍の治療に係る調剤，月 1 回まで	100 点
乳幼児服薬指導加算	6 歳未満の乳幼児	12 点
かかりつけ薬剤師包括管理料	処方箋受付 1 回につき	291 点
服用薬剤調整支援料 1	内服薬 6 種類以上→2 種類以上減少，月 1 回まで	125 点
服用薬剤調整支援料 2	内服薬 6 種類以上→処方医への重複投薬等の解消提案，3 月に 1 回まで	100 点
服薬情報等提供料 1	保険医療機関からの求め，月 1 回まで	30 点
服薬情報等提供料 2	患者・家族からの求め，薬剤師が必要ありと判断（月 1 回まで）	20 点
外来服薬支援料	月 1 回まで	185 点
在宅患者訪問薬剤管理指導料	月 4 回（末期の悪性腫瘍の患者等の場合は週 2 回かつ月 8 回）まで	
①単一建物患者　1 人 ②単一建物患者　2～9 人 ③単一建物患者　10 人以上（①および②以外）	保険薬剤師 1 人につき週 40 回まで	650 点 320 点 290 点
在宅患者オンライン服薬指導料	在宅患者訪問薬剤管理指導料を月 1 回算定の患者，月 1 回まで，保険薬剤師 1 人につき週 10 回まで，各加算および在宅患者重複投薬・相互作用等防止管理料は算定不可	57 点
麻薬管理指導加算		100 点
乳幼児加算	6 歳未満の乳幼児	100 点
在宅患者緊急訪問薬剤管理指導料		
①計画的な訪問薬剤指導に係る疾患の急変 ②①以外	①と②を合わせて月 4 回まで	500 点 200 点
麻薬管理指導加算		100 点
乳幼児加算	6 歳未満の乳幼児	100 点
在宅患者緊急時等共同指導料	月 2 回まで	700 点
麻薬管理指導加算		100 点
乳幼児加算	6 歳未満の乳幼児	100 点
在宅患者重複投薬・相互作用等防止管理料	残薬調整以外，残薬調整	40 点，30 点
経管投薬支援料	初回のみ	100 点
退院時共同指導料	入院中 1 回（末期の悪性腫瘍の患者等の場合は入院中 2 回）まで	600 点

《薬剤料》

項　目	要件，算定上限	点　数
使用薬剤料（所定単位につき 15 円以下の場合）	調剤料の所定単位につき	1 点
〃　（所定単位につき 15 円を超える場合）	〃	10 円又はその端数を増すごとに 1 点

《特定保険医療材料料》

項　目	要件，算定上限	点　数
特定保険医療材料	厚生労働大臣が定めるものを除く	材料価格を 10 円で除して得た点数

（令和 3 年 4 月 1 日　日本薬剤師会作成より）

6 医薬分業 [2~4)]

6-1 医薬分業とは

わが国では，医薬分業を「患者を診察した医師，歯科医師が，どのような医薬品を投与するかの処方を決めて，処方内容の記載された処方箋（箋：書付け用の紙という意味）を患者に交付し，薬局薬剤師は患者から処方箋を受け取って調剤し，調剤した薬剤を患者に服薬指導を行い交付する．すなわち処方と調剤を医師と薬剤師という，2つの専門職が分離・担当して行うシステム，さらに簡略化していえば，医師が処方をし，薬剤師が処方箋を応需する仕組み」と定義している．しかしながら，わが国が明治時代に薬剤師・薬局の手本とした欧州では，こうした狭い定義ではなく「地域の住民に，過不足なく医薬品を提供し，安全に適切に医薬品が使えるようにする社会制度」と定義されている．

したがって，「処方箋調剤重視」のわが国と異なり，薬剤師の地域住民に対する医薬品提供責任の範囲は，調剤された薬剤から一般用医薬品まで幅広く捉えられており，医薬品の適正な管理と同時に適正使用の確保の面からも合理的なシステムといえる．

わが国でも，近年の医療技術や効果的な医薬品が医療現場に投入されるに伴って，地域住民や患者を「個別化して最適な薬物治療を提供」することが薬剤師の役割（薬剤師サービス）であり，その薬剤師の働く施設としての薬局と考えられるようになってきた．

こうした環境の変化やグローバルな視点に立った薬剤師の役割の変化に影響を受けて，2020年4月に医薬品医療機器等法・薬剤師法の改正が行われ，わが国に薬剤師職能やその働く場所としての薬局制度が導入されて以来，130年ぶりにその概念や役割が再定義された．いわく「薬局とは調剤と同時に地域住民の医薬品に関する相談に応じ，適切に医薬品を提供する場所」とされ，薬剤師は「処方箋に基づいて調剤を行うとともに，当該患者・住民の医薬品使用状況について一元的，継続的にフォローアップすること」とされた．

日本薬剤師会では，こうした法律改正を踏まえて，これまで会の創設以来，長年にわたって進めてきた医薬品の地域への提供体制について，2021年5月に政策提言を公表し，その中で将来目指すべき薬剤師・薬局の姿として図17-7（p.501）にあるような考え方を示している．そして，この姿こそわが国に定着させたい「医薬分業制度」としている．図17-7（p.501）では，健康不安を感じた地域住民が具体的にどのような行動をとるのか，それに対して薬剤師は患者の服薬や生活状況と医薬品の情報を，比較・検討・分析・評価して，患者に理解されやすい情報とともに調剤薬や一般用医薬品（OTC薬）を，地域住民・患者が過不足なく，いつでも，どこでも入手可能な体制を整備・確保することとしている．

6-2 医薬分業の現状と課題

1世紀以上にわたり遅々として進まなかったわが国の医薬分業は，1974年（昭和49年）の診療

表 18-4. 薬局数，処方箋枚数等の年次推移

年 度	薬局数	保険薬局数	処方箋枚数（万枚）	対前年度増加率（%）	1,000人当たり処方箋枚数/月（枚）	医薬分業率（%）
昭和60年度（'85）	35 264	29 904	10 616	3.6	77.2	
平成 2 年度（'90）	36 981	31 331	14 573	6.4	105.4	12.0
7（'95）	39 433	35 915	26 508	12.8	182.5	20.3
12（'00）	46 763	42 873	50 620	11.2	348.6	39.5
15（'03）	49 956	47 008	59 812	2.3	418.8	51.6
16（'04）	50 600	47 655	61 889	3.5	368.7	53.8
17（'05）	51 233	49 564	64 508	4.2	425.2	54.1
18（'06）	51 952	50 502	66 083	2.4	442.5	55.8
19（'07）	52 539	51 212	68 375	3.5	481.0	57.2
20（'08）	53 304	52 185	69 436	1.6	483.0	59.1
21（'09）	53 642	52 358	70 222	1.1	494.1	60.7
22（'10）	53 067※	52 002	72 939	3.9	486.6	63.1
23（'11）	54 780	52 730	74 396	5.9	498.3	65.1
24（'12）	55 797	53 807	75 888	2.0	533.3	66.1
25（'13）	57 071	—	76 303	0.5	510.2	67.0
26（'14）	57 784	—	77 558	1.6	509.3	68.7
27（'15）	58 326	—	78 184	0.8	513.1	70.0
28（'16）	58 678	—	79 929	—	533.1	71.7
29（'17）	59 138	—	80 386	—	529.8	72.8
30（'18）	59 613	—	81 229	—	568.9	74.0
令和元年度（'19）	—	—	81 802	—	547.6	74.9

※東日本大震災の影響で宮城県は含まれていない.

資料：薬局数（厚生労働省調べ，1996年までは各年度12月31日現在，1997年以降は，各年度末現在），処方箋枚数，1,000人当たり処方箋枚数，処方箋受取率（日本薬剤師会調べ）

$$処方箋受取率（\%）= \frac{薬局への処方箋枚数}{外来処方件数（全体）} \times 100$$

報酬改定に際し，「薬漬け医療からの脱却」を一つの目標にすえて処方箋料の大幅な引き上げが行われ（10点→50点），政府の医薬分業推進の方針が明確となった．この年を“医薬分業元年”と呼ぶ所以である．この改定では同時に調剤報酬も処方箋受け入れ体制整備の目的も含めて，基本料等の改定が行われていることを忘れてはならない．

厚生労働省は，1985年（昭和60年）度以降，医薬分業推進モデル地区事業等を進めて分業進展を支援し，また1989年（平成元年）には国立病院の院外処方箋発行を定めた．

この頃から処方箋発行も着実に増加し，2012年（平成24年）度には年間の処方箋枚数75,888万枚，医薬分業率66.1%に達した．これは1995年（平成7年）度20.3%の3.3倍である（表18-4）．

医薬分業は創生期から定着期に移行したとされる．厚生労働省は「医薬分業定着促進費」補助から「薬局機能評価検討事業」に予算をシフトさせた．しかしながら，わが国における処方箋発行の問題点として，① 大きな地域差，② 病院・診療所の前に立地する薬局が集中的に処方箋を受け入れる，いわゆる「門前薬局」型が多いことが挙げられる．

これからの課題は処方箋の量的拡大もさることながら，いかにして調剤の質的向上を図り薬物療法の適正化に貢献するかにある．

こうした社会的要請に応えるため，保険薬局及び保険薬剤師療養担当規則（以下，薬担）は，

調剤における薬剤師の新たな役割として「薬学的管理及び指導」を加えている．

（調剤の一般的方針）

第８条　保険薬局において健康保険の調剤に従事する保険薬剤師は，保険医等の交付した処方箋に基づいて，患者の療養上妥当適切に調剤並びに薬学的管理及び指導を行わなければならない．

一方，医薬分業の進展を背景に，厚生労働省は省令を改正して調剤レセプトの磁気媒体での請求を認めることとなった．

また，医療機関と薬局との間の不適切な医療分業の形態を排除するため，「保険医療機関及び保険医療養担当規則」（以下，療担）では，保険医療機関及び保険医が処方箋の交付に関し，特定の保険薬局への誘導の禁止を（第2条の5，第19条の3），薬担では第二薬局（保険医療機関と一体的な構造とし，又は保険医療機関と一体的な経営を行うこと）の禁止，誘導された処方箋に対する代償の供与の禁止を規定し（第２条の3），両規則とも健康保険事業の健全な運営を損なうことのないよう努めなければならないとしている（療担第２条の4，第19条の2，薬担第２条の3，第９条の2）．

6-3 医薬分業のメリット

医療機関が処方箋を交付し保険薬局で調剤した場合，患者にとっては二度手間で，調剤金額は後者の方が高くつく．しかし物と技術を分離する医薬分業においては，医師の処方医薬品の適正な選択，かかりつけ薬局の薬歴管理による重複投与の防止，相互作用・禁忌の発見，服薬指導等情報提供の充実，服用薬に対する患者の「知る権利」の確保，調剤待ち時間の短縮など，薬物療法の適正化に与えるメリットは大きい．

1）「かかりつけ薬局」において薬歴管理を行うことにより，複数診療科受診による重複投薬，相互作用の有無の確認などができ，薬物療法の有効性・安全性が向上する．

2）薬の効果，副作用，用法などについて薬剤師が，処方した医師・歯科医師と連携して，患者に説明（服薬指導）することにより，患者の薬に対する理解が深まり，調剤された薬を用法どおり服用すること（コンプライアンスの向上）が期待でき，薬物療法の有効性，安全性が向上する．

3）処方箋を患者に交付することにより，患者自身が服用している薬について知ることができることから，疾病に対する自己管理ができるようになる．

4）使用したい医薬品が手元になくても，患者に必要な医薬品を医師・歯科医師が自由に処方できることから，処方内容の柔軟性の向上が期待できる．

5）病院薬剤師の外来調剤業務が軽減することにより，本来病院薬剤師が行うべき入院患者に対する病棟活動が可能となる．

かかりつけ薬局を中心とする医薬分業の体制を図 17-7（p.501）のように示すことができる．

こうした面分業体制を推進するために，国は医薬品の備蓄等を行う「医薬分業支援センター」

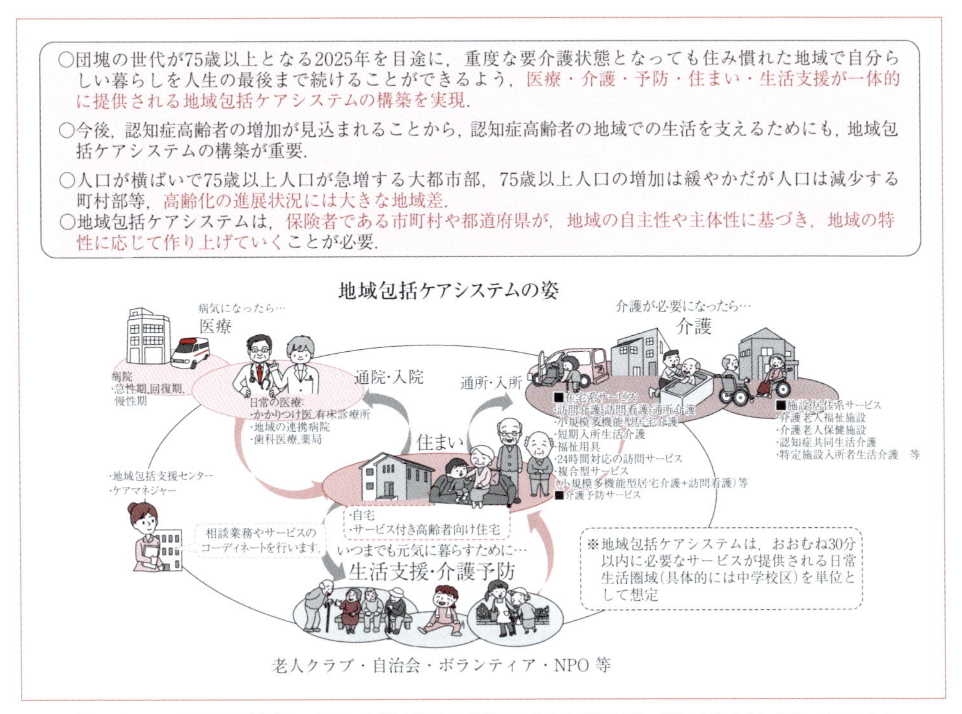

図 18-5. 超高齢社会における地域医療提供体制の概念図（地域包括ケアシステム）

（厚生労働省資料より）

の整備や医薬分業計画の策定事業などを展開し，同時に「薬局運営ガイドライン」を定めている．また，日本薬剤師会は「基準薬局制度*」等を制定し，患者の利便と質の向上に努めている．

なお，日本薬剤師会では 2021 年 6 月に，2025 年から 2030 年における薬剤師・薬局の在り方を見据えて「政策提言」を公表した．それによれば，医薬分業に対する考え方を「地域住民への薬剤師サービス」の提供とあらためて定義し，それを支えるために地域医療計画と連動する「地域医薬品提供体制（仮称）」構築の必要性を提案している．図 17-7（p.501）にその概要を示す．この図に示すような地域への医薬品提供体制の確立こそが「医薬分業制度」がわが国に定着することに他ならないといえよう．図 18-5 並びに図 18-6 に，2025 年をターゲットイヤーとして構築が進む「地域包括ケアシステム」の概念図と，地域薬局に期待される役割の概念図を示す．

7 医療制度改革

人口の高齢化の増大により，国民医療費は年々増加し，国民所得の伸びを上回るようになった．経済成長との均衡が崩れ，医療保険の運営にも支障が生じ，国家財政にも負担がかかっている．これは日本だけではなく，先進国に共通した現象でもある．これら経済的な問題を解決する

＊ 2014 年度に発展的に終了.

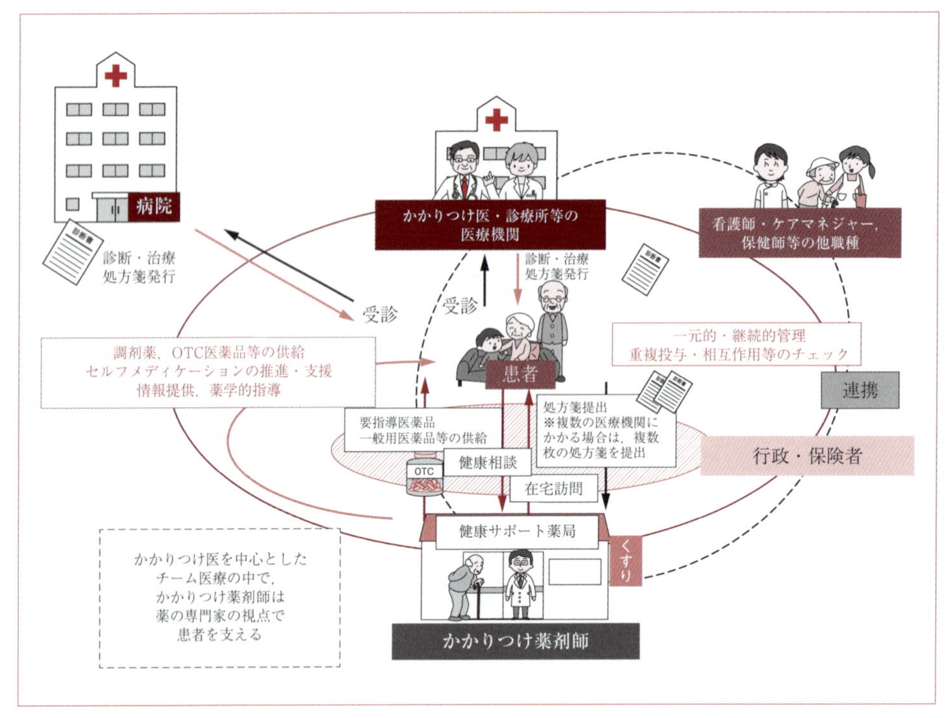

図 18-6. 超高齢社会における地域医療提供体制で求められる医薬分業制度の姿
（日本薬剤師会より改変）

ために，医療費の伸びの抑制，医療の効率化，医療保険制度の財政的強化を含めた医療制度改革が必要と考えられている．

7-1 医療制度改革の基本的方向

高齢化の進展，経済基調の変化，医療技術の進歩，国民の意識の変化など医療を取り巻く環境は大きく変化している．このような状況下，わが国の医療のあるべき姿を総合的に判断した対応が必要となる．

1）利用者の視点に立った効率的で，安心かつ質の高い医療の提供
- 医療安全の確保と安全対策の推進
- 医療従事者の役割分担の明確化などによる医療の質の向上
- IT 化や医療機関の機能分化・連携の促進による医療提供の効率化

2）健康寿命を延ばし，生活の質（QOL）を高める保健医療サービスの提供
- 生涯を通じた健康づくり，疾病・介護予防の充実
- 高齢者の心身の特性にふさわしい医療体制の確立
- 予防と治療のための医学研究の推進とその成果の活用

3）国民に信頼される持続可能で安定的な医療保険制度の構築

・中長期の展望に立った持続可能で安定的な高齢者医療制度の構築

・多様な医療ニーズへの対応，医療費の効率化の観点からの診療報酬や薬価制度の見直し

・厳しい経済状況下での医療保険財政の安定化

文 献

1）国民衛生の動向（Y）厚生統計協会

2）伊賀立二ら：院外処方せんの広域拡散における問題点とその対応策，病院薬学 **22**(1) 1 1996

3）日本薬剤師会編：保険薬局業務指針 2004 年版，2018 年版，薬事日報社 2004，2018

4）厚生労働白書

福岡県医報

平成18年6月号
No.1360

薬事情報センターのページ

◆ 嗅覚障害等を起こす薬剤 ◆

嗅覚障害をきたす原因は、慢性副鼻腔炎等の鼻・副鼻腔疾患や感冒罹患後が多く、その他頭部外傷、頭蓋内腫瘍、先天性等がみられるが、薬剤による副作用として認められることもある（表1）。テガフール等の抗がん薬で頻度が高く、1年半以上の長期服用者で高度の嗅覚減退・脱失を認め、嗅細胞の減少がみられる。

【嗅覚障害の種類】

においは、鼻孔→鼻腔→嗅上皮→嗅細胞→嗅球→高次中枢の順に伝達されるが、嗅覚障害は、この嗅覚伝導路の障害部位により5つに大別できる（表2）。自覚症状は、嗅覚の減退と脱失が多いが、嗅上皮より中枢レベルの障害では嗅覚錯誤、嗅覚過敏、異嗅症、幻嗅等がみられる場合もある。

【嗅覚障害の治療】

嗅覚障害は、その原因、障害部位、病態により、治療法、予後は大きく異なり、適切な治療のためには正確な診断が必要となる。

原因疾患の治療が原則で、薬物療法、手術療法が行われる。薬剤性の場合は原因薬剤を中止する。嗅細胞は4週間サイクルで変性と再生を繰り返しているので、あきらめずに治療することが必要である。ただし、嗅細胞の脱落が高度の場合には回復は困難である。

呼吸性、嗅上皮性、混合性、嗅神経性嗅覚障害では、主に副腎皮質ステロイド剤の懸垂頭位による点鼻療法が行われ、内服投与や局所注射される場合もある。さらにビタミンA、B_1、B_{12}、硫酸亜鉛、ATP製剤の内服を併用することがある。

0.1%ベタメタゾンまたはデキサメタゾンを懸垂頭位で両側鼻腔に1～2滴ずつ滴下し、そのままの姿勢を5～10分間保つ。これを1日2回行う。鼻粘膜の腫脹が高度で分泌物が多い場合は、事前に血管収縮薬をスプレーまたは点鼻して鼻腔を拡げ、1分くらいしてから鼻をかみ、その後にステロイド剤を点鼻すると効果がでやすい。懸垂頭位が不完全であると点鼻液が咽頭にまわり、効果が不十分になる。通常4～8週後にわずかににおいを感じ始め、2～3ヶ月かけて改善することが多い。体重増加等の副腎皮質ステロイド剤の副作用を認めた場合は、直ちに中止すれば回復するが、副作用防止のために3～4ヶ月を1クールとして、治療の効果判定を行う。

表1 添付文書に嗅覚障害等の記載がある主な医薬品

	医薬品名（主な商品名）
抗悪性腫瘍薬	カルモフール（ミフロール）、テガフール（フトラフール）、テガフール・ウラシル（ユーエフティ）、テガフール・ギメラシル・オテラシルカリウム（ティーエスワン）、ドキシフルリジン（フルツロン）、フルオロウラシル（5－FU）、ホリナートカルシウム（ユーゼル、ロイコボリン）、レボホリナートカルシウム（アイソボリン）
抗生物質抗菌薬	塩酸モキシフロキサシン（アベロックス）、クラリスロマイシン（クラリシッド、クラリス）、シプロフロキサシン（シプロキサン）、ロキシスロマイシン（ルリッド）

福岡県薬剤師会薬事情報センターの利用法
・受付時間 月～金：9時～17時30分 土：9時～12時 ・電話 092-271-1585 FAX 092-281-4104
・住所 〒812-0018 福岡市博多区住吉2-20-15 ・E-mail f-pic @ fpa. or. jp

薬剤師会から医師会への情報提供

福岡県医師会誌に福岡県薬剤師会薬事情報センターの情報を毎号掲載

エピローグ ── 薬剤師へのメッセージ

1999年（平成11年）5月“薬学人（くすりまなびと）のあゆみ”をまとめた．薬剤師として長年にわたる経験とエピソードを気楽な読み物としたもので，現役の薬剤師へのメッセージも加えた．

薬学部学生，大学院生，実務研修の薬剤師に読んでもらったところ，薬剤師の倫理を学び，医療人としての責任に目覚めたとの感想文が数多く寄せられた．

彼らはしっかりした受容体を持っており，教育する側として的確なシグナル発信がきわめて重要であると痛感した．

そこで“調剤学総論”のエピローグとして，その一部を再録する．

薬剤師の平成維新

20世紀の後半，薬剤師は2つの大きな変革を経験した．

1つは1960年代から始まった“医薬品領域の産業革命”であり，他の1つは従来の薬剤師業務に大きな変革を迫る十数年来の“薬剤師の平成維新”である．

その存在意義が問われた2つの変革に，薬剤師はどのように危機感を持ち，どのように対応してきたのであろうか．

■ 医薬品領域の産業革命

18世紀の産業革命はいわゆる家内工業から大量生産の産業が生まれる過程であり，社会的にはこれによって封建制が壊され，近代化が進められた．歴史的に定義づけられた“産業革命”という言葉を今日の薬業問題にあてはめるにはいささか無理な点もあるが，明らかにそれに類する現象がみられるのではなかろうか．

産業革命で問題になった家内工業に相当するのが，薬局の調剤室である．薬匙と乳鉢を用いる散剤中心の調剤の大半は市販の錠剤やカプセル剤に置き換えられ，従来薬剤師の調剤によって患者に提供されていた段階までの大部分は，製薬会社の工場において製造，供給されるようになったのである．

匙と乳鉢がいらなくなった薬剤師の“調剤”とはなにか，プロフェッショナルとしての薬剤師の役割はなにか．薬剤師は自らの問題として，また社会に対しても，明確な回答を出す必要に迫られたのである．

■ 薬剤師の平成維新

一方今日薬剤師が直面している大きな変革は，薬局薬剤師には調剤を主務とする医療人としての“復古”であり，病院薬剤師には病院の本来の使命である入院患者を主体とする業務への“復古”である．“王政復古”が行われた明治維新に名を借りて“薬剤師の平成維新”と称してよいのではないか．

それ程大きな変革であり，徳川幕府の大政奉還から帝国憲法の公布，帝国議会の開催まで二十数年の歳月を要したように，“薬剤師の平成維新”を経て，21世紀の薬剤師像が確立するまでには，時間をかけて解決しなければならない問題が山積している．

薬剤師の医療人としての法的裏づけ，診療報酬上の評価が行われるようになったのは，20世紀も終わりに近づいてからである．

医薬分業元年は1974年（昭和49年），それが軌道に乗り始めたのは十数年後，薬剤服用歴をベースとする保険調剤の理念が確立したのが1992年（平成4年）である．病院薬剤師のフィーとして入院患者に対する薬剤管理指導料（当初の名称入院時調剤技術基本料）が導入されたのは1988年（昭和63年）である．

医療法に医療の担い手として薬剤師が明記されたのは1992年（平成4年），そして薬剤師法第25条の2に調剤薬剤の患者に対する情報提供義務が規定されたのは1996年（平成8年）である．

薬剤師の資質向上のため1989年（平成元年）（財）日本薬剤師研修センターが設立された．

1997年（平成9年）日本薬剤師会は薬剤師倫理規定を制定した．

薬学教育6年制は学校教育法，薬剤師法の改正が国会で承認され，2006年（平成18年）度から実施された．

21世紀の医療で薬物療法はさらに重要性を増し，ますます医薬品の適正使用が求められる．良質な医療を展開するため，薬剤師がキーパースンとなることは疑う余地がない．

これからの課題は薬学教育の改革を背景にいかにして薬剤師の資質向上を図り，薬剤師が活躍するための体制を構築し，医療人としての評価を高めるかにある．

“薬剤師の平成維新”は，ようやくにして方向づけがなされることとなった．

■ 新たな薬剤師職能の展開

医療薬学，病院薬学の研究が多数行われ，薬剤管理指導，薬剤服用歴管理・指導を始めとする病院薬局，保険薬局の業務内容は着実にレベルアップしている．

コンピュータの導入により，病院レベル，薬局レベルにおいて，処方から調剤，情報提供，投与後のフォローアップまで，投与，施用する薬剤を総合的に管理して適正使用を図ることが可能となった．

薬物相互作用や投薬禁忌，患者に情報を提供するためのデータ，情報の集積が進み，有用な図書の出版，ソフトの開発が行われている．

厚生労働省は医薬分業を医療行政の重要施策の1つとしており，分業推進の各種施策のほか，地域医療計画に医薬分業の推進計画を記載するよう求めている．

要は薬剤師でなければできないこと，薬剤師が行った方がベターであることに積極的に取り組み，医薬品の適正使用に貢献することである．

かかりつけ薬局で薬剤服用歴を管理し，複数科受診やOTC薬服用による重複投薬，併用禁忌，相互作用のリスクを未然に防ぐことは，医師にはできないことで，医療の倫理としてもきわめて重要なことである．

病院薬剤師が入院時にそれ以前の服用薬剤をインタビューし，入院後は調剤薬，施用する注射剤を総合的に管理し，患者に服薬指導を行い，退院時服薬指導，在宅患者の薬剤管理指導を行うこと，TDM，TPN，静注薬混合を行うことも患者志向の薬剤業務の展開である．

克服しなければならない問題点

診療報酬の新項目は，ある新しい医療技術がかなり普遍化した段階で，それを後追いする形で設定されることが多い．

これに対し薬剤師の場合は，考えられる薬剤業務の医療上の貢献を，一部の実績をもとに政策誘導的に診療報酬，調剤報酬に導入したものがある．薬剤管理指導，薬剤服用歴管理の点数化はその例である．

いずれもこれからの薬剤業務の中心とすべきものであり，これを実施している病院や薬局で薬剤師の医療上の貢献が高く評価される一方，これまで行ってきた業務の枠を大きく越えるものだけに戸惑いも見られる．形だけの薬剤服用歴管理，点数稼ぎのための薬剤管理指導は却って薬剤師の信頼を失墜することになりかねない．

現実問題として多くの薬剤師の医学知識の不足，コミュニケーション技術の欠如は否定できない．医療を担う一員として，薬剤師の資質向上のため，継続的な生涯研修への取り組みが強く求められる．

急速に展開しつつある医薬分業も薬剤師のいない診療所からの処方箋発行が今ひとつである．第二薬局，門前薬局の存在も気にかかる．地域医療の中での“かかりつけ薬局”の定着が急務である．

日本薬学会に設置の委員会は各方面の意見を集約して，2002年（平成14年）8月，薬学教育モデル・コアカリキュラムをまとめた．カリキュラムでは教員が何を教えるかでなく，学習者がどこまで到達すべきかという学習者主体の表現になっており，この案に対する評価は高い．

文部科学省の「薬学教育の改善・充実に関する調査協力者会議」では，教育改革のがんになっていた薬剤師養成か創薬研究者養成かという対立に終止符を打ち，薬学の基礎を患者や生命に置いた上で，双方を連携・統合した共通の教育体系を作成，薬学教育6年制への改革をまとめた．

21世紀の医療に薬剤師が貢献し，薬剤師の平成維新を達成するための根本は，薬学教育の改革，薬剤師の資質向上にあることを強調しなければならない．

薬局経営の理念

医薬分業の進展は急激である．1984年（昭和59年）年間1億枚に達した処方箋枚数は，1993年（平成5年）2億枚，1996年（平成8年）3億枚，1998年（平成10年）4億枚，2000年（平成12年）に5億枚と年間数千万枚の処方箋が増加し，2013年（平成25年）には7.6億枚，分業率

67.0%に達した．

これまで薬局は長年にわたり一般用医薬品等の販売を中心に国民の健康に奉仕してきたが，その運営は商業的な性格が強いものであった．

医療法の改正で，薬局は地域医療において医療を担当する施設となり，医療計画の立案に薬剤師の団体の代表が参画し，医療計画に医薬分業の推進計画を記載することとなった．また薬剤師は医療の担い手と位置づけられ，医療の理念に基づき，良質かつ適切な医療を行い，インフォームド・コンセントが義務づけられた．

1973年（昭和48年）武見太郎日本医師会会長は，当時の薬局がOTC薬等の販売を中心としていた実態を懸念して「工業化社会における医薬分業は，医薬品の調剤販売業者であってはならない」と提言した．

医薬分業が進んで調剤が薬局業務の中心となった今日，薬局が地域医療の一端を担い，薬剤師が医療の担い手として活躍できるよう，薬局開設者は経営理念の転換を行っているであろうか．

一般販売業で，薬剤師不在時にOTC薬の販売が行われていると報道された．スイッチOTC化されたH_2受容体拮抗薬販売時に，情報提供が十分行われていないことが問題となった．シメチジンは薬物相互作用の要注意薬である．薬事法第77条の3第4項（当時）制定の精神は生かされていない．

医療法第7条には「営利を目的として，病院，診療所又は助産所を開設しようとする者に対しては，都道府県知事は開設の許可を与えないことができる」，同法第54条には「医療法人は，剰余金の配当をしてはならない」と，医療提供施設には利益（剰余金）という概念がないことを示している．

もちろん健全な薬局経営に一定の利益の確保は必要であるが，薬局が医療を担当する施設として，薬剤師が医療の担い手としての責任を果たすため，調剤の業務に関しては先ず患者への奉仕があって，利益は後追いするものという考え方を持ってほしい．

医薬分業の拡大に伴い，調剤報酬請求額が急上昇，分業バッシングが年々高まっている．調剤の質を高め，分業の患者へのメリットを実績で示さなければ，医薬分業への追い風が逆風になりかねないことを厳しく受け止めねばならない．

“くすり”の逆読みは“リスク”，薬剤師はリスクマネージャー，医薬分業はリスクマネージメントシステムとして医薬品の適正使用に貢献すべきである．

薬剤師の倫理

■ ハード と ソフト と ハート

今日医療関係者の倫理が厳しく問われている．1997年（平成9年）日本薬剤師会は「薬剤師倫理規定」を制定した（p.30）．倫理規定は薬剤師が座右の銘とすべきものである．特に医療に直接携わる薬剤師には，患者やその家族に対する優しい誠実な人間性が求められる．

調剤にはハードとソフトとハートが必要である．

この場合，“ハード”とは優れた医薬品，“ソフト”とは適正使用に必要な情報，“ハート”とは薬剤師の倫理と考えることができる．

数年前「薬剤師の倫理～医の心に学ぶ」と題する一文を薬事日報に投稿した．

大学のスポーツの友人で小児科医の宮尾益英氏とファロー四徴症の男の子を抱えた母親馬場陽子さんの心温まる物語りである．

このエピソードを宮尾氏の遺稿集で読み，感動して何回も涙した．投稿原稿の反響は大きく，多くの方々から「こんなに感動した記事は初めて読んだ」とのお便りをいただいた．

薬学部の学生が「薬剤師の倫理」を学ぶまたとない教材と考えて，全国の大学にコピーを送り，講義の時に配布するようお願いをした．

これまで薬剤師は他の医療関係者との連繋，患者との対話の機会に乏しかった．病棟業務，患者への情報提供が日常業務の中心となった今日，薬剤師は患者に学びながら，自らの医療の倫理を構築し始めている．

■ 薬剤師の倫理～医の心に学ぶ

薬事日報 No 8778　平 9.1.27
宮尾益子氏，馬場陽子氏，朝日新聞社許可済

これはある女性の投書がきっかけとなって，大きな感動を捲き起こした「医の心」の物語である．

「ぼうやの夢かなえたよ」

朝日新聞“ひととき”欄（昭和 62 年 3 月 22 日）

「今からお伺いいたします．30 分ぐらいしてつくと思います」と．あのときはまだ医者になったばかりの T 大学医学部で亡き子の主治医だった M 先生からの突然の電話である．「もうすぐ定年退職なのでどうしてもその前に仏様に報告し，お線香をあげたいから……」という．何しろ 34 年ぶりの対面なのだ．駅の改札口で道を聞いている人，それが M 先生であった．「今なら手術は成功していました」と仏壇の前できっぱりおっしゃった．

私は 34 年前，当時 5 歳の次男を心臓手術で失い，そのときのやり場のない気持ちを切々と M 先生に訴える手紙を差し上げたのであった．65 歳になられた先生は「お母さんの手紙，今でも大切に持っていて常に反省の材料にし，講義の時に学生に読んでやりました．中には涙を流している学生もいました」という．

どんなことを書いたのか私にとって，34 年の歳月はその悲しみを忘れさせてくれていた．先生は「あとでコピーして送ります」と，はるばる四国へ帰られたが，10 日ほどして約束の手紙のコピーが先生の倫理委員会の委員長になられたことを書かれた地方の新聞のコピーとともに届けられた．私の手紙の終わりには「坊やの大好きだった M 先生に坊やの果たせなかった“大学の先生になる夢”をかなえてください．そしていつか坊やの仏様に報告にいらしてください」と書いてあった．そして，先生からは「30 年来の宿願を果たすことができましたので，本日の最終講義もこころおきなくやれました．あのお手紙もう一度読ませていただきました．これからの医者になる学生諸君に非常に深い感銘を与えたものと信じます」と書かれてあった．

（東京都杉並区　馬場陽子・無職・74 歳）

このエピソードは，その後 NHK 教育番組「心の輝いた日」シリーズでとり上げられ，中学 3 年の道徳の教科書（学習研究社）には「誠実・責任：忘れていた手紙」として収録されている．

T大学医学部のM先生とは，東大病院の宮尾益英氏（後に徳島大学医学部小児科学教授）のことである．

当時（1952年，昭和27年）宮尾氏が主治医だった馬場徹君は典型的なファロー四徴症で，カテーテル検査後，手術可能と考えて外科へ送った．しかしながら手術数日後に亡くなった．

何日間もご両親と話し合って手術を勧めたことに責任を感じて，宮尾氏は誠心誠意慰めとお詫びの手紙を送った．それから数日して馬場さんから子供を亡くした母親の心の叫びの手紙が届いたのである．

宮尾氏は1994年（平成6年）5月に逝去された．1996年（平成8年）ご遺族によって刊行された「宮尾益英追悼・遺稿集」には，馬場さんからの手紙が収録されている．

お葉書いただいておりましたのになかなかお返事が書けませんでした．日が経つにつれ濃くこそなれ薄れようともしない徹の思い出に，毎日毎日もだえながら生きている私です．死なれてみてはじめて徹がどんなに私にとって大事な子だったかがわかりました．誰になんといわれてもあきらめきれません．私の思うことを徹も思い，私の言うことなら何でも聞いてくれた徹でしたのに，手術台にのせるときだけは，なんとしても言うことを聞きませんでした．私は「徹ちゃん，今になって何を言うの，今まで我慢して，かんじんの時に嫌だなんて！」．私は振りきって部屋に帰ってきたのでしたけれど，あのときの，「お母ちゃん，お母ちゃん，お母ちゃん」の声が部屋まで追いかけてきて病院中を動かすように思われました．……

先生，一時は信用した先生方に裏切られたような怒りを感じたりもいたしましたが，先生のお葉書を読んでいるうち私の考えの間違いだったことが分かりました．先生も本当に徹のことはよくなると信じていて下さったのですね．徹もわずかの入院の間にすっかりなついてお慕いしておりました．

徹は手術の一週間ばかり前の晴れた日，あっちこっちと，私の背中で指図してお池の端につれていきましたが，黄葉，紅葉の美しい木々の下，静かな池の面に浮く水鳥の様子を眺めながら，「僕大きくなったら，東大の先生になるんだ．だけど難しいかな．それなら大先生のけらいでもいいや．僕はね，この学校に入るんだ」「そう，お医者さんになるの坊やは」「うん，だって僕の心臓が治るんだろう．そうしても切ったあとが残っているから，患者さんに見せると，患者さんはきっと喜ぶよ」と云いました．それから，「治ったら，僕はこの学校の周りを一周りできるかな」とも云いましたので，「そりゃできるわよ．お母ちゃんが坊や待って待ってと言っても追っつけないくらいどんどん歩けるようになるよ」と云いますと，とても得意そうに鼻穴をふくらまして笑っていましたっけ．何も彼も今は思いだしては涙の種になることばかりです．

私はどうすれば坊やに喜んでもらえるかと思いました．そしたらこんなことを考えたのです．それは坊やの好きだった宮尾先生に心臓の大家になっていただき，坊やにできなかった「東大の大先生」の望みをかなえてやりたいと．

徹ちゃんは利口な子でした．朗らかな子でした．思いやりのある素直な子でした．この子を神の手にお返しした悲しみを，一生懸命耐えて叫ぶこれが悲願なのです．どうか先生，悲しい母の子の泣き叫ぶ声が聞こえましたら，徹の仏壇に，先生からも暖かいお言葉をお手紙に書いて送ってくださいませ．

宮尾氏の医師としての信条は「よい医師である前に，よい人間であれ」である．

宮尾氏は，この手紙を一日として手放したことはなかった．医師，医学者としての心の支えであった.

医師ならば必ず経験する患者との死の対決，そのかげで残された家族たちの深い悲しみ，それを正面から受け止めて心の戒めとした．そして毎日を患者のために全力を尽くした.

「今日も一生懸命生きてきた．いつ死んでも後悔しない」いつも家族にそう話していた.「患者のための医療」，そのために日々研修に励み，全力で実践することが宮尾氏のモットーであった.

宮尾氏が医学部長だった1982年（昭和57年），倫理委員会を設立した．倫理委員会はその後あちこちの大学で設けられたが，徳島大学が最初であった

学内を説得しての委員会設立は困難な仕事であった．新聞記者に「その熱意の源は何ですか」と聞かれて，宮尾氏は古ぼけた一通の手紙を取り出して「これですよ」と答えた．30年も前の，馬場さんからの手紙であった.

宮尾氏は1987年（昭和62年）3月徳島大学を退官した．2月には馬場さん宅を訪れ，34年前の約束を果たした．最終講義では，馬場さんの手紙をスライドで写し，医師のあり方を説いた.

学生たちは感動して，涙を流しながら，その話しを聞いた.

「新人類と呼ばれる若い学生たちが，ストレートにすべてを理解してくれたという喜びは，とても言葉では表すことはできません」

宮尾氏は，このような礼状を馬場さんに送った.

「医の心」は「薬剤師の倫理」にも通じるものがある.

医療の担い手として，薬剤師の倫理が問われているとき，

よい薬剤師である前に，よい人間であってほしい.

medical mind を持った薬剤師であってほしい.

患者やその家族に優しい「薬（やく）の心」の大切さを呼びかけたい.

この一文は2001年（平成13年）に発行の「調剤学総論」第5版に初めて掲載した．多くの薬剤師や薬学生が感動している旨の文章を添えて，出来上がった本とともに馬場陽子さんにお贈りした．数日後，馬場さんから礼状をいただいた.

『ご立派な高価な調剤学総論をお送り頂き，只々勿体ないと恐縮しながら，私の米寿の贈物と有難く頂戴致します.

これまで徹のことを記した本を何冊か頂戴しましたが，徹ちゃんは何時でもこうして私のところへ帰って来ては元気を付けてくれます．僅か数年の命だったのに，一番長く生きている徹ちゃんです.

「お母ちゃんよかったね．僕は死んだけれど，生きているのと同じに役立っているんだね.」という声が聞こえてくるようです』

人間が社会に貢献するのは生きている間だけではない．徹ちゃんを想う陽子さんの心に触れて感動を新たにした.

原著者 堀岡正義の略歴

1947年（昭和22年）東大薬学科卒．東大病院薬剤部に15年，九大病院薬剤部長として24年，その間新しい薬剤師像の樹立と薬剤業務の体系化に多くの業績を挙げ，今日の医療薬学の基礎を築いた．

医薬品情報業務の重要性を提唱し，DI業務基準を制定，病院薬局業務の体系化（「病院薬局学」の発行），調剤の新しい概念の提唱と調剤業務の体系化（「新調剤学」，「調剤学総論」の発行，ビデオの制作），錠剤・カプセル剤の識別コードの検討，TDM業務の推進，服薬指導指針の作成，医薬品インタビューフォームの制定など．

国立大学病院薬剤部長の教授職化に努力し，クリニカルファーマシーシンポジウムを創設した．日本中毒情報センターの設立にも貢献した．

〔座右の銘〕
- 薬剤師を愛し，薬剤師のために生涯を捧げる．
- よい薬剤師である前に，よい人間であれ．
- 諸君は手足を以って作業せず，頭脳を以って手足を働かすべし．これ智識階級の人の当然とす（酒井甲太郎）
- In the field of drug information, tens of pharmacists could serve the needs thousands of physicians serving millions of patients（Donald E Francke）

略歴を“薬学人(くすりまなびと)のあゆみ”としてまとめている．

同書よりエピソードをいくつか記す．

今日，我々が在るのは過去の歴史の積み重ねの上にあり，その正しい認識によって未来への豊かな展望が開ける．

DI業務の臨床医とのQ&Aに緊急の中毒情報が多いことから，中毒情報センターの必要性を痛感．日本救急医学会のワークショップ，欧米の中毒情報センターの視察，厚生科学研究を経て，1986年（昭和61年）6月に日本中毒情報センターの設立が決定した．

1988年（昭和63年）2月28日，中医協で診療報酬に入院時調剤技術基本料（今日の薬剤管理指導料）を新設することが決まった．いわゆるDIフィーである．著者がDIに賭けて九大病院に赴任したのが1963年（昭和38年）3月1日，その日から丸25年，1/4世紀である．深い感慨を以ってその日を過ごした．

個人的なことだが，

1951年（昭和26年）陸上の十種競技で年間のベストテンにランクされ，1952年（昭和27年）ヘルシンキオリンピック出場選手選考の競技会にエントリーされた．

モデル・コアカリキュラム対応表（赤字はコアカリの大・中項目）

〔関連性があると思われるものを参考までに掲載しました〕

本書の項目	2013（平成25）年度改訂 薬学教育モデル・コアカリキュラム関連項目
A．調剤の基礎	
1．序　論 1．医学と薬学，医療と薬剤師 2．調剤学，医療薬剤学，病院薬学，医療薬学 3．調剤学の歴史 4．薬剤師の現状 5．関係法規	A基本事項-(1) 薬剤師の使命：①医療人として/②薬剤師が果たすべき役割/③患者安全と薬害の防止/④薬学の歴史と未来 A-(2) 薬剤師に求められる倫理観：①生命倫理/②医療倫理/③患者の権利/④研究倫理 A-(5) 自己研鑽と次世代を担う人材の育成：①学習の在り方/②薬学教育の概要/③生涯学習/④次世代を担う人材の育成 B薬学と社会-(1) 人と社会に関わる薬剤師 B-(2) 薬剤師と医薬品等に係る法規範：①薬剤師の社会的位置づけと責任に係る法規範/②医薬品等の品質，有効性及び安全性の確保に係る法規範 F薬学臨床-(2) 処方せんに基づく調剤：①法令・規則等の理解と遵守 G薬学研究-(1) 薬学における研究の位置づけ G-(2) 研究に必要な法規範と倫理 G-(3) 研究の実践
2．調剤論 1．調剤業務と薬剤業務 2．薬剤師職能の変革 3．薬剤師の倫理と調剤のフィロソフィー 4．調剤の概念 5．薬局薬剤師と病院薬剤師の調剤の特徴 6．Clinical Pharmacy Practice から Pharmaceutical Care へ 7．調剤は薬学諸学の総合ということ 8．これからの調剤学	A基本事項-(1) 薬剤師の使命：①医療人として/②薬剤師が果たすべき役割/③患者安全と薬害の防止/④薬学の歴史と未来 A-(2) 薬剤師に求められる倫理観：①生命倫理/②医療倫理/③患者の権利/④研究倫理 A-(5) 自己研鑽と次世代を担う人材の育成：①学習の在り方/②薬学教育の概要/③生涯学習/④次世代を担う人材の育成 B薬学と社会-(2) 薬剤師と医薬品等に係る法規範：①薬剤師の社会的位置づけと責任に係る法規範/②医薬品等の品質，有効性及び安全性の確保に係る法規範/③特別な管理を要する薬物等に係る法規範 F薬学臨床-(1) 薬学臨床の基礎：①早期臨床体験/②臨床における心構え/③臨床実習の基礎 F-(2) 処方せんに基づく調剤：①法令・規則等の理解と遵守 G薬学研究-(2) 研究に必要な法規範と倫理
3．医薬品 1．医薬品 2．医薬品の開発 3．製造販売後調査 4．医薬品副作用被害と生物由来製品感染等被害の救済 5．新医薬品開発のあゆみと課題	A基本事項-(1) 薬剤師の使命：③患者安全と薬害の防止 B薬学と社会-(2) 薬剤師と医薬品等に係る法規範：②医薬品等の品質，有効性及び安全性の確保に係る法規範 E医療薬学 E1 薬の作用と体の変化-(1) 薬の作用：①薬の作用/②動物実験/③日本薬局方 E1-(4) 医薬品の安全性 E3 薬物治療に役立つ情報-(1) 医薬品情報：①情報
4．医薬品情報 医薬品情報概論 1．医薬品情報源の分類 2．医薬品情報の種類 3．医薬品情報の調べ方 4．医薬品の情報提供システム 5．薬剤疫学・薬剤経済学 医療提供施設における医薬品情報管理業務 6．医薬品情報管理業務（全般） 7．医薬品情報の収集，活用，提供	A基本事項-(5) 自己研鑽と次世代を担う人材の育成：①学習の在り方 B薬学と社会-(3) 社会保障制度と医療経済：①医療，福祉，介護の制度/②医薬品と医療の経済性 D衛生薬学 D1 健康-(1) 社会・集団と健康：③疫学 E医療薬学 E3 薬物治療に役立つ情報-(1) 医薬品情報：①情報/②情報源/③収集・評価・加工・提供・管理/④EBM（Evidence-based Medicine）/⑤生物統計/⑥臨床研究デザインと解析/⑦医薬品の比較・評価 E3-(2) 患者情報：①情報と情報源/②収集・評価・管理 F薬学臨床-(3) 薬物療法の実践：①患者情報の把握/②医薬品情報の収集と活用

本書の項目	2013（平成 25）年度改訂 薬学教育モデル・コアカリキュラム関連項目
5．医薬品の管理 1．医薬品の管理 2．医薬品の管理のためのコード 3．医薬品管理の実際 4．医薬品の貯法と容器 5．麻薬，向精神薬，覚醒剤の管理 6．生物由来製品，特定生物由来製品の管理 7．感染性廃棄物の管理	B 薬学と社会-(2) 薬剤師と医薬品等に係る法規範：②医薬品等の品質，有効性及び安全性の確保に係る法規範/③特別な管理を要する薬物等に係る法規範 F 薬学臨床-(2) 処方せんに基づく調剤：⑤医薬品の供給と管理
6．医薬品の品質，剤形と製剤試験 医薬品の品質 1．医薬品の規格 2．医薬品の品質確保 3．院内製剤 剤形と製剤試験 4．製剤の種類 5．ドラッグデリバリーシステム 6．製剤試験 7．生物学的同等性	B 薬学と社会-(2) 薬剤師と医薬品等に係る法規範：②医薬品等の品質，有効性及び安全性の確保に係る法規範 E 医療薬学 E4 薬の生体内運命-(1) 薬物の体内動態：④代謝 E5 製剤化のサイエンス-(1) 製剤の性質：①固形材料 E5-(2) 製剤設計：①代表的な製剤/②製剤化と製剤試験法/③生物学的同等性 E5-(3) DDS（Drug Delivery System：薬物送達システム）：①DDS の必要性/②コントロールドリリース（放出制御）/③ターゲティング（標的指向化）/④吸収改善
7．医薬品の投与法 薬用量 1．薬用量 2．小児薬用量 3．高齢者薬用量 4．妊婦，授乳婦への医薬品投与 5．疾患と禁忌の医薬品 6．遺伝子診断に基づく薬物治療の患者個別化 医薬品の投与法 7．投与剤形の選択 8．投与回数と投与間隔 9．服用方法	C 薬学基礎 C7 人体の成り立ちと生体機能の調節-(1) 人体の成り立ち：①遺伝 E 医療薬学 E3 薬物治療に役立つ情報-(1) 医薬品情報：①情報/②情報源/③収集・評価・加工・提供・管理 E3-(3) 個別化医療：①遺伝的素因/②年齢的要因/③臓器機能低下/④その他の要因/⑤個別化医療の計画・立案 F 薬学臨床-(2) 処方せんに基づく調剤：②処方せんと疑義照会/④患者・来局者対応，服薬指導，患者教育 F-(3) 薬物療法の実践：①患者情報の把握/②医薬品情報の収集と活用/③処方設計と薬物療法の実践（処方設計と提案）/④処方設計と薬物療法の実践（薬物療法における効果と副作用の評価）
8．血中薬物濃度モニタリング（TDM）概論 1．TDM 2．臨床における TDM の有用性 3．TDM に必要な薬物動態理論の基礎知識 4．TDM の実例	E 医療薬学 E4 薬の生体内運命-(1) 薬物の体内動態：①生体膜透過/②吸収/③分布/④代謝/⑤排泄 E4-(2) 薬物動態の解析：①薬物速度論/②TDM（Therapeutic Drug Monitoring）と投与設計 F 薬学臨床-(3) 薬物療法の実践：③処方設計と薬物療法の実践（処方設計と提案）/④処方設計と薬物療法の実践（薬物療法における効果と副作用の評価）
9．配合と併用 1．はじめに 理化学的配合変化 2．配合変化 3．理化学的配合変化 4．融点降下による湿潤，液化 5．吸　湿 6．交換反応による沈殿生成	C 薬学基礎 C2 化学物質の分析-(2) 溶液中の化学平衡：①酸・塩基平衡/②各種の化学平衡 E 医療薬学 E4 薬の生体内運命-(1) 薬物の体内動態：①生体膜透過/②吸収/③分布/④代謝/⑤排泄 E4-(2) 薬物動態の解析：①薬物速度論/②TDM（Therapeutic Drug Monitoring）と投与設計 E5 製剤化のサイエンス-(1) 製剤の性質：①固形材料/④薬物及び製剤材料の物性

本書の項目	2013（平成25）年度改訂 薬学教育モデル・コアカリキュラム関連項目
7．外用剤（半固形製剤）の混合 薬物相互作用 8．薬物相互作用 9．薬物相互作用の実例	
10．医薬品の適正使用と薬剤師 1．はじめに 2．医薬品の適正使用と行政 3．創薬の論理と臨床適用の考え方の乖離 4．PMSは乖離の幅を縮小する 5．薬物療法の薬学的評価 6．医薬品の適正使用と薬剤師の役割 7．医薬品の薬学的評価の実例	A基本事項-(1) 薬剤師の使命：②薬剤師が果たすべき役割/③患者安全と薬害の防止 E医療薬学 E3 薬物治療に役立つ情報-(1) 医薬品情報：①情報/②情報源/③収集・評価・加工・提供・管理/④EBM(Evidence-based Medicine)/⑤生物統計/⑥臨床研究デザインと解析/⑦医薬品の比較・評価 F薬学臨床-(2) 処方せんに基づく調剤：④患者・来局者応対，服薬指導，患者教育/⑥安全管理 F-(3) 薬物療法の実践：①患者情報の把握/②医薬品情報の収集と活用/③処方設計と薬物療法の実践（処方設計と提案）/④処方設計と薬物療法の実践（薬物療法における効果と副作用の評価）
B．調剤の技術	
11．処方と調剤業務 1．処方箋 2．調剤室 3．処方オーダリングシステム 4．処方箋の取り扱い 5．処方の点検 6．疑義照会 7．調剤薬の調製と交付 8．医薬品による事故，過誤と対策	A基本事項-(1) 薬剤師の使命：①医療人として/②薬剤師が果たすべき役割/③患者安全と薬害の防止/④薬学の歴史と未来 A-(2) 薬剤師に求められる倫理観：③患者の権利 B薬学と社会-(2) 薬剤師と医薬品等に係る法規範：②医薬品等の品質，有効性及び安全性の確保に係る法規範 B-(3) 社会保障制度と医療経済-①医療，福祉，介護の制度 E医療薬学 E1 薬の作用と体の変化-(1) 薬の作用：①薬の作用 E1-(3) 薬物治療の位置づけ E1-(4) 医薬品の安全性 F薬学臨床-(1) 薬学臨床の基礎：③臨床実習の基礎 F-(2) 処方せんに基づく調剤：①法令・規則等の理解と遵守/②処方せんと疑義照会/③処方せんに基づく医薬品の調製/④患者・来局者応対，服薬指導，患者教育/⑤医薬品の供給と管理/⑥安全管理 F-(3) 薬物療法の実践：③処方設計と薬物療法の実践（処方設計と提案）/④処方設計と薬物療法の実践（薬物療法における効果と副作用の評価）
12．薬歴管理，服薬指導～患者への情報提供 薬歴管理 1．薬歴の作成と患者接遇 2．薬剤服用歴 3．薬剤師の病棟業務 4．在宅患者訪問薬剤管理指導業務 服薬指導～患者への情報提供 5．コンプライアンスと患者コミュニケーション 6．服薬指導指針，薬剤情報提供の進め方 7．服薬指導の実際（1） 8．服薬指導の実際（2） 9．服薬指導の実例	A基本事項-(1) 薬剤師の使命：①医療人として/②薬剤師が果たすべき役割/③患者安全と薬害の防止 A-(2) 薬剤師に求められる倫理観：③患者の権利 A-(3) 信頼関係の構築：①コミュニケーション/②患者・生活者と薬剤師 A-(4) 多職種連携協働とチーム医療 B薬学と社会-(2) 薬剤師と医薬品等に係る法規範：①薬剤師の社会的位置づけと責任に係る法規範/②医薬品等の品質，有効性及び安全性の確保に係る法規範/③特別な管理を要する薬物等に係る法規範 B-(3) 社会保障制度と医療経済：①医療，福祉，介護の制度 E医療薬学 E2 薬理・病態・薬物治療-全般 E3薬物治療に役立つ情報-(1) 医薬品情報：①情報/②情報源/③収集・評価・加工・提供・管理/④EBM（Evidence-based Medicine） F薬学臨床-(1) 薬学臨床の基礎：①早期臨床体験/②臨床における心構え/③臨床実習の基礎 F-(2) 処方せんに基づく調剤：①法令・規則等の理解と遵守/②処方せんと疑義照会/③処方せんに基づく医薬品の調製/④患者・来局者応対，服薬指導，患者教育/⑤医薬品の供給と管理/⑥安全管理 F-(3) 薬物療法の実践：①患者情報の把握/②医薬品情報の収集と活用/③処方設計と薬物療法の実践（処方設計と提案）/④処方設計と薬物療法の実践（薬物療法における効果と副作用の評価）

<table>
<tr><th>本書の項目</th><th>2013（平成25）年度改訂 薬学教育モデル・コアカリキュラム関連項目</th></tr>
<tr><td></td><td>F-(4) チーム医療への参画：①医療機関におけるチーム医療/②地域におけるチーム医療</td></tr>
<tr><td>13. 剤形別の調剤〔1〕内用剤
1．散剤・顆粒剤の調剤
2．錠剤・カプセル剤の調剤
3．内用液剤の調剤
4．経腸栄養法
5．麻薬の調剤</td><td>B薬学と社会-(2) 薬剤師と医薬品等に係る法規範：②医薬品等の品質，有効性及び安全性の確保に係る法規範/③特別な管理を要する薬物等に係る法規範
F薬学臨床-(2) 処方せんに基づく調剤：①法令・規則等の理解と遵守/②処方せんと疑義照会/③処方せんに基づく医薬品の調製/④患者・来局者応対，服薬指導，患者教育/⑤医薬品の供給と管理/⑥安全管理</td></tr>
<tr><td>14. 剤形別の調剤〔2〕外用剤
1．外用液剤
2．眼科用製剤
3．軟膏剤及び類似製剤
4．坐　剤</td><td>B薬学と社会-(2) 薬剤師と医薬品等に係る法規範：②医薬品等の品質，有効性及び安全性の確保に係る法規範
F薬学臨床-(2) 処方せんに基づく調剤：①法令・規則等の理解と遵守/②処方せんと疑義照会/③処方せんに基づく医薬品の調製/④患者・来局者応対，服薬指導，患者教育/⑤医薬品の供給と管理/⑥安全管理</td></tr>
<tr><td>15. 剤形別の調剤〔3〕注射剤
1．注射剤概説
2．注射剤の調剤
3．注射剤処方箋と注射剤調剤の手順
4．注射剤調剤の実際
5．輸液療法
6．高カロリー輸液療法
7．電解質の補給，補正
8．注射剤の配合変化，試験法，予測法</td><td>B薬学と社会-(2) 薬剤師と医薬品等に係る法規範：②医薬品等の品質，有効性及び安全性の確保に係る法規範
C薬学基礎 C8 生体防御と微生物-(3) 微生物の基本：⑤消毒と滅菌
F薬学臨床-(2) 処方せんに基づく調剤：①法令・規則等の理解と遵守/②処方せんと疑義照会/③処方せんに基づく医薬品の調製/④患者・来局者応対，服薬指導，患者教育/⑤医薬品の供給と管理/⑥安全管理</td></tr>
<tr><td>16. 特殊医薬品
1．救急用医薬品
2．血液製剤
3．放射性医薬品
4．診断用医薬品
5．消毒薬</td><td>B薬学と社会-(2) 薬剤師と医薬品等に係る法規範：②医薬品等の品質，有効性及び安全性の確保に係る法規範
C薬学基礎 C8 生体防御と微生物-(3) 微生物の基本：⑤消毒と滅菌</td></tr>
<tr><td colspan="2">C．医療施設，医療保障</td></tr>
<tr><td>17. 医療施設管理・薬局管理
1．医療法と医療施設
2．医療施設の種類
3．病院の使命
4．病院の組織
5．病院の業務
6．病院薬剤部の管理
7．薬局管理</td><td>A基本事項-(2) 薬剤師に求められる倫理観：①生命倫理/②医療倫理/③患者の権利/④研究倫理
A-(3) 信頼関係の構築：①コミュニケーション/②患者・生活者と薬剤師
A-(4) 多職種連携協働とチーム医療
B薬学と社会-(1) 人と社会に関わる薬剤師
B-(2) 薬剤師と医薬品等に係る法規範：①薬剤師の社会的位置づけと責任に係る法規範/②医薬品等の品質，有効性及び安全性の確保に係る法規範/③特別な管理を要する薬物等に係る法規範
B-(3) 社会保障制度と医療経済：①医療，福祉，介護の制度
B-(4) 地域における薬局と薬剤師：①地域における薬局の役割/②地域における保健，医療，福祉の連携体制と薬剤師
E医療薬学 E2 薬理・病態・薬物治療-(9) 要指導医薬品・一般用医薬品とセルフメディケーション
F薬学臨床-(1) 薬学臨床の基礎：①早期臨床体験/②臨床における心構え/③臨床実習の基礎
F-(2) 処方せんに基づく調剤：①法令・規則等の理解と遵守/②処方せんと疑義照会/③処方せんに基づく医薬品の調製/④患者・来局者応対，服薬指導，患者教育/⑤医薬品の供給と管理/⑥安全管理
F-(4) チーム医療への参画：①医療機関におけるチーム医療/②地域におけるチーム医療
F-(5) 地域の保健・医療・福祉への参画：①在宅（訪問）医療・介護への参画/②地域保健（公衆衛生，学校薬剤師，啓発活動）への参画/③プライマリケア，セルフメディケーションの実践/④災害時医療と薬剤師</td></tr>
</table>

本書の項目	2013（平成25）年度改訂 薬学教育モデル・コアカリキュラム関連項目
18. 医療関連制度 1．社会保障制度 2．医療保障制度 3．国民医療費の動向 4．診療報酬と薬価基準 5．調剤報酬，診療報酬 6．医薬分業 7．医療制度改革	B薬学と社会-(3) 社会保障制度と医療経済：①医療，福祉，介護の制度/②医薬品と医療の経済性 B-(4) 地域における薬局と薬剤師：①地域における薬局の役割/②地域における保健，医療，福祉の連携体制と薬剤師 E医療薬学 E2 薬理・病態・薬物治療-(9) 要指導医薬品・一般用医薬品とセルフメディケーション F薬学臨床-(5) 地域の保健・医療・福祉への参画：①在宅（訪問）医療・介護への参画/②地域保健（公衆衛生，学校薬剤師，啓発活動）への参画/③プライマリケア，セルフメディケーションの実践/④災害時医療と薬剤師

日本語索引

う

え

お

か

こ

さ

つ

て

外国語索引

A

B

C

D

調剤学総論

1994年 3 月 30 日　1 版 1 刷
2019年 3 月 14 日　13 版 1 刷
2022年 3 月 15 日　14 版 1 刷

原著者　改訂者
堀岡正義(ほりおかまさよし)　調剤学総論編集委員会(ちょうざいがくそうろんへんしゅういいんかい)

発行者
株式会社 南山堂　代表者 鈴木幹太
〒113-0034　東京都文京区湯島 4-1-11
TEL 代表 03-5689-7850　www.nanzando.com

ISBN 978-4-525-77234-5